# 도금기술용어사전

成周倉 編著

도서출판 골드

## ■머리말

도금이란, 화학, 물리, 금속, 전기, 기계 등의 모든 영역을 포함하는 기술이기 때문에 이것을 배우려고 하는 사람들에게는 도금을 체계적으로 이해하는 것이 그리 간단하지는 않으리라 생각된다. 본 서는 이 넓은 영역 중에서 도금에 관계되는 용어와 도금 전문용어 및 약간의 열처리에 관계되는 것들을 약 3800 단어 종합하여 해설해 놓았다. 특히, 본서의 내용은 전기도금, 무전해도금을 중심으로 용융도금, 메카니컬 플레이팅, PVD(진공도금), CVD(기상도금), 양극산화(알루마이트), 금속용사법(메탈리콘) 등의 관련 기술을 시작으로, 도금에 관한 학술용어로써, 화학 일반, 전기 화학, 금속학, 전기 공학 등의 기초적인 용어도 포함시켰다. 그리고, 도금의 관리수법으로써 필요한, 화학 분석, 기기 분석, 측정기, 시험 장치, 환경대책으로써 불가결한 배수 처리, 배기 가스 처리 및 이것에 소속되는 기기, 측정기류 등을 포함시켰다. 또한, 피도금물인 금속, 플라스틱 등의 소재 및 이들의 가공 기술의 지식도 포함시켰다. 이와 같이 학술 용어뿐만 아니라, 전문용어, 현장용어, 약칭 등도 설명하여 놓았으며, 동의어는 간단히 알아볼 수 있도록 노력하였다.

본인이 현장에서 도금에 관련된 검사를 실시하면서, 용어에 대한 정확한 지식이 없이 경험에만 의존하는 현장기술자를 대할 때마다 찾기 쉽고 알기 쉬운 용어사전의 필요성을 절감하였다. 우리들 생활 깊숙히 모든 분야에 걸쳐 폭 넓게 이용되고 있는 도금 분야가 그 중요도에도 불구하고 정확하게 이해되지 못하고 있는 실정이 실로 아쉽기 그지없다. 이제 출판에 즈음하여 도금에 국한되지 않고 전기, 화학, 금속, 물리, 등의 각 분야에 관련된 공학도는 물론, 현장 기술자들에게 조금이나마 도움이 되는 참고서가 되기를 간절히 바라며, 아직도 미숙한 점이 많은 만큼 선배님들의 아낌없는 조언과 지도 편달을 바란다.

끝으로, 이 책을 출판하는데 노고를 아끼지 않은 도서출판 골드의 박승합 사장님과 편집부 여러분 및 관계자 분들께 깊은 감사를 드린다.

2000년 6월

成 周 倉

# 차 · 례

# ㄱ

**가공경화** Work Hardening

변형경화라고도 한다. 금속의 소성변형에서 회복 또는 재결정 온도 이하에서는 변형의 증대에 따라 변형에 따른 내부응력도 급속히 증가하여 강도나 경도가 향상된다. 이것을 가공경화라고 한다. 결정 중의 전위 수가 증가하여 복잡하게 뒤엉켜 운동하기 어렵게 되는 것이 원인이다. = **변형경화**(186)

**가공 변질층** Deformed Layer ; Affected Layer

금속표면의 절삭 또는 연삭에 의해 생긴 모재와, 제특성이 서로 다른 마무리표층을 말한다. 그 깊이는 0.2~0.3㎜에 달하는 경우도 있다고 알려져 있으며, 소성변형, 가공경화, 가공연화, 잔류응력 등을 발생시킨다. 더욱이 결정립의 미세화, 재결정, 산화, 크랙(균열) 등을 발생하는 경우도 있다. 도금제품은 가공변질층에 도금된 것이 많고, 가공의 양부가 도금의 품질에 커다란 영향을 미친다.

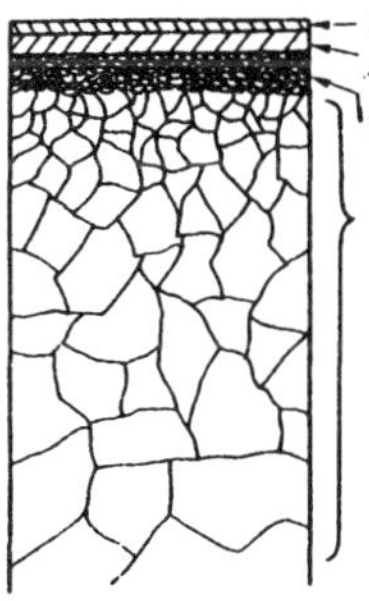


가공변질층

**가교(架橋)현상** Bridge Formation

고체 입자군이 중첩될 때, 입자 상호간의 부착성이나 마찰 등으로 인해 각각의 입자크기보다도 대단히 큰 구멍이나 틈의 도중 또는 상부에 입자가 걸리는 현상을 말한다. 여과에서 여과재 및 케이스의 세공(細孔)이나 활성탄처리에서 볼 수 있다.

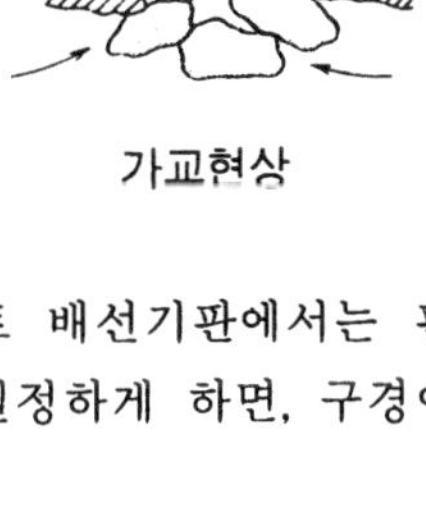

가교현상

**가(假)도금** ◘ 약전해(321), 공전해(39)

**가로세로 비** Aspect Ratio

보통은 물체 형상의 종·횡 비를 말하지만, 프린트 배선기판에서는 판 두께를 구경에서 제외한 값을 말한다. 판 두께를 일정하게 하면, 구경이 작을수록 가로세로 비는 커진다.

**가성소다** Caustic Soda ◘ 수산화나트륨(254)

**가성(苛性)알칼리** Caustic Alkali

알칼리금속의 수산화물, 즉 수산화알칼리를 일컫는다. 보통은 수산화나트륨과 수산화칼륨을 지칭하는 경우가 많다. 백색의 고체로 조해성이 있고, 물, 알코올에 잘 녹으며, 수용액은 강알칼리성이다. 농후(濃厚)용액은 상온에서는 서서히, 고온에서는 약간 빨리 글래스를 침범한다. 도금에서는 탈지세정 후나 알칼리성 도금욕 등에 사용된다. 가성이라는 것은 부식성의 의미이다.

**가성취화** Caustic Embrittlement ◘ 알칼리취화(313)

**가성칼리** Caustic Potash ◘ 수산화칼륨(254)

**가속부식시험** Accelerated Corrosion Test

도금피막의 내식성을 조사하기 위해서는 실제로 사용되는 환경에서 부식시험을 할 경우, 장시간이 걸리기 때문에 부식을 가속하여 단시간에 부식시켜 도금피막의 내식성을 조사한다. 시험방법으로써 염수 분무시험, 초산산성염수 분무시험, 캐스시험, 콜로이드코트시험, 아황산가스시험, 페로키실시험이 있으며, 이 외에 EC시험 등도 있다. = 촉진시험(507)

**가수분해** Hydrolysis

화합물이 물과 반응하여 분해하는 현상. 좁은 의미로는 염이 산과 염으로 분해하는 반응을 말하나, 넓은 의미로는 무기화합물 또는 유기화합물이 물에 의해 결합상태가 변하는 반응을 말한다.

**가스발기시험** Gas Exposure Test

도금피막의 가스에 의한 부식, 변색 등을 조사하는 시험법. 예를 들어 내용적이 10*l* 정도인 발기장치 중에 100㎤의 아황산가스($SO_2$)를 유입시키고 24시간 방치한 후, 도금시료의 부식, 변색상황을 조사한다. 금도금, 주석-니켈합금 도금 등에 적용된다.

**가스용접** Gas Welding

산소와 연료가스의 불꽃에 의한 고열을 이용하여 행하는 용접을 말한다. 연료가스는 일반적으로 아세틸렌 가스가 많이 사용되며, 그 불꽃은 3500℃ 정도의 고온을 얻을 수 있다. 가스용접은 토치와 모재와의 거리를 조절하여 가열상태를 폭 넓게 조절할 수 있기 때문에, 극히 얇은 박판재나 용점이 낮은 금속의 용접에 적합하다. 가스용접은 아크용접에 비해 피용접재의 기계적 성질이나 용접능률이 떨어진다.

**가스 질화** Gas Nitriding

암모니아 가스에 의한 질화를 가스 질화라고 한다. 가스 질화에는 보통의 질화 외에 2단 질화(Two Stage Nitriding), 가압 질화(Pressure Nitriding), 글로우 방전 질화(Glow Discharge Nitriding) 등의 종류가 있다. 가스 질화에 대해, 염욕에 의한 질화를 액체 질화(Liquid Nitriding)이라고 한다.

**가스켓** Gasket

관의 플랜지 접합부 등을 기밀(氣密)로 유지하기 위하여 접합면에 끼워 넣은 박판 형상의 배관재료의 총칭으로, 정지 실(Seal)이라고도 한다. 펌프용은 고무시트, 천을 넣은 고무, O링, 석면 조인트실 등이 있으며, 덕트(Duct)용으로는, 두께 3㎜정도의 석면 테이프나 판 형상의 석면판 등이 있다. 석면은 폐암의 원인이 되기 때문에 대용재료가 개발되고 있다. = 정지 실(476)

**가스 크로마토그래프 질량분석법** Gas Chromatograph Mass Spectrometry

크로마토그래프법이란, 시료 성분의 차이에 따라 어떤 물질과의 흡착작용에 차이가 있는 것을 이용한 분리법으로 가스를 분리할 때는 가스 크로마토그래프, 액체를 분리할 때는 액체 크로마토그래프라고 한다. 가스 크로마토그래프 질량분석법은 가스 크로마토그래프의 검출부에 질량분석법을 사용한 분석법이다. 가스 크로마토그래프는 분리능력이 뛰어나고 정량성(定量性)이 좋다. 질량분석법은 복잡한 화합물의 정성, 구조해석 또는 분자량의 측정에 뛰어나다. 양자의 조합으로 미량시료를 고감도로 분석할 수 있다.

**가압부상법** Pressurize and Float Method : Flotation : Floatation

배수중의 부유물이나 응집처리로 인해 생성된 엉김물(Floc)에 기포를 부착시켜 부상 분리하는 방법의 하나이다. 처리할 물에 공기를 2~4kg/㎠의 압력으로 가압시켜, 충분히 용해시킨 후, 감압밸브를 통하여 분리수조로 인도하여, 기포를 발생시키는 방법이다. 기포가 부유물에 충분히 석출, 부착한 후에는 가능한 한 조용히 방치하여 부상작용을 방해하지 않도록 한다. 부상한 물질은 클리어런스(망 부착 뜰채) 등으로 제거한다. = 가압부상 분리법

**가압부상 분리법** ◘ 가압부상법(전항)

**가역(可逆)전극** Reversible Electrode

평형전극전위에서 아주 적은 전위의 엇갈림에 대응하여 산화환원반응이 정확하게 일어나는 전극, 은, 아연, 동 등은 가역전극이 되기 쉬우나, 철,

니켈 등의 천이금속이나 기체전극은 일반적으로 가역전극이 되기 어렵다.

**가열 속도** Heating Rate

가공 재료를 가열 할 때의 속도를 말하며, 단위 시간당의 온도 상승의 비율을 말한다. ℃/h, ℃/min, ℃/s로 표시한다. 승온 속도라고도 한다. 소재의 가열 속도는 빨라도 좋지만, 템퍼링의 가열은 천천히 행하지 않으면 연마 균열과 같은 균열(소려 균열)을 발생시키기 때문에 주의하지 않으면 안 된다.

**가열시험** Heat Method for Adhesion Test

도금시료를 가열함으로 인해, 도금의 밀착성을 조사하는 방법으로 KS D 0254「도금의 밀착성 시험 방법」에 규정되어 있다. 가열시험의 온도를 표에 나타낸다. 시료의 온도가 규정의 온도에 도달하였으면 즉시 꺼내어 상온까지 냉각하여, 도금의 박리 또는 부풀음의 유무를 조사한다. ◘ 열충격시험(355)

가열시험의 온도 단위℃

| 소지 금속 \ 도금 금속 | 크롬, 니켈, 동, 니켈-크롬,은 | 주석, 아연, 납, 카드뮴, 금 |
|---|---|---|
| 강 | 300 | 200 |
| 동, 동합금 | 300 | 200 |
| 알루미늄, 알루미늄합금 | 250 | 200 |
| 아연합금 | 200 | 200 |

가열시험

가열시험의 온도 단위:℃

| 소지금속 \ 도금금속 | 크롬, 니켈, 동, 니켈-크롬, 은 | 주석, 아연, 납, 카드뮴, 금 |
|---|---|---|
| 강 | 250 | 150 |
| 동, 동합금 | 250 | 150 |
| 알루미늄, 알루미늄합금 | 200 | 150 |
| 아연합금 | 150 | 150 |

열충격시험

**가열 온도** Heating Temperature

가공 재료를 가열할 때, 가열 재료가 목적한 온도에 도달한 시점의 온도, 또는 그것을 필요한 시간만큼 유지하는 사이의 온도를 가열 온도라고 한다. 유지 온도(Holding Temperature)라고도 하는 경우가 있다.

**가융합금** Fusible Metal ◘ 저융 금속(443)

**간접 급전(間接給電)** Indirect Current Supply

바이폴러(Bipolar) 현상을 이용한 전극의 접속방식으로,복극(複極)접속의 일종이다. 박강판이나 강선의 연속도금, 알루미늄의 연속양극처리(알루마이트) 등에 사용된다. 연속도금의 전처리 라인에서 양극 전해세정과 음극 전해세정을 조합하여 간접 급전을 하는 경우가 있다. 간접 급전은 양극처리와 음극처리가 동일 전류에서 동시에 행해지는 경우에 적용된다. 이 방식의 이점은, 급전 롤 등이 불필요하다는 것이며, 결점은 양·음전극의 가까운 위치에 전류가 집중된다는 것이며, 처리수조 중에 피처리재를 길게하면 전류분포가 나빠지게 된다. 또 전원전압을 높이하지 않으면 안 된다. = 복극접속, 바이폴러 급전 ◘ 바이폴러 현상(159)

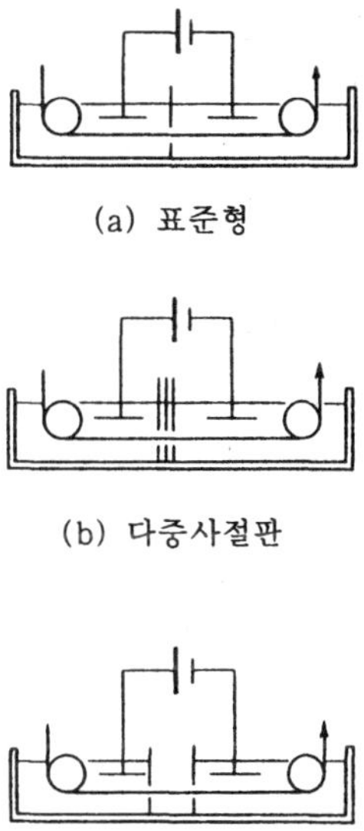

(a) 표준형

(b) 다중사절판

(c) 분리형

간접급전

**갈바니 전위차** Galvanic Potential

상접하는 두 가지 상에서 하나의 상이 다른 상에 대해서 갖는 내부전위의 차를 갈바니 전위차라고 한다. 도금과 같이 상접하는 두 가지의 상이 한 금속과 전해질용액인 경우에는, 갈바니 전위차는 전극전위라고 불리우며, 두 가지 상의 조성이 서로 다른 전해질용액의 경우의 갈바니 전위차를 액간전위, 또는 확산전위라고 한다. ◘ 전극 전위(447)

**갈바니징** Galvanizing ◘ 용융아연도금(379)

**갈바닉부식** Galvanic Corrosion ◘ 이종금속 접촉부식(417)

**갈바닐링** Gavannealing

아연도금된 판이나 선에 대해, 아연의 밀착성을 높이고, 또한 아연도금층에 기공의 감소를 목적으로 행하는 어닐링 처리를 갈바닐링이라고 한다. 즉, 물품이 용융아연도금 수조를 나올 때, 표면에 있는 여분의 아연을 제거하지 않고, 계속해서 450℃ 이상으로 가열되어 있는 노내를 통과시키는 것이다. 이것에 따라 아연 피복층은 Fe-Zn합금을 만드는데 충분한 시간만큼 용융 상태에 있을 수가 있다. 이 방법에 의하면, 용융도금면은 평활하게 되며, 굽어져도 미세한 균열이 들어가는 정도이고, 결코 박리되는 경우는 발생하지 않는 것이 특징이다.

**갈바닐 마무리** Galvanneal Finish

용융아연도금에서 도금 직후의 강판을 400~700℃로 유지하고 아연의 응고를 지연시켜, 강판표면과 도금층을 완전히 합금화하는 것을 말한다. 도금표면의 스팽글(Spangle)이 억제되며, 도막밀착성, 저항용접성, 자연환경 하에서의 내식성 등이 향상된다. 단, 심교성(深絞性) 등의 가공성이 저하된다. ◘ 스팽글(271)

**갈비놀** ◘ 메틸 알코올(141)

**감광성수지** Photoresist ; Photosensitive Plastic

빛이 조사되면 빛을 받은 부분이 현상액에 불용(네거타입) 또는 가용(포지타입)으로 되는 레지스트. 레지스트는 불용성, 유용성, 용제에 의해 부풀어오르며 박리되는 타입이 있다. 또 드라이필름 형상의 것도 있다. 광조사에서 자외선조사, X선조사, 전자빔으로 조사법이 진행되며, 레지스트 재료도 진보하여 고해상도를 얻을 수 있게 되었다. ◘ 포토레지스트(577)

**감귤 표피** ◘ 오렌지 필(364)

**감극(減極)** Depolarization

전극에서 분극이 감소하는 것을 말한다. 도금에서는 분극을 감소시키기 위해서 욕에 온도를 가하거나, 욕을 교반, 또는 도금액을 분사시키거나 한다. 또 욕에 검극제(복극제)를 첨가하는 경우도 있다. ◘ 복극(190), 분극(202)

**감(수)성화처리** Sensitizing ◘ 센시타이징(248)

**감압가열 농축회수법** Concentration Withdrawal

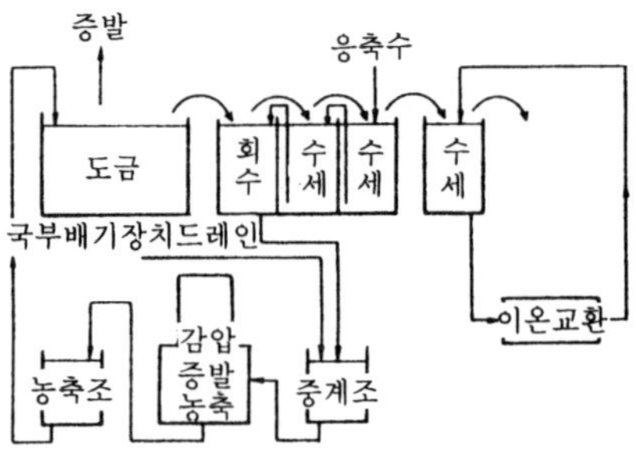


감압가열 농축에 의한 도금액의 회수

감압가열 농축회수법

그림과 같이 도금 후, 수세는 다단향류 수세를 행하고 회수액을 감압, 가열하여 농축한 다음 도금욕으로 되돌리는 방법이 있으며, 니켈도금, 크롬도금 등에서 실시된다. 욕조성의 밸런스, 불순물의 축적에 주의해야 한다. = 진공가열 농축회수법(491)

**감압 용사** Low Pressure Spraying

대기압보다도 낮은 압력 하에서 실시하는 용사. 주로 플라즈마용사가 이용되며, 감압 플라즈마 용사라고도 한다. 감압 용사는 고온영역이 넓고 유속이 높기 때문에 결합성, 치밀성, 균질성이 향상된다. = 감압 플라즈마용사 ◘ 플라즈마 용사(596)

**감압 증발** ◘ 진공 증발(492)

**감압 플라즈마 용사** Low Pressure Spraying ◘ 감압 용사(전항)

**감응화** Sensitization ◘ 센시타이징(248)

**감청(紺靑)** Prussian Blue

페리시안화 이온이나 페로시안화 이온을 함유한 청색안료

**감청법** Prussian Blue Method

철 또는 니켈의 시안착염을 함유한 배수에서 시안을 제거하기 위해서는 알칼리염소법이나 전해산화법으로는 시안을 충분히 분해할 수가 없기 때문에 황산제일철을 첨가한 감청으로써 침전하여 제거하는 방법이 이용된다. 이 방법을 감청법이라고 하며, 배수 중의 시안을 수 ppm 이하로 하는 것은 곤란하다. 이후에 니켈 착체(錯體)는 알칼리염소법으로 처리시간을 충분히 가지면 되나, 철 착체는 열적분해법 이외에서는 처리가 곤란하다. ◘ 시안 배수처리(277)

**감화(鹼化)** Saponification

에스테르가 물에 의해 분해되어 카르본산과 알코올을 생성하는 반응을 말한다. 촉매로써 산 또는 알칼리를 이용한다. 예를 들어, $CH_3COOC_2H_5+H_2O \rightarrow CH_3COOH+C_2H_5OH$. 원래는 유지를 수산화나트륨으로 처리하여 비누(고급지방산의 나트륨염)와 글리셀린을 얻는 반응을 말하였다.

**감홍전극** Calomel Electrode ◘ 칼로멜전극(521), 기준전극(62)

**강** Steel

철을 주원소로 하고 탄소 0.02~2.0%의 용도에 따라 그 이외의 원소를 함유한 철기합금을 말한다. 가단성이 뛰어나고 강도와 인성의 균형이 좋으며 소입이 가능하기 때문에 일반구조용, 기계구조용의 재료로써 널리 쓰인다. 불순물원소로써 규소, 망간, 인, 황 등을 포함한다. 성분과 용도에 따라 탄소강과 특수강 또는 합금강, 또는 연강, 반경강, 경강 등으로 분류한다.

**강괴** Steel Ingot

용강을 잉곳 케이스라고 하는 거푸집에 부어서 굳힌 것으로 잉곳이라고도 한다. 모양은 아래쪽이 굵은 것과, 반대로 아래쪽이 홀쭉하고 작은 것이 있는데, 아래쪽이 굵은 것은 강괴가 굳은 다음에 잉곳 케이스를, 천장에 메달린 기중기로 들어올리면 곧 빠져서 편리하므로 대량 생산에 적합하다. 강괴의 단면모양은, 이것으로 어떤 모양의 성형품을 만드는가에 따라 다르게 되는데, 판상으로 하기 위한 판용 강괴는 직사각형의 얇은 단면이고, 파이프 등을 만드는 강괴로는 둥근 단면의 것이 사용된다. 그런데 흔히 사용하는 것은 모서리를 둥글게 한 정사각형의 단면을 가진 것으로, 각형이라고 한다. 잉곳 케이스에다 용강을 부어 넣는 방법에는 위쪽에서부터 붓는 상주법과 파이프를 통하여 잉곳 케이스의 밑바닥 한가운데에 뚫어 놓은 구멍으로부터 위로 밀어 올리는 하주법이 있는데, 일반적으로는 상주법이 많이 쓰이고 있다.

**강구(鋼球) 압입시험** Steel Ball Indentation Test

도금면에 강구를 삽입하여 압흔(壓痕) 주위의 변화상태에 따라 도금의 밀착성을 판정하는 시험이다. 공업용 크롬도금의 KS D 0212에 규정되어 있다. 강구 삽입시험은 직경 1.56㎜의 강구를 시험면에 수직으로 0.7㎜의 깊이까지 삽입하여 압흔 주위의 도금층 변화상태를 조사한다. 시험기는 브리넬시험기를 사용하도록 되어 있다.

**강도** Strength

재료에 부하가 걸린 경우, 재료가 파괴되는 변형 저항의 성질 전반을 말한다. 예를 들면 인장강도, 압축강도, 굽힘강도, 전단강도, 크리프강도, 피로강도 등이 있다.

**강산** Strong Acid

보통 농도(~1mol/$l$)의 수용액으로 하였을 때, 거의 완전하게 전리(전리정수 $1\times10^3$이상, 또는 pK 3 이하)한다고 여겨지는 산을 말한다. 대단히 엷은 수용액에서는 약산에도 전리 정수가 $1\times10^3$이상이 되기 때문에 보통의 농도(1mol/$l$ 정도)에서 전리 정수를 비교한다. 예를 들어, 황산 $H_2SO_4$, 염산 HCl, 초산 $HNO_3$, 과염소산 $HClO_4$ 등은 강산이다. 강산을 약염기로 중화할 때에 생성되는 염은, 그 수용액이 가수분해를 받아 산성을 나타낸다. 강산을 강염기로 중화할 때에 생성되는 염은 중성이다.

**강산성 양이온 교환수지** Strong Acid Cation-Exchange Resin

$Na^+$, $K^+$, $Ca^{2+}$, $Cu^{2+}$, $Ni^{2+}$, $Zn^{2+}$, $Cr^{3+}$, $Fe^{2+}$ 등 모든 양이온을 교환 흡착하는 수지. 시안착염에서 불안정하고 양이온으로 전리하는 것은 교환된다. 재생에는 염산 또는 황산이 일반적으로 사용되지만, 교환하는 양이온에 주의하지 않으면 안 된다. 예를 들어, Ca를 다량으로 포함하고 있는 경우 등은, 황산에서는 황산칼슘으로 되어 고착되는 경우가 있다.

**강성계수(횡탄성 계수)** Modulus of Rigidity

횡 탄성계수 또는 전단 탄성계수 $G$를 강성률이라고도 하며, 영률 $E$와 프와송비 $\nu$를 사용하면 $G=E/2(1+\nu)$로 표시된다. 전단 응력이 작용하는 경우의 변형에 대한 재료의 강도 저항이다.

**강염기** Strong Base

수용액으로 하였을 때에 거의 완전하게 전리하는 전리정수가 큰 염기를 말한다. 수산화나트륨 NaOH, 수산화바륨 $Ba(OH)_2$ 등은 강염기이다.

◘ 염기(357)

**강염기성 음이온 교환수지** Strong Basic Anion-Exchange Resin

모든 음이온을 교환 흡착하는 수지. 교환용량이 강염기형의 수지와 비교하여 1/2정도 작고, 음이온과의 결합력이 강하기 때문에 다량의 재생액이 필요하며, 크롬산에 약한 성질이 있기 때문에 강염기성 수지의 뒤를 이어 소량의 음이온을 흡착하는데 사용하는 경우가 많다.

**강옥(鋼玉)** Corundum ◘ 코런덤(527)

**강용접부의 수소시험** Hydrogen Measurement of Steel Weld

철강 용접부의 저온균열(지연균열) 발생 요인중의 하나인 용접부의 확산성수소를 정량적으로 측정하기 위한 시험을 말한다. 시험방법은, 피복아크용접봉을 대상으로 한 시험법과 각종 자동 아크용접법에 의한 용접부도 대상으로 한 시험법이 있다. 최근의 초저수소계 용접재료를 대상으로 종래의 글리세린 치환법을 대신해서, 가스크로마토그래프법이 측정방법으로 사용되고 있다.

**강유전성(체)** Ferroelectricity : Ferroelectrics

자발적인 전기분극을 가지고 그 자발분극 벡터의 방향이 외부에서의 전장으로 인해 반전될 수 있는 결정을 말한다. 일반적으로 강유전체는 전이점 이상에서 자발분극을 잃는다. 응용범위는 넓어 콘덴서, 압전소 자, 트랜스듀서, 광학소자, 적외검출기 등에 이용되고 있다.

**강인 주철** High Strength Iron : High Grade Cast Iron : High Duty Cast Iron

FC 25, 30, 35급의 강도가 높은 주철을 말한다. 고급 주철·고력 주철·세미스틸·강력 주철이라 부르기도 한다. 인성이 큰 구상 흑연주철을 포함하여 강인 주철이라 부르기도 하지만, 보통 편상 흑연주철 중의 강도가 높은 것을 말하며, 인장 시험에 있어서 연신율은 1%정도가 있으며(보통으로는 이런 측정은 하지 않음), 항절 시험에 있어서의 휨(처짐)현상도 많이 있어, 인성이 인정되는 데서부터 이런 명칭이 붙여졌다. 큐폴라 용해에서는, 스크랩의 배합률을 높이며, 고온 용해를 행하되, 출탕 후 접종을 행하는 등의 재질 개선책을 취함으로써 이런 주철을 얻는다. 이런 기술은 미국의 미하나이트 메살사의 연구 개발에 힘입은 바가 크다. 현미경 조직은 펄라이트 기지 중에 다소 미세한 흑연이 균등 분포된, 상흑연주철로서 가장 바람직한 것으로 된다. 예전에는 강도가 높은 주철을 고급 주철, 세미스틸 등으로 불렀는데, 강인 주철은 그것과 동의어로 해석해도 좋다.

**강전해질** Strong Electrolyte

전해질 중에서 전리도가 큰 것을 강전해질, 작은 것을 약전해질이라고 한다. 농후용액에서도 거의 완전하게 전리하는 것을 강전해질이라고 하고, 식염, 염산 등은 강전해질, 희박(希薄)하게 되어도 전리가 불충분한 것을 약전해질이라고 하며, 초산, 붕산 등은 약전해질이다. 단, 강전해질이라 할지라도 용액의 농도가 대단히 높으면, 농황산과 같이 양이온과 음이온이 서로 끌어당겨 이온의 자유로운 움직임이 방해를 받아 100% 전리되지 않는 경우도 있다. 그러나, 강전해질도 약전해질도 희박용액의 경우는 일반적으로 전리도는 크다.

**강제 공냉** Forced Air Cooling

정지공기 속의 냉각은 방냉 또는 공냉이라 하지만, 선풍기나 부채 등의 송풍으로 냉각시키는 방법을 강제 공냉이라고 한다.

**강제 탈산** Forced Deoxidation

용철 탈산법의 하나로서, 용철 중의 환원력이 강한 원소를 함유한 페로실리콘, 페로망간, 알루미 등의 탈산체를 첨가하고, 용철 중에 잔류하는 산소(O)와의 반응으로 산화물을 생성, 부상시켜 제거하는 방법이다.

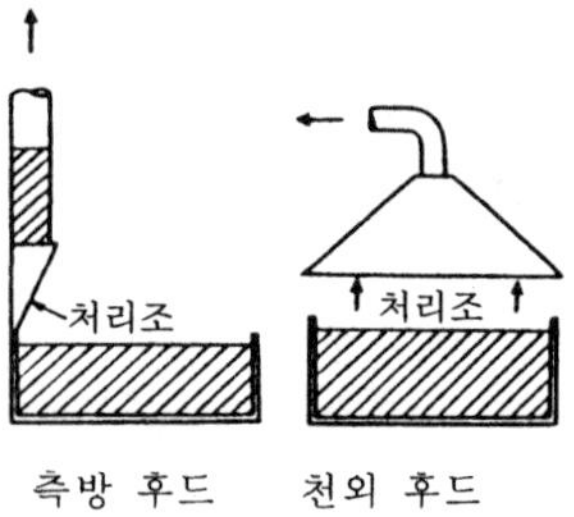

개방형 후드

**개방형 후드** Canopy Hood

일반적으로 후드라고 불리우고 있는 것으로, 천외후드, 측방후드, 스롯후드 등의 형이 있다. 스롯후드는 측방후드의 흡입구를 스롯 형상(가늘고 긴 홈)으로 한 것이다. 보호형후드에 비해 작업성은 좋으나, 환기효과가 떨어진다. ◘ 배기장치(170)

**개싱** Gassing

전기분해가 행하여질 때, 전극표면에서 가스가 발생하는 것. 도금에서는 보통, 아노드 표면, 카소드 표면에서 가스가 발생하는 일이 많다. = 가스 발생

**개폐기** Switch

전기회로의 개폐에 사용되는 기구를 말한다. 종류가 많고, 고전압의 것은 개폐에 의해 발생하는 화약방지를 위해 특별히 연구가 되고 있다. 공장의 옥내배선에 사용되고 있는 것은, 배선용차단기, 누전차단기, 전동기보호용 브레이커, 안전 브레이커, 전자개폐기, 나이프 스위치 등이 있다. 도금 공장 내에서 사용하는 개폐기는 방수형 또는 방적형을 사용하면 좋다.

**개폐 접점** Switching Contacts

전기 접점은 개폐 접점, 습동 접점, 정지 접점의 3종류가 있다. 개폐 접점은 전기회로를 기계적으로 개폐하는 것으로 스위치, 계전기, 전자개폐기, 차단기 등에 사용된다. 개폐 접점은 접촉저항의 안정성, 내용착성, 내소모성, 내아크성 등이 요구되며, 접점재료의 물리적 및 화학적 성질, 전기회로 등이 특성에 영향을 미친다.

**갤론** Gallon

액체의 체적 야드・폰드법에 의한 단위. 1영국갤론 = 4.5461*l*. 1미국갤론 = 3.7851*l*

**거푸집** Master ◘ 마스터(130)

**건식** Dry Corrosion

금속표면과 수분을 함유하지 않은 산소에 의한 산화와 황에 의한 황화(硫化) 등, 물과 관계없는 부식을 말한다. 예를 들어 보일러나 터빈 등의 $SO_2$가스나 $H_2O$가스에 의한 부식이 있으며, 일반적으로 고온에서의 부식이 많다.

**건식도금** Dry-Plating

용액을 사용하지 않는 도금을 말한다. 좁은 의미로는 용융도금을 지칭한다. 넓은 의미로는 용사법(메탈리콘), 확산피복, PVD, CVD등도 포함된다. ◘ 드라이플레이팅(105)

**건식 청화법** Dry Cyaniding

침탄용 가스로써 PX 가스(CO 20%, $H_2$ 40%, $N_2$ 40%)에 천연 가스 또는 프로판 가스에 소량의 무수암모니아를 혼합한 분위기에서 행하는 가스 침탄을 건식 청화법이라고 한다. 건식 청화법은 또 침탄질화법(Carbonitriding)이라고도 한다. 분위기에 무수암모니아를 첨가하는 것이 특징이며, 이 때문에 강의 표면에 탄화물 및 질화물의 간단한 표피를 만들 수가 있다. 처리 온도는 780~930℃이다. 베어링, 캠 등의 표면 경화법으로써 널리 이용되고 있다.

**건욕** Initial Make-up of Electrolytic Bath

전해수조 내에 도금욕 그 외의 처리액을 작성하여 전해가 실시되도록 준비하는 일을 말한다. 여과나 세정액(불순물제거)의 조작도 포함되는 경우가 많다.

**건조기** Drier

도금제품의 건조방법은, 톱밥건조, 열풍건조, 적외선건조, 가열로에 의한 건조, 원심분리기에 의한 건조, 용제에 의한 탈수건조 등이 있다. 자동 또는 연속도금장치에서는 열풍건조, 적외선분리에 의한 건조가 많으며, 배럴도금이나 작은 부품의 도금에서는 원심분리기에 의한 건조가 많다. 복잡한 형상의 물품이나 외관이 조잡한 물품, 정밀한 부품 등은, 용제에 의한 탈수건조가 실시되고 있다. 사용되는 용제는 트리크롤에틸렌을 기초로 한 것과 프론용제를 기초로 한 것이 있으며, 양쪽 모두 오존층 파괴물질로써 사용되지 않을 방침이다.

**건조속도** Rate of Drying ; Drying Speed

단위시간당 수분의 증발량, 즉 증발속도(kg/h)로 표시한다. 이 외에도 건조 조건, 건조방식에 의해 단위건조 면적당 증발속도(kg/㎡·h)나 단위질량당 증발속도(함수율의 감소속도 ; kg/kg·h) 등이 있다.

**건조제** Desiccating Agent ; Desiccating ; Drying Agent ; Drier ; Dryer

수분을 흡수하여 스스로 화학변화를 일으키는 화학적 건조제와, 물리적으로 흡착 또는 동결에 의해 건조하는 물리적 건조제가 있다. 전자는 오산화이인($P_2O_5$) 등, 후자는 실리카 겔 등이다. 일반적으로 잘 사용되는 것은 실리카 겔, 염화칼슘, 수산화나트륨, 농황산, 과염소산마그네슘, 오산화이인 등이 있다. 건조제는 수분을 제거하는 기체나 액체와 반응하지 않는 것을 선택할 필요가 있다. ◘ 실리카 겔(282)

**검량선** Calibration Curve

정량분석을 행할 때, 목적물질의 양과 측정치와의 관계를 표준시료, 표준용액 등을 이용하여 구한 특성곡선(그래프)을 말한다. 미지의 시료에 대한 측정치를 이 특성곡선에 맞추어 보면 농도 등을 알 수가 있다. 흡광광도법, 폴라로그래프법 등의 기기분석에 널리 이용되고 있다.

**검류계** Galvanometer

미소의 전류, 전압의 유무나 크기를 측정하는 전기계측기. 가동코일형 계기를 고감도화 한 것과, 증폭회로와 지시장치를 조합한 장치가 있다. 후자는 전자검류계라고도 불린다.

**검수(檢水)** Test Water

수질분석시험에서 개개의 시험에 이용하는 시수를 검수라고 한다. 시료라는 것은 각종 시험을 행하기 위하여 채취한 물을 지칭하며, 검수라는 것은 개개의 시험을 행할 때에 시료에서 분취한 물을 말한다.

**겉보기 밀도** Apparent Density

분체를 취급할 때에 사용하는 언어로, 분말에 결정되어 있는 부하를 건상태에서 단위체적당 중량을 측정하여 결정한다. 통상적으로는 g/㎤로 표시한다. = 총괄 밀도 ◘ 총괄 비중(508)

**게르마늄** Germanium Ge.

원자번호 32, 원자량 72.59, 비중 5.35, 융점 958.5℃, 불점 약 2700℃. 푸른색을 띈 회백색의 단단한 원소로 금속과 비금속의 중간적 성질(아금속)을 갖는다. 공기 중에서는 대단히 안정되어 있고, 산, 알칼리에도 잘 침해되지 않는다. 분말은 농초산이나 왕수에는 녹지만, 연산에는 녹지 않는다. 반도체에 이용되며, 그 외에 금용 성분으로써 소량 첨가되는 경우도 있다.

**게이지** Ga(u)ge

측정 기준량, 또는 자를 말한다. 측정기의 일반명으로써 사용되는 경우도 있다. 게이지에는 2종류가 있으며, 단도기(End Standard)는 눈금이 없이 단일 규정의 측정량을 정확하게 표시하는 것으로 예를 들어, 블록 게이지, 링 게이지, 한계 게이지 등이 있다. 또 다른 하나는 다이얼 게이지, 압력 게이지 등과 같이 눈금이 있어 측정범위를 나타내는 것이 있으나, 측정정도는 단도기보다도 떨어진다. 후자를 계기라고도 한다.

**겔** Gel

액체를 분산모로 하는 콜로이드 분산계가 유동성을 잃고 고화된 상태로 분산상(分散相)의 용해도가 저하되어 서로 연결되고 망목(網目)구조를 취하며 그 중에 분산모가 포함되어 있는 것으로 간주된다. 젤리틴은 온수 안에서 분산하여 졸이 되지만, 냉각하면 겔 상태로 된다. 이것을 건조한 것을 실리카 겔로써 건조제 등에 이용된다. ◘ 졸(480)

**격막(隔膜)** Diaphragm

양극실과 음극실을 분리하는 다공성 또는 투과성의 막을 말한다. 막은 전기도금에서의 경우, 내약품성이 좋은 천 제품이 많다. 아노드 백(자루)도 격막의 일종이지만, 도금장치에서는 구별된다. ◘ 아노드 백(289)

**격막 전해법** Diaphragm Electrolysis

공업용 크롬도금의 노화액 재생법으로 중금속 불순물을 포함한 노화 크롬도금액을 음극실(수조)에 넣어 놓고, 고농도 크롬산의 음이온을 양극실(수조) 측의 전기투석에 의해 추출을 행하면, 중금속 불순물은 음극측에 잔류되어 제거된다. 이 외에 격막을 이용한 전해법(Ni의 전해정제, 식염의 전해 등) 전반의 총칭으로도 사용된다.

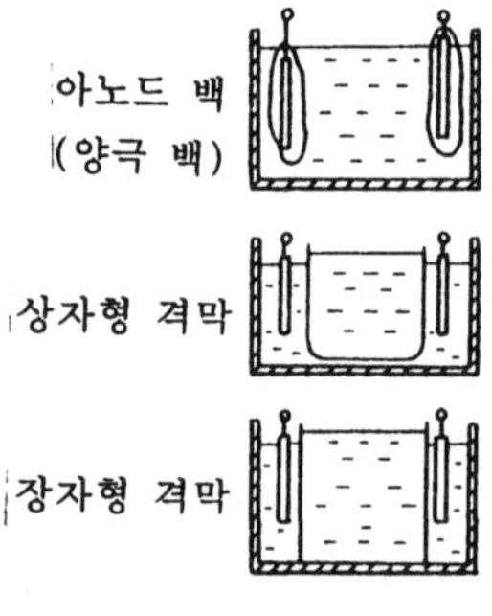


각종 천 제품의 격막

격막

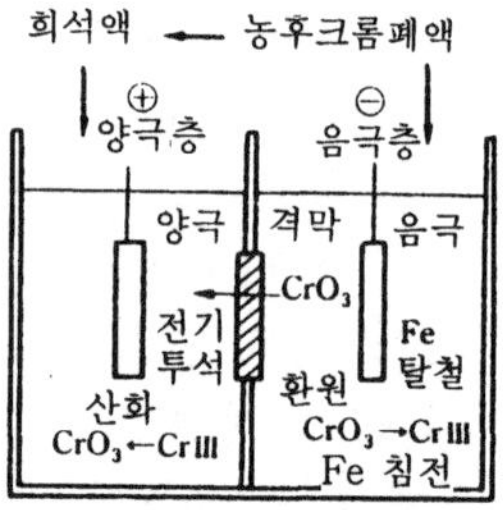


2단식 격막 전해법

격막 전해법

**격자 결함** Lattice Defect : Lattice Imperfection

결정은 구성요소인 원자가 규칙 바르게 결정격자로써 배열되어 있다라고 한정지을 수 없으며, 그 규칙성을 잃었을 때를 격자 결함이라고 한다. 격자 결함은 그 형상에 따라 점 결함, 선 결함, 면 결함으로 분류된다. 격자 결함은 이온결정의 착색현상, 반도체의 전기전도 등의 성질에 영향을 미친다.

**격자 정수** Lattice Constant

결정의 내부구조를 분류하기 위해서 생각한 것으로 단위가 되는 공간 격자의 크기나 형을 나타내는 수치를 말한다. 공간 격자는 단위 격자의 반복이기는 하지만, 그 단위가 되는 평행육면체의 변의 각도와 길이로 표시한다. 즉, 3개의 축 길이 a, b, c(단위 Å)와 축과 축의 각도, 축각의 $\alpha$, $\beta$, $\gamma$를 말한다. 경우에 따라서는 a, b, c만을 말하는 경우도 있다.

◘ 브라베이 격자(214)

**결로** Dewing ; Bedewing

수증기를 포함하고 있는 공기가 냉각되어 로점 이하로 되면 수증기가 액화되어 안개처럼 되는 것을 말한다. 도금면이 결로되면 부식이 촉진된다.

**결정** Crystal

원자가 규칙적으로 배열하여 생긴 다면체를 말한다. 금속은 이 결정의 집합으로 이루어져 있기 때문에 그 크기나 형상은 금속 종류 및 상태에 따라 다르다. 결정이 큰 것은 육안으로 관찰할 수 있다. 이 육안으로 본 조직을 마크로조직(Macro Structure)이라고 하며, 결정의 크기가 대체적으로 직경 $10^{-2}$㎝ 이상이다. 이것보다 작은 결정은 현미경을 이용하지 않으면 관찰할 수 없다. 현미경으로 본 조직을 미크로 조직(Micro Structure)이라고 하며, 현미경으로 본 결정의 크기는 직경이 $10^{-2}$~$10^{-5}$㎝이다. 전착금속의 결정은 작고 경면(鏡面)에 가깝게 금속을 연마하여 결정의 경계(결정입계)를 약품으로 에칭한 후, 현미경으로 확대하여 관찰한다. 결정이 아닌 금속을 무정형 금속 또는 비정질 금속(아몰퍼스 금속)이라고 한다. ◘ 비정질 금속(224)

**결정 격자** Crystal Lattice ◘ 브라베이 격자(214)

**결정 구조** Crystal Structure

모든 결정의 기본형은 7종의 결정계(삼사, 단사, 육방, 삼방 또는 능면체, 정방, 입방)로 분류되어 있다. 그 각각에 단순, 체심, 저심, 면심이 있기 때문에, 7×4=28종류의 기본형이 되어야하지만, 평행 이동이나 회전을 반복하면 중복되는 것이 있기 때문에 결국, 14종류로 좁혀지는 것을 브라베이스(Bravais)가 밝혀냄으로써 이것을 브라베이스 격자라고 부른다. 어떤 결정 중에서 기본이 되는 1개의 격자를 꺼낸 것을 단위격자라고 한다.

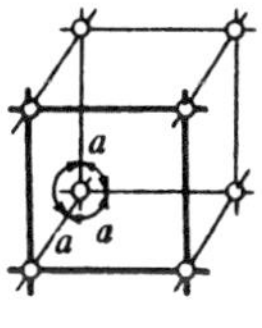


단순입방

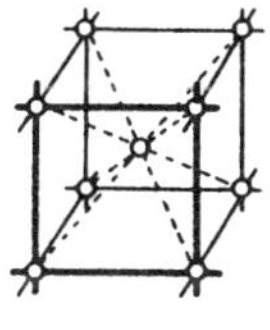

체심입방

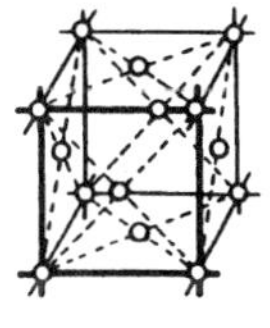

양심입방

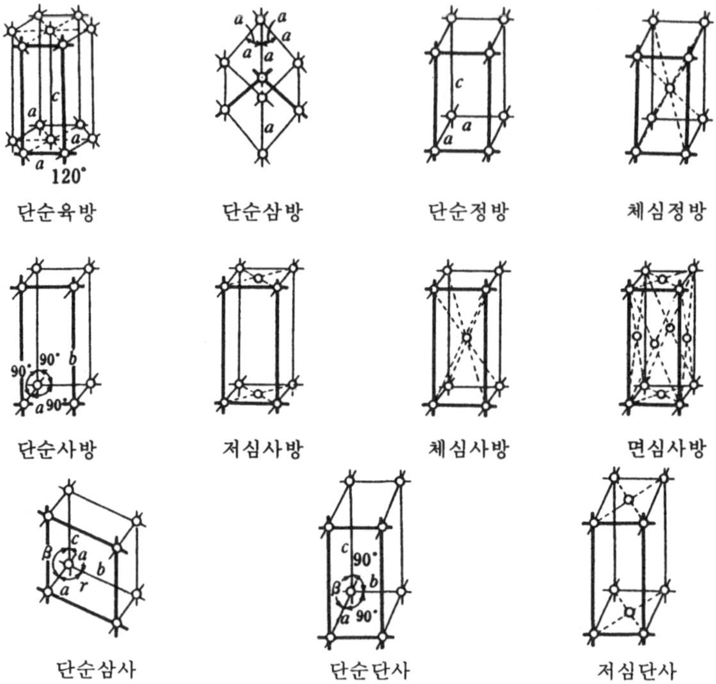


결정 구조

**결정립 성장** Grain Growth

결정립 사이즈가 온도 상승과 함께 증대되어 어떤 온도 이상에서는 결정 사이에 병합하여 행해져 커지는 것을 결정립 성장이라고 한다. 이것에 따라서 기계적, 화학적, 물리적 성질의 변화가 수반된다.

**결정립 조대화** Coarsening

다결정체를 고온으로 가열함에 따라 결정립이 커지는 현상을 말한다. 결정립이 조대화되면, 기계적 성질은 열화된다. 강의 결정립 조대화는 알루미늄 킬드강의 경우, 약 1050℃에서 갑자기 일어나며, Mn, Si에서 가볍게 탈산한 강에서는 $A_3$ 변태점 이하에서 연속적으로 결정립이 성장한다.

**결정수** Water of Crystallization

결정 중에 1성분으로써 화합하고 있는 물을 말한다. 예를 들어 황산니켈, 황산동 등에 포함되어 있는 물을 말한다. 결합방법은 물질에 따라 다르며 단순히 결정격자가 어떤 점을 차지하고 있는 경우, 금속원자로 배위하는 경우, 히드록시염(OH을 포함한 염)으로써 화합하는 경우, 결정 격자의 층 사이에 포함되는 경우 등이 있다.

**결정 입계** Grain Boundary ◘ 입계(430)

**결정 입계 파괴** Intercrystalline Crack

파괴가 결정 입계(Grain Boundary)를 따라 발생되는 것을 결정 입계 파괴라고 한다. 일반적으로 조립의 것이나 불순물이 많은 것은 결정 입계 파괴를 일으킨다. 결정 입계 파괴에 대해 결정 입내를 횡단하는 파괴를 결정 입내 파괴(Transcrystalline Crack)라고 한다.

**결정 입도(Crystal)** Grain Size Number

결정입의 평균크기를 표시하는 척도. 100배로 확대한 현미경 사진으로 한 변의 길이가 25㎜의 정방형 면적(625$mm^2$)에 포함된 결정입의 2차원적인 수를 측정하여 이 수를 입도번호로써 입도를 측정, 입도를 표시한다. 예를 들어, 입도 수 10개의 것은 입도번호 10이다.

**결정전석(電析)** ◘ 전석(456)

**경금속** Light Metals

명확한 정의는 없으나, 비중이 작은 금속의 총칭이다. 실용금속으로써는 알루미늄, 마그네슘, 티탄, 베릴륨 등의 단체 또는 그 합금이 포함되며, 알칼리 금속, 알칼리토 금속도 포함된다. 일반적으로 밀도가 4.0 또는 5.0g/㎤ 이하의 금속을 지칭하는 경우가 많다. = 라이트메탈(114)

**경납** Hard Lead

납은 내식성은 좋지만, 연질(軟質)이기 때문에 안티몬을 소량 첨가하여 합금으로써 사용되며, 이것을 경납(硬鉛)이라고 한다. 안티몬 2~3%의 합금은 케이블 피복용, 안티몬 4%의 합금은 축전지용, 화학장치용, 안티몬 6% 이상의 합금은 내산밸브, 코크 등에 사용된다. 안티몬납이라고도 한다. = 안티몬납(303)

**경년 변화** Aecular Change

실온에서 재료를 긴 세월동안 방치하면, 일종의 시효현상(Aging)에 의해 극히 작기는 하지만, 조직이나 형상 치수에 변화가 발생한다. 이 현상을 경년 변화라고 한다. 경년 변화가 일어나는 원인은 금속 조직의 불안정(예를 들어, 마르텐사이트나 잔류 오스테나이트 등) 및 내부 응력의 변화 등에 의한 것이다. 게이지류는 특히 이와 같은 경년 변화가 적은 것이 요구되기 때문에 실온과 서브 제로 온도(영하 온도)사이에서 반복하여 가열 냉각을 행하여 경년 변화를 적게 하는 처리를 행한다.

**경도** Hardness

도금피막의 경도는 비커스경도로 표시한다. 비커스경도는 압자로써 대면각(꼭지각) 136°의 다이아몬드 사각뿔을 사용하여 하중을 압흔의 면적으로 나눈 값을 경도수(Hv)로 한다. 도금피막은 일반적으로 금속에 비해 단단하다.

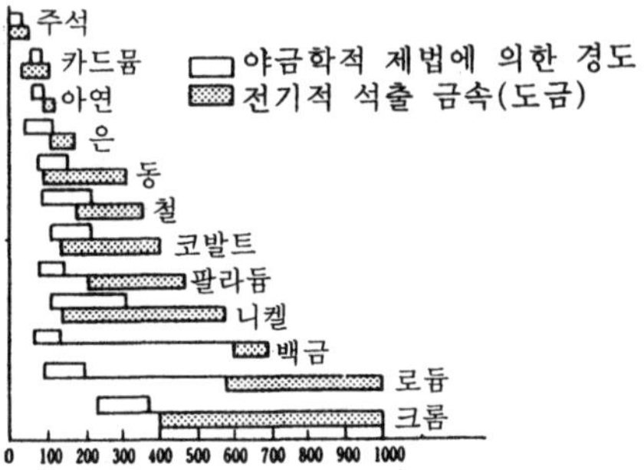


야금적 제법과 전기적 석출에 의한 각종 금속의 경도 비교

경도

**경도계** Hardness Tester ◘ 미소경도계(152)

**경도시험** Hardness Test ◘ 경도측정법(후항)

**경도시험** Hardness Test ◘ 경도측정법(후항), 미소경도계(152), 경도(23)

**경도측정법** Hardness Test

얇은 도금피막(1~30㎛)의 경도측정에는 하중을 가볍게 한 비커스, 록크웰 방식이 이용되며, 각각, 마이크로비커스, 슈퍼피셀록크웰 경도시험이라고 불리운다. 일반적으로 도금에서는, 전자의 마이크로 비커스경도계(미소경도계)가 가장 널리 사용되고 있고, 또 이 압자의 형상을 가늘고 긴 마름모꼴을 한 누프(Knoop)경도계도 사용된다. 가장 간단한 방법으로써 줄을 사용한 경도추정법이 있으며, 각종 경도의 줄이 있어 시판되고 있다. 이 줄을 사용하여 도금면을 깍아 보아 줄의 깍임 정도에 따라 줄의 경도로써 도금면의 경도를 추정한다. = 경도시험 ◘ 미소경도계(152), 경도(23)

**경면(鏡面) 마무리** Bright Finish

균일하고 무지향적인 고경면 반사의 평활면으로 마무리를 하는 것을 말한다. 소재표면을 연마에 의해 경면으로 하여 얇고 반사율이 좋은 금속(로듐, 은 등)을 도금하는 방법, 레벨링이 좋은 도금(광택 황산 동도금 등)을 중간도금으로써 경면을 얻는 방법이 있다. 연마는 버프연마, 화학연마, 전해연마, 배럴연마 등이 있다.

**경사 기능재료** Functionally Gradient Material

재료의 두께방향으로 성분 및 조성을 연속적으로 변화시킨 것. 즉, 기능이 경사된 재료의 총칭이다. 금속, 세라믹, 섬유, 마이크로 포어 등의 요소를 조합하여 재료의 앞과 뒤에서 각각의 사용환경에 맞춘 성질을 갖게 하는 것에 특징이 있다. 기능도금이 경사 기능재료의 제조에 이용되고 있다. 항공 우주재료 및 핵융합, 일렉트로니스, 의료기기 등, 폭 넓은 분야에서 개발이 진행되고 있다.

**경사식 배럴도금** Tapered Barrel Plating

배럴도금은 수평형이 사용되는 경우가 많으며, 경사식은 작은 물품을 소량 도금할 때에 편리하다. 또 배럴의 상부에서 도금 도중에 물품을 볼 수 있다. 경사형 구멍이 없는 배럴은 도금액의 가온 냉각이 어렵기 때문에 구멍을 뚫은 경사배럴을 도금욕 중에 넣어 도금을 하는 경우도 있다. 그림은 경사형 구멍이 없는 배럴을 나타낸다. = 철포(鐵砲)배럴 ◘ 회전도금(645)

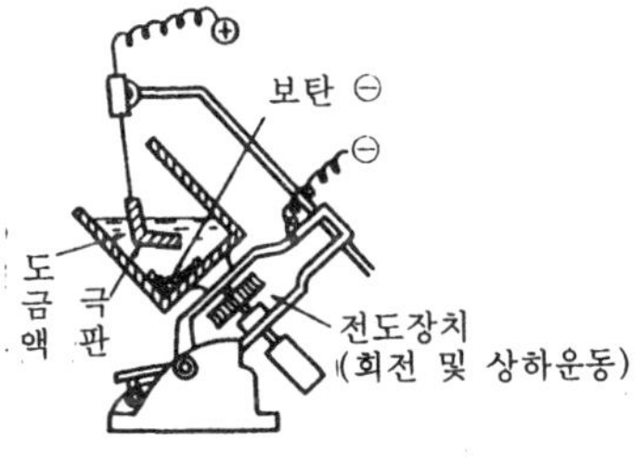


경사식 배럴도금수조

경사식 배럴도금

수평식과 경사식의 배럴도금의 득실

| | 수 평 식 | 경 사 식 |
|---|---|---|
| 이점 | 1) 정치(靜置)수조로 조작하기 때문에 도금액의 온도나 농도의 변화가 적다. | 1) 소수로 종류가 많은 가공품은 수평식보다 편리하다. |
| | 2) 1회에 동일 종류의 가공품을 대량으로 할 수 있다. | 2) 1회 도금에 사용하는 액이 대단히 소량으로 가능하다. |
| | 3) 경사식보다 대형의 물품 도금이 가능하다. | 3) 수평식의 회전수조에서는 불가능한 소형물품도 취급할 수 있다. |
| | 4) 정지되어 있는 수조의 치수에 의해 대형 배럴이 취부되기 때문에 가늘고 긴 형상의 물품이라도 도금이 가능하다. | 4) 수조에 구멍이 없는 것을 사용하면 걸릴 수 있는 형상도 가능하다. |

경사식 배럴도금

**경선시험(방법)** Ruled Line Method for Adhesion Test

도금면을 침상의 긁기 공구를 이용하여 긁기를 하여 도금의 밀착성을 조

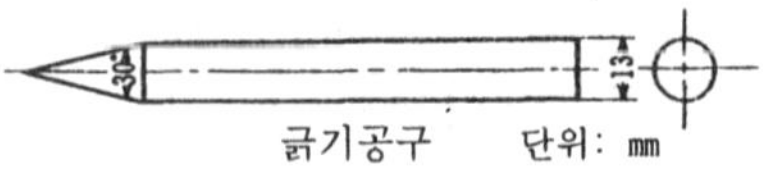


경선시험(방법)

사하는 방법으로 비교적 부드러운 도금시험에 적합하며, 니켈이나 크롬도금 등 단단한 도금에는 적합하지 않다. KS D 0254「도금의 밀착성 시험 방법」에 랙 공구 그림 참조.

**경성 세제** Hard Detergent

소프트 세제에 대한 용어로, 알킬벤젠 술폰산염(ABS) 등과 같이 미생물에 의해 분해되기 어려운 합성세제를 말한다 ◘ 소프트 세제(251)

**경수** Hard Water

칼슘 염류, 마그네슘 염류를 많이 함유하고 있는 천연수를 말한다. 경수는 보통, 비누(고급 지방산의 알칼리금속염)의 세정작용에 부적당하다. 경수에 포함된 염류가 탄산수소염으로써 존재할 때는 끓여서 분해하고 탄산염을 침전시켜 연수로 할 수 있기 때문에 일시경수(一時硬水)라고 한다. 황산염, 염화물을 함유하고 있을 때에는 끓이는 것만으로는 연수가 되지 않기 때문에 영구 경수(永久硬水)라고 한다. 영구 경수의 연화에는 이온교환, 킬레이트화 등이 행해진다. ◘ 연수(348)

**경시(經時) 부풀음** After Blister

시간이 경과한 후, 도금면에 부풀음이 발생하는 것을 말한다. 예를 들어, 아연 다이캐스트에 도금을 하면, 수주간 후, 또는 수개월 후에 부풀음이 발생하는 경우가 있다.

**경유** Light Oil

①원유를 증류할 때에 등유 다음으로 200~350℃ 범위에서 유출되는 담갈색 또는 적갈색유를 말한다. 보일러, 디젤엔진 등의 연료나 기계부품의 세정등에 사용된다. 가스유라고도 한다. 비중은 0.85~0.85이다. ②코르타르를 증류하여 얻을 수 있는 80~170℃의 잔여 분으로 황색 또는 갈색의 액체. 비중 0.91~0.96. 나프탈렌, 페놀류, 필리진류에서 만들어진다. 이것을 세정, 정제하여 벤젠, 톨루엔, 키실렌, 솔벤트나프저, 페놀클레졸, 필리진 등을 얻을 수 있다. ①과 구별하기 위하여 탈경유라고 하는 경우가 있다.

**경질 광택 은도금** Hard Bright Silver Plating ◘ 광택 은도금(44)

**경질 금도금** Hard Gold Plating

금도금에 니켈, 은, 동, 인듐, 코발트 등을 0.1~8.0%를 공석시켜 경도, 내마모성을 향상시킨 합금 금도금을 말한다. 중성욕 및 약알칼리욕을 이용하는 금도금으로 동을 공석시킨 도금피막은 경도 250~300Hv이지만, 열처리에 따라 400~450Hv로 경도가 증가한다. 각종 전기접점, 단자, 커넥트, 핀 등에 사용된다. ◘ 합금 금도금(618)

**경질 땜납** ◘ 경납(23)

**경질 알루마이트 피막** Hard Alminium Oxide Coating

단단하고 내마모성을 가지고 있는 알루미늄의 양극산화 피막(알루마이트 피막)을 말한다. 전해조건으로써 욕온도 10℃ 이하, 전류밀도 2~3A/$dm^2$로 행한다. 피막의 경도는 Hv 400 이상이고, 표면보다 내부로 갈수록 경도가 크다. = 경질피막(27)

**경질 염화비닐** Polyvinyl Chloride ◘ 폴리염화비닐(582)

**경질 염화비닐관** Rigid Polyvinyl Chloride Pipe

염화비닐 중합체를 원료로 하여 가소제(可塑劑)를 첨가하지 않고, 압출하여 성형에 의해 제조된 일반 유체유송 배관용 관으로, 압력에 따라 VP(10 kgf/㎠)와 VU(5 kgf/㎠)로 구분되며, 수도용 및 도금장치용 배관에 사용된다. 내약품성에 뛰어나고 가벼우며, 부식되기 어렵고 또한 가격이 싸며 가공은 용이하지만, 유기용제에 약하며 충격에도 약하다. 60℃ 이상의 고온 또는 -10℃ 이하의 저온에서는 사용할 수 없다. 급수관, 배수관, 통기관, 전선관, 약액 수송관 등에 널리 사용되고 있다. 규격은 경질 염화비닐관, 수도용 경질 염화비닐관, 연질 염화비닐관이 있다.

**경질 은도금** ◘ 광택 은도금(44)

**경질 크롬도금** Hard Chromium Electroplating ◘ 공업용 크롬도금(38)

**경질 피막** ◘ 경질 알루마이트 피막(27)

**경합금** Light Alloy

널리 사용되고 있는 금속재료 중에서 가벼운 합금을 말한다. 엄밀히 말하면, 비중이 얼마 이하의 합금이라는 정의가 없는 관습적인 용어이다. 일반적으로 알루미늄 합금(비중 약 2.7~3.0), 마그네슘 합금(비중 1.7~2.0), 티탄 합금(비중 약 4.5) 등이 포함된다. ◘ 경금속(23)

**경화 심도** Case Depth

표면 경화처리에 의해 단단해진 층 두께를 경화 심도라고 한다. 즉, 침탄, 질화, 화염 소입, 고주파 소입 등에 의해 경화된 깊이를 말한다. 경화 심도에는 유효 경화 심도(Effective Case Depth)와 전경화 심도(Total Depth)의 2종류가 있다. 유효 경화 심도는 어떤 특정한 경도까지의 깊이를 말하며, 통상적으로는 로크웰 C경도 50($H_V$ 550)까지의 깊이를 채용하고 있다. 전경화 심도는 모재보다도 단단해져 있는 전깊이를 말한다. 경화 심도는 경도시험 외에 마크로 부식에 의해 이것을 식별할 수 있다. 즉, 절단면을 연마하여 나이탈(초산 5% 알코올용액)으로 부식시켜, 그 착색 상황에 따라 깊이를 설정한다.

**경화 육성** Hard Facing

금속 부품의 마모되기 쉬운 표면에 내마모성의 경질 금속을 용착시키는 처리를 경화 육성이라고 한다. 용접에 가스용접, 전기용접 또는 금속용사(화염 용사, 플라즈마 제트염 용사)가 사용된다. 용착 금속에는 Cr, Mn, Si, W, Mo, Ni 등을 20% 이하, 또는 20~50% 함유한 철합금, 스테라이트 등이 사용된다.

**계면** Interface ; Surface

기체, 액체, 고체가 각각이 접촉하여 생긴 경계면을 말한다. 기체-액체, 기체-고체, 액체-액체, 액체-고체, 고체-고체의 5종류의 계면이 생긴다. 좁은 의미로는, 기체 또는 진공에 대한 액체 및 고체와의 경계면을 표면이라고 부르고, 그 이외의 경계면을 계면이라고 한다. 계면에 대한 물리화학의 한 가지의 연구분야를 계면과학(Surface Science)라고 한다.

**계면장력** Interfacial Tension ◘ 표면장력(585)

**계면활성제** Interfacial Active Agent ; Surface Active Agent ; Surfactant

액체에 용해되어 계면장력을 현저히 감소시키는 물질을 말한다. 계면활성제는 소수기(疎水基)의 대전(帶電)에 따라 음이온 계면활성제, 양이온 계면활성제, 비이온 계면활성제, 양성 계면활성제의 4종으로 분류된다. 도금액에 사용되는 것은, 비이온 계면활성제가 많다. 1분자 중에는 친수기와 소수기를 가지고 있으며, 소수성 물질에 소수기가 향하여 배열되고 물에는 친수기가 향하기 때문에 친수성이 된다. 이 때문에 소수성 물질의 유화(기름의 콜로이드를 수중에 안정하게 유지한다) 등에도 사용된다. = 표면활성제(587)

**고대(古代)색** Antiquated Color

도금과 도금후의 화성처리에 의해 고대색(낡은 느낌의 색)을 내는 방법을 고미(古美)마무리, 고미(古味)등을 말한다. 장식품, 미술공예품, 조명기구 등에 사용된다. = 고미(古味) ◘ 고미 마무리(29)

**고대색 금도금** Antique Gold Plating

동제품이나 은제품에 아말감법에 의한 금도금을 한 것처럼 보이는 것,

장기간 풍우에 깎이거나 흙에 묻혀 있었던 것처럼 보이는 금도금 수법으로 욕조성의 한 예를 들면, 시안금칼리 4~5g/$l$, 산화카드뮴 0.7g/$l$, 초산염 0.25g/$l$, 시안화칼리 10g/$l$, 온도 20~30℃, 전류밀도 1~4A/$dm^2$. 욕의 교반은 하지 않는다. 미술공예품이나 조명기구, 건축의 금물, 장식품 등에 도금된다. 금도금에 한하지 않고, 표면을 고대색으로 보이는 수법을 고미라고 한다. ◘ 고미 마무리(29)

**고도 표백분** Higher Bleaching Powder

차아염소산칼슘 $Ca(ClO)_2$을 주성분으로 하며 일반 표백분보다도 염소의 함유량이 많은 표백분을 말한다. 담황색의 분말로 공기 중에서는 분해하지 않는다. 유효 염소량은 60%와 70%의 것이 있다. 음료수, 식품, 기구류, 하수 등의 살균, 또는 소독제로써 사용된다. 시안 폐수의 처리에는 일반적으로 차아염소산소다 NaOCl이 사용되지만, 고도 표백분이 사용되는 경우도 있다. = 칼크 ◘ 표백분(587)

**고미(古美) 마무리** Antiquated Color Treatment

도금과 도금 후의 화성 처리에 의해 낡은 색조를 내는 방법을 고미 마무리, 고풍, 브론즈(Bronze) 등이라 한다. 동고미, 진주고미, 은고미, 금고미, 화이트 브론즈 등의 수법이 있다. 장식품, 미술 공예품, 조명 기구 등에 이용된다. = 고풍 마무리, 브론즈 마무리 ◘ 고대색(28), 은고미(399)

각종 고미 마무리의 종류

<table>
<tr><th>명 칭</th><th>도금의 종류</th><th>마무리법</th></tr>
<tr><td>동 고미<br>박래(舶來) 색<br>동 고대색</td><td>동도금<br>동도금<br>동 소재 또는 동도금</td><td rowspan="3">동도금 후, 흑색 니켈도금 또는 유화처리(화성처리) 등으로 흑색 피막을 부여하여, 버프연마로 흑색피막을 부분적으로 제거하여 농염을 준다.</td></tr>
<tr><td>진주 고미<br>진주 고대색</td><td>진주도금<br>황동 소지 또는 진주도금</td></tr>
<tr><td>은 고미</td><td>은도금</td></tr>
<tr><td>금 고미</td><td>금도금</td><td>동도금 후, 흑색 도장으로 옅게 한다.</td></tr>
<tr><td>화이트 브론즈(고대의 화이트 브론즈란, 동-주석합금 도금의 백색계를 칭한 것이다)</td><td>니켈도금</td><td>본래는 무광택 니켈도금 후, 버프나 페이퍼로 헤어라인 가공 또는 서틴(Satin)마무리를 한 것을 말하지만, 최근에는 광택 니켈도금 후, 헤어라인이나 서틴마무리로 광택을 없앤 것을 말한다.</td></tr>
</table>

고미 마무리

**고분자** Macromolecule : High Molecule

분자량이 대단히 큰 분자를 말한다. 일반적으로 분자량이 1만~수백만 정도의 것이 많다. 고분자물질의 것을 폴리머라고도 한다. 이전부터 알려져 있는 천연 고분자 화합물은 셀루로스, 다당(多糖)류나 젤라틴, 케라틴 등의 단백질의 유기계(有機系) 또는 석면, 운모 등의 무기계가 있다. 합성 고분자 화합물은 합성수지, 합성섬유, 합성고무 등이 있다. ◘ 폴리머(580)

**고분자 응집제** Polymer Coagulant

배수처리에서 콜로이드성 물질의 처리를 위해 입자의 전하를 중화하여 응집시킨 고분자량의 약품류를 말한다. 음이온성의 것으로는 알긴산나트륨 등, 양이온성의 것으로는 수용성 어닐린수지염산염 등, 비이온성의 것으로는 전분(澱粉), 수용성요소(尿素)수지 등이 있다. 배수중의 콜로이드 입자와 고분자물질의 분자간의 힘에 의한 가교작용으로 응집효과를 나타낸다. 이것은 고분자물질을 매개로 입자가 접착하는 것이라고 여기고 있다. 일반적으로 중합도가 높은 쪽이 응집작용이 뛰어나다. 또 첨가량이 너무 많으면 응집성은 저하한다. ◘ 응집 보조제(408)

**고분자전해질** Polyelectrolyte

고분자중 구조단위가 해리기(解離基)를 가지고 있는 고분자 화합물. 고분자전해질은 고분자의 성질과 전해질의 성질을 가지고 있으며, 그 특성은 수용액으로 되었을 때의 해리현상이 기반이 된다. 예를 들어, 단백질, 핵산 등은 천연 고분자전해질이며, 합성 고분자전해질로써는 폴리인산, 폴리스틸렌술폰산, 폴리아크릴산, 폴리비닐아민 등이 있다.

**고상선** Solidus

상태도에서 고상과, 고상+액상의 경계선을 고상선이라고 한다. 즉, 고상이 용융을 시작하는 온도선을 말한다. 이 때문에 고상선을 용융선이라고도 한다.

**고성능 필터** High Efficiency Filter

공기를 여과하는 고성능의 여과기를 말한다. 유리섬유나 미세한 석면 등으로 만들어진 여과지를 사용하여 이것을 몇 개의 층으로 접어서 알루미늄 시트로 간격을 만들어 간단히 한 구조로써 1㎛ 이하의 분진의 제거율은 99.8% 이상을 나타낸다. 크린 룸이나 방사선실 등에 사용된다.

**고속도강** High Speed Steel

500~600℃로 가열해도 연화되지 않은 채, 경도를 유지하고 있는 철합금을 말한다. 표준 조성으로써는 텅스텐 10%, 크롬 4%, 바나듐 1%를 함

유하는 강이다. 코발트를 소량 첨가하면 더욱 성능이 좋아진다. 이 합금으로 만든 바이트는 고속이고, 절삭가공 할 수 있기 때문에 고속도강이라는 명칭으로 불리게 되었다.

**고속도도금** High Speed Plating

전기도금의 고속화 수법으로써는 (1)도금액을 영동시키는 방법, (2)도금욕의 온도를 높이는 방법, (3)피도금물을 도금욕 중에서 움직이게 하는 방법, (4)욕 중에서 도금을 하며 도금면을 마찰하는 방법 등이 있으며, 이상의 방법이 병용되는 경우도 있다. 도금욕은 착염욕의 착염이 불안정한 것이 좋고, 가능한 한 단순염욕을 사용하는 것이 좋다. 고속도도금의 문제점은 (1)도금피막의 물성 변화, (2)전류분포의 악화, (3)발생하는 가스의 처리, (4)도금욕과 피도금물의 과도한 발열, (5)도금욕의 관리 등이다. 실시 예로써는 박강판의 고속도 연속아연도금, 리드프레임의 고속부분 은도금, 미국의 마이크로매틱(Micromatic)사가 개발한 『혼 포밍(Hone Forming)』법 등이 있다. ◘ 혼 포밍(627)

**고속도부분도금** High Speed Selective Plating

도금액을 분류시켜 국한된 부분에 고속도금을 행하는 방법. 반도체용의 리드프레임, 프린트 배선기판의 단자도금 등에 사용된다. 양극은 불용성으로 백금선 등이 사용된다. 그림 (a)와 같이 마스킹을 생략할 수 있으나, 리드프레임의 도금에서는 그림 (b)와 같이 실리콘고무 등으로 만들어진 가스켓으로 마스킹을 하여 도금액의 누수를 방지한다. ◘ 고속도도금(전항)

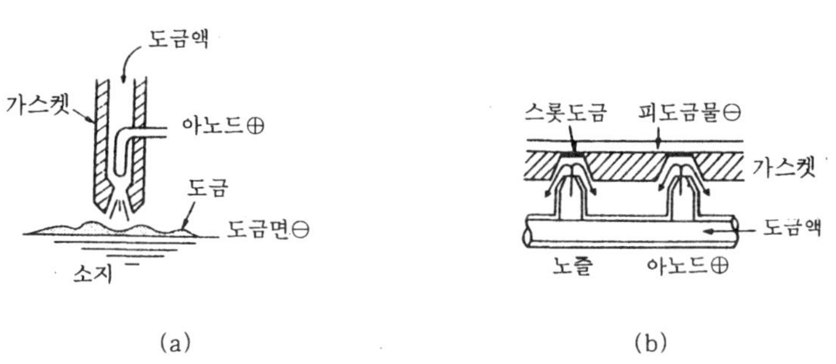


고속도부분도금

**고속도은도금** High Speed Silver Plating

반도체의 리드프레임 도금용으로 개발된 것으로, 노프리시안 타입이나 저시안 타입의 은도금액을 사용하여 액을 분류(제트방식)시켜 음극 전류밀도 300A/dm$^2$까지 높여 1초간에 1㎛의 고속도로 도금을 할 수가 있다. 양극은 백금 등의 불용성양극을 사용한다.

**고속도 술파민산 니켈도금욕** High-Speed Nickel Sulfamate Plating Bath

전주 등의 두께부착 니켈도금용으로써 사용되는 욕을 말한다. 욕조성은 술파민산 니켈 550~650g/$l$, 염화니켈 5~15g/$l$, 붕산 30~40g/$l$, 염화니켈 5~15g/$l$, pH 3.5~4.5, 온도 60~70℃, 전류밀도 5~40 A/dm$^2$, 양극은 염화니켈이 적으면 부동태화되기 쉽기 때문에 황함유 전기니켈 또는 디폴러라이즈니켈을 사용한다. 강력한 욕의 교반, 또는 분류가 필요하다. 욕조성, 티오요소 등의 첨가제 및 작업 조건의 조정에 따라 도금피막의 내부 응력을 넓은 범위에 걸쳐 변화시킬 수 있다.

**고속도크롬도금** High Speed Chromium Plating

자동조절 고속도 크롬도금으로 SRHS욕(Self Regulating High Speed)이 있으며, 이것은 미국의 유나이티드 크롬사의 특허이다.

SRHS욕은 200~500g/$l$ 의 무수크롬산 92.5%와 용해도보다 과다한 유산스트론튬 2.0% 및 규불화칼륨 5.5%의 비율로 조성된 욕이다. 황산 스트론튬의 용해도(약 0.001g/ 100g $H_2O$) 및 규불화칼륨의 용해도(0.1~1g/100g $H_2O$)가 똑같이 작고, 일정한 것을 이용하여 액 중에서 소모시키면 과도한 약품이 용해도 분만큼 녹아 항상 $SO_4^{2-}$이온 및 $SiF_6^{2-}$이온을 일정하게 유지하는 것을 이용한 욕이다.

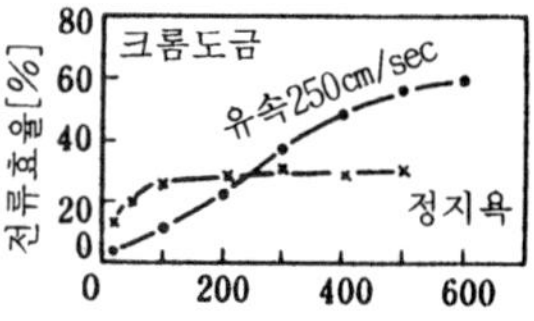


전류밀도 [A/dm$^2$]
크롬도금의 정지 및 영동 하에서의 전류효율

고속도크롬도금

**고속 전류반전법** High Frequency Reverse Turn Current Method

초 단위보다도 고속으로 전해전류의 극성을 반전시켜서 행하는 전해처리법을 말한다. 전해세정에서는 반전 주파수가 10~50Hz일 때, 세정효과가 좋다고 알려져 있다. 알루미늄의 고온고속 양극산화에서 경도, 생성율이 큰 피막을 얻을 수 있다.

**고압** High Voltage

교류에서는 600V를 초과 7000V 이하를, 직류에서는 750V를 초과 7000V 이하를 고압이라고 한다. 고압의 한도를 초과한 전압을 특별고압이라고 한다.

**고온 가공** ◘ 열간 가공(350)

**고온 경도** Hot Hardness

고온 또는 열간에서의 경도를 고온 경도 또는 열간 경도라고 한다. 적열 경도(Red Hardness)와는 다르다는 점에 주의를 요한다. 적열 경도는 일단 적열을 한 후, 상온에서 측정한 경도를 말하는 것이다.

**고온 부식** High Temperature Corrosion

고온에서 금속이 일으키는 부식의 총칭으로, 좁은 의미로는 고온황화 부식을 말하는 경우가 많다. 가스터빈의 연료 중에 존재하는 황과 공기 중에 존재하는 미량의 염화나트륨이 반응하여 유산소다 $Na_2SO_4$를 생성하고, 이것이 금속 표면상에 퇴적되어 부식을 촉진한다. 고온가스 부식에는, 이 외에 산소나 수증기에 의한 고온산화, 중유 연소가스에 의한 바나듐 어텍 등이 있으며 노점 부식을 포함하는 경우도 있다. ◘ 황화 부식(643)

**고온 취성** Hot Shortness : Hot Brittleness

유황(S), 산소(O), 동(Cu), 주석(Sn) 등을 비교적 많이 함유하는 강을 열간 가공하면 도중에 균열이 발생하여 압연과 주조가 불가능하게 되는 경우가 있다. 이와 같은 금속 합금이 높은 온도에서 충격 저항이 급히 약화되는 성질을 고온 취성이라고 하며, 열 취성이라고도 한다. 황은 황화철로 되어 결정입계에 분포하고, 그 재질이 여리고 녹는점이 낮아, 고온에 있어서의 강의 가공성을 나쁘게 한다. S와 O에 대해서는 망간(Mo), Cu에 대해서는 니켈(Ni)을 첨가하면 취약성이 방지된다.

**고온 침탄** High Temperature Carburizing

종래의 침탄 온도(900～950℃)보다도 더욱 높은 온도(1000～1100℃)에서 단시간에 행하는 침탄을 고온 침탄이라고 한다. 고온 침탄에 따르면, 침탄 시간을 짧게(종래의 1/2)할 수 있기 때문에 침탄 작업능률이 향상되는 것뿐만 아니라, 단시간의 침탄이기 때문에 결정립의 조대화도 그렇게 걱정할 필요는 없다. 그러나, Zr을 0.1% 정도 첨가하여 결정립의 조대화를 방지하는 것이 안전하다. 즉, 고온 침탄은 침탄의 고속화에 유효한 방법이다.

**고온황화 부식** ◘ 황화 부식(643)

**고용체** Solid Solution

고체가 고체(경우에 따라서는 기체 또는 액체도 있다)를 용해한 것을 고용체라고 한다. 어떤 금속의 격자점이 다른 금속 또는 비금속원소의 원자와 바꾸어 넣은 것을 치환형 고용체, 어떤 금속의 격자 틈에 다른 원자가 삽입된 것을 침입형 고용체라고 한다. 염류의 고용체는 특히 혼정(混晶)이라고 하지만, 같은 의미로 사용되는 경우도 있다.

**고유X선** ◘ 특성X선(554)

**고융점 금속** Refractory Metal

융점(mp)이 높은 금속. 대표적인 것은 니오브(융점 2470℃), 몰리브덴(융점 2620℃), 탄탈(2990℃), 텅스텐(융점 3400℃) 등으로 내열재료, 필라멘트, 발열체 등에 사용된다. 위의 것은 밀도가 크고, 산화되기 쉽다. 니오브와 탄탈은 실온으로 가공할 수 있으나, 몰리브덴과 텅스텐은 가공이 어려워 분말야금법이 사용된다.

**고주파 가열** High Frequency Induction Heating

가열한 물체에 의해 유도가열과 유전가열의 2방식으로 분리되며, 전자는 도체의 가열에 사용되고, 코일의 중심부분에 피가열물을 넣어 이 가운데를 통하는 자속에 의해 피가열물(도체) 내에 발생하는 과전류손 및 히스테리시스손에 의해 발열하는 것으로 금속을 용해하는 전기로(고주파 유도로) 등에 사용된다. 후자는 절연물의 가열에 사용하며, 대향(對向)하는 전극의 중간 콘덴서 부분에 피가열물을 넣어 유전물이 되는 절연물의 유전손(誘電損)에 의해 발열하는 것으로 전자레인지나 목재의 건조 등에 사용된다. 전자는 물체의 표면이, 후자는 물체의 내부가 빨리 가열된다.

**고체 윤활제** Solid Lubricants

고체 상으로 선단저항이 작은 물질에 의한 윤활제이며 흑연, 운모(雲母), 활석(滑石), 붕산, 아연화(산화아연), 산화연, 황, 이황화몰리브덴, 폴리테트라프루오르에틴렌(PTFE), 육방정질화붕산(hBN)등이 사용된다. 윤활유에 비해 일반적으로 고온 고압에 잘 견디고, 복합도금(분산도금)의 분산 미립자로써 사용된다. ◘ 윤활제, 윤활도금(398)

**고체 전해질** Solid Electrolyte

고체상태에서 이온이 전기를 안내하는 성질을 가지는 물질을 말한다. 고체에서 구성 양이온 또는 음이온의 이동이 빠른 경우가 있고, 가스센서, 고체전지, 전자재료 등에 이용된다. 예를 들어, $CaF_2$, AgI, Na나 Li

를 함유한 β 알루미나 등은 고체 전해질이다. 양이온이나 음이온의 어느 쪽이 움직이며, 양쪽 이온이 동시에 움직이는 일은 거의 없다. 또, 어느 정도의 전자전도성을 반드시 가지고 있다. 즉, 전자도 전도성을 가지고 있어 전자수율(電子輸率)을 생각할 필요가 있다.

**고체 침탄** Solid : Pack Carburizing

침탄 작업에서 침탄제에 목탄 가루와 같은 고체를 사용하는 것을 고체 침탄이라고 한다. 고체 침탄제로써는 목탄 분말을 주체로 하고, 이것에 촉진제로써 탄산바륨($BaCO_3$)이나 탄산나트륨($Na_2CO_3$)을 20～30% 첨가한 것이 사용된다.

**고체 탄산가스** ◘ 드라이 아이스(105)

**고탄소강** High Carbon Steel

탄소 함유량이 많은 탄소강을 말하며, 대체적으로 0.5～1.7%의 C를 함유한 것을 말한다. 소입이 가능하며, 경화성이 크고 인장성도 뛰어나 공구나 그 외에 널리 사용되고 있다. 탄소가 많기 때문에 산세를 행할 때에 검은 얼룩이 생기기 쉽다.

**고풍** ◘ 고대색(28)

**고풍 마무리** ◘ 고미 마무리(29)

**고황산염 니켈도금욕** High Sulfate Nickel Plating Bath

아연 다이케스트에 직접 니켈도금을 하기 위하여 아연과 니켈의 치환반응을 억제한 니켈도금욕으로, 알루미늄 소지에 아연을 치환한 것을 사용할 수도 있다. 욕조성은 유산니켈 75～112g/$l$, 염화안몬 15～37.5g/$l$, 무수황산소다 75～112g/$l$, 붕산15g/$l$, pH4.9～5.8, 욕온도21～32℃, $D_k$1～3.6A/$dm^2$. = 톰슨욕(550)

**공간 격자** ◘ 브라베이(Bravais)격자(214)

**공간 속도** Space Velocity ◘ SV(329)

**공공(空孔)** Vancancy

원자가 규칙 바르게 배열된 결정 격자에서 원자 하나가 빠져서 생긴 구멍을 공공 또는 공격자점, 원자 공공 등이라고 한다. 공공은 격자 결함의 하나이다. 공공은 결정 중에 농도가 온도의 관수가 되어 항상 일정한 양이 존재하며, 확산 현상에 중요한 역할을 담당하고 있다.

**공기** Air

지구를 둘러싸고 있는 대기의 하층부분을 구성하는 기체. 공기의 조성은 지역에 따라 다소 차이가 있으며, 지구에서 평균조성은 체적 % 및 중량 %로 나타내면 질소 78.09(75.54), 산소 20.93(23.14), 아르곤 0.93(1.27)이다. 이 외에 상당한 양의 수증기와 이산화탄소(0.03 체적% 정도), 네온(18ppm), 헬륨(5ppm), 클리프톤(1ppm), 크세논(0.09ppm)을 포함하고 있으며, 일산화탄소, 이산화황, 질소산화물, 저급 탄화수소, 분진 등도 포함하고 있다. 공기를 상온의 물에 녹이면 질소 65.09%, 산소 34.91%의 비율로 녹는다. 0℃, 1atm 하에서 공기 $1dm^3$의 질량은 1.293g이다.

**공기 교반** Compressed Air Agitation

수조 밑바닥에 공기를 불어넣어 도금욕 등의 처리액을 교반하는 것을 말한다. 교반을 행하므로 인해 농도나 온도가 균일하게 되고, 광택도금에서는 광택 범위가 넓어진다. 처리액의 산화가 바람직하지 않는 경우에는 질소가스($N_2$)를 사용하는 경우가 있다. 송풍기에 기름이 들어가지 않도록 주의를 하고 먼지 등을 제거하기 위하여 공기 청정장치를 부착하는 경우도 있다. = 에어레이션(331)

**공기로** Air Furnace

가공 재료를 공기 중 또는 연료의 연소기 중에서 가열하는 로를 일반적으로 공기로라고 한다. 공기로에서 가열 할 때 가열 온도가 높으면, 산화, 탈탄 등의 표면 박리를 발생하는 경우가 많기 때문에 주의하지 않으면 안 된다.

**공기 청정기** Air Cleaner

실내의 공기를 청정하게 하는 것으로는 전기 집진지, 활성탄 필름, 음이온 발생장치, 송풍기 등을 조합하여 유니트화 한 것이 있다. 에어 콤프레서 등의 장치로 흡인되는 공기를 정화하기 위해서는 스틸 울, 글래스 울, 여지, 폴리우레탄폼 등으로 공기를 여과한다.

**공기 흡입** Aeration

용융욕(염욕이나 액체) 안에 공기를 빨아들여 화학 반응을 촉진하는 방법을 말한다. 염욕 질화 시에 이 방법을 활용한다.

**공기 흡입 액체질화법** Aerated Bath Nitriding

용융염욕 중에서 펌프로 공기를 빨아들여 행하는 질화법을 공기 흡입 액체질화법이라고 한다. 염욕에는 시안화물과 시안산염의 혼합물을 사용한다. 처리 온도로써는 570℃를 채용하고 있고, 1~2시간 질화 후, 공냉 또는 수냉을 행한다. 질화 심도는 1.5시간의 처리로, 약 0.3㎜(탄소강, 저합금강)이다. 표면 층은 $Fe_3N$과 함질소 $Fe_3C$로, 무른 $Fe_2N$을 함유하고 있지 않는 것이 특징이다.

**공냉** Air Cooling

공냉이란 가열된 철강을 조용하게 대기 중에서 방치하여 냉각하는 조작을 말한다. 노멀라이징 시에 사용되는 냉각 방법이다. 공냉은 방냉이라고도 하며, 풍냉과 구별하고 있다.

**공동 현상** ◘ 캐비테이션(523)

**공몰법(孔埋法)** Plugging Process

쓰루 홀(Through Hole)도금 후, 구멍 내를 충전제로 메워, 표면에 에칭레지스트(Etching Resist)에 의해 도체의 포지패턴을 형성, 에칭한 후, 충진제 및 표면의 레지스트를 제거하여 동쓰루 홀의 프린트 배선판을 제조하는 방법

**공석(共析)** Co-Deposition

두 가지 종류 이상의 원소가 동시에 석출되는 경우를 말하며, 합금도금에서는 석출전위에 가까운 금속을 동시에 석출시킬 수 있다. 예를 들어, 아연-철합금 도금, 니켈-코발트합금 도금 등이 있다. 석출비율은 전류효율이 100%라고 한다면, 분극곡선에서 그 전위에 대응하는 전류밀도의 비에 의해 결정된다. 또, 착화제 등에 의해 귀금속의 분극곡선을 낮은 금속으로 이끌어 공석시킬 수 있다.

**공식(孔食)** Pitting Corrosion

국부적 또는 점 형상의 부식을 말한다. 금속재료의 표면에 안정된 보호피막이 존재하는 조건하에 피막의 결함 장소에서 부식이 발생하여 이것이 공상(孔狀)으로 성장하는 것으로 국부 아노드와 국부 카소드가 명확히 분류되어 있으며, 국부 카소드면적이 국부 아노드면적보다도 현저히 클 때에 일어난다. 예를 들어, $Cl^-$이온이 흡착하면 그 부분의 국부 아노드전위는 부동태화 전위보다도 낮아 용해되기 쉽게 된다. 일단 공상으로 부식이 시작되면 통기차(通氣差)의 전지작용도 더해져 부식은 급격히 진행된다. 철상 니켈-크롬도금 피막 등에서 공식이 일어나면 부식은 소지의 철 부분까지 도달하기 때문에 마이크로 크랙, 마이크로 포러스 크롬도금, 다층 니켈도금 등에서 부식전류를 분산시키며, 또한 깊이방향으로의 부식을 방지한다.

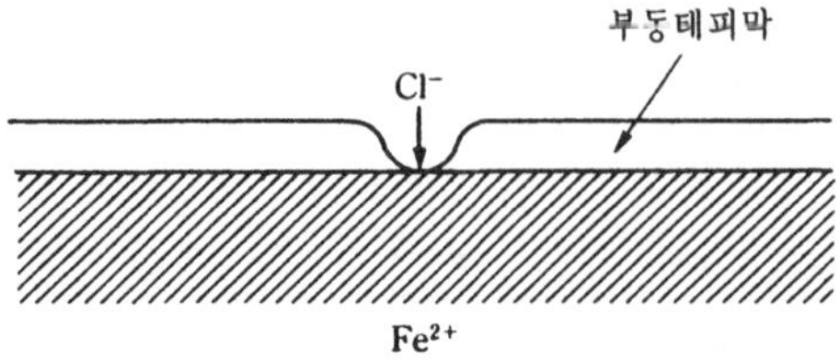


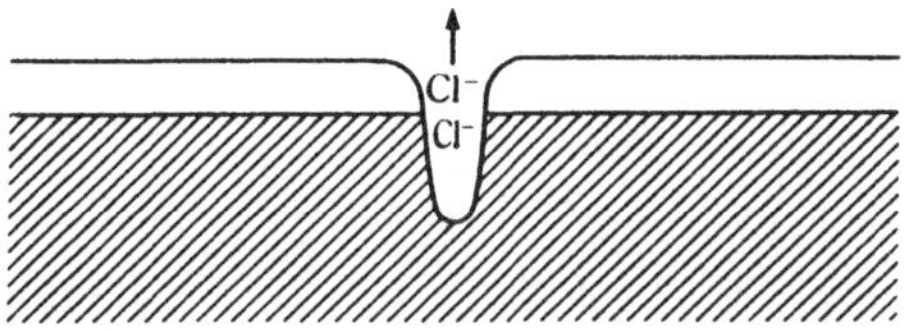


공식의 시작

공식

**공업 배수** Industrial Waste Water

공장 배수라고도 한다. 특정시설을 설치한 공장 또는 사업장에서 오염되어 배출되는 물을 말하며, BOD가 높은 유기 폐수와 크롬, 수은, 시안 등을 포함한 무기 폐수가 있다. = 공장 배수(39)

**공업용수** Industrial Water

각종 공업에서 원료수, 세정수, 냉각수, 보일러수, 그 외의 잡용수로써 사용되는 물을 말하며, 지하수, 하천수, 호수, 해수, 하수처리수 등을 사용하고 있다.

**공업용 순티탄** Commercially Pure Titanium

사염화티탄을 마그네슘 또는 나트륨으로 환원하면, 스폰지 상의 금속티탄을 얻을 수 있고, 이것을 용해하여 전신재(展伸材)로 한 것을 말한다. 불순물(철, 산소 등)을 포함하지만, 적당한 강도가 있고 내식성이 뛰어나기 때문에 화학 플랜트, 열교환기용 재료로써 사용된다.

**공업용 크롬도금** Electroplated Coatings of Chromium for Engineering Purpose

경질 크롬도금이라고도 한다. 주로 내마모성을 좋게 하기 위해 실시하는 비교적 두꺼운(5㎛ 이상으로 규정)크롬도금. 경도는 700~1000Hv 정도의 것이 사용된다. 이 경도는 열처리강, 질화강보다도 높다. 가열되면 도금피막 중에 수소 방출이 일어나 경도가 저하된다. 300℃ 이상이 되면 경도는 급격히 저하되어 내마모성도 나빠진다. 절삭공구에 도금하면 절삭분이 제거되기 쉽게 된다. 롤, 금형, 실린더 및 라이너, 피스톤 및 피스톤 로트, 피스톤 링, 공구 등에 도금되며 용도가 넓다. = 경질 크롬도금(27)

**공유 결합** Covalent Bond

원자와 원자가 1개씩 전자를 제공하여 전자대(원자의 외측에 있으며 반응에 관여하는 전자로, 회전 방향이 다른 2개의 전자가 1대로 되어 안정화한 것)를 만들며, 그것을 공유하는 화학결합을 말한다. 결합에 관계하는 전자대를 :로 표시한다. 예를 들어, C-H의 결합을 C:H, 이중결합 C=C를 C::C와 같이 표시한다. 원자가 공유결합만으로 결합하고 있는 결정은 다이아몬드, 탄화규소가 대표적인 예로 단단하며 융점은 높고, 팽창계수는 작다. 유기물은 대부분 분자 내에 공유결합 부분을 가지고 있다. = 전자대 결합, 등극결합 ◘ 화학 결합(629)

**공융 혼합물** Eutectic (Mixture) ◘ 공정(39), 공정 합금(40)

**공장 배수** Industrial Waste Water ◘ 공업용수(38)

**공전해** Preplating Treatment ; Electrolytic Purification ; Dummy Plating

도금욕의 조정을 목적으로 한 전해처리. 예를 들어, 크롬도금욕에서는 건욕 시에 6가 크롬에서 일정량의 3가 크롬을 얻기 위해 전해환원을 행한다. 또, 니켈도금욕에서는 동, 아연 등의 불순물 제거를 위해 저전류밀도로 장시간 『가도금』을 실시한다. = 가도금 ◘ 약전해(323)

**공정(共晶)** Eutectic (Mixture)

액체에서 동시에 두 가지 종류 이상의 결정 혼합물이 석출되었을 때, 이것을 공정이라고 한다. 현상은 어느 것이든 같다. 공정을 공융혼합물이라고도 한다. = 공융혼합물(共融混合物)(39)

**공정관리** Process Control

작업 공정이 계획대로 진행되고 있는가를 관리하는 일을 말한다. 이를 위해서는 작업표준을 설정하고 실시내용을 검토하여 이상이 있으면 그 원인을 제거한다. 도금작업의 표준화 항목으로써 처리액의 욕조성, 욕온도, 피칭, 전류밀도, 도금시간, 치공구의 설계, 양극의 수조내 설치, 처리액의 여과방법 등이다. 통계적 품질관리 수법을 이용하면 효율 좋게 실시할 수 있다.

**공정내 리사이클** Recycle in the Plating Process

도금공정 내에서 발생하는 폐기물을 가능한 한 적게 하여 배수처리의 부담을 적게하는 방법. 구체적으로는 (1)도금욕으로의 유입량을 적게 하는 일, (2)도금욕에서의 배출량을 적게 하는 일, (3)배출분을 전부 도금액으로 되돌리는 일, (4)배출분을 어떠한 형태로 고정화하는 일, (5)금속분은 전해법을 이용하여 아노드로써 재이용하는 일 등의 방법이 있다.

**공정합금** Eutectic Alloy

2종 또는 그 이상의 대단히 미세한 순금속, 고용체, 금속간 화합물의 결정 혼합물로, 융점이 구성되어 있는 순금속, 고용체, 금속간 화합물 등의 그 어느 것보다도 융점이 낮다. 2성분계의 경우는 구성성분이 동시에 녹는 성분비의 점을 공정점 또는 공융점이라고 한다. 대표적인 것으로는 납과 주석합금의 땜납이 있다. = 공융혼합물(39)

**공 질화** Blank Nitriding

암모니아 가스 또는 질소를 통하지 않고 질화와 같은 작업을 하는 것을 공 질화라고 한다. 통상적으로, 질화 가스 대신에 중성 가스 또는 보호 도포제를 사용하여 질화와 유사한 조작을 행한다. 질화의 열 사이클을 확인하기 위해 필요한 예비 조작이다.

**공침(共沈)** Coprecipitation

화학적 성질이 조금 닮은 용질이 공존하는 용액에서 어떤 물질을 침전시킬 때에 단독일 경우, 침전되지 않는 다른 물질이 침전됨과 동시에 침전되는 현상을 말한다. 공침의 원인으로써 고형치환, 혼합 결정의 형성, 흡착, 흡장(吸藏) 등으로 여겨진다. 예를 들어, 황산바륨이 침전할 때에는 미량의 납이 공침되며 또, 수산화크롬이 침전할 시에는 미량의 아연, 마그네슘이 공침된다.

**공(空) 침탄** Blank Carburizing

침탄제 없이 침탄과 같은 작업을 하는 것을 공 침탄이라고 한다. 통상적으로 침탄제 대신에 중성제 또는 보호 도포제를 사용하여 침탄과 유사한 조작을 행한다. 침탄의 열 사이클을 확인하기 위해 필요한 예비 조작이다.

**공환 여과(空換濾過)** Transfer Filtration

도금욕의 전량을 여과하면서 예비 수조에 이동시켜 도금 수조를 비운 다음, 도금 수조를 깨끗이 세척한 후, 또 다시 여과하여 도금액을 도금 수조에 되돌리는 방법 = 치환 여과(512), 이환 여과(421)

**과공석정** Hyper-Eutectoid

강의 경우에는 공석 조성(0.85% C)보다도 고탄소의 것을 과공석정이라고 하며, 초석 시멘타이트(Pro-Eutectoid Cementite)+공석정(펄라이트)의 조직을 가지고 있다. 이와 같은 강을 과공석강(Hyper-Eutectoid Steel)이라고 한다.

**과공정(過共晶)** Hyper-Eutectic

공정 조성(4.3% C)보다도 고탄소의 것을 과공정이라고 하며, 1차 시멘타이트 또는 1차 흑연을 초정으로써 정출한다.

**과냉** Super Cooling

융체 또는 고용체가 응고 온도 또는 용해도선 이하로 냉각되어도, 타성 때문에 액체 또는 고용체 상태를 유지하는 경우가 있다. 이것을 과냉이라고 한다. 과냉의 정도가 어떤 한도에 도달하면 처음으로 응고 또는 석출을 일으키는 것이다. 융체일 때는 결정핵을 넣든지, 진동을 주면 과냉이 저지되어 곧 바로 응고된다. 과냉을 일으킨 고용체를 과포화 고용체(Super-Saturated Solid Solution)라고 한다.

**과망간산칼륨** Potassium Permanganate $KMnO_4$.

진한 적자색의 주상결정, 물 100g에 대한 용해도는 2.83g(0℃), 6.34g(20℃), 에탄올, 아세톤, 영초산에 녹으며, 엷은 용액은 열이나 빛에 의해 조금씩 분해한다. 강한 산화작용이 있으며, 농유산용액은 유기물이 있으면 폭발할 우려가 있다. 용량분석의 적정시약, 살균제, 소독제, 유기화성 등을 행하는 경우의 산화제 등에 사용된다.

**과산화수소수** Hydrogen Peroxide $H_2O_2$.

무색의 무거운 기체, 비중 1.465, 불점 152.1℃, 물과 임의의 비율로 혼합할 수 있다. 시판품은 안정제로써 인산, 요산 등이 첨가되어 있다. 양호한 산화제로 3% 수용액은 옥시풀 등의 상품명의 소독제로써 알려져 있다. 과망간산칼륨 등을 환원하여 환원제로써 작용하는 경우도 있다.

**과산화연 전극** Lead Dioxide Electrode

잘못된 표기로 바른 표기는 이산화연 전극이다.

**과전압** Overvoltage

전류가 흐르고 있을 때의 전극전위와 네룬스트의 식에서 계산된 평형전극전위와의 차를 말한다. 자연전위(부식전위)와의 차인 분극과는 이 점이 서로 다르나, 분극과 같은 의미로 사용되고 있는 경우도 많다. 활성화 과전압(Activation Overvoltage)과 농도 과전압(Concentration Overvoltage)으로 분류된다. 그 외에 전극면 피막저항 등에 따른 저항 과전압(Resistance Overvoltage)도 있으나, 이것을 과전압에 포함하지 않는 경우도 있다. 활성화 과전압은 전류가 변화하면 타펠의 식에 따라 변화하는 등, 거동은 분극과 같다. 이온의 방전이 시작되는 전위와 평형전극전위와의 차를 최소 과전압이라고 하고, 수소와 산소가 특히 크다. ◘ 분극(202), 수소 과전압(257)

**과포화 고용체** Super-Saturated Solid Solution

균일 고용체 범위에서 급냉하면 제2상이 석출되는 현상이 일어나지 않고, 과포화 고용체를 얻을 수 있다. 이것을 과포화 고용체라고 한다. 과포화 고용체는 불안정하기 때문에 제2상이 석출되려고 하는 경향을 발생하는 것은 당연하며, 재료에 따라서는 경화되어 과도한 상태를 띄는 것이 있다.

**광기록 재료** Materials for Optical Recording

광기록 재료에는 은염을 이용한 사진이 예전부터 있었으나, 현재에는 레이저광을 이용하여 기록·재생하는 매체를 지칭하는 경우가 많다. 광디스크에는 재생 전용형(ROM; Read Only Memory) 1회만 기록한 후, 재생 전용의 추가기록형(DRAW; Direct Read After Write) 및 소거·쓰기가 가능한 쓰기 전환형(erasable-DRAW)의 3종류가 있으며, 이들 모두 각종 금속 및 그 화합물, 유기물 등을 진공 증착, 스패터링, 무전해도금, 도포 등의 방법으로 평판한 디스크 상에 얇게 부착시킨다.

**광도계** Photometer

측정하는 광원의 광도를 교준 광도와 비교하여 측정하는 비교측정과 하나의 빛을 단독으로 측정하는 독립 측광을 행하는 장치가 있으며, 대비형, 광전관, 광전지, 열전대, 광전도성이 있는 황화 카드미셀을 감광부에 사용하는 것 등의 종류가 있다.

**광도 정량** ◘ 흡광 광도(분석)법(650)

**광레이저** ◘ 레이저(118)

**광명단(光明丹)** Minium : Red Lead ◘ 연단(鉛丹)(344)

**광산(鑛酸)** Mineral Acid ◘ 무기산(145)

**광채** Gloss ; Luster

물체 표면에서 반사하는 광선에 의해 발생하는 시각의 일종으로, 광채가 있는 면은 평탄하고 매끄럽게 광원의 상을 명확히 비추나, 광채가 없는 면은 비추지 않는다. 광채는 감각이며, 광택은 광채라고 하는 감각을 발생시키는 물리적 자극이다.

**광채제거 마무리** Matt Finish ; Dull Finish

장식도금에서 광채제거 표면을 만들기 위해서는 소지를 무지 가공하거나, 모양 가공을 한 후 도금하는 방법과 도금피막의 특성을 광채가 제거되도록 하는 방법이 있다. 소지의 무지 가공은 호닝(Honing) 가공, 샌드브라스트 가공, 버프연마 가공 등으로 행하며, 모양 가공에는 헤어라인

(Hair-line), 스핀(Spin), 다이어 컷 등의 모양이 있다. 도금피막에 광채를 제거하기 위해서는 미분말을 공석시키는 복합도금과 첨가제를 사용하는 방법이 있다. ◘ 매트 마무리(138), 무지 마무리(149)

**광채제거 무지** ◘ 무광택 무지마무리(145)

**광택계** Gloss Meter

광택(윤기)을 양적으로 표시한 것을 광택도라고 한다. 규정된 흑색경면 글래스의 광택도를 200으로 하고, 이것을 기준으로 광택도를 측정하는 측정기를 광택계라고 한다. 도막의 광택도는 60도 경면 반사율로 표시하는 경우가 많으나, 광택 도금면 등의 고광택면에는 20도 경면 반사율을 사용하는 경우가 많다. 광택계는 일반적으로 입사 및 반사각이 변화할 수 있는 변각(変角) 광택계를 사용한다.

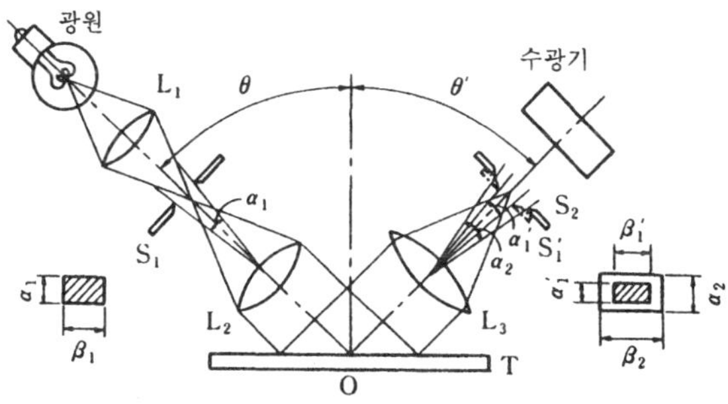


경면광택도 측정장치 개념도

광택계

**광택균일 전착성** Bright-Throwing Power

복작합 형태의 음극에 관해 균일한 광택 전기도금을 석출시키기 위한 도금욕 또는 도금조건 능력의 척도 ◘ 광택범위(44)

**광택 금도금** Bright Gold Plating

광택 금도금의 색조

| 외관의 색조 | 합금성분의 한 예 |
|---|---|
| 적금~핑크골드 | 금-동 |
| 그린골드(담황녹색) | 금-은 |
| 약간의 적색 | 금-코발트 |
| 그린~화이트골드 | 금-니켈 |
| 황금색 | 금-코발트-인듐 |

광택 금도금

도장용의 광택 금도금은, 산성욕이나 알칼리욕이 사용되며, 첨가되는 금속의 종류에 따라 색조를 조정한다. 실제적으로는 2원합금, 3원합금, 4원합금이 사용되고 있다. 순금도금에 비해 광택이 좋으며, 경도는 Hv100~250정도이고, 내마모성이 약 3배정도 향상된다. 전기부품, 전자부품 등의 기능도금에도 금합금도금을 하는 경우가 많다.

**광택 도금** Bright Deposits : Bright Electroplating

광택이 있는 도금피막 및 그 도금방법을 말한다. 소재가 경면이라 할지라도 도금 두께가 증가함에 따라 일반적으로 광택을 잃어간다. 광택도금에서는 소재의 경면을 유지할 수 있는 것뿐만 아니라, 평활화작용이 있는 광택도금에서는 소재의 미세한 요철을 없애고 소재표면보다도 도금면이 평활하게 된다. 도금욕에 광택제나 평활화제를 첨가하거나 시안화 동도금에서는 전해전류의 극성을 주기적으로 전환하는 방법(PR법)으로 광택도금을 할 수 있다. = 광택제(45), PR법(608)

**광택 동도금** Bright Copper Plating

광택시안화 동도금은 철강, 아연 다이캐스트 등에 직접적으로 밀착이 좋은 동도금이 가능하다. 주기적으로 극성을 반전시키면 광택제 없이도 광택을 얻을 수 있다(PR법). 광택황산 동도금은 레벨링이 좋은 광택도금을 얻을 수 있어 외관이 좋다. 광택피로인산 동도금은 균일전착성이 좋은 광택도금을 얻을 수 있으며, 어느 도금에서도 배럴도금이 가능하다.
◘ PR법(608)

**광택 범위** Bright Electroplating Range

일정한 작업조건하의 도금액에서 광택도금을 얻을 수 있는 전류밀도의 범위. 동일 도금액이라도 액온도가 저하하면, 일반적으로 광택범위가 좁아진다. 도금액의 교반, 음극이동은 광택 범위를 넓게 하는 효과가 있다. = 광택 전류밀도범위(45)

**광택 알루미늄합금** Bright Aluminum Alloy

다듬질된 상태에서의 반사율이 특히 뛰어난 합금 재료의 총칭이다. 반사판, 각종 장식품, 자동차 부품 등, 크롬 도금의 대용으로 이용되고 있다.

**광택 은도금** Bright Silver Plating

시안화 은도금에 광택제를 첨가하여 얻을 수 있는 광택 은도금 피막은 경도가 높고(Hv 100~150), 내마모성이 좋기 때문에 경질(광택) 은도금이라고도 불리며, 장식용 뿐만 아니라 전자부품, 약전부품, 강전부품에도 사용되고 있으며, 범용성이다. IC 리드프레임이나 트랜지스터 등에는 석출 은입자의 크기, 균일성 등을 요구에 맞추기 위하여 유기첨가제를 사용하고 반광택 은도금을 하는 경우도 있다. 광택 은도금은 변색되기 쉽고 특히 황을 함유한 것에 약하여 다갈색, 청흑색으로 변색하고 외관 및 전기적 접촉이 나빠지기 때문에 도금 후의 후처리 및 제품의 보관에 주의를 요한다.

**광택 전류밀도범위** ◘ 광택범위(44)

**광택제** Brightener : Brightening Agent

광택도금의 형성을 돕고 석출물의 광택을 개량하는 첨가제. 광택제는 도금욕의 종류에 따라 다르며, 광택 니켈도금에서는 제1광택제와 제2광택제를 병용하는 경우가 많다. 유기물과 무기물이 있으며, 유기물은 표면에 흡착하는 물질, 무기물은 공석하여 석출금속의 결정입자를 작게 하는 물질이 많다.

**광택 침적** Bright Dipping

금속표면을 여러 가지 조성의 용액 중에 단시간 침적하여 광택면으로 하는 방법. 화학연마의 일종이다. 도금에서는 광택도금 마무리도 포함된다. ◘ 화학연마(630)

**광택 크로메이트** Bright Chromate

아연도금의 크로메이트 처리는 유색 크로메이트, 광택 크로메이트, 흑색 크로메이트, 녹색 크로메이트로 분류되며, 광택 크로메이트는『유니크로』라고도 불린다. 피막 중에 6가 크롬이 적고 3가 크롬이 많으며, 청은 백색(블루계)으로 광택이 있고, 외관은 좋지만, 내식성은 유색 크로메이트 피막보다도 뒤떨어진다. 유색 크로메이트 처리와는 후처리 공정이 다소 다르다.

(처리액이 저농도일 때) 크로메이트 처리→수세→탕세→건조.

(처리액이 고농도일 때) 크로메이트 처리→수세→알칼리(수산화나트륨 20g/$l$ 또는 탄산나트륨 50g/$l$)→수세→탕세→건조 ◘ 크로메이트 처리(533), 유니크롬(389)

**광활성화법** Sensitizing by Photo-Activation

프린트 배선기판의 제조법에서 도체 패턴이 되는 부분에 선택적으로 무전해도금을 행하기 위해, 감광성 활성화제를 적층판의 표면에 도포하여 노광에 의해 도포 부분을 활성화시키는 방법을 말한다.

**광휘 침지(光輝浸漬)** Bright Dip

동 및 동합금의 화학연마법을 말한다. 광휘침지는 일본식 도금용어로써 영어의 Cleanliness가 어원이다. 광휘 침지액은 농초산, 농황산, 농염산의 혼합산이며, 수 초간의 침적으로 광택을 얻을 수 있다. 농초산을 사용하면 $NO_2$가스가 발생하기 때문에 농초산에 과산화수소수를 첨가한 광휘 침지액이 시판되고 있다. = 광휘 침지 마무리(후항)

**광휘 침지 마무리** ◘ 광휘 침지(전항)

**교류** Alternating Current

시간의 경과와 함께 규칙 바르게 일정한 주기를 가지고 그 크기와 방향을 바꾸는 전류를 말한다. 교반전류라고도 하며, 기호는 AC로 표시한다. 교류의 1회 파형변화를 1사이클이라고 하고, 1사이클을 완료하는데에 필요한 시간을 주기라고 한다. 또 1초간에 반복되는 사이클 수를 주파수라고 하고, 헤르쯔(Hz)로 표기한다. 배전선의 교류 주파수는 지역에 따라 주파수가 다르다. ◘ AC(332)

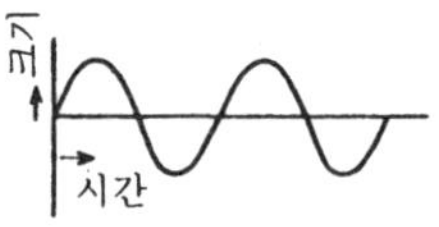

교류

**교류직류 중첩법** Electrolyzing Process of Superimposed Alternating Current on Direct Current

교류와 직류를 중첩하여 전해하는 방법. 알루미늄의 양극산화처리의 수산전해법으로 사용되고 있다. 교류와 직류의 전류비율에 따라 피막의 색조를 변화시킬 수가 있다. 또 금의 전해정제법에서는 양극의 부동태화를 방지하기 위해서 사용되고 있다.

**교반장치** Agitator

처리액의 교반장치는 크게 나누어 다음 방식이 있다. (1)처리액 중에서 섞여 날개(임펠러)를 회전 또는 진동시키는 것, (2)유체의 운동에너지를 이용한 것(분류 등), (3)공기 등을 액중으로 뿜어내는 것, (4)초음파 진동 등의 진동을 주는 것의 방식이 있다. 도금작업에서는 무전해도금욕의 교반이 중요하며, 불활성가스(질소가스 등)를 뿜어내는 경우도 있다.

◘ 임펠러(423)

**교상(膠狀) 전해질** ◘ 콜로이드 전해질(530)

**교질(膠質)** ◘ 콜로이드(530)

**교환 전류밀도** Exchange Current Density

전해반응이 0이고 평행하게 있을 때의 ⊕방향(산화)과 ⊖방향(환원)의 속도(교환 전류밀도 $i_0$)를 말한다. 이것은 외부에서는 알 수 없기 때문에 산화, 환원의 타펠(Tafel's)선을 취하여 과전압이 0인 곳에서 그 값을 구한다. $i_0$가 작으면 조금만 분극해도 별로 전류가 흐르지 않아 전극반응이 활발하지 않으며, $i_0$가 크면 조금만 분극해도 큰 전류가 흘러 전류반응이 활발하게 일어나는 것을 알 수 있다.

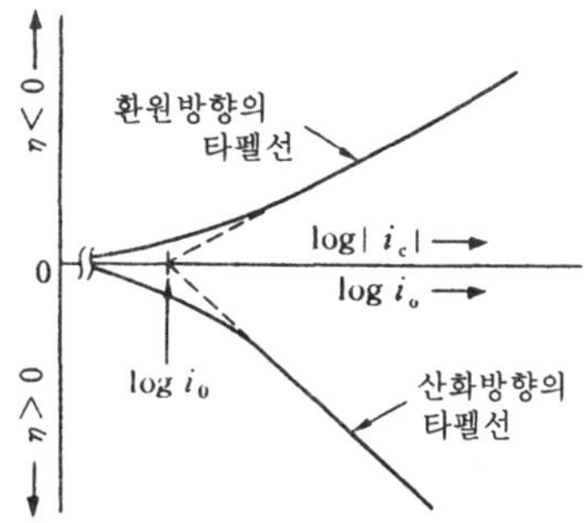


산화 및 환원방향의 타펠선

교환 전류밀도

**구식(溝食)** Grooving

가늘고 길게 연속적인 홈 형상으로 발생하는 부식을 말한다. 시간이 경과하면 균열을 수반하는 경우가 많다. 온도나 압력을 반복하여 받는 강판 등에서 발생한다. 예를 들어, 사용 시간이 많은 보일러의 강판 등에서 볼 수 있다.

**구치의 도가니** Gooch's Crucible

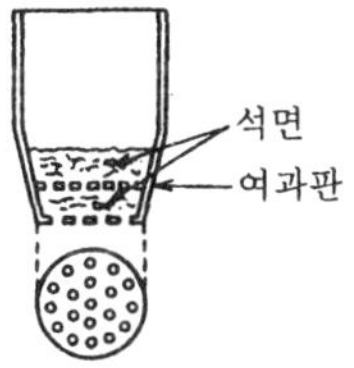


구치 도가니

바닥에 다수의 작은 구멍이 있는 자제(磁製) 또는 백금제 도가니로 별도의 여과판(다수의 작은 구멍이 있는 판)이 부착되어 있다. 그림과 같이 도가니에 정제된 석면, 석영 울 등을 넣어 놓아 흡인시켜 놓는다. 건조, 강한 열을 가하여 항량(恒量)으로 하고 난 후, 침전 여과에 사용하여 세정 후, 건조하고 강한 열을 가해 중량 분석을 행한다. 여과지와 함께 가열하는 것을 피하고 싶을 때 사용한다.

**국부도금** Selective Plating ▣ 부분도금(196)

**국부부식** Local Corrosion

금속표면의 부식이 국부적으로 집중하여 생기는 부식. 도금과 같이 이종금속의 접촉에 의한 부식 이외에도 응력부식이나 틈부식 등도 국부부식의 한 형태이다. 원인은 국부전지의 구성에 의한 경우가 많다. ▣ 국부전지(48)

**국부적 부식율** Corrosion Rate of Sampled Area

도금의 부식시험 방법은 일반적으로 유효면의 면적이 넓은 경우에 적용된다. 미리 측정용구를 작성하며, 만드는 방법은 5㎜ 간격 또는 2.5㎜ 간격으로 직교하는 직선을 그은 유연하고 투명한 플라스틱 판으로 격자 선의 폭은 0.15㎜ 이하로 만든다. 시료의 부식결함이 가장 많은 50×50㎜의 국부면적에 대해, 측정용구를 대고, 격자 수에서 다음 식으로 국부 부식율을 계산한다. 국부적 부식율(%)+{(부식결함을 포함한 격자 수)÷(50×

50㎜의 격자 수)}×100.

**국부전지** Local Cell

금속표면의 국부에서 구성된 미소전지. 도금피막에 핀홀이 존재할 경우, 공기 중에는 수분이 있기 때문에 소지금속과 도금금속과의 이온화 경향 차이에 의해 이온화 경향이 작은 쪽이 음극, 이온화 경향이 큰 쪽이 양극이 되어 전류가 흐른다. 이것을 국부전지라고 하며, 단순히 금속 상호간에 이온화 경향의 대소뿐만 아니라, 왜곡의 대소나 금속의 결정입자의 크기 차이, 결정의 방향 차이 등도 국부전지의 원인이 된다. 국부전지는 금속 상에 의해 단락되어 있는 상태이기 때문에 국부전류가 흐른다.

**국제단위** International Unit ◘ IU(300)

**국제단위계** International System of Units

국제도량형총회에서 1960년에 채택된 단위계. 약칭 SI. MKSA단위계가 발전한 것으로 MKSA단위의 미터(M), 킬로그램(Kg), 초(s), 암페어(Å)외에 온도의 단위 켈빈(K), 광도의 단위 칸데라(cd)가 있으며, 1971년에 채택된 물질의 단위 몰(mol)을 첨가하여 합계 7개를 기준단위로 하였다. 이것들의 기본단위의 곱 또는 나누어서 얻어진 다수의 유도단위가 있다. 또 상기 외에 각도에 관한 라디안(rad)과 스테라디안(sr)을 보조단위로 하고 있다. 그리고 실용단위는 국제단위와는 다른 것이다. = SI ◘ IU(300)

**굴곡 음극** Bent Cathode

도금욕의 피복력을 조사하기 위하여 사용하는 굴곡형상의 음극판. 재질은 철, 동, 황동이 많다. 형상은 정해져 있지 않으며 한 예를 그림에 나타낸다. 치수는 임의로 정한다. = 벤트 카소드, 완곡음극 ◘ 커버링 파워(524)

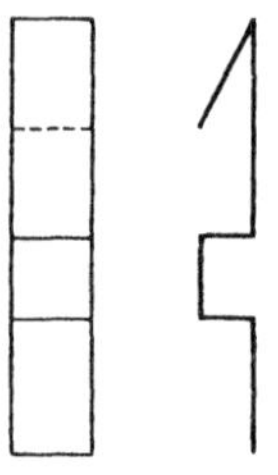

굴곡음극

**굽힘** Bending

판재, 봉재, 관재 등을 다이스나 롤을 이용하여 필요로 하는 형상으로 굽혀 변형시키는 가공을 말한다. 재료의 내측은 압축력, 외측은 인장력을 받으며, 중간에 응력과 변형이 0인 중립면이 발생한다. 가공 후는, 탄성적인 스프링 백이 있다.

**굽힘 강도** Bending Strength : Flexural Strength

굽힘 하중에 의해 재료가 파단되는 경우의 최대 응력을 말하며, kgf/㎟(N/㎟)의 단위로 표시한다.

**굽힘 시험** Bending Test

피도금물을 굽혀서 도금의 밀착성을 조사하는 시험. 도금의 밀착성 시험방법에 의하면 시료를 반경 4~10㎜의 굽힘 시험기에 끼워서 확실하게 고정하고, 전후 방향으로 90도씩 반복하여 굽혀 도금이 박리 될 때까지 굽힌 횟수를 측정한다. 굽힘횟수는 90도 1왕복을 1회로 하며, 4배 정도의 확대경으로 관찰한다. 이 시험은 도금 피막의 취성의 영향이 크다. 소지금속의 두께가 2㎜이상의 경우에는 적합하지 않다.

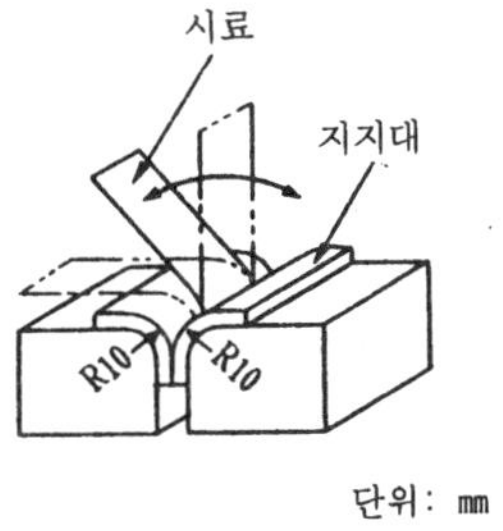

굽힘 시험

**굽힘 응력** Bending Stress

굽힘의 외력을 받아, 이것에 맞게 재료내부에 발생하는 저항력으로 판상, 봉상의 굽힌 볼록 측에는 인장 응력, 오목 측에는 압축 응력이 생긴다. 그 중간에 응력과 변형이 없는 중립면(Neutral Surface)이 생긴다. 중립면은 굽히는 것만으로는 신축하지 않는다. ◘ 응력(404)

**권선 시험** Winding Test ; Wrapping Test

도금의 밀착성 시험방법의 일종으로, KS D 0254「도금의 밀착성 시험방법」에 규정되어 있다. 이 시험은, 도금된 가는 선 등을 일정한 직경을 가지고 있는 맨드렐(Mandrel)에 감아 도금의 밀착을 조사하는 방법으로, 맨드렐 시험 방법이라고도 한다. 그림과 같은 손잡이가 달린 유지구에 직경 1~2㎜의 단단한 맨드렐을 취부하고, 시료의 한 단을 유지구에 고정시키며, 다른 단을 펜치 등으로 확실하게 물린 후, 3회 이상 감는다. 육안 또는 약 4배의 확대경을 이용하여 관찰하여 도금의 박리 또는 부풀음이 있으면 밀착불량으로 본다. = 맨드렐 시험(136)

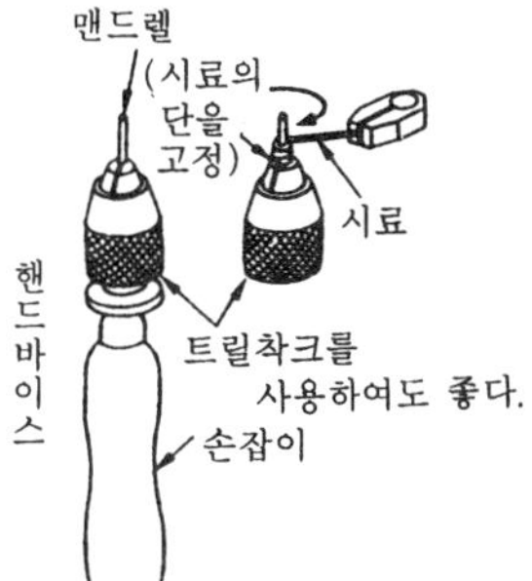

권선 시험

**궤식(潰食)** Erosion ◘ 이로전(409), 침식(514)

**귀금속** Noble Metal

비금속에 대응하여 사용되며 주로 금, 은, 및 백금족원소를 말한다. 보통의 화학약품에는 안정하고 공기 중에서 가열하여도 용이하게 산화되지 않는다. 공업재료로써도 중요하며 산출량이 적어 고가이다. 귀금속 도금은 금, 은, 로듐, 백금, 팔라듐, 루테늄도금 등이 있다.

**규불화 크롬도금** Fluorosilicate Chromium Plating

욕조성은 무수크롬산 250g/l, 황산 0.7～1.3g/l, 규불화소다 5～10g/l로 표준적인 서젠트욕에 비해 전류효율과 광택범위가 넓으나, 도금욕의 관리, 양극의 부식, 고전류밀도가 필요하다는 등의 단점이 있다. 배럴 크롬도금, 망 부착용의 크롬도금욕으로써 이용된다.

**규불화수소산** Hexafluorosilicic Acid $H_2SiF_6$.

헥사플루오르규산, 별명 플루오르규산이라고도 한다. 불화규소에 물을 가함으로 인해 얻을 수 있다. 황산과 같은 정도의 강산성이며, 독물로 피부에 부착되면 피부가 하얗게 변하며 심한 통증을 느낀다. 주석도금, 납도금 등에 사용된다.

**규사** Silica Sand

규석($SiO_2$)을 인공적으로 분쇄한 것을 말하지만, 천연 규사도 있다. 글래스의 원료, 라이닝, 내화재료, 주물용 사형 등에 사용된다.

**규산** Silicic Acid

좁은 의미로는 올소규산 $H_4SiO_4$를 말하지만, 메타규산 $H_2SiO_3$, 메타이규산 $H_2Si_2O_5$, 메타삼규산 $H_4Si_3O_8$, 메타사규산 $H_6Si_4O_{11}$ 등을 포함하는 경우가 많다. 이산화규소 $xSiO_2\,yH_2O$를 규산이라고 부르는 경우도 있다. 많은 규산염이 있으나, 그것들에 대응하는 유리(遊離)의 규산을 채취하는 것은 불가능하다. 알칼리 탈지액에 규산소다를 사용할 경우에는 탈지후, 표면에 규산의 잔류, 부착에 주의를 요한다.

**규산나트륨** Sodium Silicate

여러 가지 규산나트륨염의 총칭이다. $Na_2O \cdot xSiO_2$로 표시한다. 보통은 메타규산나트륨 $Na_2SiO_3$를 지칭하는 경우가 많다. 이 외에 올소규산나트륨 $Na_4SiO_4$, 이규산나트륨 $Na_2Si_2O_5$, 사규산나트륨 $Na_2Si_4O_9$ 등이 있다. 물글래스는 주로 메타규산나트륨을 포함하지만, 이것들의 규산염의 혼합물이다. 탈지 후, 표면에 규산의 잔류, 부착에 주의를 요한다. ◘ 올소규산소다(370)

**규소** Silicon Si.

원자번호 14, 원자량 28.0855, 비중 2.33(18℃), 융점 1414℃, 불점 2355℃, 금속과 비금속 중간의 성질을 갖는 원소(아금속)로 결정성(結晶性)의 것과 무정형(無定形)의 것이 있다. 결정성 규소는 불화수소산에는 불용이나 초산을 첨가하여 열을 가하면 용해된다. 백열(白熱)정도로 열을 가하면 산소나 질소와 화합하며, 알칼리용액에는 수소를 내며 간단히 녹는다. 무정형 규소는 결정성 규소에 비해 활발하고, 공기 중에서 가열하면 연소하여 이산화규소를 생성하며, 합금용 성분이다. 금속제조의 환원제, 탄산제, 반도체, 세라믹, 실리콘유, 규소수지 등에 사용된다.

**규소 강판** Silicon Steel Sheet

규소 함유량 1~4%로, 탄소를 가능한 한 적게(<0.02%)첨가한 철-규소 합금판을 말한다. 자기히스테리시스 손실이 극히 작기 때문에 변압기용 철심으로써 널리 사용되고 있다. = 전자 강판 ◘ 실리코나이즈드 철판(282

**규정농도** ◘ 규정도(후항)

**규정도** Normality

용액의 농도 표시방법의 하나로, 용액 1*l* 중에 포함된 용질의 그램당량수로 표시한다. 예를 들어, 용액 1*l* 중에 용질을 1그램당량 포함하고 있는 용액의 농도를 1 규정 또는 1 규정도(1 노멀)라고 하고, 1N으로 표기한다. 용량분석에 잘 사용된다. = 규정농도 ◘ 농도(77)

**규조토(硅藻土)** Diatomaceous Earth : Diatomite

단세포 조류(藻類)인 규조의 유해와 점토, 화산재, 유기물 등이 혼합되어 있는 백색~백회색의 가볍고 미세한 분말로 자연적으로 생산된다. 미립의 다공질로 공극율(空隙率)은 60~90%이며 여과조제로써 여포에 얇게 도포하거나, 배수처리에 사용된다. 알칼리에 용해되기 때문에 주의를 요한다.

**규칙격자** Super Lattice : Ordered Structure

치환형 고용체에서 용질원자와 용매원자는 불규칙한 위치를 점령하고 있는 것이 보통이지만, 서로 규칙적으로 배열하고 있는 것이 있으며, 이것을 규칙격자라고 한다. 일반적으로 저온이 되면 규칙격자가 된다. 이 변화를 규칙-불규칙변태라고 한다. = 초격자(503), 중격자(487)

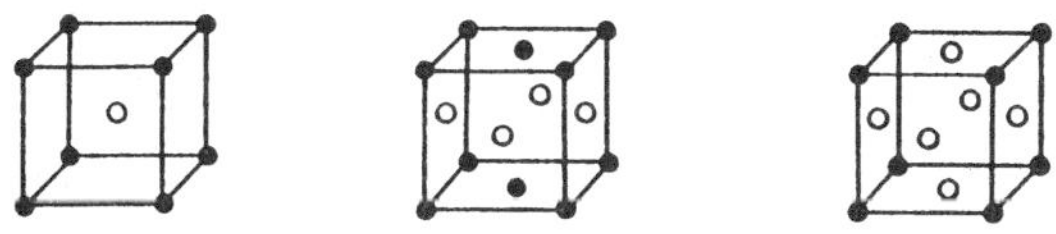

(a) CuZn형　　(b) AuCu형　　(c) AuCu3형

규칙격자의 원자배열( ○ : Cu 원자 ) 예

규칙격자

**규칙공석(規則共析)** Regular Codeposition

합금전착의 한 형태(A. 브레너의 분석에 의함)를 말한다. 정상분석의 일종으로, 단순염 용액에 확산지배가 있을 때에 가장 보편적으로 나타나는 공석의 형태이다. 전류-전위곡선에서 합금의 공석의 방법이나 합금의 조성의 방향을 잡을 수 있다. ◘ 정상공석(475)

**균열** Crack ; Cracking

도금피막의 연성이 낮아질 때나 내부 응력이 높을 때에 도금피막의 표면에 생기는 갈라진 곳, 및 그 갈라진 곳이 생기는 것을 말한다. ◘ 크랙(532)

**균열(均熱)** Soaking

소정의 온도로 충분하게 유지하는 것을 균열이라고 한다. 균열하는 온도를 균열 온도, 유지 시간을 균열 시간이라고 한다.

**균열로** Soaking Pit

균열하기 위한 로를 균열로라고 한다.

**균열 시간** Equalizing Time

처리물의 내외가 동일 온도가 될 때까지의 소정 시간을 말한다. 타임 랙(Time Lag)이라고도 한다.

**균일납 라이닝** Homogeneous Lead Lining

철면을 산세하여 동질액을 도포 후, 용융 납도금 또는 납땜을 하고 산수소염으로 납을 용착시켜 두꺼운 라이닝을 실시하는 방법으로, 이전에는 전해조, 황산제조의 납실, 원자력장치의 내장 등에 사용되었으나, 장치, 재료 등이 진보된 탓에 현재는 거의 사용되지 않고 있다.

**균일 부식** Uniform Corrosion ◘ 전면 부식(456)

**균일전착성** Macrothrowing Power

두께가 균일하게 도금된 도금욕의 능력을 말한다. 균일전착성은 도금욕의 종류나 전착 조건 등에 따라 다르지만, 일반적으로 크롬도금욕은 나쁘고, 시안욕은 양호하다. 도금욕의 도전율이 높고, 음분극이 크며, 고전류밀도 영역에서 전류효율이 저하하는 욕이 균일전착성이 좋다. 균일전착성의 측정은 하링 셀로 행하지만, 헐셀 테스트나 굴곡음극으로 간단히 측정할 수 있는 경우도 있다. = 슬로잉 파워 ◘ 피복력(605), 하링 셀(615)

**균질화** Homogenizing

철강을 고온으로 가열하여, 확산 작용에 의해 화학 성분적 편석을 없애 재질의 균일화를 꾀하는 조작을 균질화라고 한다.

**그래파이트** Graphite ◘ 흑연(648)

**그랜드 패킹** Gland Packing : Stuffing

여과기 펌프 등의 축봉(軸封)으로 액의 누수량을 적게 하는 방법의 하나. 회전축이나 습동축에 가장 많이 사용되고 있다. 축의 원주를 패킹 박스로 둘러쌓아 그 틈으로 패킹을 끼워 넣어 축방향으로 압축, 패킹과 축을 밀착시키는 장치이다.

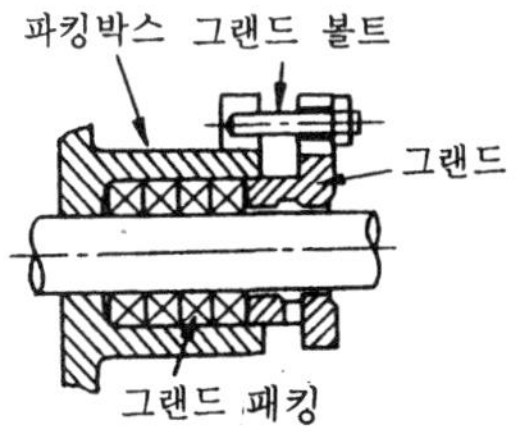


그랜드 패킹

**그램 당량** Gram Equivalent

원소 또는 화합물의 1당 량에 그램을 달아놓은 것을 말한다. 예를 들어, 황산($H_2SO_4$)의 1당 량은 49.04이기 때문에, 1그램 당량은 49.04g이다. 당량이라는 것은 산소의 ½mol과 화합하는 임의의 원소 질량, 또는 산과 작용하는 1개의 수소를 포함한 산의 양 및 이것을 중화하는 염기의 양 또는 환원작용을 하는 수소 1개를 포함한 환원제의 양 및 이것에 상당하는 산화제의 양을 말한다.

**그램 분자** Gram Molecule

물질량 단위의 일종이다. 분자량에 그램을 붙인 것으로 1그램 분자 또는 1mol이라고 한다. 예를 들어, 산소분자는 분자량이 32.0이므로 그 1그램 분자는 32.0g이다.

**그레인 사이즈** Grain Size ◘ 입도(431)

**그로스(酸化鐵磨粉)** Crocus

크로코스의 속칭. 산화철을 성분으로 하는 막대기 모양의 유성 연마제이다. 주로 동 및 동합금의 중연마, 마무리연마에 사용되며, 때로는 알루미늄, 아연 다이캐스트의 중연마에 사용된다. = 크로커스(535)

**그린 골드도금** Green Gold Plating

담황녹색의 금-은합금 도금으로 악세서리 등의 장식도금에 사용된다. 욕조성은 시안화금칼리 3g/$l$, 시안화은칼리 0.5g/$l$, 1수소인산칼리 15g/$l$, 시안화칼리 7.5g/$l$, 온도 55~90℃, 전류밀도 0.5~2.5A/dm$^2$이다. 욕의 교반은 하지 않으며, 전류밀도가 낮으면 녹색이 강해진다. 은 대신에 카드뮴을 사용하여도 그린 골드 색을 얻을 수 있다. = 녹(綠) 금도금(76)

**그린 러지** Green Rouge ◘ 청봉(501)

**그린 룸** Green Room

공기중의 오염물질(미립자, 가스, 미생물, 액적(液滴) 입자 등)을 목적에 따라 소정의 정량 이하로 제거하고, 공기의 온도, 습도, 실내 압력, 기류 등을 일정하게 유지하도록 제어된 공간을 말한다. 공업용과 의료용으로 대별된다. 미립자의 제거에는 일반적으로 고성능 필름이 사용된다.

**그린 크로메이트** Green Chromate

아연도금의 크로메이트 처리에서 크로메이트 액에 특수한 음이온을 첨가하면 후막형(1~2㎛)의 녹색계 크로메이트 피막을 얻을 수 있다. 보통의 유색, 무색의 크로메이트 피막은 박막형으로 두께는 0.05~1㎛이다. 그린 크로메이트는 내식성이 극히 좋아 염수 분무시험에서는 점모양의 백청을 발생시키기까지 250시간을 요하는 것도 있다. 후막형이기 때문에 고온 건조에 의한 크랙 발생 비율이 크므로, 저온 건조를 하여야 한다. 자동차부품 등의 고내식성을 요구하는 부품에 사용된다. = 녹색 크로메이트(76)

**극간거리** Anode-Cathode Distance : Distance Between Electrodes

양극과 음극과의 거리. 극간거리를 짧게 하면 욕전압이 낮아지기 때문에 전력소비량이 적게 든다.

**극간전압** Bath Voltage ◘ 욕전압(375)

**극박 동박(極薄銅箔)** Ultra Thin Copper Foil

두께가 5㎛, 9㎛, 12㎛의 대단히 얇은 동박으로, 프린트 배선기판의 가는 선 패턴의 제조에 적합하다. 얇기 때문에 취급이 곤란하므로 알루미박을 지지체로써 합해놓은 것도 있다. 극박 동박은 전해 동박도 있으나, 압연가공에 의해 제조된 것이 많다.

**극봉** Bar : Rod : Anode Bar : Cathode Bar ◘ 버스 바(176)

**극성** Polarity

전극의 정(플러스), 부(마이너스)의 구별을 말한다. 정극, 부극의 항 참조 ◘ 정극(476), 부극(195)

**극성반전기** Polarity Reverser ◘ 극성전환기(후항)

**극성 전환기** Polarity Reverser

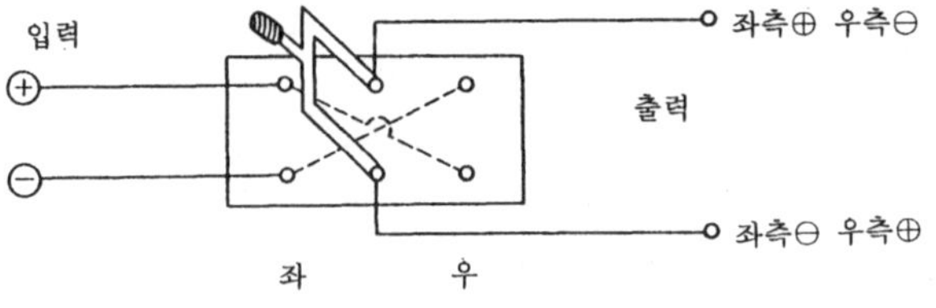


극성 전환기

전극의 정과 부를 반대로 하는 장치. 그림에 예를 나타낸다. = 극성 반전기(전항)

**극판** Electrode ; Anode Plate ; Cathode Plate

넓은 의미로는 전극을 말한다. 도금에서는 양극판을 지칭하는 경우가 많다. 가용성 양극, 불용성 양극을 포함하여 극판이라고 한다. = 전극판

◘ 전극(447)

**글루콘산나트륨** Sodium Gluconate ; Sodium Salt of Gluconic Acid ; $NaC_6H_{11}O_7$.

황색 또는 백색의 결정성 분말로 물에 녹는다. 포도당을 약한 산화제로 산화시키든지 발효시켜 만든 골든산의 소다염이다. 철강 등의 금속 세정액의 첨가제 이외에 식품공업, 제약공업의 원료로써의 용도가 있다.

**금** Gold

열과 전기의 양도체로 전연성이 뛰어나고, 1g의 금으로 3㎞의 와이어를 만들 수 있으며, 두께 0.1㎛의 금박도 용이하게 만들 수 있다. 화학적으로 대단히 안정되어 있으며, 이온화 경향이 작다. 금은 합금이 되기 쉬우며, 금 함유량은 캐럿으로 표시한다. 1캐럿이라는 것은 순금량이 1/24이라는 것을 의미하며, 1K(또는 car)라고 쓴다. 비중 19.3, 융점 1063℃, 불점 2660℃, 열전도도 260kcal/m · h · ℃, 전기비저항 2.4μΩ · ㎝, 모스경도는 2.5이다.

**금강사(金剛砂)** ◘ 에머리(328)

**금계(金系) 접점재료** Gold and Gold Alloy Contact Material

금은 내식성이 뛰어나지만, 접점으로써는 너무 부드럽기 때문에 대부분이 합금 접점으로써 이용된다. 대표적인 것은, Au 69%-Ag 25%-Pt 6%의 합금으로, 접촉 저항이 낮고 안정되어 있기 때문에 백금 접점의 대용으로써 경부하의 릴레이용 접점 등에 사용된다. 그 외에, 경부하용으로써, Au-5% Ni, Ag- 5% Au 합금 등이 있다.

**금도금** Gold Plating

금을 입혀 놓고 금박을 접착제로 부착시키는 방법이나 수은 에멀감법 등이 고대부터의 도금법이었으나, 현재는 전기 금도금, 무전해 금도금, 진공증착(PVD)이 폭 넓게 이용되고 있다. 금은 부드럽기 때문에 다른 금속을 소량 함유시킨 합금도금이 많고, 니켈, 은, 인듐, 코발트 등을 0.1~8%정도 공석 시킨 것을 경질 금도금이라고 한다. 순금도금에 비해 경도가 2배 이상, 내마모성이 3배 이상 향상된다. 순금도금은 순도 99.9% 이상의 금을 얻을 수 있으며, IC헤더나 스템, 리드프레임 등에 도금한다.

전해도금욕은 종류가 많으며, (1)고온 시안알칼리욕, (2)저온 시안알칼리욕, (3)중성욕 및 약알칼리욕, (4)약산성욕(순금용), (5)약산성욕(합금용), (6)강산성욕(3가의 금시안화물을 사용, 스텐리스상의 금도금 등에 사용), (7) 노(No)시안알칼리욕(아류산 금나트륨을 사용) 등 많은 금도금액이 시판되고 있다.

**금브러쉬 도금** Gold Brush Plating

금도금의 공예적인 수법으로, 붓도금, 브러쉬도금과 같은 방법이 있다. 미술공예품에 부분도금을 할 때 사용된다. = 브러쉬도금 ◘ 붓도금(212)

**금색도금** Gold Color Plating

장식용 금색도금은 Cu-Sn-Zn의 3원합금 도금으로 시안욕이 많다. 시안화동, 시안화아연, 주석산나트륨을 주성분으로 하는 시안욕에서 금색도금을 얻을 수 있지만, 도금 후에는 변색되기 쉽기 때문에 투명한 도료를 부착하여 사용한다. 합금도금의 조성은 Cu 80%, Sn 8%, Zn 12%로 금에 가까운 황색도금을 얻을 수 있다. PVD(진공도금)에서는 TiN도금이 경질의 금색이다. = 대용 금도금 ◘ 동-주석-아연 합금도금(102)

**금속** Metal

금속 광택이 있으며, 전기와 열을 잘 인도하며, 고체 상태에서는 전성, 연성이 풍부한 물질을 말한다. 수은 이외에는 상온에서 모두 고체이다. 결정 중에서의 원자는 금속 결합에 의해 연결되어 있으며, 전자의 일부는 자유전자로써 존재한다. 단체 안티몬, 비스머스 등, 자유전자 수가 적은 금속은 반금속 또는 아금속(세미메탈 또는 메탈로이드)이라 불린다. 금속, 비금속의 중간 성질을 가지며, 그 결정 구조에 의해 금속 또는 비금속의 어느 한 성상을 나타낸다. 그리고, 금속의 전기전도도는 온도의 상승과 함께 감소하지만, 비금속에서는 증가한다. ◘ 금속결합(57)

**금속간 화합물** Intermetallic Compound

2종 또는 그 이상의 금속원소가 비교적 간단한 원자수로 화합한 것으로 성분 금속과는 성질도 결정구조도 확연히 틀리다. 예를 들어 $CuAl_2$, CuZn, $Cu_3Al$, $Cu_5Sn$, MgSi, $Fe_3C$ 등이 있으며, 화합비율은 통상의 원자가의 관계가 아닌 가전자의 수가 크게 영향을 미친다. 변형되지 않고 단단하다. 또 전기저항이 높은 등의 비금속적 성질이 강해 도금이 밀착하기 어렵다. 액체나 증기에서는 존재하지 않고, 고체에서만 존재한다. 전자상태와 결정구조에 대해서는 흄-로더리의 법칙이 있다. ◘ 흄-로더리의 법칙(647)

**금속 결합** Metallic Bond

금속에서 원자의 결합 방법을 말한다. 금속원자는 외측의 축도에 있는 전자(가전자)를 방출하여 양이온의 형태로 결정격자를 형성하고 방출된 가전자는 결정격자의 사이를 자유롭게 이동하기 때문에 자유전자로 불리며, 금속이온은 자유전자의 바다에 떠있는 것처럼 보이기도 한다. 양이온과 자유전자간의 정전인력이 결합의 주요한 힘이 되고 있다. 자유전자가 풍부하기 때문에 금속은 전기나 열의 양도체이고, 빛이나 전파를 반사하며, 광택이 있고 전연성이 크다. 또 이종원자가 혼합된 고용체 합금을 얻을 수 있는 경우가 많으나, 혼합되지 않는 공정(共晶), 편정(偏晶), 포정(包晶) 등으로 되는 합금도 있다. 이 때에도 자유전자는 이종원자간을 이동한다. 금속간 화합물은 공유 결합도 하고 있기 때문에 자유전자가 적고 비금속적인 성질이 강하다. ◘ 화학 결합(629)

**금속박** Metal Leaf ; Metal Foil

일반적으로 금속의 얇은 필름을 박(箔)이라고 하며, 두께 50㎛ 이하가 박이라고 하는 설과 두께 10㎛ 이하가 박이라고 하는 설이 있다. 금속을 두드려서 압연에 의해 박을 만드는 방법과 도금에 의해 박을 만드는 방법이 있다. 도금법에 의한 전해 동박은 두께 5~35㎛의 것이 양산되고 있으며, 프린트 기판용으로 사용된다. 압연법에 의한 금속박은 알루미늄박이 양산되고 있으며, 콘덴서용이나 파킹용 등에 사용되고 있다. 그 외에 금박, 은박, 동합금박, 스테인리스박, 티탄박 등이 있다.

**금속 분말** Metal Powder

직경 1㎜ 이하의 금속입자가 만들어지고 있으며, 그 제조방법은 고체 금속염이나 화합물의 열분해, 승화와 응축, 금속의 공중·액중 방전, 기계적 분쇄, 용탕 분무, 전해에 의한 석출, 용액에서의 석출, 환원 등이 있다. 전해에 의해 만들어지는 것은 동분말, 철분말, 니켈분말, 은분말 등이 있으며, 용도는 동분말은 브러시 등, 철분말은 자기테이프 등, 니켈분말은 전지 등, 은분말은 도전도료 등에 사용되고 있다. 전해법으로 만들어진 금속분말은 고순도로써, 수지상 결정(덴드라이트)의 것이 많다. 그 외 금속분말의 용도는 분말 야금에 의한 각종 복합재료, 난융성 물질, 다공성 재료, 초경합금 등의 원료, 안료, 금속용사(메탈리콘), 촉매, 용접봉, 사진 후레쉬(마그네슘 분말) 등이 있다. 금속의 초미 분말이라고도 불리는 것은 직경 약 0.0n㎛의 초미립자이다.

**금속 비누** Metal Soap

고급 수지산 또는 수지산이 알칼리금속 이외의 금속, 예를 들어 Ca, Zn, Cu, Al, Cr, Mn, Pb 등의 염으로 되는 것을 말한다. 대부분의 금속은 물에 녹지 않기 때문에 도금의 밀착불량, 피트 등의 원인이 된다.

**금속사출 성형** Metal Injection Molding : MIM

금속부품의 정밀성형법으로 미세한 금속분말에 수지, 왁스 등을 배합하여 사출 성형기를 이용하여 370~520℃로 몰드에 사출하여 성형시켜 바인더를 가열, 제거한 후, 소결(燒結)하여 금속의 정밀부품을 만드는 방법을 말한다. 보통 금형의 성형에 비해 얇고 복잡한 형상의 부품 성형이 가능하다. 분말 야금에서는 금속분말의 입경이 약 100㎛이지만, 금속사출 성형에서는 입경이 약 10㎛의 금속분말을 사용하기 때문에 가격이 높아 소형 정밀부품에 이용되고 있다. 도금가공은 분말 야금 제품보다도 용이하다.

**금속 섬유** Metal Fiber

금속섬유는 복합재료 강화용으로써 고강도 금속(강선, 스테인리스선, 피아노선 등), 고융점 금속(텅스텐선, 몰리브덴선 등), 고탄성율 금속(베릴륨선 등). 단결정체(크롬, 동, 철, 니켈 등의 휘스커) 등이 만들어지고 있다. 용도의 한 예로써 강섬유가 콘크리트의 보강용으로 사용되고 있다.

**금속욕** Metal Bath

용융금속을 가열 또는 냉각 매체로 사용할 때, 이것을 금속욕이라고 한다. Pb은 금속욕에 사용되는 가장 일반적인 금속이다. 단, Pb는 비중이 크다는 점과 고온 용융(1200℃ 이상)되면 독성 가스를 발생하기 때문에 취급에 주의를 요한다.

**금속 용사법** Metal Spraying ◘ 메탈리콘(140)

**금속이온 봉쇄제** Sequestering Agent

경수 등에서 침전되기 쉬운 금속이온을 가용성으로 유지하기 위한 시약으로, 금속 킬레이트 생성에 의해 금속이온의 화학작용을 마스킹(차폐)하는 능력을 공업적으로 봉쇄능이라고 한다. 경수연화제로써 폴리인산나트륨, EDTA나트륨염을 사용하며, 칼슘, 마그네슘이온 등이 그 탄산염을 침전되지 않도록 한다. 또, 비누의 청정작용을 증가시키기 위해서도 사용된다. 도금에서는, 도금욕 중에 불순물로써 축적된 금속을 착이온화하여 도금면(카소드)에서 수산화물 등이 되어 공석되는 등의 작용을 억제하기 위해 금속이온 봉쇄제를 사용한다. = 이온 봉쇄제 ◘ 킬레이트제(539), 착화제(498)

**금속 지시약** Metal Indicator ; Metallochromic Indicator

금속이온이 킬레이트 적정일 때에 금속이온과 반응하여 발색, 변색 또는 탁하게 되는 경우가 있기 때문에 종점을 지시하기 위하여 사용되는 지시약을 말한다. 대표적인 것으로, 엘리오크롬블랙T(EBT지시약) 변색은 적색에서 자색, 물레키사이드(MX지시약) 변색은 적색에서 자색, 1필리지루아조-2-나프탈(PAN지시약) 변색은 적자색에서 황색 등이 있다.

**금속 착색** Colo(u)ring ; Colo(u)ration

금속을 착색하는 방법을 분류하면 (1)화학적 방법, (2)전기화학적 방법, (3)도장에 의한 방법이 있다. (1)의 방법으로써, 약품에 의한 산화물, 황화물, 착화합물 등의 얇은 피막을 만드는 방법, 가열에 의해 산화물이나 질화물 피막을 만드는 방법, 금속증기 등의 확산에 의해 합금층을 만드는 방법 등이 있다. (2)의 방법으로써, 도금을 하는 방법, 양극산화 처리를 하는 방법, 전해에 의한 산화물이나 황화물을 침착시키는 방법 등이 있다. 이상의 조합에서 예를 들어, 도금을 한 후 전착 도장을 하는 등, 금속착색의 수법은 종류가 많다.

**금속 초미립자** Metal Ultra Fine Particle

직경 0.1～0.001㎛정도의 금속입자를 말한다. 이와 같이 작은 금속입자의 성질은, (1)표면적이 대단히 크다. (2)표면장력이 크다. (3)철계 합금에서는 자성이 강하고 융점이 낮다. (4)크롬계에서는 빛을 잘 흡수한다. (5)활성이며, 반응성이 크다. (6)열을 잘 통한다. (7)소결성이 좋다는 등 일반 금속과는 다른 성질을 가지고 있기 때문에 신재료로써 용도가 넓다. 제조법은 분무법, 분쇄법, 전해법, 환원법, 화합물의 가수분해법 등이 있다.

**금속 침투법** Metal Cementation = 확산 침투도금(634)

**금수성(禁水性)물질** Water-Prohibiting Substance

제3류 위험물에 속하는 물질을 말하며, 물에 접촉하면 발열하거나 발화되는 것을 말한다. 예를 들어, 수산화나트륨, 산화칼슘, 과산화나트륨, 발연황산 등은 발열이 눈에 띄게 현저한 물질이며, 금속나트륨, 금속칼륨, 탄화칼슘, 인화칼슘 등은 물에 접촉하면 가연성가스를 발생하는 물질이다.

**금(은)침투 도금** Gold(Silver) Immersion Plating

금(은)의 치환도금을 말한다. 금침투 도금은 시안화금 도금욕 중에 동, 동합금, 니켈 등을 침적하지만, 도금욕의 금 농도가 낮으면 적흑색이 되거나 시간이 많이 걸린다. 욕온도 70～80℃에서 약 10초만에 도금이 가

능하도록 금 농도를 조정한다. ◘ 치환도금(512)

**금-코발트합금 도금** Gold-Cobalt Alloy Plating

금도금에서 적량의 코발트를 공석시키면, 광택 효과가 있으며, 경도가 높아지고, 내마모성이 향상되기 때문에 경질 금도금이라 불리는 경우도 있다. 장식용, 공업용으로 널리 사용된다. 전자부품, 컨넥터, 접점용으로는 산성욕이 사용되며, 욕조성의 예는 시안금칼리 2~8g/$l$, 구연산 50~80g/$l$, 구연산염 50~80g/$l$, 코발트염 1.0~10g/$l$, pH 3.5~4.5, 온도는 30±1℃, 전류밀도는 0.5~1.0A/$dm^2$이며, 양극은 티탄-백금판을 사용한다. 코발트의 석출량은, 도금 조건에 따라 다르지만, 0.5% 전후이다. ◘ 합금 금도금(618)

**금함유율 시험방법** Determination of Gold Content

금속 및 비금속의 소지 상에 실시된 금도금 및 합금 금도금의 금함유율을 화학 분석에 의해 조사하는 방법으로, 도금두께 1㎛를 초과하는 도금의 경우와 1㎛ 이하의 도금의 경우에는 시료의 채취방법이 서로 다르다. 금함유율은 중량 %로 표시된다.

**금형** Die : Metal Pattern : Metal Mold(Mould)

금속제의 모형, 주형 및 주조형 및 펀칭용형이 있다. 다량 생산용의 모형, 정밀한 주형, 주조용으로써는 형단조, 프레스형이 있다. 금형 표면은 공업용(경질) 크롬도금된 것이 많고, 크롬도금을 5㎛이상 실시함으로써 금형의 경도, 내마모성, 비점착성 등이 향상되고, 금형의 수명이 길어진다. 이 외에 무전해 니켈을 실시하거나, 불화흑연 입자 등을 분산시킨 니켈 복합도금(분산도금이라고도 한다)을 실시하는 경우도 있다. 이 복합도금은 내열성, 이형(離型)성이 뛰어나다.

**급냉 시효** Quench Aging

고용체화 온도에서 급냉함에 따라 유기되는 시효를 급냉 시효라고 한다. 용체화 처리나 소입된 것에 발생하는 시효는, 이 급냉 시효의 한 예이다. 급냉 시효에 따라서는 일반적으로 경화를 수반한다.

**기기분석** Instrumental Analysis

정도가 높은 기기를 사용하여 물질의 물리량을 측정하고 그것에 의해 정성·정량화학분석을 신속, 정확하게 행하는 방법. 장치는 고가이지만, 고감도로 미량성분의 분석이 가능하고, 전자기술의 이용에 의해 자동기록, 연속측정도 가능하며, 공장내의 관리에도 사용되고 있다. 도금관계에서 많이 사용되는 분석장치는 형광X선 분광분석장치, X선 마이크로아날라이저(전자프로브 미소부분 분석장치), 카피랄리 등속전기영동법에 의한 도금욕분석장치 등이 있다.

**기능도금** Plating for Functional Use

미관이나 내식성을 목적으로 하는 장식도금. 방청도금과 대비하기 위해 일본에서 만든 용어다. 기능도금은, 단순히 표면처리의 목적뿐만 아니라, 도금피막 그 자체의 특성을 이용하여 제품의 기능을 현저하게 높인 것이다. 예를 들어, 이용되는 기능으로써 표면경화, 윤활, 전기회로의 도통, 자성, 납땜성, 본딩성, 빛의 반사, 빛의 흡수, 내열, 모사(模寫), 침탄 방지, 질화 방지, 내약품성 등이다.

**기능재료** Functional Materials

강도나 인성 등의 기능적 성질을 중시하는 구조재료와는 달리 주로 능동적인 기능이 중요시되는 새로운 재료. 예를 들어, 이용되는 기능은, 압전성, 자성, 촉매성, 반도성, 내식성, 내마모성, 이온전도성, 형광성, 편광성 등이다.

**기름 흡착재(油吸着材)** Oil Adsorbent

활성탄, 활성 규조토, 합성수지계 등의 기름 흡착재가 있으나, 시판되는 기름 흡착재는 폴리프로필렌제의 것이 많다. 기름 흡착재에서 요구되는 주된 성능은, 기름만 흡착하고 물은 흡수하지 않는 것으로 친유성과 발수성이 중요하며, 이것은 계면 화학적으로 말하는 『젖음』의 현상으로 설명된다.

**기상(氣相)납땜** Vapor Phase Soldering ; Condensation Soldering

납땜온도와 같은 정도의 불점을 갖는 액체의 포화증기에 납땜할 것을 넣어 그 증기가 응집할 때에 방출하는 잠열을 이용하여 행하는 납땜법을 말한다. = 응집납땜 ◘ 납땜(65)

**기상도금** Chemical Vapor Deposition

넓은 의미로는 PVD 와 CVD를 모두 포함하지만, 좁은 의미로는 CVD를 지칭한다. ◘ CVD(286), PVD(605)

**기상방수제** Volatile Corrosion Inhibitor ◘ 기화성 방청제(63)

**기어 펌프** Gear Pump

2개의 기어가 맞물려 기어의 이빨과 이빨의 공간에 밀폐된 유체를 기어의 회전에 의해 덮개 내면을 따라 송출하는 구조의 펌프로, 점도가 높은 균질한 액의 운송에 적합하며, 기름펌프용으로써 널리 사용되고 있다. 펌프의 유량은 기어의 회전수에 비례한다.

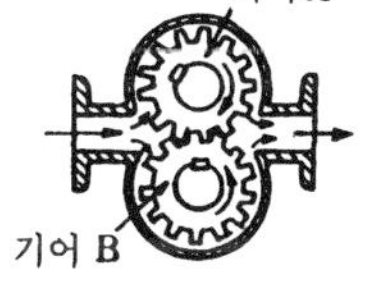

기어 펌프

**기전력** Electromotive Force

전기화학에서는 2개의 전극 또는 2개의 서로 다른 전해액 사이에서 발생하는 전위차를 말한다. 전지를 형성하였을 때의 기전력은 화학기전력이다. 전지의 기전력은 평형 전위차보다도 각 전극 반응에서의 분극 및 액간 저항에 의한 전압강하분 만큼 저하된다. 기전력에는 그 외에도 전자유도에 의한 것, 열 기전력, 광전지의 광 기전력 등이 있다. 단위는 볼트(V), 기호는 EMF 또는 emf. = EMF, emf.(413)

**기준 전극** Standard Electrode ; Reference Electrode

전극전위의 측정 기준이 되는 반전지(半電池)를 말한다. 표준 수소전극(1기압의 수소가스, 활량 1의 수소이온과 수소의 산화환원에 대한 접촉효과가 큰 백금 등을 갖춘 반전지)을 1차기준으로 하며, 열역학상 모든 온도에서 이 전극의 전위가 0V라고 약속되어 있어 NHE 또는 SHE로 표시된다. 수소전극은 사용하기 어렵기 때문에 실제로는 수은염을 사용하는 감홍 전극(포화감홍 전극 등), 황산수은 전극, 은염을 사용하는 은 할로겐화은 전극(포화염화은 전극 등)이 폭 넓게 사용된다. 수용액 이외의 유기용매 중에서도 액간 전위차는 크지만, 상기의 전극을 사용하는 경우가 있으며, 유기용매의 독특한 기준 전극도 있다. 용융염 중에서의 전극은 이론적인 것은 없고, 편의적으로 각종 반전지가 사용되며, Ag(O)/Ag(I)계가 가장 많다. = 조합 전극, 비교 전극, 참조 전극 ◘ 반전지(163)

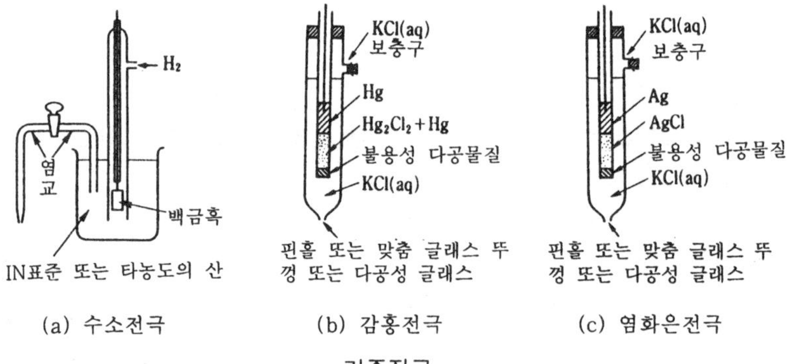


(a) 수소전극 (b) 감홍전극 (c) 염화은전극

기준전극

**기화** Vaporization

하나의 물질이 액상(또는 고상)에서 기상으로 변화하는 현상을 말하며 증발과 비등(沸騰)이 있다. 액체가 기체로 변하는 증발(고체가 기체로 변하는 승화를 포함)은 물질의 표면에서만 행하여지는데 반하여 비등은 물질의 내부에서도 기화가 행하여진다. ◘ 승화(276)

**기화성 방청제** Volatile Corrosion Inhibitor : VCI

일반적으로 VCI라고 불리우며, 상온에서 극히 조금씩 증발가스가 금속 표면을 피복함으로써 용이하게 금속을 방수(防銹)하는 방청제를 말한다. 형상은 분말, 액상 외에도 방청지로써 가공된 것도 있다. 사용할 때에는 포장 내에서와 같은 밀폐공간에 VCI의 증기가 충만하는데 24~48시간이 걸리므로 그 기간 내에 녹이 발생하지 않도록 주의할 필요가 있다.

= 기상방수제(61), VCI(217)

**끌타입시험(방법)** Chisel Drive in Test

예리한 끌 또는 칼을 도금층과 소지의 경계에 때려 넣어 도금의 밀착성을 조사하는 방법으로, 특히 부드러운 시료(납, 땜납, 주석 등)의 도금 및 3㎛ 이하의 얇은 도금에는 적합하지 않다. 방법은 도금시료를 고정하여 그림과 같이 끌 또는 칼을 시료면에 경사를 주어 도금층을 파괴한다. ◘ 밀착성시험법(156)

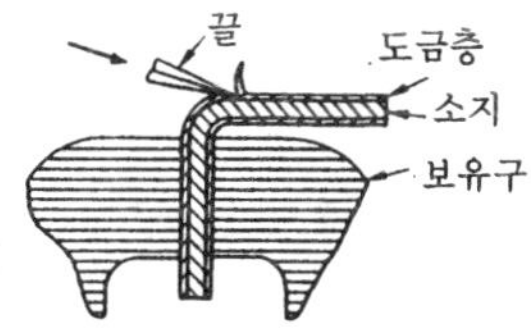


끌타입시험의 한 예

끌타입시험(방법)

# ㄴ

**나노미터** Nanometer

기호는 nm이다. 길이의 단위로 1nm=$10^{-9}$m=$10^{-3}$㎛=10Å, 1㎛의 1/1000에 상당하는 길이의 단위이다. 지금까지 사용되어 온 옴스트롱(Å)을 대신하여 사용하고 있다.

**나노·테크놀로지** Nano-Technology

초미립 기술을 말하며, 나노란 $10^{-9}$, 즉, 10억분의 1을 표시하는 접두어이며, 기호는 n이다. 길이로써 1㎚는 0.001㎛에 상당한다. 수소 원자의 직경은 약 0.1㎚, DNA(유전자 본체의 디옥실리포핵산)의 직경은 약 1㎚로 알려져 있으며, 이와 같은 단위 세계에서의 기술 응용으로써 바이오, 마이크로 일렉트로닉스, 신소재, 파인케미컬 등이 있다.

**나일론** Nyron

미국의 듀퐁사가 1938년에 발표한 폴리아미드계 합성섬유의 상품명. 현재는 폴리아미드계 합성섬유(또는 합성수지)의 일반명이 되었으며, 많은 종류가 있다. 열가소성 때문에 융해되어 섬유가 된다. 성형물으로써 기어, 베어링, 필름, 전선 피복 등이 널리 이용되고 있다. 특징으로 내충격성, 내굴곡성, 염색성, 인장강도 등이 뛰어나다. 표면경도가 크고 마찰계수가 작으며, 자기 윤활성이 있다. 전기 특성, 저온 특성이 뛰어나고 자기 소화성이 있다. 내약품성이 뛰어나고, 기름에 강하다. 흡수에 의해 다소의 치수 변화가 있고, 물성도 변화한다.

**나트륨** Sodium Na.

원자번호 11, 원자량 22.99, 융점 97.8℃, 불점 892℃, 밀도는 0.97g/㎤이다. 알칼리금속으로 부드러운 은백색이며, 대단히 활성적인 금속이기 때문에 보통 석유에 보존한다. 융점 이상으로 가열하면, 황색의 불꽃을 발하며 탄다. 또, 물과 반응하면 수소를 발생하여 수산화나트륨이 된다. 이때, 생성하는 반응열 때문에 수소가 발화하는 경우도 있다. 나트륨화합물의 제조, 유기합성의 환원제, 음이온 중합촉매, 원자로의 냉각제 등에 사용된다.

**나프타** Naphtha

원유의 상압(常壓) 증류로 얻을 수 있는 불점 약 30~200℃의 잔류분으로, 조제(粗製)가소린에 상당한다. 통상 경질나프타(불점 30~100℃)와 중질나프타(불점 80~200℃)로 분류된다.

**난류** Turbulent Flow

유체의 흐트러짐을 포함한 흐름을 말한다. 흐트러짐이란 시간적, 공간적으로 불규칙하게 변동하는 것으로, 흐트러짐을 포함하지 않는 흐름을 층류(層流)라고 한다. 제트도금(분류도금)에서는 도금액의 난류가 문제가 된다. 일반적으로 레이놀드수가 약 1000 이상(1000~2000)에서 난류가 된다. 난류의 강도나 그 발생을 억제하는 기술을 난류억제라 한다. ◘ 분류도금(203)

**납도금** Lead Plating

납도금욕은 붕불화욕과 규불화욕이 대표적이며, 도금피막은 전연성이 좋고 내식성이 뛰어나지만, 배수처리에 주의가 필요하다. 전자의 욕조성은, 붕불화연 200~400g/$l$, 붕불산 20~40g/$l$, 붕산 20~60g/$l$, 아교 0.15g/$l$, pH 1.5, 온도 25~40℃, $D_k$ 0.5~8A/$dm^2$이다. 철강소지에 직접 도금이 가능하다.

**납땜** Soldering : Soft Soldering

고체금속과 고체금속과의 사이에 그 어느 금속보다도 융점이 낮은 땜납을 녹여 모세관 현상에 의해 흡수, 접합시켜 땜질하는 것을 말한다. 고체금속과 땜납과의 사이에는 확산 또는 금속간 화합물 생성반응을 발생시킬 필요가 있으며, 그 모든 반응도 발생하지 않는 금속은 납땜을 할 수가 없다. 가열 방법에 따라 인두납땜, 침적납땜, 적외선납땜, 레이저납땜, 기상납땜 등의 방법이 있다.= 솔더링(252)

주된 표면처리와 납땜특성

| No. | 표면처리 | 납땜성 | 납땜오염 | 보존성 | 경제성 | 그 외 |
|---|---|---|---|---|---|---|
| 1 | 금도금 | ◎ | △ | ◎ | × | 전기특성 양호, 기계적강도 빈약 |
| 2 | 은도금 | ◎ | ◎ | △ | ○ | 전기적접촉 양호, 도통 양호 |
| 3 | 주석도금 | ◎ | ◎ | △ | △ | 불안정, 보존열화 |
| 4 | 동도금 | ○ | ○ | × | ○ | 산화되기 쉽다 |
| 5 | 니켈도금 | × | ○ | ○ | ○ | 활성플럭스가 필요 |
| 6 | 방청액 도포 | ○ | ○ | △ | ○ | 벤조트리아졸(Benzotriazol)도포 |
| 7 | 땜납 침적 | ◎ | ◎ | ○ | ○ | 예비 납땜 |
| 8 | 전기 땜납도금 | ◎ | ◎ | ○ | ○ | |

◎ : 양호 ○ : 조금 양호 △ : 보통 × : 불량

납땜

**납땜 시험** Soldering Test

시료의 도금면에 L형의 금구의 한 쪽면을 납땜하고 다른 쪽을 인장시험기로 잡아당겨 도금의 밀착성을 조사하는 것으로 밀착성의 정량적인 평가로 사용할 수 있다. 단, 땜납과 함께 용해되는 금속, 예를 들어 주석, 납, 카드뮴 및 아연, 또는 극히 얇은 금 및 은도금, 또는 땜납과의 습윤성이 좋지 않는 크롬도금에는 적합하지 않다. KS D 0254「도금의 밀착성 시험방법」에 규정되어 있다.

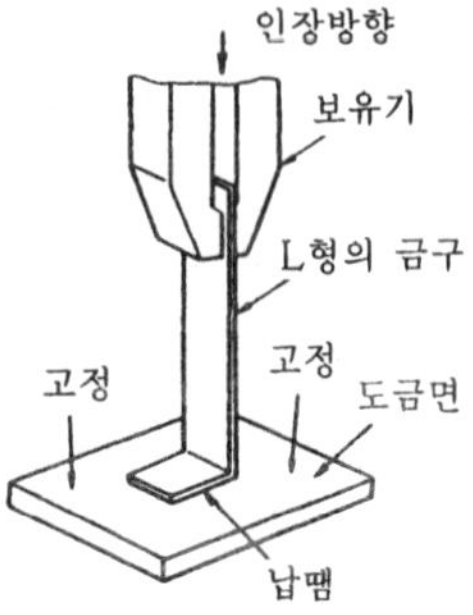


납땜 시험

**납땜성 시험** Measurement of the Solderability

많은 시험법이 있으며, 예를 들어 KS C 0250「환경 시험 방법(전기 · 전자)납땜 시험 방법」이 있다. 시험법의 원리는 이하와 같이 분류한다. (1)시료의 틈, 또는 모세관부를 땜납이 침투하는 시간 또는 높이를 측정한다. (2)땜납이 시료를 적시며 넓어지는 면적 또는 접촉각을 측정한다. (3)땜납 욕에 일정시간 침적시킨 후 시료 표면의 젖음 상태를 조사한다. (4)땜납에 의한 시료의 최소 습윤시간을 측정한다. (5)땜납 욕에 침적시켰을 때 시료에 작용하는 계면장력을 측정한다. 이상의 각종 시험법의 사양에 적합한 장치가 시판되고 있다.

**납소지의 전기도금** Electroplating on to the Lead Substrates

납, 납합금(납-안티몬, 납-주석, 납-칼슘 등)의 도금 전처리는, 용제 세정 또는 알칼리 탈지(가능하면 저온도에서 행한다)→전해 세정(음극처리 5~10A/dm$^2$)→전해 세정(양극처리 2.5A/dm$^2$, 30초간)→산침적(42% 붕불산 1 : 물 3)→시안화 동스트라이크도금이다. 상기 화살표 중에는 모두 수세 공정이 포함된다.

**납접** Soldering

납을 사용하여 금속 상호간을 금속결합으로 결합시키는 방법을 말한다. 납은 녹기 쉬운 금속으로 연납과 경납이 있으며, 대표적인 연납은 납-주석합금의 땜납, 대표적인 경납은 황동납, 은납, 동납 등이다.

**납-주석-안티몬 합금도금** Lead-Tin-Antimony Alloy Plating

기계부품의 베어링용의 도금에서 밀착성이 좋고, 내식성도 뛰어나다. 욕조성은 붕불화연 100g/$l$, 붕불화주석 30g/$l$, 붕불화안티몬 6g/$l$, 유리(遊離)붕불산 80g/$l$, 붕산 25g/$l$, 하이드로크논 0.5g/$l$, 페프톤 15g/$l$,

온도 20~22℃, 전류밀도 4A/$dm^2$, 양극(주석 12%, 나머지는 납), 석출물은 주석 11%, 안티몬 7%, 나머지는 납이다.

**납축전지** Lead Storage Battery

양극에 이산화납, 음극에 해면상(海綿狀)납, 전해액에 묽은 황산을 사용한 2차전지로, 오랜 역사를 가지고 있으며 또한 사용량이 가장 많은 전지이다. 충방전 반응은 다음 식으로 표시한다. 기전력은 1.8~2.2V이다.

$$\underset{(양극)}{PbP_2}+2H_2SO_4+\underset{(음극)}{Pb} \underset{충전}{\overset{방전}{\rightleftharpoons}} \underset{(양극)}{PbSO_4}+2H_2O+\underset{(음극)}{PbSO_4}$$

현재는 전부 밀폐형으로, 산무(酸霧)를 제외하고 필터가 없는 것을 오픈(Open)형, 있는 것을 벤트(Bent)형이라고 한다. 또한 발생가스(산소, 수소)를 외부로 배출하지 않는 것을 실(Seal)형이라고 한다. 실형으로 하는 방법으로 음극 흡수식과 촉매식 등이 있다.

**납침적법** Lead Dip Process ◘ 용융 납도금(378)

**내마모성 도금** Abrasion Resistive Plated Film

기계부품이나 공구류의 내마모성을 향상시키는 도금으로써 널리 이용되고 있는 것은, 공업용 크롬도금(경질 크롬도금)과 무전해 니켈도금이다. 크롬도금 피막을 다공성으로하여 표면을 테프론파우더로 처리한 테프론의 비점착성과 저마찰계수를 이용한 방법도 있다. 분산도금(복합도금)으로써 니켈도금피막중에 입자를 분산시켜 내마모성을 향상시키는 방법도 있으며, 분산된 입자는 이산화규소, 탄화크롬, 탄화텅스텐, 탄화붕소 등의 탄화물, hBN 등의 질화물 등이다. 어느 분산입자를 사용하여도 300℃ 이상의 고온영역에서 양호한 내마모성을 나타낸다. 무전해 니켈도금은 피막의 균일전착성이 좋기 때문에 정밀부품에 적합하다. ◘ 복합도금(192)

**내마모성시험법** Methods of Wear Resistance Test ◘ 마모시험(129)

**내마모합금** Wear-Resistant Alloy

초경합금, 베어링합금, 공구강 등의 내마모성이 뛰어난 합금을 말한다. 침탄, 질화, 이온주입, CVD(화학증착), PVD(물리증착) 등의 표면이 경화된 합금도 내마모성 합금에 포함된다.

**내부 산화** Internal Oxidation

합금의 성분원소간, 산소와의 친화력의 차에 의해 일어나는 현상으로,

Cu-0.35% Be합금을 예로 들면, 표면 산화물층보다도 내측에 BeO의 작은 입자를 함유한 합금층이 생성되는 현상을 말한다. 산소가 투과되기 쉬운 Cu, Ni, Pb, Ag 등의 금속에 Be, Al, Si, Cr, Zn, Sn, Cd 등의 비금속이 소량 합금된 경우에 일어난다. Ag접점의 내용착성, 내마모성을 개선하기 위해 내부산화를 이용하여 내부에 ZnO, $SnO_2$, CdO 등의 입자를 생성시키는 경우가 있다.

**내부에너지** Internal Energy

계(질량이나 장)가 가지고 있는 에너지에서 그것들의 전체로써의 운동에너지를 뺀 나머지의 부분을 말한다. 어떤 변화에 있어 외부에서 계에 미친 일을 W, 계가 외부에서 받은 열량을 Q, 외부에서의 물질의 출입에 의한 질량의 작용량을 Z라고 하면, 내부에너지의 증가분 $\Delta U$는 $\Delta U = W + Q + Z$가 된다.

**내부 응력** Internal Stress

재료내부에 외력 이외의 원인(예를 들어, 팽창, 수축 등)에 의해 발생한 응력을 말한다. 도금피막은 전석(電析)시의 결정 성장에 따라, 압축응력이나 인장 응력의 어느 것인가가 잔류한다. 잔류 응력과 동의어로써 사용되는 경우도 많다. 그림과 같이 부드러운 소지의 편면에 도금을 한 경우, (a)와 같이 굽어지면 인장 응력이 잔류하고, (b)와 같이 굽어지면 압축 응력이 잔류한다고 말한다. = 스트레스 ◘ 응력(404), 잔류응력(439)

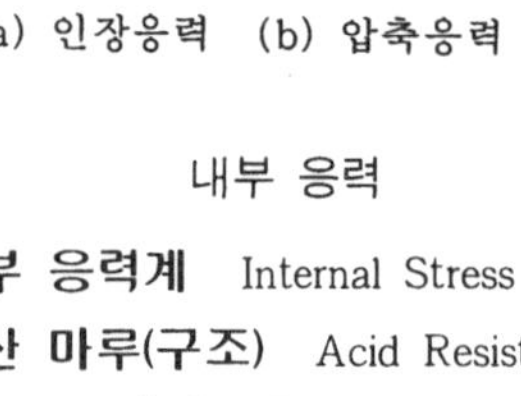


(a) 인장응력 (b) 압축응력

내부 응력

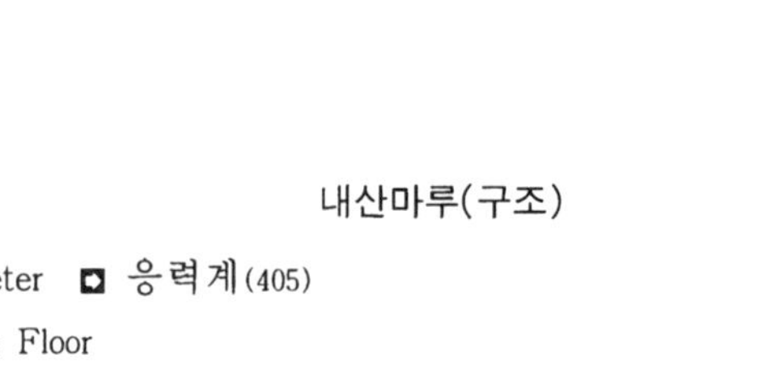


내산마루(구조)

**내부 응력계** Internal Stress Meter ◘ 응력계(405)

**내산 마루(구조)** Acid Resistant Floor

도금공장의 마루는 콘크리트 바닥에 아스팔트, 내산 타일, 에폭시수지,

글래스 섬유강화수지(FRP) 등을 라이닝(Lining)한다. 연질 염화비닐 시트를 바닥에 깔아 1m높이까지 세워 고정하는 방법도 있으며, 이 방법은 수리가 용이하다. 2층 이상의 바닥은 상하면에 라이닝이 필요하며, 일 예는 그림과 같다.

**내산 펌프** Acidproof Pump : Acid Pump

펌프 내부의 부식을 일으키기 쉬운 부분이나, 임펠러(Impeller), 케이싱(Casing) 내벽 등을 내산성의 스테인리스강 또는 강화플라스틱으로 만든 것을 말한다.

**내산(耐酸) 합금** Acid Resisting Alloy; Acid Resistant Alloy

황산이나 염산과 같은 산에 의해 부식되지 않도록 만들어진 합금을 말한다. 예를 들어, 18-8스테인리스강의 Cr, Ni량을 증가시킴과 동시에 Mo, Cu, Ni 등을 첨가한 내산강, 철에 15% Si를 첨가한 내산 주철, 니켈에 30% Cu를 첨가한 니켈기 합금(모넬메탈)은 내황산 합금, 니켈에 20% 이상의 Mo를 첨가한 니켈기 합금(하스테로이)는 내염산 합금, 티탄에 6% Al, 4% V(바나듐)을 첨가한 고강도 내산티탄기 합금(Ti-6Al-4V) 등이 있다.

**내습(耐濕)시험** Humidity Cabinet test ◘ 습윤(濕潤)시험(276)

**내식성시험** Corrosion Resistance Test

중성염수분로(中性鹽水噴露)시험, 초산산성염수분로시험, 코로드코트시험, 이산화황시험(아황산가스시험)이 있다. 어느 시험법이든, 인공적으로 만든 부식환경 시험장치 안에 시료를 넣어 일정 시간이 경과한 후, 시효의 부식상태를 조사하는 방법이다. ◘ 부식시험법(199)

**내식 알루미늄합금** Corrosion Resistible Aluminum Alloy

Al-Mg합금, Al-Mg-Si합금은 내식성이 뛰어나며, 특히 내해수성이 뛰어나다. 또 양극 산화(알마이트 가공)에 의해 더욱 내식성을 향상시킬 수 있다. Al-Mg합금의 용도는 건재, 차량, 통신기 부품, 카메라 부품 등이며, Al-Mg-Si합금은 열처리형 합금으로, 가공성이 좋고, 양극 산화(알마이트 가공)의 마무리가 뛰어나기 때문에 건축용 서지, 가구, 사무용 기기 등에 사용된다. ◘ 알루미늄 합금(307)

**내식 티탄합금** Corrosion Resistible Titanium Alloy

티탄은 산화성 환경에서는 스테인리스보다도 내식성이 좋으나, 고온의 염산이나 황산에는 약하다. 티탄합금의 종류는 많으나, 내식 티탄합금이라고 불리고 있는 Ti-5%Ta는 초산에 대한 내식성이 뛰어나다. Ti-2% Ni은 200℃까지의 해수에 견딜 수 있다. Ti-6%Al-4%V은 기계적 강도가 뛰어나고 내해수성이 좋기 때문에 널리 사용되고 있다. 일반적으로 Al을 함유한 티탄합금은 내산화성이 향상되며, 수소 취성이 적다. ◘ 티탄합금(559)

**내열강** Heat Resisting Steel

철을 주성분으로 하는 내열합금으로, 1~2%의 크롬만을 함유한 것부터 25% 크롬+20% 니켈 외에 다른 첨가 원소를 포함한 것까지 합금의 종류가 많다. 분류하면, 페라이트계, 마르텐사이트계, 오스테나이트계로 분류된다. 보통, 700℃정도까지 사용 가능하지만, 응력이 작은 용도로써는 1000℃정도까지 사용된다.

**내열 도금** Heat Resistive Plated Film

고온에서 장시간 사용에 견디는 도금. 철강 재료를 공기 중에서 400℃로 가열하면 표면에서 산화되어지기 때문에 용융 알루미늄도금을 하여 철강의 고온 산화를 방지하고 있다. 공업용 크롬도금은 400℃ 이하의 고온산화 분위기 중에서 사용되고 있다. 니켈합금 도금은 내열성이 높고, 니켈-인, 니켈-브론, 니켈-텅스텐 등의 무전해도금, 전기도금은, 고온 경도, 고온 내마모성, 고온 내약품성이 뛰어나다.

**내장재** ◘ 라이닝재(114)

**내지문(耐指紋)시험** Fingerprint Resistance Test

장식도금의 시험법으로, 도금면에 사람의 지문이 남아 있는가를 조사하기 위하여 행한다. 예를 들어, 도금시험편에 복수의 사람 지문을 만들어 온도 및 습도가 일정한 방에 장시간 방치 후, 에테르알코올 등으로 지문을 제거하여 도금면에 지문의 흔적이 남아 있는가를 판정한다. 방치시간의 한 예는 240시간이다.

**내프레팅(피로)성** Fretting Fatigue Resistance

전기접점의 중첩 평스프링 등에서 상하 평스프링에 아주 조그마한 미끄럼이 발생되기 때문에 접촉면에 손상이 발생하여 그 곳에서 발생한 균열이 피로에 의해 파괴에 이르는 경우가 있다. 이 현상을 프레팅 피로라고 하며, 프레팅 피로에 대한 저항성을 내프레팅(피로)성이라고 한다.

**내피온** Nafion

미국의 듀퐁사에서 개발된 불소 수지계의 카티온 교환막으로, 고온에서의 내산화성, 내알칼리성이 뛰어나고, 전기투석용 격막 외에 NaCl의 전해에 의한 NaOH 제조용의 격막 등에도 이용된다.

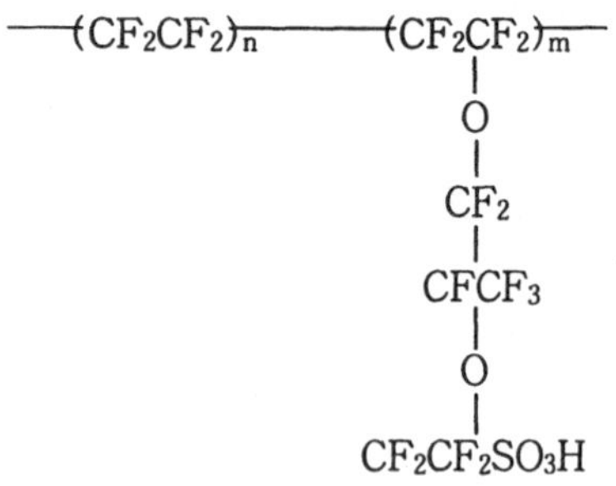

내피온

**내후성 강** Resistive Steel for Atmospheric Corrosion

표면에 치밀한 녹 층을 만들어, 대기 중에서 통상적인 탄소강보다도 내식성을 높인 저합금강의 총칭이다. 탄소강에 인(P), 동(Cu), 크롬(Cr), 니켈(Ni) 등을 소량 첨가하면 표면에 치밀한 녹 층이 형성, 물과 산소의 투과를 억제하는 뛰어난 내후성을 띤다. 용접구조용 내후성 열간압연강재(SMA)와 고내후성 압연강재(SPA-H, SPA-C)가 있다. 토목 건축의 용접 구조용강으로써 그대로 또는 도장하여 사용된다.

**내후(耐候) 시험기** Weathering Machine

촉진 내후 시험기(Accelerate Weathering Machine)라고도 한다. 인공 광원에서 발하는 빛과 단속적인 인공 강우를 만들어, 시료의 물리적 및 화학적 변화를 조사하는 시험기. 시료에 자외선을 많이 포함한 강한 빛을 균일하게 조사하면서 일정 시간마다 주기적으로 일정량의 물을 분무하여 시료의 변화를 조사한다. 도료, 착색 알마이트, 금속착색, 플라스틱 등의 내후성시험에 사용된다. ◘ 촉진 내후시험(507)

**냉각기** Cooler

도금액 등의 전해액을 냉각하기 위해서는 냉수를 이용하든지, 냉각기를 설치한다. 그림 (a)는, 수냉각기를 만들어 냉동기에 의해 물을 약 10℃ 정도로 냉각하고, 도금조 안의 열교환기로 보내, 전해액을 냉각하는 방식이다. 그림 (b)는, 냉수와 전해액과의 열교환을 전해조의 외부에서 행하는 방식이다. 열교환기의 재질은 스테인리스, 티탄, 탄탈, 지르코늄, 니오브 등이 사용된다.

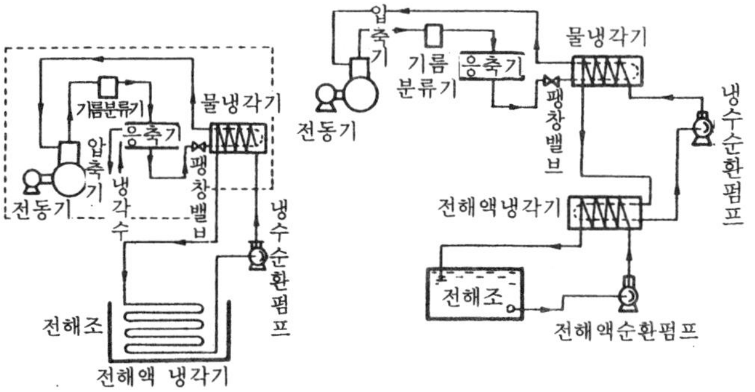


(a) (b)

냉각기

**냉각탑** Cooling Tower ◘ 쿨링 타워(531)

**냉간 가공** Cold Working

금속의 재결정 온도 이하에서의 가공을 말한다. 재결정이 일어나지 않기 때문에 통상, 가공과 함께 재료는 단단해진다. 재결정 온도 이상에서의 가공은 고온 또는 열간 가공이라 한다. ◘ 재결정[금속의](440)

**냉접점** Cold Junction

열전대 온도계에서, 일정한 온도로 냉각하여 놓은 2개의 선의 접속부를 말한다. 이 부분의 온도 $t_1$과 측정점의 온도 $t_2$ 사이에는 $E=a(t_2-t_1)+b(t_2-t_1)^2$의 관계가 있다. $E$: 열기전력, $a$, $b$: 정수이다.

**넌시안 동도금** Non-Cyanide Copper Plating

시안을 사용하지 않는 동도금욕에는 황산 동도금욕, 피로인산 동도금욕, 붕불화 동도금욕 등이 있으나, 실용적으로는 황산 동도금욕과 피로인산 동도금욕이 사용된다. 넌시안 동도금욕은 철강소지에 직접도금을 하면 밀착불량의 원인이 되기 때문에 미리 시안화 동도금, 또는 니켈도금 등을 해 놓을 필요가 있다. 특수한 욕으로써 용제계의 비수용매를 사용하는 동도금욕도 있으나, 가격이 비싸고 실용적이지 못하다. ◘ 황산 동도금욕(639), 피로인산 동도금욕(602)

**넌시안 아연도금** Non-Cyanide Zinc Plating

아연도금에서 시안은 독성이 강하고 배수규제가 엄격하기 때문에 넌시안욕이 사용되는 경우가 많아 징케이트욕과 염화욕이 일반적으로 쓰인다. 넌시안욕은 시안욕에 비해 세정력이 약하기 때문에 전처리를 확실하게 행할 필요가 있다. 염화욕은 전류효율이 높고 도금속도가 빠르며, 수소취성을 일으키기 어렵다. 주물에 직접도금할 수 있는 등의 이점이 있으나, 도금장치의 부식성이 강하다. 도금피막의 전연성은 시안욕보다도 떨어지는 등의 결점이 있다. = 비시안 아연도금 ◘ 징케이트도금욕(496), 염화아연욕(361)

넌시안 아연도금욕 조성

| 성 분 | 징케이트욕 | 염화욕 | |
|---|---|---|---|
| | | 칼륨욕 | 암모니아욕 |
| 산화아연 | 10~25g/l | | |
| 수산화나트륨 | 100~200g/l | | |
| 염화아연 | | 70~75g/l | 100~120g/l |
| 염화칼륨 | | 200~225g/l | |
| 염화암모늄 | | | 180g/l |
| 붕산 | | 25~30g/l | |
| 첨가제·광택제<br>pH | 적량 | 적량<br>4.5~5.0 | 적량<br>4.5~5.2 |
| 온도 ℃<br>음극전류밀도 A/dm² | 20~35<br>0.5~8 | 25~30<br>0.5~4 | 20~35<br>1~5 |

넌시안 아연도금

**넌시안욕** Non-Cyanide Bath

시안화물을 사용하지 않는 도금액 또는 각종 처리액을 말한다. 도금액에는 금, 동, 아연도금욕 등이 있으며, 예를 들어 아황산 금도금액, 피로인산 동도금액, 황산아연 도금액 등은 비시안화물욕이다. 산성이나 중성의 금도금액은 평형상태에서는 프리시안이 없기 때문에 넌시안욕과 혼동하기 쉬우나, 주성분은 금시안화칼륨 또는 금시안화나트륨이기 때문에 넌시안욕이 아니고, 강조해 말하면 넌프리시안욕이다. = 비시안화물욕(222)

**넌웨팅** Nonwetting of Solder ◘ 땜납습윤성 불량(111)

**넌이온 계면활성제** Nonionic Surface Active Agent ◘ 비이온 계면활성제(223)

**넌패러딕 전류** Non Faradaic Current ◘ 비패러데이 전류(226)

**네가** Negative

네가티브 또는 음화라고도 한다. 피사체와 명암 계조 또는 색상이 정반대의 사진상을 말한다. 네가상의 반대를 포지상 또는 포지라고도 한다. 사진필름이나 건판으로 촬영된 사진상은 통상 네가이며, 인화에 의해 포지상을 만든다. 슬라이드용 필름이나 건판으로 촬영된 사진상은 포지이다.

**네가티브 레지스트** Negative Resist

포토 레지스트의 하나로 빛을 받으면 현상액에 녹지 않는 레지스트를 한다.
◘ 포토 레지스트(577)

**네룬스트의 식** Nernst's Equation

전극계에서 용액과 전극사이에 전류가 흐르지 않고 전극반응이 평형상태에 있을 때, 용액상에 대해 전극상이 표시하는 전위를 나타내는 식을 말한다. $O+ne \rightleftarrows R$(O : 산화체, n : 가수(価數), e : 전자, R : 환원체)의 반응에 대한 평형전극전위 $E_e=E^\circ+(RT/nF)\log_e$(또는 ln)$(a_O/a_R)$로 표시하며, 이것이 네룬스트의 식이다($E_e$ : 평형전극전위, R : 기체정수, T : 절대온도, F : 패러데이정수, $a_o$ : 산화체의 활동도, $a_R$ : 환원체의 활동도). 비슷하게는 활동도 대신에 몰농도를 사용한다. $a_O=a_R=1$일 때의 $E_e$의 값을 $E^\circ$로 하고, 이것을 표준산화 환원전위, 표준전극전위, 표준단극전위 등으로 부르지만, 일반적으로 산화체, 환원체가 용액이나 가스일 때는 표준산화 환원전극이라고 하고, 환원체가 금속일 때는 표준전극전위, 표준단극전위라고 부르는 경우가 많다. 훤원체가 금속일 때는 항상 $a_R=1$이기 때문에 네룬스트의 식은 $E_e=E^\circ+(RT/nF)\log_e a_M$이 된다($a_M$ :금속이온의 활동량 농도). ◘ 평형전위(574)

**네룬스트의 열정리** Nernst's Heat Theorem ◘ 열역학(352)

**네오프렌** Neoprene

미국의 듀퐁사가 개발한 합성고무의 상품명. 2-크롬-1, 3-브타젠(클로로프렌)을 주성분으로 하고 이것에 스틸렌, 이소플렌, 아크릴로니트릴 등을 서로 중합시켜 만든다. 내유성, 내마모성, 난연성이 뛰어나다. 용도는 전선, 케이블 피복재, 고무벨트, 고무라이닝, 접착제 등에 쓰인다.

**노멀** Normal

다음 3가지 표시에 사용된다.

①용액의 농도를 표시하는 기호로 규정 또는 규정도를 말한다. 용액 1리터중에 용질 1그램당량을 포함한 용액의 농도가 1N이다.

②N · ㎥(노멀입방미터). 온도가 0℃, 압력이 1기압의 상태에서 기체의 량을 입방미터 단위로 표시한 것이다. ◘ N · ㎥

③사슬형 화합물을 분기상 이성체와 구별하기 위해 만든 접두어로 기호는 n-이다. 현재의 명명법으로는 사슬형에는 n-을 표시할 필요는 없으나, 관습적으로 사용되는 경우가 많다. 예를 들어, n-벡산이라 표시하는 것이다.

**노멀라이징** Normalizing

철강을 아공석강에서는 Acm점 이상에서 30~50℃의 온도로 가열하여 균일한 오스테나이트로 한 후에 공냉하는 처리를 말한다. 조직의 균질화, 결정립의 미세화에 의한 기계적 성질의 개선이 주된 목적이다. 노멀라이징은, 어닐링에 비하여 냉각속도가 빠르고, 결정립이 보다 미세화되므로, 기계적 성질의 향상이 크다. 저탄소의 기계구조용강, 주강품, 단강품 등에 사용되는 수가 많다. 또 담금질되는 단조 · 압연강재의 전열처리로서도 사용된다.

**노점** Dew Point

어떤 일정한 대기압 하에서 수증기를 함유한 공기의 기온만을 낮추어 갈 때, 수증기가 응축하기 시작한 온도를 말한다. 넓은 의미로는 각종 물질의 증기를 포함한 기체에 대해서도 같이 정의할 수 있다.

**노점 부식** Dew Point Corrosion

보일러 등의 비교적 저온도 장치에서는 연소가스 중의 $SO_3$가 수분과 결합하여 황산이 되고, 금속표면에 부착되어 부식을 촉진시키는데, 이것을 황산노점 부식이라고 한다. 쓰레기 소각로에서는 저온부에 염산이 응축되어 부식을 촉진시키는 경우가 있는데 이것을 염산노점 부식이라고 한다. 이들의 부식은 저온부에서 발생하기 때문에 저온부식이라고도 한다.

= 저온부식(442)

**노즐** Nozzle

유체의 분출구를 말한다. 분출구의 단면적이 작은 것을 선세(先細) 노즐, 크게 되어 있는 것을 말광(末廣)노즐이라고 한다. 도금에서는 수세시, 스프레이 세정에 분사노즐이 사용되며, 분사도금(제트도금)에서는 특수한 분사노즐이 연구되고 있다. 초고압수를 이용하여 고체재료의 절단 등을 때문에 내마모성이 뛰어난 노즐이 개발되고 있다. 세정에 사용되는 수압은 보통 100㎏/㎠이하이며, 초고압수는 1000~10000㎏/㎠에 이르는 것도 있다.

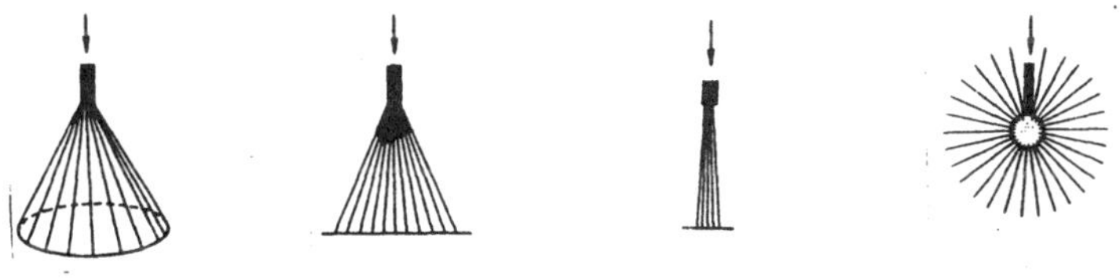


각종 노즐의 형태

노즐

**노출시험** Exposure Test

장식용 금 및 합금 금도금의 경우, KS에서는 내식성을 조사하는 시험으로써 황산 노출시험 방법이 규정되어 있다. 이 방법은 건조기(Desiccator)의 밑바닥에 초산을 넣고, 자기제품의 그릇 위에 시료를 놓아 뚜껑을 닫은 다음, 정온을 유지하여 일정시간 방치(예를 들어, 20℃에서 1시간)한 후, 시료를 꺼내어 표면의 변색, 핀홀의 결함에서 발생한 부식의 정도를 관찰하는 시험방법이다. 농초산을 사용하면 부식시간이 짧고 보기가 쉽다. 암모니아수를 이용하는 경우도 있다.

**노칭** Notching ◘ 전단 가공(451)

**녹** Rust

금속 또는 그 합금의 부식생성물 중에서 고체의 것을 녹이라고 한다. 영어의 Rust는 보다 좁은 의미로, 철 및 철기 합금의 경우로 한정되어 있다. 도금의 녹은 도금피막(금속)의 부식생성물, 예를 들어 아연도금의 백청(백색의 부식 생성물)과 소지금속의 녹, 철강의 적청(적갈색의 부식 생성물)과 같이 명확하게 서로를 구별할 수 있는 경우와 구별이 곤란한 경우가 있다.

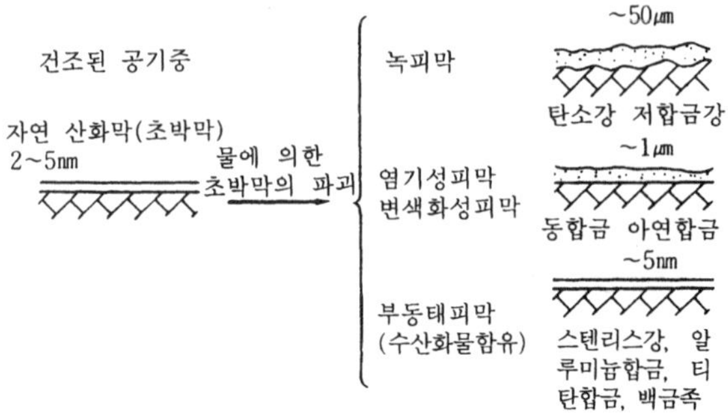


자연환경에서 생성되는 녹

녹

**녹 금도금** Green Gold Plating ◘ 그린 골드도금(53)

**녹반** Green Vitriol

황산제일철($FeSO_4 \cdot 7H_2O$)결정으로, Ni-Fe합금도금 등에서 사용한다. 황산제일철

**녹 방지유** Rust Preventive Oils

금속표면에 도포하여 녹의 발생을 일시적으로 방지하는 것을 목적으로 한다. 정제광유 윤활유를 기본유로 하고 이것에 석유술폰화물이나 솔비탄모노올레이트 등을 첨가하여 유제로 한다. = 일시 방청유(428)

**녹색 크로메이트** Green Chromate ◘ 그린 크로메이트(53)

**녹스** Oxides of Nitrogen ; Nitrogen Oxides

공해 용어로 질소산화물(약칭 $NO_x$)의 속칭. 질소산화물은, $N_2O$, NO, $N_2O_3$, $NO_2$, $N_2O_4$, $N_2O_5$, $NO_3$, $N_2O_6$의 8종류가 알려져 있으나, 공해용어의 녹스는 NO와 $NO_2$의 총칭의 의미로 사용되고 있는 경우가 많다. 연료가 연소할 때, 최초에 생기는 것은 대부분이 NO이며, NO는 공기중에서 산화되어 $NO_2$가 된다. 공기중의 $NO_x$는 그 자신이 유해하며, 태양광선에 의해 해리되어 광화학스모그의 원인이 된다. ◘ 질소산화물(494)

**녹 제거** Derusting ; Descaling

녹 제거는 넓은 의미로 도금의 전처리공정에 포함된다. 물리적 방법으로써는 와이어 브러시, 샌드 브라스트, 액체 호닝, 배럴연마 등이 사용되며, 화학적 방법으로써는 산세, 전해산세, 화학연마, 전해연마 등이 사용된다.

**녹청** Malachite ; Verdigris ; Patina

동 표면에 발생하는 녹색의 녹을 말하며, 대부분은 다음 3종류이다. (1)

대기 중에 미량의 아황산가스나 황화수소와의 반응물이 산화된 $CuSO_4 \cdot 3Cu(OH)_2$로 자연에서 발생하는 녹청의 주성분이다. (2)대기 중의 수분과 탄산가스의 작용으로 발생하는 염기성 탄산동 $CuCO_3 \cdot Cu(OH)_2$로 유독하다. (3)공기 중에서 초산증기를 작용시켜 발생하는 여러 가지 조성의 초산동 염기성염으로 유독하다. 이 외에 염기성 염화동 $CuCl_2 \cdot 3Cu(OH)_2$ 등도 있다. = 패티너(565)

**놋쇠** ◘ 황동(638)

**놋쇠도금** ◘ 황동도금(638)

**농도** Concentration

용액의 조성을 나타내는 양으로 여러 가지 표시법이 있다. 조성비는 중량비(중량%), 체적비(체적% 또는 용량%), 몰수의 비(몰분율) 등이 있다. 용액중 용질의 농도는 용액의 일정체적(1*l*)중에 포함된 용질의 그램당량수(규정농도) 또는 몰수(몰농도) 또는 용매의 일정질량(1kg)에 가한 용질의 몰수(중량몰농도) 등도 있다. 공장에서는 용액 1*l* 중 용질의 그램수(g/*l*)로 표시하는 경우가 많다. 분석에서는 규정농도, 실험실에서는 몰농도를 사용하는 경우가 많다.

**농도 과전압** Concentration Overvoltage ◘ 과전압(41), 분극(202)

**농도 분극** Concentration Polarization ◘ 분극(202), 과전압(41)

**농염 전지** Concentration Cell

금속표면에 접촉할 수용액 중, 이온이나 용존 산소의 농도가 서로 다르기 때문에 발생하는 전지로 부식의 원동력이 된다.

**농축기** Thickener

희박한 슬러리(Slurry)를 침강 분리하는 장치. 대부분이 연속식으로 탱크에 슬러리를 공급하여 바닥에 고인 슬러지를 레이크(Rake)나 스크류 콘베이어 등으로 배출시켜 위에 있는 깨끗한 액은 테두리로부터 넘치게 한다. 농축기는 원액을 수조의 중앙으로부터 공급하고 테두리 주변으로 흘러가는 사이에 현탁물이 침강한다. 도금의 배수처리에 이용된다. = 침강 분리장치 ◘ 침강수조(513), 농축조(후항)

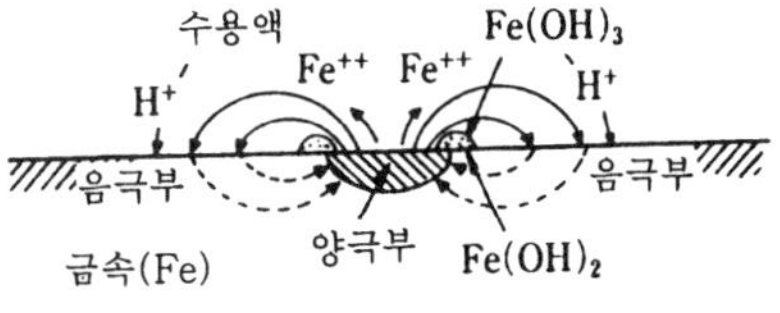


슬러지 배출
농축기

**농축조** Thickener

배수처리 중 침전조에서 배출된 오염물(슬러지)의 수분은, 95~98.8%로 상당히 많기 때문에 오염물을 농축시킬 필요가 있으며, 이것을 농축시킬 장치의 하나를 농축조라고 한다. 농축조는 씨크너라고도 하며 가장 많이 사용되고 있다. ◘ 농축기(전항)

**뇌금(雷金)** Fulminating Gold

염화금(Ⅲ) 또는 수산화금(Ⅲ)을 암모니아수에 넣으면 발생하는 올리브 녹색의 분말을 말한다. 물에는 녹지 않고 가열, 타격 등에 의해 폭발하는 위험물이다. 조성은 확정되어 있지 않으나, $Au_2O_3 \cdot 2NH_3$ 또는 $Au_2O_3 \cdot 3NH_3$에 $Au_2NH(NH_2)_2X_2$(X : 할로겐원소)가 혼합된 것이라 알려져 있다. 이전에는 금도금용의 $KAu(CN)_2$를 만들 때에는, 왕수로 지금(地金)을 녹여 발생한 $AuCl_3$에 암모니아수를 첨가하여 뇌금을 만들어 이것을 KCN에 녹였으나, 위험하다는 것과 $Cl^-$이온의 완전 제거가 불가능하기 때문에, 현재는 뇌금을 경유하지 않는 개량법으로 제조되고 있다. ◘ 왕수(374)

**뇌은** Fulminating Silver

$Ag_3N$ 또는 $AgNH_2$라 알려져 있는 흑색의 결정으로, 산화은 $Ag_2O$의 암모니아 용액을 장시간 방치 또는, 알코올을 첨가하면 흑색의 침전으로써 얻을 수 있다. 가열 또는 침전물 입자가 극히 작은 마찰에 의해서도 폭발하는 위험물이다. 은경반응용 용액은 사용 후, 방치하면 서서히 뇌은을 발생시키기 때문에 사용 후에는 HCl 또는 NaCl 등을 첨가하여 은을 염화은으로 하지 않으면 위험하다. 폭발성이 있는 뇌산은 AgONC(Silver Fluminate)은 시안산은의 이성체로서 조성이 다르다. ◘ 은경 반응(399)

**누설 전류** Leak Electric Current : Leakage Current

도금에 필요한 전기회로 이외를 통해 쓸데없이 흐르는 전류를 말하며, 도금조나 액의 배관이 도전성으로 대지와 접하고 있을 때에는 정류기⇌대지⇋수조 또는 배관⇋도금액⇋⊕ 또는 ⊖극의 경로로 전류가 흐르는 경우가 있으며, 여러 가지 문제를 일으키거나 전력 손실이 되기 때문에 수조나 배관의 대지와의 절연, 도금액의 절연(샤워 등에 의한다)등이 필요하다.

**누체** Nutsche(독일) ◘ 흡인 깔대기(650)

**누프 경도** Knoop Hardness

누프 압자(둥글고 각진 다이아몬드로 정면정각 172°30′, 종횡비 7.11:1, 측면정각 130°)로 만들어진 압흔으로 구하는 경도를 말하며 보통 $H_k$라는 기호로 표시한다. 무른 재료나 얇은 층의 측정에 적합하다. 대각선의 길이를

$l$ (mm), 하중을 P(kgf)라고 하면, $H_k = 14.12P / l^2$(kgf/㎟)로 표시된다.

**뉴톤** Newton

힘의 MKSA 단위. 1㎏의 물체에 작용하는 $1m/s^2$의 가속도를 발생시키는 힘의 크기를 말한다. 단위는 N으로 표시한다. $1N = 1kg \cdot m/s^2 = 10^5 dyn$

◘ 주울(485)

**능면체 격자** Rhombohedral Lattice

세 개의 축 길이는 같고, 축각이 90°가 아닌 결정 격자를 말한다. = 삼방 결자 ◘ 결정 구조(21)

**니스** Varnish ◘ 와니스(371)

**니오브** Niobium Nb.

원자번호 41, 원자량 92.9064, 밀도 8.56g/㎤(25℃), 융점 2740℃, 불점 4700℃, 회백색의 금속으로 경도는 연철과 같은 정도로 탄텔보다도 유연하며, 전연성이 있고 내열성이 크다. 공기 중에서는 산화막이 생기며, 탄화물, 질화물, 규화물을 만든다. 불화수소산 이외의 산에는 녹지 않고, 알칼리 수용액에도 녹지 않는다. 용도는 전해콘덴서, 전자부품, 진공관부품, 합금용 첨가원소(내열합금, 초전도합금, 그 외) 등이다.

**니카드 전지** Nickel-Cadmium Battery ◘ 니켈-카드뮴 축전지(83)

**니카빙** Nicarbing

암모니아 가스를 첨가한 침탄성 분위기 중에서 행하는 철강의 표면 경화법을 니카빙이라고 한다. 침탄과 질화가 동시에 행하여져 경화된다. 처리 후의 냉각 속도를 조정함으로 인해 필요로 하는 성질을 얻을 수 있다.

**니켈** Nickel Ni.

원자번호 28, 원자량 58.69, 철족 금속으로 은백색, 면심입방격자, 결자정수 a=3.5241Å, 융점 1455℃, 불점 2730℃, 비중 8.845, 전기전도도는 동의 14.9%(18℃), 비저항 6.9×10-6Ω · cm(0℃), 철보다 약하나 강자성체이며 90%는 캐나다에서 산출된다. 철과 같이 전연성이 풍부하고 단조, 단접이 가능하다. 공기, 습기는 철보다는 안정되어 있다. 고온에서 염소, 브롬과 반응한다. 일산화탄소와 반응하여 맹독의 니켈 카보닐($Ni(CO)_4$을 생성한다. 염산, 황산, 희초산에 녹으나, 알칼리수용액에는 녹지 않는다. 니켈의 용도는 넓어 스테인리스강, 내열강, 내식합금, 퍼머로이, 그 외의 니켈합금 및 니켈도금 등에 사용된다.

**니켈도금** Nickel Plating

전기도금과 무전해도금이 있으며, 니켈도금은 단단하고 내식성이 뛰어나며 광택이 좋기 때문에 용도가 넓다. 전기도금욕은 와트욕, 염화욕, 술파민산 니켈욕, 염화암모늄욕이 있고, 이것들에 첨가제를 가한 광택욕, 반광택욕, 흑니켈욕 등이 있으며, 내식성을 향상시키기 위하여 2층 니켈도금, 3층 니켈도금을 행하고 있다. 또 복합(Composite) 니켈도금이나 많은 니켈 합금도금이 개발되고 있다. 무전해 니켈도금은 기능도금용으로써의 용도가 많다. ◘ 무전해 니켈도금(146)

니켈도금욕 조성

| 성 분 | 와트욕 | 광택도금욕 | 염화욕 | 술파민산 니켈도금욕 | 염화암모늄욕 (보통욕) |
|---|---|---|---|---|---|
| 황산니켈 | 240g/l | 300g/l | | | 150g/l |
| 염화니켈 | 45g/l | 50g/l | 300g/l | 30g/l | |
| 술파민산니켈 | | | | 300g/l | |
| 염화암모늄 | | | | | 15g/l |
| 붕산 | 30g/l | 45g/l | 30g/l | 30g/l | 15g/l |
| 광택제 | | 적량 | | | |
| 피트방지제 | | | | 적량 | |
| pH | 4~5 | 4~5 | 2 | 3.5~4.0 | 5.8~6.2 |
| 온도 | 40~55℃ | 40~55℃ | 55~65℃ | 30~60℃ | 20~30℃ |
| 전류밀도 | 1~8A/d㎡ | 2~8A/d㎡ | 2~15A/d㎡ | 2~15A/d㎡ | 0.5~1.0A/d㎡ |
| 특징 | 도금피막의 경도가 낮고, 신율이 크다. | 도금피막의 광택과 평활성(레벨링)이 좋다. | 접착성이 좋다. 스트라이크 도금용 | 도금피막의 내부응력(스트레스)이 작기 때문에 두꺼운 도금에 적합하다. | 배럴도금용 도금피막이 무르다. 접착성이 좋고, 싸다. |

니켈도금

**니켈도금의 연신율시험** Ductility Test of Nickel Plating

ISO, ASTM, BS에는 도금시료의 맨드렐에 의한 굽힘시험이나, 도금박의 마이크로미터에 의한 굽힘시험을 규정하고 있다. ISO-1456에는 길이 150mm, 폭 10mm, 두께 1mm의 시료단면에 니켈도금을 25㎛두께로 도금한 것을 직경 11.5mm의 맨드렐에 감는 듯이 굽혀 시료의 양단이 평행하게 되도록 180° 굽힌다. 맨드렐의 곡면에 접한 시료면을 관찰하여 굽힘면을 횡단한 도금피막의 균열이 없으면 니켈도금의 연신율은 8% 이상이라고 되어있다. 그 외 ASTM B 489, BS 1224, ASTM B 490 참조.

**니켈-망간 합금도금** Nickel-Manganese Alloy Plating

니켈 중에 황을 함유한 것을 열처리하면 취화되지만, 니켈 중에 망간을 함유하면 취화를 방지할 수 있다. 예를 들어 니켈전주에서 사카린과 같은 응력감소제를 가한 도금욕을 이용할 때, 전주제품이 200℃ 이상에서 사용되면 결정입계에 석출된 유화니켈에 의해 취화된다. 이와 같은 니켈

전주의 취화를 방지하기 위하여 술파민산 니켈욕에 술파민산 망간을 첨가한 전주도금욕이 개발되고 있다. 망간과 황이 결합하기 위해 유화니켈은 석출되지 않는다. 술파민산 망간의 첨가량은 20g/l정도이다.

**니켈 반응시험** Nickel Reaction Test

니켈 하지도금상의 은도금 또는 금도금 등에 사용하며, 핀홀 유무를 검사하는 방법이다. 시험액을 시료에 도포하여 100~110℃에서 건조, 포화염화나크륨 용액을 전해액으로써 시료를 양극, 납판을 음극으로하여 0.4~0.6A/d㎡에서 3초간 전해하여 시료표면의 적색반점에 여지를 5분간 밀착하여 전사한다. 여지상의 1㎠에 대한 반점의 수와 크기에 따라 핀홀수를 구한다. 시험액은 염화나크륨 6g/100㎖, 한천(寒天) 3g/100㎖, 이것에 암모니아수를 가해 약알칼리성으로 하고, 디메틸글리옥심(Dimethyl Glyoxime) 1%, 알코올 용액 10㎖를 가한 것이다.

**니켈 스트라이크도금** Nickel Strike Plating

스테인리스 소지 등의 도금 밀착성을 좋게 하기 위해 실시되는 도금으로 도금욕은 염화니켈 220g/l, 염산 45g/l, 온도 20~30℃, $D_k$ 5~10A/d㎡, 이 욕은 염화욕 또는 우드욕이라고도 한다. 이 욕은 pH가 낮고 접착성이 좋으며 소지에 밀착이 잘 되나, 내부응력이 크기 때문에 단시간(수분)의 도금으로 한정하여 스트라이크도금 후, 곧 바로 통상의 도금욕으로 이동하도록 하고 있다. 납 등의 불용성 양극을 사용할 때에는 황산니켈의 스트라이크욕을 이용한다. 이 욕에는 염소이온을 넣지 않도록 주의해야 한다. 욕조성은 황산니켈 200~240g/l, 황산 50~100g/l, 온도 25~40℃, $D_k$ 8~15A/d㎡. ▫ 스트라이크도금(268)

**니켈 스피드욕** Nickel Speed Plating Bath

캐나다의 인터내셔널·니켈사가 개발한 술파민산 니켈도금욕을 말한다. 욕조성은 술파민산 니켈 600g/l, 염화니켈 5g/l, 붕산 40g/l, 욕온도 60℃, pH값 4.0, 음극전류밀도는 최고 43A/d㎡이다. 동회사에서는 1965년경에 이 욕의 사용 특허를 각국에 신청하였다. 이 욕의 특징은 특별한 첨가제를 추가하지 않더라도 고전류밀도에서 내부응력(스트레스)이 없는 전착물을 얻을 수 있으며, 또한 전착물의 내부응력의 조정이 용이하다는 이유 때문에 니켈전주용으로 사용되고 있다.

**니켈 실** Nickel Seal

복합도금법의 일종으로 영국의 커닝사의 상품명이다. 같은 것으로 미국의 유지라이트사의 줄니켈이 있다. 니켈도금욕 중에 실리커, 알루미나,

카오린, 황산바륨 등의 비전도성 미립자를 현탁시키면서 2.5㎛정도 도금을 하고, 그 위층에 크롬도금을 얇게(0.25㎛정도)도금하면 크롬은 작고 미세한 다공성 피막이 되어 공식을 방지하고 내식성이 향상된다. ☞ 마이크로포러스(Microporous) 크롬도금(132)

**니켈 실버** ☞ 양은(325)

**니켈 아노드** Nickel Anode ☞ 니켈 양극(82)

**니켈-아연 전지** Nickel-Zinc Alloy Battery

⊖Zn(Hg) | KOH(aq)+ZnO | γ-NiOOH(C)⊕의 구조를 갖는 1차전지로 저온특성이 뛰어나고 저가격(Ag전지의 수분의 1), 고단자전압(개로시 1.7V, 폐로시 1.5V)등의 특징을 가지고 있어 전자기기용의 범용전지로 쓰인다. = 니켈전지(83)

**니켈-아연 합금도금** Nickel-Zinc Alloy Plating ☞ 아연-니켈 합금도금(291)

**니켈 양극** Nickel Anode

니켈도금에는 일반적으로 가용성 양극이 사용되지만, 부분도금이나 고속도도금에는 불용성 양극이 사용되는 경우도 있다. 가용성 양극은 전기니켈, 펠레트니켈, 활성화니켈의 3종류가 있다. 전기니켈은 가장 고순도에서 널리 사용되며 형상은 판상, 팁상, 라운드상(코인상)이 있다. 펠레트니켈은 직경 수mm의 소구(小球)상으로 전기니켈과 제조법이 다르다. 활성화 니켈은 전기니켈(황 포함), 디폴라라이드니켈(산화니켈의 미립자를 전기니켈에 가해 주조한 한 것), 카보나이즈니켈(소량의 카본과 실리콘 등을 전기니켈에 가해 주조한 것)이 있다. 활성화니켈은 욕조성중 염화니켈이 적을 때, 양극전류밀도가 높을 때에 사용된다.

= 니켈 아노드(82)

**니켈-인 합금도금** Nickel-Phosphorus Alloy Plating

니켈-인 합금도금의 비교

| | | 무전해니켈 | 전해니켈 | 경질크롬 |
|---|---|---|---|---|
| 경도 | 도금한 채로 | 500~550Hv | 600~700Hv | 900~1000Hv |
| 경도 | 400℃열처리후 | 800~900Hv | 800~900Hv | 750~850Hv |
| 석출속도 | | 15~20㎛/h (93℃, pH4.5) | 1㎛/min (60℃, 10A/d㎡) | 0.3㎛/min (50℃, 20A/d㎡) |
| 전류효율 | | - | 50% | 50% |
| 응 력 | | 압축 | 인장 | 큰 인장 |
| 특 징 | | 균일하게 부착되기 쉽다 | 전착속도가 빠르다 | 경도가 크고, 안정되어있다 |
| 문 제 점 | | 고가 | 인의 제어가 어렵다 | 크랙에서 부식되기 쉽다 |

니켈-인 합금도금

전기도금과 무전해도금이 있으며, 전기도금은 무전해도금에 비해 석출속도가 빠르다(약 3배). 저온(약 70~80℃)에서도 작업할 수 있으며 욕의 수명이 길고, 욕조성 변화가 적으며, 가격이 싸다는 등의 이점이 있다. 욕조성은 Brenner욕의 경우, 황산니켈 150g/l, 염화니켈 45g/l, 정인산 50g/l, 아인산 40g/l, pH 0.5~1.0, Dk 5~40A/d㎡, 욕온도 75~95℃, 음극전류효율은 50%이다.

**니켈 전주(電鑄)** Nickel Electroforming

전주에서 가장 많이 이용되고 있는 것이 니켈 전주로써, 니켈 전주욕은 술파민산 니켈욕이 많이 이용되나, 이 외에 와트욕, 전염화욕, 붕불화 니켈욕이 있다. 술파민산 니켈욕에 의한 니켈전주 피막의 기계적 성질은 경도 Hv 200~250, 연신율 6~30%, 인장강도(항장력) 42~91㎏/㎟, 니켈 전주의 전사(轉寫)정도는 0.05~0.2㎛ 정도라고 알려져 있다. 금형 제작에 이용되는 경우가 많다. ◘ 전주(461)

**니켈 전지** Nickel Battery ◘ 니켈-아연전지(82)

**니켈 청동** Nickel Bronze

니켈을 함유한 Cu-Sn 합금이며, 이 경우 니켈은 주석의 일부와 치환되는 것으로, 이로 인하여 점성이 강하고, 내식성도 크며, 표면의 평활한 합금이 된다. 88 Cu・55 Sn・5 Ni・2 Zn 합금의 인장강도는 284MPa, 연신율은 32%이다. 또 항공기에 사용되며, 83 Cu, 10 Sn, 3 Pb, 3.5 Ni 합금의 인장강도는 324MPa, 연신율 7~10%이며, 이 합금은 절삭가공도 용이하다. 또 고연청동에 소량의 니켈을 첨가하면 납이 분리되지 않고 합금 전체에 분포되게끔 되며, 장식용 청동에 니켈을 첨가하면 합금의 색이 백색을 띄고 있지만, 백색을 더 강하게 하기 위해서는 적어도 10%를 가할 필요가 있다. 그래서 백색으로 된 합금은 내식성이 크고, 압력용기, 밸브 등과 같은 것에 니켈 청동으로 MMM합금(Modified Monel Metal)이라 한 것은, 60~65 Ni・24~27 Cu・9~11 Sn・소량의 Fe・Si・Mn을 첨가한 것으로, 그 인장강도는 490MPa, 연신율 5%이다. 또 알루미늄을 함유한 큐폴라・니켈을 니켈 청동이라 하며, 이 합금은 아주 단단하고, 점성이 강하다.

**니켈-철전지** Nickel-Iron Secondary Battery ◘ 알칼리 축전지(312)

**니켈-카드뮴 축전지** Nickel-Cadmium Secondary Battery

양극 NiOOH, 음극 Cd, 전해액 KOH로 된 알칼리성 2차전지로, 공칭 전압은 1.2V이다. 알칼리 축전지 중에서 가장 널리 사용되고 있다. 대부분

밀폐형으로 저에너지밀도이나 가볍고, 수명이 길며, 또한 과방충전에 잘 견디며 보수경비도 싸다. 부하가 작은 용도에 많이 사용된다. = 니카드전지(79), 윤그너전지(398)

**니켈-크롬강** Nickel-Chromium Steel

Ni 및 Cr을 함유한 특수강으로 구조용, 특수용도강으로써 상용되고 있다. Ni강에 비해 연성은 거의 같고, 인장강도 및 항복점이 높으며, 또한 소입성이 좋으며 내식성, 내마모성, 고온 내산화성도 좋다는 특징을 가지고 있다.

**니켈-텅스텐 합금도금** Nickel-Tungsten Alloy Plating

텅스텐은 단단하고 강도가 크기 때문에 텅스텐 함유율이 높을수록 내식성, 경도, 내마모성이 증가한다. 도금욕은 구연산-암모니아수-금속염이 Brenner 등에 의해 발표되었다. 예를 들어, $NiSO_4 \cdot 2H_2O$ 50g/$l$, $Na_2WO_4 \cdot 2H_2O$ 6g/$l$, 구연산 78g/$l$, $(NH_4)_{10}W_{10}O_{41} \cdot 5H_2O$ 43g/$l$, pH 6, 욕온도 70℃, $D_k$ 10A/d㎡이다.

**니켈 프린트** Nickel Print

강 중의 니켈 편석을 검출하는 간단한 방법이다. 그 방법은 강의 피검면을 초산(비중 1.4)의 증기로 5~10분간 태운다. 다음으로 수산암모니아를 충분히 침입시킨 젤라틴 감광지를 피검면에 압착시켜 1~2분간 유지한다. 그 후, 이것을 떼어내 티오수산 2아미드의 알코올 용액을 적하시킨다. 강 중에 니켈이 0.2% 이상이라면 색을 띄기 때문에 검출이 가능하다. 강 중에 구리가 있다하더라도 반응은 방해받지 않는다.

**니켈합금** Nickel Alloy

니켈을 주성분으로 하는 합금으로는 다음과 같은 것이 있다. 니켈기 내열합금(Ni-Cr-Mo-W 등), 니크롬(Ni-Cr)은 전열재료, 모넬(Ni-Cu)은 내식재료, 콘스탄탄(Ni-Cu)은 열전대와 전기저항선 재료, 하스테로이(Ni-Mo-Fe 등)는 내염산재료, 퍼머로이(Ni-Fe-Mo-Cr-Cu 등)는 고투자율재료, 형상기억합금(Ni-Ti 등)은 형상기억소자와 초소성재료 등이며, 중요한 합금이 많다.

**니켈 화학도금** Chemical Nickle Plating ◘ 무전해 니켈도금(146)

**니크롬** Nichrome

니켈 합금의 일종으로 표준조성은 Cr을 약 20% 포함한다. 가격을 낮추기 위해 Fe을 약 25%까지, 가공성을 증가시키기 위해 Mn을 약 1% 첨가한 것도 있다. 전기저항이 크고 고온에서도 산화되기 어려우며, 내식성도 풍부하다. 선, 가지, 테이프 형상으로 전열선, 내열부품 등에 극히 많이 사용되고 있다. Fe, Mn을 포함하지 않는 Cr 20%의 것을 크로멜A, Cr 15%의 것을 크로멜B라고 한다.

**닙** Nib

광택면에서 부분적으로 미소한 볼록부가 발생한 상태를 말한다. 도금에서는 미소한 불용성 현탁물의 공석, 전해 연마에서는 산소가스의 탈이(脫離) 불충분, 도장에서는 이물질의 혼입 등에 의해 일어난다.

# ㄷ

**다결정** Poly Crystal

다수의 소결정이 집합되어 생긴 결정체를 다결정이라고 한다. 고체의 대부분은 다결정이다. 이에 대해 일정한 대칭성에 따라 발달된 결정면에 의해 둘러 쌓인 규칙 바른 외형을 가지고 있는 것을 단결정(Single Crystal)이라고 한다.

**다공성 크롬도금** Porous Chromium Plating ◘ 포러스 크롬도금(575)

**다공율** Porosity Rate

다공성 크롬도금(포러스 크롬도금)면에 임의의 면적 내에서 크랙이나 피트가 차지하는 면적의 비율을 백분율(%)로 나타낸 것

**다공질금속** Porous Metal

구멍이 많이 금속, 분말야금법 또는 금속섬유를 성형, 소결하는 방법 등으로 다공율 60~80%의 금속을 만들 수 있다. 용도는 기름을 함유한 베어링, 흡온재, 열교환기, 전지의 전극화, 내마모 라이닝재 등이 있다. 다공질금속에 도금을 할 때는 진공용기 안에서 플라스틱 등을 함께 침적시킨 후, 도금을 하고, 도금 후 플라스틱을 제거하는 방법, 또는 처리수조 내를 진공시켜 다공질금속 내의 공기를 배제하고 난 후, 도금액을 구멍 안에 침투시키는 방법이 있다. ◘ 발포금속(166)

**다니엘 전지** Daniell Cell

1800년대 초에 J. F. Daniell(영국)이 고안한, Cu | $CuSO_4$수용액 | $ZnSO_4$수용액 | Zn의 구조로 된 전지로, 양수용액간에는 소소판(素燒板)으로 간격이 구별되어 있다. 전압은 1.1V로, 비교적 장시간 사용할 수 있고, 충전도 가능하다. 그리고, 금속M과 그 염XM를 조합한 $M_1$ | $M_1X_1$ | $M_2X_2$ | $M_2$ 형의 전지를 다니엘형 전지라고 한다.

**다단 수세방식** Multi Rinse Process

도금 후의 수세는 다단 수세방식이 많다. 그림과 같이 급수방식에 따라 (1) 회분식 수세, (2)병렬 수세, (3) 향류 수세가 있다. (1)은 계속 급수를 하지 않고 제1수세 수조의 갱신을 위해 배수할 때에 제3수세 수조에 급수한다. (2)는 각 수조마다 급수하여 배수한다. (3)은 최종 수조에서

급수를 하여 제1수세 수조에서 배수한다.

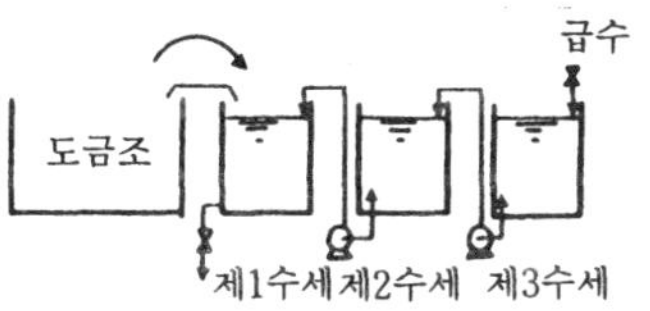


(1) 회분식 수세

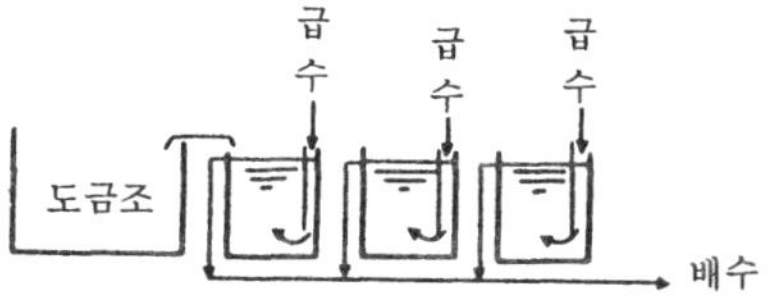


(2) 병렬 수세

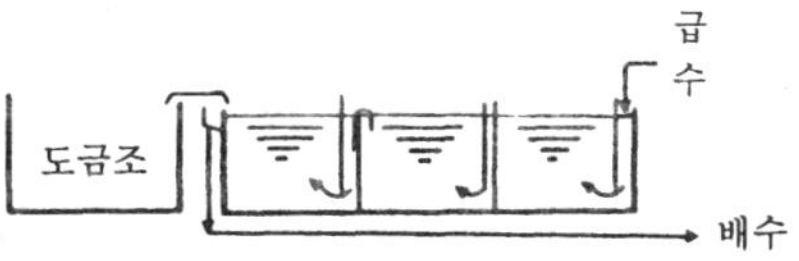


(3) 향류 수세

다단 수세방식

**다단향류(向流) 수세** Counter Flow Rinse ◘ 다단 수세방식(86)

**다우메탈** Dow Metal

미국의 다우케미컬사에 의해 개발된 2~8%Al을 포함한 마그네슘합금, 주조용 및 단조용 합금으로 주물이라 하여도 실민(Al-Si 합금)과 같은 정도의 강도가 있다. 비중 1.8, 융점 615℃, 브리넬경도 50~55, 경량이기 때문에 항공기부품, 자동차부품 등에 사용된다.

**다이스** Dies

본래는 다이(금형)의 복수형이며, 소성가공이나 전단 가공에 이용되는 금형의 총칭이지만, 일반적으로 압출 가공, 인발 가공(Drawing), 타발 가공(Blanking) 등에 이용되는 홀(Hole)형 공구를 말한다.

**다이스탬핑법** Die Stamping Method

도체 원형을 금속 박판에서 떼어내어 절연기판 상에 접착하는 프린트 배선기판의 제조법 ◘ 프린트 배선기판(594)

**다이어커트 마무리** Diamond-cut Finishing

장식도금의 모양내기의 일종으로, 소지가공으로 행하는 것과 도금면의 가공으로 행하는 것이 있다. 선반에 다이어드 바이트를 취부하여 가공하는 광택마무리법

**다이어프램** Diaphragm

압력 검출이나 압력 변위 또는 힘을 변환하기 위한 밀봉 기능을 말한다. 금속 다이어프램과 비금속 다이어프램이 있으며, 공기압을 사용한 기기의 연산이나 증폭요소 등에 사용된다. 전자는 파형으로 변형된 금속 원판으로 재료의 탄성과 압력을 평형하게 하여 사용하고, 후자는 중심부를 금속성 좌금으로 눌러 교정한 스프링을 조합시켜 사용한다.

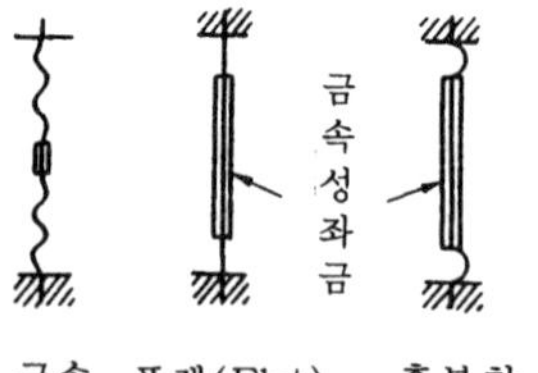

비금속

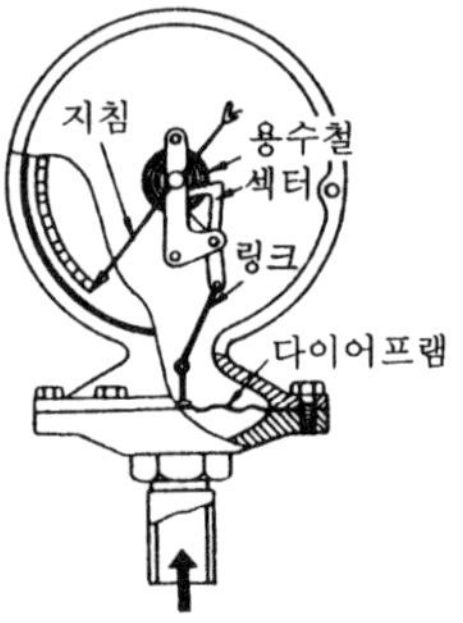

다이어프램 압력계

다이어프램

**다이어프램 펌프** Diaphragm Pump

다이어프램이라는 것은 탄성이 있는 박막의 격리판이고, 다이어프램 펌프라는 것은 합성고무 제품의 다이어프램을 맥동(脈動)시켜 용적 변화에 의한 액체의 흡입이나 분출을 행하게 하는 것으로 소용량의 펌프나 물의 처리용 약제 주입 등의 정량 펌프 등에 사용된다.

**다이칸** Dicyclohexylammonium Nitrite : DICHAN

디시클로헥실암모늄나이트라이트의 약칭. 기화성 방수제로써 사용된다. 백색의 미세한 결정으로 악취가 있다. 안정한 화합물로 약 171℃로 용융된다. 일광, 산, 알칼리에 의해 분해되며 철강용의 기화성 방수제로써 순수한 물에 50~100ppm 포함되어 있을 뿐이며, 녹을 방지하는데 효과가 있다. 이것을 포장지에 도포하든지, 스며들게 하여 기화성 방수제(VCI지)로써 사용되고 있다. 철강 표면에 도포 또는 살포할 때는, 5~10%의 알코올용액을 사용한다. 도금에서는 도금 후에 다이칸 1~2% 수용액에 침적시킨 후, 건조시켜 녹 발생을 방지하는 경우가 있다.

**다이캐스트법** Pressure Die Casting Process

정밀한 금형으로 용융 금속에 압력을 가해 주입시켜 주물을 제조하는 방법을 말한다. 주물 표면이 매끄러우며, 제품의 정도가 높고 다량생산, 자동화가 가능하다. 알루미합금 이하의 저융점 금속주물의 제조에 사용되는 경우가 많다. 주물 표면에 미세한 기공이 있기 때문에 도금의 전처리에 주의가 필요하며, 도금 후에 부풀음이 발생되기 쉽다.

**다층 니켈도금** Multilayer Nickel Plating

황 함유량이 서로 다른 니켈도금 피막을 2~3층으로 중첩시켜 그 위에 크롬도금을 실시함으로써 고내식성을 얻는 니켈도금법을 말한다. 2층 니켈도금은, 제1층에 황을 함유하지 않는 반광택 니켈도금을 실시하고, 제2층에 황을 함유한 광택 니켈도금을 실시한다. 2층 니켈도금의 중간층에 두께 1 ㎛정도의 높은 황함유(S=약 0.2%) 니켈 스트라이크도금을 실시하면 3층 니켈도금이 된다. 이 경우, 3층 간의 자연전위는 반광택 〉광택 〉높은 황함유 니켈스트라이크이며, 부식이 반광택층에 달하면 가장 약한 스트라이크층이 우선적으로 부식됨으로써 부식이 깊이 방향으로 진행되지 않고 공식(孔食) 생성이 방지되어 반광택 니켈의 방식능력이 2층 니켈도금보다도 높다. ◘ 2층 니켈도금(419), 3층 니켈도금(239), 공식(37)

**다층 도금** Multilayer Deposits

단상도금의 결함을 없애기 위하여 도금 피막을 중첩시키는 경우가 많다. 장식도금에서는 소지의 요철을 평활하게 하기 위하여 평활성이 있는 도금을 하지도금으로 하는 경우가 많다. 방청도금에서는 핀홀에서 발생하는 국부 전지작용에 의한 공식(국부 부식)을 방지하기 위해 하지(또는 중간)도금을 하여 부식전류를 분산시키는 경우도 있다. 무전해도금과 전기도금의 조합에 의한 다층도금도 실시하고 있다.

**다층 프린트기판** Multilayer Printed Board

유전체 또는 절연체와 도전부를 다층으로 중첩시켜 각도전층 간을 필요에 따라 전기적으로 접속한 프린트 기판을 말한다. 플렉시블형과 리지트형이 있다.

**다크로처리** Dachrotizing ◘ 다크로타이징 처리(후항)

**다크로타이징 처리** Dachrotizing

미국 다이어몬드 샘로크사가 개발한 자동차용 소형부품을 주된 용도로 하는 방청처리법. 공정은 세정, 녹제거→도장→베이킹(Baking)처리(260~330℃)가 기본이며, 도장을 반복하는 경우도 있다. 도장은 다크로 딥(Dachro Deep)액에 침적시키지만, 이 액은 크롬산을 함유하고 있기 때문에 도막은 아연방식 작용, 크롬에 의한 억제 작용, 배리어효과 등이 있어 내식성이 좋다. 도장이기 때문에 전기아연도금에 비해 수소 취성이 없으므로, 자동차의 볼트, 허브볼트, 브레이크부품, 스프링류 등에 사용되고 있다. = 다크로처리(89)

**단결정** Single Crystal

한 개의 결정 전체에 걸쳐 동일 결정 축을 가진 결정을 말한다. 보통, 결정이라고 하면 단결정을 지칭하는 경우가 많다. 금속 등은 비정질금속 이외는 작은 결정립, 즉 미결정이 수없이 불규칙하게 집합된 것으로 다결정이라고 말한다. 현실적인 단결정은 불완전 결정이며, 부분적으로 아주 작지만, 결정 축방향이 변화하는 것이 보통으로 모자이크 결정과 흡사하다. 그 외에 원자적 척도에서의 불규칙, 즉 격자결함을 포함하고 있다. 인공적으로 단결정을 만드는 방법으로는 쵸크럴스키법(결정인양법), 프로팅존법, 베르누이법 등이 있다.

**단극 전위** Single Electrode Potential ◘ 전극전위(447)

**단동(丹銅)** Red Brass

동과 아연의 합금으로, 아연 함유량이 20%이하이고, 황동보다 붉은 색이 강한 색조를 띄기 때문에 단동이라고 불린다.

**단락 확산** ◘ 입계 확산(431)

**단반(丹礬)** Blue Vitriol : Chalcanthite

황산동($CuSO_4 \cdot 5H_2O$)결정으로, 천연에서 산출된 것을 말하나, 현재는 공업적으로 제조된 것과 별로 구별하지 않는다. ◘ 황산동(639)

**단반시험** ◘ 황산동시험(640)

**단상 교류** Single Phase Alternating Current

일반 전등선은 단상 교류로 배전되고 있다. 2개의 도체에서 얻어진 방향과 크기가 주기적으로 변화하는 그림과 같은 전류를 말하며, 교류의 기호는 AC이다. 그림은 정현파 교류로, 교류 전류계에 지시되는 값은 100V(실효치)이다. ◘ 교류(46)

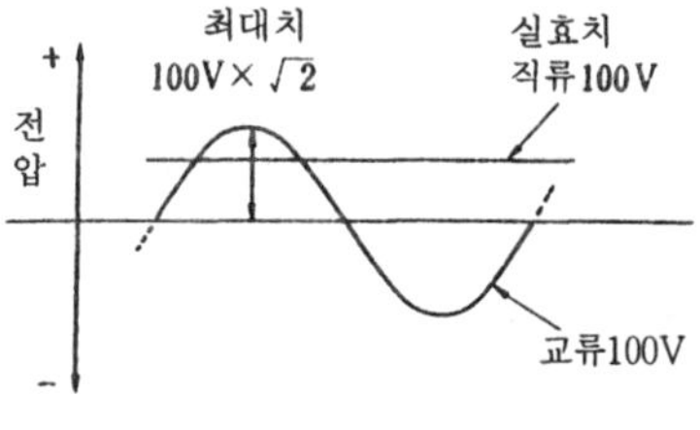


단상 교류 파형

단상 교류

**단상 반파정류** Single-Phase half Wave Rectification ◘ 정류(473)

**단속 전류법** Interruped Current Method

직류전류를 주기적으로 단속하여 행하는 광택도와 평활도 향상 및 핀 홀의 감소 등의 효과가 있으며, PR법 도금법. 주로 시안화 동도금에 사용된다. 단전시에 도금면의 볼록한 부분이 도금액에 용해되기 때문에 도금 피막의과 비슷한 효과가 있다. ◘ PR법(608)

**단열재** Thermal Insulator

열절연성이나 내열성이 높은 재료로, 유리면, 암면, 석면 등의 섬유질의 것과 규약토, 마그네시아, 코르크, 발포플라스틱판(발포성 스티롤 등) 등의 다기공질의 것, 그리고, 내화벽돌, 내열블럭, 내열타일 등의 세라믹계의 것 등이 사용된다. 단열재는 보온재의 의미를 가지고 있다. 석면은 폐암의 원인물질로써 사용이 차차 줄어들고 있다.

**단자도금** Terminal Plating ◘ 접전(接栓)도금(471)

**단접** Forge Welding

가열한 금속을 타격 또는 가압하여 행하는 고온 압접을 말한다. 탄소강을 단접하여 파이프를 제조하고 있다. 또, 귀금속기구 등도 제조한다.

**단조** Forging

금속을 금속공구 사이에서 압축하여 금속에 소성 변형을 주어 성형하는 방법으로 금속을 가열한 후, 단조하는 경우가 많으나, 냉간 단조도 실시된다. 단조는 성형하는 목적 외에도 재료의 입자를 미세하게 함과 동시에 조직을 균일화할 수 있기 때문에 기계적 성질이 향상된다. 일반적으로 단조품은, 주조품에 비해 기계적 성질이 양호하다.

**단차(段差)도금** ◘ 두께차 도금(104)

**단회로 확산** ◘ 입계 확산(431)

**당량** Equivalent(Weight)

어떤 원소의 $x$g가 산소 7.999g(산소원자의 1/2mol에 상당)과 화합 또는 치환반응을 일으킬 때 $x$를 그 원소의 당량이라고 한다. 일반적으로 원소의 당량은 원자량을 원자가로 나눈 값과 같다. = 화학 당량(629)

**당량 도전율** Equivalent Conductivity

1종류의 전해질만을 포함한 용액의 단위당량 농도당의 전기 전도성을 표시하는 양으로 그 단위는 ㎠$\Omega^{-1}$이다. 용액의 도전율을 용액의 규정도로 나눈 것과 같다.

**대극(對極)** Counter Electrode ◘ 대(향)전극(92)

**대기 부식** Atmospheric Corrosion

대기에 노출되어 발생되는 부식. 통상, 옥외 대기에 의한 것을 말하며 일광, 비, 바람, 온도, 습도, 대기오염물질 등이 부식을 일으키거나 진행시키는 인자가 된다.

**대기증발 농축** Evaporated Concentrate

도금 후의 수세수에서 도금액을 회수하는 방법. 그림 가운데 수조 내의 회수 수세액은 열교환기에 의해 40~70℃정도까지 가열시켜 증발실 상부에서 내부에 분무되어 하부에서 상승해 오는 공기와 접촉하며, 분무액의 일부는 증발되어 액량이 감소해 농축된다. 회수 수세수는 이 공정을 반복함으로써 더욱 농축되어, 도금수조에 보급되어 되돌아온다. 이 방식의 이점은 설비 비용, 운전 비용이 싸다는 점이며, 도금욕의 사용욕 온도가 높고, 욕성분이 발기되어도 아무 지장이 없다는 것이다. 크롬도금, 니켈도금 등에 이용된다.

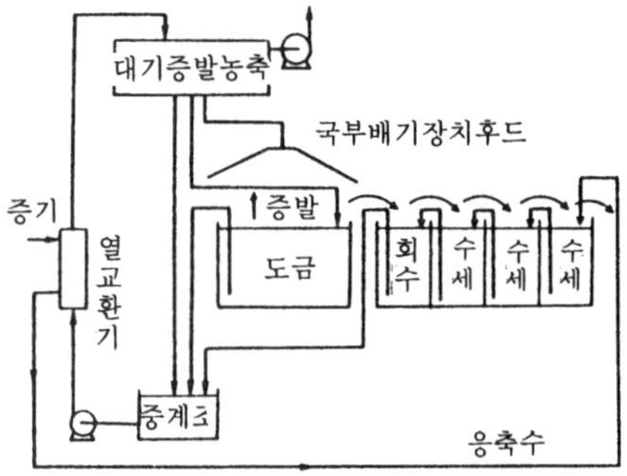


대기증발농축

**대기 폭로시험** Atmospheric Exposure Test ◘ 웨더링 테스트(386)

**대류 전류** Convection Current

이온이나 하전입자가 대류에 의해 용액 중을 이동하여 전극에서 전자를 받을 때에 흐르는 전류를 말한다. 전기도금(전해)의 전류는 이온의 수분자 중에서의 확산, 영동, 대류, 착이온의 생성・해리반응, 그 외에 지배를 받으나, 지지전해질이 많은 전기도금액 중에서는 이온의 확산속도에 주로 지배를 받는다. ◘ 영동 전류(364), 확산 전류(633)

**대용(代用) 금도금** Imitation Gold Plating ◘ 금색도금(56), 동-주석-아연합금도금(102)

**대(향)전극** Counter Electrode

도금의 양극과 음극과 같이 목적하는 전극에 전류를 흐르게 하기 위하여 대항하도록 설치한 적극을 말한다. = 대극(91)

**댐퍼** Damper

덕트(Duct ; 풍도(風道), 도관이라고도 한다)내에서 배기구의 개폐, 기체류의 조정을 위해 설치하는 가동판으로, 루버(Louver) 댐퍼(평행익형, 대향익형), 버터플라이(Butterfly) 댐퍼, 스프리트(Split) 댐퍼 등이 있다.

**더미(캐소드)** Dummy Cathode

전기도금욕 중의 불순물 제거, 또는 욕의 분해에 사용하는 음극을 말한다. 음극표면적을 증가시키기 위하여 철망 등을 사용하는 경우도 있다. ◘ 더미 음극(후항), 공전해(39), 약전해(321)

**더미 음극** Dummy Cathode ◘ 더미(캐소드)(전항)

**더미트론** Dermitron

고주파 소용돌이 전류방식의 막두께계의 상품명. 고주파 소용돌이 전류가 흐르고 있는 유도코일을 금속에 가까이 대면 금속면상에 소용돌이 전류가 발생한다. 이 소용돌이 전류는 유도코일 금속 면과의 거리에 따라 변화하기 때문에 인덕턴스 변화를 측정함으로써 피막의 두께를 구할 수 있다. 금속상의 금속피막과 비금속 피막, 비금속상의 금속 피막 등의 두께를 비파괴로 측정할 수 있다. ◘ 와전류식 비파괴 막두께계(372)

**더블 니켈도금** Double Nickel Plating ◘ 2층 니켈도금(419)

**더스톤법** Duston Method

프린트 배선기판의 제조법으로 동박(銅箔)이 되어 있지 않은 절연판에 접착제를 인쇄하여 동가루를 뿌린 후 접착제를 경화시켜, 그 위에 무전해 동도금을 하는 방법.

**더스트** Dust

배가스나 대기 등, 기체 중에 포함되어 있는 고체미립자의 총칭. 더스트라는 것은 기체 중에 포함되어 있는 고체입자로 통상 1㎛ 이상의 크기를 가진 입자를 말하지만, 규격에서는 1㎛ 이하의 크기의 고체입자의 Fume도 포함하는 것을 말한다. 입경이 크고 비교적 빠르게 침강하는 것은 강하 분진이라 부르며, 입경이 작은(10㎛ 이하)것은 부유입자상 물질이라고 한다. 더스트농도 측정은, 여과되어 집적된 것의 중량측정, 또는 광산란법으로 행한다.

**덕티리티** Ductility ◘ 유연성(395)

**덕트** Duct

풍도(風道), 도관이라고도 한다. 염화비닐, 아연 철판, 스테인리스 등의 판재로 만들어진 통풍로를 말하며, 공기 그 외 기체의 운반에 이용된다. 운송 기체의 유속에 의한 저속 덕트와 고속 덕트로 구분하고, 형상에는 직사각형과 원형이 있다.

**덜 디포지트** Dull Deposits

도금용어에서의 덜 디포지트라는 것은 광택도금 피막의 광택 부족현상을 말한다. 원인은, 도금욕이 정상이 아닌 경우, 도금 작업조건 및 전처리가 나빠지는 경우, 도금된 소재표면이 매끄럽지 않는 경우 등이다.

**덜 마무리** Dull Finishing

윤기가 없는 마무리, 니켈도금에서는 반광택 마무리를 말한다. 도금에서는 무광택, 덜 마무리, 광택과 구별하는 경우가 많다. 무광택과 덜 마무리의 구별은 외관 견본을 작성하여 비교한다.

**덩글러** Danglar

배럴도금에서 피도금물에 전기를 통하게 하기 위하여 배럴 내에 만든 피복된 전선의 선단에 금속을 부착한 것으로 이것은 음극이 된다. 피도금물은 덩글러로 전기가 통한다. 덩글러의 선단 금속에 도금이 부착되어 두껍게 되면, 신품으로 교환하든지, 도금을 박리시킨다.

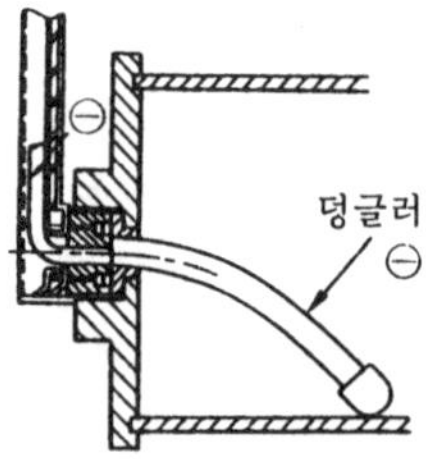

수평배럴의 덩글러

덩글러

**데시케이터** Desiccator

글래스제 뚜껑이 달린 용기, 내부에 건조제를 넣어 시료, 시약 등의 건조나 보존을 위해 사용한다. 글래스 뚜껑에 감압용 코크를 부착시킨 것도 있다. 건조제로써 실리카겔, 염화칼슘, 농황산 등이 사용된다. 뚜껑의 밑부분에는 그리스 또는 와세린을 얇게 도포하여 외부로부터 공기가 들어가지 않도록 밀폐한다.

데시케이터

**덴드라이트** Dendrite ◘ 수지상 조직(260)

**델타 게이지** Delta Gauge

수소취성 신속측정기의 상품명. 저속굽힘 파단시험으로 수소 취성에 의해 강의 굽힘에 대한 연성(Bend Ductility)의 저하율을 측정하여 취화율을 계산한다. 무취성의 시험편이 파단되었을 때의 굽힘거리를 $L_0$(mm)로 하고, 수소취성을 일으킨 시험편이 파단되었을 때의 굽힘거리를 L(mm)로 하면, 취화율 ER(%)$=100-(L/L_0\times100)$으로 표시된다. $L=L_0$일 때, 취화율은 0이다.

**도가니** Crucible

물질을 융해, 배연, 강열, 소결, 승화 등을 목적으로 고온에서 처리할 때 이용되는 내열성 용기로, 용도에 따라 여러 가지 재질의 것이 사용된다. 자기제, 석영제, 흑연제, 금속제(백금, 금, 은, 니켈, 지르코늄, 철 등) 등이 있다. 예를 들어, 니켈제 도가니는, 전해니켈판(전기니켈판이라고도 한다)을 압연하여 만든다.

**도금(鍍金)** Plating

어원은 정확하지 않지만, 「금을 입힘」 또는 아말감을 도포하는 방법으로 금이 수은 안에서 사라지는 멸금(滅金)으로부터 왔다라고 알려져 있다. 피도금물의 표면상태를 개선하기 위해서 별도의 금속에 얇은 층으로 피복하는 조작을 도금이라고 한다. 다른 금속을 중첩시켜 압연하여 서로 붙이는 조작은, 커넥트(Clad)라고 하여 도금과는 구별을 하고 있다. 서양에서는 로마시대, 동양에서는 한(漢)시대 이전부터 행하여져 왔다. 고대의 도금은 아말감을 칠하여 수은을 증발시키는 방법과, 금속의 얇은 조작을 열로 고착시키는 금도금법에 한정되어 있었다. 현재의 도금은 주로 방식과 장식용으로 발전되어 왔으나, 병용하여 사용하는 기능도금이 많아져 윤활, 표면 경화, 육성, 전자부품 제조, 그 외 각종 용도로 도금이 활용되고 있다. 도금이 가능한 금속도 많아졌으며 각종 방법에 의해 거의 모든 금속이 도금 가능하게 되었으며, 또한 단일 금속뿐만 아니라, 합금의 도금이나 비금속과의 복합도금도 행하여지고 있다. 방법은 전기(해)도금, 무전해도금(화학도금), 용융(침적)도금, 용사, 진공도금, 기상도금 등이 있으며 목적, 용도에 따라 사용되고 있다. = 멸금(142)

**도금두께 계산법** Calculating Method of Plated Thickness

전기분해 법칙(패러데이의 법칙)에서 도금두께를 구하기 위해서는 다음 식에 따른다.

$$\text{평균 두께} = \frac{\text{전류(A)} \times \text{전류밀도(g/A} \cdot \text{h)} \times \text{전류효율(\%)}}{\text{표면적(cm}^2\text{)} \times \text{비중}}$$

**도금두께 시험법** Methods of Thickness Test for Metallic Coatings ☐ 막후 측정법(135)

**도금두께 측정법** Methods of Thikness Test for Metallic Coatings = 도금두께 시험법(전항)

**도금 레지스트** Resist

방도재(防鍍材)라고도 한다. 단순히 도금에 대한 레지스트를 말하는 것 외에, 도금 피막을 그 다음의 도금 레지스트로써 사용하는 경우, 최초 도금 피막을 말하는 경우가 있다(Plated Resist). = 방도재 ◘ 레지스트(119), 도금방지재(96)

**도금 박리제** Remover of Plated Metal

크게 나누면, 침적식과 전해식이 있으며, 침적식은 부분도금에 불필요부분의 박리, 도금불량품의 재도금 등에 이용되며, 전해식은 지그 등의 치공구에 의한 도금박리 등에 사용되는 경우가 많다. 박리제에 요구되는 조건은 신속하게 박리할 수 있는 것, 소재(하지)를 침해하지 않을 것, 안전하게 작업할 수 있을 것 등이다. 시판되고 있는 박리제 중에는 킬레이트제, 산화제 등을 포함한 것도 있으며, 배수처리가 곤란한 것이 있다.

**도금 방지재** Stop-off Material : Masking Material

물품이나 치공구, 장치 등에 도금이 부착되는 것을 방지하기 위한 재료. 예를 들어 마스킹 테이프, 플라스티졸(상품명), 실리콘 고무 등이다.
= 방도재 ◘ 도금지그용 절연재(97)

**도금 분포비율** Metal Distribution Ratio

음극(카소드)의 특정한 두 장소에 있는 도금 두께의 비를 말한다. ◘ 균일 전착성(52)

**도금 속도** Electrodeposition Rate ◘ 전착 속도(462)

**도금 쓰루 홀** Plated Through-Hole : PTH

프린트 배선기판의 관통접속을 행하기 위하여 벽면에 금속을 석출시킨 구멍을 말한다. ◘ 쓰루 홀 도금(285)

**도금욕** Plating Bath

도금액이 도금조 내에 넣어진 상태에 있을 때, 도금욕이라고 하지만, 도금액을 도금욕이라고 부르는 경우도 많다.

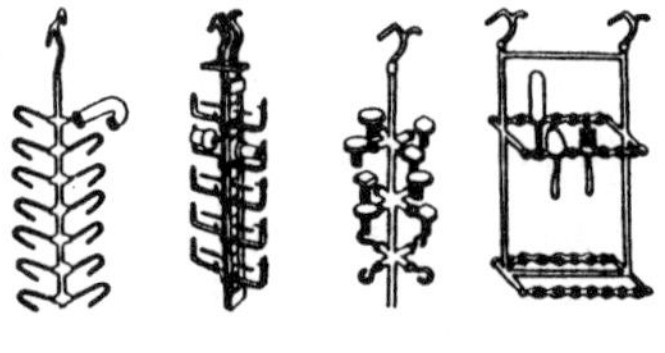
도금용 걸고리

**도금용 걸고리** Plating Rack : Rack : Jig

랙, 지그(치공구)라고도 한다. 피도금물을 도금욕 중에 유지시키는 것으로 전기도금에서는 통전시키기 때문에 충분한 전류 용량이 필요하며, 동, 황동, 일부 스테인리스 등의 스프링재를 사용한다. 때로는 보조 양극, 보조 음극이 조합되는 경우도 있다. 통전에 불필요한 부분은 내약품성의 레지스트나 태이프 등으로 절연시켜 도금이 부착되지 않도록 한다.= 랙, 걸고리닻 ◘ 치공구(511), 랙의 전류용량(115)

**도금 유효면** Significant Surface

도금 표면 중, 용도상 중요한 표면을 말한다. 표면 등의 중요하지 않는 부분은 제외된 표면이다. 단, 윤활 등을 위해서 표면도 이용하는 경우는 표면도 유효면이 된다. = 유효면(397)

**도금의 기호 표시** Graphical Symbol for Plating

전기도금, 무전해도금(자기촉매형)의 기호 표시방법이 규정되어 있다. 예를 들어, Ep-Fe/Cu 20, Ni 25b, Cr 0.1/ : A의 기호는 「전기도금, 철강소지, 동도금 20㎛ 이상, 광택 니켈도금 25㎛ 이상, 보통, 크롬도금 0.1㎛ 이상, 부식성이 강한 옥외에서 사용」의 의미이다. 또, Ep-Fe/Zn[2]/CM2 : C의 기호는 「전기도금, 철강소지, 아연도금 2급, 유색 크로메이트, 습도가 높은 옥내에서 사용」의 의미이다.

**도금의 밀착성 시험법** Methods of Adhesion Test for Metallic Coatings ◘ 밀착성 시험법(156)

**도금장치** Plating Equipment

좁은 의미로는 도금조, 정류기 등의 직류 전원, 버스 바, 직류 전기배선 등을 조합시킨 것을 말하며, 넓은 의미로는 전처리, 도금, 후처리의 도금 전공정을 포함한 처리장치를 말한다. 도금 장치의 종류는 지그에 의한 도금방식의 장치(정지조라고도 한다), 배럴 도금장치, 후프 도금장치(연속 도금장치), 부분 도금장치, 무전해 도금장치 등이 있다. 또, 자동화의 정도에 따라 반자동 도금장치, 전자동 도금장치라 부르는 경우도 있다. ◘ 자동 도금장치(434)

**도금조** Plating Tank : Plating Cell

소용량의 도금조는 플라스틱조, 대용량의 도금조는 철조로 만들며, 내약품성의 재료로 내장(라이닝)을 하는 경우가 많다. 플라스틱조는 경질 염화비닐(60℃ 이하)이나 내열성 염화비닐(90℃ 이하)을 사용하는 경우가 많다. 내장재료는 반경질 염화비닐, 경질고무, 불소수지 등을 사용한다. 유리섬유 강화플라스틱(FRP)은 기계적 강도가 크기 때문에 대용량의 도금조에도 사용된다. 무전해 니켈도금은 욕온도가 높기(90℃ 이상) 때문에, 경질 폴리프로필렌조(120℃까지 사용 가능) 또는 스테인리스조가 사용되는 경우가 많다. ◘ 전해수조(465)

**도금 조제** Metal Plating Assistant

피도금물에 도금을 실시하는 경우에 사용하는 보조적 약제를 말한다. 예를 들어, 광택제나 피트 방지제 등을 말한다(니켈도금의 1, 5-나프탈렌디술폰산나트륨이나 1, 4-부틴디올 등).

**도금 지그용 절연제** Insulating Material for Plating Jig

치공구 전용의 절연도료에는 비닐계의 상온건조형과 비닐, 폴리 에틸렌계의 도장형이 있다. 전자는 도장방법은 간단하지만, 내구성이 떨어진다. 후자는 도장에 번거로움을 요하지만, 내구성은 뛰어나다. 가격은 양자 모두 같다. 그 외에 플라스티졸(상품명), 자연 또는 합성고무, 래커, 폴리에스테르 수지, 실리콘 수지, 에폭시 수지 등의 코팅이나 비닐 테이프를 감는 방법 등이다.

**도금 효율** Chthode Efficiency

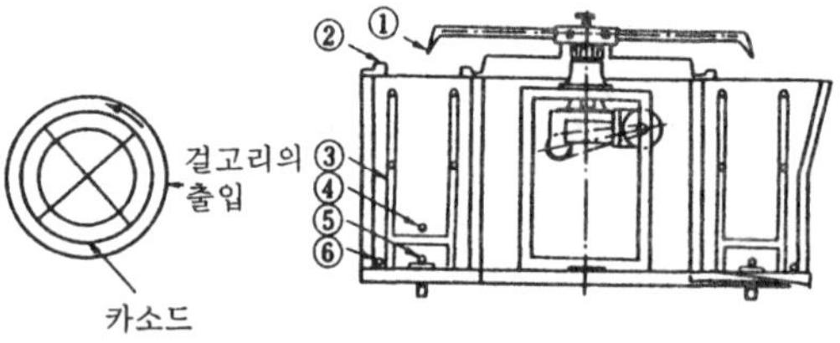


① 카소드 바　② 아노드 바
③ 격막골　④ 공기교반 파이프
⑤ 가열파이프　⑥ 여과흡입 파이프

도너츠 탱크

**도산능(逃散能)** ◘ 퓨거시티(Fugacity)(591)

**도전성 고무** Electrical Conductive Gum

그라파이트, 귀금속 등의 분말을 고무 중에 분산시켜 전류가 흐르도록 한 고무. 스위치, 도체 등에 사용된다. 방향성을 갖는 것도 있다.

**도전성 부여** Metallizing Non-Conductors

플라스틱, 글래스, 목재, 종이 등, 비전도성 물질에 전기도금을 하기 위해 표면을 금속화하는 것 또는 그 방법을 말한다. 무전해도금(화학도금)이 공업적으로는 뛰어나지만, 그 외의 방법으로써 전도성도료(또는 잉크) 도포, 카본(탄소)분말 도포, 금속용사(메탈리콘), 메카니컬 플레이팅, 드라이 플레이팅(PVD), 기상도금(CVD) 등이 있다. = 도전성 처리(98)

**도전성 수지** Electrical Conductive Resin

그라파이트, 동분말 등을 분산시켜 전류가 흐르도록 한 수지. 성형성이 나쁘고 외관이 좋지 못하며 중량이 증가하는 등의 결점이 있다. 수지 자체에 도전성을 갖는 것도 개발되어 있으나, 아직 실용 예는 적다.

**도전성 처리** ◘ 도전성 부여(98)

**도전(導電) 용수철재료** Electroconductive Spring Material

전자기기용 용수철, 커넥터, 단자 등에 사용되는 용수철재료로 황동, 인청동, 양백, 동-니켈합금, 베릴륨-동합금, 티탄-동합금 등이 있다. 이것들의 대표적인 조성을 나타내면, 황동은 Zn+64～70%Cu, 인청동은 Cu+6～8%Sn+0.05～0.35%P, 양백은 Cu+18%Ni+20%Zn, 베릴륨동은 Cu+0.5～2%Be, 티탄동은 Cu+4～5%Ti이다. 이 외의 리드 프레임용 등에 많은 종류의 합금이 개발되고 있다.

**도전율** Electric Conductivity ◘ 전도도(452)

**도전 재료** Electrical Conduction Material

전기저항이 낮은 재료를 말한다. 예를 들어, 동 및 그 합금, 알루미늄 및 그 합금, 은 및 그 합금, 금 및 그 합금, 금속 이외의 그라파이트(Graphite) 등도 포함된다.

**도전 페이스트** Electrical Conductive Pastes

귀금속 및 그 합금, 동, 니켈 등의 분말과 수지, 용제를 혼합한 것으로 고온(950～1200℃)으로 소성하여 강고한 막을 만드는 타입에서는 글래스 프릿도 혼합되어 있다. 저항체, 콘덴서, 전자파 실드, 회로 형성 등에 사용된다.

**도체** ◘ 양도체(324)

**도체 패턴** Conductive Pattern

프린트 배선기판의 도전성 재료가 형성하는 도형, 단순히 패턴이라고도 한다.

**독물** Poison

무기 또는 유기의 무생물로, 아주 미량에서 화학적 작용에 의해 건강을 해치거나 또는 죽음에 이르게 하는 것을 말한다. 세균은 포함하지 않는다.

**동** Copper Cu.

원자번호 29, 원자량 63.546, 적색광택, 융점 1084.5℃, 비중 8.93, 전기나 열의 전도도가 크고 연성, 전성이 풍부하다. 강하게 열을 가하면 1000℃ 이하에서는 산화동(Ⅱ) CuO, 그 이상에서는 아산화동(Ⅰ) $Cu_2O$을 생성하며 수소, 질소와는 작용하지 않는다. 염산에는 녹지 않으나, 산소 등의 산화제가 공존하면 서서히 녹아 $Cu^{2+}$가 된다. 초산, 열농황산 등의 산화력이 있는 산에는 침해당한다. 암모니아수, 시안화칼륨 용액에는 산소의 존재하에서 착체(錯體)를 생성하며 녹는다. 동의 가용성염은 유독하다. 동은 전선, 신동품, 화폐, 동합금 및 동도금 등, 용도가 넓다.

**동고미(銅古美)** Copper Antiquation : Antiquation of Copper

동의 표면을 변색시켜, 고대색을 내는 것. 동 또는 동도금 제품을 약품으로 처리하여 흑색, 갈색, 녹색 등으로 변색시킬 수 있다. 예를 들어, 흑색으로 하기 위해서는 황화칼리 15g/l, 40～60℃의 액에 침적시킨다. 갈색으로 하기 위해서는 황산동 30g/l, 염소산칼리 10g/l의 액을 불등시켜 침적시킨다. 녹색을 만들기 위해서는 희초산에 침적시켜 그대로 건조시키면 청녹색의 염기성초산동이 된다.

**동-니켈 합금도금** Copper-Nickel Alloy Plating

동과 니켈의 석출전위는 서로 약 0.6V 떨어져 있기 때문에 합금으로써 석출시키기 위해서는 동의 착화제가 필요하다. 시안욕, 수산욕, 암모니아욕, 티오황산욕, 구연산욕, 피로인산욕 등이 발표되어 있으나, 장식용 동-니켈합금도금으로써 시판되고 있는 것은 피로인산욕이다. 시판욕에서 전착물의 니켈 함유량은 0.n～25%로 동 함유량이 많다. 니켈 함유량이 10%이하에서 적동색, 20%이상에서 은백색이 되며, 이것들의 중간인 18～20%의 니켈을 포함한 것은 릴리 골드(Lily Gold)라고 불린다. ◘ 릴리 골드(126)

**동도금** Copper Plating

동은 부식되기 어렵고 가공성이 풍부하며 열이나 전기를 잘 전달하고, 도금의 용도가 넓다. 일반적으로 사용되는 도금액은 시안화 동도금, 황산동도금, 피로인산 동도금의 3종류가 있다. 시안화 동도금은 철강소지에 직접 도금할 수 있는 이점이 있으며, 밀착이 좋기 때문에 스트라이크도금으로써도 이용된다. 황산 동도금은 도금피막이 부드럽고 내부 응력이 작으며, 첨가제에 따라 경면 광택을 얻을 수 있고, 배수처리가 용이하다는 등의 이점이 있다. 피로인산 동도금은 균일전착성이 좋고, 핀홀이 적어 소재금속으로의 침식이 적다는 등의 이점이 있으나 욕관리나, 배수처리가 다른 도금액에 비해 조금 곤란하다.

**동 쓰루 홀** Copper Plated Through-Hole ◘ 쓰루 홀 도금(285)

**동-아연 합금도금** Copper-Zinc Alloy Plating

일반적으로 놋쇠도금 또는 황동도금이라고 하여 오래 전부터 이용되고 있다. 장식용 외에 진주는 고무와의 접착성이 좋기 때문에 레디얼 타이어(Radial Tire)의 심선에 쓰는 강선에 도금된다. 시안욕이 사용되는 경우가 많다. 예를 들어, CuCN 32g/l, $Zn(CN)_2$ 10g/l, NaCN 50g/l $Na_2CO_3$ 10g/l, $NH_2OH$ 2.5～5㎖/l, pH 10～10.2, 욕온도는 2

5～35℃이다. 이 욕에서의 도금은 Cu 70～80%, 나머지가 황색의 진주 도금을 얻을 수 있으며 전연성이 풍부하고, 금속의 색조가 가장 안정되어 있다. 노시안욕으로써 피로인산욕 등이 있다. = 진주도금 ◘ 황동도금(638)

**동 양극** Copper Planting Anode

전기 동아노드, 인함유 동아노드, 무산소 동아노드의 3종류가 있다. 전기 동아노드는 전해에 의해 정제된 고순도(Cu 99.99% 이상)의 전기동판을 절단하여 사용한다. 인함유 동아노드는 전기동을 용해하여 소량의 인을 첨가해 도금에 유해한 산화물을 제거하고, 인함유량을 조정한 것으로, 아산화동 미립자의 생성이 없기 때문에 황산 동도금에 이용된다. 특히 광택황산 동도금에 적합하다. 무산소 동아노드는 전기동을 용해하여 소량의 탈산제(카본 등)를 첨가하여 가공한 것으로, 피로인산 동도금에 이용된다. 전기동에 비해 아노드 슬라임(Anode Slime)이 적다.

**동위원소** Isotope

동위체, 아이소톱이라고도 한다. 같은 원자번호를 가지고 있는 원자라 할지라도 원자핵의 질량수가 서로 다를 때(원자수는 같고, 중성자수가 서로 다르다), 이것을 동위원소라고 한다. 질량수는 서로 다르더라도 원자번호는 같기 때문에 화학적 성질에는 거의 차이가 없다. 동위원소는 주기율표 상에서는 같은 장소에 있다. 동위원소는 원소 기호의 왼쪽 위에 질량수를 표시한다. 거의 모든 원소는 얼마간의 동위원소의 혼합물이다. 최근에는 인공적으로 방사성이 있는 동위원소를 만들어 여러 가지 방면으로 이용하고 있다. = 아이소톱(101), 동위체(후항)

**동위체** Isotope ◘ 동위원소(전항)

**동응력 부식 균열** Dynamic Stress Corrosion Cracking

재료에 높은 평균 응력이 가해지고 여기에 겹쳐서 높은 반복 속도의 미소 진동의 응력이 가해진 경우에 일어나는 응력 부식 균열이다. 일정 응력하의 응력 부식 균열에 비해 이 균열은 저응력에서 발생한다.

**동(銅) 전량계** Copper Coulometer

동 전해를 이용하여 통과 전기량 Q를 측정하는 장치. 전해액은 황산동 150g/*l*, 황산 50g/*l*, 에탄올 50㎖/*l* 의 용액을 사용하여 2장의 두꺼운 전기 동판을 양측의 양극으로 하고 측량하기 쉬운 형상의 동판을 음극으로 하여, 음극전류밀도 0.2～2A/dm$^2$으로 전해한다. 욕은 완만하게 교반할 수 있도록 탄산가스 $CO_2$를 이용하는 경우도 있다. 패러데이정수를 F, 전기화학당량을 단위로써 표시한 석출량을 M이라 하면, Q=FM이 된다. 오차는 0.5% 이내이다. = 동 크로메이트 ◘ 전량계(452)

**동 전선** Copper Wire

일반적으로 많이 사용되고 있는 것은 연동선으로 그 외에 신선가공에 의해 강도를 높인 반경동선과 경동선이 있다. 동 합금선으로써는 은(Ag) 함유 동선, 주석(Sn)을 소량(0.2~1.5%)함유시킨 주석함유 동선 등이 있다. 강도를 높인 동 전선은 송전선이나 트롤리(Trolley)선 등에 사용된다. 경동선은 도금용 지그(행거 등)에도 널리 사용된다.

동 전선의 성질

| 동전선 종류 | 도전율(%) | 저항율 (μΩ · cm) | 저항의 온도계수(/℃) | 인장강도 (N/㎟) | 열팽창계수 (/℃) |
|---|---|---|---|---|---|
| 연동선 | 97~101 | 1.71~1.78 | 3.9 | 250~290 | 17.0×10-6 |
| 경동선 | 96~98 | 1.76~1.79 | 3.8 | 340~480 | 17.0×10-6 |
| 은함유동선 | 96 | 1.79 | 3.8 | 340~500 | 17.0×10-6 |

동 전선

**동 전주** Copper Electroforming

전주(電鑄)로서 사용되는 도금은 동도금이나 니켈도금이 가장 많다. 동 전주는 니켈 전주에 비해 값이 싸고 사용이 간단하지만, 전주 제품이 변색되기 쉽고 기계적으로 약한 결점이 있다. 프린트 기판용 전해 동박의 제조, 그라비어(Gravure)인쇄용 롤이나 날염(捺染)용 롤의 육성, 고미술품의 복제 등에 사용되고 있다. 도금액은 황산동도금이 도금피막의 내부응력이 작기 때문에 많이 이용된다. 도금욕은 보통 사용하는 욕조성에 비해 금속농도를 증가시켜 욕을 각박하고 첨가제를 이용하여 전류밀도를 크게 한다. 균일한 전착을 얻기 위해서는 욕온도를 30℃ 이하로 유지하는 경우도 있다.

**동-주석-아연 합금도금** Copper-Tin-Zinc Alloy Plating

동-주석합금의 외관 변화

| 도금중의 주석 함유량(%) | 도금 외관 |
|---|---|
| 13 | 약한 광택황적색 |
| 14 | 광택 황적색 |
| 16 | 광택 금적색 |
| 19 | 광택 금색 |
| 22 | 경면광택의 금색 |
| 35~40 | 은백색 광택 |

동-주석-아연합금도금

금색을 얻을 수 있기 때문에 금도금의 대용으로써 사용되고 있으나, 색조를 일정하게 하는 것이 곤란하여 변색되기 쉬운 결점이 있으므로 도금 후, 도장(투명도료)하는 것이 보통이다. 금색은 주석 함유량의 20% 정도에서 얻을 수 있다. 주석함유량을 많게 하면, 예를 들어, Sn 55%, Cu 40%, Zn 5%로 하면, 알루미늄과 비슷한 은백색을 얻을 수 있어 장식도금에 사용된다. 도금욕은 시안욕으로 시판되고 있다. ◘ 금색도금(56)

**동-주석 합금도금** Copper-Tin Alloy Plating

브론즈도금, 청동도금이라고도 한다. 주석이 40~45%로 나머지 동의 합금도금을 스펙큐럼도금이라고도 한다. 주석의 함유량에 따라 색조가 적→황→백으로 변화한다. 땜납성이 좋고 내식성이 뛰어나며, 도금면이 매끄럽다. 시안욕이 이용되는 경우가 많다. 예를 들어, CuCN 30g/l, $K_2[Sn(OH)_6]$ 38g/l, KCN 68g/l, KOH 12g/l, $K \cdot NaC_4H_4O_6 \cdot 4H_2O$(로셀염) 45g/l, 욕온도 64~71℃, $D_K$ 10A/$dm^2$ 이하이다. 양극은 동을 이용하고, 주석은 주석산칼륨을 보충한다. = 브론즈도금(216)

**동 크로메이트** ◘ 동 전량계(101)

**동 클래드 적층판** Copper Clad Laminate

편면 또는 양면에 동박을 입힌 프린트 배선판용의 적층판. 재료는 페놀수지(종이계), 에폭시수지(글래스포계) 외에 많은 종류가 있다. 대표적인 기재는 판 두께가 1.6㎜, 동박의 두께는 35㎛ 및 18㎛이며, 전해동박이 접착제로 접착되어 있다. 플렉시블(Flexible) 동클래드 적층판은 플라스틱 필름에 동박을 접착한 것으로 두께가 0.04㎜의 얇은 것도 있으며, 재료는 폴리에스테르(Polyester), 폴리이미드(Polyimide) 등이 사용된다.

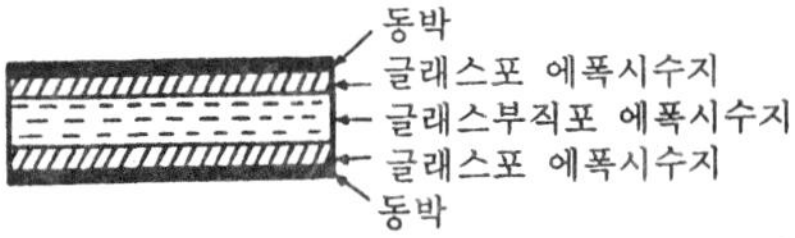


동 클래드 적층판

**동합금** Copper Alloys

동합금의 종류는 대단히 많으며, 주요 첨가원소에 의한 분류를 다음에 나타낸다.

동과 합금

| 동 | Cu | 탈산동, 무산소동(OFC) |
|---|---|---|
| 고(高) 동합금 | Cu-Be-Co계 합금 | 베릴륨동 |
| | Cu-Ti계 합금 | 티탄동 |
| | Cu-Ni-Si계 합금 | 코르손(Corson)합금 |

| 동 | Cu | 탈산동, 무산소동(OFC) |
|---|---|---|
| 고(高)동합금 | Cu-Cd계 합금 | 카드뮴동 |
| | Cu-Ag계 합금 | 은입(銀入)동 |
| | Cu-Cr계 합금 | 크롬동 |
| | Cu-Zr계 합금 | 지르코늄동 |
| | Cu-Fe-P계 합금 | 동·철합금 |
| 황동 | Cu-Zn계 합금 | 뇌관용 황동, 단동, 7-3황동, 6-4황동, 놋쇠 |
| | Cu-Zn-Pb계 합금 | 쾌삭황동 |
| | Cu-Zn-Sn계 합금 | 네이벌(Naval) 황동, 어드미럴티(Admiralty) 메탈 |
| | Cu-Zn-Al계 합금 | 알루미늄황동 |
| | Cu-Zn-Mn-Al-F계 합금 | 고력황동 |
| 청동 | Cu-Sn계 합금 | 주석청동 |
| | Cu-Sn-p계 합금 | 인청동, 연입 인청동 |
| 특수청동 | Cu-Al-Fe-Mn-Ni계 합금 | 알루미늄청동 |
| | Cu-Si계 합금 | 규소청동 |
| 동·니켈합금 | Cu-Ni계 합금 | 백동, 큐프로(Cupro)니켈 |
| | Cu-Ni-Zn계 합금 | 양백(洋白) |

동합금

**동합금 도금** Copper Alloy Plating

동을 주성분으로 하는 합금 도금은 역사가 깊고 종류도 많다. Cu-Zn은 일반적으로 놋쇠(Brass)도금 또는 황동도금으로 불리며 용도가 넓다. Cu-Sn은 청동(Bronze)도금, 또는 포금(Zinc-Bronze)도금이라고 불리며, 평활성이 풍부하다. Cu-Sn-Zn은 금색도금 또는 대용 금도금으로써 장신구, 잡화 등 용도가 넓다. Cu-Ni는 Ni함유율이 20% 이상에서 은백색, 10% 이하에서는 적동색을 띈다. Ni 18~20%의 합금도금은 릴리(Lily) 골드라고도 불린다. 장식용 외에 자기디스크의 하지도금 등에 이용되고 있다. 장식용에 동합금도금을 사용할 때는 도금 후, 변색 방지를 위해 투명한 도장을 하는 경우가 많다.

**두께계** Thickness Gage (Gauge) ◘ 막후계(膜厚計)(135)

**두께차 도금**

도금두께가 도금면에 균일하지 않고, 장소에 따라 두께가 서로 다른 도금. 및 그 수법을 말한다. = 단차도금(91)

**두랄루민** Duralmin

알루미늄 합금으로 동 3.5~5.0%, 마그네슘 0.2~2.0%, 망간 0.2~1.2%, 불순물로써 규소와 철 0.5%이하를 함유하고 있다. 저온 및 고온에서도 강도나 신축성이 유지되기 때문에 항공기용 구조재료 및 경합금 구조용 재료로써 널리 사용된다. 약 520℃에서 물담금질을 하여 시효경화에 의해 인장강도를 크게 하였다. 동을 함유하기 때문에 내식성이 낮은 결점이 있다.

**듀티 사이클** Duty Cycle

펄스도금(Pulse Plating), 전류반전도금에 사용되고 있는 술어로, 펄스도금에서는 듀티 사이클(%)=(on time/(on time+off time))×100. 전류반전법에서는 off time 중에 역전류가 흐르게 된다. 일반적으로, 금도금 등에 사용되는 펄스도금에서는 on time(0.1～2.0)×$10^{-3}$sec, off time(0.5～10.0)×$10^{-3}$sec에서 사용된다. 평균하면 듀티 사이클은 약 16.6% 정도이다.

**듀플렉스** Duplex Chromium

미국의 Metal & Thermit사에서 개발한 2층 크롬도금의 상품명. 제 1층에 균열이 없어 피복력이 뛰어난 크랙프리(Crack-free) 크롬도금을 하고, 그 위에 중농도 SRHS욕으로 마이크로 크랙 크롬도금을 하는 방법이다. 양층의 도금 두께비는 1:1이 좋다. 이렇게하여 고내식성, 고경도, 고광택의 크롬도금을 얻을 수 있다. ◘ 2층 크롬도금(420)

**드라이 아이스** Dry Ice

가압한 액화 탄소가스의 일부를 증발시켜 냉각하여 얻은 눈같은 고체를 가압 성형한 것을 말한다. 대기압하에서는 -78.5℃가 승화 온도이고, 냉각제로써 사용하여도 액체를 발생하지 않는 이점이 있다. = 고체 탄소가스 ◘ 이산화탄소(411)

**드라이 플레이팅** Dry-Plating

용액을 사용하지 않는 표면 피복 또는 표면적의 개질을 행하는 표면기술을 말한다. 예를 들어, 용융도금, 용사법, 확산피복, PVD, CVD 등이 포함된다. 일본의 건식도금보다도 넓은 의미로 사용되는 경우가 많다.
◘ 건식도금(17)

**드라이 필름** Photosensitive Dry Film

필름화된 감광성 레지스터. 주로 프린트 배선기판의 회로 성형에 이용된다. 포지 필름, 네가 필름이 있다. 보통, 감광성 레지스터를 보호하기 위해 폴리에스테르 필름과 폴리에틸렌 필름 등의 사이에 끼워져 있는 3층으로 되어 있어 롤으로 열압착하여 사용한다. 용도에 따라, 도금용, 에칭용, 솔더레지스터용 등이 있다.

**드래그 백** Drag Back

치리액 중에서 물품을 꺼낼 때에 물품과 함께 처리액도 달려나오며, 이 액을 원래의 처리액으로 되돌리는 것을 드래그 백 또는 처리액 회수라고 한다. 보통 회수 수조에 물을 넣어 드래그 아웃액을 물로 엷게 하고 이것을 원래의 처리 수조로 되돌리지만, 물의 밸런스가 나빠지기 때문에 회수액을 농축시켜 처리액으로 되돌리는 경우가 있다. 농축방법은 가열법, 진공증발법, 발기법, 투석법, 전기투석법 등이 있다. ◘ 처리액 회수(499)

**드랙 아웃** Drag Out

처리액 중에서 물품을 꺼낼 때에 물품과 함께 처리액이 달려나오는 것을 말한다. 드래그 아웃의 양은 물품의 형상, 인양속도, 처리액의 점도, 표면장력 등에 따라 다르지만, 매끄러운 판 $1dm^2$당 0.5m *l* 정도이다. 배럴도금에서는 드랙 아웃의 양이 대단히 크기 때문에 드랙 아웃의 양을 적게 하기 위해서는 스릿트배럴이 연구되고 있다.

**드레인** Drain

증기관이나 가스관 내의 응축수를 말하며, 응축수를 배출하는 입구를 드레인 배출이라고 한다. ◘ 트랩(553)

**드로스** Dross

용해된 금속의 안 또는 위면에 떠오르는 산화물이나, 용융아연도금에서 노 바닥에서 발생하는 금속간 화합물 등의 침적물을 말한다.

**드롭 테스트** Drop Test ◘ 점적시험(470), 적하법(446)

**등가 결합** Homopolar Bond ◘ 공유 결합(39)

**등가회로** Equivalent Circuit

특수한 전기소자나 기계적 출력을 갖는 회로소자 등을 근사적으로 등가한 저항, 용량, 임피던스 등의 조합으로 치환한 회로망을 말한다. 전해, 도금의 전극도 용량 성분과 저항 성분으로 되어 있기 때문에 등가회로로 표시한다. 교류전해 시의 등가회로를 도시한다.

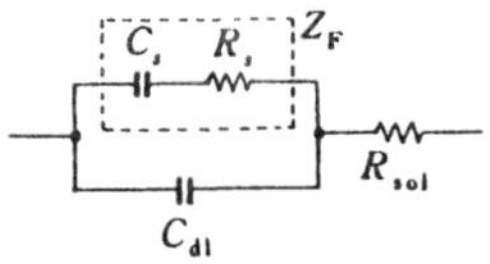


CS : Faradaic series capacity
RS : Faradaic series resistance
ZF : Faradaic impedance
Cdl : double layer capacity
Rsol : solution resistance

등가회로기

**등급 지수** Rating Number

부식 면적과 유효 면적과의 비율에 따라 부식의 정도를 나타내는 평점으로, 10(부식 없음)~0(전면 부식)으로 구분된다. 염수 분무시험, 카스시험 등의 부식시험의 측정면의 판정은 등급지수 표준 도표로 행한다. 균열 등의 판정이 어려운 경우는 당사자 간의 협정에 따른다. 약칭은 RN이다. = RN(309)

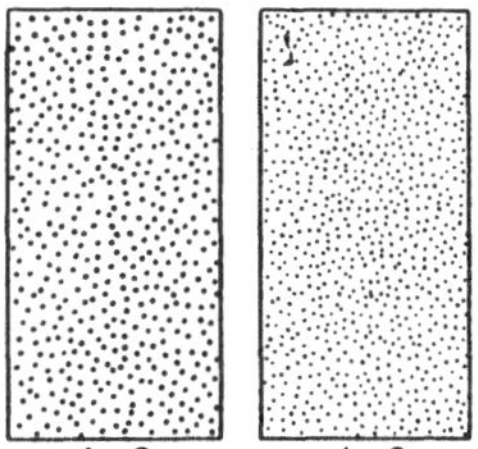
4 - 2　　4 - 3

등급 지수 표준 도표의 예

등급지수

**등유** Kerosene : Kerosine

케로신이라고도 한다. 가솔린 다음으로 유출되는 석유의 정제품으로 불점 150~300℃, 고발열량 10,500~11,000㎉/㎏이고, 정제의 정도에 따라 백등유와 다등유가 있다. KS M 2613에 1호(등화용 및 난방·주방용 연료), 2호(석유 발열기용 연료, 용제 및 세제용)의 2종이 규정되어 있다. 인화점은 30~70℃로, 온도가 인화점 이하라 하더라도 용기 등에서 누설되어 부유할 때는 인화의 위험이 있다. 백등유는 계면활성제를 병용하여 유화세정(에멀션 세정)에 이용된다.

**등전점(等電点)** Isoelectric Point

양성(兩性)의 전해질이 용액 중에 전리될 때 그 일부는 산으로, 그 외의 일부는 염기로써 전리되며, 양쪽의 양이 서로 같도록 하는 pH를 등전점이라고 한다. 예를 들어, 수산화알루미늄은 $Al(OH)_3 = Al^{3+} + 3OH^-$ 또는 $HAlO_2 = H^+ + AlO_2^-$의 양방향으로 움직이나, 그 양이 같게 되는 등전점은 pH 11 부근이다. 또, 콜로이드입자의 전하부호 및 양도 pH에 의해 영향을 받으나, 전하가 전체적으로 0이 되는 pH일 때를 등전점이라고 하고, 응집이나 거품이 이는 현상이 일어난다. 고분자전해질, 예를 들어 단백질 등 그 외의 이온을 흡착하여 전리 이외의 원인으로 전하를 갖는 것도 있으며, 이 것의 양전하가 같은 pH를 등전점이라고 하는 경우도 있으나, 이 경우는 정확히 말하면 등이온점이라고 하며, 등전점과 구별된다.

**디버어링** Deburring : Trimming

소재의 불필요한 돌출부분이나 뾰족한 각을 기계적, 화학적, 전기 화학적으로 제거하는 것을 말한다. 주물이나 프레스 제품이나 단조품의 돌출된 불필요한 부분을 버어라고 한다. ◘ 버(176)

**디스멋** Desmut

고탄소강을 황산 또는 염산에 침적시켜 산세할 때 생성되는 스멋을 제거하는 것을 말한다. 제거법은 시안화나트륨 또는 EDTA를 함유한 알칼리액을 양극 전해한다. 예를 들어, 시안화나트륨 25g/$l$ 용액 중에서 전류밀도 2A/dm$^2$으로 30∼60초간 처리한다.

**디스켈링** Descaling

금속표면의 산화물 등의 스케일을 제거하는 것을 말한다. 열간에서는 고압수의 스프레이를 뿌리며 냉간에서는 강구(鋼球)나 모래입자를 뿌려서 부착시키는 샌드 블라스트 등의 방법이 있다. 도금에서는 산세나 전해산세에서 제거하는 경우가 많다.

**DC** Direct Current

직류를 DC라고 한다. 전류가 흐르는 방향이 항상 일정한 전류를 말한다. 교류는 AC(Alternating Current)라고 한다. = 직류(491)

**Dc** ◘ 음극 전류밀도(402)

**DSA** Dimentionally Stable Anode

식염전해에서 염소가스에 견디는 불용성 양극으로써 백금, 마그네타이트, 흑연 등이 사용되어 왔으나, 이들 모두 소모량이 많고(흑연에서 2∼3kg/t-NaOH), 치수 정도가 좋지 않아 수조 전압이 증가하는 단점이 있었으나, 이탈리아의 디놀라사가 네덜란드의 헨리베어사, 미국의 다이아몬드 샘록사와 공동으로 티탄상에 산화루테늄과 산화티탄을 결합시킨 양극을 개발하여 수명이 크게 연장되었다. 이것이 DSA이며, 현재는 일반명으로도 사용되고 있다. 20세기의 대발명의 하나로 일컬어진다. 염소발생용으로는 적합하지만, 발생기의 산소에는 비교적 약하기 때문에 여러 회사에서 개량을 위해 연구하고 있다. 이탈리아의 펠메렉크사가 당초에는 독점적으로 공급을 하였기 때문에 펠메렉크전극 이라고도 불리었다. 크롬, 귀금속, 합금도금 등의 불용성 아노드로써 사용된다. = 치수안정 전극
◘ 불용성 아노드(209), 불용성 전극(210)

**DA** Anode Current Density

양극 전류밀도의 약자. 단위는 A/dm$^2$으로 표시하는 경우가 많다.

**DO** Dissolved Oxygen ◘ 용존산소(381)

**디웨팅** Dewetting of Solder

가열에 의해 용해된 땜납이 표면을 피복한 후에 땜납이 수축된 상태가 되어 그 층이 두꺼운 부분과 얇은 부분이 불규칙하게 생긴 상태를 말한다. 프린트 배선기판에서는, 이 상태에서 보통 하지금속이 노출되지 않는다.

**디지털식 계기** Digital instrument

연속적인 양을 불연속인 단계로 구분하여 숫자로 표시하는 계기를 말한다. 아나로그식을 계량적이라 하면, 디지털식은 계수적이다. 예를 들어,

디지털식 시계는 시간을 단계로 구분하여 시각을 숫자로 표시하지만, 아나로그식 시계는 문자판 상에 지침의 회전으로 시간을 연속적으로 나타낸다. 디지털식 계기는 데이터 처리장치나 전자계산기로의 접속에 적합하다. ◘ 아나로그식 계기(288)

**디캔테이션** Decantation

경사법이라고도 한다. 용액 중에 침전이 발생한 경우, 침전을 가라앉게 한 후, 상부의 맑은 액만을 조용하게 경사지게 하여 분리 채취하는 조작을 말한다. 화학분석이나 제조화학에서 침전의 분리 세정에 많이 사용된다. 또 공업용수, 상하수도, 폐수 등을 정화시키는 침강분리에서 목적물이 상부의 맑은 액인 경우를 청징화(淸澄化)라고 한다.

**$D_K$** ◘ 음극 전류밀도(402)

**디클로로메탄** ◘ 메틸렌 클로라이드(140)

**디포라라이즈드 니켈 아노드** Depolarized Nickel Anode

전기니켈을 용해하여 소량의 산화니켈을 첨가, 압연 가공한 니켈 아노드로 산소함유량은 0.2% 정도이다. 전기니켈 아노드에 비해 양극전위가 낮아 용해되기 쉬우나, 니켈 슬라임(Slime) 발생이 많기 때문에 아노드 백 또는 격막을 이용한다. 와트욕 또는 술파민산 니켈욕에서 염화물 또는 취화물의 함유가 적고 전기니켈 아노드에서는 용해불량이 되는 경우, 예를 들어 니켈 전주욕의 아노드로써 사용되고 있다.

**딕소트로피** Thixotropy

혼합하는 것만으로 겔이 유동성의 졸로 변화하며, 이것을 방치하여 놓으면 다시 겔로 되돌아오는 성질을 말한다. 콜로이드 입자가 방향이 서로 다른 성질을 가지고 있으며, 입자간의 결합력이 약하고, 결합하여 겔을 형성하기 쉬운 것으로 나타난다. 외력으로 인해 겔의 결합이 파괴되어 유동성이 증가하나, 방치하면 결합이 재현된다. = 요변성(搖變性)(375)

**딘(DIN)** German Industrial Standard : Deutsche Industrie Norm

독일공업 규격의 약칭. 딘이라고 말한다.

**딥 드로잉** Deep Drawing

재료의 직경을 줄이거나, 판재의 주변부를 중앙으로 좁혀서 용기상(예를 들어, 컵 상)으로 가공하는 방법을 말한다. 판금을 딥 가공하는 방법으로는 (1)평판을 펀치와 다이(Die)를 사용하여 판 주변부를 안쪽으로 좁혀서 이음매가 없는 중공(中空)상태의 용기로 가공하는 방법, (2)스피닝(Spinning) 선반을 사용하여 스피닝으로 판금을 모형에 압착하여 회전 성형하는 가공방법이 있다. 스피닝 대신에 롤러를 사용하는 방식도 있다.

**땜납** Soft Solder : Pewter

납땜용 합금 중에서 융점이 낮은 연납의 대표인 주석과 납의 합금을 말한다. 주석이 40~70%의 것이 가장 일반적이다. 주석이 60%의 땜납은 공정땜납이라고도 하며, 용융온도는 주석 61.9%일 때 183℃이다. 양질의 땜납은 불순물이 적으며, 전자부품용으로는 산화물이 적은 땜납이 사용되고 있다.

주석-납합금(땜납)

| 주석(%) | 납(%) | 용융온도(℃) |
|---|---|---|
| 30 | 70 | 250 |
| 40 | 60 | 230 |
| 50 | 50 | 200 |
| 60 | 40 | 183 |

땜납

**땜납 균열** Solder Crack

납땜부에 발생하는 균열을 말한다. 원인은 팽창수축의 열응력, 진동, 충격 등의 동하중에 의한 금속 피로로 발생하는 것, 부품의 무게 등의 정하중에 의해 발생되는 것으로 여겨진다.

**땜납 도금** Tin-Lead Plating

땜납 도금의 용도와 합금비율의 예

| 용 도 | 주 석 (%) | 납 (%) |
|---|---|---|
| 철강의 방식(턴 시트 등) | 6 | 94 |
| 윤활용 (베어링 등) | 7 | 93 |
| 납땜용 | 60 | 40 |
| 휘스커 방지용 | 95~90 | 5~10 |

땜납 도금

용융도금과 전기도금과 무전해도금이 있으며, 땜납의 융점은 180~260℃ 정도이기 때문에 용융도금의 실시는 용이하다. 전기도금욕은 붕불화욕, 페놀술폰산욕, 알카노술폰산욕이 있다. 붕불화욕은 도금의 외관이 좋고 욕조성이 안정되어 도금이 쉽지만, 독극물을 함유하고 있어 인체에 유해하며 배수처리에서 불소의 제거가 곤란하다. 땜납도금의 물성의 특징은 (1)납땜성이 좋다. (2)내산성이 좋다. (3)부드러우며 윤활성도 뛰어나다. (4)주석도금보다도 휘스커(침상결정)가 발생하기 어렵다 등이 있다. 사

용 목적에 따라 주석과 납의 합금비율을 선택할 수 있다. ◘ 주석-납 합금도금(481)

**땜납 박리** Solder Plate Stripping

프린트 배선기판의 제조공정에서 땜납도금의 일부 또는 전면의 땜납을 제거하는 작업을 말한다. 예를 들어, 땜납 쓰루 홀 배선기판의 단자 도금부의 땜납제거의 작업, 또는 땜납도금을 에칭 레지스트로써 도체패턴을 형성한 후, 땜납을 전면 제거하여 동(銅)쓰루 홀 프린트 배선기판을 제조하는 작업이 있다.

**땜납 범프** Solder Bump

IC 등의 전극에서 외부접속을 행할 때에 사용되는 땜납의 돌기를 말한다. 돌기 상에 도금하는 것을 범프도금이라고 한다. ◘ 범프도금(179)

**땜납 습윤성 불량** Nonwetting of Solder

금속표면에 땜납이 부착되어 있으나, 땜납이 표면 전체에 접착되어 있지 않은 상태. 국부적으로 땜납이 부착되어 있거나, 소지금속이 부분적으로 노출되어 있는 상태를 말한다. = 넌웨팅(73)

**땜납 습윤성시험** Wettability Test by Solder

도금 후 납땜할 부품에 대해 행하는 시험으로, KS에서는 금도금, 은도금, ISO에서는 주석도금(ISO 2093)에 규정되어 있다. KS에서는 시료를 땜납욕(250±5℃)에 3초간 침적시켜, 땜납 습윤성을 관찰한다. 판정은 도금면에 땜납이 거칠이 없이 균일하게 되어있으면 양호하지만, 땜납의 부착면이 돌출되어 있다거나 절곡시험을 행하였을 때, 땜납이 비늘모양으로 튀거나 벗겨지며, 땜납이 부착되지 않은 채 소지의 노출, 흑색 반점의 발생이 보이는 것은 불량이다.

**땜납 쓰루 홀** Solder Plated Through-Hole

프린트 배선기판의 제조공정에서 오버 도금금속에 땜납을 사용한 도금 쓰루 홀을 말한다. 보통은 표면도체 패턴도 땜납도금이 된다. 땜납 쓰루 홀의 제조공정은 기판 구멍뚫기→무전해 동도금(약 0.3㎛)→전기 동판넬 도금(1차 동도금 5~7㎛)→정면(整面)→드라이 필름 라미네이터(도금레지스트)→노광(露光)→현상→전기 동패턴도금(2차 동도금 약 20㎛)→전기 땜납도금→레지스트 박리→에칭→솔더 용융→단자부 땜납용해→단자부 연마→단자부 도금→문자인쇄→외형가공 순이다.

**땜납욕** Solder Bath

땜납을 용해하여 납땜하는 땜납욕을 말한다. 땜납수조는 표면의 산화

피막이 견고하고 용이하게 땜납에 확산 용해되지 않는 스테인리스 등이 사용된다. 스테인리스는 18-8강(Cr18%-Ni8%를 함유)이 좋다. 열원은 가스 또는 전기가 있으나, 전기가열이 가스보다도 온도조절을 하기 쉽다.

**땜납 코팅** Solder Coating ◘ 솔더 코팅(252)

**땜납 페이스트** Solder Paste

솔더 페이스트, 솔더 크림이라고도 한다. 땜납분말에 플럭스를 혼합하여 페이스트상(풀모양)으로 한 것으로 프린트 배선기판의 납땜에 사용된다. 납땜할 부분에 스크린 인쇄법에 따라 땜납 페이스트를 도포하고 가열하여 납땜을 할 수 있다. = 솔더 페이스트(252), 솔더 크림(252)

**땜납 퓨징** ◘ 퓨징(591)

**땜납 플로트시험** Solder Float Test

프린트 배선기판의 신뢰성을 보증하기 위한 내열성 시험방법의 하나로써, MIL규격(미군규격)에 있으며, 쓰루 홀 동도금의 양부를 판정하는 열충격시험이다. MIL규격에서는 120~150℃에서 2시간 건조시킨 후, 플럭스를 도포하여 288±5℃의 열땜납 중에 10초간 침적시킨다. 평가방법은 단일의 쓰루 홀 또는 복수의 쓰루 홀을 연속시킨 패턴의 쓰루 홀 저항값을 측정하여 초기값과 시험 후의 변화율 및 절대값에 의해 양부 판정을 행한다. 기판과 쓰루 홀 동도금막과의 열팽창율의 차이에 따라 발생하는 열응력에 쓰루 홀 도금이 견디지 못한 채, 도금막에 크랙이 발생하거나, 단선되는 문제를 조사하는 것이 목적이다.

**뚜껑 자동개폐 배럴** Automatic Door Barrel

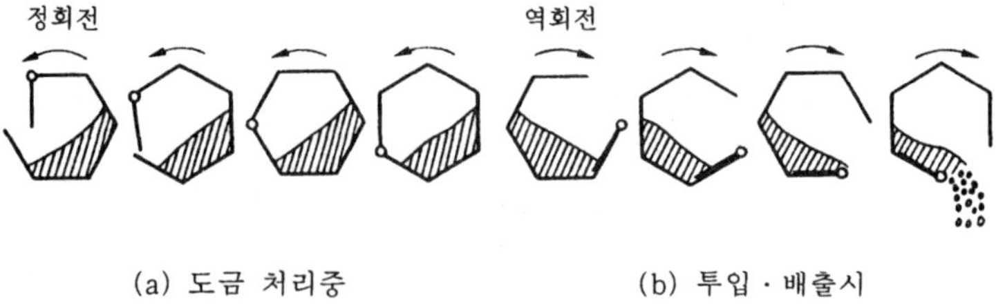


뚜껑 자동개폐 배럴

도금 중에는 배럴이 정회전하여 피처리물이 투입되고, 배출 시에는 역회전함으로써 뚜껑이 자동적으로 개폐되는 배럴로, 자동 도금장치에 적합하다. 판상이나 작은 형상의 피처리물은 뚜껑의 틈에 끼이는 경우가 있어 적합하지 않다.

**뜨임** Annealing ◘ 소둔(249)

# ㄹ

**라선 전위** Screw Dislocation

전위선에 평행으로 미끄러진 부분이 점차 확대되어 라선형으로 되는 선상 결함 ◘ 에지상 전위(333)

**라우에법** Laue Method

X분석법으로 단결정에 백색X선(연속파장을 갖는다)을 쪼이면, 각 격자면은 X선을 선택하여 반사한다. 결정의 전방에 사진 건판을 놓으면, 많은 격자 면에서 반사 반점이 다수 나타난다. 반점의 위치는 X선의 방향과 격자면 방향의 상호관계에 따르지만, 그 배치는 X선의 방향에서 본 결정의 대칭성을 나타내고 있다. 이것으로 결정구조를 해명하는 방법이다.

**라이닝** Lining

금속표면을 방식하기 위하여 표면을 부식성성질과, 반응하지 않는 그 외의 물질로 비교적 두껍게(1㎜ 이상) 피복하는 것을 말한다. 금속, 세라믹 등의 무기물질을 용사 등으로 피복하는 무기물 라이닝과, 유기물질을 유동 침적, 용사, 도포 등으로 피복하는 유기물 라이닝이 있다. 도금 이외의 장치에서는 열이나 마모 등을 방지하는 재료를 피복시키는 것을 말한다. ◘ 코팅(529)

**라이닝 강관** Nesin Lining Steel Pipe

방식, 내마모 등을 목적으로 강관 내벽 면에 얇은 유기피막을 부착시킨 것으로, 라이닝재료로써 경질 염화비닐, 타르 에폭시수지, 폴리에틸렌 분체 등이 사용된다. ◘ 라이닝재(후항)

**라이닝재** Lining Material

라이닝에 사용하는 무기·유기재료를 말한다. 도금조에서는 경질 염화비닐(PVC), 내열성 염화비닐(HT-PVC), 경질 폴리프로필렌(PP), 경질고무(HR), 불소계수지, FRP 등의 내약품재로 사용된다. = 내장재(70)

**라이트 메탈** Light Metals ◘ 경금속(23)

**라임** Lime ◘ 머틸레스(137)

**람베르트 법칙** Lambert's Law

빛의 흡수에서 입사광의 강도 $I_0$와 투과광의 강도 $I$와의 비의 대수가 피측정 물질의 두께 $d$에 비례한다는 법칙으로, $log_e(I_0/I)=\mu d$로 나타낸다.

μ를 흡수계수라고 한다.

**래싱 링** Raschig Ring

배기가스 처리에 사용되는 충진탑에 채운 충진물의 일종. 직경과 길이가 거의 같은 원통형으로 일반적으로 널리 사용된다. ◘ 세정 집진장치(247), 충진탑(509)

**래커** Laquer

보통, 초화면(硝化綿) 도료(니트로셀룰로스를 주성분으로 하는 도료)를 말한다. 그 외에 아크릴 래커라 말하는 열가소성 수지도료가 있다. 사용법은 모두 비슷하며, 자동차 도료 등에 사용한다.

**래핑** Lapping

표면 마무리법의 일종으로, 겹판이란 판과 피연마물 사이에 경질 분말을 개재시켜, 양면을 서로 문질러 마무리하는 방법을 말한다. ◘ 랩 마무리(115)

**랙** Rack ; Plating Rack ◘ 도금용 걸고리(96)

**랙 도금** Rack Plating ◘ 정지도금(476)

**랙의 전류용량** Current Capacity of Rack

도금의 걸고리(Rack)를 설계할 때, 걸고리의 전장이 1m이고 1개의 걸고리에 200A의 전류가 필요한 보통의 치공구에서는 동의 주골의 단면적 1㎟당 5~6A의 전류를 흘려보내기 때문에, 200A÷5A=40(㎟)의 단면적의 동재료라면 충분하다. 실제로는 기계적강도를 생각하여 예를 들어, 25×5㎜의 동재를 사용하게 된다.

| 도금랙 재료 | 도전비율 (동100%) |
|---|---|
| 알루미늄합금 | 50~60 |
| 황동합금 | 20~28 |
| 인청동합금 | 25.8 |
| 납 | 8 |
| 니켈 | 25 |
| 연철 | 16~17 |
| 피아노선 | 6~12 |
| 스테인리스강 | 3~7 |
| 티탄 | 0.5~1 |

랙의 전류용량

**랜덤 샘플** Random Sampling

발췌검사에서 시료를 불규칙적으로 발췌하는 것을 말한다.

**랜드** Land

패드라고도 한다. 프린트 배선기판의 도체 패턴의 일부분으로 상품의 접속 또는 취부를 위해 사용하는 장소를 말한다. = 패드(563)

**랜드리스 홀** Landless Hole

랜드가 없는 도금 쓰루 홀. 랜드가 있는 것보다 배선영역이 증가하여 고밀도화가 가능하다.

**랩 마무리** Lapping ◘ 래핑(115)

**러프니스** Roughness

러프니스(거칠기)라는 것은, 표면에 하나의 성질을 나타내는 것으로, 러프니스와 파동(Undulation)은 서로 구별하기 어렵다. 표면 거칠기의 표시방법은 최고 높이를 $H_{max}$로하여 $H$를 이용하여 표시하고 있다. 그 후 개정된 표면 거칠기의 표시에 $R$을 사용하여, 최고 높이를 $R_{max}$, 10점 평균 거칠기를 $R_2$, 또는 중심선 평균거칠기를 $R_a$ 로 표시하는 것으로 되었다. = 표면 거칠기(583)

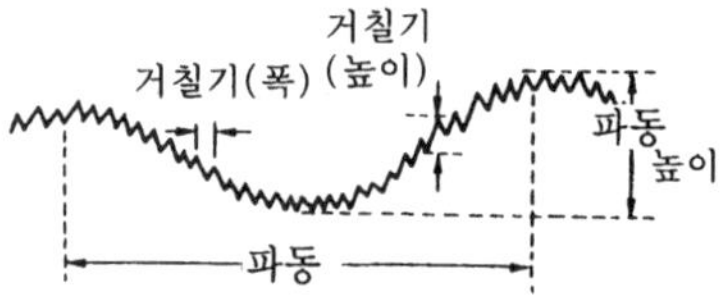


(a) 파장과 거칠기

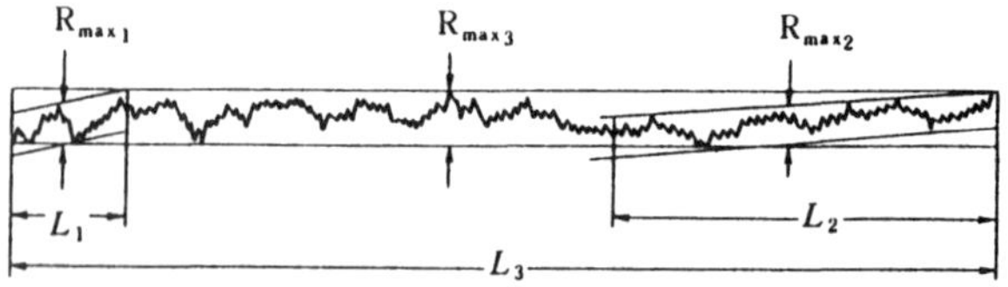


$L_1$, $L_2$, $L_3$: 기준길이

(b) 최대높이를 구하는 방법

| 표 시 | | 0.8-S용 | 1.5-S용 | 3-S용 | 6-S용 | 12-S용 | 18-S용 | 25-S용 | 35-S용 | 50-S용 | 70-S용 | 100-S용 | 140-S용 | 200-S용 |
|---|---|---|---|---|---|---|---|---|---|---|---|---|---|---|
| 거칠기의범위(㎛) | 최소치 | 0.6 | 1.2 | 2.4 | 4.8 | 9 | 15 | 21 | 30 | 45 | 63 | 90 | 125 | 180 |
| | 최대치 | 0.9 | 1.7 | 3.3 | 6.6 | 13 | 19 | 26 | 37 | 53 | 74 | 105 | 145 | 210 |

(c) 비교용 표준편의 표시 및 거칠기 범위

러프니스

**러프니스 게이지** Roughness Gauge

표면의 요철을 측정하는 장치로, 촉침식(触針式), 평균거칠기 직독식(直讀式), NF거칠기식, 광파간섭식(光波干涉式), 광절단식(光切斷式), 전기용량식 등이 있으며, 가장 많이 사용되고 있는 것은 촉침식이다. 공장에서 손쉽게 사용하고 있는 것으로 『표면 거칠기 표준편』이 있다. 이것은 대표적인 공작법으로 가공된 표면으로, 미리 그 표면 거칠기가 측정되어 있고, 그것과 실제 제품의 거칠기를 감각에 의해 비교 측정하는 것이다. 실제 제품 중에서 선택하여 그 표면 거칠기를 측정하고, 이것을 표준편이라고 하는 경우도 있다.

**러프 표면** Rough Surfaec ; Rough Deposits

도금욕 과정에서 고체 부유물이 도금층 안에 침투하여 발생한 작은 돌기. 도금욕의 여과 정도를 높여 도금욕을 청정하게 하면, 러프 표면을 없앨 수 있다. 도금욕의 불량으로 인해, 고전류부분에 러프 표면이 발생하는 경우도 있다. 도금욕을 조정하고, 보조전극을 병용하여 전류분포의 집중을 피함으로써 방지할 수 있다. 작은 돌기의 작은 러프 표면을 브리스터」라고 하는 경우도 있다. ◘ 브리스터(216)

**레늄** Rhenium Re.

원자번호 75, 원자량 186.207, 밀도 21.3g/㎤(20℃), 융점 3167±60℃, 불점 5700℃, 은백색의 금속원소로 금속으로써의 성질은 비저항을 제외하고, 텅스텐, 오스뮴과 비슷하다. 화학적 성질은 망간과 비슷하다. 공기 중에서는 표면이 산화된다. 산화력이 있는 산에는 서서히 녹는다. 브롬 수, 과산화수소수에 녹는다. 고진공 전자관재료, 백금의 경화원소, 내열합금, 촉매 등에 이용된다.

**레데브라이트** Ledeburite

Fe-C계 합금에 있어서, 오스테나이트와 시멘타이트와의 공정 조직이다. 실온에서는 오스테나이트가 펄라이트로 된다. 백주철의 조직이며, 극히 단단한 조직이다.

**레벨러** Leveller ◘ 평활화제(574)

**레벨링** Levelling

소지의 미시적인 요철이나, 연마의 조흔 등을 평탄하게 하는 도금욕의 작용을 말하며 통상, 고분자의 평활화제가 볼록부에 많이 흡착하여 볼록부의 전착을 방해하며, 오목부에 많이 전착시키는 것을 반복하여 평탄하게 만든다. 평활화제를 첨가하면 음분극은 커진다. 이 외에 완만하게 굽은 판을 여기저기 설치해 놓은 롤을 통해 평탄하게 교정하는 작업도 레벨링이라고 한다. 그림에서 $h_1 < h_2$이면 정의 레벨링(보통으로 말하는 레벨링), $h_1 = h_2$이면, 제로의 레벨링, $h_1 > h_2$이면, 부의 레벨링이라 한다. = 평활화 작용 ◘ 평활화제(574)

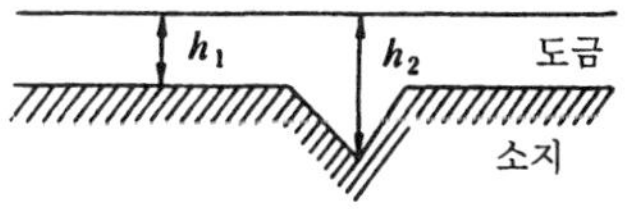

레벨링(평활화 작용)

레벨링

**레시프로 피니쉬** Reciprocate Finishing

유동연마의 일종으로, 수조는 움직이지 않고 콤파운드를 가한 연마재 중에서 피연마물을 회전, 왕복 또는 상하운동시키는 방법을 말한다. 자동차의 크랭크샤프트, 도어 핸들, 밋션 기어, 머플러의 연마 등에 사용된다.

**레어 메탈** Rare Metal

산출량이 적으며, 유용한 금속 원소의 총칭이다. 예를 들어, 게르마늄, 갈륨, 셀렌, 텔루르, 탈륨, 바륨, 스트론튬, 리튬, 라듐, 토륨, 베릴륨, 니오브, 탄탈, 지르코늄, 하프늄 및 희토류금속 및 귀금속을 말한다. = 희금속, 희유금속(651)

**레이놀드 수** Raynolds Number

흐름에서는 점성에 의한 힘이 층류를 촉진하도록 작용하고, 관성에 의한 힘은 난류를 일으키도록 작용한다. 유체에서는 관성력과 점성력의 비가 같다면, 어떤 종류, 장소의 유체에서도 유체의 성질은 같다. 이 비가 레이놀드 수로 $N_R=\nu d/\nu$ 또는 $\rho\nu d/\mu$로써 차원이 없는 수로 나타낸다. $\rho$는 밀도, $\mu$는 정점성계수, $d$는 유로직경, $\nu$는 속도, $\nu$는 $\mu/\rho$ 로 동점성계수이다. 층류의 한계는 $N_R≒2000$, 전부 난류가 되는 것은 $N_R=3000\sim4000$ 일 때이다.

**레이아웃** Layout

배치 계획을 말한다. 도금 공장에서는 전처리, 도금, 후처리 등의 각 처리조의 배치, 유틸리티의 배치, 배수 처리의 설치, 배치 등의 배치 계획을 말한다. ◘ 유틸리티(396)

**레이저** Laser

어떤 정상상태에 있는 원자 또는 분자가 에너지가 낮은 별도의 정상상태로 이동할 때에 생기는 유도방사에 의한 빛의 발진과 증폭작용을 이용하여 발광시키는 빛 또는 그 발생장치를 말한다. 레이저광은 지향성이 강하고, 간섭성이 현저하며, 지향성이 예민한 가는 빔이 된다. 고체 레이저, 기체 레이저, 액체 레이저, 반도체 레이저 등이 있다. 계측, 통신, 가공, 의료, 열처리, 부분도금 등에 이용된다. = 광레이저 ◘ 레이저 도금(119)

**레이저 납땜** Laser Soldering

땜납의 접합부에 레이저광을 조사하면, 빛의 일부가 열로 변환되어 접합부의 온도가 상승하고, 땜납이 용융하여 납땜이 가능해진다. 레이저납땜의 이점은, 대기 중에서 작업이 가능하며, 국부 가열이나 급속 가열이 가능하기 때문에 접합부 주변의 열변형을 극소로 억제할 수 있다.

**레이저 도금** Laser Enhanced Plating

미국의 IBM사에서 개발된 도금법으로, 피도금물에 거의 전류가 흐르지 않을 정도의 직류전압을 걸면서 레이저광선을 조사하면, 조사된 부분에만 도금을 두껍게 석출시킬 수 있다. 박판이라면, 뒷면부터 조사하여도 좋다. 레이저의 가열작용에 의해 국부적으로 고온이 되어 비등하고, 국부적으로 농도분극, 활성화분극이 작아지기 때문이라고 추정된다. 바꾸어 말하면, 국부적으로 확산, 영동, 대류나 반응전류가 커지기 때문이라고 추정된다. 전해, 무전해도금 외에 에칭에도 응용할 수 있다.

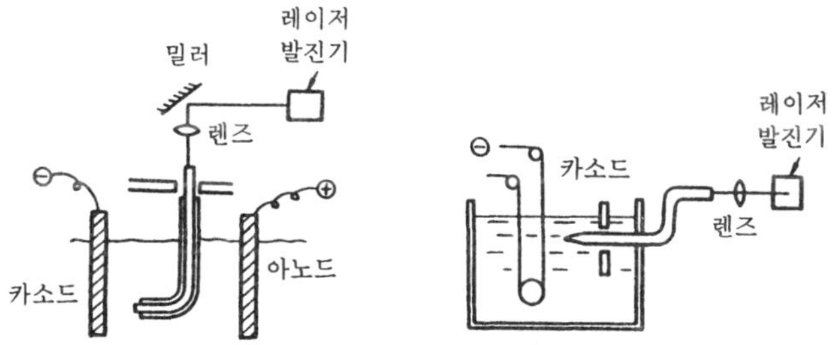


레이저도금

**레이저 용사** Laser Spraying

열원으로써 고출력 레이저빔을 사용하는 용사법이다. 레이저빔에 공급된 용사 재료는 고에너지 밀도의 레이저에 의해 순시적으로 가열, 용해되며, 고압 가스에 의해 가속, 분사되어 용사 피막을 형성한다.

**레지스트** Resist

필요한 장소만 전기도금, 무전해도금 등이 되도록 하는 것, 또는 필요한 장소만 약품 등으로 침해되도록 하여 물품이나 전극 표면의 불필요 장소를 피복하는 물질을 말하며, 유기고분자 물질이나 금속의 박막을 사용한다. 도금에서는 마스킹 테이프, 플라스티졸(상품명), 실리콘 고무 등을 사용한다. ◘ 도금 방지재(96)

**레지스트 박리** Resist Stripping

프린트 배선기판 등의 제조공정에서 도금 레지스트나 에칭 레지스트 등의 레지스트막을 목적으로 하는 도금이나 에칭 등의 처리가 끝난 후, 제거하는 것을 말한다. 용제 타입의 레지스트는 1,1,1-트리클로로에탄으로 현상하고, 염화메틸렌 또는 염화메틸렌과 메탄올의 용제로 박리한다. 수용성 타입의 레지스트는 탄산나트륨수용액으로 현상하고, 수산화나트륨

또는 수산화칼륨으로 박리한다. = 레지스트 제거(후항)

**레지스트 제거** ◘ 레지스트 박리(전항)

**로듐** Rhodium Rh.

백금족 금속 중에서 전기도금에 가장 많이 이용되고 있다. 원자량 102.9055, 비중 12.41, 융점 1966℃, 경도가 높고(Hv 800~1000), 공업용 크롬도금 피막에 필적하며, 내마모성도 크롬도금 피막 다음으로 크다. 귀금속이기 때문에 화학적으로 안정하고, 빛의 반사율이 높고(80%), 백색으로 아름다운 광택은 변하지 않고, 내열성이 뛰어나 500℃ 이하에서도 산화되지 않는다. 전기저항은 백금족 금속 중에서 가장 낮다(4.9μΩ/㎝로 금의 약 2배). 전기도금 외에 열전대, 촉매에도 많이 사용된다.

◘ 로듐도금(후항)

**로듐 도금** Rhodium Plating

은백색으로 광택이 아름답고, 반사율이 높으며, 변색되기 어렵기 때문에 장식용, 은제품의 변색 방지에 이용되며, 공업용으로는 프린트 기판의 단자도금, 커넥터, 스위치의 도금 등에 사용된다. 접점관계에서는 도금두께 0.5~2.0㎛의 내마모용과, 2.5~25㎛의 특수한 내마모용으로 구별된다. 욕은 (1)황산욕, (2)인산욕, (3)황산인산 혼합욕이 이용되고 있다. 이전에는 (2), (3)이 많이 사용되었으나, 도금속도는 느리다. 광택제의 개량으로 인해 현재는 (1)을 많이 사용한다. 주성분은 $Rh_2(SO_4)_3$이며, Rh 2~20g/$l$, $H_2SO_4$ 40~100g/$l$ 이다. 불순물, 시간이 경과함에 따라 색이 검게 되는 경우가 있으나, 광택제로 방지할 수 있다.

**로드** Load ◘ 부하(202)

**로드 팩터** Load Factor

무전해도금욕에서 1회마다 적정한 처리량을 나타내는 값으로 1$l$ 당의 도금 표면적($dm^2$)으로 표시한다.

**로딩** Loading

연삭에 의한 부스러기가 틈이나 기공에 막혀 용착되는 상태를 말한다. 버프 연마에서도 로딩이 발생한다. 피연삭 재료가 동, 알루미늄, 마그네슘 및 이들의 합금과 같은 연질 비철금속에서는 로딩을 일으키기 쉽다.

**로렌스 게이지** Lawrence Hydrogen Detection Gauge

도금에 의한 철강의 수소 취성 측정장치. 측정 원리는 연강판 용기의 소형 메탈 진공관(형 명칭 6V6) 전체를 음극으로 하여 전기도금하고, 수소 원자가 도금피막 및 연강판의 용기를 투과하여 진공관 내부로 침입하여, 수소분자가 되고 이온화하여, $10^{-3}$~$10^{-8}$암페어(A)정도의 전류가 흐른다. 이것을 검출하여 레코더에 기록하고, 다음으로, 도금한 진공관을 200℃로 유지시킨 노에 넣어 베이킹을 한 후, 진공도의 변화를 조사한다. 진공관의 내부에는 바륨의 게터가 작동하고 있어 일정한 속도로 수소가스를 흡수 제거하기 때문에 관구 내의 진공도는 베이킹에 의한 수소 방출속도에 의해 변화한다. 이상의 측정에서 시료인 소정의 도금액에서의 수소 취성이 일어나기 쉬운 정도, 및 베이킹에서의 수소 제거의 정도를 측정한다. ◘ 수소 취성(257), 베이킹(182)

**로버** Robber

전류 밀도가 과대하게 되는 부분의 전류를 빼앗기 위하여 피도금물의 첨단부 등에 설치된 보조음극 = 차폐막 ◘ 보조음극(189), 에지 마스크(333)

로버

**로셀염** Rochelle Salt

주석산칼륨나트륨의 관용명이다. 백색의 결정으로, 시안화동도금욕에 첨가된다. $KNaC_4H_4C_6$. 물에 잘 녹는다. 물 100g에 대한 용해도는 무수염으로써 62.9g(18℃)이다. = 주석산칼륨나트륨(483)

**로셀염욕** Rochelle Salt Plating Bath

1960년경에 개발된 구식의 무전해 동도금욕이다. 욕조성은, 황산동 10~12g/$l$, 로셀염 40~45g/$l$, 팔라포름알데히드 10~15g/$l$, 안정제(황 화합물) 미량, pH 약 12, 온도 20℃이다. 로셀염욕은 도금 두께 1㎛ 이하의 박막 형성을 목적으로 하기 때문에, 욕의 안정성, 경제성만이 중요시되어 도금피막은 대단히 무르고, 부풀거나 벗겨지기 쉬운 결점이 있다.

**로스트 왁스법** Lost Wax Process

정밀주조법의 일종으로, 복잡한 형상품, 가공하기 어려운 제품의 주조에 활용되고 있으나, 생산성이 낮고, 재료비가 비싸며, 손이 많이 간다는 등의 단점도 있다. 밀납형을 사형에 매몰시켜 건조 후, 밀납을 녹여 공동으로 만들어 그 안에 금속을 주입시킨다. 중국에서는 2000년 전부터 사용하였다. = 밀납형법(155), 인베스트먼트 주조법(423)

**로즈 합금** Rose's Metal

저융점합금의 일종으로, 융점은 100℃이다. 조성은 Pb 28%, Sn 22%, Bi 50%이다.

**로진** Rosin

송진의 수증기 증류에서 테레빈유를 제거한 잔사. 반투명으로 담황색의 무른 고체로 가열하면 녹는다. 물에는 녹지 않고, 알코올, 에테르, 벤젠 등에 잘 녹는다. 로진의 성분은, 수지산이 90% 정도 포함되어 있다. 비누, 도료, 인쇄 잉크 등에 이용된다. = 콜로호늄(530)

**로크웰 경도** Rockwell Hardness

지정된 형상의 강구슬 또는 다이아몬드 원추 압자를 이용하여 최초에 기준하중을 가하고, 다음으로 시험하중까지 하중을 증가시킨 후, 최초의 기준하중으로 되돌아온다. 이 전후 2회의 기준하중 시에서 움푹 패인 깊이의 차로 정의되는 경도를 말한다. B경도와 C경도가 규정되어 있으며, 경도기호는 $H_R$을 사용하고, 스케일(육안)기호, 경도의 순으로 표시한다.

**로터리 미터** Rotary Flow Meter

플로트(부자)를 이용하는 유량계로 도금 배수처리 등에 사용되고 있다. 면적유량계의 일종으로, 위 방향으로 약간 넓게 되어 있는 원통 내에 플로트를 넣고, 밑으로부터 위 방향으로 액체를 흘려 보내면, 플로트는 그 중량과 액체에 의해 밀어 올려지는 힘과 균형이 잡히는 위치에서 안정된다. 이 플로우의 위치에서 유량을 읽을 수가 있다. 플로우는 그 주변에 홈이 있어 회전하면서 위치를 바르게 유지하도록 되어있다. ◘ 유량계(391)

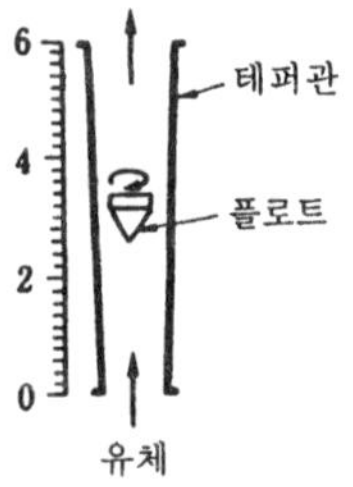


로터리 미터

**로터리 셀** Rotary Cathode Cell

로터리 카소드 셀의 약칭. ◘ 로터리 카소드 셀(후항)

**로터리 카소드 셀** Rotary Chthode Cell

배럴도금욕의 전착성을 시험하는 전해조의 일종으로, 미국에서 개발되었다. 액량은 헐 셀과 같이 267㎖이며, 양극과 음극 사이에는 배럴과 같이 다수의 작은 구멍이 있는 격벽이 놓여있다. 음극판은 접어서 굴곡음극으로 하고, 회전시키면서 도금을 한다. 음극판의 크기는 51×76㎜로, 접어

서 굽힌 양단의 간격은 12.7㎜로 한다. = 로터리 셀(전항)

**로트** Lot

생산관리의 편의상, 일정 수량의 작업대상(제품, 반제품 등)을 한 단으로 취급하는데 이 작업대상의 집합을 로트라고 한다. 1생산 기간 내에 취급하는 생산수량, 또는 1주문의 수량을 로트라고 하는 경우도 있으나, 다량 생산의 경우에는 오히려 준비시간, 기계설비 능력, 공정간 작업속도의 차 등을 고려하여 가능한 한, 생산기간을 짧게 하도록 로트를 적당한 크기로 정한다.

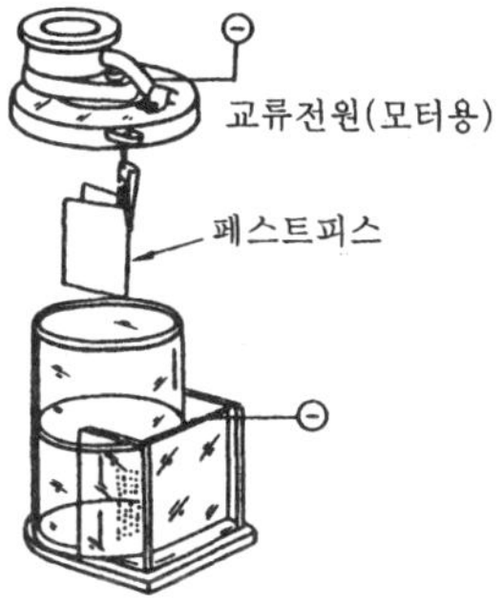

로터리 카소드 셀

**로트유** Turkey Red Oil

파자마유에 농황산을 작용시켜 미반응의 황산을 제거 후, 가성소다, 암모니아 등으로 중화시킨 수용성 액체이다. 알칼리성 금·은도금, 그 외의 광택제에 사용한다. 유기화합물이 강한 유화제로 염색조제에도 사용한다. 파자마유 이외에 올리브유, 면실유, 어유 등도 원료가 된다.

**롤 스케일** Roll Scale ◘ 흑피(649)

**롤 연삭반** Roll Grinding Machine

단단한 연마재를 소성하여 만든 연삭 숫돌을 고속 회전시켜 공작물을 깍아 가는 가공기로, 소입강, 초경합금, 세라믹 등도 가공할 수 있다. 마무리면이 평탄하고, 가공 정도나 가공 능률이 높다.

**루이즈산·염기** Lewis Acid and Base ◘ 산 · 염기의 정의(234)

**루즈** Rouge ◘ 적봉(444)

**루지** Rouge ◘ 적봉(444)

**루테늄** Ruthenium Ru.

원자번호 44, 원자량 101.07, 백금족원소로 은백색의 금속, 융점 2450℃, 불점 3700℃, 밀도 12.304g/㎤(20℃), 모스경도 6.5이다. 단단하고 약하며, 분말이 되기 쉽다. 물, 산에는 안정하지만, 공기를 함유한 염산과 왕수에는 서서히 녹는다. 루테늄도금은, 로듐도금에 비해 가격이 절반 이하이기 때문에 습동 접점, 볼펜의 볼, 장식용 등에 이용된다. ◘ 루테늄도금(후항)

**루테늄도금** Ruthenium Plating

루테늄은 백금족원소로, 가격이 로듐의 약 1/2로, 저접촉 저항, 내경도, 내식, 내마모성이 크다는 특징이 있는 한 편, 도금피막은 내부 응력이 크고 크랙을 발생시키기 때문에 3㎛ 이상의 두꺼운 도금은 어렵다. 슉동 접점, 볼펜의 볼, 장식품 등에 사용된다. 욕은 니트로소염화루테늄-황산욕, 술파민산염욕, 그 외 많은 루테늄착염에 의한 도금욕이 제안되고 있다.

경백금속의 성질

| | 루테늄 | 로듐 | 팔라듐 |
|---|---|---|---|
| 비 중(g/㎤) | 12.5 | 12.0~12.5 | 11.5×12.0 |
| 융 점(℃) | 2310 | 1960 | 1552 |
| 전 성 | × | × | △ |
| 경도(누프) | 800~900 | 900~1000 | 250~350 |
| 내 식 성 | ○ | ○ | △($NO_3$에 약하다) |
| 내 마 모 성 | × | ◎ | × |
| 전 기 저 항(Ω/㎝) | 1.2 | 0.8 | 1.1 |
| 내 열 성 | ◎ | ○ | △ |

◎ : 대단히 양호 ○ : 양호 △ : 보통 × : 좋지 않다

N.M. Smith : Metal Finishing, 81, 3, 55(1982)

루테늄도금

**리드 릴레이** ◘ 리드 스위치(후항)

**리드 스위치** Reed Switch

가는 판상의 금속 편에 전기접점을 부착한 것을 불활성의 유리관 내에 봉입한 것을 리드 스위치라고 하며, 이것을 코일에 삽입한 것이 리드 릴레이다. 코일의 외부 자계에 의해 전지 접점의 개폐를 행하는 것으로 동작시간이 짧고, 환경에 영향을 미치지 않기 때문에 공업용에 많이 이용된다. = 리드 릴레이(전항)

**리드 프레임** Lead Frame

IC의 틀구조를 형성하는 것으로 전류의 도통(리드), IC의 발열의 방열, 구조유지의 역할을 가지고 있다. 철계의 재료는 Fe-Ni, Fe-Ni-Co 등, 동계의 재료에는, Cu-Sn, Cu-Zr, Cu-Fe, Cu-Zn 등이 이용된다. 리드 프레임에 금도금(은도금)이 실시되는데 그 역할은 도금피막과 실리콘 웨이퍼를 370℃ 이상으로 가열하면서 압착시킴으로 인해 금-실리콘합금을 형성시켜 접합시키는 것이다. 도금은 필요한 장소만을 도금하는 부분도금으로 소재는 짧게 자른 모양과 후프모양이 있다.

**리코일러** Recoiler

코일재를 다시 풀어 스릿트 가공이나 연속도금 가공 등, 여러 가지 가공을 행한 후, 다시 한 번 감아 코일에 마무리하는 장치로, 감는 것에 따라

코일의 외경이 크게되며, 감는 속도가 빨라지기 때문에 조정기구가 필요한 경우가 많다.

**리크전류** Leak Current : Leakage of Current ◘ 누설 전류(78)

**리터** Liter : Litre

체적의 단위. 단위는 L 또는 *l*, 1964년의 국제도량형 협회에서 1*l*는 1000분의 1㎥ 또는 $1dm^3$이라 정의하였다. 이전이 정의는 순수 1㎏의 1atm 압력하에서의 최대밀도(약 4℃)의 체적으로 $1.000028dm^2$이 1*l*였다.

**리토그래피** Lithography

석판 인쇄라고도 한다. 전자공업에서는 실리콘 집적디바이즈 제조 시에, 레지스트 도포, 포토마스크의 패턴 위치조정, 노광, 레지스트 현상, 레지스트 패턴을 기판에 식각 전사, 레지스트 박리 등의 공정에서 포토 마스크의 패턴을 웨이퍼에 전사하는 기술을 말한다. 식각은 화학적 에칭에 의한 습식법과 플라즈마반응에 의한 건식법이 있다.

**리튬** Lithium Li.

원자번호 3, 원자량 6.941, 은백색의 알칼리 금속, 융점 179℃, 불점 1317℃, 비중 0.534(20℃)이다. 고체의 단체 중에서 가장 가벼우며, 비저항은 $9.4\times10^{-6}\Omega\cdot cm$(218℃)이다. 성질은 마그네슘과 비슷하다. 마른 공기 중에서는 거의 변화하지 않는다. 조금이라도 수분이 있으면 상온에서도 질소와 반응하여 질화물 $Li_2N$을 발생한다. 공기 중에 100℃ 이상으로 가열하면 연소하여 산화리튬 $Li_2O$가 된다. 고온에서 수소, 질소, 탄소, 규소와 반응한다. 물, 메탄올, 에탄올에 수소를 발생시켜 녹는다. 용체 암모니아에도 녹는다. 전지의 양극, 반도체재료, 무산소동의 탄산제, 방사선 차폐재, 원자로의 제어봉 등에 사용된다.

**리트머스 시험지** Litmus Paper

리트머스 용액에 여과지를 담궈 건조시킨 pH시험지, 적색지와 청색지의 2종류가 있으며, 적색지가 청색으로 변하면 알칼리성, 청색지가 적색으로 변하면 산성을 나타낸다. 변색 pH 영역은 5.0~8.0이다.

**리플** Ripple

전원의 특성에 따라 나타나는 직류전압의 규칙적인 변조를 말하며, 통상, 단상 반파 정류일 때에는 1초간에 50 또는 60개, 단상전파 정류일 때는 1초간에 100 또는 120개의 피크가 나타난다. 전원에 평활회로를 설치하면 리플의 크기는 감소한다. 리플의 크기는 전압 맥동율(전압의 최대치에서 최소치를 뺀 맥동폭을 평균전압으로 나눈 백분율)로 표시한다. 도금에서 전원전압의 리플은 도금의 밀착, 결정조직, 전류효율 등에 여러 가지 영향을 미친다.

**리플 도금** Ripple Plating

직류 전류에 서지, 리플, 펄스, 또는 교류를 중첩하여 주기적으로 변화되는 전류로 전기도금을 행하는 방법이다. 서지란 유동 전류, 리플이란 맥동 전류, 펄스란 주기적으로 단시간에 대전류를 흘려보내는 전류를 말한다. ◘ 변조 전류도금법(185), 펄스도금(566)

**리플로우 납땜** Reflow Soldering ◘ 리플로우 솔더링(후항)

**리플로우 솔더링** Reflow Soldering

프린트 배선기판의 제조공정에서 접합하려고 하는 부분에 미리 크림상의 땜납을 인쇄하고 난 후, 땜납을 용융 처리하여 접합시키는 땜납의 방법을 말한다. = 리플로우 납땜(전항)

**리플로우 처리** Reflow Treatment

용융 처리라고도 한다. 주석도금에서는 휘스커 방지를 위해 주석도금 후, 급열 급냉하여 리플로우 처리를 하는 경우가 있다. 또 프린트 배선기판에서는 땜납을 리플로우 처리하여 납땜을 확실하게 한다. ◘ 휘스커(646), 용융 광택화(377)

**릴리 골드** Lily Gold

동-니켈합금으로, Ni 18～20%의 것을 말한다. 동-니켈합금은, Ni 20% 이상이면 니켈계의 은백색, Ni 10% 이하이면, 동계의 적동색을 띄며, 이들의 중간인 Ni 10～20%는 은백색과 적동색 중간의 미묘한 색으로, 살구색을 띈 금색에서 맑은 금색의 아름다운 색조를 띈다. 장식용 동-니켈 합금도금으로써 피로인산욕이 시판되고 있다. ◘ 동-니켈 합금도금(100)

**릴리빙** Relieving

금속착색에서 색 차이의 효과를 내기 위해 착색한 금속표면의 한정된 부분을 기계적으로 제거하는 수법을 말한다. 장신구, 미술공예품 등에 이용된다.

**릴·투·릴도금** Reel to Reel Plating = 코일 · 투 · 코일도금(530) ◘ 연속 도금(347)

**림드강** Rimmed Steel

용강의 탈산(소)정도가 낮은 것으로, 강괴는 주형에 접촉하여 급냉된 곳은 치밀한 조직이 되지만, 내부는 가스를 함유한 덩어리이며, 강괴 단면에 녹이 낀 것 같은 모습이다. 완전 탈산된 킬드강에 비해 표면에 불순물이 적기 때문에 전기도금이나 용융도금을 하기 쉬운 반면, 표면과 내부조직이 서로 다르기 때문에 용접은 곤란하다. ◘ 킬드강(538)

# ㅁ

**마그네슘** Magnesium Mg.

원자번호 12, 원자량 24.305, 융점 650℃, 불점 1107℃, 비중 1.74이다. 은백색의 부드러운 금속으로 전성, 연성이 풍부하다. 분말에 점화되면 섬광을 발하며 격하게 타오르고, 산화마그네슘이 된다. 염소와는 상온에서 심하게 반응한다. 열수와 반응하여 수산화마그네슘이 되며, 회산과는 심하게 반응하여 수소를 발생한다. 거의 모든 마그네슘 화합물은 무색으로 2가의 화합물이 안정하다. 용도는 알루미늄보다도 가볍기 때문에 경합금 재료, 구조물의 전기방식용, 제련시의 탈산제, 화약, 합금성분 등이다.

**마그네슘 소지의 전기도금** Electroplating on to Magnesium Substrates

마그네슘, 마그네슘합금 소지의 도금공정은, 용제 세정 또는 알칼리 침적 세정→산 침적(무수크롬산 180g/*l*, 80~100℃)→활성화(85% 농인산 200㎖/*l*, 산성 불화암모늄 100g/*l*, 20~30℃, 0.5~2분간 침적)→아연 치환처리(황산아연 30g/*l*, 피로인산나트륨 120g/*l*, 불화나트륨 5g/*l*, 탄산나트륨 5g/*l*, 80~85℃, pH 10.2~10.4, 3~10분간 침적)→시안화 동스트라이크 도금(pH 9.6~10.4)이다. 그리고, 상기 화살표 중에는 모두 수세 공정이 포함된다.

**마그네슘 합금** Magnesium Alloy

마그네슘을 기본으로 하는 합금을 말하며 실용 합금 중에서는 가장 가볍다. 마그네슘은 강도가 낮기 때문에 구조재료로써 사용하는데는 합금이 사용된다. 알루미늄, 아연, 망간, 지르코늄, 회토류 원소 등의 합금이 많다.

**마대(磨帶)강** Strip Steel

스트립강이라고도 한다. 열간 압연한 띠 상의 강을 냉각 압연과 어닐링 처리에 의해 소정의 두께, 강도로 한 연마된 띠 상의 강을 말한다. = 스트립강(270)

**마르텐사이트** Martensite

탄소를 고용시키고 있는 $\alpha$철, 즉 $\alpha$고형체를 말하며, 소입강 조직의 하나이다. 결정구조는 체심정방정계($\alpha$마르텐사이트) 및 체심입방정계($\beta$마르텐사이트)로, 마상(麻狀) 또는 침상의 조직이다. 강을 소입하여 $M_S$ 변태를 생성시켰을 때나 오스테나이트를 상온 가공하였을 때 얻을 수 있으며, 상온에서는 불안정하다. 강의 소입조직 중에서는 가장 단단하고 약하며, 강자성을 가지고 있고, 오스테나이트보다 밀도가 작다. 그 때문에 오스테나이트→마르텐사이트의 변태일 경우는 팽창하여 용적을 증가시키며 소입 변형이나 소입 균열의 원인이 된다.

**마르텐사이트계 내열강** Martensitic Heat Resisting Steel

담금질 풀기에 의한 마르텐사이트 조직을 갖는 내열강으로서, 저 Cr계, 12Cr계, Si-Cr계로 분류된다. 저 Cr계는 Cr 약 3% 이하의 Cr-Mo-V강, 3.5Ni-Cr-Mo-V강 등이 있으며, 증기터빈 등에 사용된다. 12 Cr계는 Cr, Mo, W, V 등의 첨가에 의해 크리프강도를 높인 것으로, SUH 600(12Cr-Mo-V-Nb-N), SUH 616(Cr-1Mo-1W-Ni-V) 등이 있다. 550℃ 이하에서는, 오스테나이트계보다도 크리프 강도·인장강도가 크고, 가공성이 좋으며, 열팽창계수가 작고, 열전도도가 크다는 등의 장점이 있으며, 터빈날개 등에 사용된다. Si-Cr계는 SUH 1(8.5Cr-3Si-C), SUH 3(11Cr-2Si-1Mo-C) 등이 있다. 크리프 파단강도는 약하지만, 내산화성, 내고온 부식성에 뛰어나기 때문에, 흡기밸브나 저급의 배기밸브에 사용된다.

**마르텐사이트계 스테인리스강** Martensitic Stainless Steels

소입(Quenching)함으로써 마르텐사이트 조직이 되고, 경화시킴으로써 만들어지는 스테인리스강을 말하며, 13% 크롬강이 대표적이다.

**마르텐사이트 변태** Martensitic Transformation

확산을 수반하지 않고 원자의 배열이 바뀌는 반응으로, 확산속도에 의해 규제되는 동종 변태(Invariant Transformation)가 급냉에 의해 억제되는 것 같은 상태에서 일어난다. 마르텐사이트 상은 격자가 밀림으로 의해, 현미경적으로는 모상의 결정립을 분할하는 것 같은 렌즈상의 판으로서 나타난다. 마르텐사이트 반응의 또 하나의 특징은 판상 형태의 상이 음속의 1/3이라는 극히 빠른 속도로 성장한다는 것이다. 마르텐사이트 반응은 갖가지 실용 철합금의 경화 기구의 기초이다. 전형적인 예는 AISI 4340강으로, 이것은 오스테나이트 열처리, 급랭, 기계 마무리 후 담금질하는 것으로 경화시키고 있다.

**마모** Abrasion ; Wear

마찰에 의해 물질의 표면이 문질러지거나, 깍이거나 소모되는 것을 말한다. 접촉 양면간의 미끄러짐에 의한 마모(Wear)와 연마재 작용에 의한 마모(Abrasion)가 있다. 물품의 마모는 바람직하지 않으나, 연마라는 면에서는 필요한 현상이다.

**마모 시험** Abrasion Test

도금피막의 내마모성을 시험하는 방법으로, 경질입자 분말, 숫돌, 금강사지 등을 이용하여 도금피막을 마모시키는 방식과 도금과 다른 금속 또는 도금과 도금 등을 상호 깍아 마모시키는 미끄럼 마모시험기를 사용하는 방식이 있다. KS D 8335「도금의 내마모성 시험방법」에서는 5종류의 방법이 채용되어 있다. (1)모래낙하 마모시험, (2)왕복운동 마모시험, (3)분사 마모시험, (4)평판회전 마모시험(테버식 마모시험), (5)양륜구동 마모시험. = 내마모성 시험법(67)

**마무리** Finishing

일반적인 공정 중의 최종처리를 말하며, 도금에서는 광택 마무리, 크린스 마무리 등을 목적으로 하여 외관을 얻기 위한 처리를 말한다. 마무리 연마라는 것은, 도금 후의 광택내기 연마를 말하지만, 소재면의 광택내기 연마를 지칭하는 경우도 있다. 이와 같이, 도금에서는 소정의 외관을 얻기 위한 처리를 지칭하는 경우가 많다. ◘ 마무리 연마(후항)

**마무리 연마** Colo(u)ring

좁은 의미로는 루스 버프(Loose Buff)나 바이어스 버프(Bias Buff) 등에 머틸레스, 백봉(고형 또는 액상) 등의 연마재를 사용한 유성 연마의 마무리 단계 연마를 말한다. 넓은 의미로는 도금 후, 도금면의 광택내기 연마도 포함된다.

**마손성(摩損性) 시험** Abration Test

녹 방지유에 함유되어 있는 혼합물이 금속제품에 상처를 주는가의 여부를 조사하는 시험이다.

**마스킹** Masking

①도금이 불필요한 곳에 도금 방지책을 쓰는 것. ②용액 중의 방해물질 이온을 안정된 착체로 하고, 목적 반응에 관여하지 않도록 하는 것이다. 예를 들어, 그 물질과 강하게 연결되어 있는 킬레이트제(EDTA, 그 외) 등으로 착이온화 하면, 해리 정수가 일반적으로 작아지기 때문에 방해물질, 그것의 이온은 무시할 수 있을 정도로 작아져 목적반응을 방해하지 않게 된다. 차폐라고도 한다.

**마스킹재** Masking Material : Stop-off Material ◘ 도금 방지재(96), 레지스트(119)

**마스킹제** Masking Reagent

마스킹에 사용하는 시약을 말한다. 예를 들어, 방해물질로써 $Fe^{3+}$이온이 있으며, 알칼리성으로 $Fe(OH)_3$의 침전을 일으켜 문제를 발생시킬 경우에 미리 주석산염을 첨가해 놓으면, $Fe^{3+}$이온은 안정된 주석산 착체가 되지만, 이 가용성 착체의 해리 정수는 작기 때문에 $Fe^{3+}$이온 농도는 무시할 수 있을 정도로 작아져, $Fe(OH)_3$ 침전을 일으키지 않게 된다. 이와 같이 각종 금속이온은 그 이온에 적합한 착화제(킬레이트제를 포함)로 마스크가 가능하다. 주성분의 금속 이온과의 착체 안정도정수는 작고, 불순물 금속이온과의 착체 안정도정수가 큰 착체제를 선택하여 첨가하면 효과적으로 마스킹할 수 있다. = 차폐제(497)

**마스터** Master

전주의 원형이 되는 것을 말한다. 영어로는 Matrix, Mold, Mandrel 이라고도 한다. 마스터의 재질은, 전기전도성이 있는 것과 전기비전도의 것이 있으며, 전자는 철 및 철합금, 동 및 동합금, 알루미늄 및 알루미늄합금 등이 있으며, 후자는 ABS 등의 각종 수지, 나무, 가죽, 종이, 천, 돌 등이 이용된다. 마스터의 표면에 박리피막을 실시하여 반복하여 사용되는 영구형과 저용점합금과 같은 1회의 전주로 파괴되고 마는 소모형이 있다. 마스터를 부형(父型) 또는 모형(母型)이라고도 한다. = 부형, 모형
◘ 매트릭스(136)

**마이그레이션** Migration

마이그레이션

전해 이행이라고도 한다. 마이그레이션은 일종의 전해 부식이며, 흡습성이 비교적 큰 절연물 중에서 두 개의 전극간에 전압이 걸리면, 아노드에서 전극금속이 이온이 되어 용출하여, 전해 부식되는 현상을 말한다. 은은 마이그레이션을 일으키기 쉬우며, 아노드 부근에서는 $2AgOH \rightleftharpoons Ag_2O+H_2O$가 되어, $Ag_2O$의 콜로이드가 생성되며, $Ag_2O$는 절연물 중의 환원성 물질, 또는 외적 요인에 의해 환원되며 Ag 이온이 되어 카소드에 침상결정으로써 석출되어 전기적 단락 또는 절연파괴의 원인이 된다. 마이그레이션이 발생되기 쉬운 순서는 은> 몰리브덴> 납> 땜납> 동> 아연> 청동이다. = 전해 이행(466)

**마이크로** Micro

단위 접두어의 하나이다. 기호는 $\mu$이고 $10^{-6}$(100만분의 1)로 나타낸다. 1마이크로미터는 1미크론의 길이에 해당한다. $1\mu m = 10^{-6}$이다.

**마이크로닉 크롬도금** Micronick Chromium Plating Process

크롬도금 후, 기계적 방법으로 크롬도금 표면에 마이크로 크랙이나 포어를 발생시키는 마이크로디스컨티뉴어스 크롬도금의 한 방법으로, 에머리 가루와 같은 단단한 입자를 자연 낙하법, 가벼운 샌드 브러스트법, 진동법, 유동법 등으로 도금면에 부착시킨다. 1500~10000 세공 수(細孔數)/㎠의 세밀한 구멍이 생긴다. 부식전류를 분산시켜, 내식성을 향상시키기 위해 행한다. ◘ 마이크로 크랙 크롬도금(131)

**마이크로디스컨티뉴어스 크롬도금** Microdiscontinuous Chromium Plating Process
◘ 미소 불연속 크롬도금(152)

**마이크로미터** Micro-meter
1마이크로미터의 길이는 $10^{-6}$로, 1미크론의 길이와 같다. SI 기본단위(국제단위계)에서는 미크론은 사용하지 않는다. 기호는 ㎛를 사용한다.

**마이크로미터 굽힘시험** Micrometer Bending Test
도금피막의 유연성 측정법으로 ASTM B 490에 규정되어 있다. 마이크로미터를 사용하여 그림과 같이 도금피막을 U자형으로 굽혀, 피막이 갈라질 때까지 치공구를 조인다. 마이크로미터의 읽기 $2R$ 및 도금피막의 두께 $T$에서 다음 식으로 유연성을 계산한다. $D=T/2R-T\times 100(\%)$. 시험편은 도금피막에서 절취한 약 5×75㎜의 것으로, 두께는 보통 25~40㎛로 한다. 이 시험법은 광택 니켈도금과 같은 유연성이 나쁜 도금피막의 측정에 적합하다.

**마이크로 비커스경도계** Micro-Vickers Hardness Tester ◘ 미소 경도계(152)

**마이크로쓰로잉 파워** Microthrowing Power ◘ 미시적 균일 전착성(153)

**마이크로 접합** Microjoining
전자 부품, 프린트 배선기판 및 정밀기구 부품의 조립이나 장착 시에 실시되는 접합을 말한다. 예를 들어, 와이어 본딩, 마이크로 솔더링 등이 있다.

**마이크로 크랙 크롬도금** Micro Cracked Chromium Coatings
부식전류를 분산시켜 내식성을 향상시키기 위해 미세한 균열이 균일하게 분포하도록 실시하는 크롬도금을 말한다. 방법은 포스트니켈 스트라이크법(PNS 법)과 통상의 크롬도금을 두껍게(0.8㎛ 이상) 부착시키는 방법도

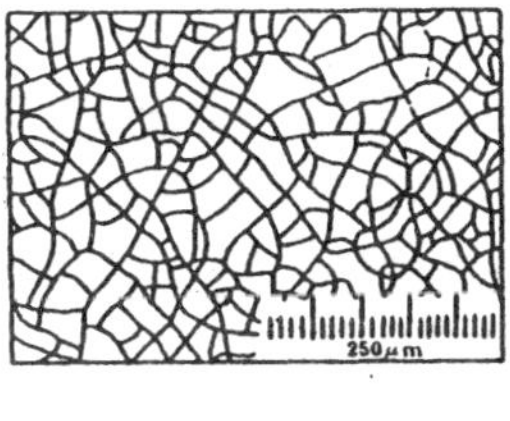

마이크로 크랙 크롬도금의 패턴

마이크로 크랙 크롬도금

있다. 크랙수는 직선을 일반적으로 약 240~800크랙/㎝이다. ◘ 크랙 프리 크롬도금(532), 마이크로포러스 크롬도금(후항)

**마이크로포러스 크롬도금** Microporous Chromium Coatings

마이크로 크랙 크롬도금과 같은 목적, 작용으로 행하는 도금으로, 방법은 비전도성 미립자를 함유한 니켈스트라이크 도금을 한 후, 통상적인 크롬도금을 약 0.25㎛ 부착시키는 방법과, 미립자를 함유한 크롬도금액을 사용하는 방법이 있다. 일반적으로 구멍 수는 약 15000~25000 세공 수/㎠이다. 도금장치, 특히 여과기는 전용의 것을 사용할 필요가 있다. ◘ 마이크로 크랙 크롬도금(전항)

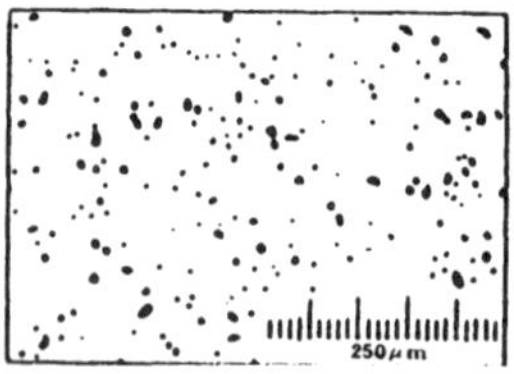


마이크로포러스 크롬도금의 패턴

마이크로포러스 크롬도금

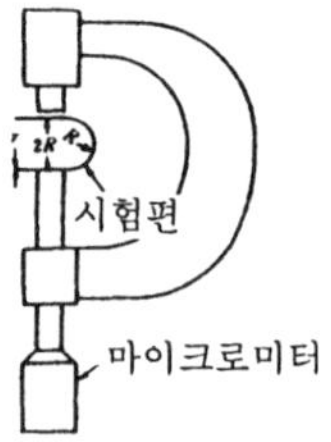


마이크로미터 굽힘시험

**마일러** Mylar

폴리에틸렌 텔레프터레이트(텔레프탈산 폴리에틸렌 또는 텔레프탈산 폴리에스테르)의 상품명(미국)이며, 일반적인 명칭으로써 사용되고 있다. 열가소성 수지의 하나로, 기계적으로도 전기적으로도 대단히 강하지만, 열수에 침해되며, 알칼리에 약하다. 전기부품으로써는, 코일 감개(Bobbin), 콘덴서 케이스 등에 사용되며, 필름으로써는, 녹음테이프, 절연테이프, 플렉시블 프린트 배선기판, 포장 등에 사용된다.

**마찰** Friction

두 개의 물질이 접촉한 면에서 서로 운동을 행할 때, 생기는 저항으로, 운동의 개시를 방해하는 것을 정마찰, 운동 중에 생기는 저항을 동마찰이라고 한다.

**마찰계수** Coefficient of Friction

두 물체의 접촉면에 작용하는 마찰력의 크기 $F$와 2면을 수직으로 누르고 있는 힘 $P$와의 비 $\mu=F/P$를 마찰계수라고 한다. 정과 동마찰계수가 있으며, 각각 미끄럼 마찰와 쓸림끌림 마찰로 나눈다. $\mu$의 값은 재료의 조합 외에 면의 청정도, 거칠기. 윤활제의 유무, 질 등에 의해 크게 변화한다.

**마찰 시험** Rubbing Test

ISO에서 규정하고 있는 아연·주석·카드뮴 도금의 밀착성시험을 말한다. 이 방법은 비교적 연질 금속인 아연, 주석, 카드뮴의 도금 면(650㎟ 이내)을 평탄한 금속제 도구로 빠르고 확실하게 15초간 마찰하여 도금 면을 관찰한다. 밀착불량 도금에서는 부풀음이 발생되며 마찰을 더욱 계속하면, 이 부풀음은 크게 확대된다. 또한 불량일 경우는 부풀음에 균열이 생겨 도금피막이 소지로부터 박리되어 탈락되게 된다(ISO 2081, 2082, 2093).

**마찰 은도금** Silver Rubbed Plating

은염 또는 은분과 적당한 환원제를 혼합하여, 피도금재의 표면에 도포하여 강하게 마찰하여 은도금을 하는 방법이다. 소지가 동, 황동의 경우에 양호한 도금이 가능하며, 반광택 또는 광택 제거상의 도금 면을 얻을 수 있다. 시계나 계기류의 문자판에 도금되는 경우가 있다. 도포제는 다음 배합으로 물을 가해 진흙모양으로 하여 사용한다. 염화은 5g, 주석산 8g, 염화나트륨 8g, 명반 $KA1(SO_4)_2 \cdot 12H_2O$ 2g, 또는 초산은 2g, 염화안몬 1g, 차아황산 소다 4g, 탄산칼슘 4g이다.

**마크로쓰로잉 파워** Macrothrowing Power ◘ 균일 전착성(52), 피복력(605)

**마크로 에칭** Macro Etching

육안 조직의 검출이나 결함검출용으로 각각 특정 시약을 사용하여 철강을 부식시키는 방법을 마크로 에칭이라고 한다. 각각 주요한 것을 열거하면 다음과 같다. 재질 변화의 검출은 한후레 시약, 1:1 염산수용액(60~80℃), 왜곡 모양의 검출은 플라이 시약, 불순물의 검출은 하인시약, 인의 검출은 스테트 시약이다.

**마크로 전지** Macro Cell : Long Cell

전지작용으로 부식이 일어나는 경우에 아노드부와 카소드부를 확실히 구별할 수 있을 정도로 큰 경우를 말한다. 이종금속 접촉전지 등은 이것에 속한다. ◘ 농염 전지(77), 이종금속 접촉부식(417)

**마크로 조직** Macro-Structure

육안, 확대경, 10배 이하의 저배율 현미경으로 본 금속의 결정조직을 말한다. 결정에 대해서는 0.1mm 이상 큰 것의 분포상태, 형상, 크기 등의 관찰 결과이다. 고배율의 현미경 검사보다도 광범위에 걸쳐 관찰할 수 있는 이점이 있으며, 물품의 검사를 하기 위해서는 가장 직접적이며, 중요한 것으로 화학조성, 조직의 균일도, 수지상정, 핀 홀, 균열 등을 검출하는데 유용하다. = 육안 조직(398)

**막** Membrane

두 개의 상을 나누는 경계상을 말하며, 여러 가지 물질의 투과를 제어할 수 있으므로 광범위한 물질의 분리에 이용된다. 고분자의 막은 분리에 사용되며, 여과, 정밀여과, 한외여과, 역침투 또는 초여과, 투석, 전기투석, 기체분리 등의 프로세스가 있다. 무기 고체막은 고액 분리용의 글래스 필름 외에 수소가스 분리용의 팔라듐합금 막 등이 있다. 또, 각종 이온 센서로써 이온 검출에 이용된다. 예를 들어, 글래스는 pH, 불화란탄은 $F^-$이온, 할로겐화 은은 $Ag^+$이온, $S^{2-}$이온, 지르코니아는 산소이온 $O^{2-}$ 등이다.

**막 분리** Separation by Membrane

막 분리 프로세스

| 프로세스 | 막 | 구 동 력 | 응 용 |
|---|---|---|---|
| 여 과 | 여포, 여지 등의 통상적인 여과막 | 정압차 (감압~2atm) | 현탁 입자(입경1㎛ 이상)의 여과별 |
| 정밀여과 | 공경 0.1~10㎛의 대칭성 다공질막(멘프렌 필름) | 정압차 (감압~2atm) | 콜로이드 분산입자(입경 102~104㎚)의 여과별 |
| 한외여과 | 공경 1~10㎛의 비대칭성 다공질막 | 정압차 (1~2atm) | 고분자량 입자(입경 1~103㎚, 분자량 2×103~3×105 정도)의 여과별 |
| 역침투 또는 초과여과 | 활성 스킨층을 가진 비대칭막, 복합막 | 정압차 (20~100atm) | 물과 염 등, 저분자량 용질의 분리 |
| 투 석 | 공경 0.1~10㎛의 대칭성막 | 농도차 (용질의 이동) | 고분자량 물질과 저분자량 물질의 분리 |
| 전기투석 | 고밀도의 고정 전하를 갖는 하전막(이온교환막) | 전위차 (이온의 이동) | 물과 이온성 물질의 분리 |
| 기체분리 | 대칭 균질막, 비대칭 복합막 | 분압차 (압력 및 농도) | 기체성분의 분리, 농축 |

막 분리

막에 의해 2상을 분리하는 조작으로, 통상 유기고분자 물질의 막이 사용되며, 기체 분리에는 수소는 Pd합금 막이 사용된다. 원리적으로 보아 여과는 공경(孔徑)에 의해, 정밀 여과(MF : Microfiltration), 한외 여과(UF : Ultrafiltration), 역침투 또는 초여과(RO : Reverse Osmosis, HF :

Hyperfiltration) 등은 공경과 공벽에 흡착된 분자에 의해, 투석(Dialysis)은 용해, 확산현상, 특히 확산계수의 차, 전기투석(ED : Electrodialysis)은 이온의 크기와 하전의 정부, 기체 분리는 막으로의 기체 용해, 확산의 이용이다.

**막후계(膜厚計)** Thickness Gage(Gauge)

도금에서 사용되고 있는 막후계의 종류는 전해 박리식, 형광X선식, 전자식, 와전류식, β선방사식 등이 있다. 전해 박리식은 막후계가 싸고 숙련을 요하지 않기 때문에, 가장 널리 사용되고 있지만, 시료가 파괴되는 단점이 있다. 형광X선식은 가격이 비싸지만, 사용범위가 넓고, 도금막의 얇은 귀금속도금이 비파괴로 측정 가능하기 때문에 귀금속도금에 사용되는 경우가 많다. 전자식은 간단하지만, 소재가 강자성체로, 도금이 상자성체 등이 아니면 측정할 수 없다. 박판 등의 연속도금에서는 이들의 막후계를 응용한 연속측정이 실시되고 있다. = 두께계 ◘ 전해식 두께측정법(465), 형광X선식 두께측정법(624)

**막후 측정법** Methods of Thickness Test

도금의 막후 측정법은, KS D 0246「도금두께 시험방법」에 다음 8종류의 방법이 규정되어 있다. (1)현미경 단면 시험방법으로 정도는 0.8㎛, (2)전해식 시험방법으로 정도는 0.2~50㎛로 10% 이내, (3)와전류식 시험방법으로 정도는 참값에 대해 10% 전후, (4)자력식 시험방법으로 정도는 5㎛ 이하의 얇은 도금을 제외하고 참값의 10% 이내, (6)β선식 시험방법으로 정도는 참값에 대해 10% 이내, (7)측미계에 의한 시험방법, (8)질량 계측에 의한 도금부착량 시험방법이다. 상기의 (1), (2), (8)은 시료를 파괴하는 파괴식이고, (3), (4), (5), (6), (7)은 비파괴식이다. = 도금 두께 시험법(95)

**망간** Manganese Mn.

원자번호 25, 원자량 54.9380, 밀도는 α7.44g/㎤, β7.29g/㎤, γ7.21, δ7.21, 융점 1244℃, 불점 2095℃이다. 은백색의 금속 원소로 실온에서 안정된 α 망간은 철보다도 단단하고 약하다. 공기 중에 산화되기 쉽고, 분말 상에서 가열하면 발화되는 경우도 있으나, 덩어리 모양의 것은 표면만이 침해된다. 화학적 성질은 철과 닮았다. 물과는 서서히 반응한다. 산에는 잘 녹는다. 수소 이외의 많은 비금속원소와 직접 화합한다. 용도는 철강의 탈산제, 철강, 알루미늄 등의 첨가원소, 망간, 모넬 등의 합금성분 등이다.

**망간 건전지** Manganese Dry Battery : Manganese Primary Cell

활성물질에 양극은 $MnO_2$, 음극은 Zn을 사용하고, 전해질은 $NH_4Cl+ZnCl_2$,

또는 $ZnCl_2$를 사용한 1차전지로 가장 값이 싸고 취급이 편리하여 많이 보급되고 있는 전지이다. 공칭전압은 1.5V이다.

건전지의 대표적 구조

망간 건전지

**망부착 도금** Basket Plating

소량의 작은 물건을 도금할 때, 동이나 황동제의 금망에 피도금물을 올려 도금하는 방법. 망 주위는 투명한 합성주지로 만들어 액이 통과할 수 있도록 작은 구멍을 뚫어 놓는 게 좋다.

**매개 변수** ◘ 파라미터(560)

**매연** Smoke ; Smoke and Soot

일반적으로는 물질이 연소함으로써 발생하는 그을음과 연기를 말하지만,

(1)연료나 그 이외의 물질이 연소함으로써 발생하는 황산화물

(2)연료나 그 이외의 다른 물질이 연소함으로써 발생하는 매진이나, 전기를 열원으로써 사용하는 전기로 등에서 발생하는 매진

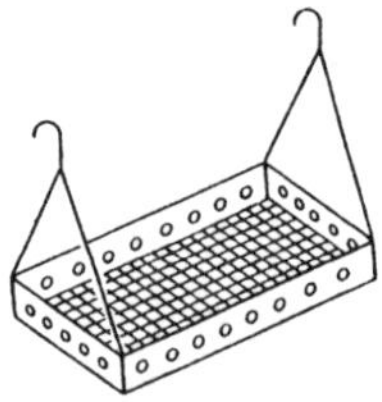
망부착 도금

(3)물질의 연소, 합성, 분해, 그 이외의 처리(기계적 처리를 제외)함으로 인해 발생하는 물질 중, 카드뮴, 염소, 불화수소, 납, 그 이외의 건강 또는 생활환경에 피해를 줄 염려가 있는 물질로 정부에서 정한 것

**매용제(媒溶劑)** ◘ 플럭스(597)

**매트릭스** Matrix

합금의 첨가 성분에 대해 모체가 되는 주성분의 것을 매트릭스라고 한다. 이 외에 금속, 고무, 인쇄 공업 등에서는 주형, 모형도 매트릭스라고 한다. 복합도금에서 분산성분을 받아들이는 기본이 되는 도금을 매트릭스라고 한다. ◘ 분산도금(206)

**매트 마무리** Matt Finish

무방향성의 광택 제거 면에 마무리를 하는 방법을 말한다. ◘ 무지마무리(149)

**맥동율** Ripple ◘ 리플(125)

**맨드렐** Mandrel ◘ 전주 모형(461)

**맨드렐 시험** Mandrel Test ◘ 권선 시험(49)

**멀티셀** Multicell

미국의 랠리 킹(Larry King)사제의 다기능 도금 테스트조의 상품명이다. 멀티셀은 표준 500㎖의 액이 들어가도록 만들어진 소형의 도금조로써, 헐 셀(Hull Cell)과 같이 작업 전류밀도의 측정이 가능하고, 아노드와 카소드의 배치 조합에 의해 균일 전착성, 피복력, 아노드와 카소드의 전류효율의 비교, 광택제 소비율, 공전해 효과, 정성적 전착응력의 측정 등을 시험할 수 있다.

**머틸레스** Lime

연소된 드로마이트와 알루미나로 되어 있는 봉상의 유성연마제를 말한다. 동합금, 스테인리스강, 알루미늄, 동도금면, 니켈도금면 등의 광택을 내는데 이용한다. 라임이라고도 한다. = 라임(114)

**메거** Megger : Megohmmeter

절연저항계를 말하며, 메거는 상품명이다. 수동발전기 또는 전지를 내장하여, 100, 250, 500, 1000, 2000V 등의 전압을 발생시키며, 고저항을 측정하는 저항계의 일종이다. 절연저항은 고압이 되면 일정하지 않고, 전압에 의해 서로 다르기 때문에 기기를 사용할 수 있을 정도의 전압으로 시험을 할 필요가 있다. = 절연저항계(470)

**메니스커스** Meniscus

모세관 안의 액체 표면은 계면장력에 의해 관벽을 따라 주위가 중앙에 비해 올라가든지 내려가든지하여 일종의 곡면을 형성하는데 이 상태를 메니스커스라고 한다. 액체가 관을 적실 때는 메니스커스는 수평면에 대해 오목하며, 적시지 않을 때는 볼록하게 된다. 메스실린더 등의 표선은 메니스커스의 최상부(액이 유리를 적시지 않을 때) 또는 최하부(액이 유리를 적실 때)로 읽는다.

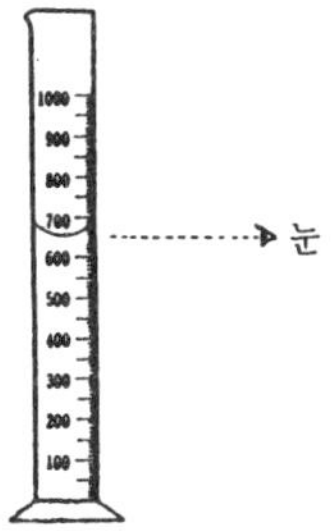


메니스커스와 표선을 보는 방법

메니스커스

**메스 실린더** Measuring Cylinder : Graduated Cylinder

원통형 유리용기로 주로 액체의 체적을 측정하기 위해 사용한다. 유리용기는 눈금이 달려있다. 메스플라스크, 피펫, 뷰렛에 비해 부정확하기 때문에, 대체적으로 체적을 측정하는데 사용한다. 메스실린더 안에 급격하게 뜨거운 액체를 넣으면 밑바닥이 파손되는 경우가 있다. 측정은

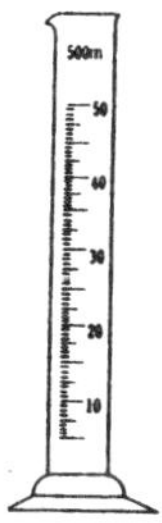

메스실린더

메니스커스의 정점과 표선을 맞추어 행한다.

**메스 플라스크** Measuring Flask : Volumetric Flask

정용(正容) 플라스크라고도 한다. 액체의 체적을 정확하게 조정하기 위해 사용하는 체적계의 하나로, 목이 긴 플라스크 상으로 경질유리, 석영유리 등으로 만들어져 있다. 표준 용액 등, 정확한 농도를 요구하는 용액을 만들 때에 사용한다. 원형부에 E의 문자가 있는 것은 수용(受用)이며, 표선까지 액을 채웠을 때의 체적을 나타내며, 원형부에 A의 문자가 있는 것은 출용(出用)이며, 유출된 액체의 체적이 메스 플라스크에 표시된다. 일반적으로 메스 플라스크는 수용(E의 문자)이 많다. 용량은 20～2000㎖까지 여러 종류가 있다.

메스 플라스크

**메스 피펫** Measuring Pipet

모어 피펫(Mohr Pipet)이라고도 한다. 액체용 체적계의 하나로, 어떤 체적 이내를 임의로 측정할 수 있도록 눈금이 0에서부터 세밀하게 그려져 있다. 경질 유리제가 많으나, 플라스틱제도 있다. = 모어 피펫 ◘ 피펫(611)

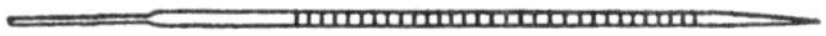
메스 피펫

**메쉬** Mesh

그물의 그물코의 크기를 나타내는 단위이다. 미국의 Tyler의 표준 메쉬는 1in 사이에 있는 그물코의 수로 나타내며, 독일의 DIN의 표준 메쉬는 1㎠중의 구멍수를 나타낸다. KS에서는, 「명목 치수(Nominal Dinension)」(단위 ㎛)라 표시한다.

**메인터넌스** Maintenance

공장 등의 기계기구 등의 운전상태를 양호하게 유지하는 것. 도금공장에서는 도금욕의 관리, 배수처리 장치의 관리도 넓은 의미의 메인터넌스에 포함된다. 문제를 일으키기 전에 예방이 중요하다.

**메카노케미컬 반응** Mechanochemical Reaction

소성변형에 의해 새로이 생긴 미끄럼 스텝은 청정면이기 때문에 화학적으로 대단히 활성이다. 이와 같이 기계적 작용에 의해 활성화되어 발생하는 반응을 금속의 메카노케미컬 반응이라고 한다. 이 반응은 응력부식 균열, 부식 균열, 프레팅 부식, 에로젼 부식, 충격 도금 등에서 중요한 역할을 담당한다. ◘ 메카니컬 플레이팅(139)

**메카니컬 알로잉** Mechanical Alloying

2종 이상의 분말을 강하게 혼합시켜 압착과 박리, 분쇄를 반복함으로써, 합금을 만들어내는 방법을 말한다. 치밀한 재료를 만들기 위해서는 위 공정 외에 프레스, 압출 가공을 하고 난 후, 단조나 압연 등의 가공을 행한다. 특징은 (1)복합재료가 용이하게 가능하다. (2)새로운 합금이 가능하다. (3) 조직이 미세하고 편석이 없는 재료가 가능하다. 용도는 자석 재료, 내열 재료, 초전도 재료, 형상기억 재료 등의 제조용이다. 그러나, 산화 피막이 말려들거나 공간이 발생되기 때문에 충분히 고려하여 사용한다.

**메카니컬 플레이팅** Mechanical Plating

충격 도금법이라고도 하며, 미국의 3M사에 의해 1950년대에 개발된 방법으로 냉간 압접에 의해 도금된다. 예를 들어, 아연도금을 할 때는 피도금재, 아연분말, 매질(유리구슬, 금속구슬 등), 약품(도금촉진제, 소포(消泡)제 등)을 배럴에 넣어 10~20rpm(매분 회전수)으로 회전시킨다. 이 점은 도금의 종류는 Zn, Sn, Cd, Pb, Cu, Sn-Zn, Sn-Cd합금 등으로 한정되어 있으며, 또 피도금재의 재질, 형상에 따라서는 부적당한 것도 있다. 연질 금속이나 좁고 깊은 오목부가 있는 형상의 소재에는 도금이 불가능하다. = 충격 도금법(508)

**메타 규산소다** Meta Sodium Silicate

$Na_2SiO_3$, 또는 $Na_2O \cdot SiO_2 \cdot nH_2O$. 일반적으로 규산소다라고 하면 메타 규산소다를 지칭하는 경우가 많다. 올소 규산소다보다 수용액이며, 알칼리도가 낮고, 알루미늄이나 아연에 대한 부식 억제작용이 있기 때문에, 알루미늄이나 아연소재의 알칼리 탈지에 사용된다. 규산소다는 5종류로 분류되어 있다. 1~3호는 액상이며, 1종은 백색 분말 또는 입상, 2종은 백색 결정이다. ◘ 올소 규산소다(370)

**메타 주석산나트륨** ◘ 주석산나트륨(483)

**메탄올** Methanol ◘ 메틸 알코올(141), 목정(木精)(143)

**메탈라이징** Metallizing

세라믹이나 플라스틱 등의 비금속 표면에 금속층을 형성시켜 표면을 금속화하는 것을 말한다. 방법으로는 무전해도금, 용사, 진공증착(PVD), 스패터링, 이온 플레이팅, 기상도금(CVD), 페이스트 부착법 등이 있다.

**메탈로이드** Metalloid ◘ 반도체①(162)

**메탈리콘** Metal Spraying : Spraying Process

1909년에 M. U. Shoup이 발명한 방법으로, 녹아 있는 금속미립자를 물품에 부착시켜 표면에서 고화시키는 코팅 방법을 말한다. 메탈리콘은 그리스어 또는 라틴어를 기초로 만든 말이다. 방법은 (1)화염 용사, (2)플라즈마 용사, (3)폭열 용사로 구분한다. (1)이 가장 많이 사용되며, 재료의 선 또는 분말을 가스와 산소염으로 녹이거나, 전기아크로 녹여 물품에 부착시킨다. (2)는 점차 증가되는 경향에 있으며, 고융점금속, 각종 세라믹의 용사에 적합하며, 아크방전 등을 이용하여 고온으로 한 질소가스 또는 질소와 수소 혼합가스의 플라즈마를 만들어, 이 안에 재료를 공급하여 물품에 부착시킨다. (3)은 산소, 아세틸렌 혼합가스에 착화하여 폭발시켜, 그 에너지를 한 쪽 방향으로 집중시켜 분말과 함께 부착시킨다. 세 방법 모두 용사층은 일반적으로 다공질이다. 물품 표면과의 밀착도, 기계적인 고정효과가 큰 비율을 차지하고 있기 때문에 별로 좋지는 않다. 금속 결합을 증가시키기 위해 개량이 진행되고 있다. 장소에 제한을 받지 않고, 코팅을 할 수 있는 이점이 있기 때문에, 대형 구조물에 적용할 수 있다. = 금속용사법 ◘ 용사(376)

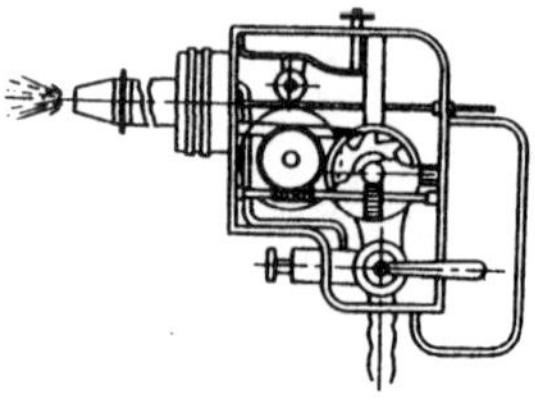

초기의 용사기

메탈리콘

**메탈 코어 프린트 배선기판** Metal Core Printed Wiring Board

알루미 등의 금속판을 지지 기본체로 하여, 필요부분을 절연하여 도체 패턴을 만든 프린트 배선기판을 말한다. 예를 들어, 알루미판에 절연 시트를 접착하고, 그 위에 동박을 부착시켜 동박을 에칭하여 회로를 만드는 방법은, 발열되기 쉬운 회로에 사용된다.

**메틸렌 클로라이드** Methylene Chloride $CH_2Cl_2$.

염소화 탄화수소 용제의 일종으로 메타클렌은 상품명이다. 유지류의 용해력은 일반적으로 사용되고 있는 염소화 탄화수소 용제 중에서 최대이다. 독성이 적고, 안정성이 좋으며, 혼입된 물에 대해서도 안정하다. 불점이 낮고 40.4℃에서 증기로 되기 쉽기 때문에, 증기의 위험도가 높고, 가열에 필요한 열량은 적게 들지만, 냉각수는 20℃ 이하의 것이 필요하며, 하절기에는 냉각장치가 필요하다. 금속부품의 증기세정, 특히 열에 의한 영향을 받기 쉬운 제품의 세정에 적합하다. 이 용제도 오존층 파괴물질로써 사용금지화 되고 있다. = 염화메틸렌, 디클로로메탄(109)

**메틸 수은** Methylmercury

알킬 수은의 하나로, 수은과 메틸기가 결합한 것으로, 보통은 염화메틸 수은($CH_3HgCl$)을 말한다. 백색 결정으로 물에 대한 용해도는 5000ppm, 미나마타병 발생의 원인물질의 하나다. ◘ 알킬 수은(314)

**메틸 알코올** Methyl Alcohol

화학식은 $CH_3OH$이다. 무색 투명하고, 에틸 알코올과 같이 냄새를 갖는 액체로 물, 에틸 알코올, 에테르, 그 외의 유기용매와 잘 혼합된다. 도금 후의 물 제거, 건조에 사용하는 경우가 있다. 불점 64.56℃, 비중 0.791로 유독하고, 마실 경우 8~20g에서 실명하고, 30~50g에서 사망한다. = 메탄올, 갈바놀 ◘ 목정(143)

**메틸 오렌지** Methyl Orange $C_{14}H_{14}N_3O_3SNa$.

아조(Azo)염료의 하나이다. 주황색 결정으로 물에 녹으며, 물 100g에 대한 용해도는 0.02g(20℃), 수용액은 염기성에서 주황색, 산성에서 적색을 나타내기 때문에 지시약으로 사용된다.

**멕커 프로세스** Mecker Process

스웨덴의 SIGMA INNOVATION A/B사에서 개발한 프린트 배선기판의 Cu를 알칼리(암모니아)계 에칭액으로 에칭하여 액을 재생하는 기술 및 장치이다. $Cu(NH_3)_4Cl_2$로 에칭한 후, 용매 추출과 전해로 Cu를 회수하여, 액을 재생하면서 에칭을 계속해 간다.

**멤부레인** Membrane ◘ 막(134)

**면심격자** Face Centered Lattice ◘ 브라베이 격자(214)

**면심입방격자** Face Centered Cubic Lattice ◘ 브라베이 격자(그림)(215)

**면적계** Planimeter

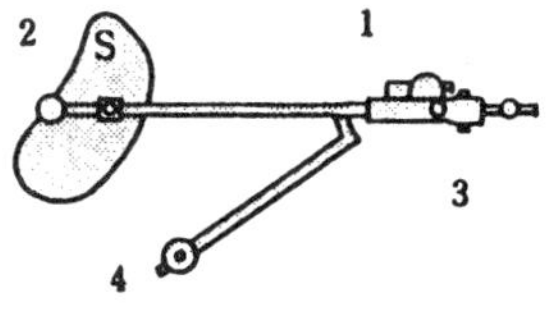

면적계

광학적으로 정확하게 면적을 측정하는 장치가 있으며, 도면상의 면적을 기계적으로 측정한다. 암슬러 면적계(Amsler Planimeter)는 그림과 같이 1의 주위에서 서로 자유롭게 회전할 수 있는 2개의 팔이 있으며, 면적을 측정하려 하는 도형 S 외곽의 적당한 점에 4를 고정하고, 2를 S 주위를 따라 이동시킨다. 3에 달린 작은 바퀴는 지면과의 마찰에 의해 회전하며, 2가 한 바퀴 일주하는 사이, 3의 바퀴 회전수가 S의 면적에 비례하기 때문에, 3의 회전수를 읽어 S의 면적을 구할 수 있다. = 플래니미터(596)

**면지수** Miller's Indices ◘ 밀러 지수(155)

**멸금(滅金)** Plating

「도금」과 같은 의미의 한자로, 도금의 어원이 되고 있다. ◘ 도금(95)

**모관현상** Capillarity : Capillary Phenomenon

액체 안에 가는 관(모세관)을 세우면, 액이 관의 내측 벽면을 적실 때, 외부 액면보다 관의 내부 액면이 높게 올라가고, 적시지 않을 때는 내부 액면이 낮게되는 현상을 말한다. 액체 분자간의 응집력과 액체와 관벽 사이의 부착력과의 대소 관계에 따라, 액체가 관을 적실(부착력이 크다) 때는 액면은 상승하고, 적시지 않을 때는 하강한다. 이 관계는 액체의 표면장력 측정에 이용된다. 표면장력을 $\gamma$, 접촉각을 $\theta$, 중력가속도를 $g$, 내외액면 높이의 차를 $h$, 관의 반경을 $r$, 액체의 밀도를 $\rho$라 하면, $h=2\gamma\cos\theta/\gamma\rho g$로 표시한다. ◘ 표면장력 측정법(585)

**모넬 메탈** Monel Metal

니켈-동합금으로 내식성, 내열성이 좋고, 기계적 성질도 뛰어나다. Ni 63~70%, Fe 2.5%이하, Mn 2%이하, 미량의 C, Si, Al, S, 잔여부 Cu(26~30%). 화학, 약품, 해양발전, 정유, 제지 등에 널리 이용된다. 이 외에 Al을 3~3.5% 첨가해 시효경화성을 준 것을 K모넬이라고 한다. 또 S를 증가시켜 절삭성을 준 것을 R모넬, Si를 증가시킨 것은 H모넬, S모넬이 있으며, 주물용에 이용된다.

**모르타르** Mortar

시멘트 모르타르라고도 한다. 석회와 모래를 일정 비율로 혼합하여 물로 반죽한 것이다. 수경성 시멘트에 물 및 모래를 서로 반죽한 것, 또는 이 것이 경화한 것을 말한다. 용도에 따라 여러 가지 혼화제가 혼입된다. 모르타르에 자갈를 혼입한 것이 콘크리트이다. = 시멘트 모르타르(276)

**모스경도** Mohs Hardness

1820년에 Friedrich Mohs가 고안한 경도의 표준으로, 스크래치(Scratch)에 의해 경도를 구한다. 1~10으로 분류하며, 1은 활석, 2는 석고, 3은 방해석, 4는 형석, 5는 인회석, 6은 장석, 7은 수정, 8은 황옥(토파스), 9는 강옥, 10은 다이아몬드이며, 상처가 나면 표준보다 약한 것으로 판정하며, 보다 약한 표준과 비교한다. ◘ 경도(23)

**모어 피펫** Mohr Pipet ◘ 메스 피펫(138)

**모오** mho : MHO

역옴이라고도 한다. mho은 ohm의 역을 나타낸다. 전기가 통하기 쉬운 정도 즉, 콘덕턴스 또는 어드미턴스의 단위. 1옴의 저항체 콘덕턴스를 1

모오라고 한다. 옴의 역수로 $\Omega^{-1}$ 또는 ℧으로 표시하며, 공식 SI단위에서는 S(시멘스)로 표시하며, 모오는 사용하지 않는다.

**모집단(母集團)** Poppulation

어떤 집단에서 샘플링을 행하고 그 샘플링에 대해 시험, 조사 등을 실시하여, 그 결과를 근거로 어떠한 처치를 취하거나 또는 결론을 얻거나 하는 경우, 원래의 집단을 모집단이라고 한다. 유한 모집단과 무한 모집단이 있다. 전자는 제품이나 원료의 로트를 대상으로 하여 샘플링을 행하는 경우이다. 후자는 연속되는 공정을 해석하기 위하여 샘플링을 행하는 경우이며, 어떤 조건에서 생산되는 제품이나 그 샘플링은 무한하게 이어진다고 여겨지기 때문에 무한 모집단이라고 한다.

**모형** Master ◘ 마스터(130)

**목백** ◘ 할로잉(618)

**목정(木精)** Wood Spirit

메틸 알코올의 별칭이다. 목재의 건류 생성물 중에서 얻을 수 있기 때문에 이와 같이 부른다. = 메탄올, 갈바놀 ◘ 메틸 알코올(141)

**목초(木酢)** Wood Vinegar

목재를 건류시켜 얻을 수 있는 수용액 부분. 초산, 메탄올, 아세톤, 초산메틸 등을 포함한다.

**몰** mol : mole

물질량의 기본단위이다. 국제 단위계에서는 탄소의 질량수 12의 동위체 $^{12}C$의 12g 중에 함유된 원자 수(아보가드로 정수)와 같은 수의 물질입자(원자, 분자, 유리기, 이온, 전자)를 포함한 계의 물질량 또는 전하를 1몰로 정의하고 있다. 예를 들어, 수소원자 1몰의 질량은 근사적으로 1.008g이고, 전자 1몰의 전하는 1F=96487℃이다. 기호는 mol로 표시한다. 별도로 몰 농도의 단위로 몰이 사용된다. 기호는 mol/$l$, 또는 M이다.

◘ 몰 농도(후항)

**몰 농도** Molarity

용액 1$l$ 중에 함유된 용질의 양을 몰수로 표시한 농도를 말하며, 리터몰 또는 단순히 몰이라 하고, mol/$l$ 또는 M으로 나타낸다. 중량 몰농도(mol/kg 용매)와는 다르다. ◘ 몰(전항), 화학식량 농도(630)

**몰드 프린트 회로부품** Molded Interconnection Device

내열성이 높은 엔지니어링 플라스틱의 사출 성형품으로 직접 도체 패턴을 한 부품을 말한다. 전자부품의 소형화가 가능하다.

**몰리브덴** Molybdenum Mo.

원자번호 42, 원자량 95.94, 비중 10.28, 융점 2622℃m 불점 4800℃, 저항율 5.2×10-8 $\Omega$·m(0℃)이다. 분말은 회색, 융해 또는 소결된 것은 은백색 결정, 화학적으로 불활성이며, 내산성이 극히 강하고, 불화수소산, 염산, 희황산과는 반응하지 않는다. 농초산과는 반응하지만, 표면이 곧 바로 반응물로 뒤덮히기 때문에 반응은 진행되지 않는다. 열농황산, 왕수나 농초산과 불화수소산의 혼합물에 녹는다. 암모니아수에는 공기의 존재로 용해된다. 용도는 대부분이 스테인리스강에 첨가하여 내식성을 향상시킨다. 또, 강에 첨가하여 몰리브덴강을 만든다. 몰리브덴강은 경도, 강도에 뛰어나며, 절삭공구 등에 이용된다. 황화몰리브덴은 고체윤활제로써 사용된다.

**몰리브덴 소지의 전기도금** Electroplating on to the Molybdenum

도금공정은 전해 세정(교류전해, 10% 수산화나트륨 25V로 20초간)→양극 처리(70%황산 20~30℃, 10~30A/dm$^2$, 30초간)→알칼리 침적 세정→산 침적(10% vol%황산)→크롬도금(50℃이상, 15A/dm$^2$, 60초간)→니켈 스트라이크도금(염화니켈 250g/$l$, 농염산 100㎖/$l$, 상온, 5A/dm$^2$)→전기 니켈도금이다. 그리고, 상기 화살표 공정에는 모두 수세 공정이 포함된다.

**몰 전도도** Molar Conductivity

전해질 용액의 도전성을 나타내는 값으로, $\Lambda = x/c$로 표시한다. $x$는 용액의 도전율($S$; 시멘스$=\Omega^{-1}$), $c$는 몰농도(mol/ $l$ )이다. = 분자 전도도(206)

**뫼비어스법** Moebius Method

아노드 백을 덮은 조은(粗銀)을 아노드로 하고, 스테인리스의 카소드에 수지상의 정제된 은을 정착시켜, 이것을 진동 또는 습동에 의해 수조 밑바닥으로 떨어뜨려 회수한다. 원통형의 아노드, 카소드를 마련한 연속식도 개발되고 있다.

**무관계 염** ◘ 지지 전해질(491)

**무관계 전해질** Indefferent Electrolyte

종점의 지시에 고주파 특성을 이용한 고주파 적정에서 의사(疑似) 종점을 피하기 위해 다량으로 첨가한 전해질을 말하지만, 지지 전해질을 말하는 경우도 있다. ◘ 지지 전해질(491)

**무광택 도금** Mat Electrodeposition ; Matt Electrodeposition; Dull Plating

미시적으로도 거시적으로도 빛을 반대로 난사 또는 흡수하여 부드러운

면이 없는 도금표면을 말한다. ◘ 광택 도금(44)

**무광택 무지마무리**

표면을 균등하게 한 무방향성의 광택제거면 마무리를 말한다. 예로써 카메라의 파인더 커버나 시계의 문자판 등의 도금표면 등이 있다. = 광택제거 무지 ◘ 무지 마무리(149)

**무기물 피복** ◘ 세라믹 코팅(245)

**무기산** Inorganic Acid

유기산에 대한 무기산을 말한다. 무기산을 광산(鑛酸)이라고도 한다. 염소, 황, 질소, 인 등의 탄소 이외의 비금속을 포함한 산이며, 예를 들어 황산 $H_2SO_4$, 염산 HCl, 초산 $HNO_3$, 인산 $H_3PO_4$, 과염소산 $HClO_4$, 차아염소산 HClO, 불화수소산 HF 등이다. 탄산만은 탄소원자를 함유하고 있지만, 무기산에 포함된다. = 광산(42)

**무기 용매** Inorganic Solvent

비수 용매 중의 무기물을 말한다. 이온성의 것과 분자성의 것이 있으며, 전자에는 각종 용융염이 있고, 후자에는 액체암모니아, 삼염화안티몬, 불화수소 등이 있다.

**무도금** Bare Spot : Void : Uncovered

도금이 부착되어 있지 않는 상태를 말한다. 저전류밀도 부분에서 발생되기 쉽다(소지 또는 석출 불순물과의 전지작용, 수소가스의 정체 그리고 그 외의 것에 의해 발생된다). = 보이드(188)

**무산소 고전도동** Oxygen-Free High-Conductivity Copper ◘ OFHC(367)

**무산소 동** Oxygen-Free Copper ◘ OFC(367)

**무산화 동** Tough Potch Copper

산소 함유량을 0.02~0.05% 중량까지 억제되도록 전기동을 다시 용해하여 만든 정제동을 말한다. 강인한 성질을 갖는다. ◘ OFC, OFHC(367)

**무색 크로메이트** Colorless Chromate

아연도금의 크로메이트 처리는 유색 크로메이트, 광택 크로메이트, 흑색 크로메이트, 녹색 크로메이트로 분류되며, 광택 크로메이트를 무색 크로메이트 또는 「유니크롬」라고도 한다. 광택 크로메이트는 블루계의 청은 백색으로 미려한 외관을 중시하며, 내식성을 특별히 중시하지 않는 경우에 실시되지만, 그 이외의 유색 크로메이트에 비해 내식성이 떨어진다. ◘ 광택 크로메이트(45), 유니크롬(389)

**무수 알코올** Absolute Alcohol : Anhydrous Alcohol

일반적으로 99.5% 이상의 에탄올을 무수 알코올 또는 무수 에탄올이라 칭한다.

**무수 크롬산** Chromium Trioxide $CrO_3$.

적색의 침상결정, 삼산화크롬을 말한다. 독물, 위험물, 특정 화학물질, 시판 제품은 분말상 또는 인편상의 것이 많고, 공기에 닿으면 조해되기 쉬우며, 물에 용이하게 녹아 크롬산이 된다. 알코올, 그 외 산화되기 쉬운 물질과 혼합하면 폭발하여 화재를 일으킬 염려가 있다. 도금에서는 크롬도금욕의 주성분이나 크로메이트 처리액에 사용된다. ◘ 크롬산(537)

**무전해 금도금** Electroless Gold Plating

동 및 동합금 소지에 치환반응을 이용하여 금도금하는 욕조성은, 시안화금칼륨 0.5g/$l$, 시안화나트륨 4g/$l$, 탄산나트륨 5g/$l$ 온도 65~80℃로 사용한다. 자기촉매 반응에 의한 금도금 욕조성은, 지시아노금(I)산 칼륨 6g/$l$, 시안화칼륨 13g/$l$, 수산화칼륨 12g/$l$, 수소화붕소칼륨 22g/$l$, 온도 60~85℃로 사용하는 욕 등이 있으나, 모두 아직 결점이 많다. 이 외에 은경(銀鏡)반응과 같이 금액(金液)과 환원액을 별도로 조제하여 도금시에 양액을 혼합하여 금도금을 하는 방법도 있다.

**무전해 니켈도금** Electroless Nickel Plating

매성이 있는 표면에 석출되는 무전해도금법의 단서가 되는 카니젠법 니켈도금을 포함한 무전해 도금방법으로 현재는 환원제로 구별하면 3타입으로 나눈다. (1)차아인산소다($NaH_2PO_2$), (2)수소화 붕소화합물(수소화붕소나트륨 $NaBH_4$, 디메틸 아민보란$(CH_3)_2HN \cdot BH_3$, 디메틸 아민보란$(C_2H_5)2HN \cdot BH_3$), (3)히드라진 화합물(히드라진 $N_2H_4$, 황산 히드라진 $N_2H_4 \cdot H_2SO_4$, 염산 히드라진 $N_2H_4 \cdot HCl$, $N_2H_4 \cdot 2HCl$)의 그룹이다. (1), (2), (3) 모두 $Ni^{++}$이온의 착화제는 유기산 또는 아민이 사용되며, 이들의 조합으로 산성욕, 알칼리성욕, 고온욕, 저온욕 등 많은 종류가 있다. 석출물은 (1)은 P, (2)는 B와의 합금, (3)은 순 Ni이지만, 이들 모두 비정질인 경우가 많고, 내식성이 좋으며, 경도가 높다. 공업적인 응용분야는 계속 확대되고 있다. = 화학 니켈도금 ◘ 카니젠법(517)

**무전해 니켈-붕소도금** Nickel-Boron Electroless Plating

욕 조성은, 황산니켈 30g/$l$, 디메틸 아민보란(DMAB)3g/$l$, 구연산나트륨 25g/$l$, 황산 25g/$l$, pH 7.0, 작업온도 50℃이다. 도금피막은 Ni이 99.0~99.5%이고 잔여부가 B의 합금이다. 결정구조는 미결정성이다. 경도는 Hv 700~800으로 높다. 핀 홀이 많고 강자성이다. 융점이 높고

1400～1450℃, 도금피막은 산화되기 어렵기 때문에 표면이 활성이며, 납땜성이 좋아 프린트 배선기판이나 전자부품에 많이 사용된다. Ni-P계의 무전해니켈 도금과 비교해 약품가격이 6～8배가 들기 때문에 부가가치가 높은 약품으로 사용된다.

**무전해 니켈합금 도금** Electroless Nickel Alloy Plating

니켈-코발트합금 도금의 욕 조성의 예는 염화니켈+염화코발트 0.05mol/$l$ (양자의 비율은 임의로 설정), 염산 히드라진 1.0mol/$l$, 주석산나트륨 0.4mol/$l$, 티오요소 2～3ppm, pH 12.0(NaOH), 온도 90℃, 그 외에 니켈-코발트-붕소합금, 니켈-코발트-인합금, 니켈-철-인합금, 니켈-텅스텐-인합금 등이 있다.

**무전해 도금** Electroless Plating ; Chemical Plating

외부에서 수용액에 전기에너지를 주지 않고 행하는 도금을 말한다. 분류방법은 다음과 같다. (1)치환도금, (2)접촉도금, (3)비촉매 화학도금, (4)촉매 화학도금이다. (1)은 침적도금이라고도 불리며 높은 금속의 수용액에 낮은 금속을 침적시키면 치환반응이 일어나 높은 금속이 석출되며, Au도금, Sn도금 등이 있다. (2)는 비금속을 접촉시켜 전지작용으로 피도금물에 도금하는 것이지만, 별로 사용하지는 않는다. 화학니켈 도금의 석출을 개시시킬 때에 사용하는 경우가 있다. (3)은 환원제로 도금액 중의 금속을 피도금물의 표면에 석출시키는 것이며, 피도금물 이외에도 석출되며 선택성은 없다. 은경 반응이 대표적인 것이다. (4)가 통상, 무전해 도금이라고 하는 것으로 환원제를 함유한 도금액 중에서 촉매작용이 있는 천이금속의 표면으로만 선택적으로 금속이 석출되는 것으로 실제 이용되고 있는 것은 니켈도금과 동도금이 대부분이다. = 화학도금(629)

**무전해 동도금** Electroless Copper Plating : Chemical Copper Plating

촉매작용이 있는 면에서 석출되는 동도금으로, 플라스틱도금, 프린트 배선회로의 쓰루 홀도금 등에 사용된다. 크게 나누어 상온에서 1㎛ 이하의 박막을 얻는 타입과 고온(60～70℃)에서 20～30㎛의 후막을 얻는 타입으로 나눈다. 전자는 쓰루 홀도금에 이용되는 동의 착화제는 주석산이 주이며 EDTA, 구연산 그 외도 사용된다. 환원제는 포름알데히드이지만 디메틸아민보란을 사용하는 경우도 있다. 후자는 애디티브법에서의 회로제조 등에 사용되는 욕으로 동의 착화제는 EDTA이지만, 그 외 아미노화합물도 사용된다. 환원제는 전자와 같다. 연성이 있는 동이 석출된다. 안정성, 피막물성 개선을 위해 각종 첨가제가 사용된다. 전자보다 욕조성

의 변동이 크며 조작이 어렵다. = 화학 동도금(630)

**무전해 땜납도금** Electroless Tin-Lead Alloy Plating

전자 부품, 프린트 배선기판에 무전해 땜납도금이 이용된다. 욕 조성은 염화물욕, 붕불화물욕, 술폰산욕 등이 있다. 한 예로써, 염화제일주석 10g/l, 염화연 5g/l, 티오요소 120g/l, 차아인산나트륨 20g/l, EDTA 50gg/l, 젤라틴 1g/l, pH 1.2, 온도 70∼80℃이다. 붕불화욕은 외관이 양호하고 저온도역에서 사용할 수 있으나, 욕의 부식성이 강하고 안전위생상 문제가 있으며, 배수처리가 곤란하다. 또 어느 욕도 Cu상으로의 치환타입의 무전해 도금욕이다(티오요소의 Cu 착화합물이 표면에 생겨 Cu의 전위가 낮아진다). 그리고, 차아인산나트륨은 환원제가 아니며, Sn(Ⅱ)의 산화방지제로써 추가된다.

**무전해 비소도금** Electroless Arsenic Plating

치환형의 무전해 도금으로 철강 소지상의 도금욕의 조성은 삼산화비소 $As_2O_3$ 60g/l, 염산 1l, 온도는 상온이다. 동합금 소지상의 도금욕 조성은 삼산화비소 $As_2O_3$ 75g/l, 염화제이철 $FeCl_3 \cdot 6H_2O$ 90g/l, 염산 1l, 온도는 65℃이다. 알루미늄 소지상의 도금욕의 조성은 삼산화비소 $As_2O_3$ 75g/l, 탄산나트륨 100g/l, 온도는 65℃이다. 용도는 곰팡이 방지, 항균대책을 필요로 하는 기기에 이용된다.

**무전해 은도금** Electroless Silver Plating

치환반응을 이용한 침적 은도금은 일반적으로 동 및 동합금이 이용된다. 욕 조성의 예는 시안화은 7.5g/l, 시안화나트륨 15g/l, 온도는 상온, 또는 초산은 7.5g/l, 암모니아수 7.5g/l, 티오황산나트륨 105g/l, 온도는 상온이다. 환원제를 사용하는 것은 은경 반응이라 하여 전주에 이용되고 있다. 대표적인 것은 환원제로써 주석산염, 포도당, 포름알데히드가 이용되고 있다. 은경 반응시는 사용 후, 액 중의 $Ag^+$이온을 AgCl로써 침전시켜 놓지 않으면 폭발 위험성이 있다. ◘ 은경 반응(399)

**무전해 주석도금** Electroless Tin Platin

치환반응을 이용한 무전해 주석도금은 침적 주석도금이라 불리며 사용되고 있다. 알칼리성욕과 산성욕이 있으며, 전자에서의 석출 주석피막은 극히 얇아 일시 방청에 이용된다. 후자에서의 석출 주석피막은 광택이 좋고 치밀하여 내식성이 뛰어나다. 동의 주석도금에 사용되는 욕 조성의 예는, 알칼리성욕의 경우 염화제일주석 18g/l, 시안화나트륨 188g/l, 수산화나트륨 23g/l, 온도는 상온이며, 산성욕의 경우는 염화제일주석 6g/l, 티오

요소 55g/$l$, 주석산 40g/$l$, 온도 12～14℃이다. 시판되고 있는 침적 주석 도금욕은 산성욕이 많다. = 침적 주석도금(514)

**무전해 코발트 도금** Electroless Cobalt Plating

고밀도 자기기록용으로 사용된다. 도금욕은 산성욕은 속도가 느리고 알칼리성욕은 빠르기 때문에 일반적으로 알칼리성욕이 이용된다. 도금욕의 예는 황산코발트 15～20g/$l$, 차아인산나트륨 21g/$l$, 구연산나트륨 60g/$l$, 붕산 30g/$l$, pH 8, 온도 90℃, 도금속도 5～7㎛/h이다. 도금피막 중의 인의 함유량에 따라 보자력이 변화한다. 그 외에 환원제로써 히드라진, 수소화붕소나트륨을 사용하는 욕이 있다.

**무전해 코발트합금 도금** Electroless Cobalt Alloy Plating

자성도금으로써 코발트합금 도금이 개발되고 있다. 예를 들어 코발트-철-인합금, 욕조성의 예는 황산코발트 0.089mol/$l$, 황산제일철 0.73mol/$l$, 황산암모늄 0.303mol/$l$, 구연산나트륨 0.095mol/$l$, 차아인산나트륨 0.377mol/$l$, pH 8.1, 온도 80℃, 그 외에 코발트-텅스텐-인합금, 코발트-니켈-망간-레늄-인합금 등이 있다.

**무전해 크롬도금** Electroless Chromium Plating

크롬의 무전해 도금법을 말하며, 3가의 크롬에서의 치환타입의 무전해 도금법이다. 철 및 니켈소지용의 욕조성은 취화크롬 16g/$l$, 염화크롬 1g/$l$, 수산나트륨 9g/$l$, 구연산나트륨 10g/$l$, 차아인산나트륨 10g/$l$, pH 8～10, 온도 70～90℃, 동 및 황동소지용의 욕조성은 불화크롬 15g/$l$, 염화크롬 1g/$l$, 구연산나트륨 7.5g/$l$, 차아인산나트륨 7.5g/$l$, 온도 70～90℃이다.

**무전해 팔라듐도금** Electroless Palladium Plating

팔라듐은 금에 비해 가격이 약 1/4로 비중이 약 1/3이며, 동일 도금두께에서 값이 싸다. 욕조성의 예는 염화팔라듐 4g/$l$, 수산화암모늄 350g/$l$, 에틸렌디아민 사초산나트륨 34g/$l$, 히드라진 0.3g/$l$, 온도 80℃이다. 용도는 금도금 대용으로써 전지접점 또는 커넥트에 사용된다.

**무정형** Amorphous ◘ 비정질(224)

**무지(無地) 마무리**

기계적 또는 화학적으로 표면을 거칠게 마무리하는 방법(KS D 8317, 「전기도금 용어」), 광택 무지, 반광택 무지, 무광택 무지가 있다. 가공법은, 와이어브러시법, 샌드브라스트법, 분산도금법 등이 있다. 일반적으로 무방향성의 무광택면으로 마무리하는 방법을 매트(Matt) 마무리라고 한다. 방향성이 있는 무광택면으로 마무리하는 방법을 서틴(Satin) 마무리라고 한다. ◘ 매트 마무리(138), 서틴 마무리(243)

**물** Water $H_2O$.

분자량 18.016, 밀도 0.999973g/㎤(3.98℃), 불점 100℃, 융점 0℃, 비열 1.0cal/deg · g(15℃), 열전도도 $1.40\times10^{-3}$cal/㎝ · s · deg(20℃), 기화열 539 · 032cal/g(100℃), 융해열 79.4cal/g(0℃), 표면장력 72.75dyn/㎝, 유전율 80.08, 비저항 $2.5\times10^{7}\,\Omega$ · ㎝이다. 물은 많은 기체나 염류를 녹이는 용제의 일종이다. 또 물은 일부가 다음과 같이 전리한다. $H_2O \rightleftharpoons H^+ + OH^-$. 수소이온 농도$[H^+]$와 수산이온 농도$[OH^-]$의 곱은 물의 이온곱 이라고도 부른다. 거의 $1\times10^{-14}$이다. 단, 수중에서는 $H^+$와 $H_3O^-$로 전리된다. 수중의 불순물 제거에는 이온 교환수지법, 증류법 등의 방법이 실시된다.

◘ 순수(261), 증류수(489)

**물리 증착** Physical Vapor Deposition ◘ PVD(606)

**물방울 테스트** Water Drop Test

수적(水滴)시험이라고도 한다. 표면의 세정 정도를 조사하기 위해서 세정된 표면에 일정한 높이에서 일정량의 물방울(예를 들어, 유리 피펫을 사용한다)을 낙하시켜, 세정면이 확산되는 물방울의 직경을 비교하는 방법이다. 표면에 있는 소수(疏水)성의 오염이 크면, 물방울과 표면의 접촉각 $\theta$는 90℃ 이상이 되며, 물방울은 표면을 굴러가게 된다. 이것을 젖음성이 나쁘다고 한다. 표면의 오염이 적으면 접촉면의 직경 $D$가 커진다.
= 수적시험(259)

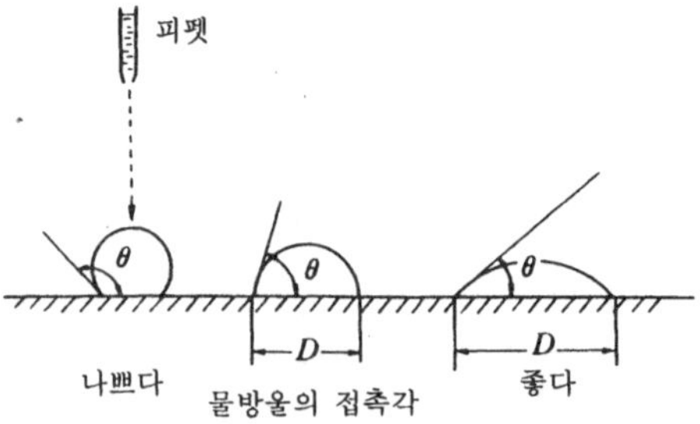


물방울 테스트

**물유리** Water Glass

물, 알칼리에 용해하는 규산나트륨($Na_2SiO_3$)과 같지만, 그것보다도 $SiO_2$의 양을 증가시킨 것으로 규사($SiO_2$)와 소다회($Na_2CO_3$)를 몰비로 $SiO_2/Na_2O=1.6\sim3.8$로 혼합하여, 가열 용해한 것의 농후수용액이다. 수유리는 점도가 높고 투명하며, 용도는 내열성 접착제, 자경성(自硬性)주형의 점결제 등이다.

**물의 경도** Water Hardness

물에 포함되어 있는 칼슘과 마그네슘의 양을 탄산칼슘의 ppm으로 환산하여 나타낸 수치로, 전경도, 일시경도, 영구경도 등의 구별이 있다. 칼슘이나 마그네슘이 탄산수소염으로써 존재하는 경우는, 끓임으로 인해 분해되어 탄산염을 침전시켜 연수화가 가능하기 때문에 일시경수라고 한다. 황산염, 그 외로써 존재하는 경우는 이 조작에서 연수화가 불가능하기 때문에 영구경수라고 한다. 각각의 경도를 일시경도, 영구경도라고 하고, 두 가지를 포함한 것을 전경도라고 한다.

**물치환성 시험** Water Displacement Test

녹 방지 기름이 금속표면에 부착되어 있는 물과 치환되어 녹을 방지하는 성질을 조사하는 시험이다.

**미결정 집합층** Fine Crystalline Layer ◘ 베일비 층(183)

**미나마타병** Minamata Disease

유기 수은에 의해 오염된 어폐류를 많이 섭취함으로써 일어나는 중추신경계 질환이다. 1953년부터 1959년까지 일본 쿠마모토현 미나마타 지방에서 발생하였다. 1965년에 니이카타현의 하류에서 같은 병이 발생하였다. 모두 공장 폐수중의 유기수은이 원인 물질이다. ◘ 알킬 수은(314)

**미디어** Media

영어 Medium(매체)의 복수형이며, 배럴연마에서는 물품과 함께 배럴 내에 장착되어 연마작용을 함과 동시에 물품간의 충돌을 방지하는 격리작용도 하는 물질을 말하며, 연마제마다 다른 미디어를 사용한다. 자연 연마석, 인조 연마석, 플라스틱 미디어, 금속 미디어, 유기질 미디어 등이 있으며, 인조 연마석(알루미나 분말에 첨가제를 가해 소결한 것 등)이 가장 많이 사용된다.

**미립화** Grain Refining

결정립을 미세화하는 열처리를 미립화라고 한다. 미립화 열처리는 변태점 이상 50℃ 높은 온도로 가열한 후, 공기 중에서 방냉함에 따라 행해진다. 이 열처리에 의해 결정립이 미세화하는 것뿐만 아니라, 내부 응력이 제거되며, 기계적 성질이 개선된다. 즉, 인장강도나 항복점은 높아지지만, 신율는 다소 감소한다. 바나듐, 티탄, 니오브 등은 강의 결정립을 미세화시키는 첨가 원소이다. 결정립의 미세화는 소성 가공과 열처리의 조합에 의해서도 유효하게 행하여진다.

**미세 균열** Shattered Crack

강재에 발생하는 미세한 균열을 미세 균열이라고 하며, 그 발생 원인은 주로 강재에 흡수된 수소에 의해 발생한다고 알려져 있다. 즉, 백점(White Spot)과 같은 균열이다. 미세 균열은 피로 파괴의 원인이 되는 것으로, 횡렬(Transverse Fissure)도 대부분은 이 미세 균열에 의해 발생한다. 미세 균열을 검출하기 위해서는 마크로 에칭이 좋다.

**미소경도** ◘ 미크로 경도(154)

**미소(微小) 경도계** Micro-Vickers Hardness Tester

도금 피막의 경도를 측정하기 위해서는 미소경도계(마이크로 비커스경도계)를 이용한다. 대면각 136°의 정사각 추의 다이아몬드 압자를 1kg 이하의 일정 시험 하중에서 시험면에 압착시켜, 그 때의 하중과 생성된 영구히 패인 오목 부위의 면적비에서 시료의 경도를 구한다. KS D 0212 「공업용 크롬도금」에 의하면, 시료의 도금 피막의 두께는 생성된 영구히 패인 오목 부위의 대각선의 길이의 1.5배 이상 필요하다. 경도의 기호는 Hv를 사용한다. = 마이크로 비커스경도계 ◘ 비커스 경도(225)

**미소 불연속 크롬도금** Microdiscontinuous Chromium Plating Process

통상적인 크롬도금은 크랙이나 포어 부분에 부식전류가 집중되어 부식깊이가 깊어지며 소지가 빠르게 침식당하기 때문에 생각을 전환하여 크랙이나 포어 수를 극단적으로 많게 하여 부식전류를 분산시켜, 부식이 균일하여 진행되어 부식깊이가 깊어지는 것을 방지한 것이 이 방법으로 크랙 수를 많게 한 마이크로크랙 크롬도금과 포어 수를 많게 한 마이크로포러스 크롬도금으로 대별된다. 또 크랙이나 포어를 생성시키는 방법으로 하지의 니켈도금에서 행하는 것과 크롬도금에서 행하는 것이 있다. ◘ 마이크로크랙 크롬도금(131), 마이크로포러스 크롬도금(132)

마이크로크랙 및 마이크로포러스 크롬도금의 타입

| 크랙 포어 발생원 | 명 칭 | 욕의 종류·첨가물 | 약호 |
|---|---|---|---|
| 크롬도금욕 | 2층 마이크로크랙 크롬 | 서젠트욕+불화물 첨가욕<br>불화물 첨가욕+불화물 첨가욕 | MC |
| 크롬도금욕 | 단층 마이크로크랙 크롬 | 셀렌 첨가욕, 불화물 첨가욕 | MC |
| | 마이크로포러스 크롬 | 그라파이트 첨가욕 | MP |
| 니켈도금욕 | 마이크로포러스 크롬 | 미립자 첨가욕 | |
| | 포스트니켈 스트라이크 | 고염화 니켈욕+고응력 첨가제 | PNS |
| 크롬도금욕 | 마이크로닉 | 모래로 가벼운 샌드브라스트 | MN |

미소불연속 크롬도금

(a) 통상욕에 의한 크롬도금 (b) 미소 불연속 크롬도금

미소 불연속 크롬도금의 방식 기구

**미쉬 메탈** Misch Metal

세륨족 희토류원소의 혼합물로 제련과정의 반제품. Ce 40~50%, La 20~40%를 함유하고 있다. 합금용의 첨가물이나 발화합금 등에 이용된다.

**미스트** Mist

안개상의 비산물을 말한다. 도금에서는 아노드에서 산소가스, 카소드에서 수소가스가 발생될 때, 도금액이 가스에 수반되어 미스트가 되는 경우가 많다. 크롬도금에서는 유해한 미스트 발생량이 많기 때문에 대책이 필요하다.

**미스피트** Misfit

도금의 소지금속과 도금할 금속과의 격자 정수의 부정합(不整合)을 말한다. 부정합도가 14~15% 이상이 되면, 변형이 커져 소지의 결정격자를 받아들일 수 없고, 밀착성도 저하된다. 미스매치라고 하는 경우도 있다.

◘ 격자 정수(20)

**미습동 마모** ◘ 프레팅(Fretting) 마모(592)

**미시적 균일 전착성** Microthrowing Power

일정한 조건하에 구멍이나 좁은 홈에도 충분히 도금을 시킬 수 있는 욕의 능력을 말한다. Reinhard가 도금에서 홈을 채우는 정도를 나타내는 언어로 사용한 것으로, 레벨링과 거의 같은 의미를 가지며, 레벨링이 주로 광택도금을 대상으로 하고 있는데 대해, 무광택도금도 대상으로 하고 있다. 예를 들어, 황산동도금이 시안화 동도금보다 미시적 균일 전착성이 좋다. 통상적인 균일 전착성(마크로슬로잉 파워)은 시안화 동도금 쪽이 더 좋고, 양자는 반드시 일치하는 것은 아니다. = 미크로쓰로잉 파워

◘ 균일 전착성(52), 레벨링(117)

**미시적(微視的) 응력** Micro-Stress

도금 피막의 내부 응력에는 거시적 응력과 미시적 응력의 2종류가 있으며, 전자는 스파이럴컨트랙트미터(Spiral Contract Meter) 외의 방법으로 측정되는 응력이며, 일반적으로 말하는 내부 응력은 전자를 말한다. X선

회절법에 의한 내부 응력의 측정에서 그림(c)와 같이 회절선의 폭이 넓어지는 것에 반응한 응력을 미시적 응력이라고 한다. 회절선이 넓어지는 것은 그림(c)중에 점선으로 표시된 것과 같이 $2\theta$의 아주 작게 틀린 것, 즉 d의 아주 작게 틀린 극미소 영역의 집합에 의해 발생된다. 따라서 장소에 따라 압축 응력이 되기도 하고, 인장 응력이 되기도 하며, 또 그 변형량(응력량)도 같지는 않다(d : 결정입내의 원자면 간의 거리) ◘ 내부 응력(68)

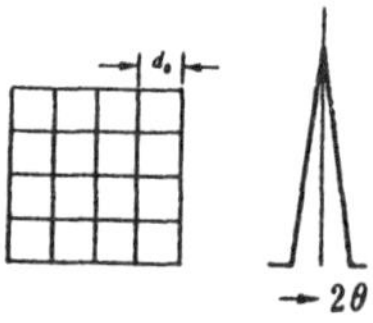


(a) 내부 응력이 없을 때

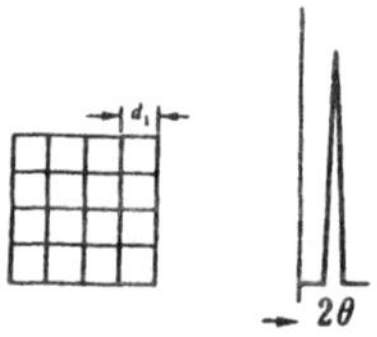


(b) 거시적 응력(압축 응력)이 있을 때

(c) 미시적 응력이 있을 때

내부응력에 의한 회절상의 변화

미시적 응력

**미즈링** Measling

열에 의한 변형 때문에 절연기판중의 유리섬유가 그 섬유결의 수지와 박리되는 현상을 말한다. 표면의 바로 아래에 독립된 하얀 점 또는 십자형을 보인다.

**미크로경도** Microhardness

합금의 결정이 있는 점이 나타내는 경도를 말하며, 조성이나 결정립 및 그 방향으로 경도는 서로 다르기 때문에 그 값을 근거로 재료의 연구를 행할 때에 사용된다. = 미소 경도(152)

**미크로쓰로잉 파워** Microthrowing Power ◘ 미시적 균일 전착성(153)

**미크로 조직** Micro Structure

현미경으로 검사한 조직을 미크로 조직이라고 한다. 결정에 대해서 말하면, 직경이 $10^{-2} \sim 10^{-5}$㎝ 정도의 것에 대해 관찰을 한다. 미크로와 마크로의 구별은 배율 10을 가지고 판단한다. 즉, 배율 10 이하는 마크로, 배율 10 이상은 미크로라고 한다.

**미크론** Micron

마이크로미터(㎛)의 관용명으로, $10^{-6}$m(1m의 100만분의 1) 또는 $10^{-3}$mm(1mm의 1000분의 1)를 말한다. μ 또는 ㎛로 표시하지만, SI단위에서는 사용하지 않는다. 국제도량형의회(1967년)에서 폐지되었다.

**밀** Mil

1인치의 1/1000의 길이를 말한다. 1mil=0.001 in≒0.0254mm=25.4㎛이다.

**밀납형** Wax Mould ; Wax Mold

로스트 왁스법에서 사용하는 밀납재로 만든 제품의 모형을 말한다. 사형 안에 매몰시키면 건조 후, 가열 유출된다. 재질은 밀납, 폴리스틸렌 등이다. ◘ 로스트 왁스법(121)

**밀납형법** Lost Wax Process ◘ 로스트 왁스법(121)

**밀도** Density

미소부분에 포함된 양의 체적, 면적, 길이에 대한 비를 말하며, 각각을 체적밀도, 면적밀도, 선밀도라고 한다. 예를 들어, 도금에서는 단위면적당 전류의 크기를 전류밀도($A/dm^2$)라고 한다. 단순히 밀도라고 하면, 물질의 단위체적당 질량(체적밀도)을 말한다. 기호는 $\rho$이다. ◘ 비중(225)

**밀도비** Density Ratio

상대밀도라고도 한다. 다공질체의 밀도와 그것과 동일조성의 재료에 기공이 없는 상태에서 밀도와의 비. 일반적으로 백분율(%)로 표시한다.
= 상대밀도(240)

**밀러 지수** Miller Indices

결정 면이나 격자 면을 표시하는 기호로 *x, y, z*축을 어떤 면이 절편을 원자간격으로 측정한 수의 역수 정수비를 (*hkl*)이라 하는 지수로 나타낸다. 예를 들어, 그림과 같이 각 축을 3, 2, 1의 길이로 자른 면은 역수 1/3, 1/2, 1이며, 분모를 같게 하면 2/6, 3/6, 6/6이 되기 때문에 분모를 제거하면 (*hkl*)은 (236)이 된다. 또, 평행한 면의 밀러 지수는 동일하게 된다. 방향은 역수를 취하지 않고, 원점을 통하는 직선 상에 있는 점의 정수 좌표[*uvw*]의 최소치로 표시한다. 예를 들어, 원점과 $x=2$, $y=4$, $z=6$의 점을 통하는 방향은 [123]과 같이 표시한다. 육방정계, 삼방정계에서는 상하축의 지수를 l, 수평축의 지수를 *h, i, k*로써 (*hikl*)로 면을 표시한다. -*h*는 $\hat{h}$와 같이 표시한다. = 면지수(141)

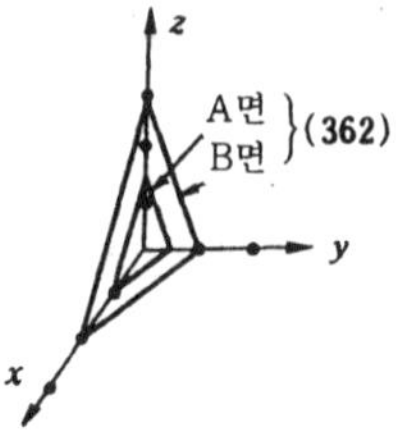


| | (A면) | | | (B면) | | |
|---|---|---|---|---|---|---|
| x, y, z축을 자른 길이는 ……… | 1, | 1/2, | 3/2 | 2, | 1, | 3 |
| 밀러 지수로 고치려면, 그 역수를 취한다. ……… | 1/1, | 2, | 2/3 | 1/2, | 1/1, | 1/3 |
| 다음으로 공통분모로 고친다. ……… | 3/3. | 6/3, | 2/3 | 3/6, | 6/6. | 2/6 |
| 다음으로 분모로 제거하면 밀러 지수가 된다. ……… | 3, | 6, | 2 | 3, | 6, | 2 |

결정면의 밀러 지수

밀러 지수

**밀리몰** Milimole

몰농도의 1000분의 1을 말한다. 기호는 mmol/*l* 또는 mM이다. ◘ 몰 농도(143)

**밀 스케일** ◘ 흑피(649)

**밀착성** Adhesion

도금층이 하지에 부착되어 있는 강도. 도금의 밀착불량의 원인은, 80%가 전처리에 있다고 알려져 있다. 그 외의 원인으로는 도금피막의 내부 응력, 수소 취성 등이 있다. = 부착성(201)

**밀착성 시험법** Method of Adhesion Test

도금의 밀착성 시험법은, KS D 0254「도금의 밀착성 시험방법」에서 다음 11종류의 방법이 규정되어 있다. (1)음극전해 시험방법, (2)압출 시험방법, (3)궤선 시험방법, (4)연삭 시험방법(a. 숫돌 시험방법, b. 줄 시험방법), (5)끌 시험방법, (6)열 시험방법(a. 가열 시험방법, b. 열충격 시험방법), (7)배럴연마 시험방법, (8)벗김 시험방법(a. 테이프 시험방법, b. 납땜 시험방법), (9)열 시험방법, (10)굽힘 시험방법, (11)권선 시험방법이다. 도금제품이 요구되는 사양, 사용조건, 도금종류, 도금두께 등에 의해 시험방법을 선택한다.

**밀타승** Lead Oxide : Litharge

일산화연 PbO의 속칭. 단순히 산화연이라고 할 때는 황색분말의 일산화연(PbO)를 지칭한다. 연의 산화물에는 아산화연($Pb_2O$), 일산화연(PbO), 이산화연($PbO_2$), 삼산화연($Pb_2O_3$), 사산화삼연($Pb_3O_4$ 또는 PbO · $PbO_2$)

의 5종류이다. 어떤 화합물도 양성을 나타내며, 물에는 녹지 않는다.
= 일산화납(428)

# ㅂ

**바그다드 전지** Bagdad Battery

전기도금 등의 전기화학의 기원이 되는 전지의 실용화는 1800년경의 갈바니전지, 볼타전지 이후라고 여겨졌으나, 1936년에 독일의 고고학자가 바그다드 동쪽에서 전지라고 여겨지는 것을 발굴하여 일약 기원전까지 거슬러 올라가게 되었다. 계란형의 항아리 안에 28㎜ϕ×99㎜의 동원통과 12㎜ϕ×82㎜의 철봉이 동심원형태로 매달려 산을 전해액으로 하면 0.5V, 3mA의 전류를 얻을 수 있어 쇠사슬을 도금하는데 사용되었을 것으로 추정된다. 현재, 바그다드 박물관에 진열되어 있다.

**바나듐** Vanadium V

원자번호 23, 원자량 50.9415, 융점 1700℃, 10%의 탄소를 함유하면 융점이 약 2700℃가 된다. 비중 5.98, 비저항 $2.6\times10^{-7}\Omega\cdot m$, 4.3~4.4K로 초전도를 나타낸다. 초고순도의 것은 티탄과 비슷하여 부식되기 어렵고, 단단한 강색의 금속이다. 물, 알칼리 수용성, 염산에는 녹지 않고, 초산, 열농초산, 왕수, 불화수소산에는 녹는다. 철강에 섞으면 연신성, 기계적 강도가 증가된다. 티타늄, 알루미늄, 지르코늄, 동 등과의 합금으로써도 사용된다. = 바나진(158)

**바나듐 어택** Vanadium Attack

강이 석유 연소가스에 폭로되고, 가스중에 V(바나듐)이 포함되면, 융점 650℃의 $V_2O_5$의 액상 침식을 받아 심하게 침식되는 현상을 말한다.

**바나진** ◘ 바나듐(158)

**바로셀** Barr-O-Cell

미국 랠리킹사 제품의 배럴용 헐 셀도금 시험기의 상품명이다. 용량 1.5 *l*의 시험수조 안에 소형의 경사 배럴이 있고 배럴 안에 주상테스트 패널을 넣어 배럴의 회전에 의해 단속전류를 주어 도금을 하는 구조로 되어 있다. 4종류의 배럴을 선택할 수 있다.

**바륨** Barium Ba.

원자번호 56, 원자량 137.33, 체심입방격자구조, 격자정수 a=0.5025㎚, 융점 990℃, 불점 1537℃, 은백색의 부드러운 금속이다. 화학적으로는 칼슘,

스트론튬과 닮았으나, 화학작용은 보다 엄격하다. 물과 심하게 반응하여 수소와 수산화바륨을 생성한다. 탄산염, 황산염은 물에 잘 녹지 않는다. 바륨 화합물로써는 폭죽, 신호등, 광학 글래스, 도료 등에 사용된다.

**바이메탈** Bimetal

열팽창율이 서로 다른 이종금속의 띠모양의 박판을 용접하여 1장의 판으로 만들어 그에 따른 온도에 의한 완곡 정도의 차를 이용한 것을 말하며, 바이메탈온도계, 온도조절기에 이용된다. 중간의 팽창율을 가진 제3의 금속을 중간에 넣고 완곡 변화를 원활하게 하는 경우도 있다.

◘ 인바(424)

**바이어법** Bayer Process

보키사이트광(Al 50~60%)을 가성소다수 용액으로 가압 하에 가열 용해하여 알루민산소다로써 $SiO_2$, $Fe_2O_3$, $TiO_2$ 등을 침전시켜 제거한 후, 가수분해하여 수산화알루미늄으로 하고, 이것을 구워 금속 Al이나 연마제의 원료인 고순도 알루미나로 만드는 방법을 말한다.

**바이어스 버프** Bias Buff

천의 직목에 대해 45도로 가늘고 긴 다수의 주름을 가진 원형으로 만든 버프를 말한다. 보통 버프와 다른 연마면에 버프천의 실금이 비스듬하게 닿기 때문에 절삭력이 좋고 버프의 수명이 길어진다.

**바이어 홀** Via Hole

다층 프린트기판 내에서 부품을 삽입하지 않은 채, 2층 또는 그 이상의 내부 도체간의 접속에 이용되는 도금 쓰루 홀을 말한다.

**바이폴러 급전** Bipolar Current Supply = 복극 접속(193) ◘ 간접 급전(11)

**바이폴러 전극** Bipolar Electrode

전해욕 중에 있는 금속이 바이폴러 현상에 의해 전극과 같은 작용을 할 때, 이 금속을 바이폴러 전극이라고 부르는 경우가 있다. ◘ 바이폴러 현상(후항)

**바이폴러 현상** Bipolar Phenomenon

양극과 음극사이에 있는 금속의 양극 측이 ⊖극이 되어 금속이 전착하거나 수소가스가 발생하는 등의 환원반응이 일어나고, 음극 측이 ⊕극이 되어 금속이 용해하거나 산소가스가 발생하는 등의 산화반응이 일어나는 현상을 말한다. 그림과 같이 용액저항이 크기 때문에 액 중에는 전위변화가 발생하는 한편, 금속은 용액의 약 100만분의 1의 저항밖에는 없기 때문에 거의 전위변화가 발생하지 않아 등전위가 되기 때문에 양극 측은 액에 대해 ⊖의 전위가 되고, 음극 측은 액에 대해 ⊕전위가 되기 위해 바이폴러 현상을 일으킨다. 이 현상을 이용한 복극 접속이나 간접 급전 등이 있으며, 또한 도금수조 중에 떨어진 이종금속이 용해하여 불순물이 되는 등의 좋지 않은 일이 발생하기도 한다. = 쌍극현상

◘ 복극(複極) 접속(190)

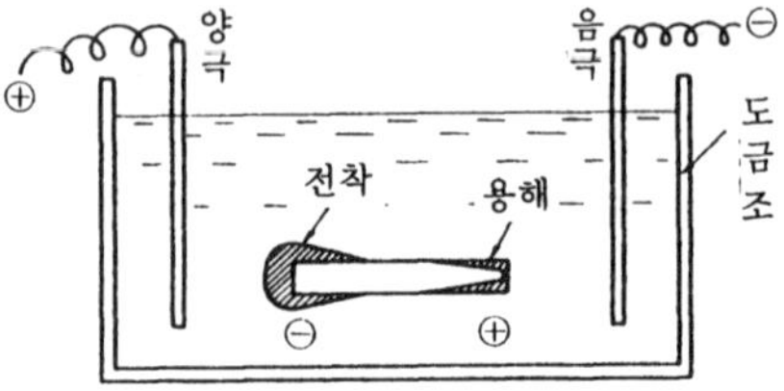


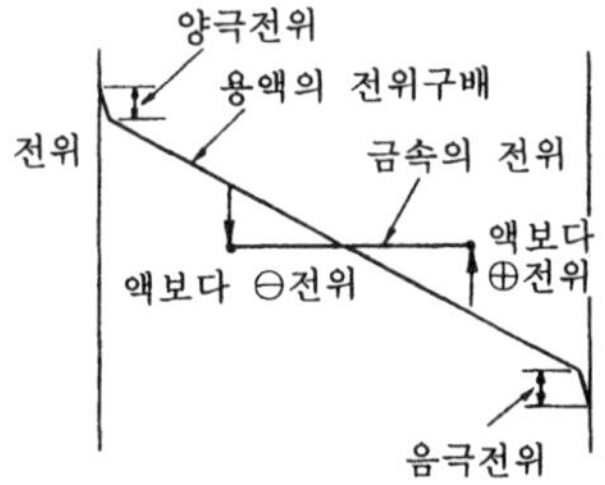


바이폴러 현상의 모식도

바이폴러 현상

**박(箔)** Foil

대단히 얇은 금속판을 말한다. 보통 50㎛ 전후 이하의 두께를 말하는 경우가 많다. 박의 재료로써는 전연성이 큰 금, 은, 동, 주석, 납, 알루미늄 등이 많으나 기술의 진보로 인해 스테인리스나 티탄의 박 등도 제작되고 있다. 용도는 장식, 포장, 전해 콘덴서, 프린트 배선기판 등이 있다. 전해 동박, 전해 철박은 도금에 의해 제조되고 있다.

**박강판(薄鋼板)** Sheet

두께 3㎜이하의 열간 압연 또는 냉간 압연한 강판을 말한다. 박판이라고도 한다.

**박리** Peeling ; Stripping ; Spalling ; Flaking

①도금피막을 기계적 방법 또는 화학적·전기화학적 방법으로 소지나 하지에서 벗겨지는 것을 말한다. 기계적 방법으로 벗겨지는 것을 Peeling이라고 한다. ②도금피막이 밀착성을 잃어 소지나 하지에서 벗겨지는 것을 말한다. ③침탄강이나 경질강이 하중을 받았을 때, 표면에서 그 금속의 얇은 조각이 벗겨져 떨어지는 것을 말한다.

**박리 부식** Exfoliation Corrosion

마그네슘을 포함한 특정 알루미늄 합금에서 발생한 특수한 부식형태로, 표면 가까이에 층 모양으로 부식하여 박리를 일으키는 것을 말한다. 재료를 절단한 가장자리에서 가공방향을 따라 내부로 진행한다.

**박리시험** Peel Test ◘ 밀착성 시험법(156)

**박마(剝摩)** Galling

금속이 습동 마찰을 일으킬 때, 국부적으로 금속이 박리되어 손상을 입는 것을 말한다. 베어링면에서 잘 발생한다.

**박막** Thin Film

약 1㎛ 이하의 막을 말한다. 박막은 보통 재료와는 다른 물성을 나타낸다. 특히 전자기적, 광학적, 기계적 특성을 이용하여 집적회로, 콘덴서, 초전도배선, 고감도 자기센서, 초고속 전자디바이스 등 일렉트로닉스 분야에 이용되고 있다.

**박막 저항재료** Thin Film Electric Resistance Material

세라믹 등의 기판 위에 진공증착법이나 스태터링 등의 방법으로 금속이나 비금속(카본 등)의 박막(50~5000Å)을 부착한 저항재료. 저저항에는 무전해 니켈도금이 이용된다. 도금 막두께의 조정 등으로 임의의 저항치를 얻을 수 있으며, 양산에 적합하다.

**박테리아 부식** Bacterial Corrosion

토양이나 수중에서 번식하는 박테리아가 원인이 되어 발생하는 부식. 프린트 배선기판이나 전자부품 등에서 고장의 원인이 된다. 예를 들어 염기성환경에서 번식하는 황산염 환원균은 박테리아의 대사작용에 의해 황산염을 황화물로 환원함으로써 부식성환경을 만든다. 박테리아가 금속을 침식하는 것이 아니고, 박테리아의 대사생성물이 부식성환경을 만든다고 알려져 있다.

**반광택 니켈도금** Semi-Bright Nickel Plating

2층 니켈도금, 3층 니켈도금에서 하지 니켈도금으로써 이용된다. 반광택 니켈도금에 요구되는 조건은, 니켈피막 중에 황을 가능한 한 적게 하는 것(일반적으로 0.003% 정도), 도금피막의 내부 응력이 작을 것, 외관이 반광택으로 평활화작용(레벨링)이 있을 것 등이다. 도금욕은 와트욕을 기본으로 하지만, 광택 니켈욕보다도 염화니켈의 농도를 낮게 하여 사용한다. 농도가 높으면 고전류밀도 부분이 무광택이 되어 도금피막의 내부 응력이 높게 된다. ◘ 2층 니켈도금(419), 3층 니켈도금(239)

**반금속** Metalloid : Semimetal

약간 서로 다른 두 가지 의미를 가지고 있다. ①메탈로이드라고 할 때는 장주기형 주기율표에서 붕소와 아스타틴을 연결하는 사선상 부근에 위치하는 원소를 말하며, 이것이 통상적인 반금속(半金屬)이라 불린다. 붕소, 비소, 규소, 게르마늄, 셀렌, 텔루르 등을 지칭하며 금속과 비금속의 중간적인 성질을 띈다. 상온에서는 고체지만, 전도성은 없다. ②세미메탈이라고 할 때는 금속과 같은 자유전자를 가지지만, 그 밀도가 금속보다도 훨씬 작은 원소를 말한다. 결정성 탄소(흑연), 비소, 안티몬, 비스머스 등이 그 예이며, 저온에서는 특이한 전자기적 성질을 띈다.
= 아금속(288)

**반데발스 결합** Van Der Waals' Bond

원자가 분자를 형성하고, 분자간이 분자간의 힘(반데발스 힘)으로 결합하는 결합의 방법을 말한다. 분자간에 인력이 작용하는 원인은 복잡하지만, 구성 원자가 갖는 전자의 운동으로 인해 전장의 변화가 발생하고, 근접해 있는 근접 분자와의 상호작용으로 인해 발생된다고 알려져 있다. 기체에서는 분자간의 힘은 작용하지 않거나, 작용하더라도 극히 미약하다. 반데발스 결합을 하고 있는 물질은 저온에서 융해되고, 승화성이 크다. 요소, 인, 나프탈렌, 이산화탄소(드라이아이스), 황 등이 있다. 또 용제 휘발형의 용착제는 반데발스 결합으로 접착되어 있는 경우가 많다.
◘ 화학 결합(629)

**반도체** Semiconductor

전기전도율이 $10^{3}\sim10^{-10}\Omega/cm$의 범위에서 절연체와 금속의 중간에 있는 (밴드 모델에서 전도대와 충만대 또는 가전자대와의 에너지 갭이 적다) 고체를 말한다. 단일원소로는 Si, Ge, Se, 화합물로는 GaAs, InP, ZnS 등이 있다. Si, Ge를 고순도화하여 불순물을 제거하고, 단결정화하여 격자결함도 제거하면 진성 반도체(전기를 전자와 정공의 양쪽이 운반)가 되며, 이것에 3가 또는 5가 원소를 가하면(도핑이라고 한다), 불순물 반도체(격자결함도 포함하면 외래반도체라고 한다)가 되어, 3가 원소에서는 p형(정공이 전기를 운반), 5가 원소에서는 n형(전자가 전기를 운반) 반도체가 된다. 금속과 p형 반도체(단, 일관수의 크기가 금속〈 반도체), 금속과 n형 반도체(단, 일관수의 크기가 금속〉반도체), p형 반도체와 n형 반도체를 접합하면 정류작용을 일으켜 p형→금속, 금속→n형, p형→n형 방향으로는 전류가 흐르지만, 역방향으로는 흐르기 어렵다. 특히 p형과 n형의 접합은 p-n접합이라고 하여 반도체소자의 기본이 되며, 다이오드, 트랜지스터 등의 소자가 만들어진다. 금속-반도체 접합에서 일관수의 크기가 역이 되면 정류작용이 없는 접합을 얻을 수 있다(옴 접촉이라고 한다). 반도체에는 그 외에 유기반도체, 전해형 반도체, 자성 반도체 등도 있다. ◘ 반도체 소자(후항), 옴 콘텍트(371)

**반도체 소자** Semiconductor Device

반도체 결정을 사용하여 발진, 증폭, 정류, 광전 변환, 자전 변환 등의 동작을 일으키게 하는 소자의 총칭. 예를 들어 트랜지스터, 다이오드, 정류소자, 싸이리스트, 광전효과 소자, 반도체 저항소자, 자전효과 소자, 열전

효과 소자, 집적회로(IC) 등이 있다. ◘ 반도체(전항)

**반발 경도** ◘ 쇼어 경도(252)

**반송 가스** Carrier Gas

가스 침탄에서 연료 가스를 그대로 사용하면 침탄이 잘 되지 않기 때문에 흡열형 가스(Endothermic Gas)로 변성한 것을 사용하여 이것에 소량의 메탄, 프로판을 첨가한다. 이 경우, 흡열형 가스를 반송 가스라고 하며, 메탄, 프로판을 가한 것을 증탄(Enrich)이라고 부른다.

**반응 전류** Kinetic Current

주목하는 화학종(예를 들어, 동도금이나 니켈도금에서는 $Cu^{+}$ 또는 $Cu^{++}$ 이온, $Ni^{++}$이온 등)이 생성되거나 소멸되는 반응속도(예를 들어, 시안화동이온 $Cu(CN)_2^{-}$에서 $Cu^{+}$이온이 생성·소멸되거나, 양음극에서 생성·소멸되는 속도)에 의해 진행되는 전해전류를 말한다. 반응전류의 크기는 활성화 분극의 크기와 거의 역비례 관계가 있다. ◘ 확산전류(633), 영동(泳動)전류(364)

**반자동 도금장치** Semi-Automatic Plating Machine

반자동 도금장치

전처리, 도금, 후처리의 도금 공정 모두를 일관적으로 반송을 기계화한 도금장치을 전자동이라고 하고, 도금공정 일부에 대해 반송을 기계화한 도금장치를 반자동이라고 한다. 반자동식 도금장치는, (1)음극봉을 스크류 컨베이어로 한 것, (2)도금수조의 상부 중앙에 구동장치를 놓고 음극걸이를 체인 컨베이어로 반송시키는 것, (3) 도금 수조를 도너츠 상으로 만들어 원형의 음극봉을 회전시켜 반송하는 것 등이 있다. 이상의 장치 중에서 (2)는 바닥면적이 작고, 기계부분이 노출되어 있기 때문에 보수가 용이하고 싼값에 제작할 수 있기 때문에 「소판형(小判形) 반자동 도금장치」로써 가장 널리 사용되고 있다.

**반전지** Half Cell

전지를 절반으로 나누면 단일전지와 전해질용액이 접하고 있는 하나의 계열이 된다. 이것을 반전지라고 한다. 다니엘 전지에서 보면, Cu | $CuSO_4$수용액 | $ZnSO_4$수용액 | Zn계가 되며, 이 좌우 절반씩이 각각의 반전지이다. 반전지를 2개씩 조합시키면 하나의 전지가 된다. 기준전극은 모두 반전지이다.

**반투막** Semipermeable Membrane

용액이나 분산계의 일부 성분은 통과되지만, 그 외의 성분은 통과되지 않는 막을 말한다. 예를 들어 콜로이드 용액 중에 저분자의 이온이 혼재되어 있을 경우, 분산매나 이온은 투과되지만, 콜로이드 입자는 통과되지 않는 막이 있다. 반투막은 셀로판, 콜로디온, 동물체의 막(방광막 등) 등이 있다. 반투막은 투석, 한외(限外)여과, 콜로이드 용액의 정제 등에 이용된다.

**반파 정류** Half-Wave Rectification

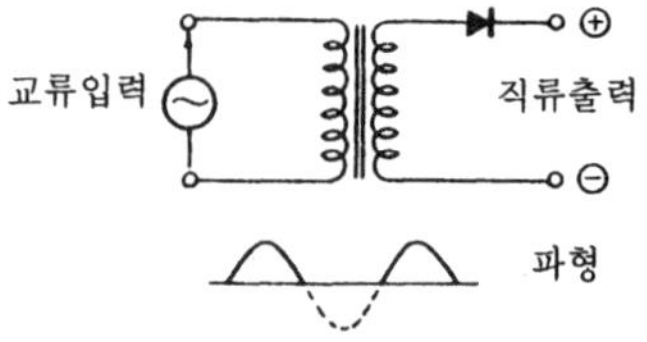


(a) 단상 반파 정류회로

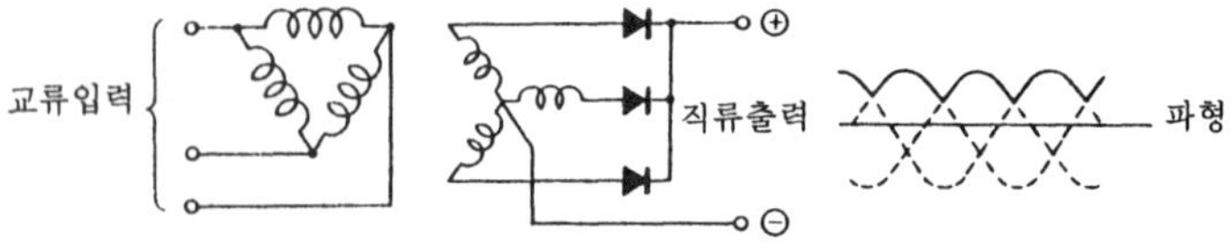


(b) 3상 반파 정류회로

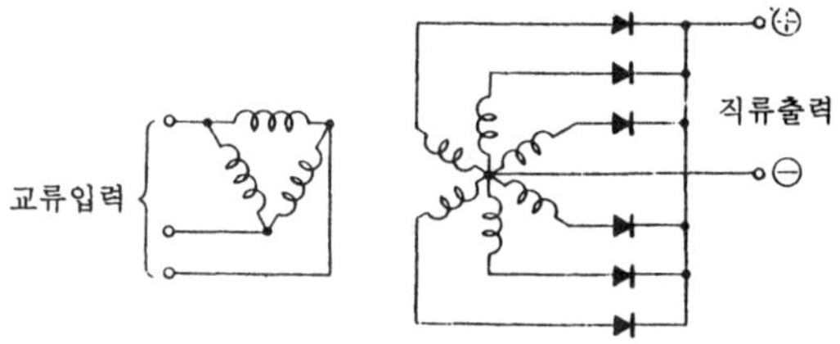


(c) 6상 반파 정류회로

반파 정류

교류 전압의 정(+) 또는 부(-)의 한 쪽만을 이용하는 정류 방식이다. 정류소자를 이용하여 교류의 반사이클만을 취해 직류를 얻는 가장 간단한 정류 방법이다. 단상교류를 정류하면, 단상 반파, 3상 교류를 정류하면, 3상 반파를 얻을 수 있다. 도금용 전원으로써 많이 사용되는 6상 반파 정류방식은 트랜스의 2차 권선을 6상으로 한 것이기 때문에 트랜스의 용량은 커지지만, 파형적으로는 3상 전파 방식과 같으며 저전압, 대전류의 부하에 적합하기 때문에 도금용 전원으로써 많이 채용되고 있다.
◘ 정류(473), 전파 정류(463)

**발광 분광분석** Emission Spectrochemical Analysis

시료를 직류 또는 교류의 호광(弧光)방전, 화염 등에 의해 발광시켜 그 빛을 프리즘(현재는 회절격자가 많이 이용된다)에 의해 분광시킨 후, 발광 스펙트르를 사진측정법 또는 광량측정법으로 강도를 측정하고, 시료중의 미량성분의 정성 및 정량분석을 행하는 방법을 말한다. 현장의 신속한 분석에 널리 사용되고 있다.

**발연(發煙) 초산** Fuming Nitric Acid

이산화질소 $NO_2$를 다량으로 함유한 농초산으로, 산화작용이 크다. 적갈색으로 투명하고 86% 이상의 초산 $HNO_3$를 함유한다. 농초산에 포름알데이드 등의 유기성환원제를 소량 가해 만들거나, $NO_2$를 가압 용해하여 만든다. 금, 백금족 등, 소수의 예외를 빼고는 거의 모든 금속을 녹인다. 도금에서는 세정(키린스액), 크로메이트 처리액, 무전해니켈의 박리, 전기니켈도금의 걸고리의 박리 등에 이용된다.

**발열 황산** Fuming Sulfuric Acid

97~98% 농황산에 다량의 삼산화황을 흡수시킨 기름상의 액체로, 산화작용이 크다. 대기중의 수분과 삼산화황 증기에서 발생하는 황산무의 백연을 발생한다. 주성분은 피로황산($H_2S_2O_7$)으로 0℃ 이하에서는 결정이 석출된다. 시판되고 있는 것은 22%, 25%, 30%로 예를 들어, 25% 발열황산이라는 것은 97~98%의 농황산에 삼산화황을 25% 흡수시킨 것이다. = 올레움(Oleum) ◘ 황산(638)

**발췌검사** Samping Inspection

제품 또는 반제품의 로트에서 시료(샘플)를 발췌하여 시험하고 그 결과를 판정기준과 비교하여 그 로트의 합격, 불합격을 판정하는 검사법을 말한다. 로트의 작성방법, 크기와 샘플의 크기와의 관계, 샘플의 발췌 방법, 판정기준 등은 경제성을 고려하여 통계적 방법에 의해 결정한다. 구입검사, 중간검사, 제품검사 등, 각종 공업에서의 검사에서 전수검사는 시간이 많이 걸리고, 번잡하여 실제적이지 않는 경우가 많아 발췌검사가 많이 행하여진다. 계수적인 것과 계량적인 것이 있으며, 그 중에서도 각종 방식이 있다.

발췌검사 방식 일람표

| 시험법 | 형 | 대표적 발췌검사표 | 형식 | 규정하는 방법 |
|---|---|---|---|---|
| 계수 | 기준형 | JIS Z 9002 | 1회 | p0, α : p1, β |
| | | JIS Z 9009 | 수차 | p0, α : p1, β |
| | | Paul Peach의 표 | 1, 2회, 수차 | p0, α : p1, β |
| | 선별형 | JIS Z 9006 | 1회 | LTPD 또는 AOQL |
| | | Dodge-Romig의 표 | 1회, 2회 | LTPD 또는 AOQL |
| | 조정형 | JIS Z 9011 | 1회 | pb(임계불량율) |
| | | MIL-STD-105D | 1, 2, 다수회 | AQL, 검사수준(3 또는 4) |
| | | SRG | 1, 2, 다수회 | AQL, 검사수준(5) |
| | 연속 생산형 | JIS Z 9008 | - | AOQL(개개의 제품을 보증단위로써) |
| | | Dodge CSP-1 | - | 〃 |
| | | 〃 -2 | - | 〃 |
| | | 〃 -3 | - | 〃 |
| | | Dodge SKSP-1 | | AOQL(로트를 보증단위로써) |
| 계량 | 기준형 | JIS Z 9003 | 1회 | p0, α : p1, β 또는 m1, α : m2, β |
| | | JIS Z 9004 | 1회 | |
| | | JIS Z 9010 | 수차 | |
| | 조정형 | JIS Z 9012 | 1회 | |
| | | MIL-STD 414 | 1회 | AQL, 검사수준(5) |
| | | N A V O R D OSTD-80 | 1회 | AQL, 검사수준(3) |
| | | 일본전기공사계량 발췌검사규격 | 1회 | |
| | | SRD | 수차 | |

발췌검사

**발포 금속** Blowed Metal : Porous Metal

입체망상구조로 기공율이 현저하게 큰 금속 다공체를 말한다. 용융금속 중에 가스를 발생하는 물질을 첨가하거나, 발포수지의 고격부에 금속을 부착시켜 수지를 태워 제거하거나 해서 만든다. 용도는 전극재료, 촉매용, 필터, 소음재 등이다. ◘ 다공질금속(86)

**발한(發汗)** Sweating

가열 또는 냉각 시에 용융점이 낮은 조성이 가열물체의 표면에 작은 입상이 되어 나타나는 현상을 발한이라고 한다. 인간이 땀을 흘리는 것과 같은 상태를 띄고 있기 때문에 이와 같이 불린다. 예를 들어, 고속도강은 용융 온도에 가까운 온도(1300~1320℃)로 가열하여 소입하는데, 이 고온 가열에 의해 표면에 발한을 일으킨다. 이 땀방울의 크기나 수에 의해 적정한 소입 온도로 가열되었는가 아닌가를 판단한다. 또, 주석 청동 등은 응고 때, 주석의 소입이 발한으로써 나타나며(주석 발한 ; Tin Sweat라고 함), 연청동은 열처리 시에 Pb가 발한을 일으키는 경우가 있다.

**방광(膀胱)도금** Bladder Plating

그림과 같이 원통 또는 소의 방광을 격막으로 이용한다. 원통 내에 희황산을 넣어, 아연봉을 침적시키면, 아연봉이 용해되어 황산아연이 발생한다. 피도금물을 그림과 같이 배선하여 황산동도금욕 중에 넣으면, 다니엘 전지와 같은 구조가 되며, AB간에는 약 1.08V의 전위차가 발생하여 A에 매달아 놓은 피도금물에 동도금이 가능하다. AB간의 전위차가 작기 때문에 저전류 밀도의 동도금으로 균일 전착성은 좋지만, 도금속도는 극히 느리다. 복잡한 형상의 안티몬과 납 합금제 물품의 동도금에 사용되고 있다.

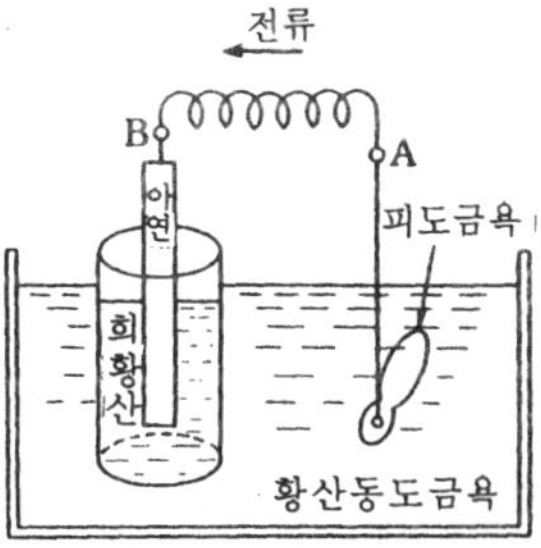

방광 도금

**방도(防鍍)재** Masking Material ◘ 도금 방지제(96), 레지스트(119)

**방사선 동위원소** Radio Isotope

원소의 동위체(원자핵의 양자 수는 같고, 중성자 수는 다른 것) 중에서 방사성을 갖는 것을 말한다. 자연의 것 이외에는 모든 원소에 대해 방사선 동위체가 인공적으로 만들어졌다. β선 막후계는 선원에 방사성 칼륨($^{204}$Ti), 방사성 스트론튬($^{90}$Sr) 등을 사용한다. = 방사성 동위체(167)

**방사선 두께계** Radiation Thickness Gauge

방사선을 이용하여 두께를 측정하는 장치. 방사선으로는 β선, γ선, *X*선이 사용된다. 도금피막 두께의 측정에는 β선, *X*선이 이용되며, β선식 두께측정기, 형광*X*선식 두께측정기가 사용되고 있다. 방사선에 의한 도금두께의 측정은 비파괴, 비접촉이며, 측정시간도 짧고, 얇은 도금피막에서도 두께를 측정할 수 있기 때문에 귀금속 도금의 도금두께 측정에 사용되는 경우가 많다. 방사선 두께계에는, 방사선의 누설이 없도록 안전관리에 각별히 유의하여야 한다. ◘ β선식 도금두께 시험(183), 형광 *X*선식 두께측정법(624)

**방사성 동위체** ◘ 방사선 동위원소(167)

**방식** Corrosion Prevention

금속이 부식하는 것을 방지하는 것을 말한다. 예로부터 도금의 2대 역할(기능)은 장식과 방식이었다. 그리고, 녹 발생을 방지하는 것을 방청이라고 한다. ◘ 방청(169)

**방식 도금** Electroplating for Corrosion Prevention

도금을 목적별로 구분하면, 장식도금, 방식도금 및 기능도금으로 분류된다. 방식도금은 철강에의 Zn, Sn, Al, Cd 및 그 합금 등의 도금을 말한다. 외관보다도 방식성이 요구되기 때문에 비교적 두껍게 도금이 된다. 전기도금에서는 Zn, Sn 및 그 합금(Zn-Ni, Zn-Fe, Zn-Sn 등) 도금이 있으며, 용융도금에서는 Zn, Sn, Ai 및 그것들의 합금도금이 있다.

**방식 아연** Corrosion-Resistant Zinc

물, 해수, 토양 중에서 강철의 부식 방지에 아연을 양극으로 하여 사용하는 수가 있는데, 선체 보일러 지하배관 등에 사용된다.

**방식 ACSR** Corrosion Resisting Aluminium Conduct Steel Reinforced

해안 지방이나 공업지대에서 사용하는, 강으로 보강한 알루미늄 도선 등의 부식성으로 인하여 아연 도금선이나 알루미늄선이 침식될 우려가 있기 때문에, 이것을 방지할 목적으로 이것에 방식처리를 한 것을 말한다.

**방식용 합금도금** Alloy Plating for Corrosion Prevention

자동차용 강판의 내식성 향상을 위해 방식용 합금도금이 사용되고 있다. 예를 들어, Zn-Fe 합금도금은 Fe 7～25%로, 부착량 40g/㎡의 내식성은 아연도금의 1.5～2배이며, Zn-Ni 합금도금은 Ni 10～16%로, 내식성은 아연도금의 6～10배이고, Zn-Mn 합금도금은 Mn 60～80%로 내식성은 아연도금의 90배라 알려져 있다. 이 외에 Zn-Sn, Zn-Co- Cr, Zn-Co-Mo 등, 많은 방식용 합금도금이 개발되어 있다.

**방식 전위** Protective Potential

전기 방식으로, 부식 정지를 달성하는데 필요한 최저한의 전위를 말한다. 전위-pH도에서 카소드 방식일 때는 불감영역으로, 아노드 방식일 때는 부동태영역으로 대조물의 전위를 유지하도록 희생양극 또는 외부전원 등으로 제어한다. 카소드 방식에서 철강을 방식하는 데는 포화황산동 전극(2

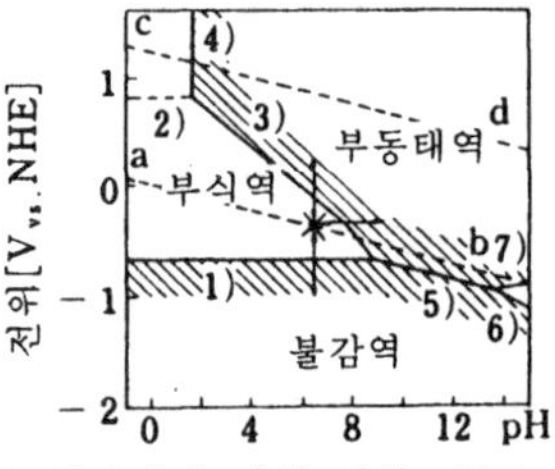

Fe-$H_2O$계에 대한 전위-pH도

1) $Fe \rightleftharpoons Fe^{2+} + 2e$

2) $Fe^{2+} \rightleftharpoons Fe^{3+} + e$

3) $Fe^{2+} + 3(OH^-) \rightleftharpoons Fe(OH)_3 + e$

4) $Fe^{3+} + 3(H_2O) \rightleftharpoons Fe(OH)_3 + 3H^+$

5) $Fe + 3H_2O \rightleftharpoons Fe(OH)_3 + 3H^+ + 3e$

6) $Fe + 2H_2O \rightleftharpoons FeO_2H^- + 3H^+ + 2e$

7) $FeO_2H^- + H_2O \rightleftharpoons Fe(OH)_3 + e$

방식 전위

5℃에서 표준수소 전극에 대해 +0.32V의 전위를 갖는다)에 대해 -0.85V보다 낮지 않으면 안 된다. 그림은 표준수소 전극기준으로 그려져 있으며, × 인의 부식영역 중에 있는 Fe를 방식하기 위해서는 전위를 상 또는 하의 화살표 방향으로 이동시켜 아노드 방식을 하든지, 카소드 방식을 할 필요가 있다는 것을 알 수 있다. pH를 높여도 되지만, 환경 전체의 pH를 제어하는 것은 어렵기 때문에 통상적으로는 전위를 제어한다.

**방식처리** Corrosion Protection

금속 재료가 부식에 의하여 소모되거나 파손되는 것을 방지 또는 연장시킬 목적으로 실시하는 처리로 전기도금, 용융도금, 시멘테이션의 금속피복이나 화성처리, 양극 산화, 법랑, 도장 등의 비금속 피복 또는 탈산소, 인히비터 첨가로 인한 부식성 매질의 처리나 전기 방식에 의한 처리 등이 있다.

**방전 가공** Electric Discharge Machining EDM.

전기절연성 액체(등유나 이온교환수 등)중에서 피가공재와 전극간에 펄스상 방전 전압을 주어 불꽃 방전을 반복하여, 피가공재를 전극에 맞게 제거하고, 목적한 형상으로 만드는 가공방법을 말한다. 피가공재에 도전성이 있다면, 재질, 경도, 취성에 관계없이 가공할 수 있으며, 피가공재에 압력이 걸리지 않기 때문에, 얇은 박과 같은 것도 변형되지 않고 가공할 수 있다. 방전 가공은 특정한 형상의 전극(동이나 흑연 등)을 사용한 형조(型彫)방전 가공과 세선(細線)(동이나 텅스텐)을 전극으로 하고 그 세선을 컴퓨터로 정밀하게 제어하면서 목적한 형상을 가공하는 와이어 커트 방전 가공의 2종류가 있다. = EDM(409)

**방전 전압** Discharge Voltage : Closed Circuit Voltage

전지에 부하를 걸어 전류가 흐르고 있을 때의 정극과 부극 간의 전압을 말한다. 방전시간, 전류치에 의해 값은 서로 다르며, 높은 쪽이 좋다. ◘ 폐로 전압(574)

**방청** Rust Prevention

금속에 녹이 발생하는 것을 방지하는 것을 말한다. 일단 녹이 발생하면, 산소농염 전지 등으로 방식이 촉진되기 때문에 방청은 방식(금속을 부식에서 지키는 것)의 기본이다. ◘ 방식(167)

**방청 도금** Electroplating for Rust Prevention

부식의 초기 단계인 녹 발생을 방지하기 위한 도금을 말하며, 방식도금과 거의 같은 의미이다. ◘ 방식 도금(168)

**방청 도료** Anticorrosive Paint

방청 효과가 있는 안료를 사용한 도료로서 연단 도료, 산화철 도료, 알루미늄 분도료, 크롬산염 도료 등이 있다.

**방청제** Anti-Rust Additive

금속면에 강하게 흡착해서 녹의 원인이 되는 물, 그 밖의 부식 물질이 금속면에 흡착하는 것을 막는 첨가제로서 α-메르캅스테아린산 등이 있다. 이러한 첨가제는 대부분의 경우 여러 가지 화합물들의 혼합물이며 병청제라고도 한다.

**방청처리** Rust-Proofing

녹을 방지하기 위한 처리를 말하며, 여러 가지 방법이 있다. 페인트나 유지 등을 칠하고 바르는 이외에 도금도 넓은 의미에서는 방청처리의 한 방법이다.

**배관 식별법** Pipe Discrimination Color

배관 내를 흐르는 물질의 종류를 식별하기 위해 도포하는 색을 말하며, KS A 0503(배관계의 식별 표시)에 색이 지정되어 있다. KS에 의한 식별법은 물(청색), 증기(어두운 적색), 공기(백색), 가스(황색), 산 또는 알칼리(회색), 기름(어두운 황적색), 전기(엷은 황색), 그 이외의 물질에 대해서는 여기에 규정된 식별색 이외의 것을 사용할 것

**배기장치** Exhaust : Equipment for Exhaustion

유해한 가스나 먼지, 오염된 공기를 배출하기 위한 장치. 환기방식과 국소 배기식이 있으며, 전자는 환기선으로 실내 전체를 환기한다. 도금작업에서는 국소 배기가 중요하며, 배기는 가스세정 집진장치(스크로버)등으로 처리하는 경우가 많다. ◘ 세정 집진장치(247)

**배기 후드** Exhaust Gas Hood

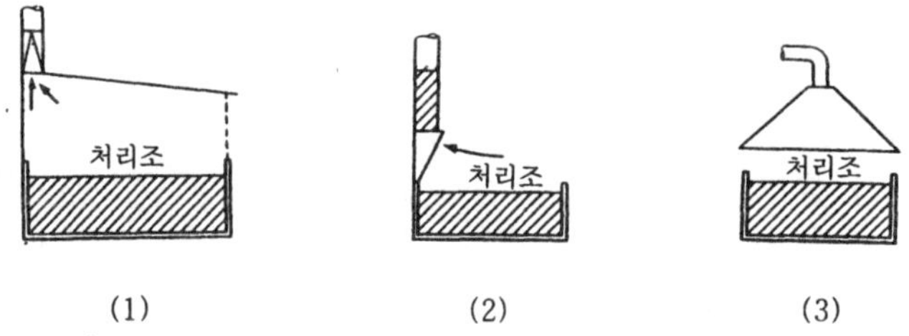


배기 후드

국소 배기에서 오염물의 발생원으로 빨아들여 기류를 일으켜서 오염공기를 그 안으로 향하게 유입시키기 위한 덮개를 말한다. 배기 후드를 크

게 나누면 그림과 같이 (1)울타리 후드, (2)측면 후드, (3)천개 후드의 3 종류로 분류된다. (1)은 작은 작업 구멍, 관찰 구멍을 남겨두고 전체를 둘러쌓기 때문에 배기 풍량을 적게 하여 작업을 할 수 있다. (2)에서는 후드의 반대측에서 공기를 분사시키는 경우도 있다(에어 커텐식). (3)은 여분의 풍량을 흡입하기 때문에 외부의 기류에 의한 방해를 받기 쉽다.

**배럴 구점** Barrel Spots

배럴 도금된 제품에 발생하는 도금 불량으로 배럴 구멍과 같은 형상을 한 무도금 부분을 말한다. 원인은 배럴 내의 물품이 배럴 회전 중에 배럴 내에서의 운동이 불충분할 때 발생한다. 구상의 물품에는 발생하기 어려우며, 평면상의 물품에는 발생하기 쉽다. 배럴 용량에 비해 물품의 투입량이 많으면 발생하기 쉽다. 구멍이 없는 경사 배럴에서는 발생하지 않는다.

**배럴 도금** Barrel Plating ◘ 회전 도금(645)

**배럴 마무리** Barrel Finishing

넓은 의미로는 배럴 연마와 같으며, 배럴 연마를 자기 연마와 스톤 연마로 구분하며, 후자를 배럴 연마라고 하는 경우도 있다. 후자는 고무 라이닝된 배럴을 사용하며 물품 외의 매체를 넣어 물품간에 충돌을 유도하여 광택을 내는 효과도 있다. 자기연마는 자기 연마법이라고도 한다.

= 배럴 피니싱(172)

**배럴 버니싱** Barrel Burnishing

연마처리법의 일종으로 표면층을 제거하지 않은 채, 압력을 가해 문질러 표면을 평탄하게 하는 가공법을 말한다. 버니쉬 마무리라고도 한다.

= 버니쉬 마무리(176)

**배럴법** Barrel Processing

물품을 회전용기 중에 넣어 기계적, 화학적 또는 전해 처리하는 방법의 총칭으로써 배럴버니싱, 배럴 연마법, 배럴 도금법, 배럴 세정법 등이 있다.

**배럴 연마** Barrel Finishing ; Barrel Polishing

배럴에 물품을 넣어 배럴을 회전시킴에 따라 물품의 표면을 연마하는 방법이다. 물품만을 넣어 그 외 약품을 첨가한 수용액을 가한 자기 연마법과 배럴 내에 물품과 함께 연마석과 수용액을 추가하여 스톤 연마법(배럴 마무리)으로 크게 구분한다. 배럴 연마를 습식과 건식으로 구별하면 습식은 마무리가 좋지만, 마무리속도가 늦고 건식은 그 역으로 회전 중의 소음이 크다. = 회전 연마(645), 공 연마(텀블링)(545)

배럴 연마의 분류

| | | |
|---|---|---|
| 배럴 연마 | 자기 연마(공 연마) | 수평식(건식과 습식) |
| | | 경사식(건식과 습식) |
| | 스톤 연마(배럴 마무리) | 수평식 |
| | | 침적식 |

배럴 연마

**배럴 연마시험** Barrel Polishing Test

도금시료를 강구(鋼球)와 함께 배럴에 넣어 회전시켜 도금의 밀착을 조사하는 시험방법으로, 비교적 얇은 도금에 적합하며, 주석, 납, 땜납 등의 부드러운 도금에는 적합하지 않다. KS D 0254「도금의 밀착성 시험방법」에 규정되어 있다. 시료를 강구와 함께 배럴에 넣어 중성세제를 첨가한 물을 적정량을 가해 배럴을 매분 25회전으로 40분간 회전시킨 후, 시료를 꺼내어 도금의 박리 또는 부풀음의 유무를 조사한다. = 버니싱 시험(176), 볼연마시험(193)

**배럴 크랙** Barrel Crack

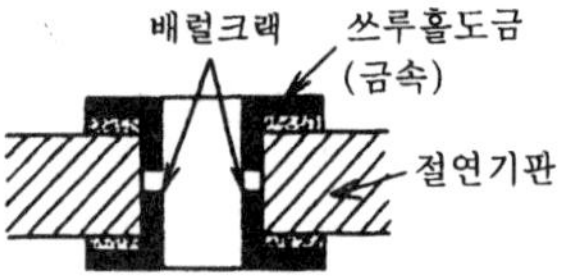

배럴 크랙

프린트 배선판의 구멍 내벽부의 도금막에 발생되는 균열을 말한다. 프린트 배선판의 쓰루홀도금은 도금두께가 25㎛ 이상 필요로 하지만, 도금두께가 부족하면 부품을 실제 장착 시에 납땜에 의해 열쇼크로 도금막에 크랙이 발생하여 도통 불량의 원인이 된다. 또 도금두께가 얇아 도금막에 크랙이 발생하면 납땜 시에 동의 열용량 부족으로 용해된 납땜이 부품 면까지 상승하지 못한 채, 부품 접속시 납땜 불량의 원인이 된다.

**배럴 크롬도금** Barrel Chromium Plating

크롬도금은 석출 때 대전류를 필요로 하며 피도금물의 자동접촉만으로는 통전이 곤란하기 때문에 배럴을 고속 회전시켜 원심력을 이용하여 피도금물로 통전을 좋게 하는 도금장치가 개발되어 사용되고 있다. 볼트, 너트, 구 등, 소형으로 단순한 형상일 경우에는 구멍이 없는 경사 배럴로 도금한다. 도금욕은 둘레의 부착을 좋게 하기 위하여 불화물을 첨가한 욕이 이용된다. 한 예로써 무수크롬산 300g/$l$, 규불화크롬 3㎖/$l$, 또는 무수크롬산 350g/$l$, 황산 0.5g/$l$, 규불화나트륨 15~20g/$l$ 이다. ◘ 하야시욕(615)

**배럴 피니싱** Barrel Finishing ◘ 배럴 마무리(171)

**배리어층** Barrier Layer ◘ 장벽층①(439)

**배빗 메탈** Babbitt's Metal

주석을 주성분으로 하고, 이것에 안티몬과 동을 추가한 베어링용 합금, 예를 들어 Sn 89%, Sb 7%, Cu 4% 이다. 합금중의 $Cu_3Sn$이 뛰어난 베어링특성의 요인이 된다. 대하중, 고속도의 발전기 터빈, 엔진, 삭암기 등의 주축 크랭크 등에 이용된다.

**배선 밀도** Wiring Density

단위면적당의 배선량. 프린트 배선기판에서는 격자간의 배선 수나 단위면적당 배선 길이로 표시되는 경우가 많다. 예를 들어, 격자간 2.54mm로 배선이 3개일 경우에는 3개/2.54mm로 표시한다.

**배수처리** Waste Water Treatment : Effluent Treatment

도금작업에서 발생하는 폐수 중 오염물질을 제거하고 배출 기준에 맞는 수질을 만들어 배수하기 위한 처리를 말한다. 발생하는 폐수는 세정 배수와 농후폐액이 있으며, 전자는 피도금물의 수세수이고, 후자는 노화(老化) 도금액, 노화 크로메이트액, 탈지액, 박리액, 산, 알칼리의 폐액 등이 있다. 도금배수의 일반적인 처리방법으로써 유해물질인 시안계통의 배수, 크롬계통의 배수, 중금속을 함유한 산알칼리 계통의 배수를 약품첨가에 의해 각각 무해화 처리를 하여 마지막으로 pH 조정으로 중금속을 수산화물로써 제거하는 방법이 실시되고 있다. 농후폐액은 세정 배수에 조금씩 첨가하여 처리를 하든지 별도 처리를 한 후, 이 처리수를 엷은 세정 배수 중에 혼합하여 처리한다.

**배위 결합** Coordinate Bond

공유결합의 일종으로 한 쪽의 원자가 2개의 전자(고립전자대, Lone Pair)를 제공하고 다른 원자는 빈 전자궤도를 제공하여 2개의 원자가 2개의 전자를 공유하고 있는 결합을 말한다. HClO, $NH_4^+$이온, $H_3O^+$이온 등은 이런 예이다. 차아염소산 HClO에서 ×를 Cl의 전자로써 예시하면

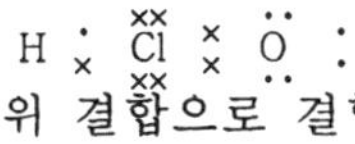

:과 같은 형태가 되며, H와 Cl은 공유결합, Cl과 O는 배위 결합으로 결합하고 있다. ◘ 화학결합(629), 공유결합(39)

**배치식 배수처리** Batch Type Waste Water Treatment ◘ 회분식 배수처리(644)

**배치식 수세** Batch Process Rinsing ◘ 회분식 수세(644)

**배치식 처리** Batch Process Treatment

회분식 처리라고도 한다. 화학반응이나 처리 등의 조작을 행하는 경우에 피처리물을 어떤 양 만큼씩 몇 회에 걸쳐 행하는 방법으로 1회의 처리

량을 배치라고 한다. 배치처리는 소용량의 처리에 적합하다. 이것에 반해 대용량의 처리에는 연속식이 적합하다. = 회분식 처리 ◘ 회분식 배수처리, 회분식 수세(644)

**백금** Platinum Pt.

원자번호 78, 원자량은 195.09이다. 백금족의 원소로 은백색, 면심입방격자, 격자정수 $a$=3.9231Å, 융점 1774℃, 비중 21.45, 비저항 $10.6 \times 10^{-6}$ $\Omega \cdot$ ㎝(0℃), 모오스경도는 4.3이며, 은보다도 단단하고 연성, 전성이 풍부하다. 왕수, 염소를 함유한 염산, 고온의 수산화알칼리 이외에는 거의 녹지 않으나, 적열 상태에서는 염소와 반응하여 이염화물 $PtCl_2$를 만든다. 미분은 용적의 100배 이상의 수소를 흡수 저장한다. 표면적이 큰 미분백금, 즉, 백금흑은 촉매로써 사용된다. 백금은 화학적으로 안정되어 있기 때문에 화학장치, 도가니 등에 사용된다. 도금에서는 불용성 전극에 사용되고 있다. 백금도금은, 티탄백금 전극용의 도금, 액세서리 등의 도금에 이용된다. = 플라티나(596)

**백금** White Gold ◘ 화이트 골드(628)

**백금계 접점재료** Platinum and Platinum Alloy Contact Material

백금은 금은에 비해 융점(1774℃)이 높고, 접점으로써 융착이 어렵지만, 도전율이 낮고, 접점사용 시에 촉매작용에 의해 탄화수소가 중합되어 폴리머를 생성하기 쉬워 접촉불량의 원인이 된다. 또, 고가이기 때문에 경부하의 계전기용 등에 이용된다. 합금으로써는 백금-이리듐, 백금-오스뮴, 백금-루테늄, 백금-팔라듐, 백금-금 등이 있다. 신뢰성을 높이기 위해 백금계 접점재료 위에 금도금, 은도금을 하는 경우도 있다.

**백금 금도금** White Gold Plating ◘ 화이트 골드도금(628)

**백금 도금** Platinum Plating

내산화·내식성과 내열성이 뛰어나기 때문에 전자기기 접점용, 전해용 티탄백금 전극용 등에 주로 이용된다. 지니트로지 아미노백금 $Pt(NH_3)_2(NO_2)_2$를 암모니아수 또는 황산에 녹인 액이 사용되지만, 암모니아욕은 고온이 필요하고 액이 불안정하여 황산욕이 주로 사용된다. 얇게 도금하면 광택도금이 되지만, 두꺼울 경우는 표면이 거칠고 크랙이 발생되기 쉽다. 그 외에 죤슨·맛세이사가 개발한 헥사히드록시 백금산나트륨 $Na_2Pt(OH)_6 \cdot 2H_2O$를 NaOH 용액에 녹인 욕, 다이니트리트황산 제일백금산(DNS)$H_2Pt(NO_2)_2SO_4$욕, 미국 광산국이 개발한 지니트로지 아미노백금을 술파민산 용액에 녹인 욕, 헥사히드록시 백금산을 KOH용액에 녹인 욕 등이 있으며, 현재도 개량이 진행되고 있다.

**백금 클래드전극** Platinum Clad Electrode

모재로써 철, 동, 알루미 등을 이용하여 티탄 등의 내식재료를 클래드 가공한 후, 그 위에 백금을 얇게 클래드 가공한 전극을 말한다. 별도의 제품으로 모재로써 철, 동, 알루미 등을 사용하여 티탄 등의 내식재료를 클래드 가공하고, 그 표면에 백금박을 클래드 가공한 티탄네트를 용착한 전극도 있다. 전자는 소형 전극, 후자는 중형과 대형 전극으로써 사용되고 있다.

**백금 흑** Platinum Black

극히 미소한 입자의 흑색 백금분말로, 백금 염수 용액에 환원제를 첨가하거나 전해하여 얻을 수 있다. 백금 전극의 표면에 백금 흑을 부착시키기 위해서는 백금 전극을 염화 백금산 용액에 넣어 전기도금한다. 백금 흑은 표면적이 크기(예를 들어, 20~40㎡/g) 때문에 촉매로써 이용된다.

**백동** White Copper

동과 니켈의 합금으로 Ni 15~25%, 나머지는 Cu의 일반조성을 갖는 백색의 강인동 합금이다. 유사한 것으로 니켈과 아연을 포함한 양은(양백이라고도 한다)이 있다. 소성, 가공성이 좋고 열간 가공 등에 적합하며 해수에 대한 내식성도 좋다. 비교적 고온에서도 잘 견디며 열교환기, 화학공업 등의 내식재료로써 사용된다. = 큐프로니켈 ◘ 양은(325)

**백봉** White Alundum : Unfused Aluminum Oxide Bar

알루미나, 규사분 등을 유지로 굳힌 봉상의 유성연마제. 스테인리스, 철, 동, 플라스틱 등의 연마에 사용된다.

**백색 금도금** White Gold Plating ◘ 화이트 골드도금(628)

**백색화** Whitening

백색금속, 예를 들어 Sn(주석), Ag(은), Ni(니켈) 등을 용융하여 다른 금속의 표면에 박막을 부착시키는 방법을 백색화라고 한다.

**백점** White Spot : Flake

백점이란 강재의 마무리면에서의 미세한 균열로, 그 파면이 백색의 반점으로써 나타나는 것을 말한다. 백점은 Ni-Cr강에 특히 현저히 나타나는 결점으로, 그 생성 원인은 아직 명확하지는 않지만, 강재에 흡수된 수소가스, 불순물의 응집, 내부 변형의 잠재 등에 의해 종합적으로 유발되는 것으로 알려져 있다.

(1)횡목(横目) 반점 : 외관적으로는 타원형을 하고 있는 형태로, 이 장

축 방향으로 횡목을 가지고 있으며, 단련 후의 강재에 많이 나타난다.

(2)은(銀) 백점 : 외형은 거의 원 또는 타원형을 하고 있지만, 파면은 은색으로 빛나며, 또한 요철이 많다. 단련 후의 강재에 많이 나타난다.

(3)회색점 : 일반적으로 은백점보다는 넓은 영역을 차지하며, 광택이 없는 회색으로, 결정립은 미세하며 요철이 적다. 대부분이 단련 후의 강재에서 발견된다.

(4)입(粒) 백점 : 외형은 원 또는 타원으로, 강괴 또는 단련한 강재에 많이 나타난다. 결정립은 조대한 것이 보통이지만, 이것이 미세하게 되면 은 백점과 유사하다.

**백청** White Color Rust

아연 또는 그 합금의 표면에 발생하는 백색 다공질의 분괴(粉塊)

**백 필터** Bag Filter

가늘고 긴 자루형(직경 30~50㎝, 길이 2~10m)의 천을 여과재로 하는 여과 집진장치를 말한다. 집진율은 99% 정도로 미세한(0.1㎛ 정도) 입자도 포집할 수 있으나, 천을 이용하기 때문에 고온의 가스 등은 사용이 제한된다. 목면에서 80℃, 합성섬유 100~130℃, 유리섬유 250℃ 정도이다. ◘ 여과 집진(342)

**밸브 메탈** Valve Metal

Al, Ti, V, Y, Zr, Nb, Hf, Ta 등의 금속은 용액에서 금속으로 전류가 흐르지만, 금속에서 용액으로는 거의 전류가 흐르지 않고 밸브 작용을 가지고 있기 때문에 밸브 메탈이라고 불린다. 이 밸브 또는 정류작용 기구는 산화물/용액과의 계면에서 p-n접합 발생에 따른다는 설도 있으나, 이들의 금속산화물 피막은 전자전도성을 무시할 수 있을 정도로 작기 때문에 이보다는 이온전도성이 크다는 점에 그 주된 원인이 있다. = 변(弁) 금속(184)

**버** Burr

금속재료를 전단 가공했을 때, 공구의 칼날이 닿지 않은 쪽에 발생하는 칼날 형상의 흠집을 말한다. 선단 가공한 제품에 도금을 할 때, 흠집이 있으면 흠집의 부분에 도금불량이 발생하기 쉽기 때문에 미리 버를 제거해야 한다.

**버니쉬 마무리** Barrel Burnishing ◘ 배럴 버니싱(171)

**버니싱 시험** ◘ 배럴 연마시험(172)

**버스 바** Busbar

도금 수조에 고정된 도전부로, 거의 모두가 동으로 만들어졌다. 정류기에서 케이블을 통해 버스 바까지 전류가 운반되며, 케이블과 버스 바는 볼트로 조여져 있다. 단면은 사각형이 많으나, 원형인 것도 있다. 전해정제나 채취에서는 버스 바와 크로스 바를 구별하지만, 도금에서는 명확하게 구별하지 않는다. 액에 침적시키는 버스 바(수중 버스 바)도 있으며, 동, 철, 알루미늄을 중심으로 하며, 티탄이 피복 되어 있다. 전해시 버스 바의 발열은 액에 흡수되어 에너지를 절약할 수 있으며, 버스 바의 오염도 없고 메인터넌스가 용이하게 된다. = 크로스바(535), 극봉(54)

**버스 바 전류용량** Current Capacity of Busbar

버스 바에 흐르는 최대 전류를 말한다. 버스 바의 전류용량은, 버스 바의 재질, 형상, 길이에 따라 다르며, 압연동의 버스 바는 개략적인 값으로써 압연동의 단면적 1㎟당 2A 정도로 정하는 경우가 많다. 전류에 따라, 버스 바의 내부에 발생하는 열량은 버스 바의 표면에서 대기 중에 발산되는 열량과 같을 때, 온도적 평형을 얻을 수 있다고 하는 이론에 근거하여 멜슨 및 부스의 식이라는 것이 있다. 실제로는 버스 바의 길이에 의한 전압 강하가, 욕전압, 수조전류의 변동 요인이 되기 때문에 버스 바의 길이에 의해 전원에서 처리조까지의 전압강하를 계산하여 전압강하가 적은 버스 바의 전류용량으로 하지 않으면 안 된다. ◘ 버스 바(전항)

**버틀러 마무리** Butler Finish

와이어브러시, 또는 연마제를 함유한 포제(布製) 버프의 회전으로 만들어진 독특한 광택을 가진 가늘면서 평균적으로 분포한 평행선으로 되어 있는 마무리법을 말한다. ◘ 헤어라인 마무리(623)

**버퍼** Buffer ◘ 완충제(374)

**버프** Buff

포제 또는 그 외의 재료로 제작된 연마용 걸레(Mop)를 말한다. 베는 면을 주체로 하고, 옥양목(Calico), 마 등이 사용되며, 베 이외에는 두꺼운 볼지를 원형으로 한 볼 버프, 섬유 또는 동물 털을 허브(Hub)에 심어 만든 스크래치 브러시, 철사를 허브에 심어 만든 스크래치 브러시 등이 있다. = 우포(羽布)(383)

**버프 마무리** ◘ 버프 연마(후항)

**버프 연마** Buffing ; Polishing

버프의 표면 또는 주위에 연마제 등을 부착해 버프를 회전시켜 소재를 연마하는 방법을 말한다. 장식도금에서는 도금의 전후에 버프 연마를 하는 경우가 많다. 연마 공정은 소재의 종류나 소재 표면에 따라 서로 다르다. 도금전의 버프 연마를 소지 연마, 도금 후의 버프 연마를 마무리 연마라고 하는 경우도 있다. = 버프 마무리(전항)

버프 연마의 분류

- 버프연마 (넓은 의미) Polishing & Buffing
  - 고정연마재에 따름 (연마재와 접착제를 사용) — 거친연마 (금강사연마*)
  - 반고정 또는 유리연마재에 따름(버프연마제를 사용)
    - 중연마 (Cutting Down)
    - 마무리연마 (Coloring)
    - (중연마·마무리연마) — 버프연마 (좁은 의미) (유성연마*) (Buffing)

주 : ( )내의 *인은 도금 공업계에서 잘 이용되고 있는 관습적인 호칭이다.

버프 연마

**버프 주속(周速)** ◘ 버프 표면속도(후항)

**버프 표면속도** Buff Surface Speed

버프 원주의 속도, 버프 표면속도=(버프 원주의 길이)×(버프 연마기의 회전수)이며, 보통은 m/min으로 표시한다. 버프 연마기의 회전수는 1800~3000rpm(매분 회전수)이 많고, 버표면속도는 1500~3000m/min 정도가 사용된다. = 버프 주속(전항)

**번 아웃** Burn Out

가스 침탄로 및 침탄 가스의 변성로는 조업을 계속하는 동안에 노 내에 유리 탄소가 퇴적되기 쉽다. 이 퇴적된 탄소는 노 내의 분위기 조건이나 변성 능력을 어지럽히며, 또한 노 내에서 사용되는 치공구의 수명을 단축하는 작용을 하기 때문에 필요에 따라 정기적으로 노 내에 공기를 보내 연소, 제거하는 것이 필요하다. 이와 같이 유리, 퇴적된 노 내의 탄소에 공기를 보내 연소시키는 조작을 번 아웃이라고 한다.

**번 오프** Burn off

플라스틱 소지 등의 비전도성 소지상의 도금에서 무전해 도금을 하고 행하고 난후, 전기도금을 할 때, 과도한 음극 전류밀도의 통전이나, 전기적 접촉면적이 부족하여 무전해 도금 피막이 소실되어 버리는 것을 말한다.

**번트 디포지트** Burnt Deposits

주로 한계전류밀도를 초과한 과대 전류밀도일 때에 생기는 거칠고 무른 도금이다.

**번트 샌드** Burnt Sand

주형 내에서 용탕에 접하여, 그 열로 말미암아 점결력이나 소요의 성질을 잃은 모래를 말한다.

**벌지** Bulge

프린트 배선기판에 사용되는 동의 적층판을 가공할 때 발생하는 구멍 주변에 부풀어 올라 돌출된 것을 말한다.

**범프 도금** Bump Plating

리드프레임(TAB가 主)에 LSI를 탑재할 부분은 전기적인 접속을 좋게 하기 위해 돌기(Bump)를 만들며, 이 범프를 형성하는 도금법을 범프 도금이라고 한다. 리드프레임(Lead Frame)측에 실시하는 경우와 LSI측에 실시하는 경우가 있다. 도금법 이외에는 인쇄 적층법(페이스트를 몇 층 정도 중첩시킨다) 또는 밀납재 탑치법(搭置法)(금속 하지막 상에 은밀납의 구슬 등을 납접한다)이 있으며, 도금법은 마스킹, 금도금, 에칭 등을 조합하여 주상의 범프를 형성시킴으로 인해 치수정도가 양자보다 좋다. 전해, 무전해 양방의 도금이 각종 방법으로 고안되고 있다. ◘ 리드프레임(124), TAB(555)

**법랑 철기** Enameled Iron

철판 또는 주철의 표면에 도자기용의 유약과 같은 유리질의 법랑 유약을 도포하고 800~900℃로 가열 한 후, 융착시킨 것을 말한다. 마무리 면이 평탄하고 제거하기가 쉬우며, 자기보다도 가볍기 때문에 목욕탕의 욕조, 세면기, 싱크대 등에 사용된다. 충격에 약하며, 균열(크랙)이 생기기 쉽다는 결점이 있다. 소형의 도금 처리조에 사용되는 경우도 있다.

◘ 법랑(후항)

**법랑(琺瑯)** Porcelain Enamel

금속 표면에 유리질을 융착시킨 것을 말한다. 유약은 금속의 내열온도 이하에서, 열팽창계수가 금속에 가까운 것을 사용한다. 내식성은 별로 좋지 않다. 내식성을 좋게 한 것은 유리라이닝, 내열성을 좋게 한 것은 세라믹 코팅이다. 장식품으로써 금은동 등에 실시하는 것은 칠보(七寶)라 부른다. ◘ 칠보(512)

**베드 전극** Bed Electrode

2차원 전극 또는 입자군 전극이라고도 하며, 고정 또는 유동하고 있는 입자군을 카소드와의 접촉 또는 바이폴러 현상을 이용하여 표면적이 큰 전극으로 한 것을 말한다. 카소드를 베드 전극으로 한 것은 저농도 금속의 전해 채취, 도금, 그 외의 배수 처리에 사용된다.

**베로아 니켈도금** Velours Nickel Plating

새틴 니켈도금의 독일 셰링사(Schering AG)의 상품명이다.

**베르토로** Vertoro

교류를 직류로 변환하는 기기이다. 변압기로 저전압의 다상 교류로 변성하여 정지정류장에 접속한다. 집전용 브러시가 동기 전동기로 구동되며, 정지 정류자의 위를 회전하며 직류 전력을 얻는다. 전동 발전기보다 효율이 좋고(80~85%), 소음이 작으며, 출력 파형이 좋고, 과부하 내용량이 크며, 극성 반전도 용이하게 가능하다. = 변압 정류기(185)

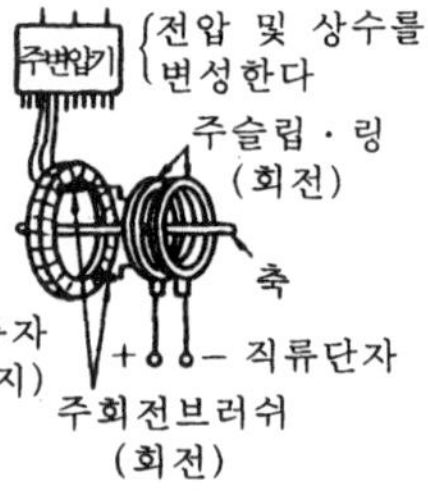


베르토로

**베릴륨** Baryllium Be.

원자번호 4, 원자량 9.01218, 비중 1.857, 융점 1285℃, 알칼리 토류금속의 하나로, 은백색, 내식성에 뛰어나며, 상온에서는 무르지만, 고온에서는 전연성이 있다. 공기 중에는 표면만이 산화되어 산화막을 만든다. 물과는 표면에 산화막을 만들지만, 반응은 진행되지 않는다. 염산, 황산에는 수소를 발생하여 베릴륨염을 만들어 녹는데 황산에는 침해되기 어렵다. 알칼리에는 수소를 발생하여 녹아 베릴륨산이 된다. 베릴륨과 그 화합물은 유독하다. 가볍고 튼튼하여 경합금의 성분으로써 항공기, 미사일, 자이로스코프 등에 사용된다.

**베릴륨 동** Beryllium Copper ; Beryllium Bronze

베릴륨 청동이라고도 한다. 동에 베릴륨을 0.2~2.5% 함유시킨 동합금으로 시효경화성이 있다. 동합금 중에서 최고의 강도이며, 내식성, 내열동, 내마모성, 피로한도, 스프링특성, 전기전도성이 모두 뛰어나기 때문에 전기 접점, 베어링, 고급 스프링, 무인 불꽃 안전공구 등에 사용되고 있다. 합금의 종류가 많으며, 예를 들어 고력 재료용으로써는 Be 1.5~2.5%, Co 0.25~0.35Q%를 함유하며, 고전기 전도성재료로써는, Be 0.2~0.6%, Co 1.4~2.6%를 함유한다. 베릴륨 동은 얇은 산화피막이 견고하게 부착되어 있기 때문에 도금의 전처리에는 산처리에 의한 산화피막의 제거가 중요하다.

**베릴륨 동소지의 도금** Electroplating on to the Beryllium-Copper Alloy Substrates

베릴륨 동은, 열처리에 의한 산화 피막이 견고하게 부착되어 있는 것이 많아, 산화 피막의 제거가 어렵다. 전처리 공정의 한 예는, 탈지 세정→수세→희황산 침적(20~30%, 70~80℃)→수세→희초산 침적(30%, 상온)→수세→화학 연마(황산 30㎖/$l$, 초산 30㎖/$l$, 30% 과산화수소수 40㎖/$l$, 상온, 2~5분)→수세→화학 연마→무수크롬산 360g/$l$, 황산 46㎖/$l$, 상온 20~30초)→수세→산 침적(농인산 50℃)→수세→중화(시안화나트륨 30g/$l$)→수세→시안화 동 스트라이크도금이다.

**베릴륨 청동** Beryllium Bronze ◘ 베릴륨 동(180)

**베이나이트** Bainite

베이나이트란 탄소강 또는 합금강을 담금질 온도에서 110~550℃($Ar'$와 $Ar''$ 변태점의 중간 온도)의 열욕에 담금질해 항온 변태를 일으킬 때 생기는 조직을 말한다. 기름 또는 물 담금질에 의해서는 얻기 어려운 조직이다. 현미경적으로는 흑색의 침상 조직으로 일견 침상 마르텐사이트와 혼동하기 쉬운 경우가 있다. 하지만 마르텐사이트보다 부식되기 쉽고 경도도 작다. 베이나이트에는 2종류가 있으며, 비교적 고온의 항온 변태에 의해 얻어진 것을 고베이나이트(High Bainite), 낮은 온도에서 생성된 것을 저베이나이트(Low Bainite)라고 한다. 고베이나이트는 특징이 있는 깃털 형태이고, 저베이나이트는 침상을 띄고 있다. 또 페라이트 안에는 분산된 미세한 시멘타이트로 구성되어 있어, 일견 마르텐사이트를 템퍼링해 얻어진 트루스타이트 또는 소르바이트와 유사하다. 베이나이트는 E. C. Bain의 이름을 따서 지어진 것이다. 또 Intermediate Structure, Acicular Constituent 등으로 불리는데, 그 본질은 지금 현재 불분명한 점이 많다.

**베이나이트강** Bainitic Steel

타이프라이터나 컴퓨터 단말기의 부품 등에 사용되는데 경도가 높고 우수한 내마멸성을 지닌 강을 말한다.

**베이나이트 경화** Bainite Hardening

1차 베이나이트가 얻어지는 담금질을 베이나이트 경화라고 한다. 오스템퍼링은 베이나이트 경화의 일종이다. 근래에는 고속도강을 소정의 담금질 온도(1300℃)에서 260℃정도의 열욕 담금질이다. 베이나이트 경화된 고속도강은 그대로 잔합조직으로 취성이 있어 이것을 소정 온도(580℃)

로 템퍼링할 필요가 있다. 템퍼링을 하면 통상적인 담금질, 템퍼링보다 절삭성능이 양호해진다.

**베이나이트 주철** Bainite Cast Iron

구상 흑연주철의 강도를 향상시키기 위하여 바탕을 베이나이트화하는 방법이 새로이 검토되고 있으며, 일반적인 구상 흑연주철의 조성에 소량의 Cu, Mo, Mn, Ni 등을 첨가한 조성이 쓰이고 있다. 일반적으로 바탕을 페라이트로 한 후, As 점의 바로 위의 온도로 가열하여 300~375℃의 욕에서 오스템퍼로서 바탕을 베이나이트화 하며, 인장강도 950~1100MPa, 연신율 5~6.5%, 피로 강도 450~500MPa, 경도 HB 310~315 정도의 것이 얻어진다. 바탕은 일반적으로 베이나이트와 잔류 오스테나이트이지만, 인성을 얻기 위해서는 오스테나이트와 페라이트의 혼합 온도 구역에서 오스템퍼로 하여 페라이트와 베이나이트의 2상 조직으로 하는 것도 있다. 주요한 용도는 자동차용이다.

**베이나이트 처리** Bainitic Treatment

주로 고속도 공구강의 인성을 늘리기 위해 이뤄지는 열처리의 하나로서, 먼저 베이나이트를 생성하는 250~300℃의 열욕에 담금질하여, 일부 베이나이트상을 생성시켜 공냉한다(베이나이트 담금질). 그 다음에 재담금온도로부터 냉각을 240~300℃에서 중단하고, 항온을 유지한 후, 냉각하므로써 잔류 오스테나이트상을 베이나이트화 한다.

**베이클라이트** Bakelite

페놀 수지의 상품명이다. 1907년에 L. H. Bakeland에 의해 만들어졌기 때문에 이 이름이 사용된다. ◘ 페놀수지(568)

**베이킹** Baking

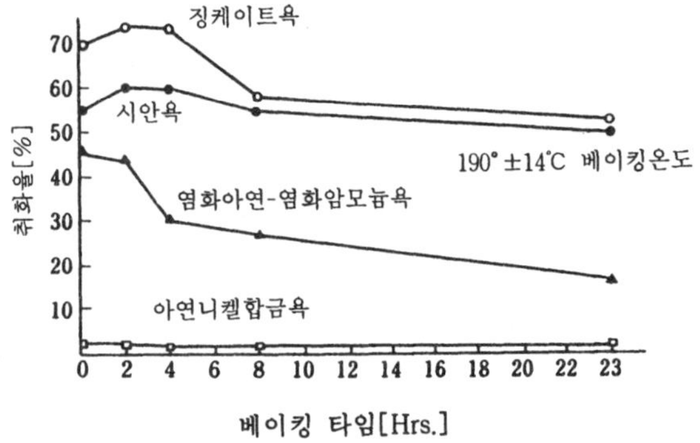


각종 아연도금 피막의 베이킹 처리에 의한 효과

베이킹

소재의 변형 제거, 또는 전처리나 도금에서 일어나는 소재나 도금피막에 흡장되는 수소에 의한 수소 취성을 제거하기 위하여 행하는 열처리를 말한다. 도금에서는 크롬도금이 취화율이 크며, 190±14℃에서 2~4시간의 베이킹으로 완전히 취성을 제거할 수 있다. 아연도금에서는 그림과 같이 2~4시간의 베이킹에서는 오히려 나쁘게 되는 경우도 있다. 그림의 시험편은 Hv 550의 SK-5재이다. ◘ 수소 취성 제거법(257)

**베일비 층** Beilby Layer

연마, 연삭 등의 기계가공을 받은 금속의 표면층의 최상층은 비정질적이며, 미결정 집합층 또는 베일비 층이라 부른다. 이 아래에는 또한 불균일 소성 변형층이 존재한다. 베일비 층의 두께는 100Å 정도이다. 도금의 전처리에서는 밀착을 좋게 하기 위해 이 층을 제거한다. = 빌비 층(226)
◘ 가공 변질층(7)

**β선식 도금두께 시험** Beta Back-Scatter Method for Measuring Thickness

도금면에 β선을 조사하여 후방 산란한 β선량을 측정하여 도금의 두께를 구하는 방법이다. 금속 소지상 또는 비금속 소지상의 도금 두께를 비파괴적으로 측정할 수 있다. 측정 원리상, 소지와 도금의 원자번호가 적당한 수(통상 3~4 이상)만큼 떨어지지 않으면 안 된다. 소지와 도금의 조합에 따라서는 측정 불가능한 경우가 있다. 정도는 참값에 대해 10% 이내이다. 측정 정도에 영향을 미치는 것은, 도금 두께 및 도금 종류, 소지의 재질 및 두께와 하지도금의 두께, 표면 거칠기, 시료의 완곡도, 시료와 지그와의 밀착도이다.

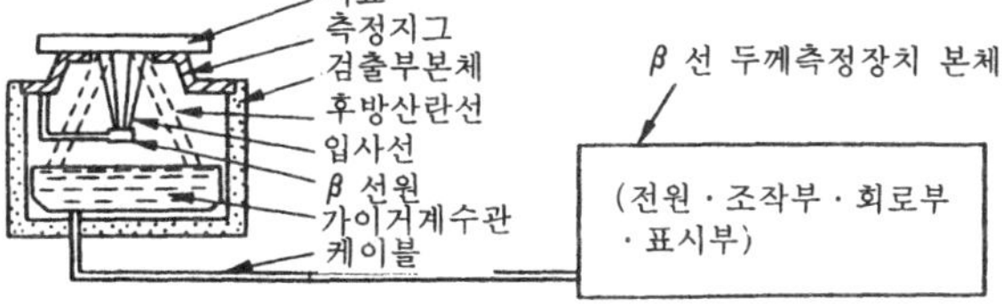


β선 두께 측정장치의 한 예

β선식 도금두께 시험

**β철** Beta-Iron

이전은 769℃와 γ 전이점 909℃와의 사이에 있는 철을 일컫는데, 현재는 α철과 동일하다고 여기고 있다. α철은 769℃에 큐리점이 있고, 강자성에서 상자성으로 변화한다.

**벤조트리아졸** Benzotriazol

동 및 동합금의 부식제어제로, BTA라고도 한다. 보통은 투명 레커에 섞어 변색 방지에 이용하거나 도료에 섞거나 한다. 동도금, 진주도금, 은도금, 금도금의 변색 방지나 봉공처리에 사용할 때는 알코올에 BTA를 용해하여 침적한다. = BTA(226)

**벤트 카소드** Bent Cathode ◘ 굴곡음극(48)

**벨트 연마법** Belt Sanding ; Belt Polishing

연마제가 부착된 연마 벨트를 사용하여 연마하는 방법을 말한다. 벨트 연마는 다음 3가지 방법으로 행한다. (1)컨텍트 호일(고무제)의 외측부터 연마한다 ; 그림(1). (2)평면연마 : 맞대기 판 위에 벨트를 누르면서 연마한다 ; 그림(2). (3)자재 연마 : 맞대기 판을 벗겨내 벨트의 느슨함을 이용하여 형태가 불규칙한 물품(예를 들어, U자형의 오목부를 연마한다) ; 그림(3)

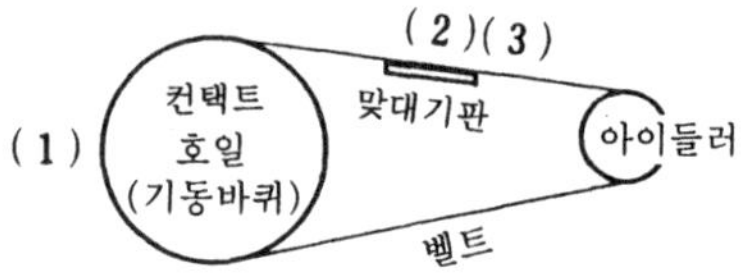


벨트 연마의 연마장소 (1), (2), (3)

벨트 연마법

**벵가라** Red Iron Oxide

인도의 지방명인 벵갈에서 온 용어로, 산화철적(赤)이라고도 불리는 산화제이철 $Fe_2O_3$를 주성분으로 하는 안료를 말한다. 황색을 띈 적색에서 자색까지 색상을 갖는 것이 있다. 내후성, 내열성, 내약품성도 있고, 음폐력도 있기 때문에 녹 방지 도료 등의 하지도포 도료에서 상지도포 도료까지 널리 사용된다.

**벽개(劈開)** Cleavage

결정에 결합력이 약한 면이 있어, 그 면을 따라 쪼개지는 것을 말한다. 쪼개진 평탄한 면을 벽개 면이라고 한다. 같은 종류의 결정에서는 개체와는 관계가 없으며, 특정 개체에만 생기는 것을 열개(裂開)라고 한다. 벽개 면에 수직한 방향은 결정을 구성하는 원자 또는 분자의 결합력이 특히 작다.

**변 금속** ◘ 밸브 메탈(176)

**변색** Tarnishing ; Tarnish

환경의 영향 등에 의해 도금 면이나 소지면 등의 금속 면이 본래의 색조를 잃어버리는 현상. 금속의 변색을 이용하여 산화물, 황화물 등을 만들며, 금속착색으로써 이용되는 경우도 있다.

**변색 방지** Anti-Tarnishing Method

동, 동합금의 변색 방지는 투명도장(클리어 레커 등)을 실시하든지, 벤조트리아졸 액을 사용한다. 주석의 변색 방지는 인산나트륨 100g/l, 40~50%액에 침적한다. 은의 변색 방지는 투명하게 도색하든지, 크로메이트 처리나 석유제리 처리(정제와 셀린 0.3~1.0%, 사염화탄소 90%, 잔여분 알코올)등을 한다. 또, 로듐, 베릴륨, 금 등의 도금을 하는 경우도 있다.

**변압정류기** ◘ 베르토로(180)

**변조 전류도금법** Modulated Current Plating

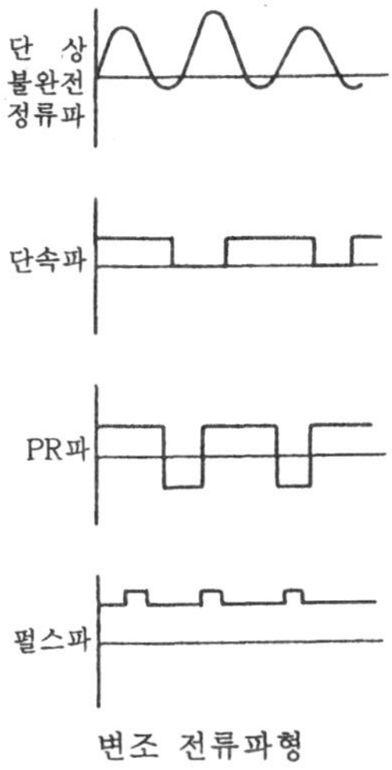

**변조 전류도금법**

카소드의 전류 밀도의 크기를 주기적으로 변화시킨 전기도금을 말한다. 변화시키는 시간은 수 십 분의 일초의 단주기에서, 긴 것은 수 십 초의 것도 있으나, 길어도 수분은 넘지 않는다. 이 방법에 속하는 것으로 단속 전류법, 불완전 정류법, PR법 등이 있다. ◘ PR법(608), 펄스도금(566), 리플도금(126)

**변칙 공석** Anomalous Codeposition

A. 브래너의 분류에 의한 합금 전착에서의 이상공석의 일종으로, 표준 단극 전위가 낮은(이온화 경향이 크다)금속이, 어떤 전류밀도 이상에서 우선 석출되는 공석의 방법을 말한다. Fe, Co, Ni 등의 철족금속을 함유한 합금도금에서 이 현상이 잘 일어나며, 대표적인 것으로 Ni-Co, Fe-Zn도금이 있다.

**변태 소성** Transformation Plasticity

일반적으로 금속과 합금은 변태를 일으키고 있을 때는 강도가 낮고 그 모상의 항복점 이하의 응력에 의하여 소성 변형이 잘 일어나는데, 이와 같은 현상을 변태 소성이라 한다. 변태 소성은 마르텐사이트 변태 시에 주로 거론되며, 초소성(Super Plasticity)이라고도 한다. 예를 들면, 오스테나이트→마르텐사이트 변태 시에는 오스테나이트의 항복점보다 훨씬 낮은 응력에서 현저하게 확인된다.

**변태 응력** Transformation Stress

변태를 일으켜서 생기는 응력으로 중심부까지 담금질이 들어갈 때, 즉, 무심 담금질을 할 때는 변태 응력의 표면은 인장력으로, 내부는 압축력으로 남게 된다. 부품 표면에 장력이 잔류하는 것은 파손의 원인이 되기 때문에 좋지 않으며, 유심 담금질할 때는 표면에 압축 응력, 내부에 인장 응력이 남게 된다. 변태응력에 대해 열응력(Thermal Stress)이 있다. 열응력 때문에 부품의 표면에는 압축력이 남고, 일반 담금질 작업을 할 때는 변태 응력과 열응력 두 가지가 발생한다.

**변태점** Transformation Temperature ; Modification Temperature

금속이 온도의 상승 또는 하강에 의해 어떤 온도에서 결정구조 또는 자기적 성질이 변화하는 현상을 변태라고 하고, 변태가 일어나는 온도를 변태점이라고 한다. 일반적으로 변태에 의해 금속의 물리적, 화학적 및 기계적 성질이 크게 변화한다. 이 현상을 이용하여 금속의 열처리가 행하여지며, 물성의 조정이 이루어진다.

**변형 경화** Strain Hardening

재결정 온도 이하에서 소성 변형시킴으로 인해 경도와 강도를 증대시키는 현상을 변형 경화라고 한다.

**변형 시효** Strain Aging

상온 가공을 실시한 금속이 그 후의 시효에 의해 경화되는 현상을 변형 시효라고 한다.

**변형 시효 취성** Strain Age Embrittlement

어떤 종의 강, 특히 극연강에서 변형 시효에 의해 발생되는 취성을 변형 시효 취성이라고 한다. 변형 시효는 상온 가공(수 % 이상의 가공도)을 실시한 연강에 현저하게 나타나는 것으로 일반적으로 경도는 증가하지만, 연성 및 인성은 감소한다. 이 취화가 변형 시효 취성이다.

**병렬 수세** Parallel Rinse

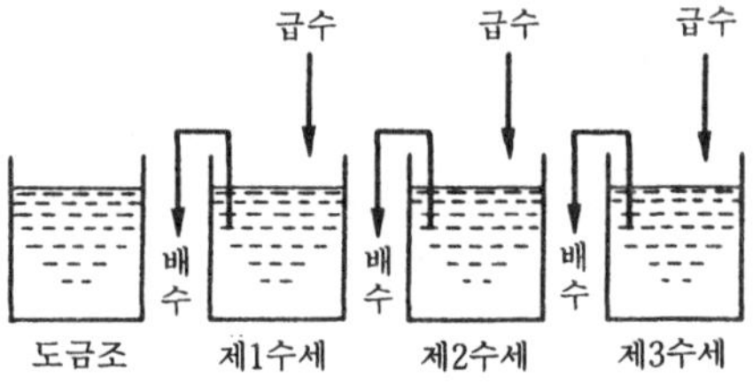


병렬 수세(각각의 조에 급수를 하고, 각각의 조에서 배수한다)

병렬 수세

도금공정 중에서, 수세방식의 일종으로 수세조의 각각의 조에 급수를 하여, 각각의 조에서 배수를 하는 방식을 말한다. 다중 수세라고도 한다. 수세의 이론식에서는 병렬 수세보다 직렬 향류 수세가 급수량이 적어 유리하다고 하지만, 배럴도금에서는 병렬수세가 적합하다. 배럴도금에서는 배럴이 수세조에 들어갈 때마다 액면의 상승이 크지만, 직렬 향류 수세에서는 액이 후단의 오염이 적어 수세조에 역류하여 직렬 향류 수세의 효과를 나쁘게 하기 때문이다. = 다중 수세 ◘ 수세의 이론식(254), 직렬 향류 수세(491)

**병렬 접속** Parallel Connection

하나의 직류 전원에서 두 개 이상의 도금조에 급전을 할 때, 도금조는 병렬 접속되는 경우가 많다. 저항의 병렬 접속은 그림과 같이 접속되며, 합성저항 R은 다음과 같이 계산된다.

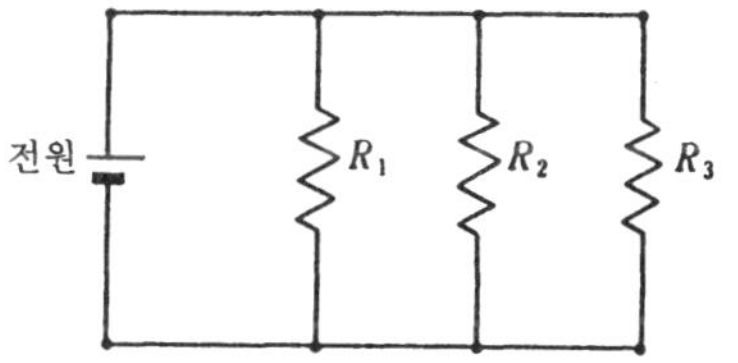

병렬 접속

$$R\frac{1}{\frac{1}{R_1}+\frac{1}{R_2}+\frac{1}{R_3}}$$

**보디법** Body Filter Aid Filtration

여과 조제의 사용 방법에는 프리코트법(여상 생성법)과 보디법(조제 혼합법)이 있다. 상시 여과에는 프리코트법이 사용되며, 교환여과(전량을 다른 용기에 옮기면서 여과하는 방법)에는 보디법이 사용되는 경우가 많다. = 조제 혼합 여과법 ◘ 프리코트(593)

보디법(조제 혼합 여과법)
보디법

**보라잔 욕** Borazan Bath

보라잔($R_3N \cdot BH_3$)을 환원제로 하는 무전해 니켈도금욕이다. 욕은 염화니켈 30g/l, 염화암모늄 5g/l, 구연산나트륨 10g/l, 초산나트륨 20g/l, 티오글리콜산 150mg/l, 디에틸아미노보란 3.5g/l, 안정제 1mg/l, pH 8.5, 온도 25~35℃이다. 이 욕은 저온에서도 사용할 수 있기 때문에 플라스틱 상의 도금용으로써 적합하다. 도금피막은, 융점이 높고(1350℃ 정도), 전기저항이 작으며, 납땜성이 좋다. = 아미노보란욕(290)

**보메도** Baumé Degree ◘ 보메비중계(후항)

**보메 비중계** Baumé Hydrometer

부칭의 일종으로 경액(輕液)용과 중액용이 있다. 전자는 식염의 10% 용액을 0°, 순수를 10°로 하여 그 사이를 10등분으로 되어 있고, 후자는 식염 15%용액을 15°, 순수를 0°로 하여 그 사이를 15등분으로 되어 있다. 이 눈금을 °Bé로 표시하며 보메도(度)라고 한다. 눈금과 비중의 관계는 나라마다 서로 다르다. 경액용은 $d=144.3/(134.3+B)$이고, 중액용은 $d=144.3/(144.3+B)$이다. 여기에서, $B$ : 보메도, $d$ : 이것에 대한 밀도를 나타낸다. = 보메도 ◘ 비중계(225)

중액 보메계

보메 비중계

**보온재** Heat-Insulating Material

도금조 등의 욕조, 관, 탑 등의 보온, 보냉을 위해 사용하는 다공질의 재료를 말한다. 보온재 중에 기공이나 틈에 있는 공기의 열전도율이 작고, 기공이나 틈 안에서는 공기의 대류가 거의 일어나지 않기 때문에, 보온재 전체로써의 열전도율이 극히 작아진다. 보온재에는 발포 플라스틱, 유리면, 석면, 코르크, 규약토, 85% 탄산마그네슘 제품 등이 사용된다. 보온재는 물이 적으면, 물의 열전도율은 공기의 25배이기 때문에 보온성은 현저히 저하된다.

**보이드** ◘ 무도금(145)

**보일러** Boiler

화염, 연소가스, 그 외 고온가스에 의해 온수 또는 증기를 발생하는 장치를 말한다. 온수를 만드는 것을 온수 보일러, 증기를 만드는 것을 증기 보일러라고 한다. 보일러는, 보일러 본체, 연소실, 연소 장치, 제어 장치 등으로 되어 있다. 소규모로 부착 면적이 적은 곳에는 입형(立型) 보일러가 사용되며, 중규모 이상에는 노통 연관(爐筒煙管) 보일러, 연관 보일러, 수관 보일러 등이 사용된다. 전열 면적이 10㎡ 이상의 보일러는 배연 발생시설로써 대기오염 방지법의 적용을 받는다.

**보조극** Auxiliary Electrode

균일 전착성이나 피복력을 개선하기 위해 이용하는 보조 음극 또는 양극을 말하며, 크롬도금이나 전주에서 자주 사용한다. 보조 음극은 러버라고도 하며, 피도금물의 최강 전류밀도 부분에 배치하여 도금의 버닝을 방지하고, 보조 음극은 그림과 같이 최저 전류밀도 부분에 배치하여 음극의 전류분포를 개선한다.

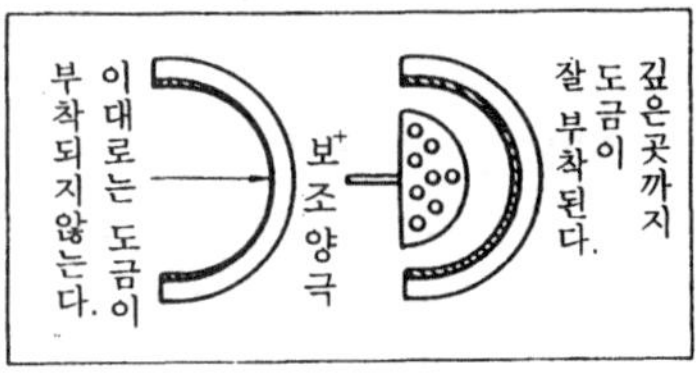


보조 양극

보조극

**보조 단위** Supplementary Unit

(1)SI 단위계에서는, 각도(평면각), 입체각을 차원이 없는 보조 단위로 분류하고 있다. (2)SI 단위계에서 현재는 인정하지 않지만, 기본 단위의 정수배나 정수분의 1의 관계에 있는 단위를 그렇게 부른 경우가 있다. 예를 들어, nm(나노미터, $10^{-9}$m), pm(피코미터, $10^{-2}$m) 등이다. 이때, m ㎛(밀리마이크로미터)나 μ㎛(마이크로 마이크로미터)와 같이 중복하지 않으면 안 되는 것으로 되어 있다. 그 외에 현재에도 SI와 병용할 수 있는 관용 단위가 약간 있다. 예를 들어, 톤(t, $10^{3}$㎏), 리터( l , $1dm^{3}$), 옴스트롱(Å, $10^{-10}$m)이다.

**보조 양극** Auxiliary Anode ◘ 보조극(188), 불용성 아노드(209)

**보조 음극** Auxiliary Cathode : Supplementary Cathode

로버(Robber)라고도 한다. 도금을 할 때, 음극의 전류분포를 개선하기 위하여, 전류가 집중되기 쉬운 장소에 물품과는 별도의 음극을 접근시켜, 도금두께를 균일하게 하거나, 도금피막의 버닝을 방지한다. 보조 음극에는 도금이 부착되기 때문에, 과도하게 부착되었을 때는 새로운 것으로 교환한다. ◘ 보조극(188), 로버(121)

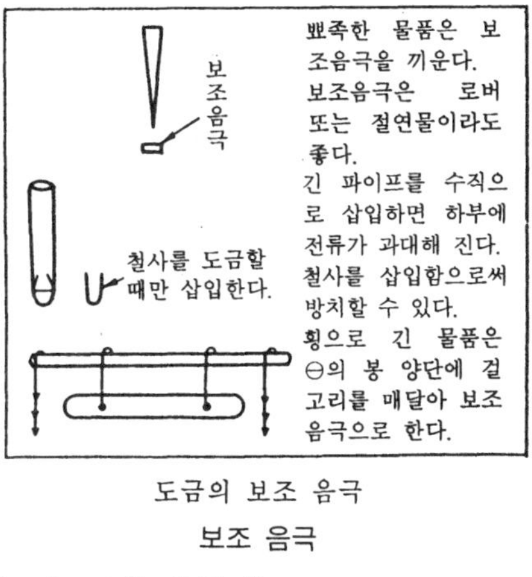


도금의 보조 음극

보조 음극

**보호형 후드** Draft Chamber : Draft Booth

처리조의 상부를 완전히 둘러쌓고 배기하는 것으로 환기효과는 좋으나, 작업성이 나빠진다. 피도금물 등의 출입 등은 문을 개폐하고 행한다. 도금조의 배기에서는, 도금시간이 긴 전주나 액면에서 피도금물의 출입을 별로 필요로 하지 않는 연속도금(후프도금) 등에 채용된다. 전해의 경우, 음극에서 발생하는 수소가스와 양극에서 발생하는 산소가스가 보호 후드 내에서 혼합되어 전기불꽃으로 인해 폭발하는 경우가 있기 때문에 가스발생이 많은 도금이나 전해세정 등에서는 보호형 후드는 위험하다. ◘ 배기 장치(170)

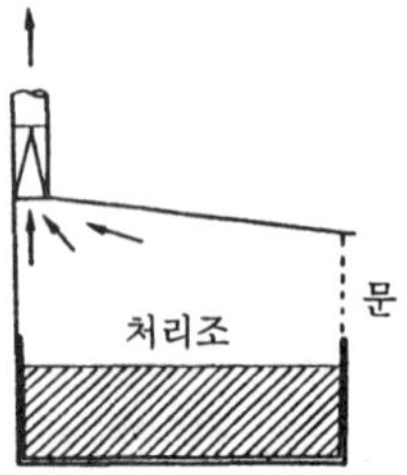


보호형 후드

**복극(復極)** Depolarization

분극의 역현상을 말한다. 도금조에 전류를 흘리면 아노드는 양분극하여 양극전위 $E_a$로, 카스도는 음분극하여 음극전위 $E_c$가 되어, 수조전압은 상승하지만, 어떠한 원인으로 둘 중 하나, 또는 양쪽의 분극이 감소하여 수조 전압도 저하되는 현상이다. 예를 들어 니켈도금용의 니켈 아노드 중에 황을 $0.0n\%$ 함유시키면 양분극이 감소하여 부동태화되기 어렵게 되며, 이 경우는 황이 복극 작용을 하고 있기 때문이다. 일반적으로 아노드부에 환원성 물질, 카소드에 산화성 물질을 첨가하면 분극은 감소한다. 이것을 복극제(Depolarizer)라고 한다. 도금액의 가열은 활성화 분극, 교반은 농도 분극을 감소시키기 때문에 복극 작용을 돕는다고 말할 수 있다. ◘ 감극(12), 분극(202)

**복극 접속** Electrode Connecting Method Using Bipolar Phenomenon

바이폴라 현상을 이용한 전극의 접속방식으로 그림과 같이 양단에 양극과 음극이 있으며, 중간의 전극은 한 쪽 면이 카소드, 다른 한 쪽 면이 아노드로 되어 있다. 버스 바가 필요 없게 되어 급전(給電)장치가 간단하게 된다. 또, 전원전압은 높아지며, 전류효율이 좋은 수조가 되는 등의 이점이 있으며, 통상적인 접속(단극 접속)과의 우열은 케이스 바이 케이스가 아니면 판단할 수가 없다. 식염 전해로 실제 이용된다. 아말감이나 선재의 연속도금에서 간접급전(바이폴라 급전이라고도 한다)도 복극 접속의 일종이다. ◘ 간접 급전(11)

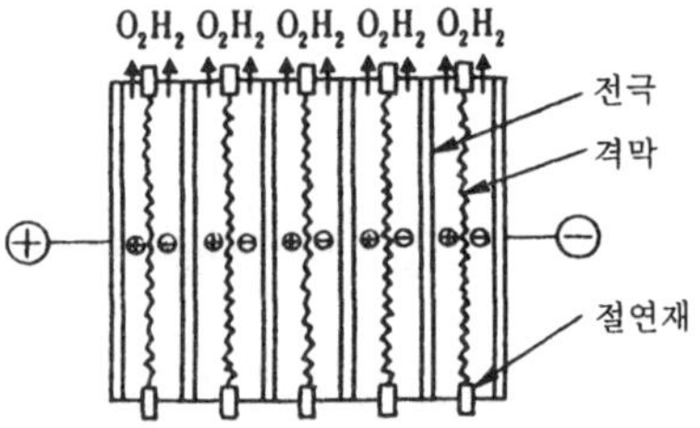


복극 접속의 예

복극 접속

**복수기** ◘ 응축기(408)

**복수 분해** Double Decomposition

화학 반응에서 두 종류의 물질이 작용하여 그 성분을 교환해 새로운 두 종류의 물질을 만드는 것을 말한다. AB+CD=AC+CB. 단, A, B, C, D는 각각 원자 또는 원자단을 나타낸다. 예를 들어, $FeO+H_2SO_4 \rightarrow FeSO_4+H_2O$(철강산세), $H_2SO_4+BaCO_3 \rightarrow BaSO_4+H_2CO_3$(크롬도금욕 중의 황산 제거), $AgNO_3+NaCl \rightarrow AgCl+NaNO_3$.

**복염** Double Salt

2종 이상의 염이 결합한 형식으로 표현할 수 있는 화합물 중에서 각각의 성분이온이 그대로 존재하는 것을 말한다. 예를 들어, $KCl+MgCl_2 \rightarrow KCl \cdot MgCl_2$에서는 $[MgCl_3]^-$와 같은 이온은 없고, $K^+$, $Mg^{2+}$, $Cl^-$에서 성립되는 이온 결정이기 때문에 복염이라 한다. 이것에 반해, $2KCl+PtCl_2 \rightarrow K_2PtCl_4$에서는 $Pt^{2+}$이온은 무시할 수 있을 정도 밖에 존재하지 않고, $[PtCl_4]^{2-}$라는 착이온과 $K^+$이온만을 갖은 착염 결정이지만, 복염은 아니다. 도금에서 자주 사용되는 로셸염은 $K^+$, $Na^+$이온과 주석산이온에서 생긴 복염이다.

**복제법** Replica Method

투과형 전자현미경용 시료제작법의 일종이다. 초기에는 금속표면에 산화막을 만들어 이것을 박리하여 사용하였으나, 그 후, 콜로디온 등의 박막으로 요철면을 복제할 수 있는 방법이 가능하게 되었으며, 그 방법으로는 1단법과 2단법이 있다. 1단법은 한 번으로 박막을 만들지만, 2단법은 최초에 두꺼운 물질(플라스틱 등)로 형태를 만들고, 다음으로 이것에 증착시켜, 실리커, 카본 등의 박막을 부착하여 최초의 형태를 녹여 시료를 얻는다.

**복탄** Carbon Restoration

복탄이란, 열처리 그 외의 열간 가공에 의해 표면 탈탄한 것을 가스 침탄에 의해 표면의 탄소량을 생지의 C%로 복귀시키는 열처리를 말한다. 종래의 침탄과 다른 것은 침탄은 저탄소강의 표면 C%를 0.9~1.2%로 하는 방법으로 표면과 내부의 C%의 차가 크지만, 복탄에서는 표면과 내부의 C%의 차가 0이다. 복탄은 Skin Recovery라고도 하며, 스프링, 코일 스프링, 볼트 등의 탈탄 대책에 응용되고 있다.

**복탄화물** Double Carbide

2종류의 탄화물이 결합되어 발생된 탄화물을 복탄화물이라고 한다. 예를 들어 고속도강의 조직에 나타나는 $Fe_3W_3C$는 시멘타이트와 탄화텅스텐과의 복탄화물이다.

**복합 도금** Composite Plating

불용성의 미립자나 미세 섬유를 도금액 중에 현탁시켜 공석시킨 도금법 및 그 도금피막을 말한다. 부식전류를 분산시키기 위한 마이크로포러스 크롬도금을 행하기 위해 하지의 니켈도금 중에 미립자를 함유시킨 니켈실법이나 주울니켈법이 널리 이용되고 있다. 그 외, 경질 피막이나 내마모성, 윤활성피막을 얻기 위해 실리카, 알루미나, 질코니아, 삼산화텅스텐, 탄화텅스텐, 탄화붕소, 질화붕소, 다이아몬드, 이황화몰리브덴, 불소수지 등의 분말, 어떤 것은 섬유를 공석시키는 방법이 행하여지고 있다.

분산도금의 특성과 분산입자

| 도금욕의 종류 | 피막의 특성 | 특성을 얻기 위한 분산입자 |
|---|---|---|
| 와트욕, 술폰산욕, 무전해도금욕 (모두 니켈도금) 그 외, 코발트도금 (내마모성) | 내마모성 (내열성) | 산화물(이산화규소, 알루미나, 질코니아, 삼산화텅스텐, 이산화티탄 등) 탄화물(탄화규소, 탄화크롬, 탄화텅스텐, 탄화붕소 등) |
| | | 이황화몰리브덴, 흑연, 질화붕소, 불화흑연, 고분자붕소화합물 등 |
| | 자기윤활성 비점착성 | 불화흑연, 불소수지(PTFE) |

복합 도금

전기도금과 무전해도금으로 실시되고 있다. 분산도금, 콤포지트 도금이라고도 한다. = 분산도금(206), 콤포지트 도금(530)

**복합 사이클시험** Composite Cyclic Corrosion Resistance Test

자연 환경에 근접하며, 또한 촉진시킬 목적으로 염수 분무, 건조, 습윤의 분위기를 반복하여 행하는 부식 시험법을 말한다. 예를 들어, 1사이클을 8시간으로 하고, 염수 분무 2시간, 건조 4시간, 습윤 2시간으로 하여 30사이클, 60사이클, 90사이클, 180사이클 등, 시험 시간을 정해놓고 실시하여 평가한다.

**복합 재료** Composite Material

복수의 이종 재료를 조합시켜 일체화한 후, 각각의 재료가 갖는 특징을 최대한 살리도록 한 재료를 말한다. 예를 들어, 섬유강화수지(FRP)는 유리섬유에 폴리에스테르 등의 수지를 혼합한 것으로 도금에서는 처리조에 이용되며, 그 외 스키, 낚시대, 안전 헬멧, 모터보트 등의 선체 등에도 사용된다. 유리 섬유보다 더욱 뛰어난 강화 섬유로써 탄소 섬유, 보론 섬유, 알루미나 섬유, 탄화규소 섬유, 각종 휘스커, 아라미드 섬유 등도 개발되어 있다. 금속 재료는 섬유강화 금속복합재(FRM)의 연구가 진행되고 있으며, 예를 들어, 보론 섬유로 강화된 알루미늄합금이 스페이스 셔틀(우주 로켓) 등에 실용화되고 있다. 도금 제품, 클래드재, 이종금속 복합 미분말 등도 넓은 의미의 복합 재료이다. = 콤포지트 재료(530)

**복합재료 전극** Composite Material Electrode

티탄과 같은 전극기판 위에 백금족금속, 백금족 금속산화물, 그 외의 도전성산화물(이산화연 등)을 코팅한 전극을 말한다. 이후, 전극의 기계적, 화학적 강도와 양극 촉매능을 양립시키기 위하여 이런 유형의 전극이 점차 증가될 것으로 예상된다.

**본달 프로세스** Bondal Process

알루미늄 소지상의 도금 전처리법으로 영국의 커닝사의 상품명이다. 일반적으로, 알루미늄 소지의 전처리는 아연 치환법으로 행하지만, 본달 프로세스는 3원소합금(Zn, Cu, Ni)치환법으로, 스트라이크도금을 생략하고 직접, 니켈, 크롬도금을 가능하게 하고 있다. ◘ 아연치환(297), 알루미늄 소지의 전기도금(306)

**본더라이트법** Bonderizing : Bonderite Process

철강 화성처리로, 인산망간을 사용한 파커라이징(Parkerizing)법의 개량법을 말한다. 1930년경, 미국의 R. R. Tanner가 처리액에 소량의 인산동을 가해, 인산염 피막의 생성을 가속시킨다. 피막은 소량의 동을 함유하고 있기 때문에 적갈색으로, 도장 하지로써는 무척 뛰어나다. 알루미늄의 화성처리의 경우는, 인산크롬산을 주체로 하는 액과, 크롬산을 주체로 하는 액, 규불화망간이나 불화칼리를 함유한 액으로 처리하는 방법 등이 있다. = 본더라이징 ◘ 인산염처리(424), 파커라이징(562)

**본딩** Bonding

접착하는 것을 말한다. 전자제품의 본딩에는 예를 들어, IC 칩과 리드 프레임의 리드 와이어와의 접속은 열압착, 초음파에 의한 접착 등으로 이용되고 있다.

**본딩 와이어** Boding Wire

트랜지스터나 집적회로(IC)의 제조에서, 칩(소자)으로부터 리드 프레임의 리드로의 접속에 사용되는 전선으로, 직경은 수 십 미크론(㎛)의 금선, 알루미늄선, 동선 등이 사용된다. ◘ 본딩(전항)

**본하우저욕** Bornhauser's Bath ◘ 사중크롬산소다 도금욕(230)

**볼 연마시험** ◘ 배럴 연마시험(172)

**볼류트 펌프** Volute Pump

소용돌이 펌프 중에서 가장 간단한 것으로 스크류형으로 되어 있는 방과 프로펠러로 되어 있다. 프로펠러를 고속도로 회전시켜, 그 원심력을 이용하여 물을 송출하는 것으로 소형으로 되어 있기 때문에, 양수 고도가 30m 이하의 경우에 가장 널리 사용되고 있다.

볼류트 펌프

**볼반** Drilling Machine

드릴에 회전운동과 축 방향에 송출운동을 행하게 하여 공작물에 구멍을 뚫는 공작기계로, 선반과 함께 가장 널리 이용된다. 칼날을 교환함으로 인해 구멍뚫기 외에 여러 가지 공작이 가능하다. 구조에 따라, 직립 볼반, 래디얼 볼반, 다축 볼반 등이 있다.

**볼타 전지** Voltaic Battery : Voltaic Cell

1800년대에 이탈리아의 볼타(Volta)가 처음으로 만든 전지로, 양극에 동, 음극에 아연, 전해액에 황산을 사용한 역사적인 전지이다. 전압은 1.1V 이다. 사용하면 수소가스가 곧 바로 정극 표면을 뒤덮어 전류가 저하되어 실용성은 없다.

**봉공도 시험** Sealing Test

양극산화 피막의 봉공 효과를 조사하는 시험의 총칭이다. 염색 액점(液点)시험, 인산-크롬산 수용액 침적시험, 어드미턴스 측정시험, 산성 아황산수용액 침적시험 등이 있다. KS D 8315「알루미늄 및 알루미늄 합금의 양극산화 피막의 봉공도 시험 방법」 참조 = 실링 테스트(284)

**봉공처리** Sealing

전기, 전자 부품의 접점 도금에는 봉공 처리가 실시되고 있다. 얇은 금, 은, 주석도금에서는 도금의 핀홀이 있기 때문에 도금 후는 봉공처리제로 처리하여 방식효과를 높인다. 처리제는 유기계(유기아민의 유도체 등)나 무기계(중크롬산염 등)기 있으며, 기화성의 것도 있다. 주석도금의 접점에는, 마찰부식 방지를 위해 윤활성을 좋게 한 접촉오일 등이 있다. 알루미늄의 양극 산화피막(알루마이트)의 봉공 처리는 화학적 방법(수증기 또는 불등수로 처리)과 전기화학적 방법(유기질 전해처리, 무기질 전해처리)이 있다. = 핀홀 처리(613)

**봉포물(封包物)** Enclosure

용융금속 중에 혼입되어 있던 비금속성 불순물, 예를 들어 규산염, 산화물, 황화물 등은 응고 시에 둘러 쌓여 있는 채로 개재되는 경우가 있다.

이것을 봉포물 또는 철재 개재물(Slag Inclusion)이라고 한다. 재료의 균열 등은 이 봉포물로부터 발생되는 경우가 많다.

**부각** Eching ◘ 에칭(334)

**부극** Anode

전지가 방전할 때에 전류가 외부회로에서 들어와 용액 쪽으로 유출되는 전극을 말한다. 전자의 흐름은 이 역이다. 전기분해 시, 아노드와는 다르게 전위는 카소드(정극)보다도 약하다. ◘ 정극(473)

**부도체 도금** Metallizing Non-Conductors

전류가 통하지 않는 플라스틱, 유리, 세라믹, 목재 등에 도금을 하는 것, 또는 그 방법을 말한다. 전기도금을 하기 위해서는 표면을 도체화 하는 것이 필요하며, 그 방법으로는 무전해도금, 진공증착(PVD), 도전성 페인트도포, 금속용사(메탈리콘), 메카니컬 플레이팅 등의 방법이다.

**부동태** Passivity ; Passive State

금속이 상태(常態) 귀금속성을 띈 상태에 있는 것을 말한다. 예를 들어, 철은 희초산에는 녹지만, 농초산에는 녹지 않는다. 또한 일단 농초산에 침적시켜 그 상태가 된 철은 유리산이 없는 황산동 용액에 침적시켜도 동의 치환 석출을 일으키지 않는다. 수화(水和)산화물의 눈에 보이지 않는 도막이 표면을 뒤덮은 상태로, Fe, Ni, Co, Cr, Ti, Nb, Ta, Al 등, 및 이 들의 합금에서 이 상태가 되며, 액 중에 충분한 산화제가 있다면, 침적한 것만으로도 부동태화 한다(자기 부동태라고 한다). 내식 합금은 자기 부동태를 일으키는 재료가 많다. 부동태화 한 금속에는 산화물 피막을 제거한 후가 아니면, 어느 도금에서도 밀착되지 않는다. = 수동태 ◘ 플래드 전위(596)

**부동태 유지전류(밀도)** Current (Density) for Keeping Passivity ◘ 플래드 전위(596)

**부동태 피막** Film on Passive State Metals

플래드 전위보다도 높은 전위로 금속상에 발생하는 산화물, 수화산화물의 박막을 말한다. Fe-Cr합금의 경우, 그 두께는 두껍더라도 6nm정도이며, 전위가 높을수록 두꺼워지며, Cr량이 많을수록 얇아진다. ◘ 플래드 전위(596)

**부동태화** Passivate ; Passivating

금속 표면을 부동태화 하는 것을 말한다. 방법으로는 화학적 방법과 전기화학적 방법이 있으며, 화학적 방법에는 초산 등의 산화성 산에 금속을 침적시킨다. 전기화학적 방법에는 금속을 용액 중에 아노드로 하고, 전극이 플래드 전위 이상이 되도록 전류를 흘린다. 이 때의 용액은 화학적 방법과 같이 산화성 산이 적합하다. 또, 도금의 아노드에서는 양극 전류밀도가 너무 높거나 액의 온도가 저하되었을 때 등에 도금도중 부동태화하여 금속을 보급할 수 없게 되는 경우가 있으나, 이 때는 아노드 면적을 증가시키거나, 전류밀도를 낮추거나, 온도를 높이는 등의 처리를 한다. ◘ 플래드 전위(596)

**부동태화 전위** Film on Passive State Metals ◘ 플래드 전위(596)

**부동태-활성태 전지** Passive-Active Cell

금속표면 상에서 부동태 부분과 활성태 부분이 별도로 생성되며, 그 사이에 전지작용이 발생하여 국부 부식이 진행되는 기구를 말한다. 철강에서 통기성이 양호한 부분이 부동태화하여 카소드가 되고, 통기성이 나쁜 부분이 아노드가 되어 발생하는 통기차 전지부식도 이것과 같은 기구이다. ◘ 통기차 전지(551)

**부력** Buoyancy

유체 내에 있는 물체는 유체의 압력 때문에 그 물체가 배제된 유체의 중력과 같은 크기의 힘을 위쪽으로 향해 받는다. 이 힘을 부력이라고 한다. 도금욕 중에 있는 피도금물은 피도물이 배제된 도금액의 중력과 같은 크기의 부력을 받는다.

**부분도금** Selective Plating

피도금재 표면의 일부 장소만 도금하는 것, 또는 그 방법을 말한다. 부분도금 방법은 피도금재가 금속일 때는 브러시도금(붓도금)이나 마스킹 방식으로 행한다. 피도금재가 비금속일 때는, 도금할 부분만을 도체화 처리를 하여 도금한다. 피도금재의 표면을 전부 도금하여 부분적으로 도금 피막을 박리하는 방법도 있다. 마스킹방법은 레지스트 도료(잉크)도포, 레지스트 테이프접착, 마스킹재(고무 등)삽입 등의 방법이 있다. 가장 간단한 방법은 피도금재의 단부만을 도금할 경우, 단부만을 도금액에 침적하는 방법이다. = 선택도금, 국부도금 ◘ 붓도금(212)

**부상 처리** Flotation : Floatation

배수 처리에서 물보다 비중이 작은 기름 등을 수면에 부상시켜 물과 분리하는 유수 분리법과 현탁 입자가 모여서 생긴 엉김물(Floc)에 기포를 만들어 물과의 비중 차를 크게 하여 부상 분리하는 방법이 있다. 엉김물과 기포의 부착을 좋게 하기 위하여 포집제(계면활성제 등)를 첨가하는 경우가 많다.

**부수(不銹)강** ◘ 스테인리스강(266)

**부스** Booth

작은 공간의 의미이며, 환기장치에서는 통풍실을 말한다. 도금 전처리 작업을 행할 때, 사면을 둘러쌓고, 강제 환기를 행하는데 이와 같은 좁은 공간을 부스라고 한다. 오염물질이 실내에 확산되거나, 분진, 도료 등이 비산되는 경우, 이들의 작업은 부스 내에서 행하며, 배기는 위쪽 또는 측면 쪽으로 한다.

**부식** Corrosion

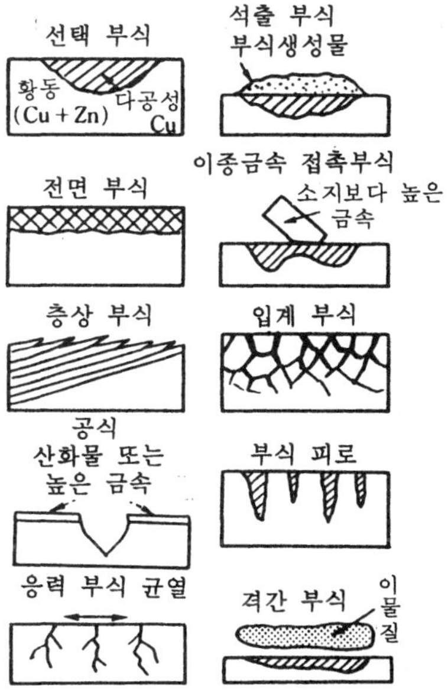

주 된 부식과 그 형태

부식

금속이 주위의 분위기에 의해 화학적 또는 전기 화학적인 변화를 일으켜 소모되는 현상을 말한다. 수분이 있는 분위기에서의 부식을 습식, 수분이 없는 분위기에서의 부식을 건식이라고 한다. 또는 부식에는 대기 부식, 토양 부식, 공식, 전면 부식, 국부 부식, 선택 부식, 틈 부식, 입계 부식, 이종금속 접촉부식, 미주(迷走)전류 부식 등, 여러 가지 종류가 있다.

**부식 가공법** Chemical Machining

가공 대상물의 표면의 일부를 방식막으로 처리한 후, 부식액에 담그고 노출부를 용해 성형하는 방법으로 인쇄에서 재판, 명판 제작에 이용하고 있다. 현재에는 프린트 배선, 컬러 텔레비전의 새도 마스크나 변압기의 적층 자기 재료의 정밀 부품은 물론, 반도체 소자 등의 분야에 널리 사용되고 있다.

**부식공** ◘ 에치 피트(334)

**부식대** Corrosion Allowance

부식으로 인해 강재의 몸체가 이미 줄어드는 것을 예측하여, 여분의 부분에 붙이는 강재 등의 두께를 말한다. 균일 부식에 대해서는 유효하지만, 공식을 필요로 하는 국부 부식에는 적용할 수 없다.

**부식도** Corrosion Rate

일정 기간 내의 부식의 평균 진행 속도를 말한다. 단위 표면적, 단위 시간당의 부식에 의한 중량의 감소로 표시하는 경우에는 $mg/dm^2 \cdot day$(mdd)를 사용하며, 단위 시간당의 부식에 의한 두께의 감소로 표시하는 경우에는 침식도라고 하고, 단위로써는 통상 mm/year를 사용한다. = 부식율(199), 침식도(514), 부식속도(199)

**부식도(腐食圖)** Corrosion Diagram ◘ 전위-pH도(458)

**부식 마모** Corrosion Wear

마찰에 의한 기계적 작용 이외에도 기체 또는 액체의 상태나 윤활제 등과의 마찰면의 화학작용이 첨가되는 마모를 말한다.

**부식 변형** Types of Corrosion

전면 부식, 국부 부식, 갈바닉(Galvanic) 부식, 균열 부식, 탈성분 부식, 응력 부식, 고온 부식, 틈 부식, 석출 부식, 사상(絲狀) 부식, 충격 부식, 대기 부식, 토양 부식, 계면 계면 부식, 흑연 부식, 습동 부식 등, 많은 형태로 분류된다. 하나의 부식 현상에서도 분류 방법에 따라 몇 개의 변태로 속하는 경우가 많다.

**부식 삼각형** Corrosion Diagram

영국의 U. R. Evans의 고안에 따른 그림으로, 아노드와 카소드의 분극 곡선을 측정하여 그 형상에서 부식 반응의 성질을 알 수 있는 방법을 말한다. 그림과 같이 분극 곡선을 3 종류로 분류할 수 있으며, (a)를 카소드 지배(카소드의 분극 곡선으로 부식 속도와 부식 전위가 대체적으로 결정된다), (b)를 아노드 지배

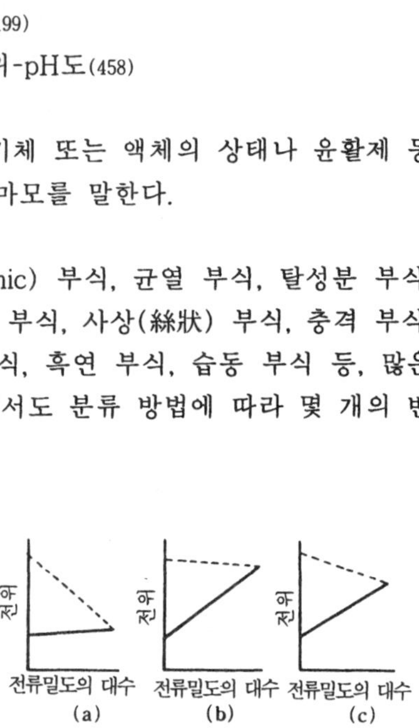


3종의 부식삼각형

부식삼각형

(아노드 분극 곡선으로 인해 대체적으로 결정된다), (c)를 혼합 지배(아노드, 카소드 양분극 곡선으로 결정된다)라 하며, 이것이 나누어지면, 방식 대책을 유효하게 세울 수 있다. 양분극 곡선의 교점 전위가 시료의 부식 전위, 전류가 부식 전류밀도(부식 속도)이기 때문에, 양자를 예측할 수도 있다. = 에반스 도(329)

**부식 생성물** Corrosion Product

부식에 의해 생성된 산화물, 수산화물, 염화물, 황화물, 황산염, 탄산염 등의 물질을 말하며, 통상적으로는 고체만을 지칭하며, 금속표면에 부착

하거나 환경 중에 분산하여 존재한다.

**부식성 크랙** Corrosion Cracking

플라스틱 성형품이 화학약품류 등이 외부작용에 의하여 침투되어 발생하는 균열을 말한다.

**부식 속도** Corrosion Rate ◘ 부식도(腐食度)(198)

**부식 시험법** Corrosion Testing Method

부식 환경과 재료의 다양한 조합에서 부식의 속도나 량을 예측하기 위한 시험법을 말한다. 실제, 부식은 인자가 많기 때문에 시험 결과와 반드시 일치하지는 않지만, 가능한 한 일치하는 시험법을 선택하여야 하며 또, 수 종류의 시험 결과를 종합하여 판단하는 등의 연구가 필요하다. 전기화학적 방법과 비전기화학적 방법(염수분무시험, 그 외)이 있다. 도금에서는, (1)중성 염수 분무시험방법, (2)초산 산성염수 분무시험방법, (3)CASS 시험방법, (4)코로드코트(Corrodkote) 시험방법, (5)이산화황 시험방법이 규정되어 있다. ◘ 내식성 시험(69)

**부식율** Corrosion Rate ◘ 부식도(198)

**부식 억제제** Corrosion Inhibiter ◘ 억제제(327)

**부식 전류(밀도)** Corrosion Current (Density)

습기가 있는 환경에서의 부식(습식)은 전기화학 반응이며, 국부 아노드와 국부 카소드 간에 흐르는 전류에 의해 국부 아노드가 녹으므로 인해 일어나며, 이 때의 전류를 부식 전류라고 한다. 재료 전체의 부식 속도는 부식 전류밀도에 의해 결정되며, 그것은 부식 삼각형의 양분극 곡선과 음분극 곡선의 교점이 전류밀도 $i_{corr}$에 의해 예측할 수 있다. ◘ 부식 삼각형(198)

**부식 전위** Corrsion Potential

부식이 진행 중인 금속의 조합전극(포화 감홍(甘汞) 전극, 염화은 전극 등)에 대한 전위를 말한다. 대기압, 상온에서의 부식 전위를 자연 전위라고 한다. ◘ 자연전위(438)

**부식 전위열** Corrosion-Potential Series

금속의 이온화 경향에 대응하는 계열로서 표준 전위열이 있다. 이것에 대응하는 환경, 예를 들면, 저수중에 있는 금속의 부식전위를 순도가 낮은 것으로부터 높은 것으로의 순서로 나열된 계열을 부식 전위열이라고 한다. 동(Cu)이나 아연(Zn)등은 평형 전위와의 대응을 나타낸다. 알루미늄(Al), 크롬(Cr), 티타늄(Ti)등 부동태화 금속은 평형 전위열(이온화경향)로부터 예측되어지는 값보다 상당히 순도가 높은 값을 나타내고 평형 전위열과의 역전이 이루어진다.

**부식 처리** Corrosion Treatment

부식된 부분을 제거하고, 잔여 부재가 필요강도를 만족하도록 부식의 진행을 저지하는 처리를 하는 것을 말한다. 주요 방법으로 알루미늄 합금은 아노타이징 처리를 행하여 도장한다. 고장력 강은 티탄카드뮴도금, 무전해 니켈도금 등으로 피복하여 에폭시도료로 보호한다.

**부식 취화** Corrosion Embrittlement

부식이 일어나기 쉬운 상태에 놓인 금속이 무르게 되어 가는 현상을 말한다. 이와 같은 재료는 일반적으로 부식이 진행되어 결정입계가 침해되는 것이다. 부식에 의해 유발되며, 조장되는 부식 취화에는 응력부식 균열과 수소취화 균열이 있다.

**부식태** ◘ 활성태(637)

**부식 피로** Corrosion Fatique

부식을 받는 매체(기체, 액체 등)중에서 어떤 금속이 반복하여 응력을 받으면, 단순히 부식을 받은 경우와 단순히 반복하여 응력을 받은 경우보다도 더 빨리 파괴되기 쉬운 현상을 말한다.

**부식 피트** Corrosion Pit

부식 환경에서 금속 표면의 보호 피막이 일부 벗겨지면, 그 부분에 부식작용이 집중하여 작게 움푹 패이거나 구멍이 발생하는데 이것을 부식피트라고 하며, 이것이 발달하면 균열이 된다. 부식 피트 내부와 주위의 부동태 금속부와의 사이의 전지작용이나 산소농도 전지에 의한 전위차를 발생시키며, 이것에 의해 부식 피트는 성장이 촉진된다. 부식 환경 안에 염소이온이 있을 때와 응력 집중 등이 있을 때에는 보호피막은 파괴되기 쉬우며, 부식 피트도 발생되기 쉽다. 부식 피트는 식공(食孔)이라고도 불린다. 방극 도금 피막에서, 소지금속에 까지 도달하는 핀홀이 있을 경우, 부식 피트로 발전되기 쉽다.

**부영양화(富榮養化)** Eutrophication

하천, 바다, 호수, 늪 등의 수역이 생활 폐수나 미생물에 의해 유기물의 분해생성물 등으로 영양이 증가해 나가는 현상을 말한다. 자연의 자정작용을 넘어 부영양화를 진행하며, 적조 플랭크톤 등의 특정 생물의 이상발생을 일으키게 된다.

**부유 물질** Suspended Solid ◘ SS②(330)

**부 이온** Negative Ion ◘ 음이온(404)

**부착** Adhesion

이종의 두 물질이 접촉했을 때, 서로 달라붙는 현상을 말하며, 액체와 고체의 경우를 웨팅(Wetting)이라고 한다. 이종의 A, B물질이 부착하였을 때, 이것을 떼어내는데 필요한 일 $w$는, 이들의 물질의 부착에 의한 자유에너지의 감소와 같고, 이것으로 부착의 정도를 규정한다. A의 표면장력을 $\gamma_A$, 고체 B의 위에 A를 놓았을 때의 접촉각을 $\theta$라 하면, $w=\gamma_A(1+\cos\theta)$로 표시한다.

**부착량** Coating Weight

용융도금에서 주로 사용되는 용어로, 단위 면적당 금속의 부착 중량(g/㎡)을 말한다. 예를 들어, 아연도금에서 300g/㎡의 부착량은 도금두께가 약 43㎛가 된다.

**부착량 시험[용융도금의]** Coating Weight Measuring Test for Hot Dip

용융아연 도금의 시험방법 규격(KS D 0201)에 의하면, 부착량 시험은, 직접법과 간접법이 있다. 전자는 도금에 의해 증가한 량을 칭량한다. 후자는 염화안티몬 용액을 박리액으로 하여 시험편의 도금피막을 제거하고 감량을 칭량한다. 부착량은, 단위 면적당의 부착량(g/㎡)로 표시한다.

**부착성** Adhesion ◘ 밀착성(156)

**부칭(浮秤 ; 액체비중계)** Hydrometer : Aerometer

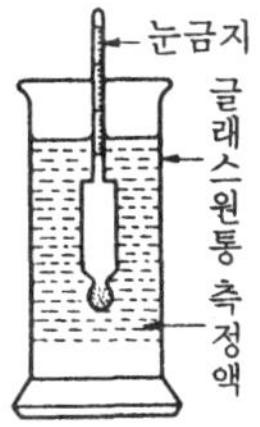

부칭

액체의 비중을 측정하는 비중계의 일종. 측정액에 부칭을 띠워 눈금을 읽음으로 해서 그 액체 비중을 측정할 수 있으며, 보메비중계(Baume's Hydrometer)라고도 불리운다. 물보다도 무거운 액체를 측정하는 것을 중(重)보메비중계, 물보다 가벼운 액체를 측정하는 것을 경(輕) 보메비중계라고 한다. 도금에서는 중보메비중계가 이용되며, 중보메도라는 것은 15% 식염수에 부칭을 띠웠을 때의 지시도를 15도로 하고, 순수한 물에 부칭을 띠웠을 때의 지시도를 0도로 하여, 그 사이를 15등분하여 눈금을 단 것을 말한다. ◘ 비중계(225), 보메비중계(187)

**부틴디올** Butynediol

광택니켈 도금용의 제2종 광택제로써 이용된다. C≡C구조를 가지며, 사카린 등의 제1종 광택제와 병용함으로써 니켈도금의 광택 및 평활성이 좋아진다. 부틴디올을 평활제라고 부르는 경우도 있다. = 2-부틴1,4-디올(411), 1,4-부틴디올(427)

**부하** Load

①전기적으로는 전력을 소비하는 것을 말한다. ②기계적으로는 물체에 작용하는 외력 등의 에너지를 소비하는 물체를 말한다. ③운반 또는 끌어올리는 화물의 무게를 말한다.

**부흐너 깔대기** Büchner(Buchner) Funnel ◘ 흡인 깔대기(650)

**분극** Polarization

전기분해 중에, 전극에 발생하는 자연전위에서의 전위 수차(收差)를 말한다. 아노드, 카소드 모두, 각각 전류를 흘려 보내지 않을 경우, 전위(자연전위)보다도 아노드는 높고, 카소드는 낮은 방향으로 전위 차가 생긴다. 이 차이를 크게 나누면, 이온 확산의 지연으로 인해 발생하는 농도 분극과, 화학 반응의 지연으로 인해 발생하는 활성화 분극으로 나눈다. 농도 분극은 이온의 농도를 크게 하여 교반을 강하게 하면, 작게 된다. 활성화 분극은 타펠(Tafel's)의 식에 따라 표시되며, 온도를 높게 하거나, 착염욕일 때는 착염을 불안정한 조건으로 하면 활성화 분극이 작게 된다. 자연전위가 아닌 평형 전위에서의 수차를 말할 때는 분극이 아닌 과전압(Overvoltage)라는 말을 사용하지만, 양자를 같은 의미로 사용하고 있는 경우도 많다. ◘ 과전압(41)

**분극곡선** Polarization Curve

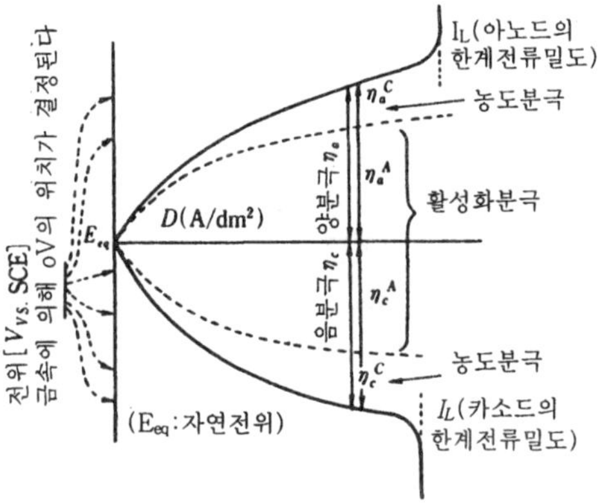


분극 곡선

아노드, 카소드의 분극과 전류밀도와의 관계를, 자연전위를 기준으로 하여 표시한 그림을 말한다. 전위를 횡축으로 하는 경우와 전류밀도를 횡축으로 하는 경우가 있다. 일정 전위기(Potentiostat)를 사용하여 전위를 변화시켜 전류를 측정한 경우(전위 규제법, 정전위법)에는 전자, 전류를 변화시켜 전위를 측정한 경우(전류 규제법, 정전류법)에는 후자의 표시 방법을 하는 것이 보통이다. 전류 또는 전류밀도와 전위의 관계를 나타내는 일반적인 전류 전위곡선이라는 말을 분극 곡선과 같은 의미로 사용하는 경우도 있다.

**분극 저항법** Polarization Resistance Method

전해법에서 도금의 내식성을 조사하는 시험법으로, 일정 전위기를 사용하여 시료의 부식전위($E_{corr}$)로부터 ±10mV 이내에서 $E_{corr} = \varDelta E/\varDelta i$를 구하여 이 값을 근거로 부식속도를 추정하는 것으로 부식속도를 간단하게 알 수 있는 방법으로 널리 사용되며, ASTM에도 규격화되어 있다. 방법은 EC시험과 비슷하다. ◘ EC 시험(412)

**분류 교반장치** Jet Agitator

펌프를 이용하여 욕조 내에 분류(噴流)를 보내어 액을 순환시키면서 액의 교반을 하는 장치를 말한다. 제트 교반장치라고도 한다. 펌프는 분류펌프를 이용하여, 액을 분출구에서 고속도로 분출시킨다. = 제트 교반장치(478)

**분류기(分流器)** Shunt

전류계의 전류측정 범위를 확대하기 위해 사용하는 표준 저저항기로, 전류계와 병렬로 배선하기 위해 4개의 단자를 가지고 있다. = 션트(248)

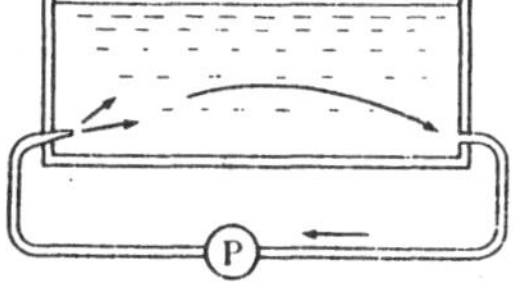

분류 교반장치

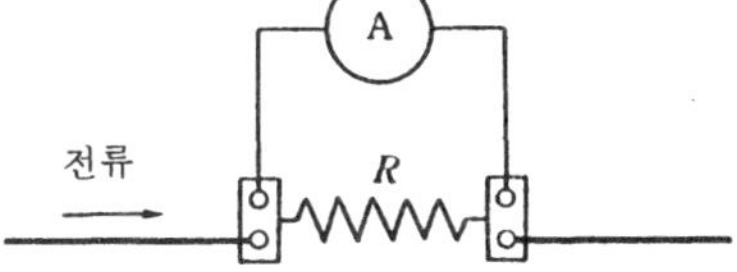

분류기

**분류 도금** Jet Plating

노즐에서 도금액을 분류시켜 카소드 면에 분사하여 도금하는 방법으로, 작은 면적에 대해 고전류 밀도를 주는데 적합하여 전자부품의 부분도금에 많이 사용되고 있다. 노즐이 도금조 내에 있는 경우와 도금조 외에 있는 경우가 있다. 백금으로 만든 노즐을 불용성 양극으로 하는 경우도 있다. = 제트도금(478)

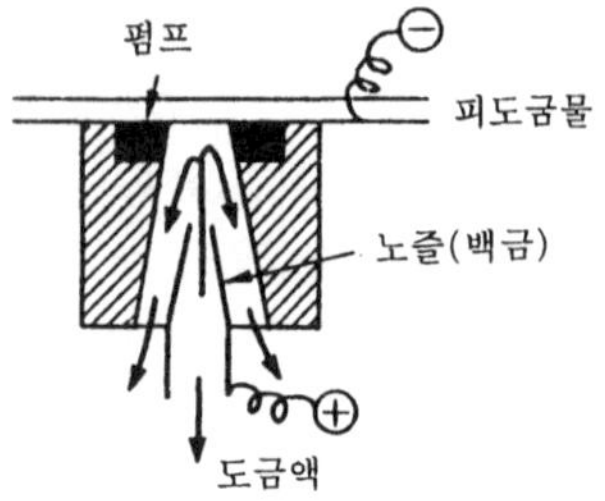


(a) 분류 도금

분류 도

**분류(噴流) 시험** Jet Test

부식성 약액을 도금피막 표면에 분류시
켜, 도금층을 녹인 시간에서 도금두께
를 측정하는 방법을 말한다. 철강, 동
또는 동합금 및 아연합금 소지상의 니
켈 또는 니켈과 동 및 크롬도금의 두께
측정에 사용된다. 약액은 염화제이철
300g과 황산동 100g을 순수 1000㎖에
녹인 것을 사용한다. = 제트시험(478)

**분리 양극** Separation Anode

양극을 몇 개로 분류하여 분리된 양극
을 말한다. 합금도금에서, 각 성분마다
으로 조정할 수 있다. 전자동 도금장치
금 장치에서 피도금재의 초기 투입시
를 흐르게 하기 위해 분리 양극을 이
우도 있다. 피도금재의 전류분포를 개
해서 보조 전극을 분리 전극으로 사용
전극에 흐르는 전류를 조정하여 도금
정하는 경우도 있다. ◘ 보조극(188)

**분무** ◘ 오토마이제이션(368)

**분무기 테스트** Atomizer Test

보통 물에 젖음으로 인한 판단의 결함

는 시험법으로, 금속면에 안개 형상의 미세한 물방울을 뿌린다. 물 뿌림으로 인하여 숨어버리기 쉬운 얇은 잔존유막(殘存油膜)에서도, 물방울이 확대되지 않기 때문에 검출할 수 있고, 미세한 기름 오염물도 부상시키므로 표면의 청정도가 높아져 감도 좋게 판정할 수 있다.

**분별 배수처리** Separation waste Water Treatment

도금 배수를 크롬계 배수, 시안계 배수, 산-알칼리계 배수, 크롬계 농후배수, 시안계 농후배수, 산-알칼리계 농후배수, 카드뮴계 배수 등으로 분별하며, 각각 별개의 배수 처리를 행하는 방식을 말한다.

**분사 가공** Abrasive Blasting

숏 피닝, 그리드 블라스트, 샌드 블라스트 및 액체 포닝 등, 수 ㎜에서 수 ㎛의 연마입자를 분사하여 행하는 가공 방법을 말한다. 도금전의 가공으로써 샌드 블라스트와 액체 호닝이 사용되는 경우가 많다. 산세에서는 수소 취성을 일으키는 소재는 분사 가공에서 녹 제거를 하면 수소 취성을 일으키는 경우가 없다. 얇은 재료는 분사 가공에서 변형을 일으키는 경우가 있다. 분사 가공은, 녹 제거, 무지, 광택 제거 등에 사용된다. ◘ 숏 블라스팅(252)

**분산** Dispersion

「측정치의 크기가 일정하지 않는 것. 또는, 불규칙한 정도」라고 설명되며, 분산의 크기를 표시하기 위해서는 예를 들어 표준오차, 분산, 범위 등이 이용되고 있다.

**분산 강화합금** Dispersion Strengthened Alloy

금속 내에 미세한 다른 금속 또는 세라믹을 분산시킨 열간 강도의 뛰어난 재료를 말한다. 예를 들어, 스폿용접의 전극에 사용되는 재료는, 동중에 미세한 산화알루미늄 $Al_2O_3$를 분산시키고 있다.

**분산 경화** Dispersion Hardening

고용되지 않은 미립자의 분산에 의해 발생되는 경화를 분산 경화, 또는 분산 강화(Dispersion Strengthening)라고 한다. 분산 경화는 석출 경화와는 다르다. 석출 경화는 과포화 고용체로부터 용질원자가 미립으로 석출됨에 따라 경화되는 현상이며, 분산 경화는 최초부터 고용되지 않은 미립자의 존재에 의해 경화되는 것이다. 분산 경화용 미립자로써는 모체격자에 대해 화학적으로 중성이며, 단단하고, 초현미경적인 미립으로, 균일하게 분산되는 성질의 것이어야 하는 것이 필요하다. 이 초미립자가 상온 및 고온에서 슬립에 저항하여 결정립의 성장 및 재결정을 방해하는 역할을 하기 때문에 강도가 높고, 탄성한도도 크다. 분산 경화된 최초의 재료는 SAP(Sintered Aluminium Powder)로, 1946년에 개발되었다.

**분산 도금** Composite Plating ◘ 복합 도금(192)

**분산 버프** Loose Buff

원형 형상의 천을 다수 중첩시켜 중심부를 실로 꿰어 메어 놓은 버프로 천의 1장, 1장이 어설프게 섞여있기 때문에 분산 버프라고 한다. 마무리 연마용으로 이용되는 경우가 많다.

**분산제** Dispersing Agent : Dispersant

액상 모체 중에 입자의 현탁 안정성을 증가시키는 물질. 일반적으로 계면활성제가 이용된다. = 분산 조제(후항)

**분산 조제** ◘ 분산제(전항)

**분자** Molecule

물질의 화학적 성질을 갖추고 있는 최소입자를 말한다. 분자는 여러 가지 원자의 결합으로 되어 있다. 일반적으로 원자가 2개 이상 결합한 것을 말하며, 아르곤, 네온 등의 희가스 분자는 1개의 원자로 되어 있다. 간단한 분자의 크기는 $10^{-7}$～$10^{-8}$㎝이며, 기체 분자는 상온에서 매초 수백 미터의 평균속도로 운동하고 있다. 모든 물질 1몰 중에 포함되어 있는 분자 수는 아보가드로수($6.02205 \times 10^{23}$)뿐이다. 기체의 경우는 표준상태(0℃, 1atm)에서 22.41(정밀치는 22.41301)중에 아보가드로수만의 분자를 함유하고 있다. ◘ 고분자(30)

**분자 전도도** ◘ 몰 전도도(144)

**분자 화합물** Molecular Compound

일반적으로 2종 이상의 안정된 분자끼리 직접 결합하여 생긴 화합물로, 비교적 용이하게 원래의 성분으로 분해할 수 있는 것을 말한다. 예를 들어, $CrCl_3 \cdot 6H_2O$와 같은 수화물, $CaCl_2 \cdot 4H_2O$ 등이 있다. ◘ 착체(498)

**분체(粉體) 도장** Powder Coating

정전 분체 도장이 가장 많이 사용되고 있으며, 이 방법은 분체가 정전인력에 의해 피도장물에 흡인되어 가열용해 됨으로써 도막을 만든다. 특징은 (1)용제를 사용하지 않기 때문에 취기나 대기오염 대책, 공해 대책이 간단해지며, 화재의 위험성도 적다. (2)1회 도포로 소정의 막 두께를 얻을 수 있으며, 공정이 단축된다. (3)신너의 조합 등이 필요 없어 작업성이 좋고 자동화하기 쉽다. (4)도료의 둘레 도포성이 좋다. (5)도료의 회수재 이용이 가능하다 등이다. 결점으로는 (1)색 변환이 곤란하다. (2)

도막이 두껍게 되어 박막화가 곤란하다. (3)도료 단가가 높다 등이다. 분체 도장에는 정전 도장 외에 용사법과 영동 침적법이 있다. 후자는 다공성의 선반을 넣은 수조의 상단에 분체를 넣어 밑에서부터 공기를 불어넣으면, 분체가 공중으로 현탁된다. 이 안에 예열한 피도장물을 넣어 표면에 액체를 융착시켜 도막을 만드는 방법이다.

**분해 전압** Decomposition Voltage

도금 등의 전기분해로 전압을 높여 가면, 최초에는 정밀한 전류계가 아니면 측정할 수 없을 정도의 미소전류를 흐르다가, 어떤 전압이 되면 급격하게 전류가 크게 흐르기 시작한다. 이 때의 전압을 분해 전압이라고 한다. 전해하는 금속염의 종류, 농도, 착화제의 종류, 농도, 온도, 전극의 종류나 표면상태 등에 의해 변하며, 동일 용액, 조건에서는 일정한 값을 나타낸다. 최초에 흐르는 미소전류를 잔여전류라고 한다.

금속염 용액의 분해 전압의 예

| 전 해 액 | 조 성 | 분해 전압(V) | 전 해 액 | 조 성 | 분해 전압(V) |
|---|---|---|---|---|---|
| 황 산 아 연 | $ZnSO_4$ | 2.35 | 황 산 은 | $AgNO_3$ | 0.70 |
| 황 산 니 켈 | $NiSO_4$ | 2.09 | 가 성 소 다 | NaOH | 1.69 |
| 황 산 카 드 뮴 | $CdSO_4$ | 2.03 | 암 모 니 아 수 | $NH_4OH$ | 1.74 |
| 황 산 코 발 트 | $CoSO_4$ | 1.92 | 황 산 | $H_2SO_4$ | 1.67 |
| 황 산 동 | $CuSO_4$ | 1.49 | | | |

분해 전압

**불감역** ⊐ 불활성태(211)

**불규칙 공석** Irregular Codeposition

A. 브레너의 분류에 의한 합금 전착에서의 정상 공석의 일종을 말한다. 착체욕에서 볼 수 있는 것이며, 귀금속 착체의 안정도 정수가 크고, 그보다 비(卑)금속 착체의 안정도 정수가 작을 때에는 자연전위가 접근하여 귀금속이 비금속과 같이 공석한다. 예로써는 시안화물욕에 의한 황동 도금이 있다. = 비정칙 공석

**불등 수처리** Boiling Water Sealing : Hot Water Sealing ⊐ 봉공 처리(194)

**불등점** ⊐ 불점(210)

**불변태** ⊐ 불활성태(211)

**불산** Hydrofluoric Acid ⊐ 불화 수소산(211)

**불소 수지** Fluoroplastics; Fluorine Contained Polymers; Fluorocarbon Poltymers

분자 중에 불소를 함유한 플라스틱의 총칭이다. 가혹한 조건에서도 사용할 수 있는 대표적인 엔지니어링 플라스틱의 하나이다. 폴리사불화에틸렌(PTFE, TFE), 폴리클로로삼불화에틸렌(PCTFE), 불화비닐리덴(PVDF)

등이 있다. 가장 많은 것은 폴리사불화 에틸렌이다. 일반적으로 내약품성, 내열성이 뛰어나며, 전기절연성도 높다. 또, 마찰계수가 작고, 접착이 곤란하다는 특이한 성질도 있다. 불소 수지를 다른 재료에 배합한 제품도 많다. 용도는, 기계부품의 파킹, 가스켓, 또는「테프론 가공」으로 대표되는 가정용품(프라이팬, 전기다리미, 전기밥솥 등), 화학장치의 내식용 라이닝 등이다. ◘ PTFE(611), 테프론(548)

**불순물** Impurity

철강 안에서는 탄소 외에 항상 여러 가지 불순물이 포함되어 있는 것으로 그 성질에 의해 금속성 불순물, 비금속성 불순물 및 가스 불순물의 3종류로 분류된다. 금속성 불순물에 속하는 것으로 규소, 인, 유황, 망간 등이고 비금속 불순물은 철, 망간 등의 산화물, 황화물 및 규산염 등으로 소님스(Sonims) 또는 철재 개재물이라고도 한다. 금속성 불순물은 유황을 제외하고, 철에 대해 용해도를 가지고 있으며 합금을 만들지만, 비금속성 금속물은 기계적으로 철강 안에 개재하는데 지나지 않는다. 가스 불순물은 항상 다소는 철강 중에 포함되어 있는 것으로 주요한 것으로는 수소, 질소 및 일산화탄소 등이다. 철강은 이들 불순물에 의해 물리적 또는 기계적 성질이 현저하게 영향을 받는다. 따라서 비금속 개재물의 크기, 분포 상태 등에 의해 강재의 품위를 판정하는 방법을 제정하고 있다.

**불순물 준위** Impurity Level

불순물의 주위에 생기는 전자 또는 정공의 속박상태의 에너지 준위를 말한다. 주게준위와 받게준위가 있다.

**불순물 확산** Impurity Diffusion

합금 중의 용질원자의 확산을 의미한다. 치환형 용질 원자의 확산은 자기 확산과 마찬가지로 공공을 개입시켜 발생되지만, 원자가나 원자 사이즈의 차이에 의해서 활성화 에너지는 달라진다. 침입형 용질 원자의 확산은 무수로 존재하는 격자간의 위치를 공공으로 보이게 하므로 확산속도는 치환형 원자와 비교해 볼 때 현저하게 커지게 된다. 이를 총칭하여 불순물 확산이라고 명한다.

**불스 아이** Bull Eye

가단 주철이나 구상 흑연주철의 현미경 조직에서 주철 중의 흑연이 완전히 구상이 되어 그 주위가 페라이트로 되어 있는 것을 불스 아이라고 한다. 불스는 황소, 아이는 눈을 뜻하는 것으로, 흑연이 황소의 눈과 비슷하다고 하여 이렇게 부르고 있다.

**불연속 석출** Discontinuous Precipitation

과포화 고용체의 결정립계에서, 고용상태의 용질원자와 석출 상태의 용질원자의 두 개의 결정격자 정수가 나타나는 것 같은 석출을 불연속 석출이라고 한다.

**불용성 아노드** Insoluble Anode

불용성 아노드의 실용

| | 전 극 | 실 용 예 |
|---|---|---|
| 표면처리 | 페라이트 | 도금전처리 공정에서의 음극의 전해처리용 아노드<br>흑색크롬도금용 아노드<br>무전해동도금 폐액에서의 동의 전해회수 아노드 |
| 표면처리 | 백금도금 티탄<br>백금클래드 티탄 | 니켈도금용 보조아노드<br>금도금, 로듐도금용 아노드<br>TFS용 아노드<br>주석도금용 아노드 |
| 표면처리 | 납합금<br>(주로 Pb-Sn) | 경질크롬, 장식크롬 도금용 아노드<br>도금전처리 공정에서의 산 전해세정용 아노드<br>TFS용 아노드(Pb-Sn, Pb-Ag)<br>강판에의 아연, 아연합금 도금용 아노드<br>(Pb-Ag-In, Pb-Sn) |
| 표면처리 | 탄소 | 알칼리 음극 전해세정용 아노드<br>주석-코발트합금 도금용 아노드 |
| 표면처리 | $IrO_2/Ti$ | 강판에의 아연합금 도금용 아노드<br>황산 동도금용 아노드<br>무전해 동도금 폐액에서의 동의 전해회수용 아노드 |
| 전해제조 | $RuO_2/Ti$ | 식염전해용 아노드<br>염소산염 제조용 아노드 |
| 전해제조 | $RuO_2/Ta$<br>$PbO_2/Pb$<br>$PbO_2/Ti$ | 브롬제조용 아노드<br>염소산염 제조용 아노드<br>오존 제조용 아노드<br>크롬도금용 아노드<br>과염소산 제조용 아노드 |
| 전해제조 | PtOx/Pt | 과황산 제조용 아노드 |
| 전해제조 | $Fe_3O_4$,<br>FeOOH/Fe | 아지포니트릴 제조용 아노드 |

불용성 아노드

전류를 흘렸을 때 전해액, 도금액 등에 녹지 않는 아노드를 말한다. 금속의 전해정제에서는 용액에 녹는 가용성 아노드가 사용되며, 전해 채취에서는 불용성 아노드가 사용되고, 전기도금에서는 상황에 따라 불용성과 가용성 아노드 중, 어느 한 쪽을 사용한다. 불용성 아노드로써는 납, 백금도금 티탄, 백금, 흑연, 페라이트, 이산화연 및 백금족 원소산화물을 코팅한 티탄 즉, DSA 등이 사용되며, 각각 장단점이 있다. 액이나 산소가스, 염소가스에 대해 안전성, 산소 및 염소 과전압의 대소 등에 의해 목적의 도금액에 적합한 것을 사용한다. DSA는 가장 만능형이기는 하지만, 산소 과전압이 크고, 고가인 단점이 있다. 욕의 금속 성분은 아노드로부터 보충되지 않기 때문에 약품으로 첨가할 필요가 있다. = 불용성 양극 ◘ DSA(108)

**불용성 양극** Insoluble Anode ◘ 불용성 아노드(전항)

**불용성 전극** Insoluble Electrode

수소가스 발생용의 수소 과전압이 낮은 카소드 등이 있으며, 카소드는 음극 방식되는 경우도 있어 불용성이 대부분이다. 불용성 전극이라 하면, 불용성 아노드를 지칭하는 경우가 많다. ◘ 불용성 아노드(209), 비소모 전극(220), DSA(108)

**불점** Boiling Point

액체가 불등할 때의 온도를 말한다. 즉, 일정한 압력 하에서 포화증기와 액상이 평형하게 공존할 수 있는 온도를 말한다. 기호는 bp. 불점은 물질 특유의 값이며, 압력의 상승, 하강에 따라 상승, 하강한다. 통상 1기압에서의 값을 불점이라고 한다. 도금액과 같은 용액의 불점은 압력이 일정하더라도 녹아 있는 용질의 농도가 커지면 상승한다. = 불등점(207)

**불화나트륨** Sodium Fluoride NaF.

무색 등축정계 결정, 물에 녹고, 물 100g에 대한 용해도는 4.03g(25℃), 에탄올에는 잘 녹지 않고, 수용액은 알칼리성을 띄며 유리를 침해한다. 불화수소산에 녹아 $NaHF_2$를 생성한다. 유독으로 피부, 점막을 침해하기 때문에 취급에 주의를 요한다. 유리나 규소화합물을 침해하기 때문에 합성수지제(폴리에틸렌)의 용기에 넣어 밀봉하여 보관한다. 도금에서는 크롬도금욕의 첨가제로써 사용된다. 그 외, 목재부식 방지제, 충치 예방제 등에 이용된다.

**불화 붕소산** Fluoroboric Acid ◘ 붕불산(212)

**불화 수소산** Hydrofluoric Acid

불산이라고도 한다. 불화수소(HF)의 수용액, 무색의 자극성 액체로 공기 중에서 발연하며, 유독성으로 피부나 점막을 강하게 침투(표면 장력이 대단히 작고 침투력이 강하다)하기 때문에 취급에 주의를 요한다. 반응성이 풍부하고, 알칼리, 알칼리토금속, 납, 아연, 은 등의 금속 산화물, 수산화물 또는 탄산염과 반응하여 불화물을 생성한다. 거의 모든 금속은 침투 당하지만, 금, 백금은 침해당하지 않는다. 유리나 규소화합물을 침해하기 때문에 합성수지제(폴리에틸렌)의 용기에 넣어 밀봉하여 저장한다. 도금에서는 불화욕으로써 주석, 납, 땜납, 크롬 등의 도금욕에 사용된다. 그 외, 유리의 부식, 주물의 모래 제거, 스테인리스의 표면처리, 도금의 전처리 등에도 이용된다. 시판 제품은 46~50%의 불화수소(HF)를 포함하고 있다. 배수에는 석회 또는 소석회(消石灰)를 첨가시켜, 불화칼슘으로써 침전시켜 제거하는 것이 일반적이다. = 불산(207)

**불화암모늄** Ammouium Fluoride $NH_4F$.

무색 조해(潮解)성의 침상결정, 고온에서 $NH_3$와 HF로 분해된다. 물 100g에 대한 용해도는 84.8g(25℃), 열수(熱水)에서는 $NH_3$와 $NH_4HF_2$(불화수소 암모니아)로 분해된다. 수용액 중에서는 $2NH_4F \rightarrow NH_4^+ + HF_2^- + NH_3$와 같이 해리 된다. 유리나 규소화합물을 침해하기 때문에 합성수지제의 용기에 넣어 밀봉하여 저장한다. 독물로써 피부에 부착되면 위험하기 때문에 취급에 주의를 요한다. 크롬도금욕의 첨가제로써 사용된다.

**불활성 가스** Insoluble Gas

화학적으로 불활성인 기체를 말하며, 좁은 의미로는 희가스 원소를 지칭한다. 넓은 의미로는 희가스 원소에 이산화탄소나 질소를 포함하는 경우도 있다. 희가스(Rare Gas)는 영족 기체(Noble Gas)라고도 하며, 주기율 제0족에 속하는 헬륨, 네온, 아르곤, 크립톤, 크세논, 라돈의 6원소를 말한다. 용접 또는 고순도 금속 제조 때의 불활성 분위기, 각종 전구의 충진 가스, 냉매 등에 이용된다. 도금에서는 산화되기 쉬운 도금욕(비수용액 등)의 불활성 분위기 생성용이나 액 중에서 용존 산소를 제거하기 위한 흡입용 가스 등에 사용된다. ◘ 희가스(651)

**불활성 아노드** Insoluble Anode ◘ 불용성 아노드(209)

**불활성태** Immunity

어떤 금속의 전위를 약하게 하면 그 금속의 이온은 전착은 되지만, 그 금속은 이온으로써는 용해되지 않는 상태가 된다. 바꾸어 말하며, 용액 중의 그 금속의 평형이온 농도가 무시할 수 있을 정도로 작은 상태가 되어 부식이 실질적으로는 일어나지 않는다. 이 상태를 불활성태라고 한다. 전위-pH 그림에서는 전위가 약해 금속이 안정된 영역이다. = 불변태(207), 불활태(후항), 불감역(207)

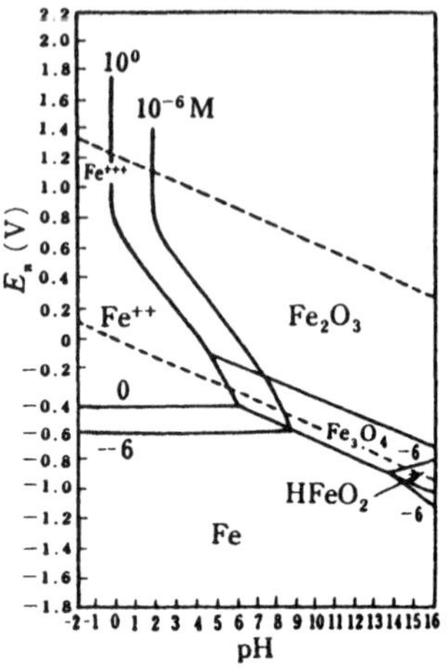


Fe-$H_2O$계 전위-pH도
불활성태

**불활태** ◘ 불활성태(전항)

**붓도금** Brush Plating: Tampon Plating

도금액을 털로 된 붓이나, 거즈, 탈지면, 천브러시, 스폰지 등에 포함되어 피도금물의 표면을 문질러 도금하는 방법을 말한다. 무전해도금과 전기도금이 있으며, 전기도금에서는 일반적으로 불용성 양극이 이용된다. 재질은 카본, 페라이트, 스테인리스, 납, 백금 등이다. 부분도금이나 보수용 도금에 이용된다. 도금이 필요 없는 부분은 점착테이프나 레지스트 잉크 등으로 마스킹을 하여 보호한다. = 브러시 도금(216)

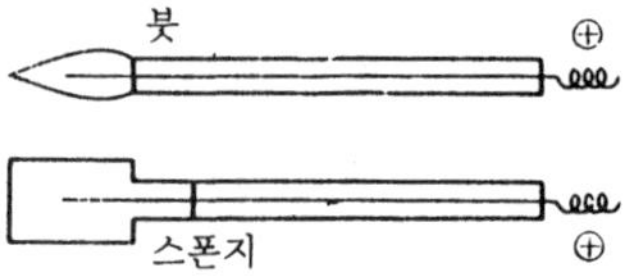


붓도금법
붓도금

**붕불산** Fluoroboric Acid

$HBF_4$ 외에 $HBF_3(OH)$, $HBF_2(OH)_2$, $HBF(OH)_3$ 등이 있으나, 보통은 $HBF_4$를 말한다. 강산으로 유독하며, 저온에서는 유리를 침해하지 않는다. 염은 일반적으로 무색으로 물에 간단히 녹는 것이 많다(K염만이 잘 녹지 않는다). Ba, Mg, Cu, Zn, Pb, Cd, Sn, Ni, Al, 그 외의 금속염이 있고, Cu, Zn, Pb, Cd, Sn, Ni, 땜납 등의 전기도금욕이 있다. 모두 고속의 두께부착도금이 가능하며 피막의 성질도 좋으나, 독성과 배수처리가 곤란하다는 단점이 있다. 독물, 특정화학 물질 = 플루오로붕산(599), 불화붕소산(210)

**붕불화 주석도금** Tin Fluoborate Plating Bath

도금속도가 빠르며, 경면(鏡面) 광택을 얻을 수 있는 이점은 있으나, 부식성이 강하고, 인체에 유해하며, 배수 처리에서 불소 제거가 곤란한 단점이 있다. 욕 조성은, 붕불화 주석(45% 용액) 200g/$l$, 붕불화 수소산(42%) 50g/$l$, 붕산 30g/$l$, 젤라틴 15g/$l$, $\beta$ 나프톨(Naphtol) 1g/$l$, 온도 25~35℃, 음극 전류밀도 2.5~10A/$dm^2$이다. 광택도금은 냉각이 필요하다. 전류 효율은 100%에 가깝고, 넓은 전류밀도 범위에서 평탄한 도금면을 얻을 수 있다.

**붕불화물 도금욕** Fluoroborate Plating Bath

붕산과 불화수소산을 반응시켜 얻을 수 있는 붕불산(주로, $HBF_4$, $H_3BO_3+4HF \rightarrow HBF_4+3H_2O$)과 금속, 금속산화물, 금속수산화물, 금속탄산염 등과 반응시켜 얻을 수 있는 금속 붕불화물을 주성분으로 하며, 유리의 붕불산을 소량 함유한 도금욕에서 Pb, Sn, Ni, Cu, Zn, Cd, 땜납 등의 도금욕이 있다. 이들 모두 안정되어 있으며, 고속의 두께부착 도금도 가능하고, 피막의 성질도 좋으나, 배수 처리가 어렵다는 단점이 있다.

◘ 붕불산(212)

**붕사** Borax $Na_2B_4O_7 \cdot 10H_2O$

별명은 사붕산나트륨 십수화물이며, 무색~백색, 반투명~반투명인 결정, 비중 1.67~1.72이다. 공기 중에서 풍해되어 백색의 분말이 된다. 물에 녹으며 수용액은 강알칼리성을 띈다. 도금에서는 알칼리 세정에 사용된다. 붕소, 붕산염의 주요원료, 금속납땜의 융제, 유리, 유약, 에나멜(琺瑯), 방화제, 의약품 등에 사용된다.

**붕사 구(硼砂球) 반응** Borax Bead Reaction

용구 반응의 하나로, 건식 정성 분석에 이용되는 반응의 일종이다. 붕사($Na_2B_4O_7 \cdot 10H_2O$)의 분말을 가열된 백금선의 선단에 부착시켜, 버너의 불꽃으로 가열 탈수하여 융해시키면 무색의 유리상이 된다. 이것에 소량의 시료분말을 넣어 가열하면, 붕산염 유리의 착색을 일으킨다. 주로 천이원소 이온의 존재를 정성 분석할 수 있다. 백금선은 니크롬선으로 대용할 수 있는 경우도 있다. = 용구(熔球) 반응(375)

**붕산** Boric Acid

산화붕소($B_2O_5$)가 수화된 옥소산으로, 올트붕산($H_3BO_3$), 메타붕산($HBO_2$), 사붕산이 있다. 메타붕산과 사붕산은 $H_3BO_3$를 각각 100℃, 140℃로 가열하여 얻을 수 있다. 니켈도금, 그 외 많은 도금에서 올트붕산이 pH 완충제로써 사용된다. 약산으로, 수중에서는 $B(OH)_3+H_2O \rightarrow B(OH)_4^-+H^+$(pK=9.00)과 같이 전리하여, pH9 부근에서 pH 완충작용을 한다. 도금에서는 계면의 pH를 완충한다고 알려져 있다. 다가(多價) 알코올에 잘 녹으며, 착체를 만들어 산성이 강해진다.

**붕화처리** Boronizing: Boriding

철강표면에 FeB나 $Fe_2B$의 단단한 층을 형성시키는 방법으로 기체법, 액체법, 고체법, 전해법 등이 있다. = 침붕(浸硼)처리(513)

붕화처리법의 분류

| 분 류 | 확 산 제 | 온도 (℃) | 시간 (h) |
|---|---|---|---|
| 기체법 | $H_2$ 또는 $N_2$로 희석한 $B_2H_6$ 또는 $BCl_3$① | 750~1000 | 2~6 |
| 액체법 | $Na_2B_4O_7$+Fe-B또는 $B_4C$를 주성분으로 하는 열욕중에 침적 | 850~1000 | 1~5 |
| | ($BaCl$+$NaCl$)용융염+$B_4C$ 또는 Fe-B를 주성분으로 하는 열욕 중에 침적 | 950~1000 | 1~3 |
| 고체법 | B, $B_4C$, Fe-B+$A_2lO_3$, $NH_4Cl$ 분말중에 충진, 대기중 또는 분위기중에 가열 | 700~1000 | 1~20 |
| 전해법 | $Na_2B_4O_7$ 단독, 또는 $Na_2B_4O_7$, $B_2O_3$, $H_3BO_3$, $NaBF_4$ 등의 용융염중에 피처리물을 ⊖로써 전해 | 800~1000<br>600~900 | 1~5<br>1~10 |

붕화처리

**뷰렛** Burette: Buret

임의의 액체량을 적하 시키기 위해 만든 체적계를 말한다. 보통 뷰렛은 두께가 일정하고 긴 유리관에 균등한 눈금선을 새겨 끝단을 가늘게 하고, 코크를 달아 적하량을 조정해 적하 유출 체적을 측정한다. 주로 용량 분석의 표준 용액의 적하에 이용된다. 유리 또는 플라스틱제로 25㎖ 또는 50㎖의 것이 많으며, 육안 측정으로 0.01㎖까지 읽을 수 있다. 주된 종류는 빛으로 분해하기 쉬운 용액을 넣은 착색 뷰렛, 코크 대신에 고무관을 이용하여 그 안에 유리구를 넣은 몰형, 종선을 넣어 눈금을 읽기 쉽게 한 셀바하 뷰렛, 미량분석에 사용하는 2~5㎖의 미크로 뷰렛 등이 있다.

뷰렛

**브라베이 격자** Bravais Lattice

결정 중에 원자 배열의 기본형은 기하학적으로 여겨지는 3차원의 격자 배열 중에 14종류이다는 것을 A. Bravais(1848년)가 밝혀 냈기 때문에 브라베이 격자라 부른다. 하나의 격자(단위 격자) 축의 길이를 격자 정수(길이가 서로 다를 때는 2개 이상이 있다), 그 사이의 각도를 축각(軸角)이라고 한다. = 공간 격자, 결정 격자, 면심 격자 ◘ 결정 구조(21)

결정계와 브라베이 격자

| 결정계 | 축 및 축각 | 단순(P) | 체심(I) | 저심(C) | 면심(F) |
|---|---|---|---|---|---|
| 삼사<br>(Triclinic) | $a \neq b \neq c$<br>$\alpha \neq \beta \neq \gamma \neq \pi/2$ | 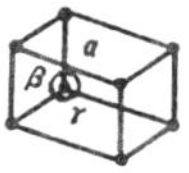 | | | |
| 단사<br>(Monoclinic) | $a \neq b \neq c$<br>$\alpha = \gamma = \pi/2$<br>$\beta \neq \pi/2$ | 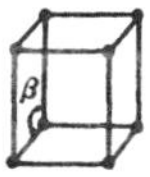 | | 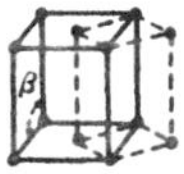 | |
| 사방<br>(Orthorhombic) | $a \neq b \neq c$<br>$\alpha = \beta = \gamma = \pi/2$ |  |  |  |  |
| 육방<br>(Hexagonal) | $a = b \neq c$<br>$\alpha = \beta = \pi/2$<br>$\gamma = 2\pi/3$ | 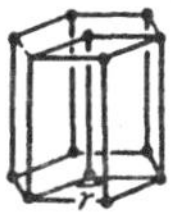 | | | |
| 삼방<br>(Trigonal)<br>또는 능면체<br>(Rhombohedral) | $a = b = c$<br>$\alpha = \beta = \gamma \neq \pi/2$ |  | | | |
| 정방<br>(Tetragonal) | $a = b \neq c$<br>$\alpha = \beta = \gamma = \pi/2$ |  |  | | |
| 입방<br>(Cubic) | $a = b = c$<br>$\alpha = \beta = \gamma = \pi/2$ | 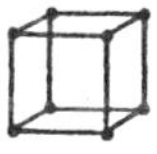 |  | |  |

브라베이 격자(도)

**브라운관 오실로그래프** ◘ 오실로스코프(366)

**브라이트 딥** Bright Dip

동 및 동합금의 화학연마법. 영어의 Cleanliness가 어원이라 알려져 있다.

브라이트 액은 농초산, 농황산, 농염산의 혼산으로, 수초의 침적으로 광택을 얻을 수 있다. 농초산을 사용하면 $NO_2$ 가스가 발생하기 때문에 농초산에 과산화수소수를 가한 브라이트 액이 시판되고 있다.

**브러쉬 도금** Brush Plating ◘ 붓도금(212), 금브러쉬 도금(56)

**브렌스테드산·염기** Brönsted Acid and Base ◘ 산 · 염기의 정의(234)

**브론즈** Bronze ◘ 청동(501)

**브론즈 도금** Bronze Plating ◘ 주석-동합금 도금(483)

**브론즈 마무리** Bronze Finish

동 또는 동합금 표면의 색을 변화시키기 위하여 화학적 처리를 실시하는 것을 말한다. 브론징이라고도 한다. ◘ 브론징(후항)

**브론징** Bronzing

금속 착색에서 사용되는 전문용어로「브론징이라 칭하는 말은 금속 표면, 특히 동, 진주, 동의 표면에 고대색을 인공적으로 만드는 것을 표시하는 것으로, 각종 착색을 실시하여 소지 금속에 효과를 내는 것까지 포함되어 있다」라고 되어 있다.

**브롬** Bromine Br.

원자번호 35, 원자량 79.904, 할로겐원소의 하나이다. 융점은 -7.3℃, 불점은 58.8℃이다. 상온에서서는 적갈색의 액체로 화학적으로 활성이며 염소보다 반응성은 약하다. 물에 아주 조금 녹아 브롬수(3%의 브롬을 포함)가 된다. 수중에서는 차아브롬산을 생성하여 산화력을 나타낸다. $Br_2+H_2O \rightleftharpoons HBr+HBrO$ $HBrO \rightarrow HBr+(O)$. 알코올, 에테르, 벤젠, 이류화탄소 등, 일반 유기용매에는 잘 녹는다. 또 많은 브롬 제품의 원료로써 이용되고 있다.

**브리넬 경도** Brinell Hardness

시료의 시험면에 강구로 움푹 패인 오목부를 만드는데 필요한 하중(㎏)을, 그 영구 오목부의 표면적(㎟)으로 나눈 값을 말한다. 압압(押壓)용 강구에는 통상 직경 10㎜ 및 5㎜의 것이 사용되며, 압압 하중은 3000㎏ 또는 500㎏가 사용된다. 강재의 경도측정에 널리 이용되고 있다.

**브리스터** Blister

도금표면에 미세한 부풀음이 많이 발생한 상태. 전처리 불량, 도금욕의 불량으로 인해 발생하는 것(Process Blister)과, 도금 후 어떤 시간이 경과하여 돌출하는것(Sevice Blister)이 있다. 후자는 입자간 부식이나 가스의 발생에 의한 경우가 많다. 아연다이캐스트나 알루미다이캐스트 소지상의 도금에서 발생하기 쉽다.

**브리지** Bridge

프린트 배선기판의 납땜에서 도통 패턴간, 또는 취부 부품간 등이 땜납으로 인해 단락(쇼트)되어 있는 것, 또는 그 상태를 말한다.

**VCI** Volatile Corrosion Inhibitor

기화성 방청제의 약자. ◘ 기화성 방청제(63)

**VRI** Volatile Rust Inhibitor

기화성 방청제의 약자. ◘ 기화성 방청제(63), VCI(전항)

**VPI** Vapour Space Inhibitor

기화성 방청제의 약칭으로 사용되며, 미국 셸사의 기화성 방청제의 상품명이다. ◘ 기화성 방청제(63)

**블래스팅** Blasting

가공면에 고체금속, 주물성 또는 식물성의 연마재를 고속도로 뿌려 그 표면을 청정화, 마모 또는 표면 경화시키는 방법이다.

**블러드 시험** Blood Test

금합금 중에 금의 함유량을 조사하는 간단한 판별법으로, 미지의 시료와 표준시료(18K와 20K의 침상)의 각각에 조흔을 만들어 이 위에 몇 방울의 초산을 떨어뜨려 시료를 엄지손가락으로 만져보면, 엄지손가락에서 분비되는 염화물과 초산이 혼합하여 왕수가 되며, 이것이 시료의 조흔을 침해하여 검게 변색되고, 생성된 염화금산은 금이 환원되어 콜로이드 상의 금이 되고, 적갈색의 광택이 남는다. 미지의 시료와 표준시료의 광택을 비교하여 금합금 중에 금의 함유량을 추정한다. 적갈색의 광택이 인간의 혈액과 닮았기 때문에 블러드 시험(혈액시험)이라고 한다. = 혈액시험(624)

**블러싱** Blushing; Bloom; Burnt Deposits

①광택도금에서 적성전류밀도 범위 외의 과대 또는 과소의 전류밀도에서 광택이 없는 부분을 말한다. ②섬유소계 도료, 라커 등을 도장했을 때, 도막면이 백화, 유백화하거나 탁하거나 흐린 현상이 발생하는 것을 말한다. ③알루미늄의 양극산화피막이 무르게 되어 불투명으로 백화되어 가는 상태를 말한다. = 버닝(Burning)

**블레딩** Bleeding

프린트 배선기판의 에칭처리를 용이하게 행하기 위하여 미리 가공물을 유기용제에 침적시키는 방법을 말한다.

**블로 홀(공동)** Blow Hole

①프린트 배선기판의 도금 쓰루 홀에는 납땜을 하였을 때, 발생된 가스에 의해 생긴 공동[보이드(Void)] 또는 그 공동이 생긴 도금 쓰루 홀을 말한다. 쓰루 홀 내면의 불완전한 도금 때문에 적층판 자체에서의 가스 또는 수증기의 탈출이나 액상 플럭스의 공벽에의 부착이 생기기 때문에 그 위에 흐른 용융 땜납이 응고시, 증기가 발생하여 땜납 중에 공동 또는 부풀음이 발생되는 경우가 있으며, 이것이 블로 홀의 원인이 된다. ②금속을 주조할 때, 응고과정 중에 방출된 가스가 충분히 도망가지 못하고 주물에 남아 있어 발생된 공간을 말하며, 작은 것을 핀홀이라고 한다.

**블루잉** Blueing

표면 처리는 철강의 외관과 내식성 향상을 목적으로 하며, 공기, 수증기 또는 화학약품 등에서 270∼300℃로 가열하여 표면에 청색의 산화피막을 형성시키는 처리를 말한다. 금속 가공에서는 냉간 가공된 철강을 250∼450℃로 가열하여, 냉압 가공에 의한 응력을 제거함과 동시에 항복강도를 높이는 처리를 말한다.

**비교 전극** Reference Electrode ◘ 기준 전극(62)

**비금속** Base Metal

귀금속의 반대 용어로, 표준 단극 전위가 낮은 금속, 바꾸어 말하면 이온화 경향이 큰 금속을 말한다. 일반적인 실용금속은 거의 이것에 포함된다. 예를 들어 철, 알루미늄, 니켈, 텅스텐, 몰리브덴, 납, 아연, 주석 그 외에 자원적으로 혜택을 받은 도금의 소지 또는 도금할 금속으로써도 많이 사용되며, 공업적으로 유용한 금속이 많다. ◘ 귀금속(49)

**비금속 개재물** Non-Metallic Inclusion

비금속 개재물이란 산화물, 규산물, 황화물, 내화물, 광재(鑛滓) 등이 금속 중에 개재되어 있는 것을 말한다. 비금속 개재물에는 다음 3종류가 있다. (1)A계 : 가공에 의해 점성 변형된 것(황화물, 규산염 등), 또한 이것을 세분화하면 $A_1$계 : 황화물, $A_2$계 : 규산염으로 나눈다. (2)B계 : 가공 방향으로 집단을 이루어 불연속적으로 입상의 개재물이 배열된 것(알루미나). (3)C계 : 점성 변형되지 않고 불규칙하게 분산되는 것(입상산화물 등). 이 비금속 개재물의 종류 및 수량을 측정하여 이것에 의해 강의 청정도를 판단한다. 베어링강 등의 중요한 기계구조용 합금강 등에 적용되는 강질 시험법이다.

**비금속 피복** Covering by Nonmetallic Materials

금속의 표면을 비금속의 보호막으로 뒤덮는 것을 말하며, 소지의 금속이 변화하여 산화물 등이 되는 경우와, 비금속 무기물이나 유기물로 뒤덮는 경우가 있다. 전자로는 알루미늄의 양극 산화, 화성처리, 철강의 인산염 처리 등이 있다. 넓은 의미로는 침탄, 질화 등도 포함된다. 후자로는 붕납, 메탈리콘 등의 무기물에서의 피복과 도장, 라이닝 등의 유기물에서의 피복이 있다. 피복은 거의가 전기 절연성이 있다. ◘ 라이닝(114)

**비누** Soap

고급 지방산의 금속염을 말하며, 금속염으로써 일반적으로 나트륨이나 칼륨염이 많이 사용된다. 유지와 수산화나트륨을 반응시켜 비누화하면 다음과 같은 반응에 따라 비누와 글리세린을 생성한다. R을 장쇄(長鎖) 알킬기로 하였을 때 $(RCOO)_3C_3H_5+3NaOH \rightarrow 3RCOONa+C_3H_5(OH)_3$. 유지의 원료는 우(牛)지방에 야자유를 혼합한 것이며, 경화유(불포화 지방산에 수소를 첨가하여 고형지방으로 만든 것)를 사용하는 것이 많다. 알칼리 토류금속이나 중금속의 비누는 금속비누라고 불리며, 물에 불용성이기 때문에 세정작용이 감쇠되지만, 그 이외의 비누는 높은 표면활성을 가지고 있어 세정작용이 크다. 장쇄알킬기는 음이온으로써 유리하고 음이온 활성제로써 작용한다. 장쇄알킬기가 양이온이 되는 것은 역성비누라고 불리며, 양이온 계면활성제에 상당한다.

**비산화성 인히비터** Mon-Anodic-Cathodic Inhibitor

그 자체는 철강 등을 산화시키며 산화막으로 방청하는 작용은 없으나, 산소의 흡착을 용이하게 하고 간접적으로 부동태화를 돕거나, 철강의 표면에 흡착되어 있는 아노드 반응의 저항이 되거나 하는 약품을 말한다. 규산소다, 인산소다, 탄산소다, 안식향산소다 등이 있다. 크롬산과 같은 산화성 인히비터보다도 고농도로 사용된다.

**비소** Arsenic As.

원자번호 33, 원자량 74.92의 아금속으로, 회색, 황색, 흑색의 3종의 동소체가 있다. 회색 비소는 금속상 비소라고도 불리며, 금속광택이 있는 3방정계 결정으로 융점 817℃이며, 비소의 화학적 성질은 인과 닮았다. 상온의 공기 중에서는 변화하지 않는다. 400℃에서 청백색의 불꽃을 내며 연소되어 산화 비소(3가)가 된다. 할로겐, 황과 직접적으로 반응한다. 공기와 공존하여 염산과 반응하여 염화 비소(3가)를 생성한다. 열농황산, 농초산에 녹으며, 아비산, 비산이 된다. 단일체(증기, 분진)로써는 무독이지만, 생체 내에서는 화합물을 생성하므로 위험하다. 비소 화합물은 맹독성이다. 화합물 반도체(GaAs, InAs)의 성분, 동, 납의 합금 성분이나 의약으로써 사용된다. 전해 시에는 카소드에서 맹독의 비화수소($AsH_3$, 알루신이라고도 한다. 무색의 기체)를 생성하는 경우가 있기 때문에 주의를 요한다.

**비소모 전극** Non-Dissipate Electrode

전기도금을 포함한 각종 전해 공업에서는 가용성 아노드 외에 불용성 아노드가 사용되며, 또 전착물을 박리하는 경우에는 카소드에서도 불용성이 사용된다. 이것들을 비소모 전극이라고 한다. 전기도금의 아노드에서는 이전에는 납, 흑연이 주로 사용되었으나, 최근에는 티탄백금 전극, DSA(티탄/$RuO_2 \cdot TiO_2 \cdot IrO_2$), 페라이트 등이 사용되게 되었다. ◘ 불용성아노드(209)

비소모 전극의 실용 예

| 재 질 | 아노드/카소드 | 전해 프로세스 | 재 질 | 아노드/카소드 | 전해 프로세스 |
|---|---|---|---|---|---|
| 납 | + -<br>+ + | 황산용액의 전해<br>유기화합물 | 백금 | + -<br><br>+ -<br>+ + | 염소산염, 과염소산염, 벨록시염<br>과황산암모늄<br>염화물이온 함유액 중의 유기화합물 |
| 철 | + + | 수전해<br>(알칼리욕) | 티탄 | + | 동의 종판(種板)전해 |
| 철-실리콘합금 | + - | 전기방식 | 티탄/$RuO_2 \cdot TiO_2$ | + -<br>+ - | 식염전해<br>금속채취전해 |
| 흑연 | + -<br>+ +<br>+ + | 식염전해<br>차아염소산염의 생성<br>용융염전해<br>(Na,Li,Be,Ca) | 티탄/PbO | + - | 식염전해 |
| 마그네타이트 | + + | 전기방식 수처리 | 탄탈/백금 | + + | 전기투석 |

| 재 질 | 아노드/카소드 | 전해 프로세스 | 재 질 | 아노드/카소드 | 전해 프로세스 |
|---|---|---|---|---|---|
| 페라이트 (Mo · $Fe_2O_3$) | + +<br>+ - | 전기투석, 수처리<br>규불화물욕,붕불화물욕 | 티탄/백금 | + -<br><br>+ + | 전기도금,<br>전기방식<br>유기화합물 |
| 니켈 | + + | 수전해 | 티탄/$PbO_2$ | + - | 유기화합물 |
| 알루미늄 | + | 아연전해 | $PbO_2$ | + - | 백금의 대용 |

비소모 전극

**비수용매** Nonaqueous Solvent

물 이외의 용매를 말한다. 수용액에서는 전착되지 않는 금속도, 비수용매에서는 전착되는 경우가 있다. 비수용매에는 분자성의 액체와 이온성의 액체(용융염)가 있고, 또 분자성 액체에는 무기용매와 유기용매가 있으며, 전자는 액체암모니아, 사염화탄소 등이 있고, 후자는 더욱 많은 화합물이 있어 실험적으로는 많은 금속의 석축이 인정되고 있으나, 공업적으로는 실시되고 있지 않다. 한 편, 용융염 전해는 알루미늄을 시작으로 공업적으로 많이 실시되고 있다.

**비수용액 전기도금** Electroplating of Metals by Non-Aqueous Solution

비수용액에 의한 전기도금은, 분자성의 용액과 이온성의 용액(용융염)을 사용하는 것이 있으나 분자성의 용액에 대해서는 수용액에서 도금을 할 수 없는 금속을 도금하기 때문에 알루미늄도금, 리튬도금, 텅스텐도금, 몰리브덴도금 등이 개발되어 있다. 알루미늄도금은 Brenner가 Hydrida욕(염화알루미늄-수소화알루미늄 리튬에테르욕)을 개발하여 가능하게 되었고, 그 후 개량욕으로써 용매를 에테르 대신에 THF를 사용함으로 인해 알루미늄 아노드가 용해되어 도금 가능한 알루미늄 착체(錯體)를 형성하게 되었다. 그러나, 이것들의 욕은 모두 액이 휘발되거나 산화되기 쉽기 때문에 도금장치를 밀폐형으로 하고, 분위기 제어를 할 필요가 있다. 한편, 이온성 용액인 용융염에서의 도금은, 알루미가 용융염 전해에서 제조되고 있는 경우도 있어 실용화하기 쉽지만, 결정이 거칠어 상온용융염전해 사용이 검토되고 있다. 백금은 수용성이 일반적이나, 용융염에서도 도금은 된다.

**비스머스** Bismuth Bi.

원자번호 83, 원자량 208.9804, 은백색의 금속으로 융점 271℃, 비중 9.80,

불점 1560℃이다. 상온에서는 전성, 연성이 떨어진다. 산화력이 있는 산에는 녹는다. 공기 중에서 가열하면 청백색의 불꽃을 뿜으며 탄다. 납, 카드뮴, 주석 등과 이융(易融)합금을 만드는 원료로써 사용된다. 그 외, 의약품이나 원자로 냉각제로써도 사용된다.

**비스킷** Biscuit ; Unglazed Pottery

도자기 제조 공정에서 원료를 성형, 건조한 소지를 가볍게 구워 강도를 주는 것으로 이 소성(燒成)공정을 비스킷이라고 한다. 전해에서 격막으로써 비스킷 실린더를 사용하는 경우가 있다.

**비스킷 실린더** Biscuit Cylinder

비스킷 실린더는 내부의 액과 외부의 액을 혼합시키지 않고 전기적으로 도통(導通)시키는 격막으로써 사용한다. 이것을 이용하여 크롬도금액 중의 불순물인 철분을 전기투석법에 의해 제거하는 방법이 있다.

**비시안 아연도금** Non-Cyanide Zinc Plating ◘ 넌시안 아연도금(72)

**비시안화물욕** Non-Cyanide Bath ◘ 넌시안욕(73)

**BS** British Standards

영국의 표준 규격의 약칭.

**BNF 밀착시험기** BNF Adhesion Tester

도금의 밀착과 취성을 조사하는 시험기로, 일종의 타격 시험법이며 영국에서 실시되었다. 그림과 같이 전자석으로 작동되는 해머를 이용하여 약 1/16in 직경의 경화된 강구로 1분 간에 1500~1600회 도금시료를 두들겨 시료 표면의 도금 상태를 관찰하여 부풀음 등의 유무를 조사한다. 두들기 모멘트는 1.7 kg·cm/s로 되어 있다.

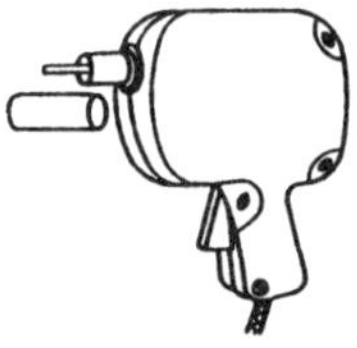

BNF 밀착시험기

**비열** Specific Heat ◘ 비열 용량(후항)

**비열 용량** Specific Heat Capacity

비열이라고도 한다. 단위 질량의 물질의 온도를 단위 온도만큼 상승시키는데 필요한 열량을 말한다. 예를 들어, 1g의 물질을 온도 1℃ 상승시키는데 필요한 열량을 말한다. 1mol에 대해서는 몰비열, 몰열 등이라고 한다. 일반적으로 온도에 의해 변화하지만, 온도를 높일 때 일정 압력 하에서 행하든지 또는 일정 체적을 유지하는 조건에 의해 정압비열 열량과 정용비열 용량으로 구별한다. 국제적으로는 비열보다도 비열 용량을 사용하는 것이 바람직한 것으로 되어 있다. = 비열(전항)

**BOD** Biochemical Oxygen Demand ◘ 생화학적 산소요구량(241)

**비용(比容)** Specific Volume

비체적이라고도 한다. 단위질량의 물질이 점하는 체적을 말한다. 밀도의 역수와 같다. 보통 1g의 물질이 점하는 체적(㎤)로 표시한다. = 비체적(225)

**비이온 계면활성제** Nonionic Surface Active Agent ; Nonionic Surfactant

이온화되는 원자단을 분자 중에 가지지 않는 것으로 그 수용액이 해리되지 않는 활성제를 말한다. 비교적 저기포성으로 Ca나 Mg와 같이 수중의 경도성분에 영향을 받기 어렵기 때문에 도금작업 공정 중에 사용되는 경우가 많다. 폴리에틸렌옥시드와 지방산, 또는 다가(多價) 알코올과의 에스테르, 또는 에테르 축합물 등이 있다. 세정력이 뛰어나며 내산성, 내경수성, 내염수성의 유화 침투제로써 도금 이외에도 섬유공업, 화장품, 식료품의 유화 등에 이용된다. = 넌이온 계면활성제(73)

**비자기촉매 도금** Non-Autocatalytic Plating

석출된 금속 또는 합금을 촉매로 하지 않고 제어된 화학환원에 의한 금속피막 형성법을 말한다. 대표적인 것은 은경(銀鏡) 반응(은경 처리라고도 한다)으로 피도금면은 염화 제일주석으로 활성화되지만, 활성화면 이외에도 석출되며, 석출성은 없다. 은경 반응은 전주 등에 사용되고 있다. = 비촉매 화학도금 ◘ 은경 반응(399)

**비저항** Specific Resistance ; Resistivity

저항율이라고도 한다. 단위길이(1m)에서 단위 단면적(1㎡)의 도체의 저항을 그 물체의 저항율 또는 비저항이라고 한다. 단위는 Ω · m. 동의 저항율은 0℃일 때 0.0178μ Ω · m이다. = 저항율

저항율(μΩ · m, 0℃일 때)

| 명 칭 | 비저항 | 명 칭 | 비저항 |
|---|---|---|---|
| 알루미 | 0.031 | 은 | 0.015 |
| 납 | 0.20 | 니 켈 | 0.069 |
| 철 | 0.13 | 티타늄 | 0.5735 |
| 동 | 0.0178 | 자 기 | 4×1019 |
| 진 주 | 0.065 | 파라핀 | 3×1022 |

비저항

**비전기 전도도** ◘ 비전도도(후항)

**비전도도** Specific Electric Conductance ; Specific Electric Conductivity

◘ 전도도(452)

**비전해질** Nonelectrolyte

물 그 이외의 유극성 용매에 녹였을 때, 그 용액 중에서 이온으로 해리되지 않는 물질을 말한다. 예를 들어, 알코올, 벤젠은 비전해질이다. 비전해질의 용액은 전기전도성을 띄지 않으며 또한 그 희박용액은 증기압 강하, 불점 상승, 응고점 강하, 침투압에 대해 소위 속일적(束一的) 성질(용매의 성질과 용액의 몰분율 만이 관계하며, 용질의 조성에 의하지 않는다는 용액의 성질)을 띈다.

**비정규 공석** Irregular Codeposition ◘ 불규칙 공석(207)

**비정질** Amorphous Material

고체 물질로, 균일한 조성은 가지고 있으나, 원자 배열이 액체와 같이 흐트러져 있어 규칙 바른 격자 상으로 되어 있지 않은 상태를 비정형이라고 하며, 그와 같은 물질을 비정질이라고 한다. 글래스는 전형적인 예이며, 초급냉한 금속, 무전해도금 피막에도 비정질이 있다. = 아몰퍼스(289)

**비정질 금속** Amorphous Metal

금속을 초급냉 시키면, 규칙 바른 원자배열을 할 시간이 없기 때문에 액체와 같이 흐트러진 원자 배열인 채로 응고된다. 또 합금도금, 무전해도금 등에서는 이종 원소(무전해도금에서는 인이나 붕소)의 공석에 의해 결정 성장이 방해를 받아 유사한 배열을 한 금속을 얻을 수 있다. 이것을 비정질 금속이라고 하며, 전자기적 성질, 내식성 등에서 결정질 금속보다도 뛰어난 것이 많다. = 아몰퍼스 메탈(289)

**비정질 도금** Amorphous Plating

무전해도금에서는 비정질 도금을 얻기 쉬우며, 전기도금에서도 이것을 얻을 수 있다. 일본의 와타나베 테츠(渡邊 徹)씨는, 전기도금에 의해 비정질 도금을 다음과 같이 분류하고 있다. (1)단금속 또는 수소혼입형, (2)P, B, C, S(반금속)혼입형, (3)산화물형성형, (4)유기공석형, (5)반도체계형, (6)그 외. 무전해도금에서는 (1)P혼입형, (2)B혼입형이 있다. 전기도금의 한 예로써 크롬 도금의 서젠트(Sargent)욕을 사용하여 3가 크롬이온 농도를 높게 하여, 전류효율을 낮추면, 음극에서의 수소 발생량이 많고, 도금피막 중에 다량의 수소가 혼입 되어, 아몰퍼스 크롬도금을 얻을 수 있다, = 아몰퍼스 도금(289)

**비정형** Amorphous ◘ 비정질(224)

**비조질강** Non-Normalized Steel

조질(소입・소려)을 필요로 하지 않는 강이란 의미로 여기지만, 실은 소준이 불필요한 강이란 뜻이다. 강은 조질에 의해 체질이 개선되기 때문에 조질이 불필요한 강이라는 것은 없다. 따라서, 소준 불필요강이라고 하여야 한다. 이 강은 압연 후의 조정 냉각에 의해 얻을 수 있다.

**비중** Specific Gravity

어떤 온도에서 어떤 체적의 물질의 질량과, 그것과 같은 체적의 어떤 표준 물질의 질량과의 비를 말한다. 보통, 표준 물질로써 4℃의 물을 채용한다. 4℃의 물의 질량은 0.999973g/㎤이므로, 비중의 0.999973배가 질량의 밀도지만, 실제로는 물의 질량의 밀도를 1로써 계산하는 경우가 많다. 따라서 1㎖가 *x*g라고 하면 비중은 *x*가 된다. 기체의 비중은 0℃, 1기압의 공기를 표준 물질로 하지만, 산소 또는 수소를 표준 물질로 하는 경우도 있다. ◘ 밀도(155)

**비중계** Densimeter : Hydrometer

비중계의 종류는, 액체용 기량계(Aerometer), 비중 천칭(天秤), 연통관, 액체·고체용의 비중천칭, 기체용 가스 천칭 등이 있다. 도금에서는 처리액이나 도금액의 비중측정에 천칭을 사용하는 경우가 많다. 천칭은 액체 중에 있는 물체가 받는 부력과, 그 액체의 비중이 비례한다는 것을 이용하여 비중을 측정한다. 그림과 같은 천칭을 측정액에 띄워, 눈금을 읽어 비중을 측정한다. 물보다 무거운 액체를 측정하는 천칭을 중(액) 보메(Baume)계라고 하며, 물보다 가벼운 액체를 측정하는 천칭을 경(액) 보메계라고 한다. ◘ 보메 비중계(187)

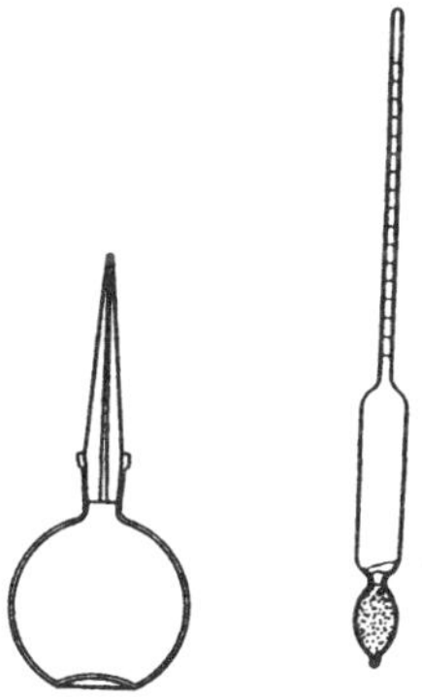


비중계

**비철 금속(재료)** Nonferrous Metals

철강 재료(철기합금) 이외의 모든 금속, 합금을 말한다. 예를 들어, 동, 아연, 알루미늄, 니켈, 코발트, 주석, 납, 마그네슘, 금, 은, 백금, 팔라듐, 티탄 등이다.

**비체적(比體積)** ◘ 비용(比容)(223)

**비촉매화학 도금** Non-Autocatalytic Chemical Plating ◘ 비자기촉매 도금(223)

**비커스 경도** Vickers Hardness

대면각 136° 정사각 추의 다이아몬드 압자를 1～50㎏의 하중으로 압착하여 오목부의 대각선을 측정한다. 하중과 오목부의 면적비를 비커스 경도라고 한다. 박판, 표면층, 도금피막, 미소부분 등에는 최저 1~25g까지의 소하중을 사용하는 경우도 있다. Hv로 표시하며, DPH(Diamond Pyramid Hardness)라고도 한다.

**BTA** Benzotrazol ◘ 벤조트리아졸(184)

**Btu** British Thermal Unit

야드 파운드 단위계의 열량단위. 질량 1파운드의 물을 1atm 하에 60.5°F에서 61.5°F까지 온도를 올리는데 필요한 열량을 말한다.

1Btu = 4.41653kcal = 1055.06J = 0.29307W.h.

**비파괴 검사** Non-Destructive Inspection

피도금물 등의 피검사물에 상처를 입히지 않고 막두께, 내부의 성질, 결함 등을 검출하는 검사법을 말한다. 이것에 포함되어 있는 것은 $\beta$선, 자기, X선에서의 막두께 검사, 타음 검사, 초음파 탐상, 형광 탐상 등이 있다.

**비패러데이 전류** Non Faradaic Current

전해 시에 전기 2중층을 충전하기 위해 초기에 극히 단시간에 흐르는 전류나, 목적 이외의 전해반응도 가해져 흐르는 잔여전류 등, 및 고체 전해질에서는 전자전류도 추가되지만, 이것들은 패러데이 법칙에 따르지 않기 때문에 비패러데이 전류라고 부른다. = 넌패러딩 전류(73)

**b.p.** boiling point

불점의 약칭. b.pt.라 쓰는 경우도 있다. ◘ 불점(210)

**빌드업 법** Build-Up Process

다층프린트 배선기판의 제조 방법의 하나로, 도금 또는 인쇄 등에 의해 지지 기판 상에 도체층과 절연층을 상호 겹쳐 나가는 방법이다. 보통, 쓰루 홀 도금법에서는 구멍이 배선 영역을 방해하기 때문에 고밀도화에 한계가 있어 빌드업 법이 개발되었다. 순차(Sequential) 도금법이라고도 한다. 대형 컴퓨터의 다층 프린트 배선기판으로 실용화되어 있다. = 순차 도금법

**빌비 층** Baylby Layer ◘ 베일비 층(183)

**빗살무늬** Moiré Fringe

2장의 격자를 중첩시키면 각각 격자 간격의 차이나 상호 회전에 의해 광파 등의 전자파가 간섭을 일으켜, 하얀 막이 나타난다. 이 하얀 막을 빗살무늬라고 한다. 빗살무늬를 이용하여 구조물이나 이 들의 부재의 내면 변형이나 변형, 또는 면외 변형 등의 해석에 이용된다.

**빙초산** Glacial Acetic Acid

96% 이상의 순초산을 함유하고 수분이 4% 미만의 초산을 말한다. 동절기에 얼기 쉽기 때문에 이 이름이 붙었다. 자극성이 강한 산기를 가지고 있는 무색의 액체로 물, 알코올, 에탄올과 잘 섞여 녹으며, 많은 유기물을 용해시킨다.

# ㅅ

**사냉** Sand Cooling

가열된 철강을 모래 안에 묻어 서냉하는 조작을 사냉이라고 한다.

**사마륨** Sm

원자번호 62, 원자량 150.36, 밀도 7.536g/㎤, 융점 1072℃, 희토류의 금속원소로 회백색이며, 공기중에서는 150℃ 이상에서 산화물($Sm_2O_3$)이 된다. 냉수에는 조금씩 녹는다. 열수, 희무기산에도 녹는다. 코발트와의 금속간 화합물 $SnCo_5$나 $Sm_2Co_{17}$은 강력한 영구자석으로써 사용된다.

**사삼산화철** Triiron Tetraoxide ◘ 산화철(236)

**사상(絲狀) 부식** Filiform Corrosion

얇은 도장 또는 도유(塗油)된 강판에서 발생하는 실 모양의 부식 흔적으로 진행하는 부식을 말한다. 강판에서는 필라멘트상으로 성장하는 부식의 흔적은 교차하지 않는 특징이 있으며, 스틸류의 가구나 깡통 등에서 볼 수 있다. 강판 이외에, 알루미늄, 아연, 마그네슘상의 도장에서도 실형상 부식이 발생한다. 농후한 전해액의 염화나트륨 등이 피막 하부에서 전위차 전지에 의해 부식을 일으키며 모세관의 힘으로 이동함에 따라 발생한다.

**42 알로이** Forty-Two Alloy

42%의 니켈을 함유한 Fe-Ni합금, IC 리드 프레임용으로써 사용되며, 동계 합금의 리드 프레임재에 비교하면 기계강도가 강하고, 열전도성과 가공성이 떨어지지만, 고온 내산화성은 뛰어나다. 가격은 비싸다. 42 알로이는 열팽창율이 세라믹과 비슷하기 때문에 세라믹 패키지의 경우는 유리하지만, 수지계 패키지에서는 동계 합금이 많이 이용되고 있다.

◘ 리드 프레임(124)

**사이렌서** Silencer

①일반적으로 소음기를 말한다. 오토바이의 배기관에 취부하는 것이나 소총, 권총에 취부하는 것은, 머플러 사이렌서라고도 불리운다. ②소음기를 갖춘 증기흡입을 말한다. 액조(液槽)내에 증기를 직접 흡입하여 물을

가열하면, 증기는 잠열을 잃고 끓는 물이 된다. 액 중에 증기를 흡입하면, 증기가 급격하게 냉각되기 때문에 체적 변화를 일으켜 소음을 발하는데, 이 음을 없애기 위하여 부품을 가지고 있다는 이유 때문에 사이렌서라고도 불린다.

**사이렌탈로이** Silentalloy

페라이트계 스테인리스 방진(防振)합금을 말한다. 합금성분은 Fe 12%-Cr 3%, 그 외 Al이며, 터빈날개 등에 사용된다. 진동을 억제하여 소음 발생과 피로 파괴를 방지하기 위하여 개발된 것이며, 약 350℃까지 실온과 동등한 진동 감쇄능력을 가지고 있다.

**사이리스터 정류기** Thyristor Rectifier

실리콘 제어정류소자(사이리스터)를 사용한 정류기로써, 도금용 전원으로 많이 사용되고 있다. 사이리스터는 넓은 의미로는 p형과 n형의 반도체를 서로 조합시켜 3개 이상의 접합을 가진 스위칭소자이며, 큰 전류를 작은 게이트전류로 제어할 수 있다. = SCR(329)

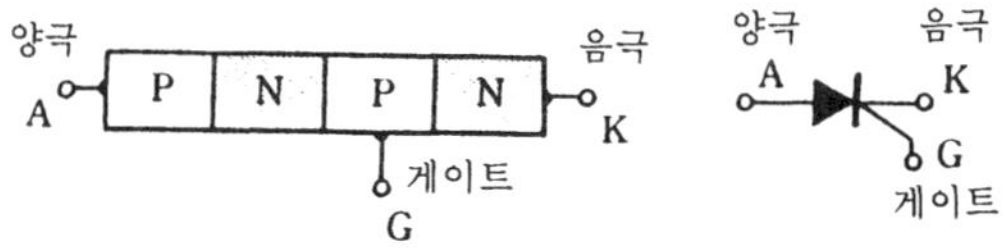


(a) 구성 (b) 그림 기호

사이리스터의 구성과 그림 기호

사이리스터 정류기

**사이잘 버프** Sisal Buff

포(布)로 된 재료에 튼튼한 사이잘 마(麻)를 사용한 것으로, 에머리연마의 마무리 공정에 사용한다. 사이잘 마는 각종 로프에 사용하는 마로, 사이잘은 용설란의 일종이다.

**사이징** Sizing

타형(打型)교정이라고도 한다. 치수결정을 위하여 어느 정도 가공된 제품을 틀로 눌러서 치수의 정도를 얻는 압축가공을 말한다. 주조품, 판금프레스 등에 사이징을 실시하는 경우가 있다.

**사이클** Cycle

①주기적 현상으로 1주기를 완성시키는 것. 어떤 변화가 주기성을 가지고 있을 때, 전과 동일한 상태로 되돌아오는 과정을 사이클이라고 한다.

②진동수, 주파수의 관용단위로, 사이클 매초라고도 한다. 전기관계에서는 일반적으로 교류의 1주기를 말한다. 기호는 c/s, cos, 또는 c로 표기한다. SI단위의 헤르쯔(Hz)와 같다.

**사이클론** Cyclone

기체 중의 또는 액체 중의 고체 미립자를 제거하기 위하여, 기체 또는 액체에 회전운동을 주어, 회전하는 고체 미립자의 원심력을 이용하여, 분리하는 장치를 말한다. 중력의 수백배나 되는 원심력의 작용으로 분리하기 때문에 소형이며 성능이 좋다. 버프연마의 집진 등에 사용된다.

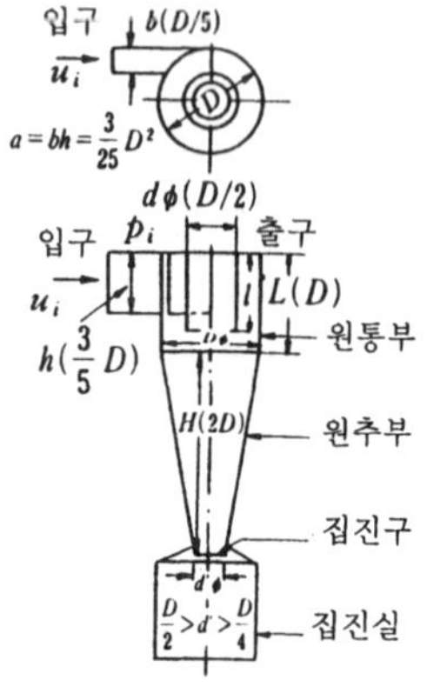


접선입구형식

사이클론

**사이폰** Siphon

굽어진 관의 가운데에 액을 충만 시켜 한 단을 용기 안에 액을 집어넣고, 다른 한 단을 밖으로 내어 용기의 액면보다 낮게 하면, 용기내의 액을 유출된다. 이 장치를 사이폰이라고 한다. 관 안이 액체로 충만 되어 있어야 한다는 조건이 필요하다.

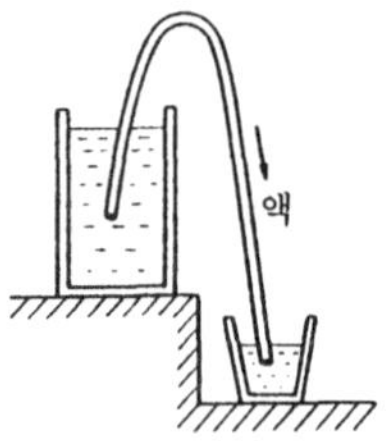


사이폰

**사중크롬산 소다욕** Sodium Tetrachromate Bath

◘ 테트라 크로메이트욕(547)

**사중크롬산소다 도금욕** Tetrachromate Chromium Plating Bath

오래 전부터 영국에서 사용되어 온 크롬도금욕로 상온에서 도금이 가능하고 알루미늄 소지 상에 직접 크롬도금이 가능하다. 도금면은 무광택이나 버프 마무리연마가 용이하다. 욕 조성은, 무수크롬산 400g/l, 수산화나트륨 58g/l, 황산 0.75g/l, 3가 크롬($Cr_2O_3$로써) 7.5g/l, 온도 15~21℃, 전류밀도 20~90A/dm$^2$, 음극전류효율 30~33%, 욕온도가 30℃ 이상이 되면 사중크롬산소다가 분해되기 때문에 냉각장치가 필요하다. 테트라 크로메이트욕에는 본하우저욕 외에 네오크롬욕, D크롬욕, 개량 RW욕 등이 있다. ◘ 테트라 크로메이트욕(547)

**사진 식각(食刻)** Photoetching ◘ 포토 에칭(578)

**사출 성형** Injection Molding

열가소성 수지, 열경화성 수지나 고무 등을 성형하는 방법의 하나로, 재료는 사출실린더 안에서 가열되며, 유동화된 성형재료는 사출 플런저(Plunger) 또는 스크류에 의해 굳게 닫힌 금형 안에 압력이 주입되어 단시간에 성형된다. 최근에는 금속도 사출성형으로 제조되고 있다. 그 방법은 미세한 금속분에 수지, 왁스 등을 배합하여 370～520℃에서 몰드로 사출하여 성형한 후 바인더를 가열, 제거하여 소결하여 고밀도의 소결부품을 제조하는 기술이며, 금형 성형에 비해 얇고 복잡한 형상의 부품을 성형할 수 있다.

**사카린** Saccharin $C_7H_5NO_3S$.

니켈도금의 광택제로써 사용된다. 인공감미료의 하나. α-톨루엔술폰아미노를 산화하여 얻을 수 있다. 백색 결정으로 에탄올 등에 녹는다. 물에 녹지 않으나, $N^-$나트륨염은 수용성이며, 수용액은 자당(蔗糖)의 약 500배의 단맛이 있다.

**산** Acid

산의 정의는 역사적으로 변화하였다. (1)Arrhenius는 수용액중에서 $H^+$를 내는 물질, (2) rönsted와 Lowly는 상대에게 $H^+$를 주는 분자 또는 이온(양자 공여체), (3)Lewis는 전자수용체로 정의하였다. 현재 학술적으로는 (2), (3)이 인정되고 있으며, 산은 물질 고유의 성질이 아니고 반응을 담당하는 역할이라고 되어있다. 따라서 $H_2O$는 산으로도 되고 염기로도 된다.

$$HCl + H_2O \rightleftharpoons H_3O^+ + Cl^- \qquad H_2O + NH3 \rightleftharpoons NH_4^+ + OH^-$$

(산) (염기) (산) (염기)　　　(산) (염기) (산) (염기)

낡은 Arrhenius의 정의는, 산의 가수(価數)는 염기도라고도 하며, 산 1몰에서 생긴 $H^+$의 몰수를 말한다. 성분으로써 O를 포함한 산을 산소산(옥키소산)($HNO_3$, $H_2SO_4$ 등), 포함하지 않는 것을 비산소산(HCl, HCN 등)이라고 한다. 전리도가 큰 것을 강산(HCl, $NHO_3$ 등), 작은 것을 약산($H_2CO_3$ 등)이라고 한다. 산은 일반적으로 리트머스 종이를 빨갛게 변화시키며, 또한 염기와 반응하여 염을 발생시킨다. ◘ 산·염기의 정의(234)

**산과(酸果)** Acid Dipping

도금의 전문용어로써 전처리에서 탈지, 세정공정에 의해 생성된 피도금물 표면의 엷은 산화피막 또는, 불화성피막을 제거하거나, 알칼리성 잔류피막을 중화하기 위하여 피도금물을 엷은 산(염산 5% 또는 황산 5%정도)에 침적하는 것을 말한다. 도금공정으로 나타내면 알칼리 탈지→수세

→전해세정→수세→산과→수세→니켈도금이다. 산과의 산은, 도금욕의 종류에 따라 선택된다. ◘ 산침적(235), 산세(233)

**산기** Acid Radical

이온이 되기 쉬운 것을 산근(酸根)이라고도 한다. 산의 분자에서 금속원자(또는 양성기)로 치환할 수 있는 수소원자를 뺀 나머지 음성 원자단을 말한다. 예를 들어, 황산 $H_2SO_4$, 초산 $HNO_3$, 초산 $CH_3COOH$에서의 $SO_4^{2-}$, $NO_3^-$, $CH_3COO^-$ 등이다. 산의 수용액이나 염에서는, 산기는 음으로 하전된 산의 음이온으로 되는 경우가 많다.

**산 딥** ◘ 산침적(235)

**산성도** Acidity

산성이 약한 수용액에서는 수소이온지수 pH로 표기한다. pH 7 이하를 산성이라고 한다. 강한 산성용액의 산성도는 산성도 관수로 나타낸다.

**산성비** Acid Rain

오염된 산성의 강한 비를 말한다. 자연적인 비는 대기중의 이산화탄소와 평형상태에 있다고 가정하면, pH 5.6이 하한값이다. 산성비의 원인으로써는 석유, 석탄의 연소로 인해 발생하는 황산화물, 질소산화물에서 생긴 황산과 초산이 원인으로 여겨지고 있다. 산성비에서 포름알데히드, 아크릴알데히드 등의 각종 유기화합물도 검출되고 있다.

**산성 에멀션** Acidic Emulsion Cleaner

산에 계면활성제, 용제 등을 가해 유화된 액에 제품을 침적하여 녹이나 기름의 오염 등을 동시에 제거하는 금속세정제를 말한다. ◘ 유화(396)

**산성 전해세정** Acid Electrolytic Cleaning

희황산을 사용하는 경우가 많고, 억제제, 촉진제 등을 첨가하는 경우가 있다. 스케일 제거와 금속표면의 활성화, 거친 면의 평활화 등의 효과가 있다. 음극처리에서는 금속표면에서 발생하는 수소가스에 의한 교반효과가 스케일 제거를 촉진하고, 또한 수소환원에서 도금된 스테인리스나 니켈 표면의 부동태화를 방지한다. 양극처리에서는 금속표면의 평활화 효과가 있고, 수소취성 방지용에 적합하다. 수소 취성을 생각하면, 저탄소강은 음극처리, 고탄소강은 양극처리가 적합하다. = 전해 산세정 ◘ 산전해(235)

**산성 주석도금** Acid Tin Plating

주석도금욕은 산성욕과 알칼리성욕이 있고, 산성욕은 황산욕과 붕소불화욕이 있다. 산성욕의 이점은, 석출속도가 빠르고, 상온에서 도금이 가능하며 광택도금을 할 수 있다는 것이다. 결점은 균일 전착성이 떨어지고, 거친 석출이 되기 쉽다는 것이다. 산성욕은 2가의 주석이온에서의 전착이며, 알칼리성욕은 4가의 주석이온에서의 전착이다. ◘ 주석도금(482)

**산세** Picking

금속제품의 밀 스케일 또는 두꺼운 녹 층을 제거하기 위하여, 비교적 긴 시간 산 수용액 중에 침적하여 청결하게 하는 것을 말한다. 철강소지의 산세에서는 농염산(20～22° Bé)을 약 2배로 엷게 하여 10～23° Bé로 하여 사용하든지, 농황산(60과 50Bé가 있다)을 5～10배로 엷게 하여 40～60℃로 가온 하여 사용한다.

**산세 억제제** Inhibitor ; Restrainer

억제제는, 산세 중에 금속소지의 용해를 가능한 한 억제하여 녹이나 스케일을 제거하기 위하여 첨가한다. 억제제는 소지가 노출된 부분에 흡착하여, 부식전류를 억제하는 작용이 있으며, 과도한 소지용해를 억제할 수 있기 때문에 수소 취성의 발생이 적어진다. 억제제는 질소, 황, 산소 등을 포함한 유기 화합물, 또는 아세틸렌 화합물과 같은 불포화탄화수소 화합물 등이 사용된다. ◘ 인히비터(426)

**산세정** Acid Cleaning

도금작업의 산처리는 스케일, 산화막, 녹, 그 외 산용해성 오염물의 제거와 금속표면의 활성화를 위해 행하여지나, 이것들은 넓은 의미로 생각하면 세정작업에 속한다. 산세정에 사용하는 산은, 산과 금속의 생성물이 수용성이고, 다음 공정의 수세에 의해 금속표면에 오염물이 남지 않는 것이 중요하다. ◘ 산세(233), 산과(231)

**산세 촉진제** Pickle Accelerator

산세욕에 첨가하여 녹이나 스케일의 제거속도를 증가시키는 것을 말한다. 일반적으로 강산성에서 효과가 있는 계면활성제가 사용된다. 계면활성제를 미량 첨가함으로써, 액의 습윤, 침투성을 증대시켜 소재표면의 젖음성을 좋게 하고, 산세액의 작용을 빠르게 행하게 하는 작용을 한다. 또한 산세 억제제와 병용함으로써 억제제의 흡착성이 증대하며, 부식 억제효과를 상승적으로 향상시키는 일이 가능하다.

**산세 취성** ◘ 산세 취화(후항)

**산세 취화** Picking Embrittlement

녹이나 스케일제거의 산세나 산 침적에 의한 활성화처리. 산에 의한 도금 박리 등을 행할 시에 철강 표면에서 원자상의 수소가 발생하여 수소

원자가 철강조직 중에 흡장(吸藏)되어 수소 취성을 일으킨다. 가온한 황산이나 인산은 단시간에서도 대단히 높은 수소 취화율을 나타낸다. 도금이 되어 있지 않는 경우는 190℃±15℃에서 30분간 열처리를 하면, 산세 취화는 제거할 수 있으나, 강의 강도가 높은 경우, 그 위에 도금이 실시되어 있으면 도금 후에 열처리를 하여도 산세 취화는 제거할 수 없게 되기 때문에 전처리 공정에서의 산세 취화는 피해야만 하며 그 경우, 산세 억제제(인히비터)를 사용하면 효과적이다. = 산세 취성, 산 취성
◘ 수소 취성(257)

**산소산** Oxoacid ◘ 옥소산(369)

**산소요구량** Oxygen Demand

수질 보전으로써 생활 환경 항목의 하나이며, 화학적 산소요구량(COD)과 생화학적 산소요구량(BOD)이 있다. ◘ COD(287), BOD(223)

**산업 폐기물** Industrial Waste

폐기물의 처리 및 청소에 관한 법률에서, 폐기물은 일반 폐기물과 산업폐기물으로 분리되며 산업 폐기물은 재이용, 자원화 할 수 있는 것 이외에는 필요에 따라 중간처리를 행한 후, 소각, 매몰, 해수투석을 하며, 유해물을 포함한 것은 콘크리트로 밀폐한 후, 완전 격리보존 등으로 처분한다. 도금공장에서 발생하는 산업폐기물은 슬러지, 금속편, 재, 폐산, 폐알칼리, 폐플라스틱류 등이다.

**산 · 염기의 정의** Definition of Acid and Base

1884년, A. Arrhenius는 수용액 중에서 $H^+$이온을 내는 물질을 산, $OH^-$ 이온을 내는 물질을 염기라고 정의하였다.

$$HA \rightleftharpoons H^+ + A^- \quad (\text{산}) \qquad BOH \rightleftharpoons B^+ + OH^- \quad (\text{염기})$$

1923년에 J. N. Brönsted T. M. Lowly가 독립으로 $H^+$를 상대에게 전해주는 분자 또는 이온을 산, 상대에게 $H^+$를 받는 분자 또는 이온을 염기라고 정의하였다.

$$\underset{(\text{산})}{HA} + \underset{(\text{염기})}{H_2O} \rightleftharpoons H_3O^+ + A^-$$

같은 1923년에 G. N. Lewis는 전자(대)수용체를 산, 전자(대) 공여체를 염기라고 정의하였다.

$$H : \underset{..}{\overset{..}{Cl}} : + H : \underset{..}{\overset{H}{\ddot{O}}} : \rightleftharpoons [H : \underset{..}{\overset{H}{\ddot{O}}} : H]^{+} + :\underset{..}{\overset{..}{Cl}}:^{-}$$

Lewis의 정의는 전부를 포함하고 있는 가장 넓은 의미이며, Arrhenius의 정의가 가장 좁은 의미이다.

**산전해** Acid Electrolysis

산을 이용하여 전해하는 일. 넓은 의미로는 알루마이트, 전해연마, 전해박리, 전해에칭 등도 포함되나, 도금에서는 전처리로써의 산성 전해세정을 지칭하는 일이 많다. ◘ 산성 전해세정(232)

**산-질화 처리** Oxy Nitriding Process

암모니아 가스에 적량의 공기(산소)를 첨가하여 처리하는 방법으로, $4NH_3+3O_2 \rightarrow 4N+4H_2O$의 화학식에 의해 수분은 암모니아 가스를 흡수하고, 암모니아 수증기로써 노 내에 존재하여, 암모니아 가스에 수증기를 첨가한 처리법(질화와 수증기 처리)과 같게 된다. 즉, 질화와 증기 처리의 혼합 처리라고 할 수 있는 것이다. 처리 온도는 500~600℃, 처리 시간은 30~180분으로, 내마모성, 내식성의 표층을 얻을 수 있다. 금형, 캠샤프트, 피스톤 핀 류의 표면 경화에 활용되고 있다.

**산처리** Acid Treatment

산을 이용한 화학처리의 총칭. 산세, 산침적, 화학연마, 산세정, 산전해, 에칭 등이 있다.

**산취성** ◘ 산세 취성(233)

**산침적** Acid Dipping

금속제품을 산의 수용액에 단시간 침적시켜 가벼운 녹을 제거하는 일. 알칼리 탈지 후의 산침적은 표면에 얇게 남아 있는 알칼리를 중화함과 동시에 알칼리 처리에 의해 발생한 박막을 제거하는 효과가 있고, 도금의 밀착을 좋게 하기 위하여 행한다. 일반적으로 얇은 염산 또는 황산을 사용한다. = 산 디핑 ◘ 산세(233), 산과(231)

**산화동** Copper Oxide

산화제1동 $Cu_2O$와 산화제2동 CuO가 있으며, 산화제1동은 아산화동이라고도 하고, 자연에서 적동광으로 산출된다. 물에는 녹지 않고, 희황산에 녹아 황산동과 동을 생성한다. 할로겐화 수소산, 암모니아수나 수산화알칼리 용액에는 잘 녹는다. 정류기, 적색 유약(釉藥), 배 바닥면의 도료 등에 사용된다. 산화제2동은 자연에서 흑동광으로써 산출된다. 물에 녹지 않고, 산, 암모니아수, 시안화알칼리 용액, 수산화알칼리 용액에 녹는다. 산화제, 착화제, 촉매 등에 사용된다. 도금용 고순도 산화제2동은 프린트 기판용의 두께부착 무전해 동도금욕의 건욕과 보급용으로 사용된다.

**산화물** Oxide

산소와 다른 원소와의 화합물. 일반적으로 금속 산화물은 수용액 중에서 염기성을 나타내며(산성이나 양성의 것도 있다), 염기성 산화물이라 불리고 있으며, 비금속의 산화물은 수용액 중에서 산성을 나타내며, 산성산화물이라고 불린다. 염기성 산화물의 예는 CaO, $Fe_2O_3$, 산성산화물의 예는 $CO_2$, $SO_3$ 등이 있다. 중성 산화물은 물($H_2O$) 뿐이다.

**산화 아연** Zinc Oxide ◘ 아연화(298)

**산화아연** Zinc Chloride $ZnCl_2$

아연 또는 산화아연을 염산에 녹인 용액을 증발시켜 만든다. 저온에서는 여러 가지 함수(含水)염이 있으나, 28℃이상에서는 무수(無水)염이 안정되며, 무수염은 흡습성이다. 물, 알코올, 아세톤, 에테르에 잘 녹는다. 도금에서는, 염화아연 도금욕에 사용된다. 또 금속산화물을 녹이는 성질이 있기 때문에 납땜을 할 때, 금속표면 청정제로 사용된다.

**산화제** Oxidizing Agent

자신을 환원하면서 산화를 일으키는 물질. 도금에서 사용하는 산화제는 공기, 과망간산칼륨, 중크롬산칼륨, 무수크롬산, 과산화수소, 염화제2동, 열농황산, 농초산, 염소나 브롬 등의 할로겐 등이 있다.

**산화철** Iron Oxide

FeO, $Fe_3O_4$, 및 $Fe_2O_3$가 있다. FeO는 흑색의 입방정계 결정의 결정 또는 분말로, 공기 중에서 서서히 $Fe_3O_4$로 된다. 물, 알칼리, 에탄올에는 불용이고, 산에는 가용이다. $Fe_3O_4$는 사삼산화철, 자성산화철이라고도 한다. 흑색의 입방정계 결정의 결정 또는 분말, 강자성 일종의 반도체로 전기를 흘려보낸다. 물, 알칼리, 에탄올에는 불용이고, 산에는 침해되기 어렵지만, 염산에는 녹아 염화철(Ⅱ)과 염화철(Ⅲ)의 혼합물이 된다. 공기 중에서 가열하면 $Fe_2O_3$이 된다. $Fe_2O_3$는 삼이산화철, 삼산화이철이라고도 한다. 철의 산화물로써는 가장 보통의 것이다. 일반적으로는 적색 분말이지만, 적갈색, 자색, 흑색의 것도 있다. 물, 알칼리, 에탄올에는 불용이고, 산에는 가용이며, 습한 공기 중에서는 수증기를 강하게 흡수한다. 실온에서는 절연체, 적색안료의 레드옥사이드(RedOxide; 鑄丹)의 주성분이다. ◘ 흑피(649)

**산화 피막** Oxide Film

금속 표면의 산화물의 얇은 층으로 두꺼운 것을 스케일(Scale)이라고 하고, 약 3000Å(0.3㎛) 이하의 얇은 것을 산화 피막이라고 한다. (산화물)/(산화물로 되기 전의 원래 금속)의 용적비가 1.2~2부근의 산화물은 소지의 보호작용이 크다. 산화물과 그 대략의 값을 나타내면 $Al_2O_3$(1.4), ZnO(1.4), ZrO(1.5), NiO(1.6), BeO(1.7), $TiO_2$(1.8), $SiO_2$(1.9), $Cr_2O_3$(2.1), $Fe_3O_4$(2.1)이다.

**산화환원 반응** Oxidation-Reduction Reaction; Redox Reaction

어떤 물질에 산소를 주든지 수소를 빼앗든지 또는 원소 또는 이온에서 전자를 빼앗아 양의 원자 또는 양의 전하를 증가시키는 현상을 산화라고 한다. 역으로, 어떤 물질에서 산소를 빼앗든지 수소를 주든지 또는 원소 또는 이온에 전자를 전하는 양원자 또는 양전하를 감소시키는 현상을 환원이라고 한다. 어떤 물질이 산화 또는 환원되는 경우에는 반드시 상대 반응물질의 환원 또는 산화가 행하여진다.

**산화환원 전위** Oxidation-Reduction Potential; Redox Potential ◘ ORP(367)

**3가크롬** Trivalent Chromium

서젠트욕의 크롬도금이 가장 많이 사용되고 있으며, 이것은 6가크롬인 무수크롬산 $CrO_3$가 주성분이다. 서젠트욕을 건욕하여도 곧 바로는 크롬도금이 불가능하며, 욕 중에 1~5g/$l$의 3가크롬 이온이 존재하면 양호한 도금을 얻을 수 있다. 통상 전해에 의해 3가크롬이 생성된다. 음극전류밀도 3~5A/$dm^2$이고, 1A·h/$l$의 3가크롬이 0.5~1.0g 정도 생성된다. 환원제를 첨가할 때는, 구연산(7.5g/$l$), 수산(15g/$l$), 주석산(11.2g/$l$)을 첨가한다. 황산크롬은 3가크롬이며, 황산크롬을 첨가하여 황산근과 3가크롬을 보충하는 경우도 있다.

**3가크롬 도금욕** Trivalent Chromium Plating

수용액 중에서 크롬은 6가와 3가가 있으며, 많이 사용되고 있는 것은 6가크롬 도금욕이다. 3가크롬 도금욕은 음극 전류효율이 높고 배수처리가 쉽지만, 두께 부착이 어렵고, 색조가 조금은 흑색을 띄고 있으며, 대기 중에서 변색되는 결점이 있다. 도금욕에 착화제, 전도성염을 사용하여 6가크롬도금보다도 가격이 비싸다. 알레크라 3000은 알브라이트앤드윌슨사(영국), 트리클로라이트는 유디라이트사(미국), 엔바이로크롬은 커닝사(영국)의 상품명이다.

**삼각 셀** Triangle Cell

도금욕의 전착성을 시험하는 소형 전해수조의 일종이며 삼각형이다. 일반적으로 사용되는 셀수조는 267㎖로 액의 양이 적고 욕조성과 욕온도의 변동이 심하기 때문에 대형수조가 사용되는 경우가 있다. 삼각 셀은 534㎖로 액량이 헐셀(Hull Cell) 수조의 2배이며, 음극전류가 가장 집중되는 장소에 차폐판이 있다. 헐 셀수조에서 광택니켈액을 pH를 보정하지 않고 시험 할 수 있는 한계가 3회 까지라고 할 때, 삼각 셀에서는 액량이 많기 때문에 5회까지 시험할 수 있다. ◘ 헐 셀(621)

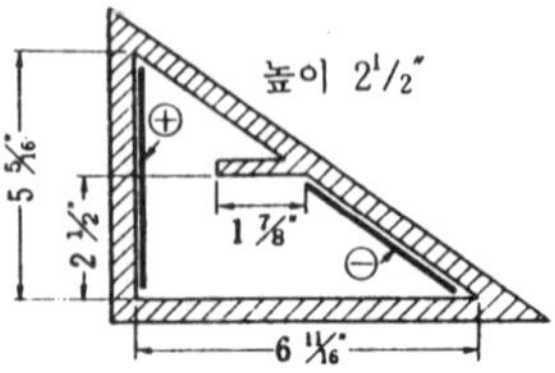


삼각 셀 (534㎖)

**삼각 웨어** Triangular Weir

유량측정에 사용되는 둑으로, 정각(頂角)을 아래로 한 이등변 삼각형의 형태로 되어 있으며, 이 삼각 웨어를 넘어 흐르는 물의 수위로부터 유량을 구하는 것으로, 주로 개폐에서 수량측정에 사용된다.

**삼방격자** ◘ 능면체(菱面体)격자(79)

**삼산화크롬** Chromium Trioxide $CrC_3$.

무수크롬산이라고도 한다. 적색의 침상결정이며, 시판품은 분말상 또는 인편(燐片) 상의 것이 많고, 공기중에서 조해(潮解)하기 쉬우며, 간단히 물에 녹아 등색을 띄고, 중크롬산 $H_2Cr_2O_7$이 된다. 알코올 그 외의 산화되기 쉬운 물질과 혼합하면 폭발하여 화재를 일으키는 일이 있기 때문에 위험물로 지정되어 있다.

**3상교류** Three-Plase Alternating Current

권선이 같은 3개의 코일을 전기각으로 120도 간격으로 철심에 감아 이것을 일정한 각속도로 자계 중에 회전시켰을 때, 각 코일 중에 위상이 120도씩 틀리고, 진폭이 같은 교류 기전력이 발생한다. 이와 같은 교류 기전력에 의해 발생하는 위상이 120도씩 차이가 나는 각주파수가 같은 3개의 정현파 교류를 말한다.

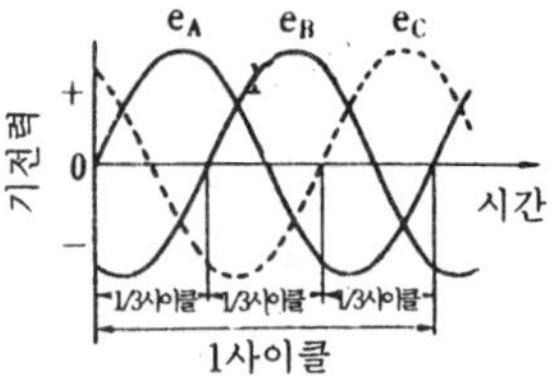


3상교류의 파형

3상교류

**3상 반파정류** Three Phase Half-Wave Rectification

도금용 직류 전원은 교류를 실리콘 정류기나 사이리스터 정류기를 사용하여 직류로 정류하여 사용하며, 정류방식에 따라 3상 반파정류를 사용하는 일이 많다. 완전한 평류가 아닌 직류 전압은 변동하고 있다. 3상 반파정류의 맥동율은 18.3%이다. 3상 전파정류에 비해 가격이 싸다. 크롬 도금이나 니켈도금의 두께부착에서는 맥동율이 작은 정류파형이 바람직하다.

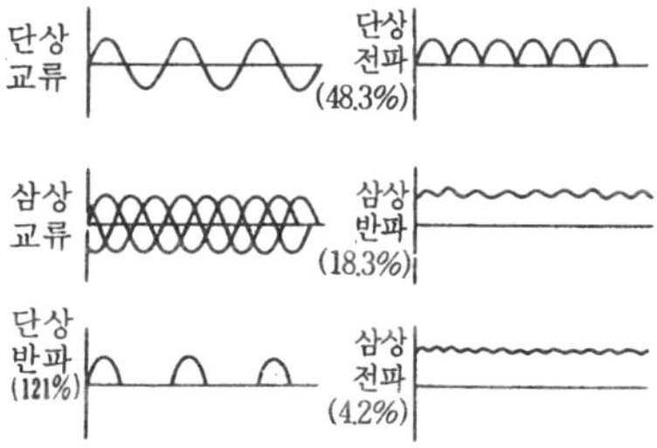


(숫자는 맥동율을 나타낸다)

3상 반파정류

**3상 전파정류** Three Phase Full-Wave Rectification

3상 전파정류의 직류전압 파동율은 4.2%로 3상 반파정류와 비교하면 파동이 작은 평활한 직류를 얻을 수 있다. 도금공장에서 사용되는 정류기는 실리콘 정류기나 사이리스터 정류기가 많고, 3상 반파정류나 3상 전파정류가 많이 사용된다. ◘ 3상 반파정류(전항)

**3원 합금도금** Three Metals Alloy Plating

3종류의 금속 석출에 의한 합금도금. 장식용으로써 Cu-Zn-Sn 3원 합금도금은, 대용 금도금(금색도금이라고도 한다)으로써 사용된다. 그 외, Sn-Ni-Cu, Sn-Cu-Zn(은색)등도 사용된다. 문헌에는 많은 3원 합금도금이 있고, Fe-Cr-Ni, Fe-Ni-Co, Fe-Ni-W, Fe-Ni-Mo, Fe-Ni-Cu, Fe-Ni-Mn, Sn-Ni-Ti, Cu-Ni-Sn, Ni-Co-Cu, Ni-Co-Zn, Ni-Co-W 등이 있다. 색조 외에 자성, 경도, 강도, 접착성, 내마모성, 납땜성 등의 향상을 꾀하고 있다.

**3층 니켈도금** Triple Layer Nickel Plating

장식니켈-크롬도금은 단층, 2층, 3층이 있으며, 내식성을 향상시키기 위하여 다층도금이 행하여진다. 2층 니켈도금은, 먼저 반광택 또는 무광택

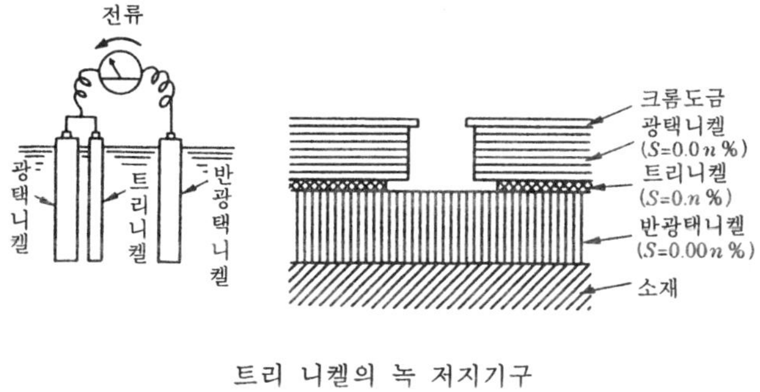


트리 니켈의 녹 저지기구

3층 니켈도금

니켈도금을 하고, 그 위층에 광택 니켈도금을 하며, 3층 니켈도금은, 2층 니켈의 중간에 황의 함유량이 높은 수 ㎛정도의 얇은 중간층의 도금을 한다. 이 제3층의 중간층 도금을 트리 니켈이라고 한다. 내식성은 향상되나, 도금 공정이 복잡해진다. 트리 니켈층은 반광택 도금층 및 광택 도금층에 비해 자연전위가 낮고, 아노드로써 작용을 하기 때문에 소지방향으로의 부식을 억제하여 공식이 일어나기 어렵기 때문에 뛰어난 내식성을 얻을 수 있다. ◘ 트리 니켈도금(553)

**3호도금**

1호도금은, 소지연마→도금→마무리연마의 공정을 말한다. 2호도금은 소지연마→도금의 공정을 말한다. 3호도금은 도금만의 공정을 말한다.

**상** Phase

하나의 불균일 계에서 각 균일한 부분을 상이라고 한다. 이것에는 기상, 액상, 고상이 있다. 상의 상태는 온도, 압력 및 상을 조성하고 있는 물질의 농도에 따라 정해진다.

**상대 밀도** ◘ 밀도비(155)

**상시 여과** Continuous Filtration ◘ 연속 여과(348)

**상수** Potable Water ◘ 시수(276)

**상온크롬 도금욕** Low Temperature Chromium Plating Bath ◘ 코시노시욕(529)

**상자형 격막** Box Type Diaphragm

처리수조의 양극실과 음극실을 격막으로 구분하여 나눌 때에 사용된다. 격막은 수지제 파이프 등으로 보강하고, 보통 두꺼운 여포(濾布)가 사용된다. 카소드 박스라고도 한다. = 카소드 박스(520)

상자형 격막

**상태도** Phase Diagram ◘ 평형상태도(573)

**샌드 블라스트** Sand Blast

분사 가공의 일종으로, 직경이 작은 글리드 글래스구, 규소, 해사 등을 공기로 분사시키거나, 중력으로 낙하시켜 소재표면 연마, 녹 제거 또는, 무지 가공을 하는 방법. 도금의 내마모성 시험 방법 중에서 모래제거 마모시험이 KS D 8335에 규정되어 있다. 얇은 소재에 샌드 블라스트 가공을 하면 변형되는 경우가 있다.

**샘플링** Sampling

모집단에서 시료(샘플링)를 채취하는 것. 발췌, 시료 채취라고도 한다. 샘플링은 모집단의 축도이어야 한다. 그러기 위해서는 의식적으로 모집단의 어느 부분이라도 같은 확률 즉, 랜덤으로 채취하지 않으면 안 된다.

KS A 3101에 랜덤 샘플링 방법이 규정되어 있다.

**생물학적 처리** Biological Waste Treatment

미생물의 대사를 이용한 하수, 배수처리법. 배수중의 유기물은 산화분해에 의해 최종적으로 탄산가스, 물, 암모니아 등으로 변환되고, 그 때 발생하는 에너지와 중간 대사물을 이용하여 합성(균체 증식)이 행하여진다. 이 분해와 합성에 의해 배수중의 유기물은 감소하고, 일부는 증식된 미생물 균체(菌体)가 되어 용이하게 분리된다. 유기물의 산화에 산소(공기)의 공급을 필요로 하는 미생물에 의한 처리를 호기적처리, 외부로부터의 산소에 의하지 않고 유기물 분자중의 산소에 의한 분자내 산화를 행하는 미생물에 의한 처리를 혐기적(嫌氣的) 처리라고 한다.

**생석회(生石灰)** Quick Lime ; Burnt Lime

산화칼슘(CaO)의 관용명. 공업적으로는 석회석을 열분해(1000~1200℃)하여 만든다. 백색 무정형 고체이며, 비중은 소성(燒成)온도의 고저로 2.3~3.4까지이다. 생석회의 CaO %는 화학용으로 80~90% 이상, 토건용으로 60~70% 이상, 농업용은 60% 이하이다. 용도는 석탄비료, 수분보집제, 혼합시멘트, 카바이드, 소독용 등이다. ◘ 석회(244), 석회석(244)

**생화학적 산소요구량** Biochemical Oxygen Demand

BOD라고도 한다. 수중의 유기물은 호기성(好氣性)미생물의 작용을 받아 서서히 안정화되어 가는 것을 자정작용이라고 부르며, 이 정화과정에서 소비되는 산소량(mg/l =중량 ppm)을 생화학적 산소요구량이라고 한다. BOD값이 높아지면 수중의 용존(溶存)산소 감소의 원인이 되어, 수중생물에 피해를 입힌다. 또, BOD값이 비정상적으로 높으면 혐기성(嫌氣性)미생물의 정화작용에 의해 물은 환원상태가 되어 자정작용은 정지, 메탄이나 악취를 발생하게 된다. = BOD(223)

**샤워 스프레이 수세** Shower Spray Rinsing

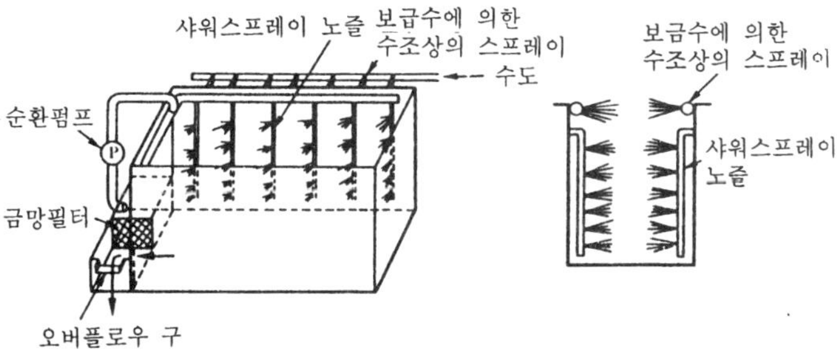


샤워 스프레이 수세

수세효과를 높이기 위해 펌프로 수압을 높여 샤워 스프레이 노즐로부터 물을 분사시켜 수세하는 방법. 수세조의 상부에만 설치하는 경우도 있으며, 이 경우는 수세조에서 물품이 나올 때에 청정한 물로 샤워 스프레이 수세를 한다. 샤워 스프레이 수세에서 물의 사용량이 많아질 때에는 물을 모아서 정화한 후 재 이용한다. ◘ 스프레이 세정(273)

**서미트** Cermet

세라믹 분말과 금속 분말을 압축 성형하여 소결한 복합재료. 세라믹의 내열성과 금속의 강인성을 함께 지닌 재료로써 개발되었다. 고온에서 내식성이 뛰어나기 때문에 제트엔진의 배기관 커버, 고체 로켓의 노즐 등, 고온재료로써 사용되며, 절삭공구, 고온 금형 등에도 이용된다.

**서브트랙티브법** Subtractive Process

금속부착 절연기판상의 도체박이 필요없는 부분, 예를 들어 에칭 등에 의해 선택적으로 제거되어 도체 패턴을 형성하는 프린트 배선판의 제조법을 말한다. 에치드 호일법이라고도 한다. 편면 및 양면기판(쓰루 홀이 없음)은 거의 이 방법으로 제조하고 있다. 양면 쓰루 홀 도금기판도 이 방법으로 제조하는 경우가 많고, 프린트 기판제조법의 주류를 이룬다. = 에치드 포일법(334)

**서젠트욕** Sargent Bath

크롬도금의 대표적인 도금욕으로, Sagent에 의해 1920년에 개발되었다. 무수크롬산 200~300g/ l, 황산 2~3g/l, 무수크롬산과 황산과의 비는 100 : 1이 표준이다. 납합금 등의 불용성 양극을 사용하여 40~55℃, 전류밀도 10~40A/dm$^2$으로 도금을 한다. 음극 전류효율은 10~18%로 대단히 낮다. 장식용, 공업용으로 사용된다. 온도, 전류밀도, 경도의 관계를 그림에 나타내었다.

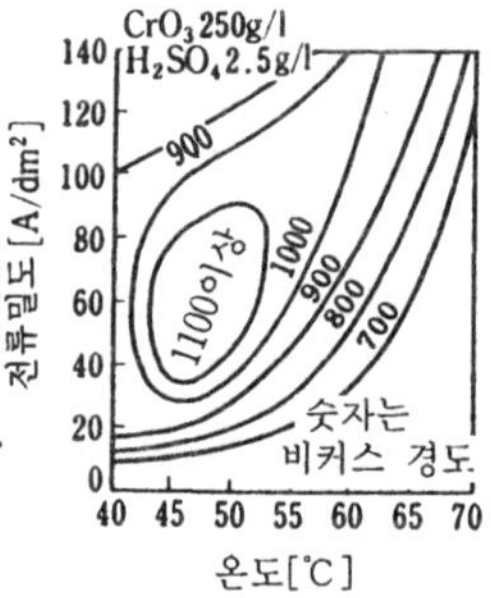


서젠트욕에서의 온도, 전류 밀도와 경도의 관계

서젠트욕

**서징전압(전류)** Surging Voltage(Current)

서지(Surge)라는 것은, 급격하게 유동하는 것으로, 전압이나 전류가 돌발적으로 규정치를 유지하지 못하는 것을 말한다. 전기분해에서는, 아노드 필름이나 카소드 필름의 생성에 의해 전압이나 전류가 유동하는 경우가 있다.

**서클형 진동 배럴도금** Circle Type Vibratory Barrel Plating

배럴연마에 사용하는 진동배럴을, 배럴도금에 이용하는 도금방법을 말한다. 배럴에는 수평으로 유성과 같이 선회하는 운동과, 이것과 수직으로 진자운동을 주어 배럴 내의 물품과 일정방향으로 나선유동을 한다. 이 방법은, 통상의 배럴도금에 비해 도금 두께의 산란이 적고, 통상의 배럴에서는 할 수 없는 형상의 물품도 도금이 가능한 것으로 알려져 있다. ◘ 진동배럴(493)

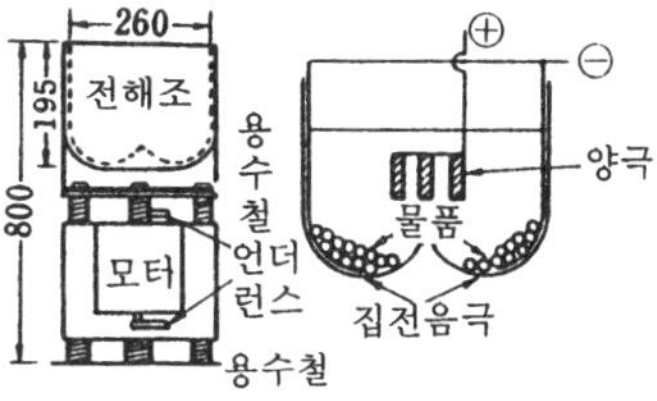

서클형 진동 배럴도금장치(㎜)

서클형 진동 배럴도금

**서틴 니켈도금** Satin Nickel Plating

니켈도금욕 중에 비전도성의 미립자를 첨가하여, 니켈과 공석시켜 반광택이 없는 지면을 얻는 방법. 또, 이 위에 크롬도금을 하면 마이크로포러스 크롬도금으로 되어 뛰어난 내식성을 나타낸다. 베로아-니켈은 독일 세링사의 상품명이고, 펄니켈은 우에무라(上村)공업의 상품명이며, 서티라이트니켈은 미국의 유디라이트사의 상품명이다.

**서틴 마무리** Satin Finish

표면을 균등하게 거칠게 하여 방향성이 없는, 광택 제거면으로 마무리하는 방법. 니켈도금에서 서틴 마무리를 만들기 위해서는, 와트욕의 니켈도금욕 중에 카오린 등의 현탁물질을 첨가하여 도금을 하여 카오린 등의 입자의 직경이 0.n㎛ 정도 되면 서틴 니켈도금이 가능하다. 또 와트욕에 유화물을 첨가하여 그 유화물이 도금 중에 도금면으로 부착, 이탈을 반복하며 서틴 형상의 도금면을 만드는 베로아 니켈도금이 있다.

**석고** Gypsum

황산칼슘의 무수 및 함수(含水)염, 특히 이수(二水)염 $CaSO_4 \cdot 2H_2O$를 말하는 경우가 많다. 종류로는 결정 석고, 반수 석고, 무수 석고가 있다. 도금에서는 전주용 형재에 사용된다. 용도는 포틀랜드(Portland) 시멘트, 건축재료, 형재(도자기용, 치과용, 주조용 등)이 있다.

**석묵(石墨)** ◘ 흑연(648)

**석선 헤드** Suction Head

흡입 양정(吸込揚程)이라고도 한다. 펌프로 물을 끌어올릴 때, 흡입한 수면에서 펌프 중심까지의 높이를 말한다. 대기압의 표준상태에서는 이론상 10.33m, 실용상으로는 높아도 6~7m정도이다.

**석출 경화** Precipitation Hardening

급냉에 의해 과포화로 고용된 탄화물, 복탄화물 또는 화합물이 그 후의 시효(상온 시효, 고온 시효)에 의해 미립 석출되어 경화되는 현상을 석출 경화라고 한다.

**석출경화계 스테인리스강** Precipitation Hardening Stainless Steels

알루미늄, 동 등의 원소를 소량 첨가하여 열처리에 의해 이것들의 원소 화합물 등을 석출시켜 경화하는 성질을 갖게 하는 스테인리스강

**석출 효율** Current Efficiency ◘ 전류 효율(455)

**석탄산** ◘ 페놀(568)

**석회** Lime

생석회(산화칼슘) CaO를 말하나, 수화(水和)생성물의 소석회(수산화칼슘) $Ca(OH)_2$를 지칭하는 경우도 있다. 생석회를 공기 중에 방치하면 물, 탄산가스를 흡수하여 풍화되어 탄산칼슘과 수산화칼슘을 생성한다. 생석회에 물을 가하면 발열하면서 소석회가 된다.

$$2CaO+CO_2+H_2O=CaCO_3+Ca(OH)_2$$

$$CaO+H_2O=Ca(OH)_2+16kcal$$

**석회석** Limestone

석회암이라고도 한다. 탄산칼슘($CaCO_3$)이 주성분이며, 자연에서 산출된다. 순수한 것은 백색으로 불순물보다 많은 색을 갖으며, 비중 2.6~2.8이다. 시멘트 원료, 철강 제련에서의 용제나 카바이드의 원료, 비료 원료 등에 대량으로 사용된다. = 석회암(후항)

**석회암** Limestone ◘ 석회석(전항)

**선반 러프니스** Shelf Roughness

도금중, 피도금물 표면에 도금욕 중의 불용성 고형물이 침강하여 도금면에 생기는 꺼칠꺼칠한 정도를 말한다.

**선재** Wire Rod

신선(伸線) 가공에 의해 각종 선을 제조하는 소재의 환봉을 말한다. 열간 압연에 따라 직경 5.5~32㎜의 것이 제조되어 코일 상으로 시판되고 있다. 선재의 종류는 연강 및 경강선, 피아노선, 스테인리스선, 피복아크 용접 심선 등이 있다. 선재에 니켈도금을 하고 난 후, 신선 가공하는 경우도 있다.

**선재의 도금** Wire Plating

철강선, 동선, 동합금선의 도금이 많으나, 카본선, 플라스틱선 등의 도금도 있다. 도금방법은 연속도금이 많고, 직선식, 드럼식, 스파이럴식 등의

장치가 있다. 선재가 가늘고 장력이 약하면 반송 및 전기공급이 곤란하게되어 음극 전류밀도가 높아지지 않기 때문에 저속운전이 된다.

**선택 도금** Selective Plating ◘ 부분 도금(196)

**선택 부식** Selective Corrosion

합금성분이 선택적으로 부식되는 것, 또는 금속조직의 불균일성에 따라 어떤 부분이 선택적으로 부식되는 것을 말한다. ◘ 국부 부식(47)

**선폭 용사** Wire Explosion Spraying

용재재료의 금속면에 순간적으로 대전류를 흐르게 하여 금속선을 용융비산시켜 이것을 피가공면에 부착시키는 작용을 반복하여 적층시켜 용사 피막을 얻는 방법. 파이프의 내면 등의 용사에 적합하다.

**설파미터** Sulfur-Meter

상품명. 크롬도금욕 중의 황산량을 간단하게 측정하는 장치. 시료의 도금액에 희염산과 30% 염화바륨을 첨가하여 생긴 크롬산바륨의 양을 원심분리기를 이용하여 도금액과 분리하여, 그 용량을 측정함으로써, 크롬도금욕 중의 황산량의 개략적인 값을 알 수 있다.

**섬유강화 복합재료** Fiber Reinforced Composite Material

강화재로써 섬유를 이용한 복합재료를 말한다. 기제(基劑)의 종류에 따라 섬유강화 플라스틱(FRP), 섬유강화 금속(FRM), 섬유강화 세라믹(FRC), 섬유강화 콘크리트(FRC) 등이 있다. 섬유 재질은 금속, 글래스, 탄소, 세라믹, 유기물(인공 및 천연) 등이 있다. 또 섬유에 무전해도금 등의 표면처리를 하여 사용한 것도 있다. 도금처리조 및 라이닝재에는 FRP가 사용되는 경우가 있다. ◘ 복합재료(192)

**성상(星狀) 부식** Crow's Feet : Star-Shaped Defect

부식시험 등에서 발생한 별 모양의 부식 결함을 말한다. 국부 부식의 한 형태로 결정입계가 집중된 곳에 발생한다.

**세균 부식** Bacterial Corrosion ◘ 박테리아 부식(161)

**세라믹** Ceramics

일반적인 의미로 무기·비금속제품으로 제조 또는 사용할 때에 고온을 받는 것을 말하나, 성분적으로 보아 금속산화물, 붕화물, 탄화물, 질화물, 또는 이것들의 혼합물이나 화합물의 소결체도 포함된다. 각국에 따라 세라믹의 의미가 상당히 다르다.

**세라믹 코팅** Ceramic Coating

금속표면에 유리질 또는 내화물의 피복을 하여 내식성, 내열성, 전기절연성 등을 갖게 하는 방법으로 다음 4가지가 있다. (1)법랑(琺瑯 : 유리화 에나멜)에 의한 피복은, 내열성은 낮으나 기밀성, 절연성, 내식성이 뛰어나다. (2)플라즈마 용사에 의한 알루미나, 지르콘 등의 피복은 고도의 내열성을 가진다. (3)화학적 증착에 의한 피복(CVD)은 1000~2000℃의 고온에서 할로겐화물을 열해리 또는 환원하여 금속표면에 증착시켜 화합물 피막을 만드는 방법으로 TiC나 TiN 등의 경질 피막을 만들 수 있다. 또 흑연에 SiC피막을 실시하면 다이아몬드에 필적할 만한 경도를 얻을 수 있다. (4)물리적 증착에 의한 피복은 주로 스패터링이 사용되며, 활성 스패터링에서는 산화물, 질화물, 고주파 스패터링에서는 $SiO_2$의 피막은 전자공업 분야에서 이용되고 있다. = 무기물 피복(145)

**세립** Fine Grain

일반적으로 결정립도 번호 5 이상의 것을 세립이라고 한다. 이것에 대해 입도번호 5 이하 것을 조립(Coarse Grain)이라고 한다. 합금강은 일반적으로 세립(입도번호 5~8)이다.

**세미 애디티브법** Semi Additive Process

프린트 배선기판의 제조 방법을 에치드 호일법(또는 서브 트랙티브법)과 애디티브법의 양쪽을 사용하는 방법을 말한다. 에치드 호일법은 동박을 부착한 절연판을 재료로 하고, 배선부분 이외의 동박을 약품으로 용해하여 패턴을 만드는 방법이며, 애디티브법은 동박이 부착되어 있지 않은 절연판을 재료로 하고, 배선부분만 무전해 동도금을 하여 패턴을 만드는 방법이다.

**세정** Cleaning

표면의 유지 그 외의 오염물을 제거하는 것. 도금전의 세정은 용제 세정, 알칼리 침적, 전해 세정 등이 있다.

**세정제** Cleaner ; Degreaser

표면에 부착된 동식물유지, 광물유 등의 세정에 사용되는 약품을 말한다. 보통, 알칼리 탈지제와 용제가 이용되고 있다. 사용되는 알칼리는 가성소다, 규산소다, 인산소다, 탄산소다, 청화소다 등으로 용제는 트리클로로에틸렌, 1,1,1-트리클로로에탄, 테트라클로로로에틸렌 프론 113, 메틸렌클로라이드 등이 있다. 알칼리로 제거할 수 없는 광물유는 용제 세정 외에 계면활성제를 첨가한 알칼리 세정을 행한다. 용제와 계면활성제를 병용한 에멀션 세정제도 이용되고 있다. = 탈지제 ◘ 에멀션 세정(328), 알칼리 세정(313)

**세정 집진장치** Dust Scrubber

일반적으로 스크러버, 세정탑이라고도 한다. 수적(水適) 또는 수막에 분진을 포집하는 장치로 각종 형식이 있으나, 도금공장에서는 그림과 같은 충진탑 스크러버나 스프레이탑 스크러버가 사용되는 경우가 많다. 분진의 포집 성능은 사이클론과 백필터의 중간 정도이다. 집진과 동시에 수용성가스의 흡수를 행할 수 있기 때문에 가스 수세장치로써도 사용된다. 예를 들어, 크롬도금 등의 배기가스의 세정 집진에 사용된다. = 세정탑(후항), 스크러버(265)

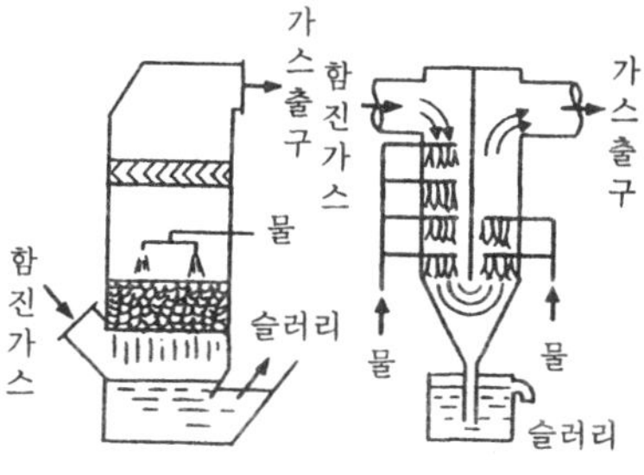

(a) 충진탑 스크러버 (b) 스프레이탑 스크러버

세정 집진장치

**세정탑** Dust Scrubber ◘ 세정 집진장치(전항)

**세탁 소다** Washing Soda : Sodium Carbonate

탄산나트륨의 십수염을 세탁 소다라고 한다. 의복의 세탁에 사용되기 때문에 이 이름으로 불린다. 무색의 커다란 결정으로 공기 중에서 풍화되어 표면에 하얀 가루가 나타난다. 수용액은 가수분해되어 알칼리성이 되고, 유지를 유화시키는 작용이 있기 때문에 도금의 전처리 탈지액에 이용되고 있다. 산과 작용하면 탄산가스를 발생한다. $Na_2CO_3 \cdot 10H_2O + H_2SO_4 = Na_2SO_4 + 11H_2O + CO_2 \uparrow$ ◘ 소다회(249), 탄산나트륨(540)

**세털라이트 니켈도금** Satellite Neckel Plating

니켈도금욕 중에 비전도성 미립자를 첨가하여 니켈을 공석시켜 반광택이 없는 지면을 얻는 방법. 또, 이 위에 크롬도금을 하면 마이크로포러스 크롬도금으로 되며, 뛰어난 내식성을 갖는다. 미국의 유지라이트사의 상품명으로, 미립자의 크기에 따라 수 종류의 방법이 있다.

**세틀러** Settler ◘ 침강수조(513)

**센시타이저-액티베이터법** Sensitizer-Activator Process

무전해도금의 최초 석출에 필요한 촉매핵(Pd, Ag, Au 등)을 형성시키는 방법으로 플라스틱 상의 도금에 잘 사용된다. 센시타이저액($SnCl_2 \cdot 2H_2O$ 5~30g/$l$, 36% HCl 5~30㎖/$l$)에 침적시켜 친수화된 표면에 Sn를 흡착, 수세 후, 액티베이터액($PdCl_2$ 0.1~0.3g/$l$, 36% HCl 1~5㎖/$l$)에 침적시켜 레덕스반응($Sn^{2+} + Pd^{2+} \rightarrow Pd^0 + Sn^{4+}$)을 일으키게 하여 표면

에 Pd핵을 침착시키는 방법이다.

**센시타이징** Sensitization

감응화, 감수성 부여, 감도 부여 등으로 해석되어 쓰이고 있다. 무전해도금의 최초 석출에 필요한 촉매핵(Pd, Ag, Au 등)을 형성시키는 공정으로 소재표면에 환원력이 있는 이온성물질(Sn 등)을 흡착시키는 처리를 말한다. = 감(수)성화처리, 감응화 ◘ 센시타이저-액티베이터법(전항)

**셀렌** Selenium Se.

원자 번호 34, 원자량 78.96. 동소체는 다수이며, 주 된 것은 금속 셀렌, 비금속무정형 셀렌, 비금속성결정 셀렌의 3가지이며, 각각 물성이 다르다. 밀도 4.26～4.80g/㎤, 융점 170～217℃이며, 전체적으로 보면 반도체이다. 화학적 성질은 황과 유사하다. 공기 중에서 청백색의 연기를 뿜으며 타서 산화 셀렌이 된다. 많은 금속, 비금속 단체와 셀렌화물을 만든다. 물, 희황산, 염산에는 녹지 않고, 농황산에는 녹는다. 용도는 정류기, 글래스의 착색제, 광전지, 복사기 감광체, 촉매 등이 있다.

**셀렌 정류기** Selenium Rectifier

셀렌 정류소자는 알루미늄 또는 철판에 니켈도금을 하여 그 위에 셀렌을 증착시켜 주석과 카드뮴의 합금을 부착시킨 구조이나, 카드뮴공해 문제와 실리콘 정류소자와 비교해서 소자의 단위면적당 전류밀도 · 전압이 작다는 것과 정류소자가 실리콘에 비해 대형화인 관계로, 도금용 정류기에는 거의 모두가 실리콘 또는 사이리스터를 사용한 것이 사용되고 있다. 셀렌 정류기의 이점은 서지전압(충격성 진행파의 전압)에 강하다는 것, 단시간이라면 과전류(과부하)에도 견딜 수 있다는 것이다. 도금에서는 소형 정류기에 이용된다.

**션트** Shunt ◘ 분류기(203)

**세이빙** Shaving ◘ 전단 가공(451)

**소결(燒結)** Sintering

금속분말이나 경질탄화물 등의 분말 등을 압축 성형한 후, 융점 이하 또는 일부 액상이 가능한 고온도로 가열하여 용점시켜 굳어지게 하는 방법. 소결은 분말야금이나 질업제품 제조에 필요한 수법으로, 오일리스베어링, 초경질합금 공구, 전자부품의 세라믹 패키지 등의 제조에 이용된다.

**소님** Sonim

비금속 개재물을 일명, 소님이라고 한다. 소님이란 Solid Non-Metallic Impurity의 약어이다. 철강 중에 존재하는 MnO, FeO, $SiO_2$, $Al_2O_3$ 등의 산화물, MnS 등의 황화물, 그 외 규산염 등이 비금속 개재물이다. 그 크기는 육안으로 확인되는 것부터, 현미경으로도 판단하기 어려운 미립까지 있다. 철강 중의 비금속 개재물의 유무를 표시하는 것은 청정도(Cleanliness)를 이용한다.

**소다회** Soda Ash

공업용의 무수탄산나트륨($Na_2CO_3$)을 소다회라고도 한다. 백색 분말로 물에 녹으며, 수용액은 알칼리성을 띈다. 산과 작용하면 탄산가스를 발생한다. 도금에서는 알칼리 탈지나 배수처리에 사용된다. 또한 십수화물($Na_2CO_3 \cdot 10H_2O$)은 세탁 소다라고 부른다. ◘ 세탁 소다(247), 탄산나트륨(540)

**소둔(燒鈍)** Annealing

철 또는 강의 연화, 피삭(被削)성의 향상, 소성가공성의 개선, 내부응력의 제거 등을 목적으로 하며, 적당한 온도로 가열한 후, 천천히 냉각하는 조작을 말한다. 처리목적이나 조작법에 따라 완전 소둔, 저온 소둔, 연화, 구상화, 확산 등의 종류가 있다. = 뜨임(113)

**소려** Tempering

소입온도보다도 낮은 온도에서 가열한 후, 기름 또는 공기 중에 냉각하면 경도는 조금 떨어지지만, 강도는 강해진다. 이 작업을 소려라고 한다. 가열온도나 냉각시간은 목적에 따라 다르다. 소입에 의해 단단해짐과 동시에 무르게 되어 곤란할 때는 소려를 행한다. ◘ 소입(251)

**소르바이트** Sorbite

소르바이트는 **α**철과 미립 시멘타이트의 기계적 혼합물로 마르텐사이트를 500~600℃로 템퍼링 한 경우 및 담금질의 경우, $A_1$ 변태를 600~650℃에서 하기 시작했을 때 얻어지는 조직이다. 전자에 의한 소르바이트는 시멘타이트가 입상을 띠는 것으로, 풀림 소르바이트라고도 하며, 후자에 의한 것은 시멘타이트가 층상을 하고 있어 일종의 미세 펄라이트로 볼 수 있다. 소르바이트는 영국인 Sorby 박사의 이름을 따서 명명된 것이다. 트루스타이트보다 무르고, 부식되어도 트루스타이트처럼 검게되지 않는다. 또 마르텐사이트처럼 경도, 취성도 없으며, 펄라이트보다는 경도가 크고 강인해 충격 저항이 크다. 단 저온(-25~40℃)에서 취성이 없으므로 공업상, 중요한 조직이다. 스프링, 강선 등은 이 조직을 갖도록 열처리되어 있다.

**소석회(消石灰)** Slaked Lime ; Calcium Hydroxide $Ca(OH)_2$.

수산화칼슘을 말한다. 무색 육방정계 결정이고, 580℃로 가열하면 완전하게 분해하여 물을 잃고 산화칼슘이 된다. 물에 극소량이 녹아 강한 염기성을 나타낸다. 물 100g에 대한 용해도는 0.16g(20℃), 0.07(90℃), 염화암모늄 수용액에는 녹고, 에탄올에는 녹지 않는다. 포화수용액을 석탄수, 현탁액을 석탄유라고 한다. 고체 또는 수용액은 이산화탄소를 흡수하여 탄산칼슘이 되기 쉬우며, 또 산과 반응하여 각종 칼슘염을 만들기 쉽다. 가격이 싼 강염기성 물질로써 토양의 중화제 등에 사용된다. 도금에서는 배수처리 등에 사용된다. = 수산화칼슘(254)

**소성** Plasticity

탄성의 반대 성질을 말한다. 외력에 의해 생긴 변형이 외력을 제거하여도 그대로 잔류할 때, 그 재료는 완전한 소성이 있다라고 말한다. 점토, 납 등은 소성이 큰 재료이다. 금속재료는 이 성질을 이용하여 가공하는 경우가 많다.

**소성 가공** Plastic Working

소성을 이용하여 금속, 그 외의 재료를 가공하는 방법. 프레스, 단조, 압연, 절단, 압출, 전조(轉造) 등은 소성 가공이다. 소성 변형을 주면 가공경화를 일으키거나 결정조직이 변화하기 때문에 금속을 단단하게 하거나 탄성을 주는 등의 재질 개선을 위해 소성 가공을 행하는 경우도 있다. ◘ 소성(전항)

**소성 돌로마이트** Burnt Dolomite ; Calcined Dolomite

천연 돌로마이트$(CO_3)_2CaMg$를 소성하여 분해시켜 얻어지는 CaO+MgO의 염기성 내화물이며, 제강용 노의 노상부 등에 많이 사용된다.

**소성 변형** Plastic Deformation

응력이 제거된 후에도 소실되지 않는 변형을 소성 변형 또는 점성 변형이라고 한다. 재료를 전연(展延)하거나 연신(延伸), 단압(鍛壓)하면 소성 변형을 가한 것이 된다. 소성 변형 중에도 탄성 변형을 포함하는 경우가 있으나, 이 때는 탄성 변형을 제거한 나머지를 순수한 소성 변형이라고 한다. ◘ 소성 가공(250)

**소수성(疏水性)** Hydrophobic Property

물에 대해 친화력이 없는 성질, 바꾸어 말하면 물과는 혼합되지 않는 성질을 말한다. 소수성의 것은 일반적으로 기름과는 잘 섞이는 것이 많다. 예를 들어, 비누는 소수성의 기(친유기) R(지방족 탄화수소기)과 친수성의 기(친수기)-COON또는 -COOK로 되어있다.

**소입** Hardening; Quench Hardening

금속을 고온으로 가열한 후, 급냉시켜 도중의 변태를 방지하고 고온의 안정상태 또는 중간상태로 하는 조작을 말하며, 강의 경우는 중간의 마르텐사이트를 얻을 수 있고, 대단히 단단하기 때문에 경화라고도 한다. 듀랄루미니 등에서도 행한다. ◘ 소려(249)

**소자(消磁)** Demagnetization

자화된 물질에 남아 있는 잔류자기를 소정의 한도까지 감소시키는 것을 말한다. 철강 등 자화 되기 쉬운 재질의 피도금물을 전기도금하면, 피도금물이 자기를 띄는 경우가 있어 도금 후, 소자하는 경우도 있다. 소자에는 교류 소자법과 직류 소자법이 있으며, 두 가지 모두 자화 되었을 때의 자계에 가까운 자계에서 출발하여 자계의 방향을 상호간에 반전시키면서 자계강도를 서서히 약하게 하여 0이 된다. 용도에 따라, 각종 소자기가 시판되고 있다. 소자의 방법에는 그 외에 큐리온도 이상으로 가열하여 외부자계를 0으로 하여 소자하는 열소자법이 있다. = 탈자(543)

**소지** Basis Material

피막이 석출, 형성되는 재료로써, 하지라고도 한다. 전기도금, 무전해 도금에서는 금속소지에 한정하지 않고 플라스틱, 글래스, 세라믹 등의 비금속 소지도 있다. ◘ 하지(616)

**소지준비** Surface Preparation

도금되는 소재의 버프 연마의 최초공정으로 소재 표면의 흠, 요철 등을 완전하게 연마하는 것을 말한다. 보통은 입자가 거친 금강사 버프로 연마하는 경우가 많다.

**소포(消泡)제** Antifoaming Agent

포지(泡止)제라고도 한다. 물을 처리하는데 있어서 수중의 거품은, 태양광선이나 대기를 차단하여 물의 정화를 방해하기 때문에 제거할 필요가 있다. 가장 널리 이용되고 있는 것은 실리콘유이며, 그 외에 옥틸알코올($C_8H_{17}OH$), 붕초 등이 사용되고 있다.

**소프트 세제** Soft Detergent

하드(Hard) 세제에 대한 용어로, 직쇄(直鎖)알킬술폰산염과 같이 미생물에 분해되기 쉬운 합성세제를 말한다. 초소프트세제라고 하는 것은, α-올fp핀술폰산소다 및 술폰화파라핀 등이 있다.

**소프트 스프레이** Soft Spray

도금 종료 후, 최소한의 수량(水量)으로 물을 분사(스프레이)하여 도금면을 세정하고, 도금액의 분출분을 가능한 한 농후액을 이용하여 모아둔 후, 이것을 도금욕으로 회수하는 방법을 말한다.

**솔더링** Soldering ◘ 납땜(65)

**솔더 코팅** Solder Coating

땜납 코팅이라고도 한다. 프린트 배선기판의 제조 공정에서 땜납을 도포하는 것. 일반적으로 땜납을 가열하여 녹인 땜납 수조 안에 프린트 배선기판을 침적하여 용융도금을 한 후, 인양 시에 여분의 땜납을 고압공기로 날려보내는 방법이 행하여지고 있다. ◘ 땜납 코팅(112)

**솔더 크림** ◘ 땜납 페이스트(112)

**솔더 페이스트** Solder Paste ◘ 땜납 페이스트(112)

**솔레노이드 밸브** ◘ 전자밸브(460)

**송풍기** Blower ; Fan

기체를 송출하는 기계로 풍압에 따라 분류하며 토출 압력이 1m$H_2O$(수두압) 미만의 팬과 1~10m$H_2O$(수두압)의 블로워로 나뉜다. 회전자의 날개작용으로 분류하면 원심식과 축류(軸流)식이 있다. 원심식에는 다익(多翼)형, 리미트로드형, 익형, 관류(貫流)형, 관류(管流)형 등이 있으며, 축류식에는 프로펠라형, 축류형 등이 있다. 도금욕의 공기교반용 송풍기에는 원심식의 터보 블로워가 사용되는 경우가 많다. ◘ 터보 블로워(544)

**쇼어경도** Shore Hardness

반발경도의 대표적인 것으로, 쇼어경도 시험은 일정한 높이에서 시료의 시험면 상에 낙하시킨 둥근 다이아몬드의 끝에 있는 강재 해머가 튕겨져 올라온 높이를 측정하여 경도를 산출한다. 쇼어경도는, 탄성율의 차가 없는 시료에 대해서는 경도의 상호 비교가 가능하지만, 탄성율이 현저하게 다른 시료에서는 비교가 불가능하다. 도금과 같은 얇은 금속피막에서는 쇼어경도를 적용할 수 없다.

**숏 블라스팅** Shot Blasting

연마제 등의 숏을 공기압 또는 원심력(2000rpm 정도)에서 강재, 주물 등에 분사하여 스케일이나 주물사(鑄物砂) 등을 제거하는 방법을 말한다. 모래를 분사할 때에는 샌드 블라스팅(Sand Blasting)이라고 한다. ◘ 분사 가공(205)

**숏 피닝** Shot Peening

숏(강재 미립자)를 강재의 표면에 분사하여 표면층에 잔류 압축응력을 작용시키며 또한 가공경화에 의해 표면층을 강화시키는 가공법을 말한다. 이 방법에 의해 피로강도가 증가하기 때문에 스프링, 샤프트, 핀 등의 표면가공에 이용된다. 숏에는 주철의 칠 숏, 강제 미립자 숏, 컷 와이어 숏, 마르텐 숏 등의 종류가 있다. 표면청소의 목적으로도 사용되며, 숏 크리닝(Shot Cleaning)이라고도 불리우고 있다.

**수격작용** ◘ 워터 해머(383)

**수계(水系) 세정 시스템** System of Degreasing and Cleaning by Water

프론, 트리에탄 등의 할로겐화 탄화수소계 용제는 많든 적든 오존층 파괴물질이기 때문에, 대용의 프론도 포함하여 장래에는 전폐될 것이다. 이 때문에 할로겐화 탄화수소에 의존하여 온 전산업계는 탈지세정 공정을 대용할 수 있는 세정공정을 탐색하고 있다. 그 중에서 유망시 되어 온 것이 이온교환수를 이용한 물에만 의존하는 세정의 수계세정 시스템이다. 개량 개발이 급속도로 진행되고 있으며, 골자가 되는 것은 온수의 스프레이나 제트분사와 초음파 조사를 병용한 유지류의 에멀션화에 의한 탈지세정과 배수중의 유지를 제거하는 기름과 물의 분리장치 및 이들의 시스템의 효율 향상이다. ◘ 세정제(246)

**수동태** Passivity; Passive State ◘ 부동태(195)

**수두(水頭)** Head

유체의 운동을 동력에 이용할 때, 그 에너지를 길이의 단위로 나타내는 용어. 베르누이의 정리, 즉, 「$p/\rho g+v^2/2g+z=H=$일정」이란 관계에서, p를 압력, z를 수평면에서의 깊이, $\rho$를 밀도, g를 중력의 가속도라고 하면, $p/\rho g$는 압력으로써 저장된 에너지, $v^2/2g$는 운동에너지, z는 위치에너지, H는 전에너지로 각각 압력수두, 속도수두, 위치수두, 전수두라고 부른다. 단위는 수주밀리미터(mmAq : $1\text{mmAq}=1\text{kg/m}^2$) 등으로 나타낸다.

**수류(水流) 펌프** Water-Jet Pump ◘ 아스퍼레이터(291)

**수면계** ◘ 액면계(319)

**수산(蓚酸)** Oxalic Acid $C_2H_2O_4$.

무수물은 무색 무취의 흡착성결정이며, 고온으로 가열하면 분해하여 기산, 일산화탄소 및 이산화탄소를 발생한다. 물, 에탄올에는 녹고, 에테르에는 난용이며, 공기 중에서 용이하게 이수화물(二水和物) $C_2H_2O_4 \cdot 2H_2O$로 변화한다. 이수화물은 산, 염기 및 과망간산염의 적정에서의 표준물질로써 분석용으로 사용한다. 환원제이며, 화학약품(염료, 표백제 등)의 원료가 된다. 또, 수산욕 크롬도금이나 알루미늄의 양극산화에 사용된다.

**수산욕 크롬도금** Chromium Plating Using Chromium Oxalate

건욕법으로써 다음 2가지 방법이 있으며, 또한 황산암모늄$(NH_4)_2SO_4$를 첨가하여 도금욕으로 한다.

(1)$2CrO_3$(55℃ 이상)$+6H_2C_2O_4 \cdot 2H_2O \rightarrow Cr_2(C_2O_4)_3+6CO_2+8H_2O$,

(2)$Cr(OH)_3+H_2C_2O_4 \cdot 2H_2O$→수산크롬착체→전해산화하여 소량의 6가크롬을 생성한다. 욕조성은 $CrO_3$ 200g/$l$, $Cr^{6+}$ 84g/$l$, $(NH_4)_2SO_4$ 100g/$l$, pH 1.8~2.5, $D_k$=10~200A/$dm^2$ (표준 25A/$dm^2$), 욕온도 40~80℃이다. 서젠트욕에 비해 6가 크롬이 적고, 내마모성이 뛰어난 공업용 크롬 도금으로써 이용된다. 도금피막 중에 있는 미량의 탄소에 의해 윤활성이 양호하게 되고 내마모성이 좋아진다고 알려져 있다.

**수산화나트륨** Sodium Hydroxide : Caustic Soda NaOH.

가성소다라고도 한다. 시약으로 쓰이는 것은 백색입상, 공업용은 백색 인편상으로 조해성이 강하며, 물에 잘 녹아 발열반응을 일으킨다. 물 100g에 대한 용해도는 42g(℃), 109g(20℃), 347g(100℃)이다. 에탄올에는 녹으나 에테르, 아세톤에는 녹지 않으며, 극물이기 때문에 눈이나 피부에 닿지 않도록 주의를 기울여야 한다. 공기 중의 이산화탄소 $CO_2$를 흡수하여 탄산나트륨을 생성한다. 도금에서는 탈지액, 전해세정액, 시안화아연 도금욕, 징케이트아연 도금욕, 배수처리 등에 이용된다. = 가성소다(8)

**수산화암모늄** Ammonium Hydroxide

$NH_4OH$로 표시하는 경우가 많으며, 이 식에 상당하는 화학식은 없으나, 편의상 이 식으로 나타낸다. 농후암모늄수에서 저온으로 정출되는 결정은 $NH_3 \cdot H_2O$ 이며 염기성을 띄지 않고 극히 불안정하여 $NH_4OH$가 아닌 사실이 밝혀졌다. ◘ 암모니아수(315)

**수산화칼륨** Potassium Hydroxide KOH.

가성칼리라고도 한다. 수산화나트륨(가성소다)과 같이 강한 알칼리로써 색, 성질 모두 수산화나트륨과 닮았다. 무색 반투명의 고체, 조해성, 물 100g에 대한 용해도는 97g(0℃), 112g(20℃), 178g(100℃), 에탄올, 메탄올에는 녹지 않고, 극물이며, 눈이나 피부에 닿지 않도록 주의해야 한다. = 가성소다(8)

**수산화칼슘** Calcium Hydroxide ◘ 소석회(消石灰)(250)

**수세의 이론식** Kushner's Calculus

수세의 이론식으로 커시너의 식으로 알려져 있다.

(1) 병렬수세의 식 : $A=R^{1/n}-1$.

(2) 직렬향류수세의 식 : $R=(A^{n+1}+1)/(A-1)$.

(3) 회분식 수세 및 회분식 수세에서 각 수조에 초농도가 있을 경우의 식 :

$$C_{j,k}=\{\sum_{p=1}^{j}\left(\frac{p+k-2}{k-1}\right)\left(\frac{V}{V+D}\right)^{P-1}\}\left(\frac{D}{V+D}\right)^{k}C_{o}+\left(\frac{V}{V+D}\right)^{j}\{\sum_{p=1}^{k}\left(\frac{p+j-2}{j-1}\right)\left(\frac{D}{V+D}\right)^{P-1}C_{k-P+1}\}$$

여기에서,

$C_0$ : 초농도(일반적으로는 도금액 농도)

$C_n$ : n번째의 수세조 농도(일반적으로는 최종 수세조 농도)

R : $C_0/C_n$, 즉, 희석배율.

W : 수세수량(유수식의 경우의 보급수량)

D : 단위시간 또는 래크(Rack)당 배출량

A : W/D, 배출에 대한 수량(배출의 몇 배의 수량인가)

n : 수세조의 수

V : 회분식의 경우 1수조당의 수세수 용량

j : 작업 래크수

k : k번째의 수세조

$C_{j,k}$: j래크 작업한 후의 k번째의 수세조 농도

일반적으로 수세는 수량을 증가시키는 것보다도 수세의 횟수를 증가시키는 것이 효율이 좋다. = 커시너의 식(525)

**수세조(水洗槽)** Rinse Tank

수세효과를 높이기 위하여 공기 교반, 프로펠러 교반, 초음파 교반을 병용하는 경우가 있으며 또, 스프레이 수세를 병용하는 경우도 있다. 수세조의 배열방법으로는 (1)병렬 수세(각각의 수조에 급수하여 각각의 수조에서 배수한다). (2)직렬향류(向流) 수세(최종 수세조에 급수하여 제1 수세조에서 배수한다). (3)회분식 수세(평상시에는 급수하지 않고, 일정한 농도가 되었을 때 배수한다). 도금공장에서는 직렬향류 수세가 많이 사용되고 있다.

**수소** Hydrogen H.

원자번호 1, 원자량 1.0079, 고체의 비중 0.0763, 융점 -259.3℃, 불점 -252.78℃, 질량수 2의 중수소가 원자수로써 1/5000이 포함되어 있다. 무색, 무취로 물질 중 가장 가벼운 기체 원소이며, 공업적으로는 물의 전해, 수성가스, 석유류의 가스화 등에서 얻을 수 있다. 상온에서는 불활성이고, 불소 이외에는 반응하기 어려우며, 온도를 높이면 황, 염소, 산소,

질소, 그 외 가종 원소와 화합하여 수소화물을 만든다. 또, 각종 산화물을 환원시킨다. 공기와의 혼합 기체는 그 혼합비에 따라서는 전기불꽃 등으로 폭발하는 경우가 있다. 배럴도금에서는 배럴 내에 음극에서 발생하는 수소가스가 체류하여 음극과 피도금과의 전기불꽃에 의해 배럴이 폭발하는 경우가 있다.

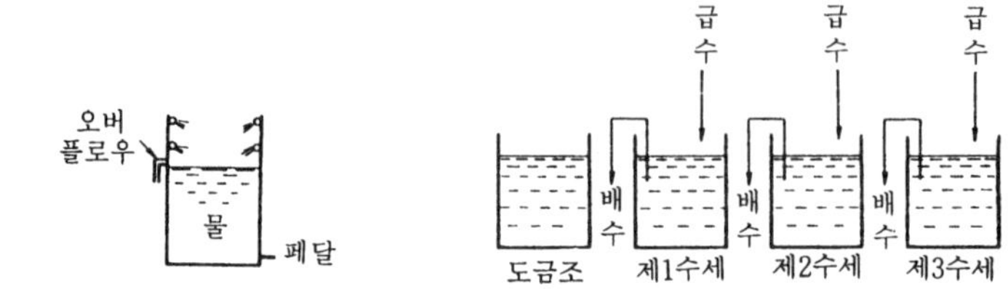


(a) 스프레이병용 수세조 (b) 병렬 수세

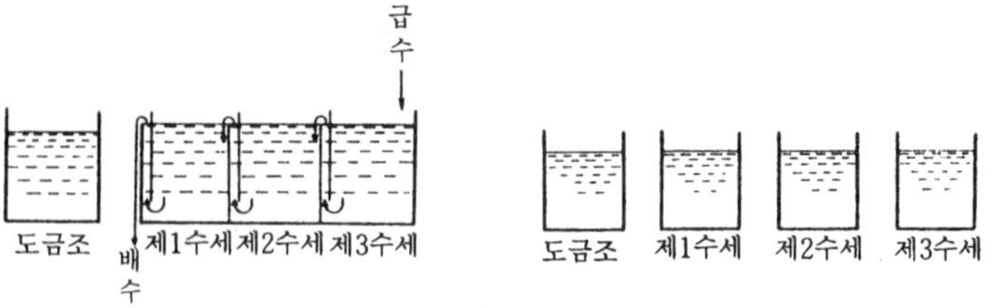


(c) 직렬향류 수세 (d) 회분식 수세

수세조의 배열방법

수세조

**수소 결합** Hydrogen Bond

산소, 불소, 염소, 브롬, 질소 등의 전기음성도(원자가 전자를 잡아당기는 능력)가 큰 원자가 그것과 결합한 수소원자를 매개로 하여 동일분자간 또는 그 외의 분자중의 전기음성도가 큰 원자에 접근하여 안정될 때, 수소결합을 만든다고 한다. 물은 많은 분자가 수소결합으로 결합(이 경우는 회합이라고 하는 경우가 많다)하고 있기 때문에 분자구조가 간단한 것에 비해 높은 불점과 큰 증발열을 가지고 있다. HF는 F-H…F, $H_2O$는 O-H…O, $NH_3$는 N-H…N과 같이 결합한다. …는 수소결합을 표시한다. ◘ 화학결합(629)

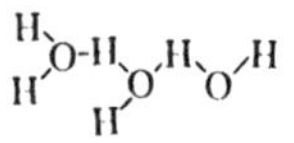


(a) 물의 수소결합

(b) 얼음의 결정

수소 결합

**수소 과전압** Hydrogen Overvoltage

음극에서의 반응은 금속의 석출반응과 수소발생반응 $2H^{+}+2e^{-} \rightarrow H_2$이다. 이 반응의 평형전위는 표준수소전극을 기준으로 하여 0V이지만, 실제로는 그 전위보다 상당히 낮은 전위에서 수소가 발생하기 시작한다. 실제 석출전위와 평형전위와의 차를 수소 과전압이라고 한다. 수소발생에서 최소 과전압은 전극의 종류, 극면의 상태, 전류밀도, 욕온도 등에 의해 좌우된다. 전극의 평탄한 면은 거친 면보다 수소 과전압이 크고 전류밀도를 증가시키면 커지며, 욕온도가 저하하면 커진다. 또, 수소 과전압은 융점이 낮은 금속일수록 큰 경향이 있다. ◘ 과전압(41)

**수소이온 농도** Hydrogen Ion Concentration ◘ 피에이치(608)

**수소 전극** Hydrogen Electrode

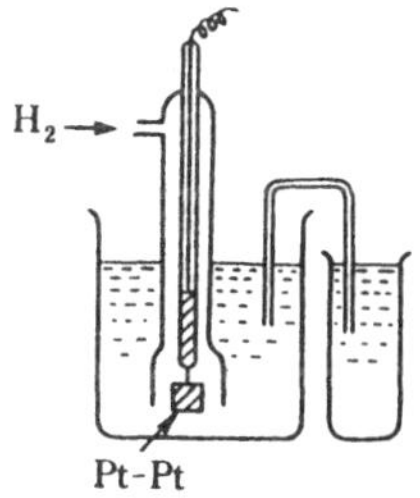

수소전극

수소이온을 함유한 용액 중에 백금흑(白金黑)을 가진 백금전극을 넣어 그 표면에 수소가스를 보내 접촉시킨 반전지를 말한다. 이 전위 $E_e$는 $E_e = E^{\circ} - (2.3RT/F)(pH) - (RT/2F)\log_e P_{H2}$ (R : 기체정수, T : 절대온도, F : 패러데이정수, $P_{H2}$ : 수소가스분압)이며, pH의 관수이기 때문에 pH의 측정에도 사용할 수 있으나, 기준전극으로써 가장 자주 이용되고 있다. pH=0, 수소가스 분압 1기압을 표준수소 전극이라고 하며, 백금전극과 액과의 전위차가 모든 온도에서 0이라고 열역학의 규약에서는 규정되어 있으나, 절대치의 측정에는 아직 성공하지 못하였다. 수소전극은 취급하기 어렵기 때문에 이 전극에 대해 이미 알고 있는 전위를 나타내는 다른 기준전극을 사용하는 일이 실제로는 많다.

**수소 취성** Hydrogen Embrittlement

전처리나 도금처리의 과정에서 피도금물이 수소를 흡입, 저장하여 무르게 되는 현상. 보통의 연강도 수소 취성을 일으키며, 비커스 경도 400이상, 항장력 133/㎟ 이상으로 열처리한 고탄소강 또는 저합금강(크롬, 몰리브덴강이나 니켈-크롬-몰리브덴강)이나 마르텐사이트형 스테인리스강(13크롬 스테인리스)등은 수소 취성을 일으키기 쉽다. = 수소 취화(258)

**수소 취성 제거법** Removal Methods of Hydrogen Embrittlement

열처리에 의해 수소를 방출시키는 방법을 베이킹(Baking)이라고 한다. 산세에서 수소를 흡수한 강은 190℃±15℃에서 약 30분간 베이킹을 한다. 크롬도금된 강은 190℃±15℃에서 약 3시간 베이킹을 한다. 아연도금의 경우는 베이킹이 어렵고 강의 내부까지 로크웰경도 C스케일($H_R$) 45~52의 경우는 베이킹하면 역효과가 있으나, 표면경도만으로 내부의 경도가 낮은 $H_R$ 38 이하의 경우에는 베이킹의 효과가 있다. ◘ 베이킹(182)

**수소 취화** Hydrogen Embrittlement ◘ 수소 취성(257)

**수송율** Transport Number ; Transference Number

용액 전체의 도전율 중에서 어떤 이온이 기여하는 비율을 그 이온의 수송율이라고 한다. 플러스 이온 전체와 마이너스 이온 전체가 전기를 운반하는 양은 통상적으로 같지는 않다. 양자를 더하면 1이 된다.

**수용성 녹방지제** Water Soluble Corrosion Inhibitor

금속, 특히 철강의 녹방지제 중에서 물에 녹는 것을 말한다. 녹방지 효과가 약하고, 장시간의 방청에는 적합하지 않다. 철강표면에는 아초산염, 크롬산염, 규산염, 인산염 등이 사용된다. 예를 들어, 아초산나트륨 3~5%, 안식향(安息香)산나트륨 1%의 수용액에 침적시킨다. 이상의 것 외에 고급알킬아민, 알킬알라닌 등도 사용되고 있다. 도금작업에서는 전처리중, 철강제품의 녹을 방지하기 위하여 시안화나트륨의 수용액 중에 침적시켜 단기간 보존하는 경우가 있다.

**수용성 플럭스** Water Soluble Flux

납땜 후의 잔사(殘渣)를 물로 세정하여 제거한 타입의 플럭스를 말한다. 할로겐원소를 함유하지 않는 것이 많다. 일 예로써 극소량의 계면활성제, 증류수, 글리세린, 폴리에틸렌글리콜 등의 성분으로 되어 있는 것이 있다. 사용 목적으로 표면의 청정작용과 보호작용을 가지고 있다. ◘ 플럭스(597)

**수위계** Level Gauge of Water ◘ 액면계(319)

**수은** Mercury Hg.

원자번호 80, 원자량 200.59, 백은색으로 상온에서 유일한 액체 금속원소이다. 밀도 13.55g/㎤(20℃), 융점 -38.87℃, 불점은 356.58℃이며, 공기중에서는 변화하지 않는다. 300~400℃로 가열하면 산화수은 HgO으로 된다. 물에 대한 용해도는 25㎍/$dm^3$(25℃)이다. 염산, 희염산과는 반응하지 않으며, 초산, 농초산, 왕수에 녹는다. 많은 금속과 아말감을 만든다. 수은은 전기기기, 계기, 전지, 온도계, 형광등 등에 사용되나, 환경오염방지 차원에서 소비량이 감소되고 있다.

**수은 시험** Mercury Test ; Amalgam Test

상온 가공을 한 황동 제품의 시효 균열을 검사하기 위해 행하는 수은 처리를 수은 시험 또는 아말감법이라고 한다. 즉, 시험하려고 하는 황동 제품을 소둔하지 않고 이것을 제일초산 수은의 수용액 중에 15분 정도 침적시켜 그 표면에 균열이 발생되는가를 검사한다. 만약, 시험편이 내부 변형을 품고 있어 시기 균열을 일으키는 재료라면, 수은이 시편의 표면에 아말감을 만들어 이것을 취화시키기 때문에 내부 변형 때문에 균열이 발생되는 것이다. 제일초산 수은 수용액은 물 1$l$ 중에 제1초산 수은 100g과 초산 13cc를 함유한 것이다. 황동 제품에 발생되는 시기 균열은 이것을 230℃ 이하로 소둔하면 방지할 수 있다.

**수은온도계** Mercury Thermometer

수은의 열팽창을 이용한 액체온도계의 일종. 측정범위는 보통, -38~360℃의 것이 시판되고 있으나, 수은 중에 탈륨을 녹인 것은 -60℃까지 측정할 수 있다. 글래스제 수은봉상 온도계는 높은 온도에서 급냉하면 수은류의 글래스 부분이 충분하게 수축되지 않은 채, 안정되어 버리기 때문에 측정눈금이 틀려지는 경우가 있다. 예를 들어, 빙점을 측정하면 0℃ 이하의 눈금을 나타내는 경우가 있다. 글래스제 수은봉 온도계의 길이는 여러 가지가 있으나, 도금처리조에서 사용하기 쉽게 길이를 길게 하고 눈금을 크게 한 도금용으로 칭하는 것이 시판되고 있다.

**수은 침적** Blue Dip

철, 니켈, 주석 등의 금속에 직접 은도금을 하면, 치환반응을 일으켜 양호한 밀착을 얻을 수 있기 때문에 예비처리로써 스트라이크 은도금을 행하든지, 수은 침적을 행한다. 수은 침적은, 염화제이수은 7.5g/$l$, 염화암모늄 4g/$l$, 또는, 황색산화수은 7.5g/$l$, 시안화나트륨 60g/$l$의 욕에 침적시켜 수은 피막을 피복한다. 수은을 사용하는 것은 노동안전상 바람직하지 않고 배수처리 규제가 엄격하기 때문에 최근에는 스트라이크 은도금이 사용되고 있다. = 염화수은 침적(361)

**수적(水滴)시험** Water Drop Test ◘ 물방울테스트(150)

**수조 재료** Materials for Tank

플라스틱수조로써 경질 염화비닐(PVC), 내열성 염화비닐(HT-PVC), 경질 폴리프로필렌(PP) 등이 사용되고 있으나, 열변형을 일으키기 쉽고, 경도가 약하기 때문에 대용량에서는 글래스 화이버를 넣은 FRP나 FRV가 사용된다. 알칼리계 처리액의 수조에는 철수조(SS)나 스테인리스(SUS)가 그대로 사용되는 경우도 있으며 내약품성 재료로 라이닝

(Lining)하는 경우가 많다. 라이닝재료로써 반경질 염화비닐, 경질고무 (HR), 불소수지 등이 있다. 그 외, 글래스수조, 목재수조 등이 사용되는 경우도 있다.

**수조 전압** Tank Voltage ; Bath Voltage ◘ 욕 전압(375)

**수지상 도금** Trees ; Dendrite

전기도금에서 특히 선단부나 다른 고전류밀도부의 음극상에 형성되는 수지상 또는 불규칙의 돌기상 석출물, 또는 그 상태를 말한다. 최초에 형성된 결정이 발달하여 줄기가 되며, 줄기에서 분기되어 가지가 된다.
◘ 수지상 조직(후항)

**수지상 조직** Dendritic Structure

전기도금 피막의 석출은 첨가제를 가하지는 않지만, 적어도 수지상 조직이 되는 경우가 많다. 결정의 성장이 나무의 줄기에서 나온 가지와 같이 최초에 생긴 가지에서 가지와 같이 옆으로 확대되어 간다. 이와 같이 3차원적으로 배열된 가지를 가진 결정을 수지상 조직이라고 한다. 1개의 수지상 결정을 X선으로 조사하여 보면 단결정으로 되어있다. 결정핵의 발생 속도와 결정의 성장 속도를 비교해서, 성장 속도 쪽이 클 때는 수지상 결정이 되고, 첨가제의 흡착이 있거나, 농도가 낮은 이온의 보급 속도가 늦어질 때 등은 결정의 성장이 억제되어 결정핵이 많이 생겨 미결정으로 되기 때문에 수지상 결정은 생기기 어렵다. 착이온에서 전착의 경우는 이온의 보급 속도가 늦은 경우에 해당하므로 수지상 결정은 생기기 어렵다. = 덴드라이트(Dendrite)(94)

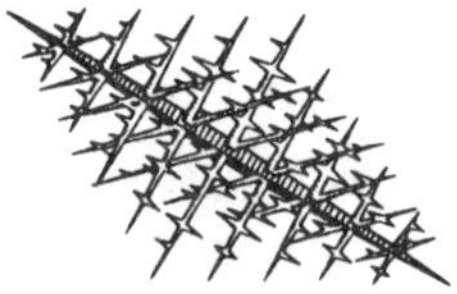

수지상 조직의 모식도

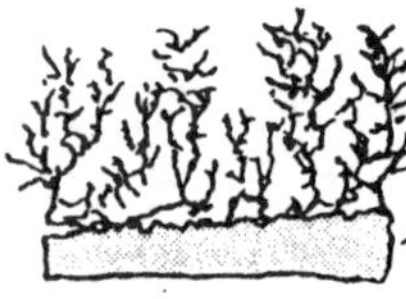


수지상 도금

수지상 조직

**수지 크랙** Resin Crack

수지에 발생하는 균열을 말한다. 수지의 경화시에 발생하는 균열, 기계적 충격으로 인해 발생하는 균열, 열충격으로 인해 발생하는 균열, 화학약품으로 인해 발생하는 균열, 빛 등의 조사에 의해 발생하는 균열 등이 있다. ABS 수지를 도금하기 전에 수지표면의 균열을 조사하기 위해서는 수지를 빙초산에 3분간 침적하여 현미경으로 50배 확대하여 관찰한다.

**수질기준** Standard of Water Quality

일반적으로는 환경기준이라고 하나, 특히 수질에 관한 경우에는 수질기준이라고도 불리고 있다. 사람의 건강보호에 관한 기준으로써는 시안, 알킬수은, 유기 인, 카드뮴, 납, 6가크롬, 비소, 총 수은의 기준치(최고치)가 규정되어 있다. 생활환경에 관한 환경기준으로써, pH, BOD, COD, SS, 대장균 군수, n-헥산추출물질이 규정되어 있다.

**수축소(收縮巢)** Shrinkage

주조할 금속의 용탕이 응고할 때에 발생하는 수축의 결과 주괴의 중심에 발생하는 공간의 틈을 말하며, 수축균열을 발생하는 경우도 있다. 그와 같은 주괴를 압연한 것으로 도금을 하면 불량품이 발생되기 쉽다. 쉬링케이지를 없애기 위해 보급하는 용탕을 압탕(押湯)이라 한다.

**수평식 배럴도금** Horizontal Barrel Plating

배럴이 수평으로 회전하는 방식의 배럴도금으로, 양산에 적합하기 때문에 널리 사용되고 있다. 배럴의 직경은 150~700㎜, 길이 200~1200㎜정도로 육각형, 또는 팔각형의 배럴이 많으나, 환형(丸型)의 배럴도 있다. 피도금물의 투입량은 35~50%정도로, 도금의 두께는 걸고리방식(정지도금이라고도 함)에 비해 60%정도로 저하한다. 예를 들어, 배럴 니켈도금에서는 1시간에 2~3㎛의 도금 두께이다. 배럴의 개구부는 통상 환공이나, 스릿트상으로 하여 액의 제거를 좋게 한 것, 배럴의 뚜껑을 자동개폐식으로 한 것, 회전을 요동식(그네식)으로 한 무개(無蓋)배럴(뚜껑없는 배럴)이 있으며, 자동화에 적합하다. = 수평식 공도금 ◘ 회전도금(645)

**수포(기포)** Blister; Blistering

소지의 금속이나 도금층, 도막 등이 내부 압력으로 인해 부풀어 오는 상태를 말하여, 작은 입상의 것, 큰 돌출 모양의 것까지 여러 가지 형태가 있다. 내부에 생기는 압력의 원인은 주로 산세나 도금, 그 외의 작업 시에 금속 내부로 확산되어 흡수, 저장된 원자상의 수소가 분자 상이 되어 가스압을 발생시키는 경우이며, 가열하는 경우에는 산화물의 산소와 결합하여 수증기가 압력원이 되는 경우도 있다. 도금층이나 도막은 수포의 부분이 소지에서 박리되어 있다. = 브리스터(216)

**순간 도금** Flash Plating ◘ 플래시 도금(597)

**순수(純水)** Pure Water

수도수나 천연수에는 무기물(Ca, Si, Ma, Na, K)과 유기물(박테리아, 조류)이 포함되어 있으며 가스, 먼지 등도 존재하기 때문에 정도가 높은 도금이나 귀금속도금에서는 순수를 사용한다. 순수를 제조하기 위해서는 H형 강산성 카티온교환수지와 OH형 강염기성 어니온교환수지를 사용하지만, 미리 원수(原水)를 활성탄 여과를 하여 놓을 필요가 있다. 전자기기, 반도체 등의 도금에서는 초순수를 사용하는 경우도 있다. 초순수의 제조에는 이온교환수를 순수라고 부르며, 그것보다도 극히 청정한 물을 초순수라고 한다. ◘ 증류수(489), 초순수(505)

**순수 제조장치** Pure Water Manufacturing Equipment

수중의 불순물을 제거하여 순수를 만드는 장치. 이온교환수지를 사용하는 장치가 보급되었고, 이 장치를 순수 제조장치라고 하며, 증류수 제조장치와 구별하고 있다. 이온교환수를 순수라고 하며, 그것보다 극히 청정한 물을 초순수라고 부르고 있다. ◘ 증류수(489), 초순수(505)

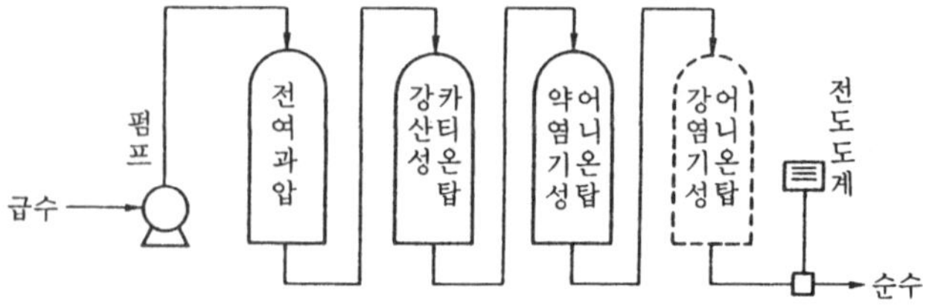


(a) 순수 제조장치

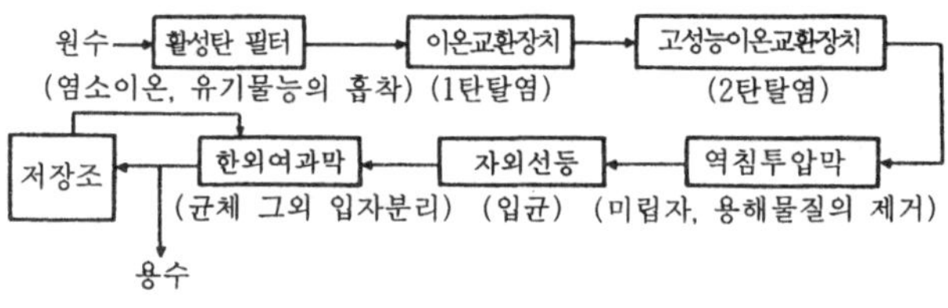


(b) 초순수 제조장치

순수 제조장치

**순시 산소요구량** Immediate Oxygen Demand

수중에 황화물, 아황산염, 제일철염 등의 환원성물질이 공존하는 경우에 사용하는 것으로, 15분간 경과 후에 산소소비량을 구하며, 실제의 BOD와 구별한다. ◘ BOD(223)

**순철** Puer Iron

불순물을 가능한 한 제거한 고순도 철을 말한다. 시판하고 있는 순철은 0.01~0.1%정도의 불순물을 함유하고 있다. 철도금, 철합금 도금의 양극으로써 이용하고 있다. 일반적으로 자성재료나 철을 함유하고 있는 자성재료의 원료로써 사용되고 있다. 제법에 따라 전해철, 카보닐철, 암코철 등이라고 불리고 있다.

**술파민산 니켈** Nickel Sulfamate

가장 일반적인 술파민산 니켈의 제조법은 탄산니켈에 술파민산을 가해 반응시켜 만든다.

$$NiCO_3+2HSO_3NH_2 \rightarrow Ni(SO_3NH_2)_2+H_2O+CO_2$$

술파민산 및 그 염류의 수용액은 pH가 낮을 때 80℃정도에서 천천히 가수분해되어 산성의 황산 암모니아(硫安)로 변한다. 고순도의 술파민산 니켈(98~99%)은 농후용액(48° Bė)으로써 시판되고 있다. = 아미드 황산니켈, 아미노술폰산 니켈(290)

**술파민산 니켈도금욕** Nickel Sulfamate Plating Bath

이 욕은 음극 전류밀도가 크고($D_k$=40A/dm$^2$ 정도까지), 석출피막의 내부응력이 작으며, 또한 고농도 도금욕을 얻을 수 있기 때문에 고속도 도금이 가능하고, 전주(電鑄)욕 외에 일반적으로도 사용된다. 술파민산 이온은 욕온이 높고, pH가 낮을 때, 분해되어 암모늄이온과 황산이온으로 변화한다. 전착 응력이 상승하기 때문에 욕관리에 주의를 요한다. 욕조성의 표준욕은 술파민산 니켈 350g/$l$, 붕산 35g/$l$, 염화니켈 0~5g/$l$, 라우릴황산나트륨(피트 방지제) 0.5g/$l$로 되어 있고, pH 4.0~4.5, 표준적인 전류밀도는 2~10A/dm$^2$, 욕온도는 40~60℃, 하이스피드욕에서는 D=40A/dm$^2$ 정도까지 가능하다. 염화니켈을 함유할 때, 양극은 전기니켈이 좋으나, 함유하지 않을 때는 황함유니켈을 사용하여 양극의 부동태화를 방지한다. ◘ 황함유 니켈아노드(642)

**숫돌 시험(방법)** Whetstone Test

도금층을 숫돌로 갈아서 도금의 밀착성을 조사하는 방법으로 주로 공업용 크롬도금과 같은 경질의 두꺼운 도금에 사용된다. 시료를 연삭 선반에 취부하든지 또는 적당한 기구로 고정하여, 연마숫돌의 주속(周速)을 1초간에 10~33m로 하며, 1회의 절취 깊이를 5㎛ 이하로 연삭유 또는 비눗물을 충분히 사용하면서 조용히 연삭한다. 연삭 여백(Griding Allowance)은 적어도 30㎛ 이상으로 한다. 도금의 밀착성이 불충분한 경우는 부분적으로는 박리 또는 부풀음이 발생한다. KS D 0254『도금의 밀착성 시험방법』에 규정되어 있다.

**숫돌연마법 밀착시험** Adhension Test by Grindstone Abrasive

주로 공업용 크롬도금의 밀착성을 조사하는 방법으로써 이용되고 있다. KS D 0212『공업용 크롬도금』에 의하면 입도, 결합도가 규정된 연마숫돌을 연마 선반에 취부하여 주속(周速)을 600~2000m/분으로 시험면에 5㎛이하의 절취부를 만들어 시험면을 관찰하여 밀착성을 조사하는 방법이다.

**쉐라다이징** Sheradizing

분말아연 또는 이것을 포함한 혼합분말 안에서 철강을 가열하고, 그 표면에서 아연을 내부로 확산 침투시켜 내식성 피막을 만드는 방법. 250~400℃로 수 시간 가열하여 표층에 아연-철합금층을 만든다. 표면이 얇은 부분은 순아연층이다. 1910년 Sherad-Cowper-Coles에 의해 개발되었기 때문에 이렇게 불린다. = 아연소(296)

**쉐이빙** Shaving ◘ 전단 가공(451)

**슈퍼알로이** Superalloy ◘ 초합금(507)

**스머트** Smut

철강 등의 산세에서 산세 과다가 된 경우, 철강 표면에 미분말상 흑색 물질이 부착되는 경우가 있으며, 이 물질을 스머트라고 한다. 스머트 성분은 탄소나 금속 산화물이지만, 소지성분이나 처리 방법 등에 따라 다르다. 스머트를 제거하기 위해서는 붓칠 세정, 배럴 연마, 전해 세정(시안을 포함한 알칼리욕에서의 양극처리) 등의 방법이 있다.

**스미어** Resin Smear

프린트기판의 제작공정 중에서 절연기판의 수지에 구멍을 뚫을 때 등에서 도체 패턴의 표면상에 이동 부착하는 것, 또는 이동 부착한 것을 말한다.

**스윙 배럴** Swing Barrel : Rocking Barrel

뚜껑이 없는 배럴의 의미로 요동 배럴의 다른 이름이다. ◘ 요동 배럴(375)

**스컴** Scum

①배수처리에서 침전조에 침강하지 않고 떠 있는 것을 말한다.

②용융한 금속 표면에 떠 있는 이물질(주로 그 금속 및 불순물의 산화물)을 말한다.

**스케일** Scale

변색으로 인정되는 금속면의 박막보다도 두껍고 0.3㎛보다 두꺼운 산화피막. 금속은 공기중 또는 다른 산화 분위기 중에서 가열하면 표면에 스케일을 생성한다. 도금의 전처리에서 스케일을 제거하기 위하여 산세나 배럴연마 등의 처리를 행할 필요가 있다. ◘ 산화피막(237)

**스케일 업** Scale Up

실험장치로 얻어진 데이터를 통해 공업생산에 필요한 대규모의 공업장치를 만드는 등, 장치나 프로세스의 규모를 확대하는 것을 말한다. 도금에서는 비이커 등에 의해 책상실험에서 얻어진 데이터에 의해 대규모 도금장치를 만들기 전에는 중간적인 규모의 파이롯트 플랜트로 실험을 반복할 필요가 있다.

**스크러버** Scrubber

더스트 스크러버(Dust Scrubber)를 일컫는다. ◘ 세정 집진장치(247)

**스크러빙** Scrubbing ◘ 정면(整面)(474)

**스크레치 브러쉬** Scratch Brush

연마륜(버프)의 일종으로 붓의 부분이 가는 철사로 만들어져 와이어 휠이라고도 한다. 녹제거, 소지 마무리, 광택을 내는데 사용된다. = 와이어 휠(372)

**스크린 인쇄** Screen Printing

공판(孔版)인쇄의 일종으로 통상, 금속제 또는 목제의 틀에 폴리에스테르, 스테인리스 등의 스크린을 부착한 것에 잉크를 스크린의 그물코에 스며들게 하여 인쇄하는 방법. 프린트기판의 패턴형성, 알마이트의 염색, 부분도금, 부분에칭 등에 이용되고 있다. = 실크 인쇄(284)

**스키머** Skimmer

수처리에서 수면상에 발생하는 부유물(스컴 : Scum)을 처리하는 장치를 말한다.

**스킵** Skip

피로인산 동도금에서 도금피막의 저전류밀도 부분이 대단히 얇은 광택불량의 도금이 계속되어 광택도금부분이 계단 형태가 되는 이상 석출현상을 말한다. 원인은 P 비가 너무 낮을 경우, 암모니아 부족, 동의 양극 이상용해 등이다. ◘ P 비(605)

**스킵 도금** Skip Plating

프린트기판의 도금에서 도금욕중에 용출(溶出)한 수지분 등에 의해 피도금재의 일부분이 도금되지 않은 현상을 말한다. ◘ 스텝 도금(268)

**스터러** Stirrer

교반기(攪拌器), 혼합용 기구

**스테네이트** Stannate

4가의 주석 화합물로 일반식 $xM_2O \cdot ySnO_2zH_2O$(M : 1가의 금속)으로 표시되는 화합물로, 산화 주석과 염기성 산화물로 구성되어 있는 염이다. 이것이 일반적으로 주석산염이라 불리며, 산화 주석과 수산화알칼리를 용해하여 얻을 수 있는 것은 $Sn(OH)_6^{2-}$이온을 포함, 이것이 진정한 주석산염이다. ($K_2Sn(OH)_6$, $Na_2Sn(OH)_6$ 등) = 주석산염(483)

**스테네이트욕** Stannate Plating Bath ◘ 알칼리성 주석도금(311)

**스테네이트 처리** Stannate Treatment

알루미늄 소재에 도금하는 전처리로써 스테네이트액에 침적 또는 전해하여 주석을 석출시키는 처리를 말한다. = 주석산염 활성화(483)

**스테다이트** Steadite

인화철($Fe_3P$)과 이를 포함하는 오스테나이트의 공정(인을 함유한 공정, 10.2% P, 89.8% Fe, 1050℃)이다. 1900년 Stead의 발견으로 이같은 이름이 붙었으며, 회주철 속에 인을 함유하고 있는 공정이 스테다이트이며, 스테다이트는 인(P)의 함유량이 많은 (P>0.1%)탄소강에 나타난다.

**스테라이트** Stellite

구조용 코발트합금으로 고온경화, 내마모성, 내식성이 뛰어나다. 미국의 Haynes Stellite사의 개발제품으로 합금조성은 2.5% 탄소, 45% 코발트, 25～30% 크롬, 15～20% 텅스텐이다. 엔진밸브, 절삭공구 등에 이용된다.

**스테러그모미터** Stalagmometer ◘ 적수계(滴數計)(444)

**스테인리스강** Stainless Steels

스테인리스강의 종류

| 기호(*은 번호) | 종 류 | 성 분 | 자 성 | 비 고 |
|---|---|---|---|---|
| SUS 2 **<br>3 ** | 오스테나이트계 | Cr-Ni | △ | 예:18-8 |
| SUS | 오스테나이트·페라이트계 | Cr-Mn | × | |
| SUS 4 ** | 페라이트계 | Cr<br>14～18% | ○ | |
| SUS 4 ** | 마르텐사이트계 | Cr | ○ | 예:13Cr인물용<br>(刃物用) |
| SUS 6 ** | 석출경화계 | Cr-Ni | △ | 강력스테인리스 |

스테인리스 강

내식성을 향상시키기 위해 크롬 또는 크롬과 니켈을 함유시킨 합금강을 말한다. 일반적으로는 크롬 함유율이 11%이상의 강을 스테인리스강이라고 하며, 주로 그 조직에 따라 마르텐사이트계, 페라이트계, 오스테나이트계, 오스테나이트·페라이트계, 석출경화계의 5종으로 분류된다. 크롬을 함유한 강은 표면에 밀착된 얇고 투명한 크롬의 산화물 피막에 의해 내부가 부식으로부터 보호된다. SUS(서스)로 불리는 경우가 많다.

= 불수강(不銹鋼)

**스테인리스도금** Stainless Plating ◘ 주석-니켈 합금도금(482)

**스테인리스 소지의 전기도금** Electroplating on to Stainless Steel Substrates

스테인리스 표면에 생성되는 부동태 피막은 13Cr(SUS 4××)계와 18-8Cr-Ni(SUS 3××)계가 서로 상당히 다르기 때문에 각각의 스테인리스에 적합한 활성화법을 선택하지 않으면 안 된다. 활성화법에는, 산침적법, 산전해법, 염화니켈 스트라이크 도금법 등이 있다. 염화니켈 스트라이크 도금법은 염화니켈 220g/$l$, 염산 45g/$l$, 온도 20~30℃의 욕에 전류밀도 3A/dm$^2$으로 1~5분간 침적시켜 스트라이트도금 후는, 수세를 하지 않고 니켈도금조로 이동시켜 니켈도금한다. 스테인리스의 재질에 따라서는 전처리에 의해 수소 취성을 일으키는 경우가 있기 때문에 주의를 요한다.

**스테인리스 소지의 착색** Coloring of Stainless Steel Substrates

스테인리스의 착색 기술중에서 가장 일반적인 착색법은 캐나다의 인터내셔널·니켈사의 버밍검연구소에서 개발되어 컬러 스테인리스 강판으로써 건재(建材)나 욕조 에프론 등에 사용되고 있다. 착색공정은 무수크롬산 250g/$l$, 황산 500g/$l$의 혼합액 80~90℃중에 침적시키면, 침적 시간에 따라 블루, 골드, 레드, 그린의 순으로 착색된다. 착색 피막은, 다공성(Porous)이기 때문에 기공을 봉공하고 산화막을 강하게 하기 위하여 무수크롬산 250g/$l$, 인산 2.5g/$l$의 혼합액 중에 스테인리스를 음극으로써 상온, 전류밀도 0.5A/dm$^2$으로 5~10분간 전해한다. 착색되는 스테인리스 소지는 SUS 340이 주이다.

**스테인리스 소지의 흑색 착색(黑色着色)** Blackening of Stainless Steel Substrates

미국의 특허 No. 239488의 크롬산 산화법은, 6가크롬산 $Na_2Cr_2O_7$의 고온용융염 중(400~500℃)에 15~30분간 침적시켜 흑색 피막을 얻는 방법이다. 그 외에 황화물의 피막을 만드는 방법이 있으며 장식용으로써 이용되고 있으니, 흑색 피막이 변색되기 쉬워, 투명도료로 보호할 필요가 있다. 수산화나트륨 50g, 황시안화나트륨 10g, 티오황산나트륨 5g, 염산 1g, 물 100g, 욕온도 100~120℃의 욕에 수분간 침적한다. 스테인리스 소지는 전처리를 한 후, 불화수소와 황산의 혼산으로 활성화하여 욕에 침적한다.

**스테인리스 스프링강** Stainless Spring Steel

스프링용으로써 사용되는 스테인리스강. 스프링성이 높고, 내식성이 뛰어나다. 동합금에 비해 고온도에서도 스프링성이 좋고, 동합금에 비해 가격이 싸다는 등의 이점이 있다. 결점으로써는 동합금에 비해 도전율이 낮고, 납땜성이 뒤떨어진다. 가공에 따라 자성을 띄는 경우 등을 들 수 있다. 스테인리스 스프링강에 금도금 등을 도금함으로써 결점을 개선할 수 있다. 규격에 따라 스테인리스 스프링강의 종류는 SUS 301, 302, 304, 304N, 316, 420J2, 631, 631J1이다.

**스텝도금** Step Plating

프린트기판의 도금에서 도금욕중 용출된 수지분 등에 의해 피도금재 일부분의 도금 두께가 얇아지는 현상을 말한다. 스텝도금의 과정은 도금욕의 교반 부족이나, 표면장력의 대소에 따라 영향을 받는다. 플라스틱의 도금에 있어서도 일어나는 경우가 있다. ◘ 스킵도금(265)

**스토리지 탱크** Storage Tank

물이나 기름 등의 저장탱크를 말한다. 저수조, 저탕조, 저유조, 도금액 등의 저장조 등의 총칭이다.

**스톤 연마** Stone Finishing

배럴 중에 물품과 함께 연마석 등을 넣어 콤파운드 등의 수용액을 가해 연마하는 방법으로 배럴 마무리라고도 한다. 연마석을 메디어(모체)라고 하며, 돌 뿐만 아니라 금속, 목재, 가죽 등도 사용된다. 콤파운드는 산성약품, 광산 등(녹제거용), 알칼리성 약품(피로인산나트륨, 아초산나트륨 등), 비누 등이 이용된다. ◘ 배럴 마무리(171)

**스트라이크** Strike ◘ 스트라이크도금(후항)

**스트라이크도금** Strike Plating

도금의 밀착성을 좋게 하거나, 피복력을 향상시키는 것을 목적으로 특별한 작업조건 또는 욕조성을 사용하여 단시간 도금을 하는 것을 말한다. 도금욕으로써 사용되는 것은 동, 니켈, 금, 은 등의 욕으로 각각을 동스트라이크, 니켈스트라이크, 금스트라이크, 은스트라이크 등이라고 한다.

욕은 보통 염농도에 비해 금속이온 농도를 낮게 한 것으로 음분극(陰分極)이 크고 균일전착성도 좋아 소지의 산화 피막을 환원 제거하면서 목적의 금속을 전착시키는 작용이 있다. = 스트라이크(전항)

**스트레스** Stress ◘ 응력(404), 내부응력(68)

**스트레스 미터** Stress Meter ◘ 응력계(405)

**스트레스탭** Stresstabs

미국의 랄리킹사 제품의 전착응력 측정기. 바르셀시험편과 같은 치수(67.3×100.3㎜)의 금속판으로 5장의 탭(금속편)에 구멍이 뚫려있다. 외측틀과 이면은 에폭시수지로 마스킹이 되어있다. 외측 틀면이 기준면으로 인장응력에서는 탭이 양극 측으로 변하고 응축응력이 있는 경우는 그 반대로 변한다. 개량형 바르셀(상품명 랄셀) 또는 도금생산욕 중에 삽입하여 전착시험을 행한다. ◘ 바로셀(158)

(a) 각 전류밀도역에서의 측정 (b) 정전류밀도에서의 측정

스트레스탭에 의한 측정

스트레스탭

**스트레스 피닝** Stress Peening

숏 피닝(Shot Peening)을 행할 때, 부품에 정적인 스트레스를 계속해서 가하는 것을 스트레스 피닝이라고 한다. 스트레스는 실제 사용 중에 걸리는 스트레스와 동일한 방향으로 가한다. 스트레스 피닝에 의하면 숏 피닝보다도 피로 수명을 길게 할 수 있다.

**스트레인 게이지(변형계)** Strain Gauge

물체가 외력으로 변형될 때 등에 변형을 측정하는 측정기를 말하며, 물체에 부착시켜 측정한다. 합금선은 인장방향의 변형을 받으면 길이가 증가하여 단면적이 감소되어 전기저항이 증가하며, 그 증가분을 측정한다. 저항측정은 원리적으로는 전기저항 측정기

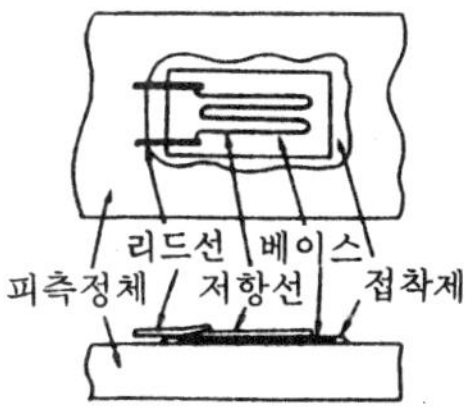


저항선 스트레인 게이지의 구조

스트레인 게이지

(Wheatstone Bridge)를 사용한다.

**스트레인 경화** ◘ 가공경화(7)

**스트론튬** Strontium Sr.

원자번호 38, 원자량 87.62. 알칼리 토류금속 하나의 원소. 4종류의 안정 동위체와 4종류의 방사성 동위체의 존재가 알려져 있다. 은백색의 부드러운 금속으로, 결정구조는 면심입방 격자이며, 융점 797℃, 불점 1639±5℃이다. 화학적으로는 칼슘과 베릴륨의 중간 성질을 나타낸다. 공기 중에서는 회백색의 산화피막을 생성한다. 수은과 아말감을 만들며, 많은 금속과 합금을 만든다. 산에 녹고 스트론튬염을 생성하며, 물과 격하게 반응하여 수은과 수산화스트론튬을 생성한다. 액체암모니아에 녹는다. 용도는 특수합금, 진공관 게이터, 주물의 첨가재, 방사성 동위체는 β선원으로써 도금피막측정용 β선 두께계에 사용된다.

**스트립** Strip

금속의 길고 가는 띠형상 판의 경우를 지칭하는 것으로 통상 코일 상에 감아 취급한다. 프레스 가공용으로 필요한 폭으로 절단된 가는 폭의 판재를 지칭하는 경우도 있다.

**스트립강** ◘ 마대강(磨帶鋼)(127)

**스트립 전착응력 측정기** Strip Type Deposit Stress Analyzer

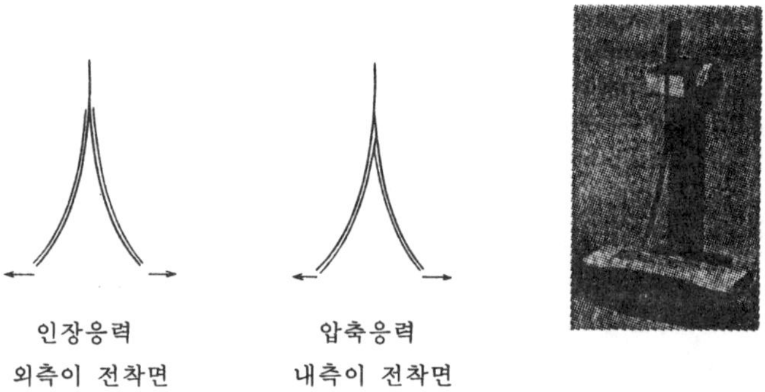


스트립 전착응력 측정기

미국의 일렉트로 케미컬사 제품의 전착응력 측정기. 시험편은 베릴륨 동 합금의 스프링재로 인간의 발이 벌어진 것과 같은 형을 하고 있는 박판으로 2개의 발부분에 각각 반대방향의 편면만 도금방지제(레지스트)가 도포 되어있다. 발부분의 각각의 편면만이 도금되어 전착응력의 정도에 따라 양발이 외측으로 벌어지기 때문에 양발의 벌어진 길이를 측정하여 계산에 따라 전착 응력치(kg/㎟)를 구한다. 전착은 도금생산욕 중에 특제의 소형 테스트조를 삽입시켜 행한다. 스파이럴 컨트랙트 미터(Spiral Contract Meter)보다도 간단하게 측정할 수 있다. ◘ 스파이럴 컨트랙트 미터(후항)

**스파이럴 컨트랙트 미터** Spiral Contract Meter

브레너와 센디로프가 개발한 것으로 도금피막에 발생한 내부응력을 측정하는 장치이다. 스파이럴 상의 금속박(箔)에 도금을 하여 도금피막의 내부응력으로 인해 스파이럴 상의 금속박이 신축하여 눈금에 표시된 회전각의 값을 계산하여 내부응력을 측정하는 것이다. 니켈전주에 많이 사용되고 있다. ◘ 내부응력(68)

**스파크 경화법** Spark Hardening

소련이 개발한 기술로, 전극에 WC나 TiC 등의 초경합금을 사용하여 이것을 공구의 피경화 부분에 대행시켜 스파크를 일으켜 공구 표면에 WC나 TiC의 초경을 용착(스패터링)시킴과 동시에 그 열에 의해 그 주위도 경화하는 방법이다. 전압 120V에서 50~70㎛ 두께의 경화층을 얻을 수 있다. 그 경도는 $Hv$ 1400~1600이나 되기 때문에 내마모성을 발휘하여 공구의 절삭 수명을 증가시킬 수 있다. 칼날이 마모된 커터나 드릴 등에 적용하면 간단하게 이것을 재생시킬 수 있다.

**스팔링** Spalling

롤링(Rolling)마모의 일종으로 금속의 표면에서 금속편이 벗겨지거나 또는 균열이 발생하여 떨어지는 현상을 말한다.

**스팽글** Spangle

용융아연도금 표면에 발생하는 미려한 화문(華紋)과 같은 모양을 말한다. 아연이 응고할 때, 아연 중에 포함된 미량원소 중, 아연의 응고점을 낮추는 원소에 의해 과냉현상이 발생하여 응고핵을 중심으로 수지상 결정이 성장하는 과정에서 최후까지 용융 상태를 유지하면서 결정이 성장함으로 인해 스팽글이 생긴다. 스팽글을 성장시키는 원소로써 납이 있으나, 납은 아연도금 층의 결정입계 부식에 유해하다. 이전에는 스팽글이 있는 표면이 바람직하였으나, 현재는 스팽글이 없는 표면이 양호한 것으로 인식되고 있어 도금 후, 급냉, 또는 급가속으로 열을 가함으로써 스팽글의 생성을 억제하고 있다. ◘ 갈바닐 마무리(12)

**스퍼터링** Sputtering

진공증착법의 일종으로 비교적 낮은 진공도에서 플라즈마를 발생시켜 이온화한 아르곤 등의 가스를 가속하여 타켓에 충돌시켜 목적의 원자를 분출, 그 근방에 있는 기판상에 막을 만드는 방법을 말한다. 플라즈마의 발생 방법은 여러 가지의 타입이 있다. 막을 형성하는 속도는 작으나, 타켓 뒤 측에 자석을 놓은 마그네트론형 타켓의 개발로 지금까지 사용된 것보다 100배 정도로 크게 되었다. 또, 합금의 스퍼터링에서는 거의 합금의 조성대로 막을 형성할 수 있는 이점이 있다. 반응성 가스를 이용하면 가스와의 반응물의 막 형성(반응 스퍼터링)도 가능하다. ◘ 음극 스퍼터링(402), 진공 증착(492)

**스페이스 버프** ◘ 오픈 버프(368)

**스펙컬럼 도금** Speculum Plating ◘ 주석-동 합금도금(484)

**스펙컬럼 메탈** Speculum Metal

은백색의 동-주석계 합금의 총칭. 표면에 서리가 잘 끼지 않기 때문에 경면에 적합하다. = 경금(鏡金)

**스폿 도금** Spot Plating

극히 작은 면적만을 국부적으로 도금하는 것을 말한다. 전기접점에서는 접촉면적 만을 도금하면 되기 때문에 스폿 도금이 실시되는 경우가 있다. 이 경우, 폭이 좁고 장척(長尺)의 판재에 스폿 도금을 하여 도금 후에 프레스 하는 경우도 있다. 방법은, 도금하지 않은 곳을 마스킹하든지 브러시 도금(붓 도금)을 한다. 레이저 빛을 이용하는 스폿 도금법도 개발되어 있다. = 국부 도금 ◘ 부분 도금(196), 붓 도금(212), 레이저 도금(119)

**스폿 용접** Spot Welding

금속판을 중첩하여 막대 모양의 동전극으로 상하를 끼워 가압하면서 통전하여 점상으로 용접하는 저항용접법을 말한다. 용접시간이 짧기(약 0.1초) 때문에 박판의 용접에 널리 사용되고 있다. 용접개소는 바둑돌 모양의 스폿이 된다.

**스폿 테스트** Spot Buff

①장식용 크롬도금으로 두께 1.3㎛ 이상의 니켈상의 크롬도금의 두께 측정에 사용되는 것으로 일정 농도의 염산을 시료에 한 방울 떨어 뜨려 가스의 발생으로부터 가스가 멈출 때까지의 시간을 측정, 시험액의 온도와 크롬도금의 용해속도와의 관계로 도금두께를 구하는 방법을 말한다. ②금속의 재질을 조사하기 위하여 시약을 시료에 적하시켜 용출액을 여지(濾紙)상에 채취하여 반응하는 색의 정도로 금속의 재질을 추정하는 방법

을 스폿 테스트라고 하는 경우도 있다. 이 시약은 유기화합물이 많다.

**스프레이 세정** Spray Cleaning

세정액의 취부(吹付)에 의한 세정. 일반적으로 사용되는 노즐은 원추(圓錐) 상으로 분사되는 것이 많으나, 그림과 같이 여러 가지 형태가 있다. 노즐을 회전시키거나 이동시키는 가동식 노즐도 사용된다. ◘ 샤워 스프레이 수세(241)

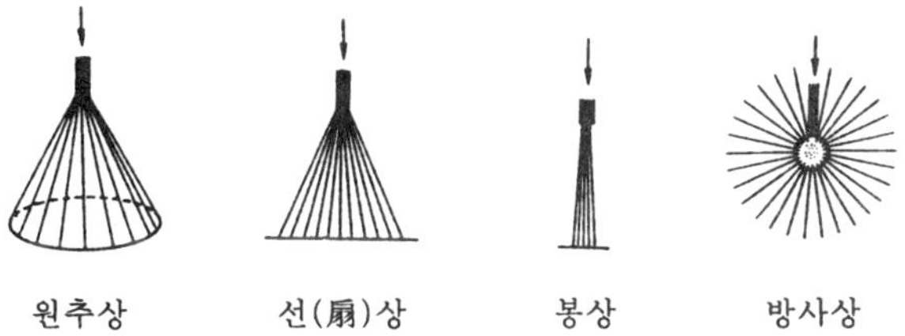


스프레이 노즐의 종류

스프레이 세정

**스프링 강** Spring Steel

스프링용 특수강을 말한다. 제조공정에 따라 크게 열처리 스프링강과 가공 스프링강으로 나눈다. 보통, 단순히 스프링강이라고 하는 경우는 전자를 말한다. 전자는 고탄소강이나 중탄소 저합금강이 있으며, 스프링 성능이 있는 소재를 스프링에 성형하는 가공 스프링강에는 경강선, 피아노선, 스테인레스 강선, 냉간압연 강띠, 오일 템퍼선 등이 있다. ◘ 스프링 재료(후항)

**스프링 재료** Spring Material

판 스프링, 코일 스프링에 사용되는 금속재료는 철계와 비철계가 있으며, 철계에는 고탄소강, 규소 망간강, 크롬강, 스테인리스 강 등이 있고, 비철계에는 인청동, 베릴륨동, 티탄동, 백양(Cu-Ni-Nn) 등이 있다. 금속재료 이외에는 고무, 공기 스프링 등이 있다.

**스피닝** Spinning ◘ 스핀마무리(후항)

**스핀 마무리** Spin Finishing

영동연마법의 일종으로 연마재를 고정한 채, 물품(피연마재)을 급격하게 회전시키는 방법이다. 장치의 기구는 수조의 정지상태에서 물품을 고정한 치공구를 3~4개의 스핀들로 유성선회(遊星旋回)하여 연마재와의 상대운동에 의해 연마한다. 물품을 치공구에 고정하기 위하여 타흔(打痕), 압흔을 피하고 유기질 미디어(예를 들어, 호두 껍질)의 사용으로 버프가공과 동등한 품질을 얻을 수 있다. 물품의 형상에 따라서는 연마되지

않는 부분이 발생하기 때문에 정회전, 역회전, 자세 변경 등의 공정이 필요하다. = 스핀 피니쉬(후항)

**스핀 피니쉬** ◘ 스핀 마무리(전항)

**슬라이버** Sliver ◘ 슬리버(274)

**슬라임** Slime

금속을 양극으로 전해할 때, 전기화학적으로 용해되지 않는 잔사(殘渣)를 말한다. 슬라임의 발생량은 양극의 화학성분, 전해액의 욕조성, 양극 전류밀도, 욕온도, 욕의 교반 등에 따라 다르다. 슬라임은 도금불량의 원인이 되기 때문에 아노드 백, 격막 등을 이용하여 포집(捕集)하고 도금욕 중에 부유하지 않도록 한다. ◘ 양극 슬라임(322)

**슬랙 프린트** Slag Print

강 중의 산화물이나 비금속 개재물을 검출하는 인화법이며, 다른 이름으로는 니스너의 슬랙 프린트법(Niessner Slag Print)이라고도 불린다. 이 방법은 다음과 같다. 먼저, 젤라틴 감광지를 5% 염산수 중에 수분간 침적시킨 후, 인양하여 흡입 종이로 가볍게 수분을 제거하고 이것을 피검면에 압착시켜 수초간 유지한다. 다음으로 이것을 떼어내어 페로시안화칼륨수(20g/$l$)에 넣는다. 비금속 개재물이 있다면 농청색의 반응이 나타나기 때문에 곧 바로 식별할 수 있다.

**슬러리** Slurry

액체 중에 진흙 상의 물질이 현탁되어 있는 것을 말한다. 씨크너(Thickener), 필터, 원심분리기 등의 고액분리장치에 공급되고 있는 원료는 슬러리이다. = 니상(泥床), 펄프

**슬러지** Sludge

현탁액을 고액(固液) 분리하였을 때의 침전물을 말한다. 도금공장에서 문제가 되는 슬러지는 배수처리 과정에서 응집 침전(凝集沈澱)법으로 발생하는 침강 농축된 슬러지이다. 보통 슬러지를 필터 프레스로 탈수하고, 건조한 후 처분한다. 슬러지 중에 귀금속 등의 유가물이 있으면 회수한다. = 오니(汚泥)

**슬러지 농도** ◘ MLSS(340)

**슬리버** Sliver

프린트 배선기판의 도체단에서 떨어져 있는 가는 금속의 돌기 = 슬라이버(274)

**슬릿 배럴** Slit Barrel

개구부가 환공(丸孔)이 아니고 슬릿 상으로 되어 있는 수평 배럴을 말한다. 공명(孔明)배럴에 비해 액제거 효과가 좋고 액의 배출량이 1/20정도로 감소하기 때문에 배수처리가 용이하다. 또, 피처리물이 구멍에 박히기 쉬운 형상의 것에 유리하다. ◘ 수평식 배럴도금(261)

**습기 대기부식** Moist Atmospheric Corrosion

상대습도 100% 이하에서도 물체 표면에는 얇은 액막이 존재하며, 그와 같은 조건하에서의 대기중의 부식을 말한다. 통상의 부식은 이것에 포함되는 것이 많다. ◘ 습윤 대기부식(275)

**습도** Humidity

공기중에 포함되어 있는 수증기의 비율을 표시한 것으로 절대습도, 비교습도(포화도라고도 한다), 상대습도(관계습도라고도 한다) 등이 있다. 단순히 습도라고 할 때는 어떤 농도로 얻을 수 있는 최대의 수증기량으로 실제 수증기량을 나눈 상대습도를 지칭하는 경우가 많다.

**습식** Wet Corrosion

액체상의 물이 존재하기 때문에 일어나는 금속의 부식. 일반적으로 수용액중의 금속표면에는 전위를 달리하고 있는 부분이 존재하고 있으며 철강의 경우, 그림과 같이 무수의 국부전지로 구성되어 있어 그 양극부와 음극부에서 각각 다음 식으로 표시되는 산화 또는 환원반응이 진행된다. 금속이 용해되는 양극부분이 부식 부분이 된다. 물이 관계하지 않는 부식은 건식이다.

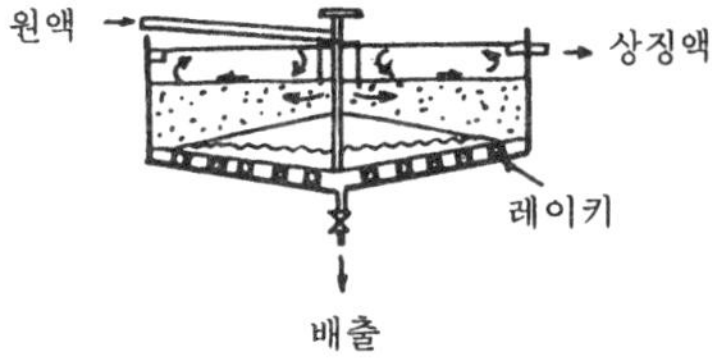


국부전지작용
습식

양극부 $Fe \rightarrow Fe^{2+} + 2e^-$

음극부 $\frac{1}{2}O_2 + H_2O + 2e^- \rightarrow 2OH^-$

$\frac{1}{2}O_2 + 2H^+ + 2e^- \rightarrow H_2O$

$2H^+ + 2e^- \rightarrow H_2$

**습윤 대기부식** Wet Atmospheric Corrosion

육안으로 보이는 것과 같은 응축수의 막이 표면에 존재하는 경우에 발생하는 대기 중에서의 부식을 말한다. ◘ 습기 대기부식(275)

**습윤(濕潤)** Wetting ◘ 부착(201)

**습윤성** Wettability

금속 위에 녹아있는 땜납이 부착하거나, 글래스 위에 물방울이 부착하는 것과 같이 서로 다른 물질이 접촉하였을 때 서로 달라붙는 성질을 말한다. 물질의 표면장력에 의해 습윤성은 달라진다.

**습윤시험** Humidity Cabinet Test

습한 수증기중에서 도막 등의 변화를 조사하는 시험을 말한다. 도금에 비해 방청력이 약한 도막, 화성피막, 방청유 도막 등에 적용된다. 예를 들어, 온도 50℃, 습도 95% 이상에서 시험실내의 공기가 3분 안에 서로 교환되도록 하는 조건에서 시험한다. = 내습시험(69)

**습윤제** Wetting Agent

액체의 표면장력을 감소시키는 물질. 습윤제로 인해 액체가 고체 표면상보다도 빠르게 번져가는 역활을 한다. 계면활성제는 습윤력이 뛰어나기 때문에 습윤제로써 사용된다. 예를 들어, 니켈도금에서는 라우릴 황산나트륨이 습윤제로써 사용되고 있다. ◘ 계면활성제(28)

**승화** Sublimation

고체가 액체를 경유하지 않고 직접 그 증기로 변화하는 것을 말한다. 비교적 증기압이 높은 고체에서 볼 수 있는 현상으로 고체물질의 정제에도 이용되고 있다. 나프탈린, 요소, 드라이아이스 등은 승화성이 있다. ◘ 기화(62)

**시기 균열** Season Cracking

상온 가공을 행한 황동, 양은 등은 시일이 경과함에 따라 자연히 균열을 일으키는 경우가 있으며, 이것을 시기 균열, 치(置) 균열 또는 자연 균열이라고 한다. 이 균열은 결정의 경계에서 발생하며 산, 알칼리에 의해 촉진된다. 황동, 양은 등의 도금 후, 부식의 원인이 되기도 한다. = 치(置) 균열, 자연 균열

**시멘타이트** Cementite

$Fe_3C$로 나타내는 탄화철로서, 탄소를 6.67% 함유하고 있다. 사방정성의 결정구조를 가지고 있으며, 격자상수는 a=4.516Å, b=5.077Å, c=6.727Å이다. 매우 단단하면서 약하며, 자성을 갖지만 215℃에서 비자성이 된다. 강철 속에서의 펄라이트 중의 층상 시멘타이트, 과공석강 중의 그물눈상 시멘타이트, 재담금강 중의 구상 시멘타이트, 설담금 강 중의 해리 시멘타이트 등이 있다.

**시멘테이션** Cementation ◘ 확산 침투도금(634)

**시멘트 모르타르** Mortar ◘ 모르타르(142)

**시수(市水)** Potable Water

상수라고도 불리며 일반적으로는 수도사업자 등이 공급하는 물을 말한다. 수도법에 규정되어 있는 수질로 공급되며 음료용 외에 가사용, 소화용, 공업용 등으로 사용되고 있다. = 상수(240)

**시안** Cyanogen

①$(CN)_2$. 시안화물을 빨갛게 가열할 때 발생하는 기체로 디시안이라고도 하며, 학술적으로는 시안이라고 하면 이 것만을 지칭하며, 다음 2가지는 통상적인 호칭이고 맹독이다. ②시안기:-CN ③시안화물(Cyanide)의 통칭

**시안 배수처리** Treatment of Cyanide Waste Water

도금에서는 일반적으로 알칼리 염소법으로 처리된다. 이 방법은 알칼리 성액 중에서 차아염소산 또는 염소가스로 시안을 산화한다. 시안의 산화는 1차반응과 2차반응으로 나뉘며, 1차반응에서 시안이 시안산으로, 2차반응에서는 시안산이 탄산가스와 질소로 분해된다. 1차반응에서 pH가 너무 낮으면 염화시안(CNCl)가스가 발생하고, pH가 너무 높으면 염소가스가 발생하는데, 어느 경우도 유독하고 자극성 가스가 발생하기 때문에 pH의 관리가 중요하다. ◘ 알칼리 염소처리(312)

**시안산** Cyanide Acid HCNO.

시안화수소가 산화한 것으로, 시안산 HO-C≡N과 이소시안산 HN=C=O의 혼합물로, 수용액에서는 전자, 기체 중에서는 후자가 많다. 독성은 시안화수소의 1/100~1000정도로 저하된다. 0℃ 이하에서는 안정한 무색의 액체이며, 불점은 23.5℃이며 휘발하기 쉽고, 초산과 닮은 냄새가 있는 기체가 된다. 시안계 배수처리의 시안의 산화분해 과정에서 발생한다. 산화제로써 일반적으로는 차아 염소산소다 NaOCl 또는 염소가스가 이용된다. ◘ 시안 배수처리(전항)

**시안화 금** Gold Cyanide

시안화 제1금과 시안화 제2금이 있다. 시안화 제1금은 AuCN, 황색 육방정계미세정, 비중 7.12, 물에 녹지 않고, 암모니아, 수산화칼륨, 시안화칼륨, 티오황산나트륨 용액에 잘 녹는다. 희산은 불용, 습한 상태에서 서서히 분해되며, 강하게 열을 가하면 금과 시안으로 분해된다. 시안화 제2금 $Au(CN)_3$은, $H[Au(CN)_3] \cdot 2H_2O$의 형태로 존재한다는 설도 있다. 백색의 판 모양으로, 가열하면 50℃에서 AuCN으로 분해되고, 더욱 더 고온으로 하면 금과 시안이 된다. 맹독이며, 모두 시안화칼륨 용액에 녹아 착화되어 수용성의 $KAu(CN)_2$(시안금칼륨:디시아노금산칼륨). $KAu(CN)_4 \cdot 5H_2O$

(시안금(Ⅲ)칼륨 ; 테트라시아노산칼륨)의 형태로 금도금에 사용된다. K염 외에 Na염도 사용된다.

**시안화나트륨** Sodium Cyanide NaCN.

다른 이름으로는 청화소다, 청화나트륨, 청산소다, 청산나트륨이라고도 한다. 수산화나트륨과 시안화 수소산을 반응시켜 얻을 수 있다. 무색, 암염형 구조의 조해성 결정이며 물에 잘 녹는다. 수용액은 가수분해하여 강알칼리성을 띈다. 산, 이산화탄소에 의해 시안화수소를 발생한다. 맹독이며, 도금에서는 시안화칼륨보다도 널리 이용되고 있다. 공업용에서는 사용하기 쉽도록 계란형으로 한 것도 있다. = 청화소다(503)

**시안화 동도금** Copper Cyanide Plating

중농도욕의 조성은 CuCN 60～80g/$l$, NaCN 70～90g/$l$, KOH 10～20g/$l$, pH 12.5, 온도 60～80℃, $D_k$ 1～3A/dm$^2$. 황산 동도금, 피로인산 동도금에 비해 다음과 같은 이점이 있다. (1)철소지에 밀착이 좋은 동도금이 가능하다. (2)피복력이 좋다. (3)1가의 동에서의 석출이기 때문에 도금속도가 빠르다. (4)PR법(정전과 역전의 주기적 전환)에 의해 편평한 도금면을 얻을 수 있다. (5)소지를 침식하는 일이 적고 배럴도금에 적합하다. 등이 있으며, 시안 배수에 주의하지 않으면 안 되며, 이점이 많기 때문에 널리 사용되고 있다. = 청화 동도금(503)

**시안화 동스트라이크도금** Copper Cyanide Strike Plating

정상적인 음극 전류밀도보다도 높은 전류밀도를 이용하여 단시간에 도금을 하여 밀착성을 개선하거나 도금의 피복력을 향상시키는 시안화 동도금을 말한다. 도금욕은 저농도욕을 이용하나, 아연, 알루미늄, 마그네슘계 등의 소지에 치환반응 방지를 위하여 사용할 때에는 유리시안 농도를 높게 하고, pH는 조금 낮게(10이상에서 13을 초과하지 않음)하여 도금을 할 필요가 있다. = 청화 동스트라이크도금(503)

**시안화물** Cyanide

일반식 MCN으로 표기되는 시안화 수소산의 염을 말한다. 알칼리금속, 알칼리 토금속, 탈륨(TI) 등의 염은 이온성의 결정으로 수용성이다. 수용액은 가수분해하여 알칼리성을 띈다. 그 외의 중금속(Cu, Au, Ag, Zn, Cd, Hg, Cr, Co, Ni, Pd, Pt, Pb 등)의 염은 공유 결합성으로 물에 난용성 결정이다. 또, Fe(Ⅱ), Fe(Ⅲ)염 등은 시아노착염으로써만 알려져 있다. 시안 배수의 분석에서는 이온성의 것과 안정도 정수가 낮은 시아노착체 중의 시안이 시안화물로써 검출된다.

**시안화 아연도금** Zinc Cyanide Plating

중농도욕의 조성은 ZnO 20~25g/l, NaCN 25~40g/l, NaOH 60~80g/l, 온도 20~35℃, $D_k$ 1~5A/$dm^2$. 다른 아연도금욕에 비해 다음과 같은 이점이 있다. (1)도금욕이 전해세정의 효과가 있고, 소지를 침식하는 경우가 적으며, 전처리가 쉽고 도금의 밀착이 좋다. (2)크로메이트 처리가 용이하고, 효과도 크다. (3)아연 양극의 용해가 좋고, 욕 관리를 하기가 용이하다. (4)도금 피막의 내식성이 좋다. (5)도금피막의 평활성이 좋다. 이에 비해 결점은 도금피막의 수소 취성을 일으키기 쉽다는 것과 시안 배수에 주위를 기울이지 않으면 안 된다는 점이다. = 청화 아연도금(503)

**시안화 은** Silver Cyanide AgCN.

무색, 무미, 무취의 백색분말로 비중은 3.94이다. 빛에 비추면 암색으로 변한다. 물, 에탄올, 희산에는 잘 녹지 않고, 희암모니아수에는 별로 녹지 않으나, 농암모니아수에는 상당히 녹는다. 시안화 알칼리가 과도할 경우에는 시안은산염 $M^{1}[Ag(CN)_2]$으로 되어 녹는다. 독물이며 은도금에 사용된다.

**시안화 제1동** Copper Cyanide $Cu_2(CN)_2$.

독물, 특정 화학물질이며 시안화 동도금용으로 사용된다. 시안화동의 제조에 있어서는 최초에 암갈녹색의 시안화 제2동($Cu(CN)_2$)이 생성되지만, 이것은 불안정하기 때문에 용이하게 분해하여 백색의 시안화 제1동이 된다. 그 때문에 외관의 색에 의해 그 순도가 대체적으로 식별 가능하다. 물에는 불용이며, 프리시안을 함유한 물에 녹아 $Cu(CN)_3^{2-}$이온을 생성한다.

**시안화칼륨** Potassium Cyanide KCN.

청산가리, 청산칼륨이라고도 한다. 입방정계 암염형(岩塩型) 구조의 분말, 무색으로, 조해성이며, 물에 대한 용해도는 41.7g/100g$H_2O$(25℃), 알코올에 조금은 녹는다. 건조한 공기 중에서는 안정하지만, 습기가 있으면 공기중의 이산화탄소에 의해 분해되어 시안화수소를 발생하며, 산에 의해서도 분해되어 시안화수소를 발생한다. 수용액은 가수분해에 의해 강알칼리성을 나타내며, 공기(산소)의 존재 하에서 많은 금속과 반응하며, 수용성의 시안착염을 만든다. 중금속염에 대해 과도하게 첨가하면, 시안화물을 거쳐 시안착체를 만든다. 맹독으로 치사량은 약 0.15g, 금, 은, 동, 아연 등의 도금에 사용된다. 독물, 특정 화학물질이다. = 청산가리(501)

**시약** Reagent

화학적 방법에 의한 실험, 시험, 검사, 검출, 정량 등 또는 시료의 조제 등에 사용되는 화학 약품을 말한다. 사용 목적에 따라 순도의 격차가 있다. KS시약은 공업표준화법에 따라 135종류에 대한 순도를 규정하였다. KS M 8001 『시약통칙』에 따라 시약은, 특급, 1급, 특수의 3종류로 구별되었다. 시약특급은 각각의 시약에 따라, 각각의 불순물의 한도가 서로 다르다. 통상적으로 도금약품이라고 말하는 것은 일반적으로 고순도이며 공업용일지라도 시약 상당의 고순도가 많다.

**시즌 크랙** Season Crack ◘ 시기균열(276)

**시켄셜 다층판** Sequentially-Laminated Multilayer Printed Board

미리 술폰도금을 실시해 놓은 양면판 또는 다층판을 필요한 매수만큼 적층하여 만드는 다층 프린트 배선기판. 적층 후, 또 다시 술폰도금을 행하여 전체 도체층간을 접속한다.

**시켄셜 도금법** Sequentially Plating Process ◘ 빌드업(Build-Up)법(226)

**시켄스 제어** Sequential Control

미리 정해져 있는 순서에 따라 차례대로 제어 단계를 진행해 가는 자동제어의 방식을 말한다. 각 단계의 제어 작동은 전 단계에서의 동작 결과에 관계없이 진행되는 경우도 있으며, 전 단계의 결과에 따라 동작이 선택되는 경우도 있다. 프로그램 제어에서는, 제어 목표치의 시간적 변화가 정해져있는데 반해, 시켄스 제어는 제어 동작의 순서가 정해져 있는 점이 다르다. = 프로그램 제어(592)

**시효** Aging

시효란 철강의 성상 변화를 안정시키거나, 또는 이런 종류의 변화를 촉진시키기 위해 적당한 열처리를 실시하는 것을 말한다. 전자를 자연 시효(Natural Aging), 후자를 인공 시효 또는 고온 시효(Atrificial Aging)라고 한다. 시효 경화 합금인 548합금, 코발트 공구 합금강 등은 소입 후, 시효하여 사용한다. 시효에는 자연 시효와 인공 시효 외에, 시효 경화(Age Hardening), 석출 경화(Precipitation Hardening), 계단 시효(Interrupted Aging), 촉진 시효(Progressive Aging), 급냉 시효(Quench Aging), 변형 시효(Strain Aging), 과 시효(Over Aging) 등의 종류가 있다.

**시효 경화** Age-Herdening

금속 또는 합금을 급냉 또는 냉간 가공 후, 시간에 따라 경도가 크게되는 현상을 말한다. 실온에서 진행하는 시효를 실온 시효 또는 자연 시효,

변화를 촉진시키기 위해 적당한 온도로 가열하였을 때의 시효를 고온 시효 또는 인공 시효라고 한다.

**시효 균열** Aging Crack

소입한 채로 방치해 놓은 제품이나 강한 상온 가공을 실시한 부품 등을 상온 방치하면, 균열이 발생되는 경우가 있다. 이것을 시효 균열이라고 한다. 소입한 채로 방치해 놓은 제품은, 마르텐사이트+잔류 오스테나이트 조직이기 때문에, 안정 조직으로 변화하려고 하는 경향이 강하다. 이 때문에 상온 방치 중에 팽창 또는 수축 변화를 하기 때문에 균열이 발생되는 경우가 많다. 따라서, 이런 시효 균열을 방지하기 위해서는 소입 직후, 저온 소려(100~200℃)을 실시하는 것이 좋다. 이 시효 균열은 황강 제품에 현저하게 나타나며, 이것을 검출하는데는 수은 아말감법이 사용된다.

**식각(食刻)** Etching ◘ 에칭(334)

**식공(食孔)** Corrosion Pit ◘ 부식 피트(200)

**식량(式量)** Formula Weight

조성식 중의 원자량의 합을 말한다. 이온결합하고 있는 염화나크륨은 $(Na^{+}\cdot Cl^{-})_{x}$, 공유결합하고 있는 다이아몬드는 $C_x$, 금속결합하고 있는 니켈은 $Ni_x$로 표기되는 물질로써 확실하게 된 분자는 없다. 이와 같을 때, 그 물질은 각각 조성식(가장 간단한 화학식)NaCl, C, Ni로 표기한다. 이와 같은 물질에서는 분자량과 식량이라고 한다. NaCl 등에서는 분자량이라고 하는 용어를 사용하는 경우가 많으나, 엄밀하게 말하면 식량이다.

**신율** Elongation

인장시험으로 인해 금속시료가 늘어난 길이의 원치수에 대한 백분율을 말한다. 예를 들어, 시험편 절단후에 표점간의 길이를( $l'$ ), 표점거리를 ( $l$ )로 하면 $(l'-l)/l\times100$를 신율 또는 연신율(%)라고 한다.

**신장탄성율** ◘ 영률(364)

**실드** Shild

전류분포를 변화시키기 위하여 도금욕 중에 설치하는 비전도성의 장해물이다. 공업용 크롬도금, 프린트 배선기판의 쓰루홀 도금, 후프(Hoop)재의 연속도금 등의 전류분포의 개선에 이용된다. 장해물은 보통 플라스틱판이 사용된다. = 액마스크, 방해판 ◘ 차폐판(497)

**실로콘제어 정류소자** Silicon Controlled Rectifier

SCR이라고도 한다. pnpn의 4층구조를 갖는 실리콘 다이오드에 게이트 단자를 설치한 것으로 게이트를 개방한 상태에서는 순방향, 역방향의 양방향에 대해 전류를 저지하지만, 게이트 음극간에 전류를 흘림으로써 순방향에 대해서는 통전 상태가 되어 정류작용을 한다. 사이리스트라고도 불린다. 사이리스트의 특징은 (1)작은 전력으로 큰 전력을 제어할 수 있다. (2)응답성이 좋다. (3)수명이 길다. (4)소자 독자의 전력변환 효율이 높다. (5)보수가 용이하다 등이다. = SCR ◘ 사이리스터 정류기(229)

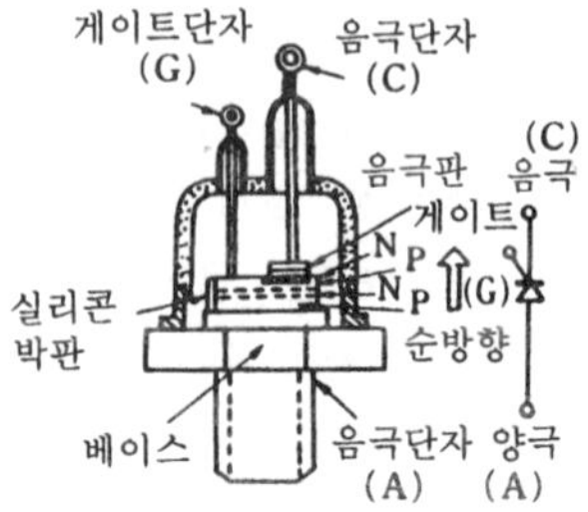

실리콘제어 정류소자

**실리카** Silica $SiO_2$.

이산화규소, 무수규산의 통상적인 명칭이다. 천연에서 석영, 수정형의 결정형과 마노(瑪瑙), 화타석(火打石), 옥수(玉髓) 등의 비정형, 그리고 불순한 것은 규석, 규사 등으로 산출된다. 용융된 것을 냉각하여도 원래의 결정상태로는 되지 않고, 석영 글래스가 된다. 불화수소산 이외의 산에는 극히 녹기 어렵지만, 농알칼리 용액에는 녹는다. 도금에서는 투입식 전기 히터의 케이스에 석영 글래스가 사용된다.

**실리카 겔** Silica Gel

규산 $SiO_2 \cdot nH_2O$를 성분으로 하는 응집성의 겔로 수분을 2~10% 함유하고 있다. 글래스 상의 무미, 무취, 무색 또는 담황색의 투명한 고체로 비중은 2~2.5이고, 그 내부에 체적 약 50% 정도의 무수한 구멍이 있으며, 표면적이 450㎡/g 정도로 크기 때문에 수증기나 가스의 흡착력이 크다. 물에는 녹지 않고 조해성, 독성, 가연성이 없으며, 건조제, 흡착제, 급수제로써 널리 사용되고 있다. 구상(球狀)의 것이 공기저항이 적으며, 흡착 포화된 것은 150~200℃로 1~2시간의 가열로 인해 재생하여 사용이 가능하다. ◘ 건조제(18)

**실리코나이즈드 철판** Siliconized Iron Plate

규소 함유량이 4% 정도 이하의 규소철, 또는 순철 박판을 압연 가공한 후, 용도의 형상에 따라 절단 등을 행하여 소둔시에 판의 표면에서 규소 원자를 확산시켜 얻어 내는 고규소 철판을 말한다. 전자용 변압기, 발전기, 전동기 등의 철심재료에 사용된다. 전기 철판이라고도 불린다. = 전기 철판, 전자 철판 ◘ 규소 강판(51)

**실리코시스** Silicosis

규산을 고농도로 포함한 분진을 장기간 흡입함에 따라 일어나는 만성 폐질환으로 처음에는 자각증상이 없으나, 증상이 진행됨에 따라 심폐기능 장해로 인한 질식, 가래, 가슴 통증이 있고, 몸이 부어오르며 식욕이 없어진다. 폐결핵을 병행하는 경우가 많다. 도금공장에서는 버프연마 작업장에 분진제거를 위한 배기 설비가 필요하고 작업자에 방진마스크를 착용시키며, 정기진단을 행한다.

**실리콘 고무** Silicone Rubber

내열성이 좋고, -65~260℃의 변화에도 안정하며, 내산화성, 내오존성, 내후성이 뛰어나다. 단, 가솔린 등의 석유에 팽윤(膨潤)된다. 이것들의 특징은 규소 생고무, 충진제, 가류제의 종류, 배합 방법에 따라서도 변화한다. 용도는, 비교적 고온이 되기 쉬운 조건에서 사용되는 여러 가지의 패킹(Packing), 실린더, 다이어프레임이나 전선, 케이블의 절연재 등이 있다. 도금에서는 도금장치의 실(Seal)재, 리드프레임 등의 부분도금의 마스킹재로써 사용된다.

**실리콘소지의 전기도금** Electroplating of Silicon Substrates

도금공정은 용제 세정→알칼리침적 세정→에칭처리(70% 초산 45vol%, 55% 불산 15vol%, 물 40vol%)→산침적(농불산)→무전해 니켈도금(알칼리성욕)이다. 별도의 방법으로는, 용제 세정→알칼리침적 세정→전기 니켈도금(염기성 탄산 니켈 120g/$l$, 구연산 30g/$l$, 불산 70ml/$l$, 50~60℃로 1분간 침적한 후 니켈도금한다. 전류밀도 3~10A/$dm^2$, 카소드 로커를 사용하여 행한다). 그리고, 상기 화살표 중에는 모두 수세 공정이 포함된다.

**실리콘 수지** Silicone Resin

골격이 실로키산결합-Si-O-Si-O-으로 되어 있는 유기규소 중합체를 실리콘이라고 한다. 실리콘은 화학구조식의 변화에 의해 기름에서 고무, 수지까지 변화하여 여러 가지의 물질이 되고 그 성질도 변화한다. 실리콘 중에서 가교(架橋)에 의한 그물코 구조를 갖는 열경화성 수지를 실리콘 수지 또는 규소수지라고 한다. 내열성, 내습성, 내후성, 내약품성이 뛰어나고 장기간의 고온에서도 전기특성이 저하되지 않는다. 용도가 넓어 일상생활용품에서 산업용, 전자재료까지 사용되고 있다. 도금에서는 부분도금의 마스킹재(방도재 : 防鍍材), 도금장치의 실(Seal)재, 롤, 개스킷(Gasket), 도료 등에 사용된다. ◘ 실리콘 고무(283)

**실리콘 정류기** Silicon Rectifier

도금용 직류전원에 사용되는 반도체소자는 셀렌 정류소자, 실리콘 정류소자, 사이리스트, 트랜지스트 등이 있으며, 실리콘 정류소자에는 다음과 같은 특징이 있다. (1)소자 단독의 전력변환 효율이 높다(고전압에서). (2)역방향 전류가 극히 적다. (3)내열성이 높다. (4)수명이 길다. (5)소형이며 경량이다. (6)보수가 용이하다 등이다. 또, 실리콘 정류기에는 실리콘 정류소자를 보호하기 위하여 과부하 보호협조회로와 서지 보호회로가 장치되어 있다. ◘ 사이리스터 정류기(229)

**실링 테스트** Sealing Test ◘ 봉공도(封孔度)시험(194)

**실크 인쇄** Silk Screen Printing ◘ 스크린 인쇄(265)

**실효치** Effective Value

교류에 대해 전류, 전압의 양의 크기는 실효치로 표시한다. 실효치는 순시치 자승의 시간적 평균치의 평방근이다. 정현파 교류에서는 최대치의 0.707($1/\sqrt{2}$)배가 된다. 실효치=0.707×최대치. 실효치를 사용하는 이유는, 어떤 일정한 저항에 교류를 흘려 보냈을 때에 발생하는 열량이 그 교류의 최대치의 70.7%의 크기와 같은 직류를 흘려 보냈을 때의 열량과 같게 되기 때문이다. 직류와 같은 열효과가 있는 교류라고 하는 의미로 교류의 크기는 실효치로 표시한다.

**심교(深較)** Deep Drawing

판재의 프레스 가공에서, 그림과 같이 펀치와 다이스를 이용하여 판의 외주부를 내측으로 밀착시켜, 이음매가 없는 공간 바닥의 용기상의 제품으로 가공하는 작업을 말한다. 가공 중에 플랜지부에는 원주방향으로 압축력이 생겨 변형이 발생되는 경우가 있기 때문에 재료를 변형 억제판으로 억제하면서 가공한다.

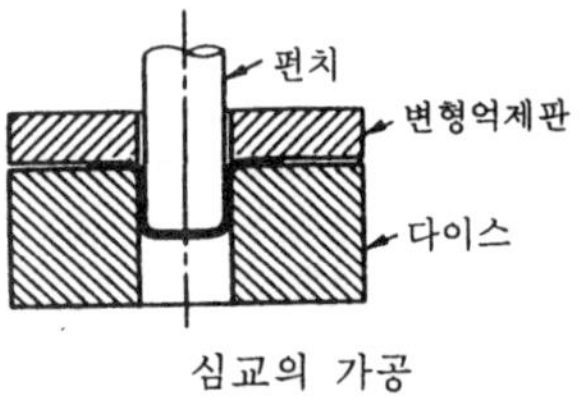

심교의 가공
심교

**쌍극 현상** Nipolat Phenomenon ◘ 바이폴러 현상(159)

**쌍정** Twin

상온 가공 후, 소둔을 한 동, 황동, 은 그 외의 금속 또는 합금에 잘 나타나는 조직의 하나로, 한 개의 결정립을 직선적으로 가로지른 평행 부분을 쌍정이라고 한다. 영구 변형 시에 이 부분만 결정이 일정한 각도로 회전하여 발생된다. 금속의 영구 변형은 슬립(Slip)과 쌍정에 의해 발생한다. 쌍정은 단조된 채로 조금도 변형을 받지 않는 금속 및 합금을 소둔하여도 발생되지 않고, 또 가공하여 변형을 시킨 것만으로도 발생되지 않는다. 변형을 준 후에 소둔을 행할 때, 처음으로 쌍정이 발생한다. 변형이 심할 때에는 쌍정은 직선형이 아니고 완만한 곡선을 나타내는 경우가 있다. 쌍정은 슬립선과는 다르게 다시 연마한 후에도 부식되면 이것을 검출할 수가 있다. 소성 가공에 의해 발생된 쌍정은 기계적 쌍정(Mechanical Twin)이라고 한다.

**써멀쇼크테스트** Thermal Shock Test ◘ 열충격시험(355)

**써모스탯** Thermostat

온도를 일정하게 조절하는 장치. 간단한 것은 바이메탈을 이용하여 전기히터의 스위치를 개폐하여 제어한다. 바이메탈은 선팽창계수가 서로 다른 2종의 금속 박판을 합친 것으로 온도가 상승하면 완만한 곡선을 나타내기 때문에 전기접점의 개폐에 이용된다. 그 외에, 최근에는 각종 온도 센서(써미스터, 열전대, 백금저항선 등)을 사용하여 온도를 검출하고, 전기적으로 접점의 개폐를 PID제어(비례, 적분, 미분제어)를 하는 것이 증가하고 있다.

**써미스터** Thermistor

온도 상승에 따라 전기저항이 현저하게 작아지는 반도체의 성질을 이용한 회로소자. 철, 니켈, 망간, 몰리브덴, 동 등의 산화물, 탄산염, 초산염, 염화물을 소결하여 만든다. 온도측정, 제어, 보상, 이득조정, 전력측정 등에 이용된다.

**쓰로윙 파워** Throwing Power ; Macrothrowing Power ◘ 균일 전착성(52), 커버링 파워(524)

**쓰루 홀** Through Hole

프린트배선 기판상의 둥근 형태의 구멍을 말하는 것으로, 2층 또는 다층간의 배선이나 부품의 취부가 용이하여 다수의 부품 접속을 동시에 달성할 수 있다. 도금된 쓰루 홀은 부품 리드의 납땜이 강화되어 배선의 신뢰도가 높아진다.

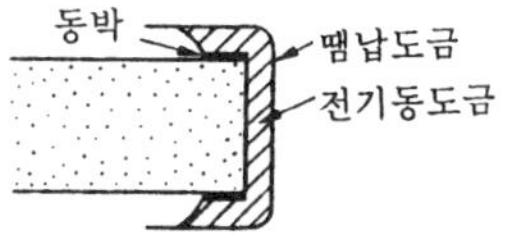


(a) 패널도금법

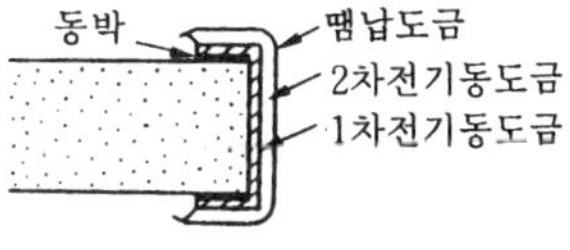


(b) 패턴도금법(2차동방식)
쓰루 홀 도금의 방식

쓰루 홀 도금

**쓰루 홀 도금** Through Hole Plating

프린트배선 기판제조상 가장 중요한 도금이다. 기판의 필요한 개소에 뚫려 있는 구멍 중에 도금을 하여 기판의 상하 패턴 상호의 접속을 얻기 위한 도금 방법으로, 다층판에서는 절 연기판의 중간에 넣은 내층도체 패턴으로의 접속 도 동시에 가능하게 된다. 25㎛ 이상의 두께 동도금이 필요하다. 일반적으로는 무전해 동 도금을 한 후, 피로인산 동도금이나, 황산 동도금을 하나, 무전해 동도금만으로 두께를 만드는 도금을 하는 방법도 실시되고 있다. 전자를 세미 애더티브(Semi Additive)법, 후자를 풀 애더티브(Full Additive)법이라고 한다.

**쓰리 원** ◘ 1,1,1-트리클로로에탄(428)

**CD** Current Density ◘ 전류밀도(454)

**cBN[소결체의]** Cubic Boron Nitride

입방정 질화붕소를 원료로 하여 수만 기압의 초고압 하에서 만들어지며, 다이아몬드 다음으로 단단하고, 강과 반응하지 않으므로 고온에서 안정하다. 절삭공구용으로써 cBN미분과 Co미분의 혼합분을 초고압 하에서 소결(燒結)한다. 공구강, 초합금 등의 난삭(難削)재의 절삭에 사용된다.

**CVD** Chemical Vaper Deposition

화학적 증기에서의 금속 석출법이라고도 하는 방법으로, 도금 실내에서 고온을 유지하고 있는 피도금물의 주위에 도금하려고 하는 물질의 화합물(주로, 금속의 할로겐화물)의 증기를 운송가스와 함께 보내 표면에서 열분해시켜 도금하거나 또는 수소 환원에서 금속을 석출시키는 방법. = 화학 증착법 ◘ 기상도금(61)

CVD막의 응용

| 이용되는 성질 | 용 도 | 피복 재료 |
|---|---|---|
| 내마모성 | 절삭공구, 기계부품, 도장품 등 | TiC, TiN, $Al_2O_3$ $W_2C$, TiCxNy, WC, |
| 내산화성 | 고온관 | SiC, $SiO_2$,$Si_3N_4$, AlN |
| 상온내식성 | 생체매입 용기 | Ta, Nb |
| 고온내식성 | 원자력 관련 | W, ZrC |
| 광학특성 | 광화이버, 태양광보일러, 투명도전막 | $SiO_2$(Ge, B), $In_2O_3$(Sn), $SnO_2$(Sb), $ZrB_2$ |
| 고강도성 | 복합재료 강화재 | B, TaC |
| 초전도성 | 초전도기기 | $Nb_3Ge$, $Nb_3Sn$ |

CVD

**CSA** Canadian Standards Association

캐나다 표준규격협회의 약칭

**CASS 테스트** Copper-Accelerated Acetic Acid Salt Spray Test = 카스시험(520)

**COD** Chemical Oxgen Demand
화학적 산소요구량의 약칭 ◘ 화학적 산소요구량(630)

**CZ법** CZ Method ◘ 초크랄스키법(508)

# O

**아공정(亞共晶)** Hypo-Eutectic

공정 조성(4.3% C)보다는 낮은 C를 아공정이라고 하며, 오스테나이트를 초정(初晶)으로써 정출한다. 공정 조성보다도 높은 C를 과공정(Hyper-Eutectic)라고 한다.

**아교** Glue

불순한 젤라틴을 말한다. 통상 황갈색으로 막대 모양으로 되어 있다. 주로 접착제로 쓰이며, 각종 도금, 동, 납전지 정제 등의 광택제, 표면 평활화제 등에도 사용된다. 아교는 부패되는 결점이 있다.

**아금속(亞金屬)** ◘ 반금속②(161)

**아나로그식 계기** Analog Instrument

연속적인 양을 지침의 흔들림과 같이 연속적으로 나타내는 계기를 말한다. 예를 들어, 아나로그식 시계는 문자판 위의 지침의 연속적인 회전으로 시각을 표시하지만, 디지털식 시계는 시간을 단계적으로 구분하여 시각을 숫자로 표시한다. 전압계, 전류계, 온도계 등의 계기는 아나로그식과 디지털식이 있으며, 양쪽 모두 사용되고 있다. 아나로그식을 계량적이라고 말하면, 디지털식은 계수적이라고 말할 수 있다.

**아노드** Anode ◘ 양극(322)

**아노드 바스켓** Anode Baske

소형의 양극재료를 수납하여 용기 전체가 양극으로써 기능을 하는 것처럼 각각의 형상 상자. 상자의 재질은 도금액에 용해되지 않는 재질, 예를 들어 티탄 등으로 만든다. 양극재료의 보충이 용이하게 되고, 양극 표면적을 광범위하게 만든다.

**아노드 반응** Anode Reaction

전기분해에서 양극이 일으키는 어니온의 방전, 금속의 용출(溶出), 금속의 산화 등의 반응을 말한다. = 양극반응(322)

**아노드 방식** Anode Protection

전기방식은 음극방식이 일반적이나. 방식하는 금속을 음극으로 하고, 부동태화를 지속시켜 방식하는 방법. 스테인리스, 티탄 등에 백금, 팔라듐 등의 귀금속을 첨가하여 합금화하는 전지작용에 의한 방법과, 외부전원에서 직류를 공급하는 방법이 있다.

**아노드 백** Anode Bag

양극 슬라임이 도금욕중에 탈락하는 것을 방지하기 위하여 양극을 둘러싼 자루. 자루는 내약품성이 있는 합성섬유로 만든다. = 양극자루(322)

**아노드 산화** Anodization : Anodic Oxidation ◘ 양극산화(322), 전해산화(464)

**아노드 슬라임** Anode Slime ◘ 양극 슬라임(322)

**아노드 피막** Anode Film ◘ 아노드 필름(후항)

**아노드 필름** Anode Film

금속의 양극용해시에 양극에는 어떠한 형태의 피막이 존재 또는 생성되어, 이것이 아노드 용해, 전해마찰, 부동태화 등의 아노드 현상에 커다란 역할을 한다. 이 피막은, 경우에 따라서 산화물이거나 금속염이기도 한다. = 아노드 피막(전항)

**아노드 효과** Anode Effect

용융염 전해로 전해(電解)진행에 따라 아노드가 발생되는 할로겐 가스와 아노드 재료 (주로 탄소)와의 반응물이 생성되어, 전해욕과의 젖음이 나쁘게 되므로 전압이 현저히 높아져 아크전류만이 흘러 전해반응이 진행되지 않게 되는 현상을 말한다.

**아노드 훅** Anode Hook ◘ 양극 훅(323)

**아노록법** Anolok Process ◘ 아사다법(淺田法)(290)

**아말감** Amalgam

금속이 수은에 용해된 것, 수은의 합금을 말한다. 금이나 은을 아말감화하여 물체의 표면에 도포하여 구우면, 수은이 기화하여 금이나 은만이 남아 도금된다.

**아말감 도금법** Amalgam Plating

주로 금, 은을 수은으로 아말감화하여, 도가니에서 적당히 가열하여 여분의 수은을 제거한 후, 한지로 여과하여 이것을 동의 막대기 끝에 달아 막 형상을 그리는 도금법이며, 강력한 부착력은 없다. 옛날의 불상은 아말감을 도포한 후, 가열하여 수은을 휘발시켜 도금을 하였다고 알려져 있으며, 이것도 아말감법이다.

**아몰퍼스** Amorphous ◘ 비정질(224)

**아몰퍼스 도금** Amorphous Plating ◘ 비정질 도금(224)

**아몰퍼스 메탈** Amorphous Metal ◘ 비정질 금속(224)

**아미노보란욕** Borazan Bath ◘ 보라잔 욕(187)

**아미노술폰산 니켈** Nickel Aminosulfonate ◘ 술파민산 니켈(263)

**아미드황산 니켈** Nickel Amidosulfurate ◘ 술파민산 니켈(263)

**아민욕** Amine Based Bath

트리에탄올아민, 에틸렌디아민, EDTA, 디메틸포름아미드 등의 아민계 화합물은 금속이온과 안정된 화합물을 만들기 때문에 도금욕으로써 이용된다. 예를 들어, 아민욕으로써 다음의 아연도금액이 있다. 트리에탄올아민 100~120g/l, 수산화나트륨 90~110g/l, 산화아연 20~30g/l, 광택제, 적량, 온도 20~30℃, 전류밀도 1~2A/$dm^2$, 비시안욕으로써 사용되어 왔으나 석출속도가 늦고 균일전착성, 피복력이 나쁘고 욕이 불순물의 영향을 받기 쉬우며, 욕의 관리나 배수처리가 곤란하여 공업화에는 문제점이 많다. 단, 무전해 동도금에서는 EDTA로 동을 착화(錯化)한 욕이 사용되며, 니켈에서는 술파민산욕이 사용되는 등, 아연 이 외의 도금욕에서는 아민계의 화합물이 사용되는 경우가 많다.

**아사다법(淺田法)** Asada Process

아노록법이라고도 하며, 아사다 후또히로(淺田太平)가 발명(1960. 3. 31)한 것으로 알루미늄의 무기전해 착색법이다. 브론즈색 및 갈색을 얻을 수 있으며, 알루미늄의 컬러 샤시 등에 사용되고 있다. ◘ 전해 착색 피막(467)

**아세트아미드 노출시험** Acetoamide Exposure Test

금도금의 내식성을 조사하는 시험법으로, 아세트아미드($CH_3CONH_2$ : 초산아미드라고도 한다) 1% W/V용액을 데시케이트의 밑 부위에 넣어, 데시케이트 내의 자제판(磁製板)위에 탈지 세척한 시료를 올려놓고 뚜껑을 닫은 후, 일정온도를 유지하며 일정 시간동안 방치한다. 예를 들어, 20℃로 수 시간동안 방치시킨 후, 시료를 꺼내어 부식상태를 조사한다. 초산 노출시험보다도 시험시간이 많이 걸린다. ◘ 초산 노출시험(504)

**아세트알데이드** Acetaldehyde $CH_3CHO$

약식으로 알데이드라고도 한다. 자극성이 있는 환원성이 강한 무색의 액체이다. 융점 -121℃, 불점 21℃, 비중은 0.801(0℃)이다. 반응성이 풍부하여 유용한 화학약품으로써 초산의 제조 등, 다량의 유기합성 공정에 사용되고 있으나, 악취물질의 하나이기도 하다. 자동차의 배기가스나 쓰레기 소각로의 배기중에도 함유되어 있어 환경에 악영향을 주고 있다.

= 에타널(335)

**아스팔트** Asphalt

흑색 또는 흑갈색의 고체 또는 반고체 상태를 하고 있다. 석유의 원유를 증류하고 남은 성분이 석유 아스팔트로, 석유가 지중에서 자연의 증류작용을 받아 생성된 아스팔트가 천연 아스팔트이다. 주성분은 복잡한 고급 탄화수소이며, 황, 질소, 산소화합물 및 무기물을 포함한다. 도로 포장, 건축 재료 등에 사용된다.

**아스피레이터** Aspirator ; Water-Jet Pump

일반적으로 공기, 그 외의 기체를 흡수하기 위한 배기장치로써 수류(水流)펌프라고도 일컬어지며, 물의 분류(噴流)로 물 또는 기체를 혼합하여 운반한다. 간이진공 배기에 사용되는 글래스 기구를 지칭하는 일이 많다. = 수류 펌프(253)

**아연** Zinc

아연은 비중 7.14, 용융점 419.47℃, 불등점 907℃으로 청백색에 금속광택이 있다. 습기 또는 탄산가스에 의해, $ZnCO_3 \cdot 3Zn(OH)_3$의 회색피막을 생성하여 내부까지 산화하는 경우는 적다. 순수한 아연은 초산을 제외하고는 거의 침해되지 않으나, 불순물을 포함한 아연은, 초산, 염산, 또는 가성 알칼리 등에 잘 용해된다. 아연의 품종은, 증류아연, 정류아연, 전기아연의 3종으로 분류되어 있다.

**아연괴** Spelter

스펠터라는 것은 옛날부터 아연괴에 대해서 부르는 이름이며, 서구에서는 옛날 금속아연을 중국으로부터 수입했다. 그때 오란다라는 상인은 이것을 spialter이라고 불렀었다. 이것이 본래 영어로 spelter로 되어 있으며, 표준 아연괴(sperling spelter)라고 부르는 말은 양호한 표준 아연괴를 가리키는 것으로 그 순도는 99.5%로써 그 중에는 최대 0.1 Pb, 0.03 Fe, 0.5 Cd가 함유되어 있다.

**아연-니켈합금 도금** Zinc-Nickel Alloy Plating

니켈을 5~10% 함유한 아연 합금 도금으로 산성욕과 알칼리성욕이 있다. 아연도금과 비교하며 수소 취성이 작고, 용접성 등의 가공성이 좋으며, 가열 내식성이 뛰어나다. 그러나, 크로메이트 처리가 어렵기 때문에 그 위에 얇게 아연도금을 하여 크로메이트 처리를 하는 경우도 있다. 아연도금보다도 견고(150~170Hv)하여 자동차용 강판, 자동차 부품 등에 사용된다. = 니켈-아연 합금 도금(82)

**아연 다이캐스트** Zinc Die Cast

아연을 용해시켜 압력을 가하고 금형에 주입시킴으로써 만들어진 주물을 말한다. 아연은 이온화되기 쉽기 때문에, 약알칼리액으로 세척하고, 치환반응을 일으키지 않도록 스트라이크 동도금을 확실하게 행한 후에 동 도금을 한다. 소재 표면에 미세한 구멍이 있기 때문에 도금 후에 부풀어오르는 경우가 많다. 다이캐스트용 아연 합금은 알루미늄을 3.5~4.5% 함유하고 있다. 복잡한 형상이나 정밀하고 얇은 다이캐스트 부품 기능의 도금에서는, 직접 무전해 니켈 도금을 하는 방법도 있다.

**아연당량(亞鉛當量)** Zinc Equivalent

4-6 황동에 Al, Pb, Sn 등의 제 3원소를 첨가하여 기계적 성질과 내식성 등을 개선시킬 때, 제 3원소의 단위량이 어느 정도의 아연양과 동일한 효과를 황동의 조직에 미치는가를 나타내는 수치를 말한다. 예를 들어, 당량 1의 원소는 아연과 동일한 조직변화 효과를 나타내고, 부의 당량을 나타내는 원소는 아연을 당량만큼만 감소시키는 것과 같은 효과를 나타낸다.

**아연도금** Zinc Plating

아연도금은, 철강의 방청력이 뛰어나고 원가도 싸기 때문에 넓게 이용되고 있다. 방법에는 전기도금, 용융도금, 용사법, 쉐라다이징, 메카니컬 플레이팅(Mechanical Plating)등이 있다. 전기도금욕은 다음과 같은 욕이 공업적으로 사용되고 있다. (1)시안욕, (2)징케이트욕, (3)염화욕(암모늄욕, 칼륨욕, 나트륨욕), (4) 황산욕, (5)불소 붕산염(Fluoro-Borate)욕 등이다.

**아연 도금 강선** Galvanized Steel Wire

강의 내식성을 향상시키기 위하여 강선에 아연도금한 철사를 말한다.

**아연도금용 양극** Zinc Anode for Zinc Plating

전기아연 또는 정류아연의 고순도(Zn>99.99%) 아연지금(地金)을 금형으로 주조한 것을 양극으로 한다. 시안욕에서는 지나치게 용해되기 때문에, 마그네슘을 넣어 화학용해를 방지한 것도 시판되고 있다. 형상은 평판, 단면난형(斷面卵型), 반단면난형, 볼형이 있다.

**아연도금의 방식효과** Anticorrosive Effect of Zinc Plating

아연도금은 철강제품의 녹 방지에 효과가 크다. 아연은 철보다도 이온화 경향이 크기 때문에, 도금피막에 핀홀이 있어도 아연이 희생되어 소지의 녹을 방지하기 때문이다.

### 아연의 방식효과 아연도금과 도장의 방식효과의 비교

| | 아연의 경우 | 철의 경우 |
|---|---|---|
| 소지 | 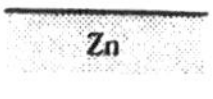  | 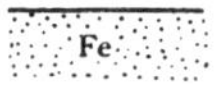  |
| 녹생성 | 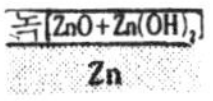  (치밀한 박막의 녹이 생성) | 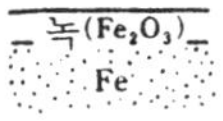  (거친 녹이 생성) |
| 녹생성後 | 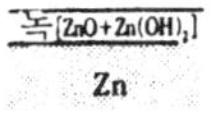  (치밀한 녹의 박막이 보호피막이 됨) | 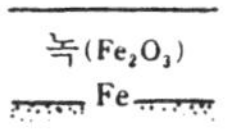  (철의 녹은 보호능력이 적기 때문에 녹이 진행된다) |

| | 아연 도금 | 도 장 |
|---|---|---|
| 소지 | 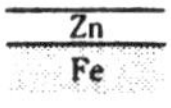  | 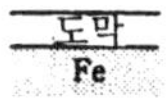  |
| 흠발생 | 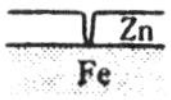  | 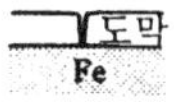  |
| 부식발생 | 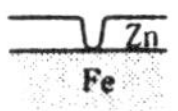  (아연의 희생방식 작용에 의해 철은 부식되지 않음) | 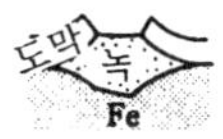  (거친 철의 녹에 의해 도막이 크게 파손되고, 더욱 더 부식이 진행된다) |

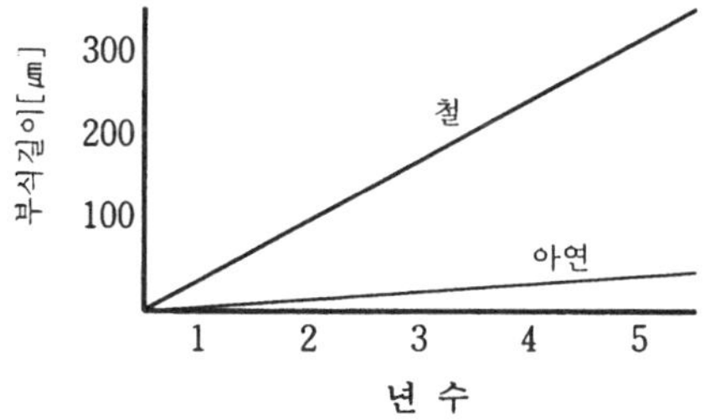


아연도금의 방식효과

## 아연도금의 크로메이트 처리 Chromate Treatment of Zinc Plating

각종 크로메이트 처리의 개요

| 후처리의 종류 | 타입 | 외관 색조 | 사용조건 · 목적 |
|---|---|---|---|
| 광택 크로메이트 (Unichrome) | 외관형 | 청 은백색 | 미관을 지속시키며, 내식성을 별로 중요시하지 않는 제품 |
| | 내식형 | 청~반 노랑 | 내식성을 중시하며 R/L로 색을 구별 |
| 유색 크로메이트 | | 황금색, 무지개색 | 내식성을 중시하는 제품 |
| 흑색 크로메이트 | 외관형 | 흑색 | 내식성은 양호하고, 도장 장식부품에도 많이 이용된다. 단, 내마모성을 중시하지 않는 제품 |
| | 내식형 | 흑색 | 내식성을 중시하는 제품으로, 내후성에도 뛰어나다. |
| 녹색 크로메이트 | | 올리브색 | 가혹한 부식환경에서 사용되는 제품 |

아연도금의 후처리로써, 크롬산, 황산, 초산 등의 혼합산에 침적시키는 방법으로 내식성이 현저히 향상된다. 상온액에 10~60초 정도 침적시키며, 60℃ 이하의 저온에서 건조시키면 좋다. 크로메이트 처리의 효과는 (1)내식성의 향상, (2)아연의 백청 발생의 발생을 방지하고, 지문, 그 외의 오염물이 부착되기 어렵다. (3)외관을 좋게 한다. (4)도료, 염료의 밀착성을 좋게 한다. 일반적인 공정은, 아연도금→수세→초산(0.5~1%)→수세→크로메이트 처리→수세→탕세→건조이다. ◘ 크로메이트 처리(534)

각종 크로메이트 피막의 내식성 비교의 예

| 피막 \ 분무시간 | 24 | 48 | 72 | 96 | 120 | 144 | 168 | 192 | 216 | 240 | ····· | 500 |
|---|---|---|---|---|---|---|---|---|---|---|---|---|
| 유색 크로메이트 | 0 | 0 | 0 | 0 | 2 | 4 | 5 | - | - | - | - | - |
| 광택 크로메이트 | 0 | 2 | 4 | 5 | - | - | - | - | - | - | - | - |
| 흑색 크로메이트 | 0 | 0 | 0 | 0 | 0 | 2 | 5 | - | - | - | - | - |
| 녹색 크로메이트 | 0 | 0 | 0 | 0 | 0 | 0 | 5 | 0 | 0 | 0 | ····· | 2 |

시험품은 각 5개, KS D 9502 염수분무 시험방법, 숫자는 백청발생 개수

| | |
|---|---|
| 유색 크로메이트 | 120시간 전 후 |
| 광택 크로메이트 | 48시간 전 후 |
| 흑색 크로메이트 | 144시간 전 후 |
| 녹색 크로메이트 | 500시간 전 후의 내식성을 표시한다. |

**아연도금 철** Galvanized Iron

표면에 아연을 도금한 철의 박판으로, 아연은 보통 용융금속 중에 철판을 침적하는 것으로 인해 부착되며, 원판은 저탄소강을 사용하는 것이 보통이다. 박판은 한번 압연한 후, 어닐링하고, 산에 침적하여 표면의 산화물을 제거한 다음에 냉간 압연에 의해 표면 다듬질을 행하고, 도금 공정을 한다. 아연도금 철판은 내식성이 있으므로 지붕, 바켓 등에 사용한다. 두께는 0.25mm~1.6mm까지 있고, 도금량은 1㎡에 183g에서 610g까지 여러 가지 있다. 또 철사에 도금한 것도 있으며, 아연으로 피복한 철은 주석을 피복한 것보다 내식성은 크지만, 식품 관계에 사용하는 것은 허용되지 않는다. 합금판(Zinc Alloy Steel)은 한번 주석을 도금한 후, 아연이 녹을 때까지 가열해서 아연과 철과의 접촉면에 합금을 만든 것으로 표면에 꽃모양은 없으나, 굽히거나 인발을 하여도 아연이 벗어져 떨어지는 염려가 없고, 제빙할 때 염소에 넣는 상자 등에 사용된다. 또 베타나이즈드강은 아연을 전기 도금한 철사에 대한 상품명이다.

**아연도금 철판** Galvanized Sheet Iron ◘ 아연철판(296), 토탄판(550)

**아연 도금 취성** Galvanizing Embrittlement

완전 풀림(Annealing)된 흑심 가단 주철에 용융 아연 도금하면 극도로 취성(Brittleniss)이 커지는 경우가 있는데, 이 같은 것을 아연도금 취성이라 한다. 아연도금이 취화된 것은 파면이 서릿발처럼 백색을 띈다. 이 같이 취화된 백색 파면을 산으로 식각(Etching)하여 현미경으로 조직을 살펴보면, 도금 전의 조직과 꼭 같으며 전혀 구별할 수 없다. 그러나, 페라이트는 부식되지만, 시멘타이트는 부식되지 않는다는 부식액, 이를테면 과산화암모니아로 식각하여 3000배 이상, 높은 배율로 관찰해 보면, 페라이트 결정립계 부근에 백색의 얇은 판상 결정을 볼 수 있는데, 이 같은 백색 결정은 시멘타이트가 용융 아연으로 430～500℃로 가열되었기 때문에 규소와 인에 의해 결정립계에 압출된 것이다. 그러므로 이와 같은 취화를 방지하려면 규소와 인를 적게 할 필요가 있으며, 백주철 중, 인은 0.05% 이하로 하는 것이 좋다. 또 취화는 어닐링처리가 좋지 않을 때 생기는 경우가 있다. 그러나 제2단 흑연화 후, 700～650℃까지 노냉하여 이 온도로부터 빨리 끌어내어 공냉시키면 도금 취화는 일어나지 않는다.

**아연 듀랄루민** Zinc Duraumin

아연을 함유한 단조용 알루미늄합금으로 듀랄루민처럼 급냉을 실시하면, 시효 경화시키는 것보다도 현저히 그 인장강도를 증가시킬 수 있다. 예를 들면, 센터 합금(8Zn, 2Mg, 1Mn, 나머지 Al), 톰합금(1.3Cu, 9.32Zn, 1.9Mg, 0.6Mn, 0.4Fe, 0.5Si, 0.1Li), ESD 합금(2.5Cu, 8～10Zn, 1.5Mg, 0.5Mn) 등은 모두 아연 듀랄루민으로, 열처리했을 때의 인장강도는 490～589㎫, 연신율은 10～15%이며, 보통 이 합금은 고온에서 사용하는 것이 적당하고, 또 응력을 가진 상태로 오래두면 균열이 생기는 결점이 있다.

**아연말** Zinc Dust ; Zinc Powder

분말상의 아연 금속. 도금욕의 불순물 제거에 이용된다. 예를 들면, 아연도금욕 중의 Cu, Pb, Cr을 제거할 목적으로 아연을 치환시키는데 투입된다.

**아연-망간 2층 도금** Zinc-Manganese Double Plating

강판 위에 아연도금을 10g/㎡로 1차 도금하고 난 후, 그 위에 망간도금을 10g/㎡로 2차 도금한 것을 2층 도금이라고 하며, 내식성은 아연도금의 70배에 달한다.

**아연-망간 합금 도금** Zinc-Manganese Alloy Plating

망간의 함유율이 20% 이상에서는, 아연도금보다도 내식성이 뛰어나며, 망간의 함유율이 60~80%에서는, 내식성이 90배나 된다. 합금비율이 넓은 범위에서 도막의 밀착성이 좋고, 도장 후의 내식성이 뛰어나다.

**아연 백청** Zinc White Rust

공기중에서의 아연 녹[(ZnO+Zn(OH$_2$)]은, 백색분말상의 치밀한 도막으로 아연 보호피막이 된다. 아연 백청은 떨어지기 쉽기 때문에 도금의 핀홀을 메우는 효과가 있으나, 아연 백청 상의 도료는 박리되기 쉽다.

**아연산염** ◘ 징케이트(496)

**아연소(亞鉛燒)** Sheradizing ◘ 쉐라다이징(264)

**아연-알루미늄 분산 아연** Zinc - Aluminium Composite Plating

표면처리 강판용의 도금에서, 아연 30g/㎡ 중에 알루미늄을 3~5g/㎡를 혼합하여 약 2%의 경압연(輕壓延)가공을 실시한다. 내식성은 아연도금의 5~10배로, 도막의 밀착이 좋고, 도장후의 내식성이 뛰어나다. 도금 두께를 얇게 할 수 있기 때문에 스폿(Spot)용접이 용이하다.

**아연-주석 합금 도금** Zinc-Tin Alloy Plating

주석 70~80%, 아연 20~30%으로 주석이 다량 함유된 합금 도금으로 유기 카본산 욕과 알칼리성 욕이 있다. 아연도금과 비교하면, 염분에 대하여 내식성이 좋고, 인두 작업성, 도료 밀착성, 전연(展延)성 등의 가공성이 좋다. 그러나, 가열 내식성은 우수하지 못하고, 120℃이상 가열하면 내식성이 저하되며, 경도는 낮다(14~16Hv). 자동차 부품, 전기 부품 등에 사용된다. = 주석-아연합금 도금(484)

**아연 철판** Galvanized Sheet Iron

아연도금법의 특징과 비교

| | | 진공증착 도금 | 전기 도금 | 용융 도금 |
|---|---|---|---|---|
| 부착량 범위 (g/㎡ · 한 쪽면) | | 0~150 | 3~30 | 40~300 |
| 부착량의 균일성 | | ±10%<br>판 전체가 균일 | ±10%<br>판 전체가 두껍다 | ±20~±30%<br>- |
| 표면 성상 | | ◎ | ◎ | △ |
| 한 쪽면 도금 | | ◎ | ○ | △ |
| 두께차 도금 | | ◎ | ◎ | △ |
| 가격 | 60/60g/㎡ | ○ | × | ◎ |
| | 20/20g/㎡ | ○ | ○ | (불가) |

아연 철판

얇은 강판의 표면에 아연도금을 행한 것으로, 토탄판(Galvanized Steel Plate), 또는 아연도금 강판이라고도 불린다. 아연도금은, 용융도금, 전기도금, 진공증착(眞空蒸着)도금이 실시되어 있다. 아연도금법의 비교는 다음 표와 같다. = 아연도금 철판 ◘ 토탄판(550)

**아연-철 합금도금** Zinc-Iron Alloy Coating

철을 0.3~0.6% 함유한 아연 합금 도금으로, 산성욕과 알칼리성욕이 있다. 미량의 철을 함유함으로써 아연의 과도한 방식(防食)이 억제되고, 아연의 희생방식(犧牲防食)시간이 길어져 내식성이 향상된다. 크로메이트(Chromate)처리가 용이하고, 흑색 크로메이트 처리가 은염(銀塩)없이 생성 가능하다. 내식성은 크로메이트 피막에 의한 것으로 가열 내식성은 뛰어나지 못하다. 자동차용 강판, 자동차 부품, 전기 부품, 기계 부품 등에 널리 사용된다. = 철-아연 합금도금(500)

**아연 치환** Zinc Immersion Coating

알루미늄 소재에 도금을 할 경우의 전처리로써, 징케이트 액에 침적시켜 아연을 치환하여 석출시키는 처리를 말한다. 징케이트 액은 NaOH 500g/$l$, ZnO 90g/$l$, 16~27℃, 침적시간 30~60초이다. 시판품에는 밀착성을 향상시키기 위하여 니켈염, 동염 등을 배합시킨 것도 있다. = 징케이트 처리(496)

**아연-코발트-몰리브덴 합금 도금** Zinc-Cobalt-Molybdenum Alloy Plating

표면처리 강판용 도금에서 코발트 1.0~3.0%, 몰리브덴 0.1~0.5%를 함유하고 있으며 부착량이 20g/㎡일 때, 내식성은 아연도금의 4~6배 정도이다.

**아연-코발트-크롬합금 도금** Zinc-Cobalt-Chromium Alloy Plating

표면처리 강판용 합금 도금에서 코발트 0.3%, 크롬 0.05%를 포함한 아연합금 도금으로, 내식성은 아연도금의 2배이며, 인산염처리 후에는 도막의 밀착성이 좋고, 도장 후의 내식성이 뛰어나다.

**아연 피복** Sheradizing ◘ 쉐라다이징(264)

**아연 합금** Zinc Alloy

아연이 주된 합금으로 다이캐스트(다이 주조 ; Die Casting)용이 많다. 아연이 90% 이상이고, 알루미늄, 안티몬, 마그네슘, 동, 주석 등을 1~수% 포함하고 있다. 아연합금에 도금할 때에는 전처리에서 소재가 침식되지 않도록 약산, 약알칼리를 사용하고 시안화 동 스트라이크 도금(Copper Cyanide Strike Plating)을 행한다. ◘ 아연 다이캐스트(292)

**아연 흑피법** Mazic Zinc Blackmethod

아연, 아연 합금 카드뮴 판 등에 실시하는 방식법의 일종으로, 특정한 염색액을 사용하여 표면에 흑색 피막을 입히는 방법이다. 흑피를 입힌 것은 높은 내마멸성과 산과 알칼리에 대한 저항력이 크며, 광택이 있어 도료의 기초재로서 적합하다.

| 항목 \ 도금 | | Zn-Sn | Zn-Fe | Zn-Ni |
|---|---|---|---|---|
| 합금 비율(%) | | Zn 25<br>Sn 75 | Zn 99.6<br>Fe 0.4 | Zn 93<br>Ni 7 |
| 방식 기구 | | 과도한 희생방식을 억제 | | |
| 외 관 | | × | ○ | × |
| 2차 가공성 | | ○ | ○ | ◎ |
| 내식성 | 내염수 분무성(耐塩水噴霧性) | ◎ | ◎ | ◎ |
| | 내후성(耐候性) | × | ○ | ○ |
| | 나내식성(裸耐食性) | × | ○ | ◎ |
| | 가열내식성 | × | ○ | ◎ |

기호 ◎ : 아연보다도 뛰어나다. ○ : 아연도금과 동등 × : 아연보다 열등하다.

아연계 합금 도금의 비교

**아연화** Zinc Oxide : Zinc White ZnO

산화아연, 아연백이라고도 한다. 백색 또는 황색을 띄는 미세하고 가벼운 분말로 물, 알코올에 용해되지 않고 황산, 암모니아, 가성소다 등에 용해된다. 아연도금의 징케이트(Zincate)욕에 사용된다. = 산화아연(236)

**아연화 동** Cuprous Oxide

산화 제1동이라고도 한다. ◘ 산화동(235)

**아우터리드 본딩** Outer Lead Bonding : OLB

OLB라고도 불린다. 인너(Inner) 리드 본딩된 IC를 프린트 배선기판이나 리드 프레임(Frame)상에 적층하여 다수의 리드선을 한번에 접합하는 것을 말한다. Au - Sn 공정(共晶)접합에 많이 사용된다.

**아이소톱** Isotope ◘ 동위 원소(101)

**IR 드롭** IR Drop

Ohmic Drop이라고도 한다. 옴(ohm)의 법칙에 의해, 전기 저항 R(ohm)에 전류 I(암페어)를 통하게 하기 위해서는, 전류저항의 양단에는 E(볼트)=I×R의 전압을 필요로 한다. 바꾸어 말하면, R에 의해 E=I×R의 전압이 강하한다. 도금에서는 예를 들어, 전원에서 도금 수조까지의 배전선의 전기 저항을 R1으로 하고 전류를 I로 하면, E1=I1×R1의 전압강하가 발생한다. = Ohmic Drop

**ICP 분광 분석** Inductively Coupled Plasma Spectrometry

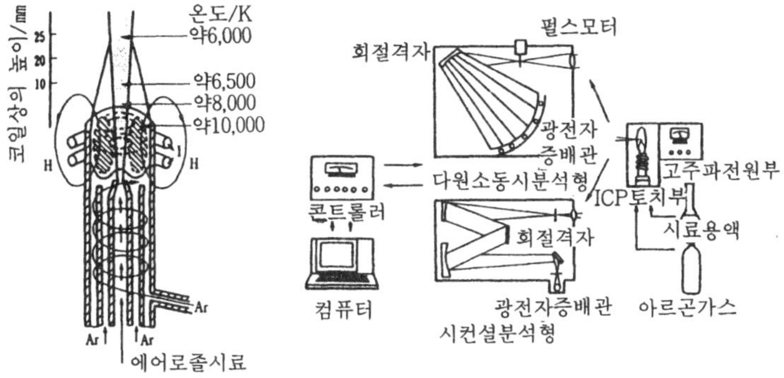


ICP의 개략도　　　　ICP발광분석장치의 구성

ICP 분광분석

불활성 기체의 기류 중에 있던 코일에, 수~수십 KW의 고주파 발진기로 고주파 전류를 흘려 보내면, 무극의 방전 플라즈마가 발생하기 때문에, 이 안에 시료를 혼입하여 분광분석을 하는 방법을 말한다. 발광, 흡광의 양 방법이 가능하지만, 플라즈마의 온도가 약 7000K로 높기 때문에, 주로 발광분석의 광원에 사용된다. 시료를 운반 (Carry) 가스 중에 분무하는 방법이 많으나, 스파크나 아크방전으로 고체 시료를 기화하여 도입하는 방법도 있다. 화학 간섭이나 이온 간섭이 적고, 검량선(檢量線)의 직선 범위가 넓으며, P, B, S등이 분석 가능하고, Al, Si, Ti, Zr등도 고감도로 분석할 수 있다. 또한, 광원용 램프가 필요없고, 다원소를 동시에 분석할 수 있는 등의 뛰어난 특징을 가지고 있다. = 유도결합 고주파 플라즈마 분광분석(390)

**IS 미터** Internal Stress Meter: Length Change Method

도금피막의 내부응력 측정기로, Dvorak 등에 의해 고안되어 유럽에서 시판되고 있다. 길이변화 측정법(Length-Change Methed)이라고도 불린다. 얇은 평판의 양면에 도금을 하고, 도금 과정 중 평판의 신장 또는 수축을 미터에 의해 ㎛단위로 읽어 도금의 내부응력을 산출한다. 평판 대신에 선재를 사용하여도 좋다. IS 미터는 상품명이다.

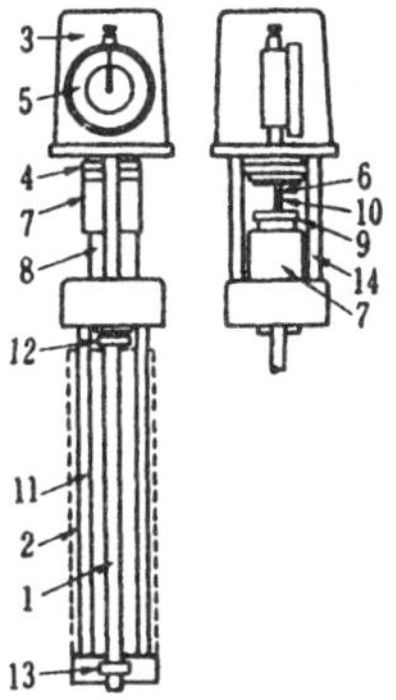

1: 시험편 2: 인장장치 3: 보호커버 4: 롤럿너트 5: 미터 6: 키볼트 7, 8: 보호용실린더 9: 플렛너트 10: 접촉용너트 11, 14: 원주 12, 13: 시험편의 지급

IS 미터

**ISO** International Organization for Standardization

국제 표준화 기구(국제 규격회의라고도 함)의 약칭

**ISO 9000 시리즈** ISO 9000 Series

품질 시스템에 관한 국제규격으로, 50개국 이상에서 국가규격으로서 채용하고 있다. ISO 9000 시리즈로서는 ISO 9000에서 ISO 9004까지 5종류의 규격이 있다. ◘ ISO(전항)

**IU** International Unit

실용단위의 일종으로 국제단위를 말하며, 국제단위계(SI)와는 다르다. 절대단위와 유사하며, 실제 사용에 편리한 단위를 실험적으로 규정하여 이것이 국제적인 승인을 얻은 경우에 국제단위라고 한다. 화학공업관계에서는 단위 앞에 int를 붙인다. 국제 실용온도 눈금은 국제단위의 한 예이다. = 국제단위 ◘ 국제단위계(48)

**IEC** International Electrotechnical Commission

국제 전기 기술 위원회의 약칭

**IER** Ion-Exchange Resin ◘ 이온 교환 수지(414)

**ITO** Indium Tin Oxide

산파인듐($In_2O_3$)은 도전성을 가지고 있으나, 이것에 산화주석($SnO_2$)을 수~10%첨가하여 더욱 더 도전성을 높인 것을 말한다. ITO를 스패터링 타겟(Spattering Target)으로 가공하여, 글래스판에 스패터링을 하면, 투명한 도전막을 얻을 수 있다. 또는 ITO를 용해하여 글래스판에 스프레이를 하거나, 글래스판을 용액에 침적시키는 방법으로 투명한 전극막을 얻을 수 있다. 폴리에틸렌 등의 필름에 ITO를 피복한 것을 투명전도성 필름이라고 부른다. 용도는 디스플레이 EL판넬의 발광면 전극, 액정 판넬, 투명스위치, 면발열체(防曇글래스용 등) 등에 쓰인다.

**아입계(亞粒界) 조직** Sub-Grain : Sub-Boundary Structure

부식 후에 금속 조직의 주요한 결정입의 내부에 나타나는 망상 또는 맥상으로 된 입계 조직을 아입계 조직이라고 한다. 아입계 내부의 세립은 결정의 방위가 같다고 여겨진다. 이 조직은 입내의 특정 위치에 선택적으로 석출이 진행됨에 따라 나타나는 것이다.

**아크릴 섬유** Acrylic Fiber

나일론, 폴리에스테르와 함께 3대 합성섬유의 하나이다. 아크릴로니트릴을 주성분으로 하는 고분자에서 만들어진 합성섬유를 말한다. 85% 이상의 아크릴로니트릴을 포함하고 있으며, 염색성, 마찰강도 등을 좋게 하기 위해서 소량의 아크릴산 에스테르, 초산비닐, 또는 스틸렌술폰산 등을 함께 중합시킨다. 양모와 비슷하여 유연하고, 가볍기 때문에 의류, 모포, 카페트 등에 사용된다. 상품명은 캐시미론, 본넬, 엑스란, 카네카론 등이 있다. 카네카론은, 도금용 아노드의 아노드백에 사용된다.

**아크릴산 수지** Acrylic Acid Resin ◘ 아크릴 수지(후항)

**아크릴 수지** Acrylic Resin ; Acrylic Acid Resin

주로 아크릴산, 메타크릴산 및 이것들의 유도체로 예를 들어, 아크릴 아미드, 아크릴로니트릴 등의 중합체를 포함하는 고분자 화합물의 총칭. 투명성이 뛰어나고, 내유(耐油)성, 내후성이 좋으나, 내약품(耐藥品)성이 결여된다. 용도는 장식품, 광고 간판, 디스플레이용 기구, 투명케이스 등이고, 도금에서는 도금장치 등의 커버에 사용된다. 그 외에 공중합물(共重合物)은 서로 다른 성질이 있어 섬유, 도료, 접착제, 고무 등에 사용된다. = 아크릴산 수지(전항)

**아크 용사** Electric Arc Spraying

2개의 금속선의 선단간에 아크열을 발생시켜 용융된 금속선의 선단부분을 압축공기 제트 등으로 날려보내, 소재표면에 충돌 적층시키는 방법을 말한다. 용사 재료가 아크열에 의해 직접적으로 가열되기 때문에 열효율이 좋다. 금속선은 환선과 각선이 이용되며, 환선보다는 각선의 용사 능력이 높아 피막의 밀착도, 전력효율이 뛰어나다. 아연, 알루미늄 등의 용사, 강의 덧살용사 등에 사용된다.

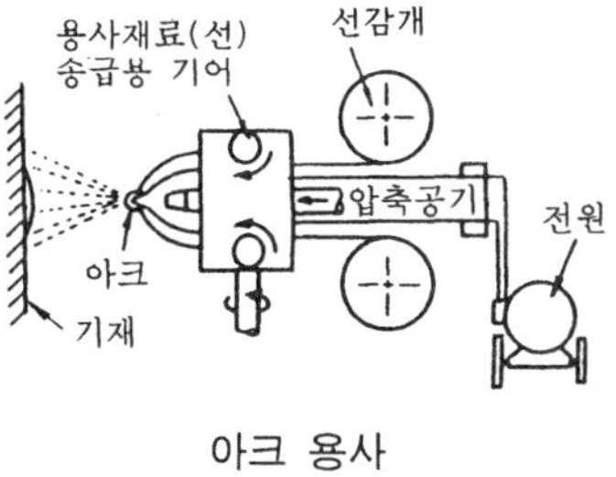


아크 용사

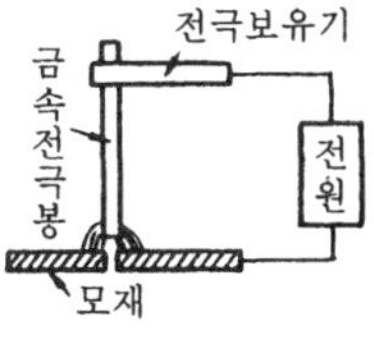


아크 용접

**아크 용접** Arc Welding

전기용접의 일종으로, 아크[전호(電弧)라고도 함]가 지니고 있는 열에너지에 의해, 금속을 녹여 용접하는 것으로, 용접된 금속과, 다른 금속 또는 탄소전극과의 사이에 아크를 발생시켜 용접하는 방법을 말한다. 교류아크 용접과 직류아크용접이 있다.

**아황산(亞硫酸)** Sulphurous Acid

$H_2SO_3$, 이산화황을 물에 용해시켜 만들 수 있다. 수용액으로만 존재하며, $SO_2+H_2O \rightleftharpoons H_2SO_3$, 약산성을 띈다. 아황산은 강한 환원작용이 있어 양모 등을 표백하는데 사용된다. $H_2SO_3+½O_2 \rightarrow H_2SO_4$ 또는 약산화 작용도 있다.

**아황산 가스** Sulfur Dioxide ◘ 이산화황(411)

**아황산 가스 시험** Sulfur Dioxide Test : $SO_2$ Test

습성아황산 가스를 포함한 곳에 시료를 드러내어 내식성을 조사하는 시험을 말한다. 처음 영국에서 개발되고 난 후(BS 1224-1959), 독일에서 규격화(DIN 50018-1963) 되었으나, 일본에서는 JIS D 0201에 참고규격으로써 기재되어 있다. $SO_2$ 농도가 공기 중 0.5～2%(용적비), 온도 40±2℃, 습도 95% RH 이상에서 부식정도를 조사하며, 이 시험방법에서는 니켈도금(다층 니켈도금도 포함)의 경우, 내식효과가 약하게 나오는 경향이 있다.

**아황산 수소나트륨** Sodium Hydrogensulfite : Sodium Bisulfite

$NaHSO_3$, 중아황산 소다라고도 한다. 탄산나트륨의 냉포화(冷飽和)용액에 이산화황을 섞어 수용액으로 만든다. 밀폐하여 소다재를 첨가, 무색단사정계(無色單斜晶系) 분말로써 정출(晶出)시킨다. 염기성 수용액은 강한 환원작용을 가지고 있기 때문에 도금에서는, 도금욕 중의 불순물 제거를 위하여 환원제, 크롬폐액의 육가(六価)크롬의 환원제 등에 사용하고 있다. = 중아황산소다(488)

**악셀러레이터** Accelerator

화학도금의 전처리로, 촉매로 작용하여 화학도금의 초기 석출을 보다 강하게 일으키기 위한 상태를 만드는 방법이다. 예로써, 촉매액($PbCl_2$ 0.1～0.4g/$l$, $SnCl_2 \cdot 2H_2O$ 5～30g/$l$, 36% HCl 100～300㎖/$l$)에 침적시켜 수세 후, 악셀러레이터액($H_2SO_4$ 50～150g/$l$, 또는 36% HCl 80～150㎖/$l$)으로 처리한다. 그 후에 다음과 같은 반응을 일으키게 하여 Pb핵을 형성시킨다.

$$Sn^{2+(s)} \cdot Pb^{2+(s)} \rightarrow Sn^{2+} + Pb^{2+} \rightarrow Pb^0 + Sn^{4+}$$

**안료** Pigment

안료는 물 또는 기름에 용해하지 않는 미립자 형상의 백색 또는 유색의 물질로써, 도료 등의 착색에 사용된다. 무기안료에는 아연화, 황동, 군청, 광명단, 철단 등이 있으며, 유기안료에는 에오신, 오라민 등의 염료를 금속염과 결합시킨 것이 있다. 그리고 착색 이외에 예를 들어, 방청, 광택 제거, 독성(선박의 바닥도료), 형광, 증량 등 기능성의 목적으로 첨가되는 고체분말도 안료에 포함하는 경우가 많다.

**안바** Invar

오스테나이트 주철의 일종으로, 특히 열팽창계수가 극히 적고, 녹슬지 않기 때문에 길이의 표준용 기구, 시계의 진동자 및 바이메탈의 저열팽창측 등에 사용된다. 성분은 Ni 36%, C<0.2%, Mn 0.5%, 나머지는 Fe이다. 비중 8, 융점1425℃, 선팽창계수는 0.000001이다. 안바는 Invariable의 약자이며, 인바라고도 한다. = 인바(423)

**안전전류** Safe Amperage

생명에 위험이 없는 범위 내에 인체의 감전전류를 말한다. 감전되었을 때, 인체를 통과하는 감전전류의 크기, 감전시간에 따라 인체의 생리반응은 서로 다르다. 감전으로 인한 안전한 한계는, 전류와 감전시간의 관수로 알려져 있다. 일반적으로 감전전류 0.5~5㎃에서 호흡곤란이나 혈압의 상승을 일으키고, 경련으로 인해 접촉상태에서 스스로 벗어날 수 없게되기 때문에 감전시간은 수분간이 한계라고 한다. 이 때문에 배전선의 누전차단기는 30㎃ 이상의 누전전류를 회로가 차단할 수 있게 되어 있다. 안전전류와 허용전류는 의미가 서로 다르기 때문에 주의를 요한다. ◘ 허용전류(620)

**안정화용 원소** Stabilizer

오스테나이트계 스테인리스강(예를 들어, 18-8 스테인리스강)에 대해, 안정된 침화물을 만들어, 이것으로 입간 부식 또는 용접 부식을 방지하기 위해 첨가하는 원소를 안정화용 원소라고 한다. 그 가장 보편적인 것은 Ti(티탄)과 Nb(니오브)이다.

**안티몬** Antimony Sb.

원자번호 51, 원자량 121.75, 밀도 6.69 g/㎤(20℃), 융점 630.5℃ 은백색의 무른 금속원소. 황화물로서 산출한다. 그 외의 금속과 합금을 이루어 그것들의 금속의 경도와 내식성을 증대시킨다. 건조공기 중에서는 광택을 잃어버리며, 가열하면 산화물 $Sb_2O_3$가 된다. 물, 희산(希酸)에는 녹지 않지만, 왕수(王水), 진한 초산, 열농(熱濃)황산에는 녹는다. 염소와 작용하여 염화물 $SbCl_3$를 생성한다. 용도는, 베어링 합금, 활자 합금, 전자재료(화합물 반도체) 등에 쓰인다.

**안티몬 납** Antimony-Lead : Hard Lead ◘ 경납(23)

**안티몬 전극** Antimony Electrode

안티몬의 표면이 산화 안티몬 $Sb_2O_3$의 고체로 뒤덮혀 있는 산화물전극의 일종이다. 산화안티몬이 물에 녹지 않는 난용성(難溶性)이기 때문에, 용출되는 $Sb_3^+$이온활성량이 $H^+$이온 활성량으로 결정되는 것을 이용하여 용액의 pH측정에 이용한다. 수소전극과 비교하여 취급이 용이하고, 킨히드론 전극보다도 pH측정 범위가 넓지만, 전위의 재현성이 나쁘고, 다른 이온의 영향을 받기 쉽다는 결점이 있다. 측정한계는 pH12까지이고, 정확한 측정에는 부적당하다. 현재는 글래스 전극이 주로 쓰이며, pH측정은 거의 사용되고 있지 않다.

**안티피트제** Antipit Agent ◘ 피트방지제(611)

**알니코 자석** Alnico Magnet

가장 광범위하게 사용되고 있는 영구자석이며, 많은 종류가 있으나, Alnico 5는 대표적인 것으로 Co 24%, Ni 14%, Al 8%, Cu 3%, 나머지 부분은 철이다. 스피커의 코어 등에 사용되고 있다. 미지마(三島)박사가 개발한 MK자석을 기초로하여 개발하였다.

**알런덤** Alundum

미국의 노튼사 제품의 인조 콜런덤의 상품명. 일반적으로, 콜런덤의 통칭으로 이용된다.

**알렉크러 · 쓰리욕** Alecra-Three Plating Bath

영국의 알브라이트 & 윌슨사(Albright & Wilson, Ltd.)에 의해 발매된 3가 크롬욕을 의미한다. 이 욕은 착화제로 의산(蟻酸)을 이용하고 있다. 6가 크롬욕에서의 도금에 비해 푸른 빛이 없고, 조금 검은 빛을 띈다. 3가 크롬욕은, 노동 위생, 배수처리에 유리하지만, 욕 관리에 수고와 시간이 걸리기 때문에 단가가 비싸진다.

**알로다이징법** Alodizing Process ◘ 알로진법(후항)

**알로진법** Alodine Process : Alodizing Process

American Chemical Paint, Co.가 개발한 알루미늄 표면의 화성처리법으로, 알루미늄을 크롬산염, 인산염 및 불화물을 함유한 산성의 수용액으로 처리하여 화성피막을 만든다. = 알로다이징법(전항), 알로크롬법(후항)

**알로크롬법** ◘ 알로진법(전항)

**알루미나이즈강** Aluminized Steel

알루미늄 또는 알루미늄 합금을 피복한 강판을 말한다. 내식성을 중시한 순알루미늄 피복품과 내열성을 중시한 Al-Si합금 피복품이 있다. 용융도금이 경제적이며, 가장 많이 실시되고 있다. 그 외에 진공 증착법, 확산 침투법, 이온 플레이팅법, 전기 영동(電氣泳動)법 등이 있다. 알루미나이즈강은, 아연피복강보다도 일부의 알칼리성 환경을 제외하면, 내식성이 뛰어나다. 또 고온하에서의 내식성, 내산화성이 뛰어나기 때문에 열기구, 보일러, 자동차의 배기통, 건조로, 연돌(煙突) 등에 사용된다. ◘ 표면처리 강판(586)

**알루미나이징** Aluminizing

소재표면을 알루미늄화 한 표면 처리법을 말한다. 좁은 의미로는 용해 알루미늄도금을 뜻한다. 특수한 욕과 방법을 이용하여 상온에서 전기 알루미늄도금을 하는 경우도 있다. 내식성과 내열성이 향상된다.

**알루미늄** Aluminum : Aluminium Al

원자번호 13, 원자량 26.98154, 밀도 2.70 g/㎤(20℃). 철이나 동보다도 약 ⅓정도 경량이다. 용점 660.2℃, 불점 약 2060℃로 부드럽고, 연성, 전성(展性)이 풍부하여 박판 가공이 가능하다. 진한 초산을 제외한 무기산에 녹으며, 알칼리 수용액에 녹아 알루민산염을 만든다. 대기 중에서 치밀하고 탄력이 있으며, 강한 산화피막이 형성되기 때문에 내식성이 뛰어나다. 유기용제욕을 이용하면, 상온에서 알루미늄의 전기도금이 가능하다. 용융 알루미늄도금은 보일러 등의 열기기에 도금한다. 알루미늄 소지상의 도금은 징케이트 처리 등, 특수한 예비처리가 필요하며, 양극산화처리(알마이트)로 인해 내식성이 현저하게 향상된다. ◘ 알마이트(308)

**알루미늄 도금** Aluminum Plating

알루미늄은 표준단극 전위가 수소발생 전위보다 크기 때문에, 수용액의 전해에서 수소 발생을 저지당하여 Al을 석출시킬 수가 없다. 유기용매 용액을 이용한 알루미늄의 전기도금이 개발되어, 상온에서 알루미늄의 도금이 가능하게 되었다. 도금욕에 이용하는 용매는 에테르류, 테트라히드로프란, 방향족 탄화수소류, 메탄올 등이 있다. 용질로는, $AlCl_3$+환원제, $AlBr_3$+MBr(M은 알칼리금속 또는 H), $Al(CF_3COO)_3$ 등이 있다. 유기용매욕에서의 알루미늄 전기도금의 용도는, 항공기용 부품, 전자부품(리드 프레임 등) 등이며, 비수용액에서의 석출이기 때문에 수소취성을 염려할 필요는 없다. 그 외, 용융염에서의 박막의 전기적 석출도 연구중에 있다.

**알루미늄 도금 강판** aluminized sheet

강판의 특성을 살리면서 그 내식성과 내열성 및 외관을 향상시키기 위하여 알루미늄으로 피복한 것으로 용도는 자동차의 머플러, 발전소의 열풍파이프 · 열교환기 · 가스터빈 · 연소실용 등이다. 최근에는 전기영동법 · 진공증착법 · 이온플레이팅법 등이 주목을 받고 있으나, 용융 침적 도금법이 작업성, 경제성이 뛰어나므로 가장 일반적이다. 내열용으로는 7.5~9% 규소를 함유한 알루미늄합금 도금층을, 내식용으로는 순알루미늄 도금층을 이용하여 전자를 타입 1, 후자를 타입 2라고 한다. 타입 1의 알루미늄도금 강판은 자동차의 배기장치의 머플러재로서 적당하고, 또한 토스터 · 렌지 · 드라이어 등의 가정용이나 주방용 기기 · 연돌 · 스토브 · 보일러 · 건조로 등에 적당하며, 타입 2의 것은 아연 철판의 약 4배의 내후성을 가지고 있어 건축용재에 적당하다. 타입 1의 최고 사용 온도는 700℃까지이지만, 최근 820℃까지 사용되는 Al-Ti라는 새로운 알루미늄 도금강이 개발되었으며, 이것은 기지의 강에 소량의 Ti를 첨가함으로써 고온과 저온의 열사이클에 대하여 알루미늄 피복이 이루어져 있다.

**알루미늄소지의 전기도금** Electroplating on to the Aluminum Substrates

알루미늄은 전처리 후, 각종 도금을 하기 전에 도금액으로 인한 부식을 표면으로부터 보호하기 위하여 적당한 중간층을 형성시킬 필요가 있다. 그 방법으로는, (1)아연치환법(징케이트법), (2)아연합금 치환법, (3)주석산염 활성화법(스타네트법), (4)양극산화법, (5)무전해도금법 등이 있다. 알루미늄합금은 종류가 많아 각종 합금성분이나 그것들의 금속간 화합물의 편중에 따라 전기화학적으로 불균일하기 때문에 전처리 및 중간층 형성법에 주의를 기울일 필요가 있다.

**알루미늄용 납땜** Aluminum Brazing Soldering

알루미늄(Al)의 접합에 사용되는 납땜은 경납땜(brazing)과 연납땜(soldering)으로 대별된다. 경납의 재료는 융점, 접합부의 내식성, 강도, 작업성 등의 관점에서 주로 Al-Si 합금이 사용된다. 그 이외에 진공용 경납재도 있다. 알루미늄의 경납땜을 할 때는 표면의 산화피막을 용제를 사용하여 제거할 필요가 있다. 용제는 NaCl-KCl-LiCl계를 주성분으로 하고, 여기에 NaF, KF, $AlF_3$, $ZnCl_2$를 소량 첨가한다. 진공 경납땜에는 납재 중의 마그네슘(Mg)이 용제 작용을 한다. 연납은 Pb, Sn, Zn을 주성분으로 하고, 조성에 따라 저온용(~433K), 중온용(~643K), 고온용(~803K)으로 구분된다. 저온용에는 아민계, 중고온용에는 염화물계의 용제가 사용된다.

**알루미늄의 양극산화피막** Anodic Oxide Coating(Film) of Aluminum ◘ 알마이트(308)

**알루미늄 전선** Aluminum Wire

보통 연(軟)알루미늄선과 신선(伸線)가공에 의해 강도를 높인 반경(半硬) 알루미늄선과 경알루미늄선이 있다. 또한 강도를 높인 Al-Mg-Si 합금선도 있다. 알루미늄 전선은 동선에 비해 도전율은 50~60%, 비중은 2.7로 동의 약 절반, 인장강도(150~300N/㎟), 열팽창계수($23.0 \times 10^{-6}$)는 동보다도 크다.

**알루미늄 진공도금** Vacuum Plating of Aluminum

알루미늄을 진공 속에서 가열 증발시켜 얇은 알루미늄막으로 피복하는 것을 말한다. 응용의 예는 금속(반사경, 자동차 부품 등), 플라스틱(명판, 장식품, 자동차 부품, 거울, 금실, 은실), 광학관계(프리즘, 반사경, 매직유리, 렌즈) 등이 있다.

**알루미늄 캘러라이징** Aluminum Calorizing

수소를 채운 드럼 속에 부품과 알루미늄 분말, 소결, 방지제, 촉진제의 혼합물을 850~950℃로 가열하고, 12시간 이상 회전시켜 알루미늄을 침투시킨 것으로, 부품의 표면에 내열성이 좋은 알루미늄합금이 형성된다. 보일러나 화학공업용 부품에 사용된다.

**알루미늄 합금** Aluminum Alloy

크게 구별하면, 전신재(展伸材)용과 주조재용이 있다. 전자에는 Al-Cu-Mg계(두랄루민, 초두랄루민), Al-Mn계, Al-Mg-Si계, Al-Mg계, Al-Zn-Mg계(극초두랄루민) 등이 있다. 후자에는 Al-Cu계, Al-Si계(실루민) Al-Cu-Si계(라우탈), Al-Mg계(히드로날륨), Al-Cu-Mg-Si계(Y합금), Al-Si-Cu- Mg-Ni계(로・엑스합금) 등이 있다.

**알루미늄 합금의 청정화** Cleaning of Al Alloys

알루미늄(Al) 용탕에 함유된 가스 및 비금속 개재물을 제거하는 것을 말한다. 알루미늄 용탕 속의 가스를 제거하기 위해 $N_2$, Ar, $Cl_2$ 등의 가스를 불어넣는다. 이렇게 불어넣음으로써 생기는 탈가스 효과는 시베트 법칙에 의해 가스가 방출된다. $Cl_2$ 가스는 독성이 강하므로 희석시켜 사용되는 것이 많으며, 페가스제, 카본제 등의 필터를 사용하여 여과시켜 제거한다. 용해와 주입 사이에 연속조업이 가능한 다수의 방법이 실용화되고 있다.

**알루미늄합금 피복** Aluminum Alloy Clad Steel

알루미늄합금을 합재로 하는 피복강으로 알루미늄청동 클래드 강이 가장 많이 사용되며, 석유정제 · 석유화학 · 합성화학 공업 등에서 부식 방지에 유효하다.

**알루미라이트법** Alumilite Anodizing Process

Alcoa 사(Aluminum Co. of America)가 상표로 한 일반용 황산욕 양극산화피막법(알마이트법)을 말한다. 알루미늄에 양극산화피막을 만들기 위해, 욕을 10～20% 황산, 욕온도 20～30℃, 욕전압 10～20V, 양극 전류밀도 1～2A/$dm^2$으로 전해한다. ◘ 알마이트(후항)

**알마이트** Almite

알마이트는 이화학(理化學)연구소의 등록상표이다. 알루미늄의 양극산화피막, 또는 그 피막이 입혀져 있는 제품을 칭한다. 알루미늄 제품을 양극으로 하여 황산, 수산(蓚酸), 크롬산 등의 욕 중에서 전해를 하면, 양극에 발생하는 산소 때문에 알루미늄의 표면은 다공질이 되기는 하나, 전기절연성이 높고, 내식성, 내마모성이 양호한 산화피막이 형성된다. 피막은 다공질, 섬유상이기 때문에 염색이 가능하다. 알루미늄 샤시 등의 건자재, 카메라 등의 광학기기, 수통, 주전자 등의 알루미늄 제품에 넓게 이용되고 있다. = 알루미늄의 양극산화피막(307)

**알본드법** Albond Process

알루미늄의 내식성과 도료의 밀착성을 좋게 하기 위하여 일본 파카라이징사가 개발한 화성처리법이다. 알루미늄이나 알루미늄 합금을 가용성 규소불화물을 주성분으로 한 처리액에 침적시켜 가열 처리를 하여 표면을 거칠게 한 후, 화성피막을 만든다.

**알브라이트법** Albright Process

일본 알브라이트 공업(주)이 유산법에 따라 알루미늄의 양극산화법(陽極酸化法)에 붙인 명칭이다. 양극산화 후의 봉공(封孔)처리를 실리콘유를 첨가하여 침적시키는 것이 특색이다.

**알브랙** Albrac

특수황동의 일종으로, 해수, 식염수 등에 대한 내식성, 내침식성이 양호하다. 화학조성은 Cu 78.5%, Al 2%, Si 0.3%, As 0.05%, 나머지는 Zn이다. 일본의 타나베(田辺)박사가 개발한 것이다.

**R비** R Ratio

시안화 아연도금욕의 욕관리에 사용되는 비율로,

$$R = \frac{\text{시안화나트륨(규정도)} + \text{수산화나트륨(규정도)}}{\text{아연(규정도)}}$$

로 표시된다.

**RCA 세정** RCA Cleaning

미국의 RCA사에서 개발한 실리콘 세정법. 화학적방법으로 유기물과 금속 불순물을 제거한다. 세정액은, $NH_4OH+H_2O_2+H_2O$와 $HCl+H_2O_2+H_2O$ 및 HF를 조합한 것이 있다. 실리콘웨버의 세정에 사용된다.

**RN** Rating Number ; RN

레이팅 넘버(등급 지수)의 약자 ◘ 등급 지수(106)

**RO 막** Membrance for Reverse Osmosis

역침투막을 말한다. 역침투(압)법에서 사용되는 반투막으로써, 일반적으로 초산 셀루로스(Cellulose ; 섬유소)막이나, 폴리아미드막이 이용된다. 막 구조는 지지보강재에 포지(布地)를 사용, 이것에 다공질의 지지막(폴리술폰이 많이 사용된다)이 도포되어 있고, 또한 그 표면에 계면중합(界面重合), 가교(架橋)반응을 이용, 반투막을 형성한다. 역침투막의 구경은 20~100Å 정도로 여겨지며, 용매는 통하나 미생물이나 비루스(바이러스)는 물론, 거의 모든 용질은 통하지 않는다. 초순수 제조장치에 많이 사용된다. 도금에서는 배수처리, 도금액의 회수에 사용되고 있다.

**RO법** Reverse Osmosis Method

역침투(압)법의 약자

**알자크법** Alzak Process

알루미늄의 전해연마제의 일종으로, 미국의 알코어사가 개발한 것이며, 불소붕산욕과 불소산욕의 2종류가 있다.

**알카놀술폰산 땜납욕** Tin-Lead Alkanesulfonate Alloy Plating Bath

알카놀술폰산 $CH_3CH(OH)CH_2SO_3H$, 알카놀술폰산 제1주석$\{CH_3CH(OH)CH_2SO_3\}_2Sn$, 알카놀술폰산 납$\{CH_3CH(OH)CH_2SO_3\}_2Pb$를 성분으로 하는 땜납 도금욕을 말한다. 불소 붕산염욕에 비해, 인체에 안전하고, 배수처리가 용이하다. 배럴(Barrel)도금에서는, 불소붕산염 욕보다도 균일한 광택의 도금을 얻을 수 있으며, AS 땜납욕이라고도 한다. 전기부품, 전자부품의 도금에 사용된다. = AS 땜납욕(332)

**알칼리** Alkali

칼리는 아라비어어로 재(灰)의 의미이고, 알칼리는 옛부터 식물의 재를 총칭하는 말이였다. 현재에는 수산화물 $M(OH)_n$의 형식으로 물에 용해되고, 염기성을 나타내는 물질의 총칭이다. 이 M은 주로 알칼리 금속, 알칼리 토류(土類)금속, 암모늄 기(基)를 지칭한다. 또 알칼리 금속의 탄산염이나 암모니아, 아민 등도 알칼리라고 하는 경우도 있다. 알칼리는 수산이온(또는 $OH^-$ 이온)의 농도를 증가시키기 때문에 염기와 같은 의미로 사용하는 일이 많다.

**알칼리 금속** Alkali Metals

주기율표 IA족의 원소로, 리튬 Li, 나트륨 Na, 칼륨 K, 루비듐 Rb, 세슘 Cs, 프란슘 Fr의 6원소를 말한다. 프란슘은 방사성 원소로 불안정하다. 알칼리 금속의 단일체는 모두 은백색으로 부드럽고, 비중이 작으며, 융점이 낮다. 공기 중에서는 급속히 산화되기 때문에 석유 안에 보존한다. 원자 구조는 외측에 1개의 전자를 가지고 있고, 그 1개의 전자를 쉽게 잃고 1개의 양이온이 된다. 상온에서 물과 반응하여 수소를 발생하고, 수용액은 강한 알칼리성을 나타낸다.

**알칼리도(度)** Alkalinity

수질표시에 사용되는 것으로, 적당한 지시약을 이용하여 강산성 표준액(유황 등)으로 적정하여 수중의 알칼리분을 epm(백만분의 1 당량) 또는 이것에 대응하는 탄산칼슘의 ppm(백만불율)로 표시한다. 지시약의 명칭을 달아 메틸오렌지 알칼리도, 페놀프탈레인 알칼리도 등으로 표시한다.

**알칼리 디핑** Alkaline Dipping

도금의 전문용어로, 전처리의 탈지, 세정공정에 따라 생기는 피도금물의 표면에 얇은 산화피막이나 불활성피막을 제거한다거나, 광택을 낸다거나 하여, 도금의 밀착을 좋게 하기 위해 피도금물을 얇은 시안화나트륨 수용액(5~10% 정도) 등에 침적하는 것을 말한다. 동, 동합금소지에는 특히 효과가 있다. 도금 공정을 나타내면, 알칼리 탈지→수세→전해세정→수세→산침적→수세→알칼리 침적→수세→시안화 동도금이다. 알칼리 침적의 알칼리는 도금욕의 종류에 따라 선택된다. = 알칼리 침적(313)

**알칼리성 동도금** Alkaline Copper Plating Bath

시안욕과 초성(焦性)인산욕이 있다. 시안욕은, 시안화동 농도에 따라 고·중·저농도욕이 있으나, 중농도욕(CuCN 70~80g/$l$)이 많이 사용된다. 철강소지, 아연합금소지 상에 직접도금을 할 수 있어, 균일 전착성이 뛰어나다. 한편, 피로인산욕은, pH8~9에서 중성에 가깝고, 소재로의 침식성은 적고, 균일 전착성이 뛰어나나, 단가가 높아 배수처리가 곤란하다. 프린트 기판의 동쓰루 홀 도금용에 사용되며, 균일 전착성, 저장력(抵張力), 연신율, 내크랙성이 다른 동도금보다도 뛰어나다.

**알칼리성 아연도금** Alkaline Zinc Plating

시안욕은, 시안화 아연농도에 따라 고·중·저농도욕이 있으며, 중농도욕(Zn 20g/l)이 많이 사용되고 있다. 균일 전착성(電着性)이 좋고, 아연도금의 크로메이트 처리를 하기 쉽다. 한편, 징케이트욕은 산화아연과 수산화나트륨으로 만들어져 있어 배수처리가 용이하나, 욕의 안정성, 균일 전착성, 크로메이트 처리의 작업성이 시안욕과 비교하여 떨어진다.

**알칼리성 주석도금** Alkaline Tin Plating

주석산염욕 또는 스테네이트(Stannate)욕이라고도 불리우는 4가(四価)의 주석도금욕이다. 2가(二価)의 주석에서의 전착인 황산욕에 비하여 석출속도가 ½~⅓정도 느리고, 균일 전착성은 황산욕보다도 좋다. 경면(鏡面)광택을 내기 힘들고, 외관이 좋지 못하기 때문에 산성욕에 비해 사용이 적다. 칼리욕과 나트륨욕이 있으나, 칼리욕이 음극전류 효율이 높아 고전류밀도로 도금이 가능하다. 욕 조성은, 주석산칼륨 $K_2SnO_3 \cdot 3H_2O$ 120g/l, 수산화칼륨 KOH 15g/l[유리(遊離) KOH 13~15g/l], 초산칼륨 $CH_3COOK$ 0~15g/l(처음에는 첨가하지 않는다), 과산화수소수(0.3%로 무르게 한 것) 1㎖/l, 욕 온도 65~70℃, 음극전류밀도 2~5A/d㎡, 양극전류밀도 1.5~4A/d㎡. 배럴도금에 흔히 사용된다. = 주석산염욕(483), 스테네이트욕(266)

**알칼리 세정** Alkaline Cleaning

도금할 소재의 표면을 가성소다, 탄산소다, 규산소다, 인산소다, 청화(青化)소다 등의 알칼리 용액을 이용하여 침적 또는 전해에 의해 세정하는 방법이다. 단가가 싼 방법이기는 하지만, 비철금속의 소재표면이 용해, 변질되거나 거칠어지기 쉽다는 결점이 있다. 소재를 움직이거나, 액을 교반하거나, 초음파를 병용하면 세정효과를 증대시킬 수 있다. = 알칼리 탈지(313)

**알칼리 소(燒)** Tarnishing by Alkaline Dip

도금 용어로써, 금속을 강알칼리 용액에 장시간 침적시켜 놓으면, 표면이 변색(변질)되어 가는 현상을 말한다. 동 및 동합금은 철강보다도 단시간에 변색된다. 위에 도금을 하면 도금이 박리하기 쉽다.

**알칼리 에칭** Alkaline Etching

알칼리성의 용액, 예를 들어 가성소다 수용액을 이용하여 금속 또는 비금속 표면을 에칭하는 방법. 에칭이라는 것은, 화학적 또는 전기화학적으로 부식하는 방법이다. 프린트 기판용의 포토 레지스트는, 알칼리성 용액으로 에칭하는 타입이다.

**알칼리 염소법** Alkaline Chlorination Process ◘ 알칼리 염소처리(후항)

**알칼리 염소처리** Alkaline Chrorination Process

시안 배수처리 방법으로, 시안농도가 낮은 배수처리에 광범위하게 이용되고 있다. 배수를 알칼리성으로 하고 아염소산나트륨(NaOCl) 또는 염소가스를 첨가하면, 시안은 질소와 이산화탄소로 분해된다. 제1단계의 반응을 pH10에서 완료시킨 다음, pH8까지 낮추어 제2단계의 반응을 행한다. = 알칼리 염소법 ◘ 시안 배수처리(277)

$$CN^- + OCl^- \rightarrow CNO + Cl^-$$

$$2CNO^- + 3ClO^- + H_2O \rightarrow 2CO_2 + 2N_2 + 3Cl^- + 2OH^-$$

**알칼리 오차** Alkali Error

글래스 전극을 이용하여 pH를 측정할 때, 액온도가 일정하면 pH와 전위차가 비례하기 때문에 전위차를 측정하면 pH를 알 수 있다. 그러나, 강알칼리성 용액 및 강산성 용액 그리고 고농도 용액의 측정에서는 전위차와 pH가 직선적으로 비례하지 않기 때문에 오차를 발생한다. 이것을 알칼리 오차, 산 오차 및 염 오차라고 말한다. 오차는 글래스의 조성, 이온의 종류나 농도에 영향을 받으며, 특히, 나트륨 이온, 리튬 이온의 영향이 크다. 액 온도가 높으면 높을수록 오차가 커진다. 산 오차나 염 오차는 알칼리 오차에 비해 그 오차가 작다.

**알칼리 제청** Alkaline Descaling

철강의 아주 적은 녹이나 산처리 공정에서 발생하는 스멋(Smut)은, 시안화나트륨 등의 킬레이트(Chelate)제를 함유한 알칼리욕에서 양극전해 세정을 하면, 제거할 수 있다. PR전해를 하면 그 효과를 더욱 증대시킬 수 있다. ◘ PR법(608)

**알칼리 착색법** Alkakine Coloring ◘ 흑염법(黑染法)(649)

**알칼리 축전지** Alkali Storage Battery

NiOOH | KOH 수용액 | Fe 또는 Cd의 구성을 가진 축전지를 말한다. 부하에 철분을 이용한 것을 에디슨 전지, 카드뮴을 이용한 것을 니켈-카드뮴 축전지 또는 윤그너(Jungner) 전지라고 한다. 카드뮴 외에 카드뮴과 철의 혼합분을 사용한 것도 있다. ◘ 니켈-카드뮴 축전지(83)

**알칼리 취화** Alkaline Embrittlement: Caustic Embrittlement

탄소강이나 저합금강 등을 가성소다(NaOH)나 가성칼리(KOH) 등의 열 알칼리 용액중에 침적시키면 무르게 되어 응력부식 균열을 일으키는 경우가 있다. 이것을 알칼리 취화라고 한다. 예를 들어, 탄소강이나 저합금강으로 알칼리 탈지 수조를 만들면, 응력부식 균열을 일으키기 쉽게 된다. 또 탄소강이나 저합금강으로 만들어진 보일러나 배관이 응력부식 균열을 일으키는 일이 있다고 알려져 있다. = 가성취화(8)

**알칼리 침적** ◘ 알칼리 디핑(310)

**알칼리 탈지** Alkaline Cleaning ◘ 알칼리 세정(311)

**알칼리 토류금속** Alkali Earth Metals

주기율표 ⅡA족의 원소로, 베릴륨 Be, 마그네슘 Mg, 칼슘 Ca, 스트론튬 Sr, 바륨Ba, 라듐 Ra의 6원소를 말한다. Mg, Ca, Sr, Ba은 자연에 비교적 많이 존재한다. 알칼리 토류금속은 은백색으로 알칼리 금속 다음으로 비중이 작다. 부드럽고 융점도 비교적 낮지만, Be는 예외로 융점, 불점 모두 높고 단단하다. 위의 모든 원소는 물과 반응하여 수소를 발생시키며, 알칼리 금속일수록 심하지 않다. 수용액의 알칼리성은 알칼리 금속 다음으로 강하다. 그리고 위 원소는 외측에 전자 2개를 잃고 2가의 이온이 된다.

**알코올** Alcohol

일반적으로 탄소사슬에 수산기를 가진 화합물을 말하며, 일반식 ROH로 표시된다. 좁은 의미로써는 에틸알코올을 나타낸다. 단, 벤젠핵에 직접 수산기가 결합한 화합물은 페놀류라고 하고, 알코올류에는 포함하지 않는다. 1분자 중에 있는 수산기의 수에 따라 1가 알코올, 2가 알코올, 3가 알코올, 2개 이상의 것을 일괄하여 다가 알코올 등이라고 한다. 또 수산기가 결합하고 있는 탄소에 수소원자가 몇 개 있는가에 따라 제1알코올, 제2알코올, 제3알코올 등이라고 한다. 탄소원자수가 적은 것을 저급 알코올, 많은 것을 고급 알코올이라고 한다.

**알킬벤젠술폰산나트륨** Sodium Alkyl-Benzene Sulfonate : ABS

대표적인 석유계 합성계면활성제로 수용액은 중성이기 때문에 중성세정제라고도 불리운다. ABS라는 약칭으로 많이 쓰인다. 음이온 계면활성제이고, 표면장력의 저하력, 습윤(濕潤)력, 침투력, 유화력, 기포(起泡)력 등이 강하고, 강한 탈지세정력이 있기 때문에 공업세정에 널리 사용되며, 도금 전처리에도 이용되고 있다. 결점으로써는 수용성, 특히 저온에서의 세정력이 나쁘기 때문에, 피세정면에 강한 흡착막을 남기기 쉽다. 또 분지(分枝)상의 알킬기를 가지는 것은 미생물로 분해되기 어려워 하천 오염의 원인이 되기 때문에, n-올레핀을 원료로 하는 사용되게 되었다. 용도는 넓어 세제, 염색조제, 소화제 등에 이용된다. = 알킬아릴술폰산나트륨 ◘ 계면활성제(28)

**알킬 수은** Alkyl Mercury

수은염과 일반식 R·MgX의 글리널시약을 반응시켜 얻을 수 있는 수은과 알킬기(R)이 결합한 유기금속 화합물, $HgCl_2+2C_2H_5MgI \rightarrow (C_2H_5)2Hg+2MgCl_1$(디메틸 수은). 수은염은 자연계에서 알킬기를 가진 화합물과 서서히 유사하게 반응을 하여 알킬 수은을 만들어 디메틸 수은과 같은 영향을 미치는 물질이 되기 때문에 배출을 엄격히 규제하고 있다.

**알킬아릴술폰산나트륨** ◘ 알킬벤젠술폰산나트륨(313)

**α 고용체** α Solid Solution

α 철이 탄소 등을 고용하여 생긴 고용체를 α 고용체라고 한다. 마르텐사이트는 α 고용체의 일종이다.

**α 마르텐사이트** α Martensite

마르텐사이트의 일종으로, 현미경적으로는 백색의 침상으로 나타나는 조직이다. 고탄소강을 소입한 경우, 또는 소입강의 표면부에 많이 나타나는 것이다. 축비(c/a)=1.025~1.06의 체심정방정계(Body-Centered-Tetragonal-Lattice)의 α 고용체이다. 경도가 대이며, 소입된 강이 단단한 것은 이 α 마르텐사이트 및 β 마르텐사이트가 존재하기 때문이다. α 마르텐사이트는 비교적 불안정한 조직으로, 100~120℃로 가열하면, β 마르텐사이트로 변화한다. 이 때에 발열이 동반된다. α 마르텐사이트와 β 마르텐사이트를 비교해 보면 아래 표와 같다.

α 마르텐사이트

| 종 별 | 안정도 | 경도 | 비 용 적 | 자성 | 전기저항 | 부식도 |
|---|---|---|---|---|---|---|
| α 마르텐사이트 | 소 | 소 | 대 (0.9% C강으로 0.1292) | 약 | 대 | 소 |
| β 마르텐사이트 | 대 | 대 | 소 (0.9% C강으로 0.1269) | 강 | 소 | 대 |

**α 철** α Iron

철의 동소체로, $A_3$ 변태점(910℃) 이하의 철을, α 철이라고 한다. 결정구조는 체심입방정계(Body-Centered -Cubic-Lattic)로 그 한 변의 길이는 $2.86\times10^{-8}$㎝이다. 탄소를 고용하여 α 고용체를 만든다. α 철에 대한 탄소의 용해도는, 상온에서는 0.006%로, 726℃에서 최대가 되며, 그 양은 0.04%라고 알려져 있다.

**알파커** Alpakka ; German Silver ; Nickel Silver ◘ 양은(325)

**α 프라임** α Prime

Ti에 다른 원소를 첨가하였을 때 이들의 합금을 β 균일 고용체의 영역으로부터 급냉함으로 인해 발생된 불안정 조직을 α 프라임이라고 한다. 이 조직은 강의 소입에 의해 발생되는 마르텐사이트 조직과 비슷하기 때문에 α′ 마르텐사이트라고도 한다.

**R 플럭스** Rosin Inert Flux

송진에서 텔레빈유를 증류한 후 잔류물인 로진만을 적당한 용제에 용해한 플럭스를 말한다. 로진의 주성분은 어비에틴산, 디키스트로피말산이다. 로진은 상온에서의 반응성이 없고 비부식성이며, 납땜온도에서는 안정한 저점도의 액체가 되어 납땜부분을 에워싼다. 금속표면의 산화물이나 수산화물 등의 반응생성물을 잘 용해제거하고, 땜납의 젖음성을 좋게 한다.

**암모니아** Ammonia ◘ 암모니아수(후항)

**암모니아수** Ammonia Water $NH_4OH$.

시판품은 암모니아 $NH_3$를 약 35% 함유한 액체이며, 비중은 약 0.9이다. 암모니아수는 농도 약 10%, 비중 약 0.96, 무색 투명하고 자극이 강한 암모니아를 발생하며, 산과 작용하여 각종 암모니아염을 만든다. 독극물, 위험물로 지정되어 있다. 황동아연, 피로인산 동도금, 화학 동도금, 화학 니켈도금 등에 사용된다. = 암모니아(전항)

**암모니아 침탄** Ammonin Carburizing

암모니아·가스와 침탄성 가스의 양 쪽 모두를 포함한 분위기 중에서 철강의 표면에 질화와 침탄을 동시에 행하는 처리를, 암모니아 침탄이라고 한다.

**암코 철** Armco Iron

American Rolling Mill사의 제조에 의한 순철의 상표명

**암페어** Ampere

전류 강도의 MKS단위(길이의 단위는 m, 중량의 단위는 kg, 시간의 단위는 s라고 하는 단위계). 2개의 도선을 진공 중에 1m의 간격으로 평행하게 하여 전류를 흘려 보내고, 그 도선 1m마다 $2\times10^{-7}$의 힘을 발생하도록 하는 전류의 강도를 1 암페어(기호 A, amp)라고 한다. 국제단위에

서는 초산은의 수용액에서 1초간에 0.00180g의 은을 석출하는 전류의 강도를 말한다.

**암페어 시간** Ampere-Hour

전기량의 복합단위. 기호는 Ah 또는 AH. 1 암페어의 전류가 1시간에 운반하는 전기량을 말한다. 국제단위계에서 전기량의 단위인 쿨롱(C)과의 관계는 1 Ah=3600C, 1 쿨롱은 1 암페어의 전류가 1초간에 운반하는 전기량이다. ◘ 전기량(449)

**압곡(壓曲)시험** Push Bending Test

용융도금의 밀착성을 조사하는 시험으로 일정한 간격을 가진 2개의 원통형 지지대에 시료를 올려 그 중앙에 압력봉을 놓고 서서히 하중을 가해, 압력봉을 지지대와 평행하게 눌러 소정의 형태까지 굽힌다. 굽힘각도는 70까지로 한다.

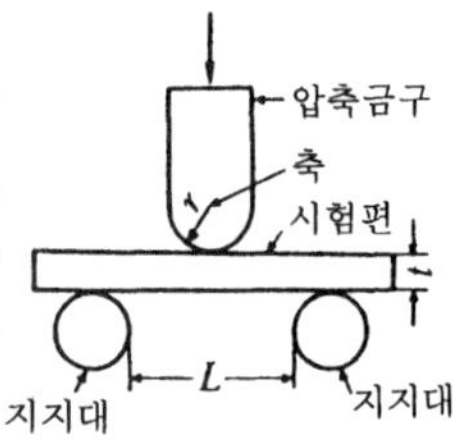

압곡시험

**압력계** Manometer ; Pressure Gauge

유체의 압력을 측정하는 계측기를 말한다. 대표적인 것은 대기압을 측정하는 수은 압력계(청우계 ; 晴雨計)가 있다. 압력계를 분류하면 (1)액체의 무게와 압력을 맞추는 방법[(액주(液柱) 압력계, 링밸런스 압력계, 침상 압력계 등), (2)압력변화에 따른 탄성체의 변위를 이용한 방법[(부르동(Bourdon)관 압력계, 다이어프램(Diaphragm) 압력계 등)], (3)전기저항을 이용하는 방법[압전기 압력계, 저항선변형 압력계]

**압력 주조계** Pressure Casting Process

용융금속에 압력을 가하여 주형에 주입하는 주조법을 말한다. 압력을 가하지 않으면 주조할 수 없는 얇은 물품이나 정밀한 것의 주조가 가능하게 된다. 다이캐스팅(Die Casting)법, 원심 주조법, 저압력 주조법 등은 압력 주조법이다.

**압여과기(壓濾過機)** Filter Press ◘ 필터 프레스(613)

**압여기(壓濾器)** Filter Press ◘ 필터 프레스(613)

**압연(壓延)** Rolling

롤 가공이라고도 한다. 2개 또는 그 이상의 롤 사이에 금속재료를 통해 압력을 가하여 늘리는 금속의 가공방법이며 고온, 상온에서 행하는 압연을 각각 고온, 상온 압연이라고 한다. 또 재결정 온도의 상하에서 행하는 압연을 각각 열간 및 냉간 압연이라고 하나 두 가지 모두를 같은 의미로 사용하는 경우도 있다. 압연을 가하면 금속재료의 결정입자는 미세하게 된다.

**압연 동박(銅箔)** Rolled Copper Foil

동을 롤로 압연하여 얇게 한 동박을 말하며, 플렉시블(Flexible) 프린트 배선판의 일부에 사용된다.

**압인(壓印) 가공** Coining : Embossing ◘ 엠보스(338)

**압전(壓電) 액추에이터** Piezoelectric Actuator

압전재료를 구동력원으로 하여 기계적인 운동을 발생시키는 소자. 압전재료의 인가전계(印加電界)에 의해 신축을 확대 또는 축소하는 방법과 분극(分極)방향이 서로 다른 압전체를 맞붙여 인가전압에 따른 반대현상을 이용하는 방법이 있다. 이것의 응용으로써 압전스피커, 압전진동자. 압전모터, 초정밀이동 스테이지, 압전 트랜스, 점화기용 전원 등에 사용되고 있다.

**압전재료** Piezoelectric Material

결정의 분극을 이용하여 전기적 에너지와 기계적 에너지의 전환을 행하는 재료. 바꾸어 말하면 압전(Piezo)효과를 일으키는 재료. 예를 들어, 단결정인 수정, 탈탄산 리튬, 니오브산 리튬과 세라믹인 지르콘 티탄산염, 티탄산 바륨등이 있다. 응용으로써 압전 액추에이터가 있고 압전 스피커, 압전 진동자, 압전 모터, 초정밀이동 스테이지, 압전 트랜스, 점화기용 전원 등에 사용되고 있다.

**압접** Pressure Welding : Bonding

가압용접의 약칭으로 본딩이라고도 한다. 접합개소를 청결하게 하여 고압으로 양자를 접촉시켜, 양자의 확산에 의해 접합시키는 방법. 재료의 종류에 관계없이 행할 수 있는 이점이 있다. ◘ 본딩(196)

**압착(壓搾)** Pressing : Stamping

금속의 박판(薄板)을 상온에서 압착기 등으로 형을 만들어 소정의 형상으로 성형하는 방법.

**압축 성형** Compression Molding ◘ 사출 성형(230)

**압축응력** Compressive Stress

물체의 면을 생각할 경우, 면을 양측에서 밀어붙이는 것과 같은 힘이 작용하고 있는 경우를 압축응력이라고 한다. 역으로, 잡아당기는 방향으로 힘이 작용하는 경우를 인장응력이라고 한다. 피막은 내부응력이 있고, 전주에서는 도

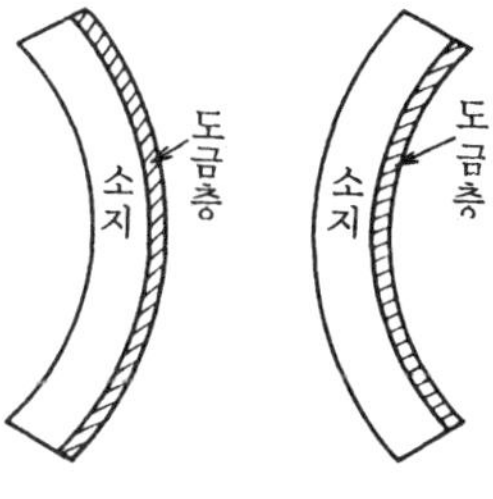

(a) 압축응력 (b) 인장응력
도금피막의 내부 응력
압축 응력

금피막의 응력을 측정한다.

**압출** Extrusion

콘테이너 내에 재료를 넣어 이것에 강한 압력을 가하여 빈 틈새로부터 재료를 압출하여, 소정의 봉, 관, 선, 튜브 등을 만드는 가공법

**압출법 밀착시험** ◘ 압출시험(후항)

**압출시험** Push Out Test

공업용 크롬도금에 이용되는 방법으로 공업용 크롬도금에 의하면 도금면에 대하여 직각으로 안쪽에 직경 6.5㎜의 구멍을 뚫어 받침대 위에 올려놓고, 그 구멍에 6.3㎜의 압출봉을 삽입하여 압출봉에 서서히 압력을 걸어 밀어낸다. 압출된 파단면 및 압출된 쪽의 도금면을 배율 20배 이상의 실체 현미경으로 관찰하여 밀착성을 조사하는 방법 = 압출법 밀착시험(318)

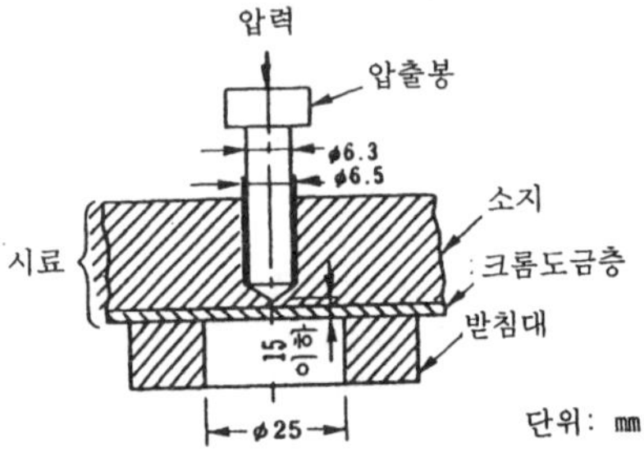

압출시험

**애더티브법** Additive Process

프린트 배선기판을 제조하는 방법으로 동박이 붙어 있지 않는 절연판을 재료로 하여, 배선부분만 무전해 동도금을 하는 방법으로 풀 애더티브법과 반 애더티브법이 있다. 무전해 동도금에는 고속 두께부착욕이 사용된다.

**애프터큐어** Aftercure

열경화성 수지가 성형 후 방치 또는 가열에 의해 더욱 더 경화가 진행되는 것을 말한다. 경화부족의 성형품을 가열하여 충분히 경화시키는 것, 고무의 경우는 가류(加硫)가 더욱 더 진행하는 것을 말한다.

**액간전위** Liquid Junction Potential

확산전위라고도 한다. 조성 또는 농도가 서로 다른 2종류의 전해질용액이 서로 접촉하고 있을 때, 접촉계면을 통하여 이온의 확산이 일어난다. 일반적으로 각각 이온의 이동속도가 같지 않기 때문에 확산의 진행과 함께 양상(兩相)의 접촉계면에는 전하의 분리가 야기되고, 양상간에 전위차가 발생한다. 이와 같은 양상의 내부전위 차를 액간전위 또는 확산전위라고 한다. 수용액에서는 수십 ㎷ 이하의 경우가 많다. = 확산전위(633)

**액간전위차** Liquid Junction Potential

조성 또는 농도가 서로 다른 2종의 전해질용액이 접촉할 때에 발생하는

양용액 사이의 내부전위차를 말한다. 확산전위차라고도 한다. 예를 들어, Zn|$AnSO_4$(0.1N)||$CuSO_4$(0.1N)|Cu와 같은 전지에서는, Cu와 Zn과의 전위차 이외에 두 가지의 황산염용액 사이의 전위차를 생각해 볼 필요가 있다. 액간 전위차를 발생하는 원인은 용액 중의 각종 이온의 이동속도의 차에 의한 것으로 수용액에서는 수 십㎷ 이하의 경우가 많으나 비수용액에서는 더욱 큰 값이 되는 경우가 있다. = 확산전위차(633)

**액 마스크** ◘ 실드(281)

**액면계** Level Gauge of Liquid

어떤 기준면에서의 액위를 측정하는 기기를 말한다. (1)직접검출법(게이지 글래스, 훅 게이지 등), (2)부자(浮子 ; Float)를 이용하는 방법(플로트식 액면계), (3)액의 압력을 이용하는 방법(차압식 액위계, 기표식 액위계 등), (4)정전용량식, (5)전극식, (6)방사선식, (7)초음파식 등 여러 가지 검출법이 있다. 도금에서는 처리액이 증발이나 분출에 의해 액량이 감소하면 액면계를 이용하여 기준면에서 액위의 감소를 탐지, 물이나 처리액을 수동 또는 자동으로 보급한다. 액면계는 액위계라고도 불리운다. 액이 물일 경우는 수면계 또는 수위계라고 한다. = 액위계(319), 수위계(258)

**액면제어 릴레이** Liquid Level Control Relay

액면제어 계전기라고도 한다. 전극봉 등의 미소한 전류신호를 조작전원으로 하여, 레벨이 강한 신호전류로 변환하는 릴레이를 사용하여 배수·양수 펌프 등의 자동운전 제어회로에 이용된다.

**액상** Liquid Phase

물질은 일반적으로 온도와 압력의 값에 따라 고체, 액체, 기체의 어느 형태를 갖는다. 액체상태에 있는 것을 그 물질의 액상이라고 한다.

**액안(液安)** Liquid Ammonia ◘ 액체 암모니아(320)

**액위계** ◘ 액면계(319)

**액체공기** Liquid Air

공기의 온도를 -200℃로 낮추면 액체로 변한다. 이것을 액체공기라고 한다. 미청색으로 액체산소와 액체질소의 혼합액이며, 비중은 약 1이다. 액체공기를 방치하면 먼저 질소가 기체로 되고(불점 -196℃), 다음으로 산소가 기체로 변한다(불점 -183℃). 공기중의 산소와 질소를 불점의 차에 따라 분리할 수 있다.

**액체금속** Liquid Metal

수은이나 용해금속과 같은 금속이온과 자유전자로부터 생긴 액체를 말한다. 자유전자의 활동으로 인해 전기가 잘 통한다. 금속의 정련(精鍊), 정제(精製)에서의 금속은 가열되어 액의 형태로 되는 경우가 많다.

**액체 암모니아** Liquid Ammonia

액화된 암모니아를 말하며, 약식으로 액안이라고도 한다. 많은 점에서 물과 비슷한 무색투명한 액체로, 통상 철제 원통기에 넣어 취급한다. 불점 -33.4℃, 비중 0.676(-33.4℃), 증발잠열 301.8 cal/g(0℃)이며, 각종 물질을 잘 녹인다. 무기질의 용액은 전기전도성이 있고, 산 또는 염기로서의 성질을 나타내 수용액과 매우 비슷한 반응을 한다. 용도는 냉동기 냉매, 용제, 화학비료의 원료 등이다. = 액안 ◘ 암모니아수(315)

**액체 침탄질화법** Liquid Carbonitriding

청화법(Cyaniding)을 일명, 액체 침탄질화법이라고도 한다. 청화나트륨($NaCN$)을 포함한 용융염욕에 강부품을 침적시켜, 강의 표면에 0.2㎜ 이하의 얇은 경화층을 만드는 표면 경화법이다. 이 처리를 실시하면 $NaCN$이 분해되어 강 표면에 C와 N이 침입되기 때문에 침탄질화가 행하여진다. 일반적으로 사용되는 염욕의 성분으로서는 $NaCN$ 45~50%, $Na_2CO_3$ 20~30%, $NaCl$ 15~25%으로 이것을 750~900℃로 가열하여 물품을 이 안에서 15~60분간 담근 후 물이나 기름으로 냉각한다. 이 작업은 간단하며 경화 표면은 내마모성이 풍부하기 때문에 볼트나 너트 그 외의 작은 부품의 표면 경화에 응용되고 있다. 염욕은 청화물을 함유하고 있기 때문에 작업 중에는 이것과 접촉하지 않도록 주의하지 않으면 안 된다. 그러나 이것들이 내뿜는 증기는 대기 중에서 산화되기 때문에 거의 무해하다. 또 액체 침탄욕에서 가열된 것을 마르퀜칭(Marquenching)용 염욕(아초산소다와 초산칼리의 혼합염)에 넣으면 폭발을 일으킬 위험이 있기 때문에 주의를 요한다.

**액체 호닝** Liquid Honing

수중에 연마제의 미립자(예를 들어, 100~500메시의 비누)를 30~50% 넣어서 이것을 압축공기(90 lb/In2)로 세차게 뿌리면서 부착시켜 소재표면을 무지(無地)나 광택제거면으로 하는 방법을 말한다. 소재의 오목부분이나 동공의 내부까지 연마할 수 있다. 샌드 브라스트와 비교하여 먼지가 나지 않기 때문에 작업환경이 양호하다. = 웨트 블라스팅(Wet Blasting)(387)

**액티베이션** ◘ 활성화(637)

**액티베이터** Activator

화학도금의 초기 석출에 필요한 촉매를 포함한 산성의 처리액. 예로써 감광액($SnCl_2 \cdot 2H_2O$ 5~30g/l, 36% HCl 5~30㎖/$l$)에 침적시켜 친수화(親水化)된 표면에 Sn이 흡착하게 하여 수세 후, 액티베이터액($PbCl_2$ 0.1~0.3g/$l$, 36% HCl 1~5㎖/$l$)에 침적시켜 산화환원반응($Sn^{2+} \cdot Pb^{2+} \rightarrow Pb^{0+}Sn^{4+}$)을 일으켜 표면에 Pb핵을 침착시킨다.

**앵커** Anchor

걸고리의 속칭

**앵커 효과** Anchor Effect ◘ 투묘(投錨) 효과(551)

**야금** Metallurgy

광석에서 함유 금속을 분리하여 정제하는 기술과 금속을 재료로써 가공하는 기술 또는 그 학문을 말한다.

**약산** Weak Acid

보통 농도(~mol/$l$)의 수용액으로 하였을 때에 전리도가 현저하게 작은 산을 말한다. 예를 들어, 탄산 $H_2CO_3$, 초산 $CH_3COOH$, 붕산 $H_3BO_3$, 수산 $H_2C_2O_4$, 아황산 $H_2SO_3$ 등이 약산이다. 통상 산으로써의 전리정수 K가 10-3 이하(또는 pK=-log K가 3 이상)의 산을 말한다.

**약산성 양이온 교환수지** Weak Acid Cation Exchange Resin

이온 교환수지로 pH4 이상의 모든 양이온과 교환하는 것을 말한다. 중금속 이온과 킬레이트 결합을 하는 경우도 있으며 선택성이 있다. 일반적으로 가수가 높은 것일수록 흡착되기 쉬운 경향이 있다. 따라서, $Na^+$ 등이 다량으로 있는 경우, 약산성 수지 등의 뒤에 부착시켜 미량의 중금속을 제거하는데 사용된다. 또 수소이온과의 친화성이 높기 때문에 재생이 용이하여 희박한 산으로 재생 가능하다.

**약전** Pharmacopoeia

약전은 나라에서 제정한 것으로 질병예방이나 치료에 사용되는 의약품에 대해 품질, 상용량, 순도 등의 기준을 규정한 것이다.

**약전해** Preplating Treatment: Electrolytic Purification: Dummy Plating

도금욕을 조정할 목적으로 한 전해 처리의 일종. 전해에 의해 도금욕 중의 불순물을 제거하는 경우에는 보통 때보다 낮은 음극전류밀도로 장시간 전해를 행한다. 니켈도금욕 중의 아연, 동 등의 불순물 제거에 이용된다. 건욕시에 약전해 되는 경우가 많으며, 니켈도금 수조에 약전해 수조를 부속시켜 상시 전해하는 방법도 있다. = 전해제거 ◘ 공전해(39)

**약주입장치** Dosing Device

약품을 주입하는 장치로, 주입방법은 연속주입과 간결주입이 있다. 도금에서는 도금욕으로의 광택제 첨가, pH조정 등에 이용되며, 배수처리에서는 처리약품, 응집제 등의 주입에 사용된다. 주입장치로써는 혼합조, 펌프, 교반기 외에 유량계, pH계, pH자동 조정장치 등이 필요하다. 펌프는 일정 체적의 토출이 정확하게 가능한 다이어프램 펌프나 플랜자 펌프 등이 이용된다.

**양극** Anode

전극에서 용액을 향해 정전하가 흐르는 극을 말하며, 가용성의 경우는 금속이 전기화학적으로 용해하며, 불용성의 경우는 어니온(음 이온)이 방전된다. 전지의 경우는 전위가 낮은 부극이 아노드로, 전기분해와 역이기 때문에 주의를 요한다. = 아노드 ◘ 불용성 아노드(209)

**양극 반응** Anodic Reaction ◘ 아노드 반응(288)

**양극 산화** Anodic Oxidation : Anodization : Anodisation ◘ 전해 산화(464)

**양극 세정** Anodic Cleaning

전해 세정 시에 피세정물을 양극으로 하여 산소 가스를 발생시키면서 탈지액 안에서 세정하는 것을 말한다. 고탄소강은 음극 세정에서 수소 취성을 일으키기 때문에 양극 세정을 한다. ◘ 전해 세정(465), 수소 취성(257)

**양극 슬라임** Anode Slime

금속의 가용성 양극을 사용하여 전해하였을 때, 그 전해액에 녹지 않고 양극실 내에 침적되거나 액 중에 부유되는 잔여 찌꺼기를 말한다.

**양극실** Anode Chamber

양극과 음극을 격막으로 가로막았을 때 양극 측의 부분을 말한다. 아노드 백의 내부도 양극실이라 한다.

**양극액** Anolyte

양극과 음극을 격막 등으로 가로막았을 경우, 양극 측에 있는 전해액을 말한다.

**양극 자루** Anode Bag ◘ 아노드 백(289)

**양극적 방식법** Anodic Corrosion Prevention

전위-pH도에서 피 방식금속이 부동태역에 들어가도록 외부전원 또는 첨가금속 등에 의해 양분극시키는 방식법을 말하며 Ti로의 귀금속 첨가 등이 있다. 할로겐 이온이 있으면 부동태 피막이 파괴되는 경우가 있기 때문에 주의를 요한다. ◘ 전위-pH도(458)

**양극 전류밀도** Anode Current Density

일반적으로 양극 표면적 $1dm^2$에 흐르는 전류의 크기를 말한다. 기호는 DA를 사용한다. 단위는 $A/dm^2$로 표시하는 경우가 많으며, ㎃/㎠, A/㎡로 표시하는 경우도 있다. SI단위에서는 ㎃/㎠는 사용하지 않는다.
= DA(108)

**양극 전류효율** Anode Current Efficiency
전기화학 당량으로 계산된 이론적인 양극에서의 화학 변화량에 대해 실제적으로 화학 변화된 양을 백분율로 나타낸 수치를 말하며, 가용성 양극일 때는 금속의 용해량, 불용성 양극일 때는 가스 발생량, 양극산화 생성물량 등의 이론량에 대한 백분율을 말한다. = 양극효율(323)

**양극 전위** Anode Potential
양극이 표준 수소 전극, 포화 감홍 전극 등의 기준 전극에 대해 표시되는 직류 전압을 말한다. 내부저항이 높은 전위차계 등으로 측정한다.
◘ 전극 전위(447)

**양극 지배의 부식** Corrosion Under the Rule of Anode
부식 부분을 미크로에 의해, 양극과 음극으로 나누었을 때, 양극 부분의 분극이 크며 부식 속도가 거의 양극의 거동(분극의 크기)에 지배되고 있는 부식을 말한다. ◘ 부식(197)

**양극 처리** Anodic Treatment
양극에서의 전기화학 반응을 이용하여 Al, Mg, Zn, Ti 그 외의 금속 표면층을 방식, 장식, 내마모 그 외의 기능을 가지고 있는 박막(보통은 산화물)으로 변화되는 처리를 말한다. 또 도금에서는 역전(逆電)처리를 양극 처리라 부르는 경우도 있다. ◘ 전해 산화(464)

**양극판** Anodic Plate
양극으로써 극봉에 매다는 판상의 금속(가용성 양극과 불용성 양극이 있다)이나 흑연, 페라이트, 이산화연(불용성 양극이다) 등의 판을 말한다. ◘ 양극(322), 불용성 아노드(209)

**양극 피막** Anodic Film ◘ 아노드 필름(289)

**양극(적) 피복** Anodic Coating
양극처리로 생긴 피막을 말하는 경우와, 소지금속보다 낮은 금속(양극으로써 거동하여, 소지를 부식에서 보호한다)의 피막을 말하는 경우가 있다. ◘ 양극처리(323), 희성 아노드(651)

**양극 효율** Anode Efficiency ◘ 양극 전류밀도(322)

**양극 훅** Anode Hook

양극판을 극봉에 매달기 위해 사용하는 기구. 재질은 동 및 동합금, 철, 스테인리스, 티탄 등이 이용된다. 아노드 훅이라고도 한다. = 아노드 훅(289)

**양도체(良導體)** Conductor

전기전도도 또는 열전도도가 큰 물질을 말하며, 금속은 양자의 양도체이다. 전기의 경우는 전해질의 용액이나 이온화 된 기체도 양도체에 포함된다. 대체적으로 전기전도도가 103S/㎝보다 작은 것이 절연체로 그 중간이 반도체이다. = 도체(99)

**양면 프린트 배선기판** Double-Sided Printed Wiring Board

양면에 도체 패턴이 있는 프린트 배선기판. 양면 판에 비해 고밀도 설계가 가능하기 때문에 많이 사용된다. 쓰루 홀도금을 하는 것과 하지 않는 것이 있다. 앞, 뒷면의 위치를 맞추는데 정밀도가 필요하다.

**양백** German Silver ; Nickel Silver ; Argentan ◘ 양은(325)

**양성 계면활성제** Amphoteric Suface Active Agent ; Ampholytic Surfactant

카티온 계면활성제와 어니온 계면활성제, 비이온 계면활성제와 카티온(또는 어니온) 계면활성제의 조합과 같이 2종류의 성질을 동시에 가지고 있는 계면활성제를 말한다. 일반적으로는 양이온이 되는 기와 음이온이 되는 기를 동일 분자 내에 가지고 있는 것을 말한다. 이것은 살균, 세정, 금속이온 포획제 등에 이용된다. 가장 간단한 것은 고급 아르텔 아미노산이다.

**양성 산화물** Amphoteric Oxide

산화물 중, 산에 대해서는 염기로써 작용하고 염기에 대해서는 산으로써 작용하는 것을 말한다. 산성, 염기성은 모두 약하다. 예를 들어, 산화아연은 $ZnO+O_2SO_4 \rightarrow ZnSO_4+H_2O$, $ZnO+2NaOH \rightarrow Na_2ZnO_2+H_2O$이다. 염기성 산화물이나 산성 산화물에 대한 것으로 양성 산화물은 산화아연 $ZnO$, 산화알루미늄 $Al_2O_3$, 산화비소 $AS_2O_3$, 산화연 $PbO$, 산화안티몬 $Sb_2O_3$ 그 외이다.

**양성 이온** Ampho-Ion ; Zwitter Ion ; Ampholyte Ion

쌍성 이온이라고도 한다. 분자 내에 산성 및 염기성 원자단을 가지고 있는 양성 전해질은 중성용액에서는 양원자단이 동시에 전리되기 때문에, 전체적으로써는 전기적으로 중성이기 때문에 진정한 의미의 이온은 아니지만 분자 내에 양과 음의 쌍극자 모멘트를 가지고 있게 있다. 이와 같은 전기 쌍극자를 양성이온이라고 한다. 아미노초산, 단백질 등은 적당한 pH(중성 부근)의 수용액에서 양성이온이 된다. ◘ 양성 전해질(325)

**양성 인히비터** Mixed Inhibitor

아미노 반응($O_2$가스 발생, 용해 등)과 카소드 반응(석출, 용존 산소의 환원, $H_2$가스 발생 등)의 양쪽을 제어하는 부식 억제제로 철강에 대한 폴리인산 등이 있다. ◘ 억제제(327)

**양성 전해질** Amphoteric Electrolyte ; Ampholyte

산성 용액에 대해서는 염기의 작용을 하고, 염기성 용액에 대해서는 산의 작용을 하는 산성과 염기성의 양 성질을 가지고 있는 전해질을 말한다. 예를 들어, 수산화아연은 산성 용액에서는 $Zn(OH)_2$으로써 염기 작용을 하고, 염기성 용액에서는 $H_2ZnO_2$로써 산의 작용을 한다. 수산화알루미늄, 아비산, 아미노초산, 단백질 등도 양성 전해질이다.

**양성 졸** Positive Sol

졸 안의 입자가 양전하를 갖는 것을 말한다. 예를 들어, 수산화 알루미늄, 수산화철 등, 금속의 산화물이나 수산화물의 콜로이드 용액으로, 음극을 향해 전기 영동을 한다. ◘ 졸(480)

**양은** German Silver ; Nickel Silver ; Argentan

Cu, Ni, Zn의 3원 합금으로, 백은색으로 아름답다. 전연성, 내피로성, 내식성이 뛰어나고, 저온으로 소둔한 것은 고성능 스프링재에 적합하며, 전자부품의 스위치, 커넥트, 릴레이, 특수 스프링, 리드 프레임 등에 사용된다. 장식용으로써는 안경테 등에 사용되고 있다. 기호는 C 7701, Cu 54.0~58.0%, Ni 16.5~19.5, Pb 0.10% 이하, Fe 0.25%이하, Mn 0.50% 이하, 잔여부는 Zn이다. = 양백(324), 니켈 실버(82)

**양이온** Cation ◘ 카티온(520)

**양이온 계면활성제** Cationic Surfactant; Cationic Surface Active Agent ◘ 카티온 계면활성제(520)

**양이온 교환막** Cation-Exchange Resin Membrance ◘ 카티온 교환막(521)

**양전자** Positron

전자와 대조가 되어 발생하며, 전자가 부전하를 갖는데 반해 정전하를 갖는 소립자로 우주선 연구 중에 발견되었다. 질량은 전자(음전자)와 같다. 양전자는 그 자신으로 안정하지만 음전자와 충돌함으로써 광량자를 방출하며 소멸된다.

**양정(揚程)** Lift Head(of Fluid)

펌프가 액을 끌어올리는 높이를 말하며 흡입액의 면에서 펌프 중심까지의 높이를 흡입 양정, 펌프의 중심에서 토출한 액면까지의 높이를 토출

양정, 흡입액의 면에서 토출한 액면까지의 높이를 실제 양정이라고 하며, 펌프의 토출구와 흡입구와의 전 헤드(압력헤드, 속도헤드, 위치헤드의 총화)의 차를 전 양정이라고 한다. 이론상 흡입 양정은 대기압에 상당하는 양정(물에서는 약 10m)보다 크게 할 수는 없다.

**어니온** Anion ◘ 음이온(404)

**어니온 계면활성제** Anion Interfacial Active Agent: Anionic Surfactant ◘ 음이온 계면활성제(404)

**어니온 교환막** Anion-Exchange Membrane

이온 교환막은 이온 교환기를 포함한 막상의 물질로써 그 두께는 0.1~0.3㎜ 정도의 대단히 얇은 것이다. 막 자신은 ⊕전하를 가지고 있어 어니온(음이온)을 선택적으로 투과시키는 성질을 가지고 있다.

**어닐링** Annealing

소둔(燒鈍)을 일컬으며, 금속의 연화, 결정조직의 조정 또는 내부응력의 제거를 위하여 적당한 온도로 가열한 후 천천히 냉각하는 조작을 말한다. 플라스틱 등을 일정온도로 가열하여 성형에 의한 변형을 제거하는 조작을 말하는 경우도 있다.

**어드미턴스** Admittance

인피던스 Z의 역수 Y=1/Z를 말한다. 단위는 지멘스(S). 2단자간의 단자간 교류(정현관계) 전류를 I로 하면, Y=I/V이다. Y=G+jB(j=$\sqrt{-1}$)으로 표시하면, 실수부 G를 컨덕턴스, 허수부B를 서셉턴스라고 한다. ◘ 컨덕턴스(525)

**어스** Earth ◘ 접지(471)

**어큐물레이터** Accumulator

일시적인 에너지를 축적하는 장치를 말한다. ①증류계에서는 저부하시 등에 여분의 증기를 액화하여 축적한 다음, 최고 부하시 등의 필요에 따라 증기를 내보내는 장치 ②냉동계에서는 증발기와 압축기와의 사이에 설치하여 냉매액과 냉매가스로 분리하는 액분리기를 말한다. 가스만을 압축기에 보내고 액은 증발기로 되돌리는 작용을 한다. ③후프(Hoop)나 와이어 등의 연속도금에서는 송출속도와 감는 속도의 차를 조정하기 위하여 라인 도중에 설치한 장력 조정장치를 말한다[그림

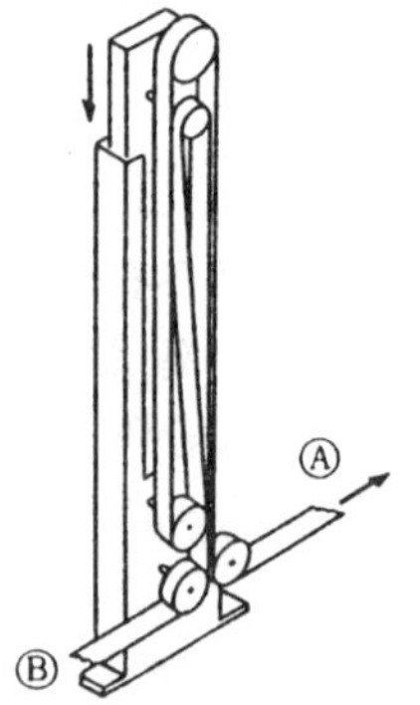


어큐물레이터(루퍼)상의 2축이 상하로 되어 Ⓐ사이드는 계속하여 송출하고, Ⓑ사이드의 송출은 정지된다.

연속도금의 어큐물레이터

어큐물레이터

참조]. ④축전지(2차전지)를 어큐물레이터라고도 한다.

**억제 전류** Limiting Current ◘ 한계 전류(616)

**억제제** Inhibitor

화학반응, 생리작용 등의 진행을 방해하는 물질을 말한다. 반응의 종류에 따라 산화 방지제, 부식 방지제, 중합 억제제, 부촉매, 촉매독, 대사길항(代謝拮抗) 물질 등이라 부른다. 고체 표면에 강하게 흡착하여 계면반응을 억제하는 결과로써 반응을 억제하는 경우가 많으며, 도금에서는 산세액 등에 이용되고 수소 취성을 적게 한다.

**언더 컷** Undercut

프린트 배선의 도체 패턴 측면에서 발생하는 에칭에 의한 한 쪽 측의 홈 또는 움푹 패인 곳

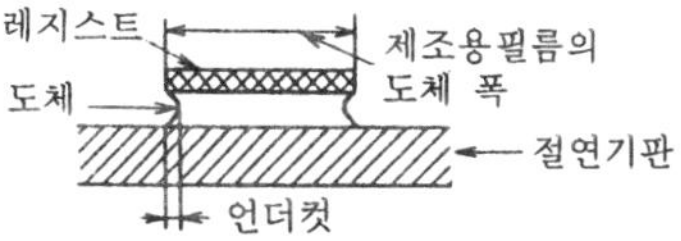


언더 컷

**언로드** Unload

언로드는 무부하라는 의미로 자동화된 도금장치에서 도금이 완료된 후 걸이 또는 배럴에서 물품을 떼어내는 일 또는 떼어내는 공정을 말한다.

**언코일러** Uncoiler

코일 모양으로 감은 강판, 선재를 외주에서 푸는 장치를 말한다. 회전하는 심봉에 코일을 끼워 외주의 한 부분을 꺼내어 코일체를 회전시키면서 잡아 당겨 되감는다. 페이 오프 릴이라고도 한다.

**얼룩** Stain

도금불량 원인의 일종으로 전처리 또는 도금후의 세정작업이 불충분하거나 또는 불균일한 경우 등이 원인이 되어 소재면이나 도금면에 스며든 오염물을 말한다. 부식시험에서는 부식생성물에 따른 표면상의 오염물을 말한다.

**업셋트 용접** Upset Welding

용접 이음매의 단면을 맞대기하여 가공, 통전하면서 단면의 전기저항 발열을 이용하여 행하는 용접방법을 말한다. 직경 10㎜ 이하의 봉재를 사용한다. 재료가 굵어지면 접촉면적이 커져 용접중에 산화물이 섞이거나 보이드(Void)를 발생하기도 한다.

**엉김물** Floc

액중의 콜로이드, 그 외의 현탁 입자가 응집되어 조대화한 것을 말한다. 엉김물이 되면, 침강 속도가 커지기 때문에 도금 배수처리에서는 주로 금속 수산화물로 되어 있는 현탁 입자를 무기물 또는 유기고분자 물질

의 응집제로 사용하여 응집 침강시켜 배수 중에서 제거한다. 보통은 약 0.1㎛ 이상 크기의 미립자가 응집된 집합물을 엉김물이라고 한다.

**에릭센 시험** Erichsen Test

얇은 금속판(두께 0.1~2㎜)의 변형능(變形能)을 조사하는 시험이다. 에릭센 시험은, 도장막의 부착성, 아연도금의 크로메이트 피막의 부착성 시험에 사용되는 경우도 있다. 금속판 시료에 직경 20㎜의 공형태의 펀치를 삽입시켜 시료에 금이 갈 때까지의 압출 치수를 에릭센 값으로 하며 이 수치가 클수록 시료의 변형능은 커진다. 금속판에서는 프레스 성형성, 도장막이나 아연도금의 크로메이트 피막에서는 부착성이 평가된다.

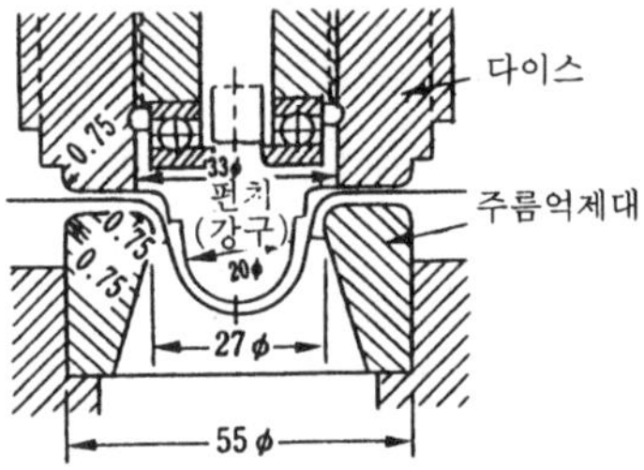


에릭센 시험

**에머리** Emery

천연 에머리와 인조 에머리가 있으며, 인조 에머리의 사용이 많다. 주성분은 알루미나($Al_2O_3$)이다. 금강사라고도 불리우며 소지의 거칠은 연마에 사용된다. = 금강사(金剛砂)(55)

**에머리 버프(Buff ; 마포)** Emery Polishing Wheel

회전운동을 행하는 것처럼 천, 펠트(Felt), 가죽 등을 원판 형태로 만든 연마 공구로 연삭연마제를 접착제로 하여 외주표면에 고착해 사용한다. = 철 버프(Buff)(500)

**에머리 봉** ◘ 에머리 페스트(328)

**에머리 연마** ◘ 황(荒)연마(642)

**에머리 연마포** Emery Cloth ◘ 에머리 크로스(후항)

**에머리 크로스** Emery Cloth

커랜덤(Corundum : $Al_2O_3$)입자와 같은 연마재를 접착시킨 면포로, 금속표면의 녹 제거 등에 사용된다. = 에머리 연마포(전항)

**에머리 페스트** Emery Paste

연마제(에머리)를 유지로 응고시켜 봉(棒) 형태로 한 것. 버프 연마에서 페이퍼의 글레이징(Glazing)용으로 사용된다. = 에머리 봉(328)

**에멀션** Emulsion ◘ 유화(396)

**에멀션 세정** Emulsion Cleaning

수중에 용제를 분산시켜 에멀션화 한 탈지액을 이용한 세정법을 말한다. 보통, 계면활성제를 병용한다. 한 예로, 폴리티온 유기용제 20~50㎖, 백등유 또는 트리클로로에틸렌(Trichloroethylene) 10~100㎖, 물 1$l$를 혼합하여 사용한다. 세정력이 약하여 예비세정에 사용되는 일이 많다.
= 유화세정(396)

**에반스 도(圖)** Evans Diagram ◘ 부식삼각형(198)

**S 니켈** S Nickel
캐나다 Inco사의 황함유 니켈아노드를 말한다. 이전에는 SD니켈을 지칭했었다. 화학품위는 SK니켈과 같다. ◘ SK니켈(330)

**S 니켈 펠릿아노드** S Nickel Pellet Anode
작은 공모양 (직경 6~10㎜ 정도)의 S 니켈아노드. 눈이 미세한 티탄 바스켓에 집어 넣어 니켈아노드로써 사용한다. 캐나다 Inco사제의 상품명. ◘ S 니켈(전항)

**SWG** Standard Wire Gauge
와이어의 굵기 규격(영국계)의 약칭

**S 라운드 아노드** S Nickel Round Anode
버튼 모양(직경 약 25㎜, 두께 약 6㎜)의 S 니켈아노드. 티탄 바스켓에 삽입하여 니켈아노드로써 사용한다. 캐나다 Inco사제의 상품명. ◘ S 니켈(329)

**SBNi** Semi Bright Nickel ◘ 반광택 니켈도금(161)

**SV** Space Velocity
유속을 표시하는 것으로, 공간속도라고도 한다. 1시간당 반응물의 용적과 같은 양의 피반응액이 흐를 경우를 1로 한다. 예로써, 이온 교환수지를 통과하는 물의 양으로 수지 1$l$당의 매시간 통수(通水)량(L)을 SV로 표시한다. = 공간속도(35)

**SCR** Silicon Controlled Rectifier ◘ 사이리스터 정류기(229)

**SCE** Saturated Calomel Electrode ◘ 포화 감홍(甘汞 ; 염화 제1수은)전극(578)

**SI** Systéme International d'Unités
국제도량형 총회(國際度量衡總會)에서 1960년에 채택된 국제단위의 약칭 ◘ 국제단위계(48)

**SRHS욕** Self Regulating High Speed Chromium Plating Bath
미국의 United Chromium사가 개발한 크롬 도금욕으로 자동조절 고속도욕이라고 불리우고 있다. 무수(無水)크롬산, 황산 스트론튬, 규불화칼리로 되어 있다. 촉매근 $SO_4^{--}$를 포화한도 이상으로 유지하고 작업에 따라 감량을 자동적으로 보충하며 과도한 황산은 제거된다. 욕조성이 자동적으로 조징되어 옴극 전류효율이 좋고 전착속도가 서젠트욕보다도 빠르다. 황산 스트론튬은 난용성(難溶性)으로 용해도가 일정[($Sr^{++}$)($SO_4^{--}$) =3.2×10-7]한 것을 이용하고 있다. = 자동조절 고속도욕(436)

**SS** Rolled Steel for General Structure ; Suspended Solid

①일반구조용 압연 강재의 약칭. 건축, 교량, 선박, 차량 등에 이용되는 열간 압연 보통 탄소강재의 총칭으로 강판, 강대, 형강, 강봉용으로써 인장강도에 따라 SS 34~SS 55까지 4종이 규정되어 있다. 보통 0.15~0.4% 정도의 탄소를 함유하고 있다. ②배수중의 입자직경 2㎜ 이하의 부유물질(현탁물질)을 말한다. 수중에서 부유하는 불용성 물질은 단순히 수질오염의 원인이 되는 것뿐만 아니라, 하천바닥에 침적물을 형성하거나 부유물질이 유기물일 경우에는 부패하여 수중의 용존(溶存)산소를 소비한다. = 부유물질(200)

**SAE** Society of Automotive Engineers

미국자동차 기술자협회의 약칭

**SHE** Standard Hydrozen Electrode ◘ 표준 수소 전극(588)

**$SO_2$ 테스트** $SO_2$ Test ◘ 아황산가스 시험(302)

**SUS 304**

대표적인 오스테나이트계 스테인리스강으로 18-8강으로 불리며, 내약품성, 내열성이 뛰어나기 때문에 처리수조 등에 사용된다. SUS 304는 Ni 8~11%, Cr 18~20%를 함유한 강이다.

**SUS 316**

몰리브덴 2~3%를 함유한 오스테나이트계 스테인리스강. Ni 10~14%, Cr 16~18%를 함유하고 있으며, 황산에 대한 내식성이 좋다. SUS 316은 처리수조 등에 사용된다.

**SEM** Scanning Electron Microscope ◘ 주사 전자현미경(481)

**SGP** Carbon Steel Pipes for Ordinary Piping

배관용 탄소강 강관의 약칭. 수도용으로써 표면처리에 따라 수도용 아연도금 강관, 수도용 폴리에틸렌 분체(粉体)라이닝 강관, 수도용경질 염화비닐라이닝 강관이 있다. 수도용 이외의 것으로는 고압배관용 탄소강 강관, 압력배관용 탄소강 강관 등이 있다.

**SK 니켈** SK Nickel

전기니켈 보다도 황의 함유량이 많은 니켈 아노드로, 황을 0.01~0.02% 함유하고 있다. 니켈도금욕중에 염화니켈이 없거나, 소량 경우에도 용해성은 좋지만 흑색의 황화니켈 슬라임(Slime)이 발생한다. 고속도 니켈도금, 니켈 전주(電鑄)용에 사용된다. 스미토모(住友)금속 광산(鑛山)에서 만든 황함유 니켈 아노드의 상품명

**STM** Scanning Tunneling Microscope

Binning 등에 의해 1982년 개발된 장치로, 선단이 날카로운 전극을 시료표면에 원자의 크기까지 근접시키면 전극원자의 전자구름과 시료원자의 전자구름이 중첩되어 터널전류가 흐른다. 이 터널전류가 일정하게 되도록 전극침의 위치를 피에조 소자로 조절하고, 조절에 이용된 전압의 크기가 모니터화 되어 표면의 원자상을 관찰할 수 있다. 대기 중 액체중이라도 그 자리에서 측정할 수 있고, 또 시료표면을 원자의 크기로 가공할 수 있으며 그 후에 개발된 원자간력 현미경(AFM)과 함께 급속하게 응용범위가 넓어지고 있다. = 주사터널 현미경 ◘ AFM(332)

**에어레이션** Aeration ◘ 공기 교반(36)

**에어 리프트** Air Lift

특수 펌프의 일종으로, 기계적인 운동부분이 없이 지하수나 부식성 액체를 수송하는 데에 사용된다. 그림에 표시하는 것과 같이 압축공기를 양액(揚液)관의 하부에 보내면 액에 공기가 혼합되어 관내의 액이 올려져 양액관 상단에서 불출됨에 따라 액이 퍼 올려진다.

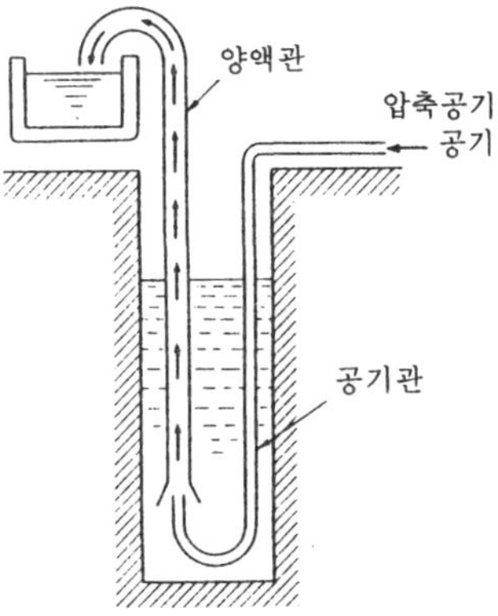


에어 리프트

**에어 커텐** Air Curtain

공기를 조절한 옥내가 출입구를 개방한 상태에서 사용되는 등의 경우, 열의 차단에 이용되며 도금공정 내에서 처리수조의 배기장치에 이용되는 경우도 있다. 흡입(吸込)형과 취출(吹出)형이 있으나 흡입형이 효과가 좋다. 일반적으로 취출 속도는 클수록 효과가 좋으나 옥외의 설비에서는 10~15m/초, 옥내의 설비에서는 5~10m/초이다. 그림은 취출·흡입형이다.

에어 커텐

**에어 필터** Air Filter ◘ 여과집진(342)

**AWG** American Wire Gauge

와이어의 굵기의 미국 규격의 약칭

**ABS** Alkyl Benzene Sulfonate

알킬벤젠술포네이트. 중성세제의 주원료로 체내에 들어가면 간장에 기능장애를 일으키거나 실명되기도 하는 스몬(SMON)병의 원인이 된다. 배수중의 ABS는 잘 분해되지 않는다.

**ABS 수지** Acrylonitrile Butadiene Styrene Copolymer ; ABS

아크릴로니트릴과 부타디엔 그리고 스틸렌으로 형성되어 있는 플라스틱으로 도금용 그레이드가 있으며, 플라스틱 소재로써 많이 사용되고 있다. 도금용 그레이드 이외에 내충격용, 내열용, 투명용 그레이드가 있다. 도금의 밀착성은 주로 아크릴로니트릴-스틸렌 수지중에 공 모양의 폴리부타디엔이 에칭으로 인해 용출되여 오목한 형상이 됨에 따라 발생하는 투묘(投錨)현상을 얻을 수 있으며, 플라스틱의 성형조건에도 영향을 받는다.

**AC** Alternating Current ◘ 교류(46)

**ASD** Ampere Per Square Deci-Metre

$1dm^2$당의 암페어 수. 전류밀도의 별칭 ◘ 전류밀도(454)

**AS 땜납욕** Ti-Lead Alkanesulfonate Alloy Plating Bath ◘ 알카놀술폰산 땜납욕(309)

**ASA** American Standards Association

미국표준협회의 약칭

**ASM** American Society for Metals

미국금속협회의 약칭

**ASME** American Society of Mechanical Engineers

미국기계기술자 협회 및 그 규격의 약칭. 세계적으로 통용되는 규격이다.

**ASTM** American Society for Testing Materials

미국재료시험협회의 약칭

**AFS** American Foundrymen's Society

미국주물협회의 약칭

**AFM** Atomic Force Microscope

STM에서는 전기 도체표면의 원자상에서 밖에 측정할 수 없었기 때문에 고안된 장치. 절연물의 미세한 탐침을 절연물 표면에 원자의 크기까지 근접시키면 양자의 원자간에 힘이 작용한다. 탐침을 캔틸레버(Cantilever ; 외팔보)의 끝에 매달아 놓고, 캔틸레버의 도중에 도전체의 작은 바늘을 달아 터널전류를 측정하든가, 광연자(光捱子)의 반사광의 편향을 검출하여 원자간의 힘을 측정하여 표면의 원자상을 측정한다. STM과 함께 급속하게 응용범위가 넓어지고 있다. = 원자간력 현미경 ◘ STM(331)

**AMS** Aerospace Material Specification

미국우주재료규격의 약칭

**에이징** Aging ; Ageing

①일정조건하에서 장시간, 소정의 상태로 하는 것(숙성) ②시간의 경과 혹은 사용과 함께 바람직한 성질을 잃어버리는 것(노화)

**Hv** ◘ 비커스 경도(225)

**API** American Petroleum Institute

미국석유협회 및 그 규격의 약칭이다. 국제적으로 원유의 비중은 API 비중이 사용되고 있다.

**에지 마스크** Edge Mask

피도금물의 첨단부에 전류집중을 방지하기 위하여 만들어진 차폐물. 넓은 의미로는 보조음극도 포함되지만, 좁은 의미로는 절연물에서 만들어진 전류 차폐물을 말한다. 통상 염화비닐제가 많다. 전주(電鑄)나 공업용 크롬도금에서는 효과가 크므로 많이 사용되고 있다. = 차폐판

◘ 보조음극(189), 로버(Robber)(121)

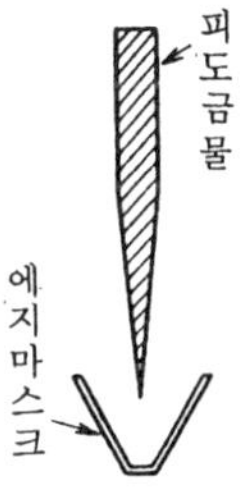


에지 마스크

**에지상 전위** Edge Dislocation

결정 중에서 미끄러짐이 발생하였을 때, 이미 미끌어진 부분과 아직 미끌어지지 않은 부분과의 경계선인 전위가 선상으로 존재하는 것을 말하며, 표면의 전위선 방향에서 보면 원자가 하나가 없는 상태가 된다. 미끄러짐의 크기와 방향은 b로 표시한다.

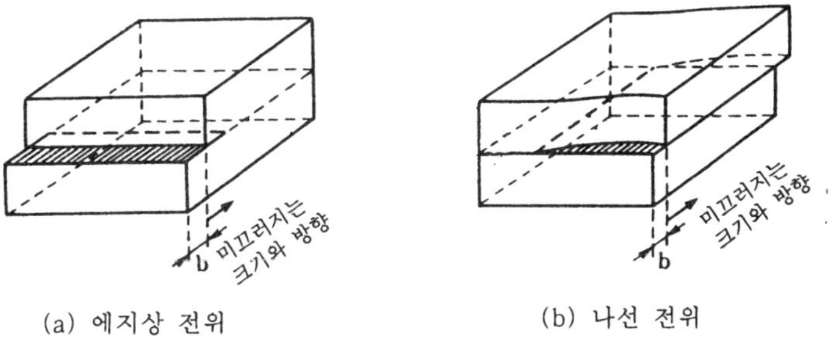


에지상 전위

**에천트** Etchant

에칭에 사용하는 액체 및 기체(플라즈마 포함)

**에치** Etch ◘ 에칭(334)

**에치드 포일법** Etched Foil Process : Subtractive Process

동박을 부착한 절연판을 재료로 하여 배선부분 이외의 동박을 약품으로 용해하여 기판을 제조하는 방법. 현재에는 편면 및 양면기판(쓰루 홀 없음)에서는 대부분 이 방법으로 제조되고 있다. ◘ 서브트랙티브법(242)

**에치 백** Etch Back

쓰루 홀도금에서 내층 도체부의 전기적 · 기계적 접촉을 좋게 하기 위해 도체간의 글래스 섬유나 수지를 일정 깊이까지 용해 제거하는 화학처리를 말한다.

**에치율** Etch Factor

프린트 배선판의 도체에 작용하는 에칭의 깊이(도체의 두께방향)와 측면 에칭의 깊이와의 비를 말한다.

**에치 피트** Etch Pit

고체 표면을 화학부식(에칭)이나 전해연마, 진공 중에서의 고온가열 등 각종 방법으로 인해 부식될 때 발생하는 홈을 말한다. 홈의 직경은 1㎛~0.1㎜ 정도이다. 그 형상은 표면방위에 의존하며 식상(食像 : Etching Figure)이라고 한다. 부식에 의한 홈과 반대로 작은 돌기가 남는 경우도 있으며 이것을 식구(食丘 : Hillock)라고 한다. 전위수나 분포를 조사하는 유리한 수단의 하나이다. ◘ 부식 피트(200)

**에칭** Etching

금속 또는 비금속표면을 화학적 · 전기화학적으로 부식하는 방법. 홈 플레이트, 사진제판, 프린트 배선판, IC, LSI기판 등의 제작에 이용되고 있다. 수지상의 도금 전처리에서 수지를 산화제가 포함된 액으로 에칭하여, 표면 조화(粗化)와 화학적 변화를 일으키게 함으로써 도금의 밀착성을 향상시킨다. 또 공업용 크롬도금에서는 도금욕에서 소재표면을 양극으로 하여 전해 에칭을 행함으로써 도금의 밀착성을 향상시키는 방법이 있다. 이상의 화학적 또는 전기화학적인 습식법 외에 플라즈마를 이용한 건식법도 있다. = 식각(食刻)(281)

**에칭 레지스트** Etching Resist

부분적으로 에칭을 방지할 목적으로 도포된 피막 또는 그 재료를 말한다. 레지스트의 재질은 유기물, 무기물, 금속 등이 있으나, 유기물이 많이 사용되고 있다. 레지스트를 도포하는 방법은, 사진법(포토 레지스트법), 인쇄법(스크린 인쇄, 업세트 인쇄 등), 메커마스크법(실리콘 고무 등) 등이 있다. 반도체, 프린트 배선판, 그 외 정밀부품의 제조에 이용되고 있다.

**에타너** ◘ 1,1,1 트리클로로에탄(428)

**에타널** Ethanal ◘ 아세트알데이드(290)

**에탄올** Ethanol ◘ 에틸 알코올(후항)

**에틸 알코올** Ethyl Alcohol ◘ 알코올(313)

**에폭시 수지** Epoxy Resin

1분자 중에 에폭시 기를 2개 이상 갖는 수지상 물질 또는 그 에폭시 기의 개환중합(開環重合)에 의해 생성된 열경화성 수지. 특징은 (1)주제(主劑)와 경화제를 조합시켜 각종 성질을 갖는 수지를 만들 수 있다. (2)성형수축이 작고 내열, 내마모성, 내약품성이 뛰어나다. (3)전기 절연성이 양호하다 등이다. 도료, 접착제, FRP, 프린트 배선판, IC 기판 등에 사용된다.

**FCC** Federal Communications Commission

연방통신 위원회(미국)이 약칭

**FRP** Fiber Reinforced Plastics

FRP는 글래스 섬유 등의 강력한 섬유를 첨가한 플라스틱이며, BMC(Bulk Molding Compound)나 SMC(Sheet Molding Compound)가 있다. 특징은 (1)고강도로 강에 상당하는 강도를 가지고 있다. (2)저온에서도 성형할 수 있다. (3)성형 사이클이 비교적 빠르다. (4)대형판 형상의 것은 SMC를, 성형품(부품)은 BMC를 이용한다. 도금수조 등의 처리수조, 배수 처리수조, 상재(床材) 등에 사용된다. = 글래스 섬유 강화플라스틱

**FA** Factory Automation

공장 현장의 자동화와 기계화를 지향함과 동시에, 최종적으로는 생산 시스템의 무인화를 추구하는 것을 말한다. 자동운송 시스템, 산업용 로봇, 입체 자동창고, 센서 등을 조합하여 컴퓨터로 제어한다.

**FMS** Flexible Manufacturing System

플렉시블 생산 시스템. 다품종 소량품을 가능한 한 작업자를 줄이고 효율을 좋게 하여 유연하게 생산하고자 하는 시스템을 말한다.

**FTIR** Fourier Transform Infrared Spectrometry ◘ 푸리에 변환 적외분광분석(590)

**Fp** Freezing Point: Solidifying Point

응고점. 빙점의 기호. 응고점이란 물질의 온도를 낮추어 갈 때 액상에서

고상으로 변화할 때의 온도를 말한다. 일반적으로 응고점은 융점(mp)과 일치한다. 단, 혼합물이나 합금[(공정(共晶), 고용체, 공융혼합물, 혼정(混晶) 등)]의 mp는 보통 fp보다도 낮다. 또 글래스 등 비정질의 물질, 과냉각 등일 때에도 mp와 일치하지 않는다. 빙점이란 얼음이 녹는 온도로, 1기압에서 얼음과 물이 서로 평형하게 되는 온도를 말한다. ◘ 응고점(404)

**FPC** Flexible Printed Circuit(Wiring) Board ◘ 플렉시블 프린트 배선판(598)

**에피택시** Epitaxy

한 개의 결정이 다른 결정의 표면상에 정해진 방위 관계를 이루며 성장할 때 그 상태를 에피택시라고 한다. 전기도금에서 소지금속의 결정구조는 석출금속에 여러 가지 형태의 영향을 미친다. 만약 소지금속의 격자면에서 격자간 거리가 도금 금속의 격자간 거리와 잘 일치하고 있다면 소지의 결정구조가 도금 금속에 계승되어 금속의 석출이 일어난다. 이것이 에피택시의 성장이다. 에피택시 성장을 나타내는가 그렇지 않는 가는 도금조건에 따라 변하며, 에피택시를 나타내지 않는 경우도 많다. 그런 경우에도 소지와 도금층의 결합은 금속결합으로 되어 있다.

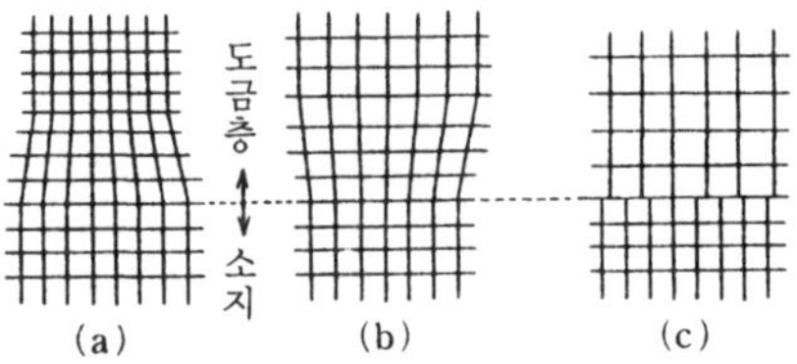

도금층의 소지계승 모식도

에피택시

**X선** X-Ray

파장이 수 십nm~1pm의 전자파를 X선이라고 한다. 1895년 W.C. 렌트겐에 의해 발견되었다. 예를 들어, 클릿지관이라고 불리우는 진공관 중에서 고속 열전자류를 만들어, 이것을 텅스텐의 양극에 충돌시켜 X선을 발생시킨다. 전압이 높을수록 파장은 짧아진다. X선은 형광작용(형광X선), 전리작용, 사진 작용 등이 있으며, 투과력이 강하기 때문에 금속재료의 검사, 결정구조의 해석, 의학상 진료 등에 이용되고 있다. 도금에서는 형광X선 두께측정기가 도금피막 측정에 사용되고 있다. ◘ 형광 X선(624)

**X선 광전자분광법** X-Ray Photoelectron Spectroscopy: XPS

시험 및 연구용으로 광범위하게 이용되고 있는 표면분석법의 하나이다. 고(高)진공 중의 시료에 연(軟)X선을 조사하여, 광전효과에 의해 방출된 각 원소 고유의 광전자의 운동 에너지에서 원소분석을 행한다. 검출감도는 1중량 % 정도이다. 또한 각 원소 최대의 감별에서 가수(価數)나 결합상태, 존재상태 등의 정보를 얻을 수 있다. 통상 수㎟ 면의 평균적인 분석을 행하지만 100㎛²까지 분석할 수도 있다. 깊이 방향으로는 수십Å 정도의 분석을 할 수 있으나 $Ar^{+}$이온 스패터링을 병용하는 깊이 방향의 분석도 가능하다. 분석 대상물은 금속, 반도체, 폴리머 등의 유기물, 세라믹 등 다수에 이른다. = ESCA(413)

**X선 마이크로애널라이저** X-Ray Microanalyzer

형광 X선을 이용한 분석법의 하나로 전자선 마이크로애널라이저(Eelectron-Prove Microanalyzer, EPMA)라고도 한다. 직경 50㎚~1㎛ 정도로 미세하게 결속된 전자선속을 시료표면에 조사했을 때 그 곳에서 방사된 특성 X선의 파장 및 그 강도를 X선 분광기로 측정하여 전자선속이 닿는 표면 부근에 수㎛³ 정도의 영역에 존재하는 원소의 정성(定性) 또는 정량분석을 행하는 장치를 말한다. 비파괴 분석이 가능하기 때문에 응용범위가 넓고 도금피막의 결함이나 불순물의 분포상태 등을 분석할 수 있다. = XMA(337), EPMA(420)

**X선 분광분석** Electron Prove X-Ray Spectrochemical Analysis

X선을 방사하는 형광 X선 분광분석에서는 원자번호 12~13 부근 이하에서 원소감도가 불충분하기 때문에 이것을 보충하기 위하여 시료를 X선이 아닌 전자선에서 여기(勵起)하는 분석법이다. 전자빔을 미세하게 하면 C, P, S(각 원자번호는 6, 15, 16) 등의 분석에 위력을 발휘한다. 이 방법은 X선 마이크로애널라이저에 응용되고 있다. = 전자선 마이크로분석(460)

**X선 회절법** X-Ray Diffraction Method

X선은 파장이 짧은 전자파이므로 금속 등의 시료에 파장 1Å정도의 X선을 쪼이면, 규칙적으로 배열한 원자면에 의해 X선이 반사되어 서로 간섭을 하게 되고 물질에 의해 서로 다른 특유의 반사각도에서 X선이 강하게 된다. 이것을 X선 회절현상이라고 한다. 이 회절현상을 이용하여 결정구조내의 원자 배열의 해석이나 격자 결함, 격자 진동, 상전이(相轉移), 물질의 동정(同定), 정량, 결정립의 크기 등의 측정을 행한다.

**XMA** A-Ray Microanalyzer ◘ X선 마이크로애널라이저(337)

**엑커** Aq; aq; Aqua

그리스어로 물을 의미하는 Aqua 의 약어. 물 또는 수용액의 약어로써 이용되고 있다. 예를 들어, $H_2O_2$aq는 과산화수소의 수용액, 압력을 표시할 때에는 100㎜Aq(수주 100㎜)와 같다.

**엔보스** Embossing Coining

금속재료를 상하의 형 사이에서 압출하여 그 형태의 모양대로 성형하는 가공법을 말한다. 편면 만의 모양을 내는 것을 부각(Rising)이라고 한다. = 압인 가공(317)

**엔셀러** ◘ 엔지니어링 세라믹(338)

**NSS 테스트** Neutral Salt Spray Test ◘ 염수 분무(塩水噴霧)시험(359)

**NHE** Normal Hydrogen Electrode ◘ 표준 수소전극(588)

**N·㎥** Normal Cubic Meter

표준상태(압력 1atm, 온도 0℃)에서 기체의 체적(단위 ㎥)를 표시한 기호이다. = 노멀 입방미터

**NOx** Nitrogen Oxide ◘ 녹스(76), 질소산화물(494)

**엔지니어링 세라믹** Engineering Ceramics

파인세라믹을 구조용 재료와 기능성 재료로 크게 2가지로 나누었을 때, 구조용 재료를 총칭하여 엔지니어링 세라믹이라고 한다. 산화물계의 알루미나, 지르코니아 등 외에 탄화규소, 질화규소, 질화붕소 등에 뛰어난 기계적 특성을 가지고 있기 때문에 절삭공구, 밸브, 반도체장치 용구, 광화이버, 자동차 부품 등에 사용되고 있다. = 엔셀러 ◘ 파인세라믹(561)

**엔지니어링 플라스틱** Engineering Plastics

ABS나 폴리프로필렌(PPO) 등의 장기 내열온도 100℃이하의 범용 플라스틱에 대하여 불리우는 것으로 공업부품이나 하우징 등의 공업제료로써 사용되는 강도, 내열성, 내충격성, 경도, 내노화성에 뛰어난 플라스틱을 말한다. 일반적으로는 내열성, 내적(耐的) 안정성(선팽창계수)으로 구분되어 있다. 도금 가능한 엔지니어링 플라스틱(이하 엔플러)을 장기 내열 온도별로 분류하면, 100~150℃의 범용 엔플러로서 폴리아세텔(POM), 폴리카보넷(PC), 폴리아미드(PA, 상품명 ; 나이론), 변성 폴리페닐렌옥사이드(PPO)가 있으며, 이것을 5대 엔플러라고 한다. 내열온도 150~200℃의 특수 엔플러로써 폴리술폰(PSF), 폴리에테르술폰(PES), 폴리에테르이미드(PEI), 폴리페닐렌술포이드(PPS) 등이 있으며, 내열온도 200℃ 이상의 슈퍼 엔플러로써는 폴리에테르에테르케톤(PEEK), 폴리아릴레이트(액정 폴리머), 폴리이미드(PI) 등이 있다. = 엔플러(338)

**엔플러** ◘ 엔지니어링 플라스틱(전항)

**n형 반도체** Negative Semiconductor

실리콘이나 게르마늄 등에 극히 미량의 V족원소(As, Bi 등)를 넣으면 4가의 Si나 Ge에 비해 전자가 1개 많으므로 이 전자가 전류를 운반하게 된다. 이것을 n형 반도체라고 한다. 금속표면의 산화물은 산소과도형과 금속과도형이 있으며 금속과도형은 n형 반도체의 성질을 가지고 있다.

**엘리베이터방식 도금장치** Automatic Plating Equipment (Elevator Type)

자동기라 불리우는 도금장치의 한 방식. 전처리 수조, 도금 수조, 후처리 수조를 소판(小判)형으로 배치하여 중앙부분에 구동장치를 놓고 후크(Hook)를 유지하는 암(腕)을 상하운동 시키는 기둥(Pillar)을 중앙 부분에 세워 반송은 기둥의 이동으로 행하고 상하이동은 엘리베이터와 같이 암이 상하운동하는 방식이다. 이 방식은 피도금물이 도금 수조 안을 이동하기 때문에 도금 수조 안에 다수의 후크를 집어넣을 수 있는 것과 도금 두께의 불균일이 적다는 이점이 있으나 커다란 공간을 필요로 하는 것과 도금작업의 공정 변경이 어렵다는 점, 중량물의 도금에는 적당하지 않다는 등의 결점이 있다. 주로 소형물 부품의 도금에 적합하다.

엘리베이터방식 도금장치

**LNG** Liquifide Natural Gas

액화 천연가스, LMG라고도 한다. 메탄을 주성분으로 하는 천연가스를 냉각 압축하여 액화한 것이다. 도시가스용, 화학공업 원료로 쓰인다.

**엘코메타** Elcometer

상품명. 영구자석을 이용하여 막 두께를 측정하는 계기. 영구자석과 측정피막면 사이에 작은 가동자석을 놓아 가동자석의 진동으로 막 두께를 측정한다. 자력식 막두께계에는 그 외에 교류전자 코일을 사용하는 것이나 전자석 또는 영구자석의 흡인력을 이용한 것이 있다. 철소지상의 아연도금이나 크롬도금의 막 두께측정에 사용된다. 비자성의 동이나 동 합금, 아연, 알루미늄 등의 소지상의 도금 막 두께는 측정할 수 없다.

**LPG** Liquified Petroleum Gas

액화 석유가스, 프로판을 주성분으로 한 것이 많고 일반적으로 프로판가스라고 불리고 있다. 석유공업에서 부생하는 탄소 원자수 3~4의 가스상 탄화수소를 압축 액화하여 내압용기에 충전한 것이다. 간단히 기화되며 도시가스와 같이 연료로써 폭 넓게 사용되고 있다.

**mdd** mg/dm$^2$/day

부식도를 표시할 때에 사용하는 단위로 mg/dm$^2$/day의 약어이다.

**M 비** M Ratio

시안화 아연도금의 욕 관리에 사용되며, M비는 작을수록 전류효율은 좋으나 표면이 나빠진다.

$$M비 = \frac{전\ 시화나트륨(g/\ell)}{금속아연(g/\ell)}$$

일반적으로 사용되고 있는 중농도 시안화 아연도금욕에서 Zn 20g/$l$, NaCN 40g/$l$이라 하면 M 비는 2.0이 된다.

**MIM** Metal Injection Molding ◘ 금속사출성형(58)

**MX 지시약** MX Indicator ; Murexide Indicator

뮤렉사이드 0.2g과 염화나트륨 100g을 유발(乳鉢)로 분쇄시켜 혼합하여 만든다. 니켈 도금욕중의 니켈분 정량에 사용한다.

**MLSS** Mixed Liquor Suspended Solid

배수처리에 있어서, 통기 수조내의 SS와 오물의 합계를 말한다. SS란 입자 직경 2㎜ 이하의 물에 녹지 않는, 부유하고 있는 물질을 말한다.

= 오물농도

**MKS 단위계** MKS System of Units

기본단위로써, 길이의 단위에 미터(m), 무게의 단위로 킬로그램(kg), 시간의 단위로 초(s)를 사용한 단위계를 말한다. 이것으로부터, 유도된 단위로써 힘의 단위는 뉴튼(N), 일 및 에너지의 단위는 줄(J) 등이 있다. 이것에 전류의 단위 암페어(A)를 기본단위로써 더한 것이 MKSA 단위계이며 SI 단위계는 이 계열에 속한다.

**mp** melting point

c융점의 약칭 ◘ 융점(398)

**여과** Filtration

고체가 혼합되고 있는(현탁, 유탁 등으로)액을 압송 또는 흡인에 의해 여과재를 통과시켜 고체와 액체로 분리하는 조작을 말한다. 기체중의 부유 고체입자를 같은 방법으로 분리하는 경우도 있다.

**여과기** Filter

기체용 여과장치와 액체용 여과장치가 있으며, 도금욕 등의 처리액 여과에는 가압식 여과기가 사용된다. 여과재는 여과천 또는 카트리지가 이용되며, 활성탄이나 규약토가 여과조재로써 사용된다. 여과기의 구조재료는 처리액에 의해 다르며 철제, 스테인리스제, 수지제, 철에 고무라이닝을 한 것 등이 있다. 펌프는 소용돌이식, 캐스캐이드식이 많이 사용되며 액의 유출이 없는 마그네트 드라이브식 펌프가 보급되어 있다. 밸브류는 다이어프램식 밸브와 볼밸브가 사용된다. = 필터 ◘ 웨스코 펌프(386)

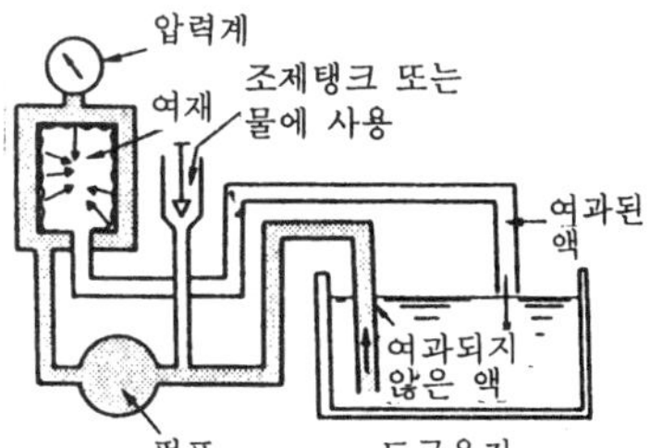


여과기

**여과량** Tank Turnover at Filtration

여과 시에 여과재를 통과한 액량 또는 기체량. 전기도금에서는 1시간당 몇 수조분의 액량이 통과하는가를 표시한다. 규격이 느슨할 때는 매시 1/8~1/2 수조용량이지만, 엄할 때는 매시 1/2~10의 여과량이 필요하다.

**여과 속도** Filtration Flow Rate

액체 또는 기체의 여과 시에 단위시간 내에 여과재를 통과하는 액량 또는 기체량으로 $l$/h, k$l$/h 등으로 표시한다.

**여과재** Filter Medium

여과에 사용하는 다공질의 박막. 종이, 천연 및 합성섬유의 천, 유리섬유의 천, 다공질 플라스틱, 다공질 유리 등의 내, 액과 반응하지 않고 강도를 유지하는 재료. 도금에서는 여과천이 널리 이용되고 있다. = 여재

**여과 정도(精度)** Size of Filterable off

여과기에 의해 분리되는 최소미립자의 크기를 말한다. 도금욕에 필요로 하는 여과 정도의 예를 들면, 광택 니켈도금은 10~25㎛, 황산동도금(쓰루 홀 도금용)은 5~10㎛, 아연도금은 25~100㎛, 무전해도금은 1㎛, 도금 배수처리는 50~200㎛이다. 도금욕에 필요한 여과 정도를 높이기 위해서 2~3대의 여과기를 직렬로 접속하여 사용하는 경우도 있다.

**여과 조제** Filter Aid

여과재의 눈 막힘을 방지하고 여과 정도나 여과 속도를 증대시켜 여과천의 세정 주기를 길게 하기 위하여 여과재 위에 코팅(프리코트법)하거나 액에 혼합(보디법)하는 물질로 모두 여과 표면적을 증가시키는 작용을 한다. 일반적으로 규약토, 펄라이트, 셀룰로스, 활성탄 등을 사용한다.
◘ 프리코트(594), 보디법(187)

**여과지** Filter Paper

기체 또는 액체 등의 여과에 사용하는 다공질의 회분이 적은 종이로 정

제면이나 양질의 펄프를 원료로써 만들어진다. 공기여과기나 화학분석이나 도금액의 여과 등에 사용된다. 정성, 정량분석용 여과지의 종류는 아래 표와 같다.

여과지의 종류

| 정 성 분 석 용 | | 정 량 분 석 용 | |
|---|---|---|---|
| 1종<br>2종 | 조대한 젤라틴상 침전용<br>중정도 크기의 침전용 | 5종 A<br>5종 B | 조대한 젤라틴상 침전용<br>중정도 크기의 침전용 |
| 3종<br>4종 | 미세침전용<br>미세침전용의 경질여과지 | 5종 C<br>6종 | 미세침전용<br>미세침전용의 얇은 여과지 |

여과지

**여과 집진** Dust Catch by Filter

분진을 포함한 기체를 여과재에 통과시켜 분진을 분리 포집하는 방법을 말한다. 목면, 양모, 유리섬유 등으로 원통형의 자루를 만들어 그 안에 기체를 넣어 통과시키는 장치를 백 필터라고 한다. 유리섬유나 금속섬유로 두꺼운 천(매트 형상)을 만들어 기체를 통과시켜 여과 집진하는 방법을 에어 필터라고 한다. 황산 더스트나 방사성 더스트 등 집진의 종류에 따라 특수한 여과재가 사용된다.

**여과 케이크** Filter Cake ◘ 케이크(526)

**여상(濾床) 생성법** Precoat ◘ 프리코트(593)

**여엽(濾葉) 여과기** Leaf Filte ◘ 잎(상) 여과기(432)

**여재(濾滓)** Cake ◘ 케이크(526)

**여재(濾材)** Filter Medium ◘ 여과재(341)

**여포(濾布)** Filter Choth

천연 또는 합성섬유, 유리섬유 등의 천으로 만든 여과재를 말한다. 여포의 결은 도금욕에서는 일반적으로 1~50㎛, 배수처리에서는 50~200㎛의 것이 사용된다.

**역가** Titer; Potency

적정에 사용하는 표준액 작용의 강도를 말한다. 표시법은 시약의 농도(규정농도 등)로 표시하는 경우도 있으나, 그 표준액 1㎖와 당량의 피적정물질의 양으로 표시하는 경우도 있다. 예를 들어, $Cl^-$의 적정에 사용하는 $AgNO_3$ 표준액 1㎖가 1.78㎎의 $Cl^-$와 당량일 때, 1㎖ =1.78㎎Cl과 같이 표시한다.

**역기전력** Reverse Electromotive Force; Back emf

농도분극이나 전극표면의 막이 원인이 되어 전해욕 중에서 발생하는 전류의 흐름을 반대로 하려고 하는 전압

**역률** Power Factor

교류의 전압과 전류와 같이 정현관계로 표시되는 두 개의 양의 곱이 에너지 또는 일률이 될 때 양자의 위상차(손실각)를 ϕ라 하면, cosϕ를 역률이라고 한다. 교류의 평균전력은 전압, 전류의 실효치 Ee, Ie에 역률을 곱한 것과 같고 EeIecosϕ로 표시한다. 역률이 1에 가까울수록 전력손실이 적다.

**역성(逆性)비누** Invert Soap : Opposite Soap ◘ 카티온 계면활성제(520)

**역세** Back Washing

여과기의 여재(濾材)를 세정할 때, 압력수를 원수(原水)의 흐름과는 역으로 여액의 배출구로부터 역방향으로 물을 흐르게 하여 이물질을 유출시키는 조작을 말한다. 이온교환수지의 교환탑의 역세는 이물질의 제거와 액의 흐름을 대비하여 수지층을 약화시키는 작업을 행하는 것으로 역세의 유속은 수지층을 약 50% 팽창시키는 정도로 행한다.

**역전(逆電)처리** Reverse Electrolysis

통상적인 극성을 변화시켜 전해하는 것. 예를 들어, 크롬도금을 하기 전의 도금욕 중에서 피도금물을 양극처리하고 난 후 극성을 전환시켜 도금을 한다. 또 도금피막을 박리할 때 도금피막을 양극처리하여 전해박리를 한다. 이것들의 처리를 역전처리하고 한다.

**역침투막** ◘ RO막(309)

**역침투(압)법** Reverse Osmosis Method

막분리 기술의 일종이다. 반투막을 사이로 같은 압력, 같은 온도 하에서 용액과 순용매가 존재할 때 용매는 반투막을 통하여 용액으로 들어가려고 한다. 즉, 농도가 높은 용액을 엷게 하려는 것과 같이 용매가 작용하기 때문에 용액 쪽의 수위가 높아지고 압력 차가 발생하여 결국에는 평형하게 된다. 이때의 압력이 침투압이다. 역으로 이 침투압 이상의 압력을 용액 쪽에 걸어보면 그 압력에 의해 용액 중의 용매는 반투막을 통하여 용매 안으로 들어간다. 이와 같이 용액은 농축하여 용매를 분리하는 방법이 역침투(압)법이고, 반투막에는 일반적으로 산소 셀룰로스막이나 폴리아미드 막이 사용되고 있다. 도금에서는 배수처리, 도금액의 회수에 사용된다. = RO법(309)

**역 편석** Inverse Segregation

용융점이 작은 성분의 것이 최초에 응고된 부분에 편석한 것을 역 편석이라고 한다. 일반적으로는 용융점이 낮은 것이 최후에 응고하는 부분에 편석되는 것이 정상이며, 이것을 정 편석(Normal Segregation) 또는 단순히 편석이라고 한다.

**연(鉛)** Lead Pb.

원자번호 82, 원자량 207.2, 융점 327.4℃, 불점 1515℃, 비중 11.34이다. 무겁고 부드러우며, 전연성이 있는 청회색을 한 금속이다. 열에 의해 산화되어 연산화물을 발생한다. 연은 이온화 경향이 작아 희산에서는 일반적으로 녹기 어려우나 산소가 있으면 약산에서도 간단히 녹는다. 초산과 같은 산화력이 있는 산에는 녹는다. 연은 2가와 4가의 2계통의 화합물을 형성한다. 단순히 연염(鉛塩)이라고 하면 2가의 것을 말한다. 산화물(황～적), 황화물(흑), 크롬산염(황)은 유색침전이 되지만 그 외의 연염은 일반적으로 용액 중에서 무색의 $Pb^{2+}$이온이 된다. 연화합물의 대부분은 유해하다. 연, 연합금은 크롬도금의 양극이나 그 외의 도금욕의 불용성 전극으로써 사용된다.

**연강** Soft Steel : Mild Steel

탄소함유량이 0.12～0.25% 전후의 보통강을 말한다. 용도가 넓어 철사, 정, 강판, 선, 관 등에 사용되며 많은 것은 아연 도금된다. 소입은 불가능하지만 구조용재로써 가장 널리 이용되고 있다. 킬드강과 림드강이 있으며 림드강이 더 유연하고 순수한 페라이트 피막을 가지고 있기 때문에 도금소지로써는 뛰어나다. ◘ 저탄소강(443)

**연단(鉛丹)** Minium : Red Lead

광명단(光明丹이)라고도 한다. 사삼산화물($Pb_3O_4$)을 주성분으로 하며 붉은 기운을 띈 오렌지색의 무기 안료. 철강의 녹방지용 도료의 안료로써 폭 넓게 사용된다. = 광명단(42)

**연료전지** Fuel Cell

금속이나 금속산화물을 전극재료로 하는 종래의 전지와는 다르게 양극에 공기, 산소, 염소, 과산화수소 등을 음극에는 수소, 메탄올, 일산화탄소 등의 연료를 공급하여 연료를 연소 과정을 거치지 않고 직접 전기에너지로 변환시키는 전지를 말한다. 전극은 산화·환원의 매체로써 작용한다. 저온형에는 귀금속 촉매전극, 고온의 용융염형이나 고체전해질형에는 금속(Ni 등)다공질 전극을 사용한다. 우주선, 전차용에 사용되고 민생용은 적으나 저공해, 고효율의 분산형 발전소로써 실용화된 것도 있으며 연구, 개량, 실용화가 급속도로 진전되고 있다. 전해액은 저온형에서는 인산 또는 KOH수용액, 고온형에는 용융탄산알칼리($K_2CO_3$, $Li_2CO_3$ 등) 또는 각종산화물의 고체전해질 등이 사용된다.

**연마** Polishing

소재표면을 편평하게 하는 일을 말한다. 도금작업에 관련한 연마방법은 버프연마, 배럴연마, 액체호닝, 화학연마, 전해연마 등이 있다.

**연마 균열** Grinding Crack

소입품을 연마하였을 때, 그 표면에 발생하는 균열을 연마 균열이라고 한다. 연마 균열은 연마열에 의해 표면의 소입 조직이 템퍼링되어 그 수축에 의해 발생되는 것이다. 따라서, 연마 균열을 방지하기 위해서는 소입품을 연마 전에 미리 150℃ 정도로 템퍼링을 하여 놓든지 또는 강하게 연마해야 할 우려가 있는 경우에는 300℃ 정도로 템퍼링하여 놓는 것이 좋다. 연마 균열은 일반적으로 깊이가 얇고 게다가 연마 방향과 직각의 평행선 또는 가는 거북이 등가죽 모양으로 나타나기 때문에 소입 균열과 구별된다.

**연마립** Abrasive Grain

숫돌을 만드는 재료가 되는 단단하고 미세한 입자를 말한다. 인조품이 많으며 산화알루미늄계와 탄화규소계가 많지만 인조다이아몬드나 cBN (입방정 질화붕소) 등도 이용된다. 공구에 연마립을 고정시키는 방법으로써 접착제를 사용하거나 소결시키는 방법을 이용하지만 니켈도금으로 고정시키는 방법도 이용되고 있다.

**연마 마모** Abrasive Wear

미끄럼 마찰의 일종으로 미끄러져 가는 고체표면의 단단한 쪽의 표면요철이 부드러운 쪽의 표면을 깎는다거나, 단단한 입자가 미끄러져 가면서 표면 사이에 끼워져 있어 긁힘에 따라 표면이 마모되는 현상을 말한다. 버프(Buff) 연마는 연마 마모의 이용이다.

**연무(煙霧)** Haze ◘ 퓸(Fume)(591)

**연백(鉛白)** White Lead

탄산수산화연(Ⅱ) $2PbCO_3 \cdot Pb(OH)_2$의 관용명이며, 염기성 탄산연이라고도 한다. 백색의 무거운 분말이며, 기름과 혼합하여 도료로써 사용한다. 용도는 도료, 백색안료, 잿물, 염화비닐수지의 안정제 등이다. = 염기성 탄산연(358)

**연삭** Grinding

숫돌을 고속으로 회전시켜 피절삭물 표면을 미세한 가루로 제거하는 정밀 마무리법을 말한다. 마무리면의 거칠기는 보통, 최대 높이 3㎛정도 이하이지만 입도가 미세한 숫돌을 사용하면 최대 높이 0.1～0.3㎛의 경면 마무리를 할 수 있다. 인쇄용 롤에서는 동도금면을 연삭, 가공하여 경면 마무리를 한다.

**연삭시험(방법)** Grinding Method for Adhesion Test

도금층을 숫돌 또는 줄로 갈아 도금의 밀착성을 조사하는 방법으로 주로 공업용 크롬도금과 같이 경질이며 두꺼운 도금은 숫돌로 연삭한다. 공업용 크롬도금, 경질 니켈도금 이외의 줄보다 부드러운 도금층은 도금층은 줄을 이용할 수 있다. KS D 0254「도금의 밀착성 시험 방법」에 규정되어 있다.

**연삭액** Grinding Fluid

연삭하는 장소의 냉각, 윤활, 청정을 목적으로 사용하는 액을 말한다. 연삭 부품을 도금할 때에는 연삭액의 종류가 도금의 전처리에 영향을 미친다. 연삭액에는 수용성과 불수용성이 있으며, 전자는 광유와 계면활성제가 주성분이며 냉각효과가 크다. 후자는 1종과 2종이 있으며 1종은 광유와 동식물유 또는 에스테르유이고, 2종은 1종에 염소계와 유황계의 극압(極壓) 첨가제를 첨가한 것이다. 불수용액의 것은 윤활성 및 용착을 저감시키는 효과가 크다.

**연-산전지** Lead-Acid Battery

납축전지를 말한다. 현재는 세계적으로 납-산전지라고 부르는 경우가 많다. ◘ 납축전지(67)

**연성(延性)** Ductility

재료에 장력을 주어 소성변형을 일으켜 선 모양으로 늘어지게 하는 성질을 말한다. 연성은 일반적으로 인장시험에서 연신율, 조임율의 대소에 따라 비교가 된다. 가늘고 얇게 되는 성질을 전성이라고 하고 이것을 합하여 전연성이라고 한다. ◘ 유연성(348)

**연소** Burning

철강을 공기 중에서 그 고상선(Solidus) 온도로 가열하면 결정입계가 일부분 용융되기 시작하여 이 부분에서 공기 중의 산소가 혼입되어 산화연소를 일으켜 이것을 취약화시킨다. 이 현상을 연소라고 한다. 고상선은 즉, 연소 개시 온도에 해당한다. 연소를 일으킨 강은 사강(Dead Steel)이라고 하며, 폐기하는 것 외에는 방법이 없다.

**연소도** Burn up

핵연료 단위 중량에서 발생하는 핵분열 에너지를 의미한다. 스토브의 열출력을 QMwt, 연료의 연소시간을 D(day), 핵연료의 장하량을 M(ton)이라고 하면 이 핵연료 B는 B=QD/M(Mwt·D/t)가 된다. 또한 1회의 핵분열에 의해 발생하는 에너지가 결정되므로 연소도는 핵분열이 몇 회 발생하였는가, 즉 핵연료가 어느 정도의 중성자 조사를 받았는지를 나타내고 있다.

**연소 조직** Burnt Structure

연소 조직이란 강을 그 용융점 가까이 까지 가열하였을 때 얻을 수 있는 조직을 말한다. 일반적으로 조직이 조대하고, 결정립 사이에 산화물의 박막이 존재하는 등의 특징이 있다. 이와 같이 되는 것은 가열 중에 공기가 강 중에 침입하여 강 중의 탄소와 작용하여 일산화탄소를 만들기 때문이며, 이것이 고온도에서 오스테나이트의 결정립을 서로 떨어지게 하며 또, 산소량이 많을 때에는 그 곳에 산화막을 만든다. 조직이 조대하며 현저하게 취약한 점은 과열 조직(Overheated Structure)과 닮았으며 과열 조직이라면 이것을 적당한 온도로 소준(Normalizing)하여 단련시키면 회복시킬 수 있으나 연소 조직에서는 강질의 내부까지 산화되어 있기 때문에 단련 또는 압연으로도 결정립을 접착시킬 수도 없다. 타격을 가하면 용이하게 균열이 발생되어 양질의 것으로 회복시킬 수 없다. 이와 같이 연소 조직의 강은 거의 폐기물과 같으며 이것을 용해하여 다시 단조하는 것 외에는 회복의 방법이 없다. 이 때문에 연소 조직의 강을 사강(Dead Steel)이라고 부를 정도이다.

**연속 도금** Continuous Plating

롤기계를 사용하여 와이어(철사)나 후프재를 전처리에서부터 후처리까지 연속하여 감으면서 도금하는 방식을 말한다. 고속화, 에너지 절약화가 가능하다. 철강업계에서는 표면처리 강판(아연, 아연합금, 주석도금 강판 등)의 제조에 이용하며, 전기부품의 접점재료나 전자부품의 리드 프레임 등에서는 연속도금이 부분도금과 조합되어 실시된다. = 코일·투·코일도금(529), 릴·투·릴도금(126)

**연속식 배수처리 장치** Continuous Effluent Treatment System

배수를 처리조에 상시적으로 투입하여 같은 양의 처리수를 배출해 가는 방식을 말한다. 이 방식은 반응조에 대한 배수 처리량이 크고 또, 배수량이 큰 경우(50㎥/일 이상)에서도 장치를 대형화하여 처리할 수 있다는 등의 이점에서 가장 널리 사용된다. 그러나 배수의 수량과 수질의 변동이 작아야한다는 것을 전제로 하고 있기 때문에 반응조에서의 반응이 불완전하면 곧 바로 방류수의 수질에 영향을 미치기 때문에 배수처리 장치로의 유입 관리와 운전 관리를 확실하게 실시하지 않으면 안 된다.

☞ 회분식 배수처리(644)

**연속 압연** Continuous Rolling

일반적으로 4조 이상의 압연기를 사용하며 재료는 직선적으로 압연되면서 통과하는 것으로 뒤의 롤 만큼 회전수는 증가하지만 그 사이에 느슨함이나 압착이 생기지 않도록 각 롤의 압축율과 회전수에 일정한 관계를 가지게 하여 압연한다. 조강, 선재 등의 압연에 사용한다.

**연속 여과** Continuous Filtration

처리액을 여과하는 방법으로써 처리액을 사용 중 또는 정지 중에도 상시 여과기를 연속하여 여과하는 것을 연속 여과 또는 상시 여과라고 한다. 전기도금에서는 연속 여과되는 경우가 많다. = 상시 여과(240)

**연속 청징장치** Clarifier ☞ 정화 장치(476)

**연수** Soft Water

수중의 칼슘염 및 마그네슘염의 함유량을 산화칼슘으로 환산하여 물 100㎖중에 1mg을 함유할 때 물의 경도를 1도라고 하고 10도 이하의 물을 연수라고 한다. 또 20도 이상의 물을 경수라고 한다. ☞ 경수(26)

**연욕** Lead Bath

납(Pb)을 용융한 수조를 연욕이라고 한다. 납은 약 327℃로 용융하기 때문에 이 이상의 열욕으로써 사용된다. 용융연은 열전도가 좋기 때문에 가열 및 냉각 매체로써 적당하다. 즉, 연욕 가열은 급열용으로 연욕 냉각을 열욕 소입, 오스템퍼(Austempering) 등에 이용되고 있다. 단, 납은 비중이 크기 때문에 강 부품이 부상하여 불편하다. 또 강 부품의 표면에 용융연이 부착되는 것을 방지하기 위해서는 미리 강 부품을 데운 후에 포화 식염수에 담그든지 또는 기름을 도포한 후에 연욕에 넣는 것이 좋다. 연욕은 고온(1000℃ 이상)이 되면 유해한 가스를 발생하기 때문에 납중독 방지를 위해 배기 장치를 설치하는 것이 바람직하다.

**연전율** Thermoelectric Power

열전대의 한 쪽 접점의 온도를 일정하게 유지할 때 그 외의 접점의 온도 1deg(도)의 변화에 대한 열기전력의 변화를 말한다. 금속 A, B조의 열전율은 금속 A, C조와 C, B조의 열전율의 합은 서로 같다. 따라서 금

속 C에는 비교적 긴 도선을 이용할 수 있다. = 열전능(353)

**연질 금도금** Soft Gold Plating

고순도의 금도금을 말한다. 반도체부품의 금도금은 순도 99.9% 이상이 필요하다고 되어 있다. 이것에 반해 전기접점, 단자, 커넥트, 핀 등은 경질 금도금(금합금도금)이 사용되고 있다. 경질금도금은 연질금도금에 비해 경도는 2배 이상, 내마모성은 3배 이상이라고 알려져 있다.

**연질 땜납** Soft Solder

납보다 용융온도가 낮은 땜납재(용융온도 327℃ 이하)를 말한다. 그 주된 것은 Pb-Sn합금이다. 땜납은 250℃ 이하로 용융한다.

**연질화법** Soft-Nitriding; Tufftride

독일에서 개발한 신속염욕 질화법의 일종으로, 520～570℃의 온도에서 10～120분간 행하는 액체 질화이다. 연강에서는 표면경도가 Hv≒570으로 가스 질화의 약 절반이다. 솔트의 주성분은 KCNO 32～40%, KCN 55%, 나머지는 $Na_2CO_3$로 KCNO가 분리된 발생기의 N과 C가 강에 침투하여 질화가 진행된다. 경도는 낮으나 내마모성, 내피로성, 내식성이 좋기 때문에 고가인 특수강 대신에 자동차부품, 공구 등을 만드는데 이용되고 있다.

**연함유 황동** Lead Brass

쾌삭 황동의 일종. 3%이하의 납을 첨가하여 결정 입계에 납을 석출시켜 절삭성을 향상시킨 황동을 말한다. 납 때문에 6-4황동보다도 기계적성질은 떨어진다.

**연합금** Lead Alloy

납을 주성분으로 하는 합금. 경납은 1～10%의 안티몬을 함유한 납합금으로 가공하기 쉽기 때문에 관이나 판에 사용한다. 땝납은 납-주석의 넓은 범위의 합금비로 납땜에 사용된다. 납-주석-안티몬합금은 활자, 베어링 등에 사용된다. 이용(易溶)합금은 납이 주성분이다. 납축전지의 전극 격자판에는 납-칼슘합금이 사용된다. 도금에서는 불용성양극으로써 납-주석합금, 납-은합금, 납-은-인듐합금 등이 사용된다.

**연 호모겐법** Lead Homogeneous Coating

철면을 산세하고 난 후 땜납을 납땜하여 그 위에 납을 산수소염으로 용착시켜 가는 방법을 말한다. 황산제조의 염실, 원자력 기기, 방사선 차폐판 등에 적용된다. 연판코팅보다도 가볍고 납도금과 같이 핀홀은 없기 때문에 좋으나 처리에 숙련을 요하기 때문에 적용 분야는 감소하고 있다.

**연화 육성** Soft-Facing

연질 금속부품의 표면에 연질 금속을 용착시키는 방법을 연화 육성이라고 한다. 강의 야금에 청동, Al-Cu 합금 등의 베어링 합금을 산소-아세틸렌 화염으로 육성하여 베어링을 형성시킬 때 등에 이용된다.

**열가소성** Thermoplasticity

가열하면 소성 변형을 일으키기 쉽기 때문에 냉각하면 가소적으로 경화하는 성질을 말한다. 금속, 글래스, 사슬형고분자 중합체로 되어있는 합성수지(열가소성 수지)에서 볼 수 있다. 온도에 의한 유동성 증대가 큰 것일수록 열가소성이 크다.

**열가소성 수지** Thermoplastic Resin

열가소성을 갖는 합성수지를 말하며, 열경화성 수지에 대한 용어이다. 화학적 구조로는 사슬형 고분자로 폴리스틸렌, 폴리에틸렌, 폴리아미드, ABS 등 많은 수지가 이것에 속한다. 압출, 사출 성형에서 능률적으로 가공할 수 있고 스크랩은 재이용하기 쉬운 반면 내열성, 내용제성은 낮은 것이 많다. ABS수지는 무전해도금에 많이 사용되며, 이 외의 수지도 도금용 글레이드를 갖는 것이 있다.

**열간 가공** Hot Working : Warm Processing

금속의 재결정온도 이상에서의 가공을 말한다. 너무 높은 고온에서는 결정입이 조대화되고 표면산화가 너무 지나치게 일어나 일부 용해되는 경우도 있기 때문에 적당한 온도 범위에서 행한다. 가공경화가 일어나도 곧 바로 어닐링되어 연화되기 때문에 가공도, 가공속도를 크게 할 수 있으며 또 재료조직을 변화시켜 성질 개선도 가능하다. = 고온 가공(33)

**열간 압연** Hot Rolling

금속의 재결정온도 이상의 온도에서 행하여지는 압연을 말한다. 재결정온도 이하의 온도에서 압연을 열간 압연이라고 한다. 일반 구조용강, 용접 구조용강, 스테인리스강 등의 열간 압연 강판이 건축, 조선, 차량, 압력용기 등에 사용되고 있다.

**열경화성 수지** Thermosetting Resin; Thermohardening Resin

가열에 의해 중합체중에서 미반응기가 반응하여 망상구조가 형성됨으로 인해 최초의 열가소성 상태에서 불용불융(不溶不融)의 상태가 되는 수지를 말한다. 요소수지, 멜라민수지, 페놀수지 등이 있으며 에폭시수지,

불포화 폴리에스테르, 알킬, 알키드수지, 우레탄수지, 에보나이트 등도 경화반응 때에 고분자 사슬간에 반응이 일어나기 때문에 열경화성 수지에 포함된다. 내열, 내용제성은 일반적으로 좋으나 성형능률이 낮고 스크랩이 재생되지 않는다는 결점이 있다.

**열교환기** Heat Exchanger

두 개의 유체간에 열을 주고받도록 하게 하는 장치를 말한다. 넓은 의미로는 가열기, 냉각기, 응축기 등도 포함되나 보통은 열의 회수를 목적으로 하는 것을 열교환기라고 한다. 도금욕에서 사용하는 방법은 열교환기를 수조 내에 직접 투입하는 투입법과 열교환기를 수조 외에 놓고 펌프 등으로 액을 넣어 순환시키는 수조외 순환식이 있다. 열교환기의 재질은 스테인리스, 티탄, 탄탄, 하스테로이, 지르코늄, 니오브 등의 내식재료를 사용한다. 도금욕용의 열교환기가 시판되고 있다.

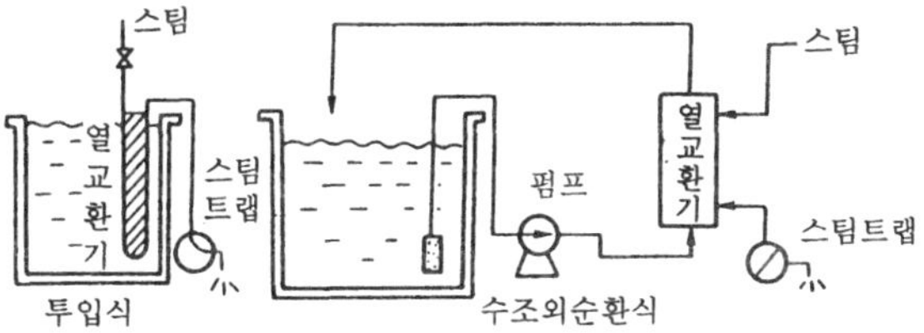


열교환기의 방식

열교환기

**열 균열** Heat Check

급격한 가열, 냉각의 반복을 받으면 재료 표면에 미세한 균열이 발생한다. 이것을 열 균열이라고 한다. 열간 공구, 열연 롤 등의 표면에 생긴 균열은 열 균열의 전형적인 것이다. 열 균열을 방지하기 위해서는 특히 냉각을 급격(수냉)하게 행하지 않도록 하여야 한다.

**열기전력** Thermoelectromotive Force

2종의 서로 다른 도체(또는 반도체)의 양단을 접합하여 2접점을 서로 다른 온도로 유지시켰을 때 회로에 발생하는 기전력을 말한다. 기선력이 나타나는 현상을 제벡효과라고 한다.

**열량의 단위** Units of Heat

국제단위계(SI)에서는 주울(J)을 사용하고 있다. 종래에는 칼로리가 사용되었으며 1칼로리(cal)는 순수한 물 1g을 1기압(atm) 아래에서 14.5℃에서 15.5℃까지 온도를 높이는데 필요한 열량을 말하며, 엄밀하게는 1cal 15로 표시하고 15도칼로리 또는 수(水)칼로리라고 한다. 1kcal는 1000cal 이다. 1g의 물을 1atm(기압)에서 0℃에서 100℃로 승온시키는 열량의 1/100을 평균칼로리(cal)라고 한다. 1cal=4.1897J이다. ◘ 주울(485)

**열부식** Thermal Etching

진공으로 금속을 가열하여 결정입계나 격자결함을 표면에 나타나게 하는 방법을 말한다. 입계나 격자결함을 포함한 장소는 증발하기 쉬운 것을 이용한 방법이다.

**열분석** Thermal Analysis

물질은 그 상 또는 성분을 변화시키면 열변화를 수반한다. 여기에서 가열·냉각을 할 때 급격하게 흡열·발열현상이 일어나면 그 계(系)에 변화가 발생하였다는 것을 알 수 있다. 이 열변화가 나타나는 온도 및 그 구간을 조사하여 열변화의 본성을 밝히는 분석법을 열분석법이라고 한다. 열적으로 불활성인 물질(알루미나 등)과 함께 가열, 냉각하여 시료와의 온도차를 측정(기록)하는 방법을 시차분석이라고 하고 정량분석도 가능하지만 통상적으로 정성분석에 이용된다.

**열사이클시험** Thermo-Cycle Test : Thermal Cycle Test ◘ 히트사이클 테스트(652)

**열시험** Heat Test ◘ 가열시험(10)

**열안정시험** Heat Satbilization Test : Thermal Proof Test

고온 증기 터빈용 단강 로터에 대해 설계상 지정되어 있는 시험 방법이다. 즉, 정확하게 마무리 된 로터를 가열로 안에 설치해 놓은 베어링에 장착하여 노 온도를 터빈의 사용 온도보다도 조금 고온으로 하여 고속으로 회전시킨다. 만약, 단강 로터에 내부 응력이 있거나 또는 열팽창성이 불균일하거나 하면 이 노내 가열에 의해 변형이 나타나 로터는 편심회전하게 된다. 이 편심도를 가열 중 및 냉각 후에 다이얼 게이지로 측정한다. 이와 같은 시험을 열안정시험이라고 한다.

**열 압착** Thermo Compression Bonding

접합할 금속을 융점 이하의 적당한 온도에서 접합부에 압력을 가해 접합을 하는 방법을 말한다. 접합부는 소성유동이 발생하여 산화피막이 파괴되어 활성화된 금속면이 서로 접촉함으로 인해 접합된다.

**열역학** Thermodynamic

열적인 현상을 거시적인 입장에서 현상론적으로 취급한 고전물리학의 한 부분으로 전극전위 등은 열역학에서 이끌어낸 것이다. 3개의 기초원리 위에 이론적으로 구성되어 있다. 열역학 제1법칙은 에너지 보존의 원리, 제2법칙은 열적 과정의 방향성이 주어지는 법칙으로 엔트로피 증대 원리라고도 불린다. 제3법칙은 네룬스트의 열정리 또는 네룬스트-프랭크의 정리라고도 불리며 절대영도로는 끝없이 가깝게 접근해도 도달은 불가능하다는 것을 나타내고 있다. 열역학은 변화의 전후관계는 나타내고 있으나 시간적 기술, 즉 속도는 범위 외이기 때문에 나타내지 않는 것으로 되어있다.

**열역학 제3법칙** ◘ 열역학(전항)

**열영향부** Heat Affected Zone

용접, 표면 소입 등에 의해 열의 영향을 받아 조직 및 성질이 변화된 모재 부분을 열영향부(HAZ)라고 한다.

**열용량** Heat Copacity

물체의 온도를 단위온도만 상승시키는데 필요한 열량을 말하며 같은 물체에서는 질량과 비열의 곱이다.

**열응력** Thermal Stress

물체의 온도가 상승하거나 저하되면 물체는 팽창 또는 수축한다. 예를 들어, 팽창하기 쉬운 금속재료에 팽창하기 어려운 금속재료로 도금을 하면 피도금재료의 열팽창 또는 수축이 구속받기 때문에 피도금재료에 내부응력이 발생한다. 그리고 온도가 불균일하게 분포하거나 동일 금속에서도 내부에 불균일한 상(결정조직, 결정배향 등)이 있으면 똑같이 내부응력이 발생한다. 이와 같은 응력을 열응력이라고 한다.

**열이동** ◘ 열전도(353)

**열전능** Thermoelectric Power ◘ 연전율(348)

**열전달** Heat Transfer

물체(고체, 액체, 기체)중 열의 이동을 크게 나누어보면 도체, 대류, 방사(폭사라고도 한다) 및 이것들을 조합한 것이 있으며, 이 기능에 의해 일어나는 열의 이동현상은 열전달, 전열, 열이동 등이라고 한다. = 전열(457), 열이동(353)

**열전도** Conduction of Heat : Thermal Conduction

물질의 이동이 없이 열이 물체의 고온부에서 저온부로 이동하는 현상을 말한다.

**열전대** Thermocouple

두종의 금속을 접속하고 접속부의 양단에 온도차가 생기면 열기전력이 발생하는(제벡효과) 것을 이용하여 온도를 측정하는 소자를 말한다. 온도 측정에는 성질상, 접촉이 한 단을 기준 접점으로 하지 않으면 안 된다. 일반적으로 방정식 기준 접점이 사용되지만 기타 실온식 기준 접점, 서모스탯식 기준 접점 등이 있다. 열전대의 종류로서는 1000℃ 이상의 고온 측정에는 백금-백금로듐(PR), 1000℃ 이하에서는 크로멜-알루멜(CA), 400℃ 이하에서는 철-콘스탄탄(IC), 250℃ 이하에서는 동-콘스탄탄(CC)이 있으며, 여러 온도범위에서 사용된다.

**열전대 온도계** Thermocouple Thermometer: Thermoelectric Pyrometer

열전대의 열기전력을 이용한 온도계를 말한다. 2종의 금속선 양단을 접합하여 한 쪽 접점을 정온으로 유지하여 다른 쪽 접점의 온도가 변화함에 따라 발생하는 열기전력의 값에서 온도를 구한다. 열전대에는 백금-백금 로듐, 동-콘스탄탄, 철-콘스탄탄, 아르멜-크로멜 등이 일반적으로 이용되고 있다. 백금 로듐은 10% Rh을 함유하고 있으며, 콘스탄탄은 Cu 60%, Ni 40%, 크로멜은 Ni 90%, Cr 10%, 아르멜은 Ni 94%, Mn 3%, Al 2%, Si 1%의 합금이다. 백금계는 1600℃, 아르멜-크로멜은 1000℃, 콘스탄탄계는 800℃까지 측정할 수 있다. 이 외에 여러 가지를 조합한 것이 있다. 정온으로 유지한 접점을 기준접점 또는 냉접점, 온도를 측정하는 접점을 온접점 또는 열접점이라고 한다.

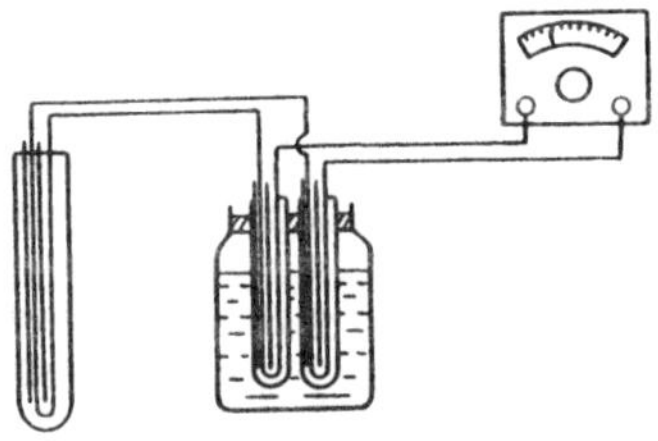

열전대 온도계

**열전도도** Thermal Conductivity: Heat Conductivity

물체내부의 등온면을 통해 단위시간에 단위면적당 흐르는 열량과 이 방향의 온도구배와의 비를 말하며 물질에 대한 정수이고 온도, 압력으로 인해 변화한다. 금속은 자유전자가 많기 때문에 큰 열전도도를 가지며, 전기전도도와의 사이에 일정한 법칙(비드만-프란츠법칙)이 성립된다.

**열전자 방사** Thermoelectric Emission

고체의 도체 또는 반도체를 고온으로 가열하였을 때 고체내의 전자가 외부에 방출되는 현상을 말한다. T.Edison이 발견하고 W.Richardson이 연구한 것으로 에디슨효과 또는 리차드슨효과라고도 한다. 진공관의 카소드에서 전자가 방사되는 것은 이 현상에 의한 것이다.

**열처리** Heat Treatment

금속을 여러 가지 고온으로 가열하여 전이(예를 들어, $\alpha$상에서 $\gamma$상으로 변화시키는 것 등)에 의한 조직변화, 잔류 응력의 제거 등에 의해 재질의 개선을 꾀하는 처리를 말한다. 소입, 소둔, 소려 등은 대표적인 것이다. 수소취성 제거의 베이킹 등도 포함된다.

**열처리 조직** Heat Treated Structure

열처리가 실시된 조직을 열처리 조직이라고 한다. 소입(Hardening), 소려(Tempering), 소둔(Annealing), 소준(Normalizing) 조직 등은 모두 열처리 조직의 하나이다.

**열처리 피막** Heat Treating Film

열처리에 의해 발생된 철강 표면의 산화 박막을 총칭하여 열처리 피막이라고 한다.

**열충격시험** Thermal Shock Test

도금시료에 가열 급냉하는 열충격을 가해 도금의 밀착성을 조사하는 방법으로 KS D 0254「도금의 밀착성 시험방법」에 규정되어 있다. 가열장치는 표에 나타낸 시험온도에서 ±5℃의 범위로 유지될 수 있도록 가열로를 사용한다. 시료의 온도가 규정온도에 도달하면 가능한 한 재빨리 꺼내어 상온의 수중에 넣어 급냉하고 도금의 박리 또는 부풀음의 유무를 조사한다. = 써멀쇼크테스트 ◘ 히트사이클 테스트(652), 가열시험(10)

**열 취성** Hot Shortness ◘ 고온 취성(33)

**열탕시험** Hot Water Test

중성의 열탕(90∼95℃) 중에 시편을 6시간 침적하여 철에 녹을 발생시켜 핀홀의 정도를 조사하는 시험방법을 말한다. 주로 철소지 위의 주석도금에 적용된다. 니켈도금에도 적용할 수 있으나 페로키실시험에 비해 감도가 떨어지며 열탕에 의해 니켈이 약간 침식되는 결점이 있다.

**열팽창** Thermal Expansion

물체의 체적이 온도 상승과 함께 증가하는 현상을 말한다. 고체의 경우에는 길이의 증대도 일어난다.

**열팽창계수** Coefficient of Thermal Expansion

온도가 1℃ 상승함에 따라 증가하는 체적을 0℃일 때의 체적으로 제한 몫을 체팽창계수(体膨脹係數), 온도가 1℃ 상승함에 따라 증가한 길이를 0℃일 때의 길이로 제한 몫을 선팽창계수(線膨脹係數)라고 한다. 0℃ 및 t℃일 때의 체적을 $V_0$, V 길이를 $l_0$, $l$, 체팽창계수를 $\alpha$, 선팽창계수를 $\beta$라고 하면, $V = V_0(1+\alpha_t)$, $l = l_0(1+\beta_t)$로 표시된다. 체팽창계수는 선팽창계수의 약 3배이다. 중요금속의 0~100℃에서의 평균 선팽창계수는 다음과 같다. 단, 10만배로 한 값으로 표시한다. Al 2.38, Sb 1.09, Pb 2.93, Cr 0.84, Fe 1.2, Au 1.43, Ag 1.97, Pt 0.90, Cu 1.71, Mn 2.28, Mo 0.52, Ni 1.30, W 0.45, Zn 2.97, Sn 2.70이다.

**열풍 건조기** Hot Air Drying Equipment

도금 후의 건조에 사용되는 열풍 건조는 풍속 10m/s까지, 온도 250℃까지의 열풍을 이용한다. 아연도금 후에 크로메이트 처리를 한 제품의 건조는 저온도 열풍이 사용되고 있다. 소량으로 작은 제품의 건조에는 헤어드라이어를 이용할 수 있으나, 양산의 경우에는 열풍 건조로를 만들어 외부에서 열풍을 공급하도록 한다. 석유나 가스 등의 연소가스로 열풍을 만들면 열풍이 깨끗하지 못하기 때문에 도금표면이 더럽혀지는 경우가 있다.

**열풍 납땜** Hot Air Soldering

프린트 배선기판의 부품밀도가 높은 경우에 행하는 납땜방법의 하나로, 리플로우 솔더링(Reflow Soldering)에 이용된다. 노 내에 온풍을 강제적으로 순환시켜 접합체의 온도를 상승시켜 납땜을 행하는 방법이다. 온도 상승이 빠르고, 균일하게 가열 할 수 있으나, 금속면이 산화되기 쉽다. 산화방지를 위해 불활성가스($N_2$ 등)를 이용하는 경우도 있다. ◘ 리플로우 솔더링(126)

**열풍 용접** Hot Jet Welding

용접 개소 및 용가재에 전열로 가열시킨 열풍을 불어넣어 용접하는 방법을 말한다. 도금에서 사용하는 처리수조 등은 PVC(경질염화비닐)로 제작된 것이 많고 PVC는 열풍 용접으로 접합한다. 폴리에틸렌도 열풍 용접을 할 수 있으나, PVC보다도 어렵다. 현재 열풍 용접장치가 시판되고 있다.

**열피로** Thermal Stress

부재의 온도상승, 저하의 반복에 따라 발생하는 열응력의 반복에 의한 피로현상을 말한다. 전자부품의 도금에서는 전류에 의한 발열 때문에 열피로를 일으키며, 균열이나 박리를 일으키는 경우가 있다. ◘ 열응력(353)

**열 확산** Thermal Diffusion

온도 구배에 의한 원자의 이동을 말한다. 온도분포가 한결같지 않은 혼합유체(금속의 고용체도 포함)에서 한쪽의 성분을 고온 측에, 다른 한쪽의 성분을 저온 측에 분리시키는 현상으로 온도확산이라고도 부른다.

기체에서는 보통 가벼운 성분이 고온 측에 집중된다. 기체의 동위체 분리 등에 이용된다. 한결같은 온도로 가열하였을 때에 확산에 의해 농도구배가 작아지는 현상을 보다 일반적으로 표현한 용어이다.

**열확산법** Thermal Diffusion Method

실리콘 집적회로소자 제조에서는 실리콘 단결정 표면이 p형이나 n형이 되도록 불순물(As, Sb, P, B 등)을 도입(도핑)할 때, 불순물의 기체화합물 증기를 확산원으로 하는 기상확산법 또는 불순물을 포함한 글래스나 다결정 실리콘을 확산원으로 하는 고상확산법을 이용한다. 어떤 확산법이든 가열 하에서 행하기 때문에 열확산법이라고 부른다. 도핑법에는 이온주입법이 있다. ◘ 이온주입법(416)

**염 (塩)** Salt

산과 염기의 중화에 의해 얻을 수 있는 것으로 산의 음이온과 염기의 양이온으로부터 성립된 물질을 말한다. 중화의 정도에 따라 정염, 산성염, 염기성염으로 구별된다. 정염(正塩)은, NaCl(염화나트륨)과 같이 H와 OH가 완전히 중화되어 있는 염이고 산성염은 $NaHCO_3$(산성 탄산나트륨 또는 중탄산소다)와 같이 H가 중화되지 않고 남아 있는 염을 말한다. OH가 남아 있는 염기성염으로써는 염기성 탄산동 [($CuCO_3 \cdot Cu(OH)_2$ 또는 $Cu_2CO_3(OH)_2$, $2CuCO_3 \cdot Cu(OH)_2$ 또는 $Cu_3(CO_3)_2(OH)_2$ 등]이 있다.

**염교 (塩橋)** Salt Bridge

둘 이상의 액을 전기적으로 연결하기 위해서 글래스관이나 플라스틱관 안에 전도성이 있는 염용액을 넣어 액이 유출되지 않도록 세공한 연결구를 말하며, 전극전위의 측정 등에 사용된다. 염용액을 한천(寒天)으로 단단하게 하는 경우도 있으며, 한천교라고도 불리운다.

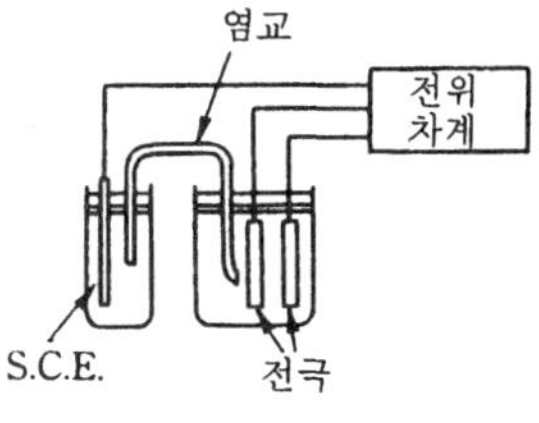

염교

**염기** Base

염기의 정의는 역사적으로 변화되어 왔다. (1)Arrhenius는 수용액 중에서 $OH^-$를 내는 물질 (2)Bronsted와 Lowly는 상대방에게서 $H^+$를 받는 분자 또는 이온(양자 수용체) (3)Lewis는 전자 공여체라고 각각 정의하였다. 현재는 학술적으로 (2), (3)이 인정되고 있고 염기는 물질고유의 성질이 아닌 반응에 책임을 지는 역할이라고 되어 있다. 따라서, $H_2O$는 염기로도 되고 산으로도 된다.

$H_2O + NH_3 \rightleftharpoons NH_4^+ + OH^+$ (산) (염기) (산) (염기)　$HCl + H_2O \rightleftharpoons H_3O^+ + Cl$ (산) (염기) (산) (염기)

Arrhenius의 정의에서 염기의 가수는 염기 1몰이 생성된 $OH^-$의 몰을 말하며 산도(酸度)라고도 한다. OH를 포함하지 않는 염기에는 $NH_3$와 그 유도체인 아민류가 있다($CH_3NH_2$, $C_6H_5NH_2$ 등). 또 염기의 강약은 전리도의 대소로 구분되어 NaOH 등은 강염기, $Cu(OH)_2$ 등은 약염기이다. 염기는 일반적으로 리트머스(Litmus)지를 청색으로 변하게 하며, 또 산과 화합하여 염을 생성한다. ◘ 산 · 염기의 정의(234)

**염기성 탄산연** ◘ 연백(345)

**염비** Polyvinyl Chloride ◘ 폴리염화비닐(582)

**염산** Hydrochloric Acid

순수한 염산은 무색이지만 공업용은 소량의 염화 제2철을 함유하므로 담황색이다. 시판하는 농염산은 37%, 비중 1.19이고 자극성 있는 가스를 발생한다. 극물, 특정화학물질로 지정되어 있다.

**염석(塩析)** Salting Out

어떤 물질(유기물 용액이나 유기물) 등의 친수 콜로이드 용액 등에 다량의 전해질을 첨가했을 때, 용질이 석출 또는 침전되는 현상을 말하며 전해질에 따라 전하의 중화와 탈수의 양작용이 행하여진다. 비누 용액에 식염을 가하면 염석에 의해 비누가 석출된다. 해수 중에는 다량의 전해질이 있기 때문에 하구 부근에서는 유기물을 함유한 하천수가 유입하면 염석을 일으켜 콜로이드 물질이 물 밑바닥에 침전한다.

**염소** Chlorine Cl.

원자번호 17, 원자량 35.453, 할로겐 원소의 하나이다. 공업적으로는 식염수 용액이다. 또는 용해 염화물의 전해에 의해 만들어진다. 황녹색 기체로 자극적인 냄새가 있으며 유독하다. 융점 -100.98℃, 불점 -34.07℃, 용해도 0.9972g/100g(물 10℃), 반응성이 풍부하며 많은 원소와 화합물을 만든다. 물에 염소를 녹인 염소수는 산성과 산화력을 나타낸다. 공기에 0.1～1%의 염소가 포함되어 있으면 순간적으로 호흡 곤란을 일으킨다. 도금에서는 염화니켈, 염화아연 등을 함유한 도금욕을 전해하면 양극으로부터 염소가 발생한다. 염소는 수돗물 등의 살균, 펄프, 인견 등의 표백, 염산 등의 무기약품의 제조원료, 염화비닐 등의 제조에 이용된다. 용기에서 염소가 새어 나왔을 때는 용기를 수중에 넣어 석회수 등의 알칼리로 중화시키면 된다.

**염소가스 중독** Chlorine Gas Poisoning

염소가스는 황녹색의 산화력이 강한 가스로 맹독이며 30~50ppm의 공기 중에서는 30~60분 정도에 인간이 사망한다고 알려져 있다. 눈, 코, 목의 점막에 염소가스가 닿으면 피부나 살이 짓무르게 되고 다량 흡입하면 폐에 염증을 일으킨다. 농도가 엷은 경우에도 이빨이 부식되고 기관지염을 일으키는 경우가 있다. 전해에 의해 염소가스가 발생할 때, 시안 배수처리에 염소가스 또는 염소화합물을 사용할 때에는 가스마스크, 고무 보호의복 등을 사용하고 배기, 환기에 주의를 기울이지 않으면 안 된다.

**염수 분무시험** Neutral Salt Spray Test ; NSS Test ; Salt Splay Test

식염수의 분무 중에서 시료를 폭로시켜 내식성을 조사하는 시험. 중성 염수 분무와 산성 염수 분무, 카스시험의 3가지 방법이 있다. 도금의 내식성을 조사하는 촉진시험법으로써 가장 넓게 실시되고 있다. = NSS 테스트 ◘ 카스(CASS) 시험(520)

**염욕** Salt Bath

혼합염을 용융한 욕을 염욕이라고 한다. 염욕에는 염욕제의 종류에 따라, (1)중성욕(고온, 중온, 저온) (2)침탄질화욕(액침용) (3)침류욕 (4)특수욕 등이 있다. 염욕의 특징은 열용량이 크기 때문에 온도 상승 및 냉각 속도가 빠르다는 것, 무산화 처리가 가능하다는 것 등이 있지만 부착 솔트에 의해 녹이 발생되는 단점이 있다. 염욕은 가열용 및 냉각용 열욕에 이용된다. 염욕의 노에는 외열식(전기, 가스)와 내열식(직열식, 전기식)의 두 종류가 있다.

**염욕 크로마이징** Salt Bath Chromizing

철강 제품을 염화크롬 5~30%(중량비) 정도를 함유한 염욕(욕 온도 900~1200℃)에서 가열하고, 그 표면에 크롬을 침투시키는 방법을 염욕 크로마이징이라고 한다.

**염출(染出)** Spotting off

도금 또는 도금 후 마무리한 표면상에 반점이나 오점이 시간이 지남에 따라 늦게 출현하는 것. 주조품, 소결품, 복잡한 형상의 제품 등 세정이 곤란한 물품에 염출이 발생되기 쉽다.

**염화 금** Gold Chloride

염화 제일금 AuCl(Ⅰ)과 염화 제2금 $AuCl_3$(Ⅲ)이 있다. 금을 왕수에 용해하면 항상 염화 제이금을 생성하고 이것은 염산과 화합하여 염화 금산의 결정을 생성한다. $AuCl_3 + HCl \rightarrow H[AuCl_4]$. 일반적으로 염화 금으로써 시판되고 있는 것은 테트라클로로금(Ⅲ)산 사수화물 $H[AuCl_4] \cdot 4H_2O$이다. 금도금의 염화물욕에서는 이 염화 금산을 사용한다. 또 금도금의 시안화물욕에서는 이전에 이 염화 제이금을 암모니아에 용해하여 뇌금(雷金) $Au_2O_3 \cdot 2NH_3$ 또는 $Au_2O_3 \cdot 3NH_3$로 하여 이것에 시안화칼륨을 첨가하여 금시안화칼륨 $KAu(CN)_4$으로써 사용하였다.

**염화니켈** Nickel Chloride $NiCl_2 \cdot 6H_2O$.

담녹색의 결정으로 건조하면 결정수를 잃고 황색으로 변한다. 공기 중에서 조해되기 쉽고, 물에 잘 녹는다. 이수염(+64℃), 사수염(+28.8℃), 육수염(-33.3℃), 칠수염(-33℃)이 있고, ( )안의 온도는 각각의 전이점을 나타낸다. 도금용은 육수염이 많다.

**염화니켈욕** Nickel Chloride Bath

1939년에, Wesley와 Carey에 의해 제안된 욕으로 욕의 전압이 낮고, 음극전류 효율이 양호하며, 편평하고 단단하게 두꺼운 도금을 할 수 있다. 결점은 내부응력이 크기 때문에 유연성이 결여된다는 점이다. 외관은 암갈색을 띈 무광택으로 저온에서의 도금은 반광택이나, 내부응력이 크다. 욕조성은, 염화니켈 300g/$l$, 붕산 30g/$l$, 피트방지제 약간, pH 2~4, 온도 55~70℃, Dk 2~20A/$dm^2$. 염화니켈욕의 니켈 스트라이크욕은 우드욕 또는 우즈욕이라고 불리우며 둘레 면의 도금부착이 좋고, 소지와의 밀착이 좋으며, 스테인리스 소지상의 도금 등에 사용된다. 욕조성은 염화니켈 240g/$l$, 염산(비중 1.18) 125㎖/$l$, 온도 25~40℃, Dk 5~15 A/$dm^2$. 염화니켈욕은 염소가스의 발생 및 염소이온 금속으로의 특이한 흡착에 의해 도금장치 등이 부식되기 쉽기 때문에 주의를 요한다. ◘ 우드욕(382)

**염화메틸렌** ◘ 메틸렌 클로라이드(140)

**염화물** Chloride

좁은 의미로 염소와 염소 이외의 원소와의 화합물을 말하며 희(希)가스 원소 이외의 원소는 대부분이 염화물을 만든다. 예를 들어, 염화나트륨, 염화칼슘 등의 염화물이다. 넓은 의미로는 유기의 염소화합물을 염화물에 포함시켜 말하는 경우도 있다. 예를 들어, 염화메틸 등이다.

**염화바륨** Barium Chloride

무색의 결정성 물질로써 화학 분자식은 $BaCl_2 \cdot 2H_2O$로 표시되며, 황화바륨에 염산을 작용시켜 만든 것으로 보일러의 물때(fur) 방지제 혹은 강의 담금질용 욕에 사용한다. 비중은 3.097, 융점은 860℃로 담금질용

욕에 쓸 때에는 융점을 낮게 해야 하기 때문에 25%의 염화칼륨을 가하면, 연기가 나지 않고 가격이 싸기 때문에 많이 쓰이고 있다.

**염화비닐** Vinyl Chloride

플라스틱 성형 원료로 가장 값싸고 유용한 기계적, 화학적 성질과 성형성을 가지고 있다. 연질과 경질로 대별되고, 연질은 필름, 시트(인조 피혁), 경질은 대부분이 성형품, 관, 판 등으로 가공된다. 용도는 화학장치, 전기 기기류, 자동차 부품 등에 널리 사용되고 있다.

**염화 비닐관** Polyvinyl-Chloride Pipe

경질 염화비닐관, 수도용 경화비닐관, 연질 염화 비닐관 등이 있다. 경질 염화비닐관은 일반 유체의 유송 배관에 사용하며 산과 알칼리에 강하고 가격이 싸며 가공하기 쉽지만, 유기 용제 및 충격에는 약하다. 60℃이상의 고온 또는 -10℃이하의 저온에서는 사용할 수 없다. 급수관, 배수관, 통기관, 전선관, 약액 수송관 등에 폭 넓게 사용된다. ◘ 경질 염화비닐관(27)

**염화비닐 수지** Polyvinyl Chloride

폴리염화 비닐, PVC라고도 한다. 150~170℃에서 연화되기 때문에 가공하기 쉬운 열가소성(熱可塑性)수지이다. 내수성, 내화학 약품성, 내석유성이 크고 단단하기 때문에 판, 펌프, 탱크, 도금수조, 처리수조의 라이닝 등에 사용된다. 가소제를 40~80%로 혼합한 것은 연질이 되므로 시트, 면, 필름, 타일 등에 사용된다. = PVC ◘ 폴리염화 비닐(582)

**염화비닐 피복강판** Polyvinyl Chloride Precoated Steel Plate

강판 위에 염화비닐 수지를 0.1~1mm 두께로 피복한 것으로 도장인화 또는 필름 압착법으로 제조한다. 피복이 두껍고 내식성이 좋은 것으로 색채가 풍부한 장식성을 부여할 수 있다.

**염화수은 침적** Blue Dip ◘ 수은 침적(259)

**염화시안** Cyanogen Chloride CNCl.

염소와 시안이 결합한 것으로 시안 배수를 염소계 산화제를 이용, 산화분해하여 시안산으로써 처리를 할 때, pH가 낮아지면 중간체로서 생성된다. 휘발성(불점 12.7℃의 액체)으로 독성은 시안가스의 ⅓정도이다. 알칼리성으로 용이하게 분해되어 염화 알칼리와 이소시안산염으로 된다. 염화시안의 발생을 저지하기 위하여 반응 시에 pH는 10.5 이상으로 유지할 필요가 있다. ◘ 시안 배수처리(277)

**염화아연욕** Zinc Chloride Plating Bath

염화아연욕은 전도염의 종류에 따라 칼륨욕, 암모늄욕, 나트륨욕이 있고, 음극전류 효율이 높아 고속도 도금용으로 강판이나 철선의 연속도금에 사용되어 왔다. 주물에 도금을 할 수 있고 광택, 레벨링(Leveling)이 뛰어나기는 하지만, 균일 전착성이 나쁘고 도금이 두껍게 되면 무른 석출이 된다는 결점이 있다. 볼트, 너트 등 비교적 단순한 형상의 작은 부품을 대량으로 도금하는데 적합하다. 암모늄욕은 작업범위가 넓고 러닝코스트(Running Cost)가 더욱 싸진다. 칼륨욕, 나트륨욕은 배수처리 비용이 싸기는 하지만 광택 전류밀도 범위가 좁고 과다도금이 되기 쉬운 등 작업성이 떨어진다.

염화아연 도금욕의 표준욕 조성

| | 암모늄욕 | 칼륨욕 | 나트륨욕 |
|---|---|---|---|
| 염화아연 | 40g/l | 70g/l | 73g/l |
| 염화암모늄 | 210 | - | - |
| 염화칼륨 | - | 200 | 153 |
| 붕산 | - | 25 | 25 |
| pH | 5.5 | 5 | 5 |

1) 각 욕에는 첨가제를 적당한 양만큼 넣는다.
2) 욕조성은 첨가제의 종류에 따라 다소 상이하다.
3) 정지욕에 사용되는 경우, 금속농도는 조금 높게 한다.

염화아연욕

**염화 암모늄** Ammonium Chloride $NH_4Cl$.

백색의 결정성 고체, 공업용의 것은 염안(塩安)이라고 한다. 흡습성이 크며 가열하면 분해되어 암모늄과 염화수소가 된다. 배럴니켈 도금욕, 염화아연 도금욕 등에 사용된다. 수용액은 가수분해되어 미산성이 된다.

**염화암모늄욕** ◘ 저온니켈 도금욕(442)

**염화은** Silver Chloride AgCl.

초산은 $AgNO_3$의 용액에 염화물 이온을 포함한 용액을 첨가하면 백색침전(AgCl)이 생긴다. 물에는 거의 녹지 않고, 희산에도 녹지 않으며, 농염산에는 소량만이 녹는다. 암모니아수, 티오황산나트륨 및 시안화물 용액에는 착이온을 만들어 대단히 잘 녹는다. 예를 들어, 시안화 은도금액을 만들 때, 염화은에 시안화칼륨을 첨가하여 조제하는 경우가 있다. 은도금욕 중의 은(銀)은 은시안화 칼리착염의 형태로 존재한다.

$$AgCl + 2KCN \rightarrow KAg(CN)_2 + KCl$$

**염화은 전극** Silver-Silver Chloride Electrode

전극전위, 부식전위, pH 등을 측정할 때 사용되는 조합전극의 하나로 은-염화은 전극이라고도 한다. Ag, AgCl, 및 $Cl^-$를 포함한 수용액의 3상이 공존할 시 반응 $Ag + Cl^- \rightleftharpoons AgCl + e^-$는 용이하게 평형에 도달하여 안정된 전위를 나타낸다. 내부 용액은 통상 포화염화은 용액이 사용되고 있기 때문에 수용액 전위의 기준과 정해져 있는 표준수소 전극 대신에 사용된다. 이전에는 수은을 이용하는 포화칼로멜 전극이 주로 이용되었으나 수은에 의한 공해방지 대책으로 인해 현재는 염화은 전극이 이용되고 있다. ◘ 기준전극(62)

포화염화은 전극의 전위와 온도의 관계

| 온도(℃) | 5 | 10 | 15 | 20 | 25 | 30 | 35 | 40 | 45 | 50 |
|---|---|---|---|---|---|---|---|---|---|---|
| E(Vvs.NHE) | 0.218 | 0.214 | 0.209 | 0.204 | 0.199 | 0.194 | 0.189 | 0.184 | 0.179 | 0.173 |

염화은 전극

**염화 제일주석** Stannous Chloride

무색에 각(角)기둥 형상의 결정으로,염산 함유의 물, 알코올에 용해된다. 물에 녹이면 가수분해되어 백색의 탁한 염기성 염을 생성한다. 조해성이 있기 때문에 밀폐한 용기에 저장할 필요가 있다. 주석도금이나, 무전해 도금의 감도 감응에 사용한다.

**염화 칼륨** Potassium Chloride KCl.

자연에서는 암염(岩塩)과 함께 산출된다. 해수 중에는 평균 0.08% 포함되어 있다. 이것들의 칼리광석을 용해하고, 그 포화용액을 냉각하여 석출시켜 얻을 수 있다. 물 100g에 대한 용해도는 27.6g(0℃), 56.7g(100℃), 알칼리, 글리세린에는 가용성, 알코올에는 잘 녹지 않고 에테르, 아세톤에는 녹지 않으며 약간 매운 맛을 띈다. 융점 776℃, 불점 1500℃, 비중 1.989. 완충액, 전극액, 의약, 칼리비료, 사진용 등에 사용된다.

**염화칼슘** Calcium Chloride $CaCl_2$.

자연에서는 해수 중에 약 0.15%를 함유하고 있으며 광물로써도 산출한다. 탄산칼슘 또는 수산화칼슘에 산염을 첨가, 농축하여 만든다. 융점 774℃, 불점 1600℃, 비중은 2.152이다. 조해(潮解)성, 흡습성이 커서 건조제로 사용된다. 물 100g에 대한 용해도는 59.5g(0℃), 159g(100℃)로, 알코올, 아세톤에는 가용성이다. 용도는 건조제, 한(寒)제, 방식제, 시약, 의약품, 칼슘염의 제조원료 등이다.

**영구경수(永久硬水)** Permanent Hard Water ◘ 경수(26)

**영동(泳動)** Migration ◘ 마이그레이션(130)

**영동전류** Diffusion Current

이온이나 하전(荷電)입자가 용액의 수분자 내에서 전위 교배에 따라서 이동하고 전극에서 전자수수(授受)를 했을 때에 흐르는 전류는 이온의 영동, 이온의 전극면 근방에서의 확산, 이온의 대류(對流), 착이온의 해리(解離)나 생성 반응, 그 외에 의해 지배되며 그 각각을 영동전류, 확산전류, 대류전류, 반응전류라 부른다. 전기도금액과 같이 다량의 지지전해질을 함유한 액에서는 전류는 이온의 확산에 주로 지배된다.

**영률** Young's Modulus

일정 크기의 봉의 한 단을 고정하고 다른 단을 축방향으로 잡아당길(또는 누를)때 단면에 작용하는 응력을 T, 단위길이당 신율(또는 수축율)을 $\varepsilon$라 하면 비례한도 내에서는 $T=E\varepsilon$라는 관계가 있으나 이때의 비례정수 E를 영률이라고 하며 물질 특유의 값이다. = 신장탄성율(281), 종탄성률(480)

**오거 전자분광법** Auger Electron Spectroscopy : AES

시험, 연구용으로 널리 사용되는 표면분석법의 하나로 고진공 중에서의 시료에 전자빔을 조사하면 전자가 방출되어 여기상태가 되나 이 완화과정에서 오거전자가 방출되며, 그 에너지는 원소고유의 값이므로 원소분석이 가능하다. 5～10㎛$\phi$ 정도의 면적, 표면에서 약 10Å의 깊이까지라고 하는 대단히 좁은 범위를 약 0.1 중량 %의 감도로 분석 할 수 있다. 특히 경원소에서의 분석에 유리하다(단, Hg는 제외). $Ar^+$이온 스패터링을 병용하여 깊이방향의 분석도 가능하다. 분석 대상물은 금속, 반도체, 폴리머 등의 유기물과 세라믹 등 대단히 광범위하다.

**OD 색** Olive Drabs

미국 육군의 군복색을 나타낸다. ◘ 올리브 드랩(370)

**오렌지 필** Orange Peel

외관이 오렌지 표피의 험과 닮은 마무리를 말한다. = 유자 표피(395), 감귤 표피(12), 자갈 표피(433)

**오리피스** Orifice

넓은 의미로는 수조 등의 벽에 뚫려 있는 작은 구멍을 말하나 일반적으로는 유체가 흐르는 관의 도중에 있는 중심에 구멍을 뚫어 놓은 원판을 오리피스 또는 관내 오리피스라고 한다. 작은 구멍의 입구와 출구에서의 압력차에 의해 유체의 유량을 측정할 수 있다. 이 유량계를 오리피스형

유량계 또는 차압 유량계라고 한다.

**오버도금** Overplate

프린트 배선판에서 이미 형성되어 있는 도체 패턴상에 또다시 실시하는 도금을 말한다.

**오버레이** Overlay

오버레이라는 것은 일반적으로 베어링 합금상, 또는 전기접점 등에 사용되는 용어로, 도금 또는 합판법(커넥트법) 등에 의해 금속표면을 얇은 금속층으로 뒤덮는 것을 말한다. ◘ 음극방식법(401)

**오버코트** Overcoat

프린트 기판에서 녹색, 방식, 방습, 전해이동 방지 등의 목적으로 실시하는 오버도금, 절연보호 코팅, 솔더 레지스트 등의 층 또는, 피막을 말한다.

**오버플로우** Overflow

액체가 일정한 높이를 넘어 흘러서 떨어지는 현상 및 흘러 떨어지는 액의 경우를 말한다. 도금에서는 오버플로우를 이용하여 처리액 면에 부유하는 오염물을 제거하거나, 연속적인 부분도금의 경우는 오버플로우를 이용하여 처리액의 액면 높이를 조절하고 있다. = 일류(溢流)(427)

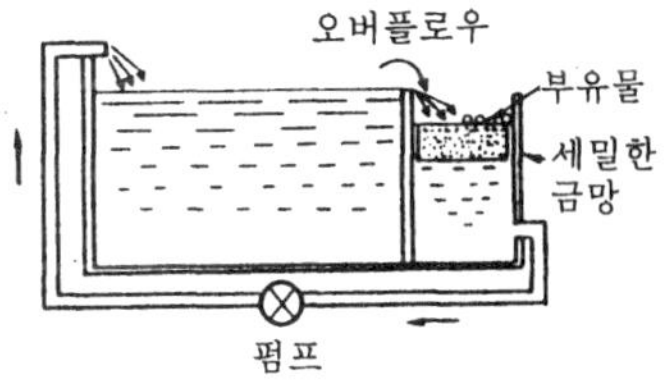


오버플로우

**오버행** Overhang

프린트 배선의 도체폭이 도금함으로 인해 증가한 증가분을 말한다. 언더컷이 발생할 때에는 그 증가분을 포함하는 경우도 있다.

**오스뮴** Osmium Os.

원자번호 76, 원자량 190.2, 백금속원소로 백금광물 중에 소량 존재한다. 융점은 약 2700℃, 불점은 약 5500℃, 밀도 22.57g/㎤(20℃), 경도는 수정정도로 단단하다(모스 경도 7.5). 백금속원소 중에서 가장 산화되기 쉽고, $OsO_2$는 휘발성이 강하며, 유독성이기 때문에 주의를 요한다. 고온에서는 염소, 붕소하고도 반응한다. 열농유산

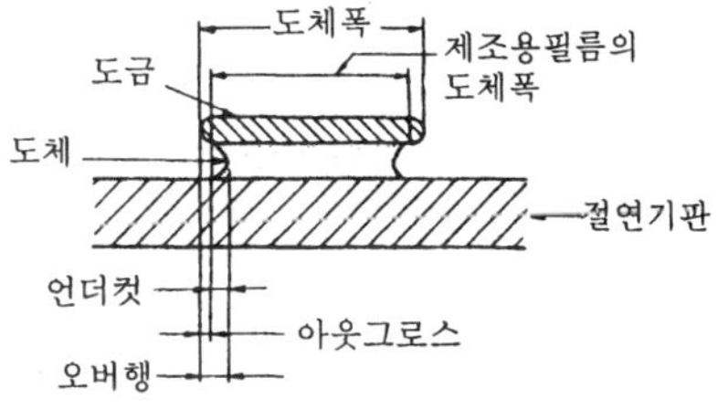


오버행

(熱濃硫酸), 농초산, 차아염소산(次亞塩素酸)나트륨, 용해 유산수소알칼리에 녹는다. 용도는, 융점이 높기 때문에 필라멘트용, 내마모성이 좋기 때문에 펜촉용 합금, 그 외 수소첨가, 암모니아 합성 등의 촉매로써 사용한다.

**오스테나이트** Austenite

탄소를 고용(古溶)하고 있는 γ철, 즉 γ고용체를 오스테나이트라고 한다. 철의 소입(燒入 ; Quenching) 조직의 하나이고, 면심입방정계이며 철을 $A_1$ 변태점(726℃) 이상으로 가열했을 때에 얻을 수 있는 조직이다. 탄소량이 많을수록 단단하게 되며, 비자성체로 전기저항이 크다. 경도는 마르텐사이트보다 작으나, 인장강도에 비해 연신율이 크다. 상온에서는 불안정하고 상온 가공하면, 마르텐사이트로 변화한다. 검경(檢鏡)을 하면, 다각형의 조직을 나타낸다. 탄소강에서는 아무리 급냉을 하여도 오스테나이트만의 조직은 얻을 수 없으나, Mo 또는 Ni을 첨가하면 간단히 오스테나이트 조직을 얻을 수 있다.

**오스테나이트계 스테인리스강** Austenitic Stainless Steels

상온에서 오스테나이트 조직을 나타내는 스테인리스강을 말한다. 열처리로도 경화되지 않고, 소입은 할 수 없다. 일반적으로 비자성이고, 18% 크롬, 8% 니켈(18-8)강이 대표적인 것이다.

**오스테나이트-페라이트계 스테인리스강** Austenitic-Ferritic Stainless Steels

오스테나이트와 페라이트의 2상 조직을 나타내는 스테인리스강을 말한다.

**오실로그래프** Oscillograph

전압, 전류, 파형 등의 시간적인 파동현상을 관측하고 기록하는 장치를 말한다. 전자 오실로그래프, 펜쓰기 오실로그래프, 브라운관 오실로그래프 등이 있다. 전자 오실로그래프, 펜쓰기 오실로그래프는 기계적인 가동 부분이 있기 때문에 고속도의 파동현상을 관측, 기록하기에는 부적합하고, 브라운관 오실로그래프가 적합하다. 브라운관 오실로그래프는 오실로스코프라고도 한다. ◘ 오실로스코프(후항)

**오실로스코프** Oscilloscope

오실로그래프의 일종으로 브라운관 오실로그래프라고도 한다. 브라운관의 형광면에 음극선을 쪼여 파형을 그리게 하는 것으로, 음극선(전자선)을 이용하고 있기 때문에 고주파의 파동현상의 관측이나 기록에 이용할 수 있다. = 브라운관 오실로그래프 ◘ 오실로그래프(전항)

**ORP** Oxidation-Reduction Potential

전자의 교환으로 상호간에 산화 또는 환원하는 물질을 함유한 용액의 표준 산화환원 전위와, 산화체 및 환원체의 활량(근사적으로는 농도)에 의해 정해지는 산화력 또는 환원력의 강도를 나타내는 값으로, 정(+)의 값이 클 때에는 산화력이 강하고, 부(-)의 값이 클 때에는 환원력이 강하다. 백금 전극과 같은 반응을 만들지 않는 전극을 넣을 때, 전극과 용액과의 사이에서 생기는 전위의 차가 그 용액의 산화환원 전위를 나타낸다. 도금의 배수처리와 같이 산화환원 반응이 진행되고 있는 용액에서, ORP를 측정함으로써 반응의 진행상황을 알고 ORP가 소정의 값이 되면 반응이 완료된 것을 알 수 있다. 배수처리의 자동 제어에 이용되고 있다. 백금과 같은 반응을 일으키지 않는 전극과 기준(조합, 기교) 전극(포화감홍 전극, 포화염화은 전극 등) 사이의 전압을 전위계(108Ω 이상의 입력저항을 갖는 일렉트로 미터 등)로 측정하여 값을 알 수 있다.

= 산화환원 전위(237)

**OFC** Oxygen-Free Copper

Cu중에 산소가 있으면 $Cu_2O$와 수소와의 반응으로 $H_2O$를 생성하여 수소 취성을 일으키며, 또한 내식성도 나쁘기 때문에 산소를 약 0.008% 이하가 되도록 탈산제로 제거한 Cu를 말한다. 탈산제는 P, Si, Mg, Ca, Li, Be, Ti, Zr 등이 사용되며, 제조중에는 이들의 원소는 남는다. $N_2$가스로 $H_2$를 제거한 것. 진공용해하여 탈산한 것을, 특별히 OFHC라고 한다.

= 무산소동 ◘ OFHC(후항)

**OFHC** Oxygen-Free High-Conductivity Copper

산소나 탈산제 등을 함유하지 않는 고순도의 동을 말한다. 높은 전기전도율을 나타낸다. 전기동을 용해한 후, 수소가스로 탈산을 하고, 이어서 질소가스 또는 탄산가스로 수소가스를 제거하고 만든 것은 순도가 99.97% 정도이다. 진공용해법으로 만들어진 것은 순도가 99.99% 이다. 일반적인 무산소동(OFC)은 인, 규소, 리튬 등의 탈산제를 함유하고 있어, OFHC보다도 순도가 낮다. = 무산소 고전도동 ◘ OFC(전항)

**OLB** Outer Lead Bonding ◘ 아우터리드 본딩(298)

**오일 캐치** Oil Catch

폴리우레탄, 폴리스틸렌, 폴리프로필렌 등의 합성수지로 만들어진 입자형상 또는 띠 형상의 발포체로, 표면이 기름에 의해 젖기 쉽고, 기름만을 흡착하며 물은 흡수하지 않게 되어 있다. 광물계의 프리 오일에서는 흡착효과가 크지만, 에멀션(Emulsion) 화한 기름은 제거할 수 없다.
= 흡유면(650)

**오존** Ozone $O_3$.

산소의 동소체로써 상온에서 특이한 냄새를 갖는 엷은 청색기체이며, 공기 중에 미량이 존재한다. 유산의 전해, 산소의 가열, 공기의 자외선이나 X선 조사, 방전, 붕소와 물의 반응 등에 의해 오존이 발생한다. 액체는 암청색으로, 상온에서 서서히 분해하여 산소가 된다. 산화력이 강해 상온에서 은, 수은을 산화시켜 과산화은, 산화수은으로 되며, 표백, 음료수, 하수 등의 처리 등에 사용된다. 인체에 유해하고, 농도가 진한 것은 호흡기를 손상시킨다. 공기에 1~2ppm 정도가 포함된 곳에서 2시간 정도 호흡을 하면, 두통이나 흉부통을 초래한다.

**오터 길더** Auto Gilder

상품명으로, 일본 후지(富士)플랜트 공업(주) 제품의 소형배럴 도금장치를 말한다. 소형물을 소량 도금하는데에 사용한다. 도금 전원으로 모터를 구동시키기 때문에 간단하다. 축전지 또는 교류 100V로 모터를 구동시키는 형식도 있다.

오토 길더

**OGS 단위계** CGS System of Units

기본 단위로써 길이의 단위에 센티미터(㎝), 질량에 그램(g)/시간에 초(s)를 취하는 단위계. 이것으로부터 유도되는 단위로써 힘의 단위는 다인(dyn), 일의 양 및 에너지의 단위에는 에르그(erg) 등이 있다. 전기·자기량에 대해서는 정전단위, 전자단위와 조합되었을 때는 CGS 정전단위, CGS 전자단위라고 한다.

**오토마이제이션** Automization

분말야금 용어에서는 가스 또는 액체를 빠르게 유동시키므로 인하여, 용융 금속을 미분화하는 것을 말하며, 일반적으로는 액상(液狀)의 유기, 무기물질을 분무 또는 기계적으로 방산(放散)시켜 미분말을 얻는 조작을 말한다. = 분무(204), 미립화(151)

**오픈 버프** Open Buff

마포 사이에 직경이 작은 종이를 끼워 공간을 만들고, 버프의 작용을 약하게 하여 공냉효과를 높이도록 한 버프로, 스페이스 마포라고도 한다. 마포 사이에 별도의 천을 끼워 넣은 것을 오픈 버프라 부르기도 한다. = 스

페이스 버프(272)

**옥소산** Oxoacid

무기산 중에서 중심원자 X에 결합되어 있는 원자가 모두 산소로, 산소의 일부 또는 전부에 수소가 결합되어 수산기인 OH로 되고, 그 수소가 수용액 중에서 수소이온 $H^+$를 생성하여 산의 성질을 나타내는 것을 말한다. $H_2SO_4$, $HNO_3$, $HClO_2$, 등 중요한 무기산은 이것에 많이 포함된다. 화학식은 XOm(OH)n, $HnXOm^{+n}$으로 표시한다. = 산소산(234), 옥시산(후항)

**옥시산** Oxoacid ◘ 옥소산(전항)

**옥외폭로시험** Outdoor Exposure Test ◘ 웨더링 테스트(386)

**온도계** Thermometer

도금작업 공정 중에서의 온도측정은 산세액, 탈지액, 도금액, 후처리액 등에서 특별한 경우를 제외하고는 실온에서 100℃까지의 범위이며, 일반 온도계가 사용된다. 글래스막대형 온도계는 측정 눈금을 읽기 어렵고, 파손되기도 쉽다. 바이메탈 온도계, 압력온도계는 값이 싸고 자동제어도 가능하지만, 정도가 좋지 못하기 때문에 고정도, 원격측정, 기록 등을 위해서는 저항온도계를 사용한다. 온도계의 측온부는 내약품성이 있는 재질을 선택하지 않으면 안 된다. 실온 부근(-30℃~150℃)에서, 저항체는 써미스터가 저항과 그 온도계수가 크기 때문에 도선의 저항을 무시할 수 있으며 정확하기 때문에 원격측정에도 적합하다. 백금저항체는 그 점에서 볼 때는 부적합하지만, 고온측정에는 백금저항체 또는 백금족 금속계 열전대가 사용된다.

**올레움** Oleum

발연(發燃)황산의 별칭. ◘ 발열황산(165)

**올리버 진공여과기** Oliver Vacuum Filter

올리버 필터라고도 불리우며, 진공 여과기의 대표적인 것이다. 회전 드럼의 표면에 헝겊을 감아 놓고, 드럼 내면은 소실(小室)로 칸막이가 되어 있으며, 300~600㎜Hg의 진공을 유지하여 드럼을 회전시키면서 헝겊 표면에 흡착된 오염물을 내측에서부터 진공 탈수한다. 오염물의 흡착, 세정, 탈수, 박리는 드럼이 1회전하는 동안에 모두 자동적으로 행하여진다. 헝겊이 로딩현상을 일으키기 쉽기 때문에 여과성이 좋은 오염물 제거에 적합하며, 또한 스크랩프(Scrape) 칼날을 사용하기 때문에 두께 5㎜ 이상의 케이크가 드럼표면에 균일하게 형성될 필요가 있다. = 올리

버 필터 ◘ 진공여과기(492)

**올리버 필터** Oliver Filter ◘ 올리버 진공 여과기(전항)

**올리브 드랩** Olive Drabs

진한 황녹색 의미로, 아연도금의 크로메이트 처리에서 다갈색을 띄는 녹색계열의 크로메이트 피막을 말한다. 크롬산과 유기산을 주성분으로 하는 크로메이트 액에서 얻을 수 있다. 성질이나 내식성 등은 그린 크로메이트와 대체적으로 같다. 내식성은 좋으나, 상시 고온도에서 사용되는 부품으로의 사용은 바람직하지 않다. OD색이라고도 하며, OD색은 미국 육군의 군복 색이다. = OD색(364)

**올소 규산소다** Ortho Sodium Silicate

$Na_4SiO_4$ 또는 $2Na_2O \cdot SiO_2 \cdot NH_2O$. 규산나트륨의 일종으로, 공업용은 수분을 10~40% 포함하고 있다. 물에 녹이면 가수분해되어 유리(遊離)알칼리와 규산으로 분리된다. 강알칼리성이며 알칼리 탈지액으로써 사용된다. 유리 알칼리는, 소지표면의 기름, 유지를 세정하고, 규산은 콜로이드 형상으로 되어 부유하는 오염성분을 흡착하여 침강(沈降)한다. 30~40℃의 저온에서도 세정작용이 좋으나, 무수(無水)규산을 박리하여 소재표면에 규산피막을 만들어 도금의 장해를 일으키는 경우도 있다. 공업용 시판품에는 입상과 프레이크상이 있다. ◘ 메타 규산소다(139)

**옴** Ohm

전기저항 SI의 단위이며, 기호는 $\Omega$. 도체의 두 점간에 1V의 직류전압을 걸고 있을 때의 전류가 1A일 경우, 그 두 점간의 전기저항을 말한다. 길이 106.3㎝, 단면적은 약 1㎟, 질량 14.4521g의 수은주가 0℃일 때의 저항치가 1$\Omega$이다.

**옴스트롱** Angstrom

상용기호는 Å. 길이의 단위로 $10^{-10}$m와 같다. 1㎝의 1억분의 1, 1㎛의 백만 분의 1 및 0.1㎚의 길이를 나타낸다. 분자나 결정의 원자간 거리 등을 나타내는데 사용된다.

**옴의 법칙** Ohm's Law

도체의 두 점간에 흐르는 전류의 강도는, 그 사이에 다른 기전력을 발생하는 것이 없을 경우, 두 점간의 전위차에 비례한다. 이것을 옴의 법칙이라고 한다. 전압은 E(볼트), 전류는 I(암페어), 저항을 R(옴)이라 하면, $I=E/R$, $E=I \times R$, R이 일정하면 전류는 전압에 비례한다.

**옴 콘택트** Ohmic Contact

옴 접촉(또는 접합) 이라고도 한다. 전압-전류특성이 옴의 법칙에 따라 접촉(또는 접합)을 한다. 반도체 소자에 단자를 취부할 경우에는 반도체와 금속(또는 합금)과의 조합을 적절하게 행하여야 하며, 옴접촉(또는 접합)을 하지 않으면 반도체와 단자의 금속과의 접촉부(또는 접합부)에 정류작용이 발생되어 소자의 동작에 악영향을 미친다. ◘ 반도체(162)

**와니스** Varnish

투명한 도막을 만드는 도료로, 수지를 휘발성 용제로 녹인 것을 주정 와니스, 수지를 건성유와 가열 혼합한 후, 용제로 녹인 것을 기름 와니스라고 하며, 보통 이 두 개를 와니스라고 하며, 도막형성 성분을 용제로 녹인 투명 도료의 총칭으로써 사용하는 경우도 있다. = 니스(79)

**와상전류** Eddy Current : Foucault Current

동, 철 등의 도체내부를 통하는 자속에 변화가 있을 때, 그 중 전자유도에 의한 소용돌이 형상의 유도전류가 흐르게 된다. 이것을 와상전류라고 한다. 도체내에서 열에너지가 되고, 전자에너지를 잃는다. 와상전류를 이용하여 파괴하지 않고 도금의 두께를 측정하는 피막계도 있다. = 푸코전류 ◘ 와전류식 비파괴 막두께계(372)

**와셀린** Vaseline

석유에는 결정되기 힘든 고체의 탄화수소를 함유한 것이 있다. 그 성분은 측쇄(側鎖)가 많은 이소파라핀이나 나프틴족 탄화수소로 이것을 분리한 것을 펙트로락탐이라고 한다. 와셀린은 펙트로락탐을 고도로 정제한 백색제품이며, 의약품이나 화장품의 제조원료, 감마제, 방청제 등에 사용된다.

**와이스베르그욕** Weisberg's Nickel Plating Bath

니켈-코발트합금계의 광택도금욕으로 욕조성의 일반적인 것은 황산니켈 240~300g/$l$, 염화니켈 30~45g/$l$, 붕산 30~40gv 황산코발트 12~15g/$l$, 포르말린 1.5~2.5g/$l$, pH 3.7~4.2, 온도 55~60℃, 음극 전류밀도 3~8A/$dm^2$이다. 와이스베르그욕은 유기광택욕에 비해 평활화작용은 떨어지지만, 균일 전착성이 좋다. 화장실, 욕실, 세면대 등에 이용하는 수세용 도금에 사용되고 있다. ◘ 코발트-니켈 합금도금(528)

**와이어레스 본딩** Wireless Bonding

IC나 LSI 등, 팁의 전극부와 패키지의 리드선 단자간에 접속와이어를 사용하지 않고 행하는 방법을 말한다. 팁에는 땜납에 의한 돌기나 빔 상의 리드를 만들어 이것을 기판의 도체부분에 직접 접합한다. 팁을 동시에 다점으로 접합할 수 있기 때문에 소자를 얇게 할 수 있다. TAB방식, 플립 팁 방식, 빔 리드방식 등이 있다. ◘ 본딩(193)

**와이어 본딩** Wire Bonding

IC나 LSI 등, 팁의 전극부와 패키지의 리드선 단자간을 금이나 알루미늄, 동 등을 가느다란 와이어로 접속하는 방법을 말한다. 와이어의 두께는 12.5~350㎛정도이다. 접속방법에는 열압착법, 초음파법 등이 있다. 접속부분에는 미리, 본딩성이 좋은 고순도의 금도금, 또는 은도금이 필요하다. ◘ 본딩(193)

**와이어 휠** Wire Wheel ◘ 스크레치 브러쉬(265)

**와전류식 도금두께시험** Eddy Current Method for Mesuring Thickness

측정자(프로브)를 도금면에 대고, 측정자에 고주파 전류를 흘려 도금표층부에 과전류(소용돌이 전류)를 발생시킨 후, 전도도, 두께, 형상 등에 의해 변화하는 과전량을 측정하여 도금의 두께를 구하는 방법이다. 소지와 도금의 조합에 의해 측정 불가능한 경우가 있다. 소지의 두께, 도금의 두께에 의해 측정자를 선택하지 않으면 안 된다. 측정정도에 영향을 미치는 것은 도금두께, 표면 거칠기, 소지 금속의 두께, 형상, 자기적 성질이다. 에지효과이며, 선택한 프로브마다 예비 조정 및 교정을 행한다.

**와전류식 비파괴 막두께계** Eddy Current Thickness Meter

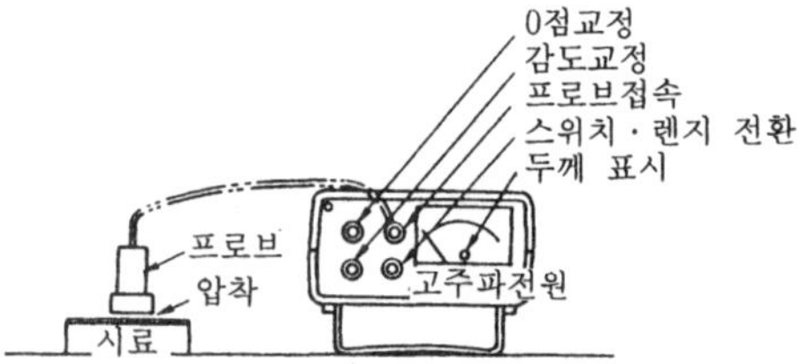


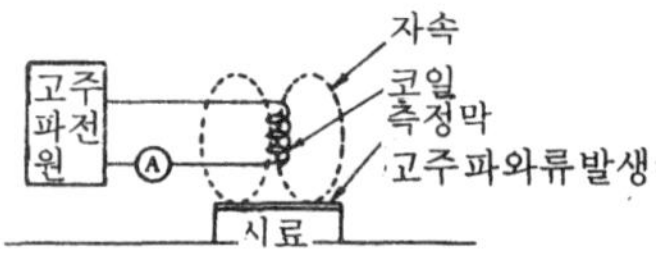


과전류식 비파괴 막두께계

고주파 소용돌이식 두께계라고도 한다. 비파괴식 두께계의 하나로, 고주파로 인해 발생한 와전류의 침투도가 소지와 도금에 의해 서로 다르다는 것을 이용하여 전도도의 차로 두께를 측정한다. 소지금속과 도금피막 금속의 전도도의 차가 크면 클수록 측정정도가 높다. 전도도가 가까운 경우는 측정할 수 없는 경우가 있다.

**Y합금** Y Alloy

Ni을 함유한 초듀랄루민이라고도 하는 합금의 명칭으로 표준조성은 Al-Cu 4%-Ni 2%-Mg 1.5%이다. 전신용과 주조용으로 사용된다. 열조질이 가능하고, 소입, 소려에 의해 기계적 성질이 눈에 띄게 향상된다. 용도는 내열성을 필요로 하는 디젤 엔진의 피스톤이나 가솔린 엔진의 실린더 헤드 등이다.

**와트** Watt

일률의 MKSA단위 및 SI단위이다. 기호는 W. 1초간에 1J의 일을 할 때, 1와트(W)의 일률이라고 한다. 1킬로와트(kW)=1000와트(W)

**와트욕** Watts Nickel Bath

1951년, 미국의 위스콘신대학의 P.P.Watt에 의해 만들어진 니켈도금욕으로, 황산니켈, 염화니켈의 단순염 혼합욕이다. 광택, 무광택도금 모두 가능하고, 일반적인 욕조성과 조건은 황산니켈 220~370g/$l$, 염화니켈 30~60g/$l$, 붕산 30~60g/$l$, pH 0.5~5.0, 온도 40~70℃, 음극 전류밀도 1~8A/$dm^2$이다. 광택도금의 경우는 1,5-나프탈렌디술폰산소다 5~7g/$l$, 2-부틴1,4-디올 0.1~0.2g/$l$, 그 외 사카린, 알코올 등의 광택제를 사용한다. 피막은 경도 150~300Hv, 신율 3~30%, 인장강도 3500~4000㎏/㎠, 내부 응력 1000~2000㎎/㎠, 균일 전착성, 전착 속도, 피막물성 등에서 다른 욕이 좋은 항목도 있으나, 평균하여 성능을 나타내기 때문에 가장 널리 이용되고 있는 니켈도금욕이다. ◘ 니켈도금(79)

**완곡 음극** Bent Cathode ◘ 굴곡 음극(48)

**완충액** Buffering Solution

완충용액이라고도 한다. 용액에 산 또는 알칼리를 첨가하였을 때, 그 액의 pH의 변화가 대단히 작은 용액을 말하며, 그 움직임을 완충작용이라고 한다. 물에 산이나 알칼리를 첨가하면 pH는 현저히 변화하며, 물에 약산 또는 약염기로 그 염을 적당량 용해시켜 놓으면 pH의 변화는 억제된다. 약품의 종류에 따라 pH를 완충시키는 범위가 다르기 때문에 다수의 완충용액이 있다.

**완충작용** Buffer Action

어떤 용액에 산 또는 알칼리를 첨가할 때, 그 용액의 수소이온지수(pH)의 변화가 순수한 물에 첨가되었을 때의 수소이온지수의 변화보다도 작을 때, 그 용액은 완충작용이 있다고 말한다. pH를 일정하게 유지하고 싶은 도금욕에서는 완충작용이 있는 붕산, 인산, 피로인산, 각종 유기산 등을 첨가하여 도금욕을 만든다.

**완충제** Buffer

도금욕 등의 용액의 pH 변화를 방지하기 위하여 첨가하는 완충작용이 있는 물질. 통상, 약산과 그 염이 사용된다. 예를 들어, 붕산, 구연산, 수산, 인산, 피로인산 등이 있다.

**완화 침탄** Mild Carburizing

침탄 작업에서 침탄층이 과침탄(C〉 0.85%)이 되지 않도록, 침탄력을 억제한 완화 침탄제에 의해 침탄하는 조작을 완화 침탄이라고 한다. 완화 침탄은, 크롬 침탄강 등의 침탄에 특히 필요하다.

**완화 침탄제** Mild Carburizer

침탄제에 억제제를 첨가하여 침탄 능력을 감소시킨 것을 완화 침탄제라고 한다. 완화 침탄제는 크롬 침탄강과 같이 과도한 침탄을 일으키기 쉬운 것을 침탄할 때에 효과가 있다. 억제제로써는 일반적으로 코크스, 페로실리콘 분말, 페로알루미늄 합금 분말 등이 이용된다. 가스 침탄의 경우에는 CO 97%, 에틸렌 3%와 같은 혼합 가스를 사용한다.

**왕수(王水)** Aquq Regia

용적비로써  농염산 3, 농초산 1의 비율로 혼합한 것을 말한다. 황색으로 염산과 염화니트로실(NOCl)을 함유하고 있다. 금을 함유한 거의 모든 금속을 녹일 수 있지만, 백금속 금속 및 그 합금에는 왕수로 녹일 수 없다. 이리듐, 로듐, 탄탈, 루테늄은 왕수로 녹일 수 없다. 그러나, 녹일 수 없는 금속은 극소수이다.

**외관 검사** Visual Test(Inspection)

도금면의 결함 유무를 육안으로 조사하는 방법. 검사실은 채광에 주의를 해야하며, 흑색 또는 이것에 준하는 배경으로 직사광선을 피하고 북향으로 된 창문의 채광을 이용하여 수직방향에서 육안검사를 행하든지, 혹은 크세논 표준백색광선을 이용하여 수직방향으로 조사하여, 45도 방향으로부터 육안검사를 실시한다. 표준견본을 작성하여 비교를 행할 것. 도금에서는 광택, 뿌연 정도, 주름, 부풀음, 피트, 버닝, 도금부착 불량, 흠집, 편평도 등을 조사한다. = 외관시험(후항)

**외관시험** Visual Test ◘ 외관 검사(전항)

**요동 배럴** Swing Barrel : Rocking Barrel

뚜껑이 없는 배럴의 대표적인 배럴로, 배럴의 회전은 60~90°의 각도로 좌우에 반복운동을 하기 때문에 요동 배럴이라 부른다. 뚜껑이 없기 때문에 피처리물의 자동투입과 인양이 간단하여 배럴 도금장치의 자동화에 적합하다. 투입량은 배럴 용적의 15~25%로, 보통 수평배럴의 35~50%에 비해 생산량은 적어지지만, 개구부가 있기 때문에 도금속도는 뚜껑이 있는 배럴에 비해 약 20% 향상된다. = 스윙 배럴 ◘ 회전도금(645)

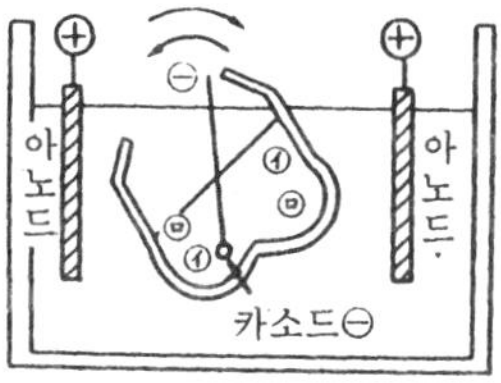


요동 배럴

**요드화칼륨 전분지** Potassium Iodide Starch Paper

전분 0.1g에 냉수 10㎖를 첨가해 끓인 액과 요드화칼륨 0.1g을 물 10㎖에 녹여 용액을 만들어, 양자를 혼합한 액에 여지를 침적시켜 공기 중에 건조시킨 것으로, 미량의 산화제와 반응하여 청색으로 착색한다. 염소, 오존, 과산화수소 등의 검출에 사용된다. 요드화칼륨(KI)이 산화되어 I2가 유리되어, 요소의 전분반응으로 청색이 된다.

**요변성(搖變性)** Thixotropy ◘ 딕소트로피(109)

**욕 관리** Control of Bath

도금이 정상적으로 행해질 수 있도록 도금욕을 갖추는 작업. 주된 작업은, (1)도금욕 성분의 유지, (2)정상적인 작업조건의 유지(pH, 온도, 전류밀도, 양극의 보충, 욕의 여과 등), (3)불순물 혼입 예방과 제거 등이다.

**욕 전압** Bath Voltage

전기분해(전기도금을 포함)를 행하고 있을 때의 전해(도금)조의 양전극간의 전압을 말하며, 전해질, 전극의 종류, 극간 거리, 농도, 전류밀도, 온도 등에 의해 변한다. 도금작업의 욕 전압은 수 볼트로, 배럴도금에서는 10볼트 가까이 까지 높아지는 경우도 있다. = 수조 전압(260), 극간 전압(540)

**용구 반응** ◘ 붕사구 반응(213)

**용기 정수** Cell Constant

액저항 R은 용액의 도전율 x와 R=K(Q/x)의 관계가 있으며, 이 때의 K가 용기 정수로, 도전율 0의 내경, 전극간 거리 등으로 결정된다.

**용락** Burn Through ; Metal Down

용융 금속이 홈의 뒷면에 녹아 내리는 현상을 말한다.

**용량 분석** Volumetric Analysis

정량하려고 하는 물질이 기체일 때는 그 체적(가스 분석), 액체일 때는 그 것과 당량의 다른 물질의 체적을 측정하는 정량 분석을 말하며, 보통은 후자를 말한다. 조작이 간단하기 때문에 널리 이용된다.

**용리** Elution

고체에 흡착된 물질이나 이온교환으로 포집한 물질을 액체에 용출시키는 것. = 탈리(542)

**용매** Solvent

기체 또는 고체가 액체에 혼합되어 용액을 만들 때, 액체를 용매라고 하며, 액체와 액체, 고체와 고체가 혼합되어 용액을 만들 때는 일반적으로는 다량으로 존재하는 쪽을 용매, 다른 쪽을 용질이라고 한다.

**용매 추출** Solvent Extraction

용매를 사용하여 고체 또는 액체 중에서 성분물질의 1종(때로는 2종 이상)을 용매에서 꺼내는 것을 말하며, 희유 금속의 회수, 분리하기 어려운 물질의 분리 등에 활용된다. 장치면에는 혼합조와 분리조를 사용하는 회분방식, 연속탑식의 향류 다단 방식 등이 있다.

**용매화** Solvation

용액에서 용질 분자 또는 이온이 여러 개의 용매 분자와 결합하여 하나의 분자 군을 만드는 현상. 때로는 화학량적인 관계를 충족하여 화합물로 보는 경우도 있으며, 용매화라 한다. 화합물은 용매 화합물이라 불린다. 용매가 물의 경우를 수화라고 한다. ◘ 용매(376)

**용사** Thermal Spraying

산소가스와 아세틸렌, 프로판 등의 가연성가스에 의한 연소염 또는 아크 등의 전기에너지를 이용하여 재료를 용융시켜, 이것을 내뿜어 기재 표면에 부착·적층시켜 피막을 형성하는 기술이다. 큰 면적의 시공이 가능하지만, 밀착성이 낮고 용사층은 일반적으로 다공질이기 때문에, 개량이 진행되고 있다. 금속의 용사를 메탈리콘이라고도 한다. 열원에는 그 외에 플라즈마나 폭발에너지가 이용되며, 각각 플라즈마, 폭열 용사라고

한다. ◘ 메탈리콘(140)

**용액** Solution

균일한 용액이 되어 있는 혼합물을 말한다. 고체와 고체의 균일한 혼합물인 고용체도 용액에 포함하는 경우가 있다. 용매가 물일 때는 수용액, 알코올일 때는 알코올 용액이라고 한다. 도금욕은, 보통 수용액이지만, 용제(또는 용매)를 사용하는 비수용액(또는 비수용매)도 있다.

**용역** Utility ◘ 유틸리티(396)

**용융** ◘ 융해(399)

**용융강도** Melt Strength

용융상태에 있는 열가소성 플라스틱 재료의 개념적인 역학적 강도, 추출하고 인플레이션 성형, 블로성형, 진공성형 등의 열성형으로 소재에 있는 열가소성 플라스틱의 파이프, 시트, 튜브, 필름 등이 연화 용융상태에 대한 성형, 가공에 견디는 형체를 유지하기 위한 개념적인 강도를 표현하는 용어를 말한다.

**용융 광택화** Flow Brightening; Flow Melting; Folw Tinning; Reflow

전기 주석도금을 실시한 면은 하얗고 반광택을 띄기 때문에 도금 후, 주석의 용융점 이상으로 가열하여 용융하고, 표면장력을 이용하여 주석의 경면 광택면을 얻는 방법을 말한다. 프린트 기판이나 전자부품의 전기 주석도금에서는 휘스커 방지를 위해 행하는 경우가 있다. 리플로우 처리라고도 한다. ◘ 리플로우 처리(126)

**용융 금속(방사법)** Melting Metal Spinning

금속을 용융 상태에서 응고시켜서 금속의 가는 선을 얻는 방법이다. 보통 용융 금속의 표면을 고점성의 유리로서 피복하여 유리와 금속을 동시에 방사한다. 방사 후에 피복 유리는 플루오르화수소 수용액 또는 수산화나트륨 용액으로 제거하며, 이 방법으로 인해 가장 가는 선을 제작할 수 있다. 피복 유리로서는 1000℃ 이상의 작업점을 갖는 파이텍스 유리나 바이콜 유리가 쓰인다. 이 방법을 유리 피복용융 방사법(Glass Coated Melt Spinning)이라고 한다.

**용융금속박 압연** Melting Metal Foil Rolling

용탕에서 직접 박을 얻는 방법이다. 용해된 금속을 노즐 선단에서 분출시켜 회전하는 롤의 표면, 또는 그 사이에서 급속 냉각 응고시켜서 금속 테이프를 제조하는 것으로 다른 방법에 비해서 제조공정이 짧고, 에너지적으로 유리하며, 최대 폭은 수 10㎜ 정도이다. 그러나, 급랭 응고이므로 성분에 따라서는 비정질로 되므로 현재는 비정질금속의 제조에 많이 이용되고 있다.

**용융 납도금** Hot Dip Lead Coating

납의 융점은 327.5℃이다. 철과 납은 고용되지 않기 때문에, 납 안에 철과 고용하는 원소(Sn, Sb 등)를 미량 첨가하든지, Ni, Co, Cr 등의 염의 일종을 함유한 수용성 또는 플럭스를 철강 소지 상에 도포하여 염류의 열분해로 표면에 Ni, Co, Cr 등을 석출시켜, 이것과 Pb로 중간 합금층을 형성시킨다. 플럭스에는 $ZnCl_2$, $NH_4Cl$, $SbCl_3$, $AlCl_3$, $SnCl_2$ 등을 조합시킨 염류가 이용된다. 합성수지나 고무계의 라이닝의 발달로 용도가 적어졌으나, 화학장치, 원자력 기기, 방사선 차폐판 등에 이용된다. = 납침적법 ◘ 납도금(65)

**용융도금** Hot Dipping ; Hot Dip Process ; Hot Dip Coating

피도금물을 용융 금속 중에 침적시켜, 피도금물 표면에 용융금속을 부착시키는 도금법을 말한다. 피도금물은 철강제품이 많으며, 공업적으로 실시하고 있는 것은 Zn, Al, Sn, Pb, 땜납도금이다. Zn, Al은 희생 양극작용으로 철강을 보호하지만, Sn, Pb, 땜납은 오히려 부식을 촉진시키기 때문에 핀 홀이 없어야 한다. 또, Zn, Al, Sn의 경우는 Fe과의 취화 금속간 화합물이 너무 두껍게 되지 않도록 한다. 또, Pb은 밀착되지 않기 때문에 Pb에 Sn 등을 소량 첨가하고 있다. 플럭스로 산화막을 제거한 후, 욕에 침적시키며 욕에 플럭스를 부유시킨 1욕법과 플럭스조를 별도로 설치한 2욕법이 있다. 또, 플럭스를 건조 후, 도금하는 방법을 건식, 젖은 채로 도금하는 방법을 습식이라 한다. = 침지 납땜(514), 용융 코팅(380)

**용융도금 강판** Hot-Dop Metal Coated Steel Sheet

박강판을 아연, 알루미늄, 주석, 주석-납합금 등의 용융금속 중에 침적시킴으로써 제조된 도금 강판을 말한다. 도금공정에서는 특정 열사이클을 받기 때문에 가공성이 떨어지는 것으로 되어 있으나, 티탄이나 니오브를 첨가한 극저탄소강을 모재로 사용한 것은, 딥 드로잉 가공성이 좋다. 전기도금 강판에 비해, 도금 부착량이 많고 내식성이 좋으나, 표면외관의 품위는 떨어진다. 용도는 건재, 자동차 내외장판, 세탁기, 냉장고, 석유 스토브, 드럼통 등에 이용된다. ◘ 표면처리 강판(586)

**용융속도** Melting Rate

단위시간에 용융되는 용접봉의 무게 또는 길이로 표시한다. 실험에 의하면, 주어진 2개의 용접봉의 용접속도는 아크전압에는 무관계이고, 아크전류에 정비례한다. 또 직경이 다른 봉에서도 같은 종류의 봉에 대한 심선의 용융(중량)속도는 전류에 비례하고 봉경에는 무관계이다. 심선의 화학성분은 같지만, 피복제의 종류에 따라서 차이가 있다. 0.034-0.0441b/100A, min(2.5-3.3×$10^{-3}$g/A. sec)의 정도이다.

**용융 아연도금** Zinc Hot Dip Galvanizings; Hot Dip Galvanizing

아연은 융점이 약 420℃로, 가격이 싸며, 철강의 방식도금으로써 효과가 크며, 경제적이기 때문에 용융도금의 수요가 많다. 도금공정은, 탈지 세정→산세→플럭스 처리→건조→용융 아연욕 침적→수냉→건조이다. 예를 들어, 철근에 도금을 할 경우, 욕 온도 460±5℃, 침적 시간은 약 1분간으로 500～1500g/㎡의 아연 부착량이 된다. 일반적인 아연도금의 두께는 아연철판에서 8～20㎛, 관이나 구조물에서 75～125㎛이다. KS D 8308「용융 아연도금」, D 9521「용융 아연도금 작업표준」, D 0201「용융 아연도금 시험방법」에 규정되어 있다. ◘ 아연도금(292)

**용융 알루미늄 도금** Hot Dip Aluminizing

용융한 알루미늄에 피도금물을 침적하여 도금하는 방법으로, 주로 철강 소지에 사용한다. Zn 등에 비해 Al의 융점은 높고(660℃), 소지도, Al도 산화되기 쉬우며, 금속간 화합물 층이 두꺼워 지기 쉽기 때문에, 두 가지 욕법(플라스틱과 알루미늄조를 별도로 한다. 1욕법은 Al 상에 플럭스를 부유시킨다)으로 하고, Al 중에 Si를 3～5% 첨가하여 화합물 층을 얇게 하는 등의 연구가 필요하다. 내후성이 뛰어나고 $H_2S$, $SO_2$를 함유한 대기나 중성 용액에 잘 견딘다. 산성, 알칼리성 액에 침해되며, 또 Cl-이온에서는 공식이 생기며, 고온에서 도금으로 인해 소지가 손상을 입는 단점이 있다. 알루미늄 제련과 동시에 용융염 전해로 전기화학적인 비정질 알루미늄을 도금하는 방법도 개발되었다. 내식성이 침적도금보다 크다. ◘ 알루미늄 도금(305)

**용융염** Fused Salt

용융된 염류를 말하며, 통상 용융염 전해에 사용하는 것을 말한다. 할로겐화물의 융체가 주이며, 황산염, 초산염, 탄산염 등의 산소산염도 있다. 전리되어 있는 이온성 액체이며, 도전율은 수용액보다 크다. 2원, 3원의 혼합 용융염도 용이하게 만들 수 있다. = 용해염 ◘ 용융염 전해(380)

**용융 염욕법** Molten Salt Bath Method

고급 스테인리스강 선의 스케일 제거에 사용되고 있는 방법으로 소재를 전혀 다치게 하지 않고, 수소 취성도 없으나, 처리 시간도 짧고, 처리 단가가 비싸다.

**용융염 전지** Molten Salt Battery

고온의 용융상태에서 나트륨이나 리튬 등의 알칼리 금속을 이용해서, 이 환원작용을 이용하여 기전력을 얻는 화학전지, 나트륨-유황전지, 리튬-유황전지가 있다.

**용융염 전해** Fused Salt Electrolysis

석출 전극이 낮고, 수용액에서는 석출되지 않는 금속이나 피막의 물성이 나쁜 금속을 물 대신에 용융염을 사용하여 제조하거나, 도금하는 전기화학적 방법을 말한다. Al의 전해 제련은 대표적인 예이다. Mg, Ca, Na, 미쉬메탈(란탄족 희토류원소의 혼합물로, 제련 과정의 반제품, Ce 40~50%, La 20~40%를 포함) 등도 이와 같이 제조된다. 불소는 아노드 반응을 이용하여 만들어진다.

**용융 주석도금** Hot Dip Tinning

용융된 300~500℃의 주석욕에 강판(제품을 틴플레이트판이라 한다)이나 동, 동합금판 등의 피도금물을 침적시켜 도금하는 방법으로, 욕에 염화아연이나 염화암모늄을 주성분으로 하는 플럭스를 부유시킨다. 물품은 플럭스를 통한 후, 주석욕에 들어가고, 다음으로 팜유 중의 롤을 통해 광택면을 얻을 수 있다. 틴플레이트판은 전기도금으로 만드는 경우가 많아졌지만, 용융도금은 두꺼운 도금이 가능하며, 광택이 좋고, 설비비가 싸기 때문에 작은 물품의 도금에는 적합하다. 1회의 침적으로 약 50㎛의 주석이 부착된다. ◘ 주석도금(482)

**용융 코팅** Hot Dip Coating ◘ 용융도금(378)

**용접** Welding

두 개 이상의 금속을 녹이면서 접합하는 것을 말하며, 사용에너지로 분류하면, 전기에너지(아크, 전자빔, 플라즈마 등), 화학에너지(가스, 테르밋용접 등), 기계에너지(마찰, 압접, 단접 등), 초음파에너지(초음파용접), 광에너지(레이저용접) 등을 이용하는 방법이다.

**용제[금속 재료의]** Flux ◘ 플럭스(597)

**용제 세정** Solvent Cleaning: Solvent Degreasing

표면에 유지 등의 오염을 용제로 녹여 제거하는 방법으로, 사용하는 용제는 증기 세정이 가능한 비인화성 유기용제로 삼염화에틸렌, 1,1,1-삼염화에탄, 염화메틸렌, 프레온 113 등이다. 도금의 전처리에서는 용제가 증발된 후에 대단히 얇은 기름막이 생기기 때문에 예비 세정으로써 이용된다. 도금 후의 탈수 건조용으로써 후처리에 사용되는 경우도 있다. 지하수 오염, 대기 오염, 인체의 해 등의 대책이 필요하며, 염소계 용제는 오존층 파괴물질로써 사용 금지화 되어 가고 있다. = 용제 탈지

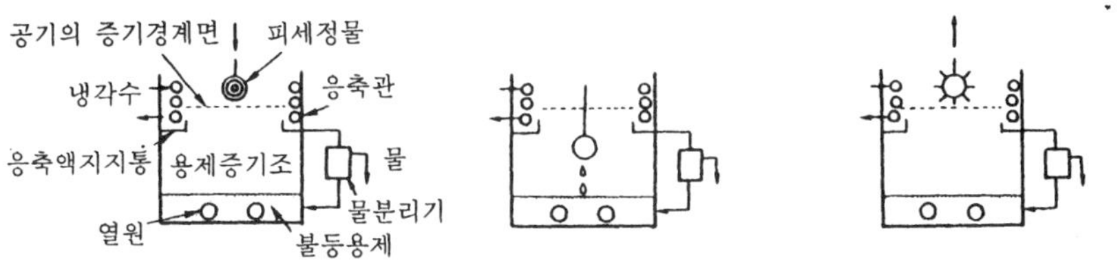


(a) 세정 전 (b) 세정 중 (c) 세정 완료

용제의 증기 세정에 의한 탈지기구

용제 세정

**용제 탈지** Solvent Degreasing ◘ 용제 세정(전항)

**용제 회수법** Recovering Method of Solvent

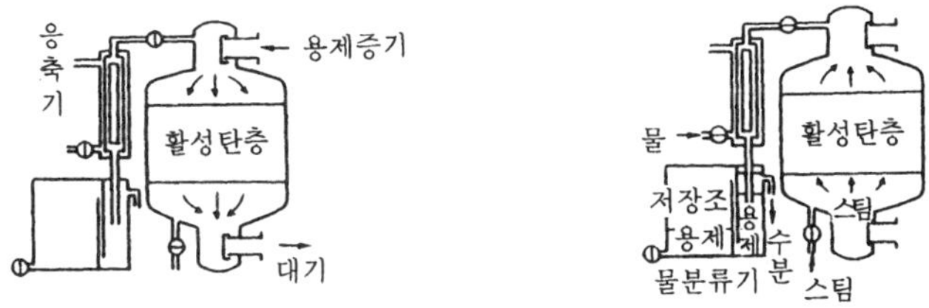


(a) 흡착공정 (b) 탈착공정

용제 회수법

도금 등의 전후처리에 사용하는 유기용제의 회수법을 말한다. 삼염화에틸렌 등의 용제 회수는, 용제 세정장치의 배기를 흡수하고, 회수조 안의 활성탄층을 통과시켜, 활성탄에 용제를 흡착시킨다. 흡착 후, 회수조의 하부로부터 증기를 보내면, 활성탄에 흡착된 용제는 증발하고 증기와 함께 응축기에서 응축된다. 응축된 액체는 용제와 수분을 함유하고 있으며, 분리기로 물을 분리하며, 용제는 저장조에 회수된다. 회수액은 안정제가 손실되거나 액이 산성으로 되기 때문에 조정하여 재이용한다.

**용존 산소** Dissolved Oxigen

물이나 각종 용액 안에 분자 상으로 용해한 산소를 말한다. 고압, 저온에서 많이 녹으며, 저압, 고온에서는 약간만이 녹는다. DO라고도 한다. = DO(108)

**용침(溶浸)법** Infiltration Process

소결체나 압분체(壓粉體)의 개방 기공을, 그것보다 융점이 낮은 금속 또는 합금으로 충만시켜 복합재료를 만드는 방법이다. 소결체를 저융점의 용융금속 안에 침적하여 기공으로 침입시킨다. 기계부품이나 전기접점의 제조에 이용된다.

**용해도** Solubility

어떤 물질(용질)이 용매에 녹을 때의 포화농도를 말한다. 통상 용매 100g에 대한 용질의 그램 수로 표시하며, 온도에 따라 변화하며, 그 관계는 용해도 곡선으로 표시한다.

**용해도곱** Solubility Product

어떤 물질의 포화용액에서 음과 양이온의 농도(mol/$l$)의 곱을 말한다. 난용성염의 용해도 곱은 일정 온도에서 일정 값이기 때문에 침전 적정, 전위-pH도 작성 등에 이용된다.

**용해염 조합전극** Reference Electrode for Fused Salt

은-염화은 전극(Ag/AgCl-용매) 형태의 전극은 고온에서 안정하고, 재현성이 좋기 때문에 가장 많이 사용된다. 용매가 다르면 전위도 다르기 때문에 용매마다 값을 구할 필요가 있다.

**용해 전위** Dissolution Potential

가용성 양극이 전기화학적으로 용해할 때의 전위를 말한다. 양극에 포함되어 있는 높은 불순물은 용해 전위에 도달되지 않기 때문에 용해되지 않은 채 양극 슬라임이 된다. ◘ 양극 전위(323), 양극 슬라임(322)

**우드메탈** Wood's Metal ◘ 우드합금(382)

**우드욕** Wood's Bath

욕조성은 염화니켈 240g/$l$, 농(濃)염산 100㎖/$l$, pH 1.5 이하. 전류밀도 5~10A/$dm^2$, 상온, 니켈 스트라이크욕으로써 스테인리스 등의 도금에 사용된다. 도금피막은 전착응력이 크기 때문에 두꺼운 도금에는 적합하지 않다. 전해에 의해 염소가스가 발생하기 때문에 배기가 필요하며, 염소가스와 염소이온 때문에 우드욕 장치가 쉽게 부식된다. = 우즈욕(383)

**우드합금** Wood's Alloy

저온 가용(可溶)합금의 일종으로, 용융온도는 65℃이다. Pb 27%, Sn 13%, Bi 5%, Cd 13%로, 전주모형(電鑄母型)에 사용된다. = 우드메탈(382)

**우선 석출** Precede Deposition

표준단극 전위가 다른 복수의 금속염 혼합용액을 전해할 때, 어떤 하나의 금속이 다른 금속에 우선하여 용액 중의 농도비 이상의 비율로 석출되는 것을 말한다. 예를 들어, Cu와 Zn을 함유한 단순염 용액에서는 Cu만이 석출된다. 전해분리에는 좋은 현상이지만, 합금을 전착시킬 때는 좋지 않기 때문에, 적당한 착화제로 착화시켜 석출 전위에 가깝게 한다. 황동합금 도금에서는 시안화물 이온으로 착화시켜 Cu의 우선 석출을 억제하여 Zn과 공석시킨다.

**우즈욕** Wood's Bath ◘ 우드욕(382)

**우포** Buff ◘ 버프(177)

**워크** Work

피처리물을 말한다. 도금장치에서는 피처리물이 취부되어 있는 상태의 치공구를 말하는 경우도 있다. ◘ 치공구(511)

**워터 브레이크** Water Break

도금에서는, 피도금물 표면으로부터 액이 낙하하기 쉬운 정도를 말한다. 피도금물 표면의 불균일한 젖음 상태에서 양부를 판정하는 경우도 있다. 예를 들어, 아연도금의 크로메이트 처리에서는, 크로메이트액의 워터 브레이크 양부가 방청효과에 영향을 미친다.

**워터 스케일** Water Scale

수중의 불순물이 농축되어 응고 부착된 것을 말한다. 물 스케일이 발생되기 쉬운 장소는 보일러, 내연기 자켓, 콘덴서 등, 수중의 불순물이 열에 의해 농축되기 쉬운 곳이다. 물 스케일의 성분은 수질에 의해 다르지만, CaO, MgO, $Fe_2O$, $Al_2O_3$, $SiO_2$, $SO_2$, $CO_2$, Cl 등을 함유하는 경우가 많다.

**워터 해머** Water Hammering

배관 내에서 순간적으로 이상한 충격압을 만들어 음을 발하며 진동하는 것을 말한다. 급수배관 내의 수류를 급속하게 닫거나 응축물 등이 남아 식은 증기관에 다시 증기를 보내는 경우 등에 일어난다. 배관이음매(조인트)를 느슨하게 한다거나 기구에 손상을 주어 누수의 원인이 된다. 수격(水擊)작용이라고도 한다. = 수격작용(253)

**원 랙 방식** One-Rack System

플라스틱 도금 등에서 전처리와 도금공정간에 걸고리를 바꾸지 않는 방식을 말한다. 무전해도금이 부착되지 않도록, 전처리액에 침해되지 않고 또한 촉매금속 입자가 흡착되지 않는 석출방지 재료를 걸고리 표면에 이용한다. = 원 랙 프로세스(후항)

**원 랙 프로세스** One-Rack Process ◘ 원 랙 방식(전항)

**원소** Element

원자번호가 같은 원자의 종류별 이름으로 동위체는 질량이 다르지만, 원자번호는 같기 때문에 같은 원소에 속한다. 예를 들어, 염소원자에는 질량수가 37과 35의 원자가 있으나, 두 원자 모두 양자수가 17이며 중성자수가 다를 뿐, 동일원소이다. 원소의 종류는 천연(테크네튬을 제외한 원자번호 92의 우란까지 91종) 및 인공원소를 포함하여 원자번호 1의 수소에서 103의 로렌슘까지 원소명이 정해진 103종과 104, 105, 106의 이름이 정해져 있지 않은 것을 합해 106종이 공인되어 있다.

**원심 분리기** Centrifugal Separator

원심력을 이용하여, 분리하는 장치. 도금에서는 원심 탈수기를 도금후의 건조용으로 사용하고 있다.

**원심 주조법** Centrifugal Casting

수평, 수직 또는 아주 작은 경사를 가진 축을 중심으로 회전하는 주형에, 용융 금속을 주입하여, 원심력의 작용에 의해 원통형상 또는 그것에 가까운 형상의 주물을 제조하는 방법. 원심력의 작용으로, 치수가 정확하고 치밀한 주물을 얻을 수 있다.

**원심 탈수** Centrifugal Dehydration

원심 분리기에 의한 탈수를 말한다. 배럴도금된 물품은, 일반적으로 원심 분리기에 의해 탈수된다. 물품의 형상에 따라서는, 탈수가 불충분하기 때문에 열풍, 건조를 병용하기도 한다. 도금용에서는 바스켓의 직경 50~60㎝, 매분 회전수 1200정도의 원심 분리기가 많이 사용된다. 배수처리로, 슬러리(Slurry)의 탈수를 원심 분리기로 행하는 경우도 있다.

**원자** Atom

물질을 구성하고 있는 기본적인 미립자로 원자핵과 그 전하와 같은 수의 전자와의 조합으로 되어있다. 현재까지 원자핵의 전하수가 1인 수소원자(H)에서 전하수 103의 로렌슘(Lr)까지 알려져 있다. 이것들의 원자

각각의 결합에 의해 분자가 된다. 원자의 크기는 거의 원자번호순으로 커져가며 그 직경은 $10^{-8}$cm 정도이다.원자핵의 직경은 $10^{-13}$cm 정도이다. 원자의 질량은 대개 원자번호순으로 커지며, 그 질량은 거의 원자핵에 집중되어 있다. 미국의 IBM사는 1990년 4월에 니켈표면 상에 크세논 원자를 1개씩 나열하여 원자로 IBM의 문자를 그리는데 성공했다. 원자를 설계대로 자유롭게 나열할 수 있다면 천연에는 존재하지 않는 신재료나 초미립구조를 만들어 낼 수 있지 않을까 추측된다.

**원자가** Valence; Valency

어떤 원소의 원자가 다른 원자와 단결합을 얼마나 만들 수 있을까 하는 것을 나타내는 수를 각각의 원자 또는 원소의 전자가라고 한다. 예를 들어, $H_2$, HCl, $H_2O$를 보면, 수소원자는 1개 이상의 원자와 결합할 수 없다. 수소의 원자가를 1가라고 규정하면, 염소의 원자가도 1가, 산소의 원자가는 2가로 된다. 이와 같이, 어떤 원자 1가가 n개의 수소원자와 결합할 때, 그 원자의 원자가는 n이다. 또 동일원소에서도 원자가를 복수로 갖는 것도 있다. 예를 들어, $H_2S$, $SO_2$를 보면, 전자의 황의 원자는 2가이고, 후자의 황의 원자는 4가이다. 또 원자가는 그 원소의 원자량을 화학당량으로 나눈 값과 같다.

**원자간력 현미경** ◘ AFM(334)

**원자량** Atomic Weight

원소 무게의 비교값이며, 비교의 기준으로써 질량수 12의 탄소원자 1개의 질량을 12000으로 규정한다. 실제 탄소원자의 질량은 $1.992 \times 10^{-23}$g으로 대단히 작은 값이며, 일반적으로 사용하는데는 불편하기 때문에 일정한 수를 모은 원자 집단의 질량을 사용한다. $^{12}$C원자의 질량은 6.022045 $\times 10^{23}$개를 모으면 12g이 되기 때문에 이 $6.02205 \times 10^{23}$을 정수로 하고, 이것을 각 원자 1개의 질량으로 곱한 값을 1g원자라고 하고, 이 수치를 원자량이라고 한다. 원소에는 동위체가 있으며 같은 동위체의 질량은 약간 다르나, 그 존재비는 일정하기 때문에 평균치를 취하여 국제적으로 국제원자량이 채용되어 사용되고 있다.

**원자핵** Atomic Nucleus

단순히 핵이라고 약칭되는 경우도 있다. 원자의 중심부에서 양전기를 띈 미립자를 원자핵이라고 한다. 원자핵에는 양전기를 띈 양자와 전기적으로 중성인 중성자가 존재한다. 양자와 중성자의 질량은 거의 같고, 전자

질량의 1840배 정도이며, 원자 질량은 적어도 99.94% 이상은 원자핵이 차지하고 있다. 양자수와 중성자수와의 합을 질량수라고 하고, 또 양자수를 원자번호라고 한다. 원자핵이 융합하거나 핵분열할 때, 커다란 에너지를 방출한다.

**원자흡광 분석법** Atomic Absorption Analysis

금속이온을 포함한 시료용액을 불꽃 중에서 가열하여 원자화시켜 이것을 광원에서 나오는 빛을 쪼이면 그 원자에 특유한 파장이 흡수되는 현상을 이용한 금속 분석법. 30 수 종의 금속을 측량할 수 있다. 공장 배수중의 Cu, Zn, Pb, Cd, Ni, Co, Hg, Mn, Fe, Cr 등의 금속 시험방법이다.

**원적외선 건조** Far Infar Red Ray Baking

적외선의 파장은 별로 명확하지 않는 0.8㎛ 이상에서 25~50㎛ 까지의 광파를 말하며, 원적외선의 파장은 25~50㎛ 이상에서 1㎜ 미만의 광파를 말한다. 도금 후의 건조에 사용된다.

**웨더링** Weathering

금속재료는, 옥외에 노출이 되면 부식이 진행되어 표면에 부식생성물이 생성되어, 재료의 두께가 감소하는 등의 현상이 일어난다. 이것을 웨더링이라고 한다.

**웨더링 테스트** Weathering Test

옥외폭로시험, 대기폭로시험, 내후(耐候)시험이라고도 한다. 대기에 노출되면 온도, 습도, 비, 일광, 바람, 대기오염물질 등이 부식을 일으키며, 또한 부식을 진행시키는 원인이 된다. 일본에서는 재단법인 일본 웨더링 테스트센터가 지바(千葉)현에 있으며 그 곳에서 연구를 실시하고 있다. 그 곳은 일본 내에서 전국기상의 평균치에 가장 가까운 기상지역이기도 하다. 미국 플로리다주 마이애미에 있는 South Florida Test Corporated는 옥외 폭로시험장으로 유명하다. = 옥외폭로시험(369), 대기폭로시험(92), 내후시험(71)

**웨스코 펌프** Wasco Pump

회전마찰 펌프라고도 한다. 원판의 바깥쪽에 다수의 홈을 가진 형상의 임펠러(Impeller)가 와실(渦室)과 측판으로 둘러쌓인 수로 안에서 회전하며 물을 와실의 외주에 설치된 흡입구로부터 분출되어 입구로 보내는 기구를 일컬으며, 물이 와실을 흐르는 사이, 임펠러에 설치된 홈에 의해 반복 가압이 행하여진다. 적은 수량으로 비교적 고양정(高揚程)의 용도로 이용되며, 도금용 소형여과기는 웨스코 펌프가 많다. 와류 펌프, 캐스케이드(Cascade) 펌프, 마찰 펌프 또는 재생 펌프라고도 불리운다.

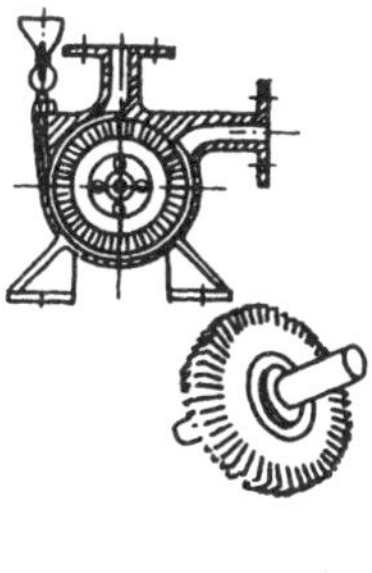

웨스코 펌프

**웨이브 납땜** Wave Soldering

용해시킨 땜납 욕면에 분류(噴流)로 인한 땜납액을 만들어 그 파두(波頭)에 납땜을 하는 재료를 접촉시켜 납땜하는 방법이다. 프린트배선 기판의 납땜의 양산용으로 플럭스 도포에서 납땜까지 자동화하여 행하는 경우가 많다.

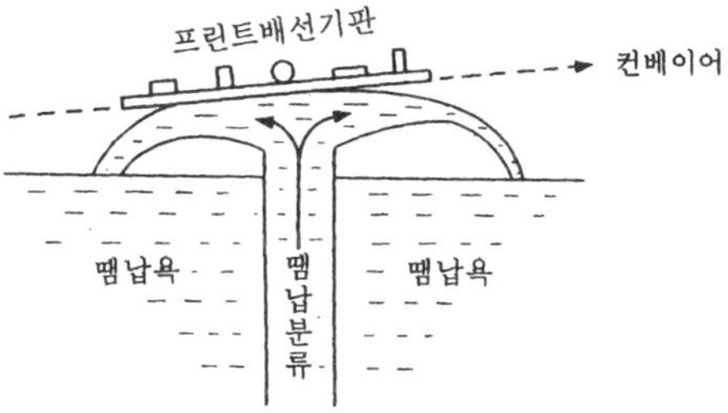


웨이브 납땜

**웨이스트** Waste

영어의 Waste에서 온 말로 허드레 천을 말하며, 고장에서 오염된 기름 등을 닦는데 사용한다. = 웨이스

**웨이퍼** Wafer

IC나 트랜지스터를 만들기 위해 사용하는 실리콘 등의 단결정 기판. 단결정을 일정한 결정방위에서 일정한 두께로 슬라이스하여 디바이스(Device)의 용도로 따라 표면을 중첩(Lap), 에칭, 경광택(鏡光澤 : Mirror Polish) 등의 상태로 마무리한다. 두께 약 200㎛, 직경 50~100㎜. 이 판을 가공하여 다수의 반도체 디바이스를 절단한다.

**웨트 블라스팅** Wet Blasting ◘ 액체 호닝(320)

**위스커** Whisker ◘ 휘스커(646)

**위어(둑)** Weir ; (Notch)

①물을 막아 수위를 상승시키기 위해 흐름을 차단하여 만든 벽. ②홈을 파

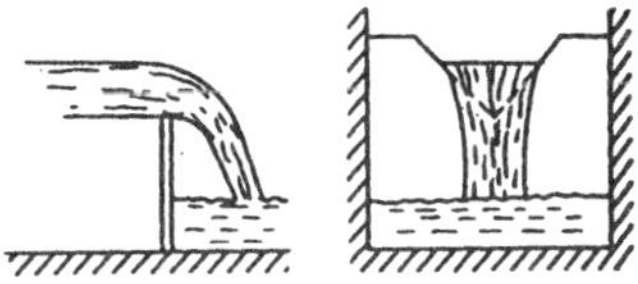

위어(둑)

서 흐르는 물의 유량을 측정하기 위하여 흐름을 차단하여 만든 일부가 결손되어 있는 노치를 가진 벽. 연속 도금장치에서는 둑에 의해 액면의 높이를 조절하는 방식이 행하여진다.

**위킹** Wicking

좁은 전선과 전선의 사이를 용융 땜납이 모세관현상으로 빨아들여지는 것을 말한다. 반도체의 패키지(Package) 등에서 땜납이 단자간에 빨아 들여져 패키지의 밑부분에 고이는 것이며, 이러한 불량을 위킹 불량이라고 한다. **위킹 와이어** Wicking Wire

과도한 땜납을 제거하기 위하여 이용하는 즉건성(卽乾性) 플럭스를 도포한 편동선(編銅線)을 말한다. 사용법은, 납땜인두 부분에 위킹 와이어를 밀착시켜 납땜을 하면, 모세관 현상에 의해 과도한 땜납 부분이 위킹 와이어에 빨아 들여져 제거할 수 있다. ◘ 위킹(전항)

**위험물** Dangerous Substance

소방법에 규정되어 있는 발화성 또는 인화성물질을 말하며, 제1류에서 제6류까지 있다. 연료는 제4류에 해당하고 500*l* 이상의 등유, 2000*l* 이상의 중유 등, 일정량 이상의 위험물은 저장소 이외의 장소에 저장해서는 안 된다. 도금에 관계가 있는 독물, 극물 중에서 다음과 같은 물질을 저장, 취급하는 경우는 각별한 주의가 필요하다. Na, K, Zn, Cu, Ag의 시안화물, 불화수소 및 그것을 함유하는 제제 등은 30kg 이상, 규불화수소산, 산성불화암모늄, 염화수소(36% 이하는 제외), 황산(60% 이하는 제외), 암모니아(30% 이하는 제외), 포름알데히드(1% 이하는 제외) 및 이상의 것을 함유하는 제제(염산 등)와 붕불화수소 등은 200kg 이상이다. 또 일정량 이상의 위험물을 취급하는 경우는 위험물취급자의 자격을 가진 자가 취급하지 않으면 안 된다.

**위험물취급자**

소방법에 따라 정해진 위험물을 1일에 지정수량 이상의 양을 저장하거나 취급하는 경우는 위험물 시설로써 소방법의 규제를 받고, 그 취급은 해당하는 면장을 가진 자, 또는 그 입회 하에서 행하지 않으면 안 된다.

**유공도(有孔度) 시험** Pinhole Test: Pore Test ◘ 핀홀 시험(613)

**유기 공석** Induced Codeposotion ◘ 유도 공석(390)

**유기도전성 화합물** Electroconductive Organic Compounds

금속적인 도전성을 갖는 유기화합물. 전하이동 착체와 폴리아세틸렌 등의 고분자화합물, 폴리어니언 등이 있다. 태양전지, 광화학전지, 고내식성 도료 등으로의 응용이 기대된다.

**유기물** Organic Substance ◘ 유기화합물(389)

**유기물 피복** Lining or Coating of Organic Materials

열화나 부식을 방지하기 위하여 금속이나 세라믹 위에 씌운 유기고분자 물질을 말하며, 구별은 명확하지는 않지만, 두꺼운 것을 라이닝, 얇은 것을 코팅이라고 한다. 방법으로는 일반 도장, 분체 도장, 전기영동 도장, 고무 라이닝, 정전 도장, 증착, 스패터링, 불소수지의 디스퍼션 코팅, 에폭시•폴리에틸렌 등의 용사, PVC, 폴리에틸렌 등의 열가소성 수지의 부착 등이다.

**유기 용매** Organic Solvent ◘ 비수용매(221)

**유기용매 도금욕** Plating Bath Using Organic Solvent ◘ 비수용액 전기도금(221)

**유기화합물** Organic Compound

탄소원자를 포함한 화합물의 총칭. 단, 일산화탄소, 이산화탄소, 탄산염은 제외한다. 유기화합물의 성분 원소는 주로 탄소, 수소, 산소, 질소, 황, 인, 할로겐으로 되어 있다. 유기화합물에는 예외가 있으며 대체로 다음과 같은 특징이 있다. (1)공기 중에서 완전히 연소하여 기체로 되는 것이 많다. 단, 난연성인 것도 있다. (2)물에 녹기 어려운 것이 많다. (3)일반적으로 전기, 열의 부도체이다. (4)물에 녹아도 전리되는 것은 적다. 이미 알고 있는 유기화합물은 350만에 이르며, 쇄식(鎖式)화합물과 환식(環式)화합물로 분류되며, 탄소원자는 공유결합으로 결합되어 있다. = 유기물(389)

**유니크로** Unichrome

유니크롬의 약칭이다. ◘ 유니크롬(후항)

**유니크롬** Unichrome

원래는 미국의 United Chromium사가 개발한 아연도금 크로메이트 처리의 상품명이다. 아연도금의 크로메이트 처리를, 광택 크로메이트, 유색 크로메이트, 흑색 크로메이트, 녹색 크로메이트 등으로 분류하며, 광택 크로메이트를 유니크로 또는 유니크롬이라 칭하고 있다. 광택 크로메이트(유니크로)는 청은백색(블루계)으로 아름다운 외관을 중시하지만, 내식성을 특별히 중시하지 않는 경우에 실시된다.그 외의 크로메이트 처리에 비해 내식성이 뒤떨어진다. = 유니크로 ◘ 광택 크로메이트(45), 크로

메이트 피막(534), 아연도금의 크로메이트 처리(293)

**유도 계수** ◘ 인덕턴스(422)

**유도결합 고주파 플라즈마 분광분석** Inductively Coupled Plasma Spectrometry

◘ ICP 분광 분석(299)

**유도 공석** Induced Codeposition

A. 브래너의 분류에 의한 합금 전착에서 이상공석의 일종으로, 표준 단극 전위가 낮고(이온화 경향이 대), 단독에서는 수용액에서 공석되지 않는 금속(예를 들어, W, Mo, P, B 등)가 철족원소로 유기되어 합금으로써는 용이하게 공석되는 공석의 방법이다. 욕조건과 도금피막 조성의 관계를 예측하기는 어렵다. 대표적인 것은 Ni-W, Ni-Mo 합금도금이다. 또, 무전해도금도 전기화학 반응이기 때문에 Ni-P, Ni-B 무전해도금도 유도 공석이라 말할 수 있다.

**유도로** Induction Furnace

교류의 전자유도로 재료에 과전류를 발생시켜 주울 열로 용해되는 노로 철강을 시작으로 각종 금속의 용해에 사용된다. 전류의 주파수에 의해 고주파 유도로와 저주파(주로, 상용의 50~60Hz) 유도로로 대별되며, 고주파로가 더 많다. 철강의 표면 소입 등에도 사용된다.

**유동 전위** Flow Potential: Streaming Potential

액체가 고체 벽에 대해 이동함으로 인해 나타나는 전위차를 말하며, $\zeta$(제타)전위와 일정한 관계가 있다. 전기침투와 역의 현상으로 예를 들어, 유리모세관 내에 물을 넣으면 접촉면에 전기2중층이 생기고, 유리는 음으로, 물은 양으로 전해된다. 수압으로 이 물을 흘려보내면, 유리에 밀착되어 있는 물은 이동하지 않고, 내부의 물은 이동하기 때문에 양전하가 운반되어 전위차가 발생한다.

**유동상 전해** Fluidized Bed Electrolysis

금속의 미분말, 또는 표면을 유체화 시킨 비금속의 미분말에 전기도금을 하는 방법으로, 전극을 넣은 도금욕 중에 미분말을 투입하여 공기 교반, 기계 교반 등의 방법으로 미분말을 유동시키면서 전기도금을 행한다. 이 방법으로 도금이 가능한 이유는, (1)음극표면에 분말이 접촉된다. (2)여러 개의 분말이 동시에 충돌하여 어떤 시간 동안, 그 상태를 유지한다. (3)분말끼리 충돌의 반복에 의해 전하 이동이 일어난다 등이다. = 현탁 전해(624)

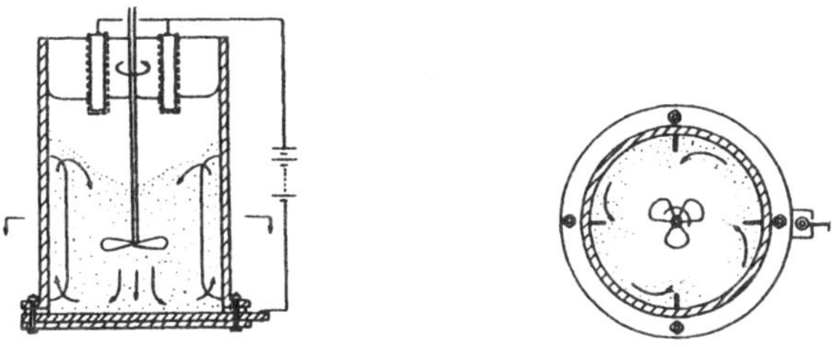

유동층 전해

유동상 전해

**유동상(流動床) 침적 피복** Whirlsintering; Fluidized Bed Coating

금속에 유기물 피복을 실시하는 방법의 하나로, 용기 바닥에 다공판을 가지고 있는 침적수조 내에 플라스틱 분말을 넣어, 밑으로 공기나 가스를 보내 유동시켜, 그 안에 적정한 온도로 가열한 재료를 넣어 분말을 융착시켜 균일한 피복을 형성시킨다.

**유량** Flow Rate; Quantity of Flow

단위 시간에 흐르는 유체의 양을 말한다. 양을 체적으로 나타낸 체적 유량[$m^3$/s], [$m^3$/h], 양을 질량으로 나타낸 질량 유량[kg/s], [t/h]가 있다. 체적 유량을 V[$m^3$/s], 질량 유량을 W[kg/s]로 하고, 유체의 밀도를 $\rho$ [kg/$m^3$]라 하면, $W=\rho V$의 관계가 있다. 그리고, 유량을 몰수로 표시하면, [mol/s], [kmol/h] 등의 단위로 표시하는 경우도 있다.

**유량계** Flow Meter

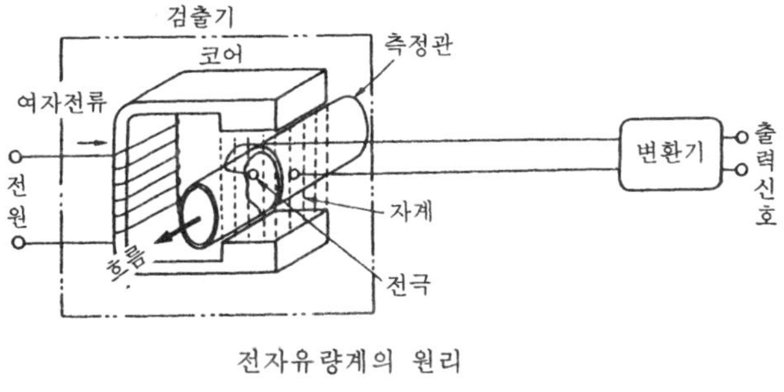


전자유량계의 원리

유량계

유체의 유량을 측정하는 계기. 유량에 의해 발생한 차압을 이용하는 차압 유량계과 차압을 일정하게 유지하여 유량에 의해 통과 단면적을 변하도록 한 면적유량계 등, 많은 종류가 있으며, 도금 배수 등의 정확한 연속 측정용으로써는 전자유량계가 이용된다. 이 방법은, 유체 흐름의 방향과 수직으로 차례대로 자계가 가해지고 있는 측정 관내를 도전성 유체가 흐르면, 전자유도에 근거한 유속에 비례한 전압이 유체 중에 유기된다. 이 전압을 전극에 의해 검출하여 증폭, 연산을 하여 체적 유량을 구하는 것이다. ◘ 유속계(394)

**유량 제어** Flow Control

분류도금 장치 등으로 도금액의 유량을 일정하게 하기 위한 제어로, 보통 피드백 제어가 실시된다. 유량 측정부와 목표치와 비교를 하는 조절기 및 유량제어 밸트 등의 조작부로 되어 있다. 제어 특성은, 제어 밸브를 움직였을 때, 유량이 변화하는 프로세스까지 고려할 필요가 있다.

**유리 가성소다** Free Caustic Soda

알칼리성 주석도금의 중요한 관리 항목으로 금속 분의 농도에 의하며, 10~20g/l로 관리한다. 유리 가성소다가 부족하면, 욕의 저항이 증대되는 것 외에 주석산염 $K_2SnO_3$의 가수분해가 발생한다. $K_2SnO_3+2H_2O \rightarrow 2KOH+H_2SnO_3$에서 $H_2SnO_3$(메타 주석산)을 침전시켜, 도금욕이 하얗게 흐려진다. K염욕 쪽은 이 경향이 적다. 이 침전물은 여과하기 어렵기 때문에 도금조를 깊게 하여, 침전물이 도금에 영향을 미치는 것을 방지한다. 유리 가성소다가 과도하게 되면, 음극 전류효율이 저하된다.

**유리섬유강화 플라스틱** Glass Fiber Reinforced Plastics ◘ FRP(335)

**유리 시안** Free Cyanide ◘ 프리 시안(593)

**유리전극** Glass Electrode

용액의 수소이온 지수를 측정하기 위한 전극으로, 유리박막(0.1~0.5㎜)의 양측에 수소이온 농도를 다르게 하는 용액이 있으면 그 사이에 전위차가 발생한다는 것을 이용하여 수소이온 지수를 측정한다. 측정시, 비교전극에 내장되어 있는 전극과 같은 것을 사용하지 않으면 잘못된 값을 나타낸다. 최근에는 비교전극과 일체화된 전극이 시판되고 있다.

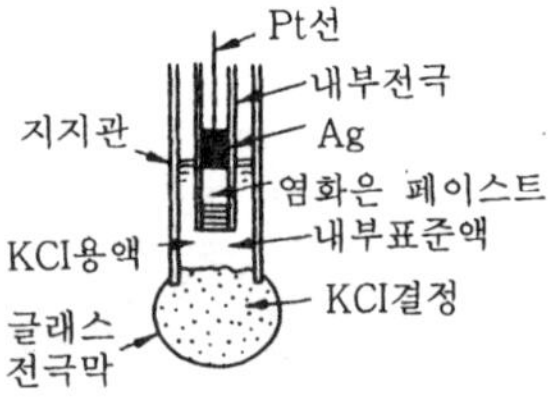


유리전극의 구조

유리전극

**유백(乳白) 도금** Milky Surface: Dull Satin Surface: Slightly Milky Surface

보통은 크롬도금에서 전류밀도가 너무 낮거나 또는 도금욕의 온도가 너무 높은 경우에 발생하는 광택이 빈약한 도금표면 상태를 말하나, 니켈도금(밀키-니켈) 등, 다른 도금에서도 유백 도금이라고 하는 경우가 있다.

**UV** Ultraviolet Ray

자외선의 약칭이다. 자외선은 가시광선의 단파장 380～400㎚를 장파장 측으로 하고, 단파장 측은 1㎚까지의 파장 범위의 전자파이다. 단파장 측의 한계는 별로 명확하지는 않지만, 수 십㎚ 이하는 연X선과 중첩된다. 자외선은 시각으로는 느껴지지 않지만, 화학작용, 살균작용이 강하기 때문에 화학선이라고도 한다. 태양광에 다량으로 포함되어 있으며, 주로 단파장 측은 대기중의 분자, 특히 오존($O_3$)에 흡수되거나, 산란되기 때문에 지상에 도달하는 것은 장파장 측의 일부분이다. 상공에 오존층이 없으면, 전파장의 UV가 대량으로 지상에 도달하게 되어 피부암 등을 발생시킨다. 그 때문에 오존층 파괴물질인 프론(프레온) 등의 사용이 제한되어 있다. = 자외선(438)

**UV 잉크** Ultraviolet Cure Ink

자외선 경화에 사용되는 감광성 수지를 말한다. ◘ UV 큐어(후항)

**UV 큐어** Ultraviolet-Ray Curing

프린트 배선기판의 에칭 레지스트가 되는 감광성 수지(UV 잉크)를 자외선으로 중합 또는 가교시키는 것을 말한다. 자외선 경화라고도 한다. = 자외선 경화(438)

**유색 크로메이트** Coloured Chromate Conversion Coatings

아연도금의 크로메이트처리는 광택 크로메이트, 유색 크로메이트, 흑색 크로메이트, 녹색 크로메이트가 있다. 광택 크로메이트는 유니크롬라고도 하며, 넓은 의미로는 유니크롬 이외의 크로메이트처리는 유색 크로메이트이지만, 일반적으로 도금용어에서는 유색 크로메이트는 외관이 황금색 또는 홍색의 크로메이트 처리를 말하며, 흑색 크로메이트, 녹색 크로메이트와 구별하고 있다. 크로메이트 처리의 내식성을 비교하면, 가강 뛰어난 것은, 녹색 크로메이트로, 유색 크로메이트와 흑색 크로메이트가 같고, 광택 크로메이트가 가장 내식성이 떨어진다. ◘ 아연도금의 크로메이트 처리(293), 크로메이트 피막(534)

**유성 배럴** Clatter Barrel

한 개의 회전축에 가늘고 긴 배럴을 복수 취부하여 동시에 회전시키는 배럴을 말한다. 배럴은 한 개의 회전축에 대해 각각 유성모양으로 회전한다. 직경이 큰 배럴에는 부적당한 제품의 양산에 적합하다. 배럴연마, 도금에 이용된다. = 클래터 배럴 ◘ 배럴연마(171), 회전도금(645)

**유성 연마제** Buffing Compound: Grease Base Buffing Bar

연마제를 주성분으로 하고, 지방산, 광유, 금속비누 등을 이것에 첨가한 연마제로 봉상과 액상이 있다.

**유속계** Current Meter; Velocity Meter

흐름의 속도를 측정하는 장치의 총칭. 기체의 유속, 특히 풍속을 측정하는 것을 풍속계라고 한다. 관이나 수로내의 유량을 측정하는 것은 유량계라고 한다. 유량이란 속도와 단면의 곱이다. 측정 방법은, 정압과 동압과의 차를 이용한 피트관, 동압이란 흐름이 정지 고체에 닿았을 때 고체 표면에 발생하는 압력 상승을 말한다. 열선 유속계는, 전류를 흘려 고온으로 유지시킨 가는 선이 유속이 빠를수록 냉각효과가 큰 것을 이용한 것으로, 가는 선의 전기저항을 측정하여 유속을 구한다. 이 외에 유체 중에 부유시킨 미립자의 운동을 조사하는 방식(레이저 도플러 유속계), 유체 중에 유기된 음파나 전자장의 흐름에 의한 변화를 조사하는 방식(초음파 유량계, 전자 유량계), 흐름에 수반되는 밀도 변화를 광학적으로 검출하는 방식 등이 있다. ◘ 유량계(391)

**유수(油水)분리기** Oil Separator

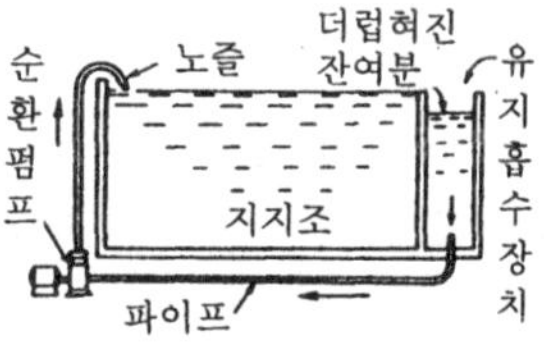

전해세정조의 유수분리기

유수분리기

도금 배수 중에 유지가 혼입되면, 헥산 값의 기준 초과가 일어나는 것뿐 만 아니라, 배수처리 설비의 설계측정기 수감부가 오염되어 제어불능 상태가 된다. 유지가 배수 중에 혼입 되는 것은 도금의 전처리 공정에서부터이기 때문에 발생원의 지방조, 전해 세정조에 유지 흡수장치(내부에 수지화이버 등의 유지 흡수재를 넣는다)를 취부하여, 처리액을 오버 플로우시켜 기름과 물을 분리한다. 배수 중의 유리(遊離)유를 중력장에서 기름과 물의 비중 차로 분리하는 장치에는 API(American Petrolium Institute)식, PPI(Parallel Plate Unterceptor)식, CPI(Corrugated Plate Interceptor)식 등이 있다.

**USP** United States Patent

미국 특허의 약칭

**UHE** Ultra Highspeed Electrodeposition Technique

미국의 바텔연구소에서 개발한 고속도도금 기술의 약칭. 도금속도는 매분 Cu, Ni, Zn에서 25~100㎛, Au에서 18㎛, Cr에서 12㎛, Fe에서 25㎛로 알려져 있다. ◘ 고속도도금(31)

**UF** Ultrafiltration ◘ 한외(限外)여과(617)

**UL 규격** Underwriters Laboratories Standard

미국의 화재보험 공동관리의 연구소인 언더라이트·래버러토리가 민생용 전기전자 기기에 대해 규정한 규격

**유연성** Ductility

소재를 도금하여 소성가공할 때, 도금피막의 유연성이 요구된다. 유연성이 있으면, 응력에 의해 파괴되기 어렵게 된다. 유연성은 인장력에 의해 파단될 때까지의 연신율로 표시한다. ◘ 연성(346)

**UOD** Ultimate Oxygen Demand

배수 중의 유기물을 산화하기 위해 필요한 이론적 산소량(ppm)을 말하며, 근사적으로는 다음 식으로 표시한다. UOD=2.67C+4.57N. 단, C는 배수중의 유기탄소량(ppm), N은 배수 중의 암모니아태 질소량과 유기성 질소와의 합(ppm)이다. ◘ COD(287), BOD(223)

**유자 표피** ◘ 오렌지 필(364)

**유전(流電) 양극** Sacrificial Anode

전기 방식에서 카소드 방식에 이용되는 가용성 아노드를 말한다. 아연계, 알루미늄계, 마그네슘계의 합금이 아노드로써 이용된다. 선박, 암벽 등의 방식에는 알루미늄계 및 아연계합금이 사용되며, 흙에 매설된 파이프 라인의 방식에는 마그네슘계가 사용된다. ◘ 전기 방식(449)

**유전율** Dielectric Constant

전속밀도 D와 전장 E와의 관계는 $D=\varepsilon E$를 나타내며, $\varepsilon$를 유전율이라고 한다. 또, 진공 유전율 $\varepsilon 0$와의 비를 비유전율이라고 한다.

**유전체** Dielectrics: Dielectric Substance

정전장 안에 놓으면 전기 분극을 발생시키지만, 직류 전류는 흐르지 않는 물질로 전기적 절연체와 같은 의미이다. 유전성은 전기감수율(전기분극과 전장 강도의 비) 또는 유전율로 표시된다. 유전율이 큰 물질은 콘덴서의 용량을 증가시키기 위해 사용된다(운모, 파라핀, 절연유 등). 또, 전장을 가하지 않아도 자발적인 전기 분극을 갖는 물질을 강유전체라고 한다(티탄산바륨 등). = 전기적 절연체(450)

**유제(油劑)**

일본에서 쓰는 특유한 용어로, 유지제품 중에서 비누, 지방산, 글리세린, 도료 등을 제거한 것의 총칭이다. 종래에는 침투제, 매연제, 방수제 등의 제품의 총칭이었으나, 현재에는 섬유염색조제나 절삭유 등을 포함한 유제를 말하며, 주로 절삭유을 지칭하게 되었다. 이것을 취급하는 화학공업을 유제공업이라고 부르고 있다.

**유지** Fats and Fatty Oils

지방, 지방유 등의 총칭이며, 동식물에서 얻을 수 있는 고급지방산과 글리세린과의 에스테르로, 보통은 액체를 기름이라고 하고, 고체를 지방이라고 한다. 총칭하여 유지라고 한다. 철강 제품의 표면에 부착되어 있는 유지는 다음과 같다. (1)냉연 박강판(광물유 베이스에 억제제 배합), (2)인발관, 선(우지(牛脂) 에멀션, 금속비누), (3)프레스 가공품(동식유, 광물유+황화유), (4)절삭 가공품(광유 에멀션, 머신유), (5)기름 소입품(대두유, 면실유, 팜유), (6)버프 연마품(고융 왁스, 스테어린산), (7)심가공품(식물유, 우지 에멀션, 죤슨 왁스).

**유탁(乳濁)액** Emulsion

에멀션이라고도 한다. ◘ 유화(296)

**유틸리티** Utility

용역(用役)이라고도 한다. 공장내의 생산 설비에 공급되는 가열용 증기, 냉각수, 전력, 연료 등, 또는 이들을 공급하는 설비를 말한다. 도금공장에서는 보일러, 변전소, 냉각 설비 등이 유틸리티이다. = 용역(377)

**유해물질** Harmful Material

수질오염 방지법에 의해 규정되어 있는 유해물질로는 (1)카드뮴 및 그 화합물, (2)시안화합물, (3)유기 인화합물(팔라티온, 메틸팔라티온, 메틸디메톤에 한함), (4)납 및 그 화합물, (5)6가 크롬화합물, (6)비소 및 그 화합물, (7)수은 및 알킬수은, 그 외의 수은화합물을 말한다.

**유화** Emulsification

액체 중에서 그 액체와 혼합되지 않은 다른 액체가 0.2~50㎛의 작은 액적으로 분산, 두 개의 층으로 분리되지 않은 현상을 말한다. 유화되어 있는 액체를 에멀션(유탁(乳濁)제)이라고 한다. 안정된 에멀션을 얻기 위해 첨가하는 것을 유화제라고 하며 주로 계면활성제가 이용된다.

**유화 세정** Emulsion Cleaning ◘ 에멀션 세정(328)

**유화제** Emulsifying Agent: Emulsifier

에멀션(주로 기름)의 성분을 용이하게 하며 또한 이것을 안정하게 유지하기 위해 첨가하는 물질을 말한다. 비누와 같은 계면활성 물질로 분자의 안 쪽이 유극성의 기, 다른 쪽이 무극성의 기인 것은 일반적으로 유화제의 활동을 갖는다.

**유효면** Significant Surface ◘ 도금유효면(96)

**유효 숫자** Essential Figure; Significant Figure

측정치로써 의미가 있는 숫자를 말한다. 예로써 도금 막 두께가 0.030㎖로써 측정되었을 때, 막 두께는 0.030㎖로 기입하고, 유효숫자는 2자리로 하는 것을 말한다. 따라서, $30\times10^{-3}$이라 쓰는 것이 알기 쉽다. 또 표면적이 2700$dm^2$일 경우, $27\times10^2$, 또는 $2.7\times10^3$이라 쓰는 것이 좋다.

**6가 크롬 화합물** Chromium (Ⅵ) Compound

크롬의 화합물 중에서 크롬이 6가인 화합물을 말한다. 크롬산($H_2CrO_4$), 중크롬산($H_2Cr_2O_7$)의 염류가 주이며, 도금에서는 크롬도금욕에는 무수크롬산($CrO_3$)이, 아연도금의 크로메이트 처리에는 무수크롬산($CrO_3$), 중크롬산나트륨($Na_2Cr_2O_7$)이 사용되고 있다. 수용액은 일반적으로 황색~적색을 띄고, 강력한 산화제로써 작용하며, 3가 크롬에 비해 독성이 강하다. 유해물질로 규정되어 있다.

**육방격자** Hexagonal Lattice ◘ 브라베이 격자(그림)(215)

**육방최밀격자** Colsed Packed Hexagonal Lattice

바닥면이 육각형의 단순 육방격자를 세 개의 능형주(菱形柱)로 나누었을 때, 그 중심에 원자가 한 개씩 존재하는 결정구조를 말한다. Be, Cd, Co, Hf, Mg, La, Ti, Te, Zn, Zr 등은 상온에서 이 구조를 갖는다.

**육성** Surfacing

금속재료의 표면에 내식, 내열, 내마모 등의 목적으로 각종 금속이나 합금층을 두껍게 만드는 용접 조작을 말한다. 마모 또는 파손된 물품을 원형으로 복원하기 위한 용접도 육성(Build-up)이라고 하는 경우가 있다.

**육성도금** Salvage Plating; Electro Sizing

치수 부족을 보완하기 위한 도금을 말한다. 예를 들어 시계부품, 카메라의 셔터부품 등은 약간 작은 치수로 만들어 표면 경화를 겸해 전기 니켈도금, 무전해 니켈도금의 두께로 치수를 조정하고 있다. 그라비아 인쇄에 이용되는 날염 롤 등은 반복하여 사용하기 때문에 육성 동도금을 한다. 국부적인 육성도금에서는 붓도금을 이용한다. ◘ 붓도금(212)

**육안검사** Visual Inspection; Visual Test ◘ 외관검사(374)

**육안 조직** Macro-Structure ◘ 마크로 조직(133)

**윤그너 전지** Jungner Battery = 니켈-카드뮴 축전지(83)

**윤활 도금** Plating of Lubricating Film; Lubricant Plating

윤활성이 좋다고 하는 것은 미끄러지기 쉽다는 의미이다. 그 방법으로써 표면을 저마찰계수로 하는 방법과, 보유(保油)성을 높이는 방법, 그리고 친밀성을 좋게 하는 방법이 있다. 보유성을 높이기 위해서는 실린더 라이너 등에 포러스(Porous)크롬 도금을 실시한다. 친밀성을 좋게 하기 위해서는 연-주석합금 도금, 연-주석-안티몬합금 도금, 연-인듐합금 도금 등이 있다. 또, 초기의 친밀성, 윤활성을 개선할 목적으로 내연기관의 피스톤링과 피스톤표면에 주석도금이 실시된다. 분산도금을 이용하여 니켈도금이나 크롬도금의 피막 중에 불화흑연, PTFE, 이황화몰리브덴의 고체 미립자를 분산 함유시켜 윤활성, 내마모성, 이형(離型)성 등을 좋게 하는 방법도 있다.

**윤활제** Lubricant

마찰면 사이에 마찰을 감소시키거나 마모 등을 방지하기 위하여 사용하는 물질을 말한다. 고체 윤활제로써는 PTFE(Polytetrafluoroethylene), 이황화몰리브덴, 아연, 석영 등이 있으며, 액체 윤활제로써는 유지 그리스, 광물식물유, 유화유 등이 있다. 그리고, 기체 윤활제로써는 각종 가스, 공기 등이 있다. ◘ 고체 윤활유(34)

**융점** Melting Point

일정 압력하에서 고상상태의 물질이 액상과 평형을 유지할 때의 온도로 융해점이라고도 한다. 약칭은 mp이다. 일반적으로 응고점과 일치하지만, 비정질물질(유리 등)이나 혼합물(공정 등)이나 합금(고용체 등)에서는 일치하지 않는다. 통상, 압력 1기압 하에서의 융점을 그 물질의 융점이라 한다.

**융해** Fusion; Melting

고상인 물질이 가열되어 액상으로 변화하는 것. 융융이라고도 한다. 이 역의 상변화를 응고라고 한다. = 용해(377)

**융해염** ◘ 용융염(379)

**은** Silver

은은 백색으로 금보다도 단단하고 동보다도 부드럽다. 전기, 열의 양도체로써 초산, 열농황산에 녹고 1가의 양이온이 된다. 공기 중에서 변색되기 쉽고, 특히 황을 포함한 분위기에 약하며, 다갈색, 청흑색으로 변색되어 외관 및 전기적 접촉이 나빠진다. 윤활성이 있기 때문에 습동부분에 사용되고 있으며, 납땜성이 좋다. 금속 착색법으로써 은의 낡은 색이나 산화은이 있고, 은의 변색성을 이용하여 적갈색의 안정된 색조를 내는 수법이 있다. 비중 10.5, 융점 960.8℃, 불점 2193℃, 열전도도 360kcal/m · h · ℃, 전기비저항 1.62$\mu\Omega\cdot$ cm, 모스경도는 2.7이다.

**은경 도금** Silver Mirror Plating

은경 반응을 이용한 무전해 은도금을 말한다. 전주 마스터(모형)의 도체화 처리, 진공병이나 보온병의 유리병 경면화 처리 등에 이용된다. ◘ 은경 반응(후항)

**은경 반응** Silver Mirror Reaction

무전해도금으로, 비촉매 화학도금이며 초산은암모니아 용액의 환원제에 의해 환원되어 은을 석출시키는 방법을 말한다. 비금속재료를 도체화 처리하기 위해서도 사용된다. 전주 모형의 도체화 처리, 진공병이나 보온병에서의 유리병 경면화 처리 등이 있다. 은액과 환원제를 동시에 스프레이를 하여 은경을 작성하는 방법을 은스프레이법이라고 한다. 초산은 암모니아 용액은 폭발성의 뇌산은을 만들기 쉽기 때문에 주의를 요한다. = 은인(銀引)처리 ◘ 은경 도금(전항), 뇌은(78)

**은계(銀系) 접점재료** Silver and Silver Alloy Contact Material

(1)Ag-Cu 합금. Cu 7.5%의 것은 시효경화를 시켜 경도와 내마모성을 증가시킨다. Cu 10%를 함유한 것은 접촉압을 크게 할 수 있다. Cu 40%를 함유한 것은 습동 접점에 이용된다. (2)Ag-Cd 합금. Cd 2%를 함유한 것은, 접점 사용 시에 있어서 내용착성이 개선된다. (3)Ag-Pd 합금. Pd 20, 30, 50, 60%의 4종류의 합금이 있으며, Pd의 양이 증가함에 따라 융점 및 경도가 상승하며, 내용착성, 소모 변형이 적어진다. (4)Ag-W 합금. Ag 20~50%를 함유한 것이 소결법으로 만들어진다. 텅스텐의 경도 및 내아크성의 특성이 합금에 가해진다. 그 외에, Ag-10~15% Ni, Ag-50~60% Mo, Ag-45~65% WC, Ag-2~5% C, 합금 접점재, 클래드 접점재 등이 있다.

**은고미(銀古美)** Antiquated Silver

은의 금속 착색으로 고대 색을 내는 것, 또는 그 표면상태를 말한다. 은은 황화물에서 변색되기 쉽기 때문에 황화칼리 용액 등에서 변색시켜 낡은 색을 내는 수법을 은고미라고 한다. 미술공예품이나 네임 플레이트, 표찰 등에 사용되고 있다. ◘ 고미 마무리(29)

**은도금** Silver Plating

은은 인체에 무해하고 외관이 아름다우며 열, 전기의 양도체로 공업적으로는 납땜성이 좋고, 윤활성이 뛰어나며 내열성이 좋기 때문에 양식기, 장식부품, 전기부품, 기계부품 등에 도금하고 있다. 전기도금 외에 은경반응을 이용한 무전해도금이 전주기술에 이용되고 있다. 전기도금은 시안욕이 일반적으로 광택도금과 무광택도금이 있으며, 광택도금은 셀렌이나 안티몬 등의 무기금속염을 첨가하여 경질 은도금(Hv 100~130)을 얻을 수 있다. 무광택도금은 Hv 70~90이다. 이상은 프리(Free) 시안의 많은 알칼리성욕이지만, pH 10 이하의 중성 노(No) 프리시안욕이 전자부품의 고속도 도금용에 사용되고 있다. 노 프리시안욕은 무관계염에 인산이나 붕산을 사용하며, pH 8~9의 욕이 많다. 전혀 시안을 함유하지 않은 노 시안욕은, 메타술폰산 은화칼륨계의 욕이 개발되어 있다.

**은 땜납** Silver Solder

땜납보다도 접합강도를 필요로 하는 경우에 사용되는 경땜납(Hard Solder)의 일종이다. 은을 주성분으로 하고 이것에 동, 아연, 카드뮴 등이 첨가되는 합금으로 동, 동합금, 은, 금 등의 접합에 사용된다. 융점은 약 700℃이다. 피접합부를 가열하여 붕사, 붕산, 빙정석, 염화나트륨을 혼합한 플럭스를 뿌려 표면의 산화물을 제거함과 동시에 산화방지를 한다. 그 위에 은 땜납으로 접합한다.

**은-염화은 전극** Silver-Silver Chloride Electrode

은 표면에 염화은의 층을 만들어 염화물 이온을 함유한 용액 중에 삽입한 전극(Ag | AgCl | Cl-)을 말한다. 기준 전극의 일종으로, 전위의 안정성 및 재현성이 좋고, 취급도 비교적 간단하기 때문에 널리 이용된다. 용액으로써는 통상 포화염화칼리 용액이 사용되고, 포화염화은 전극이라고 불리며, 시판품의 대부분을 차지하고 있다. 전극 전위는 표준수소 전극에 대해 25℃이며, 0.199V이다.

**은의 크로메이트 처리** Silver Chromate Conversion Coatings

은 및 은도금 제품은 변색되기 쉽기 때문에 변색방지를 위하여 크로메이트 처리를 행한다. 방법은, 무수(無水)크롬산 100g/$l$ 중에 10~30초 침적 또는 크롬산칼륨 50g/$l$, 탄산칼륨 50g/$l$욕에서 10~20초 음극전해

처리를 한다.

**은인(銀引) 처리** ◘ 은경 반응(399)

**은-주석합금 도금** Silver-Tin Plating

은도금에 비해 내마모성, 내변색성이 뛰어나기 때문에 전기접점 등에 사용된다. 도금욕은, 시안-암모니아욕, 시안-주석산염 브론즈욕 등이 발표되어 있으나, 많은 것은 피로인산-시안욕이다. 위의 어느 욕도 사용할 수 있는 전류밀도 범위가 좁고, 욕이 불안정하다.

**은 페이스트 쓰루 홀** Silver Pasted Through Hole

프린트배선 기판의 안팎에 접속을 행하기 위하여 은 페이스트를 충전한 구멍 또는 그 수법을 말한다.

**음극** Cathode

금속 또는 수소가 전기화학적으로 석출한 극, 또는 정전하가 용액으로부터 외부에 유출한 극을 지칭한다. 전기도금에서는 피도금물이 음극이 된다. 전지의 경우는, 전위가 높은 카소드 쪽이 정극(+)이 되기 때문에 주의를 요한다. = 카소드(519)

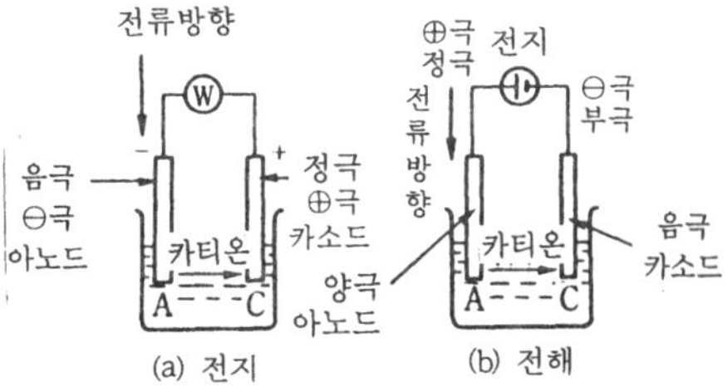


음극

**음극 방식법** Cathodic Protection

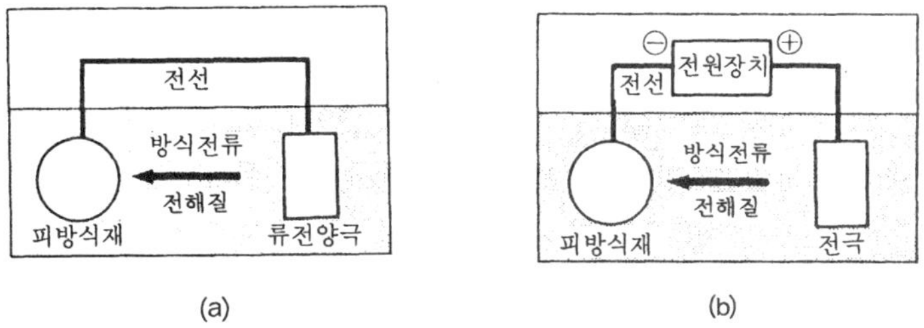


음극방식법

전기방식의 한 방법이며, 방식전류를 공급하는 방식에 따라 유전(流電) 양극 방식과 외부전원방식이 있다. 유전양극 방식은, 방식되는 금속보다도 조잡한 금속(예를 들어, 철강에 대해서는 알루미늄, 아연 또는 마그네슘)과 방식되는 금속과의 사이에서 전지작용을 일으키게 하여 조잡한 금속을 부식시키며, 방식되는 금속을 음극으로써 방식 효과를 높이는 방법이다. 음극 방식법과 양극 방식법을 합하여 전기 방식법이라고 한다. ◘ 전기 방식(449)

**음극반응** Cathodic Reaction ◘ 카소드 반응(520)

**음극세정** Cathodic Cleaning; Direct Cleaning

알칼리 세정액 중에서 금속소지를 음극으로 하여 전해하면, 음극에 수소가스가 발생하여 수소환원 및 물리적인 작용으로 오염물을 제거할 수 있다. 심한 오염물은 제거할 수 없기 때문에 미리 알칼리 또는, 용제로 세정을 한 후, 마무리 세정으로써 이용하는 경우가 많다. 양극은 철, 스테인리스, 카본 등이 이용되고 있다. 처리시간은 1분 이하로, 욕의 오염물에 의한 음극으로의 석출물이 없도록 주의한다. ◘ 전해세정(465)

**음극 스퍼터링** Cathode Sputtering

아르곤 등의 불활성가스가 있는 $10^{-1}$~$10^{-2}$㎜Hg의 진공 중, 하나의 전극에 직류 또는 교류의 전압을 가해 글로우 방전을 일으켜 음극에서 이온의 충격으로 금속원자를 뛰쳐나가게 한 후, 주위의 피도금물에 부착시키는 방법이다. 고융점 금속, 금속 산화물, 질화물, 금속간 화합물 박막 등의 피복이 가능하다. ◘ 스퍼터링(271)

**음극액** Catholyte

양극실과 음극실이 간격의 막 등으로 인해 분해되었을 때, 음극 측의 전해액을 말한다.

**음극 요동(搖動)** Cathode Rock; Rod Agitation

음극봉을 좌우 또는 상하로 움직여 피도금물에 교반 효과를 주는 방법을 말한다. 교반 효과에 의해, 음극에서 발생하는 수소가스의 이탈을 좋게 하고 또, 카소드 필름의 두께를 작게 한다. 광택도금에서는 광택이 잘 된다. 음극봉을 원형으로 회전시키는 경우도 있다. ◘ 카소드 록커(519)

**음극 전류밀도** Cathode Current Density

일반적으로 표면적 $1dm^2$의 음극면에 흐르는 전류의 크기를 말한다. 단위는 $A/dm^2$로 표시하는 경우가 많으나, mA/㎠, A/㎡로 표시하는 경우도 있다. SI 단위에서는 mA/㎠를 사용할 수 없다. 기호는 Dk(k는 독일어의 kathode를 표시) 또는 Dc(c는 영어의 cathode를 표시)를 사용한다. 전기도금에서는 일반적으로 Dk=0.5~5 A/d㎡ 정도가 많으나, 고속도금에서는 수십, 또는 수백 A/d㎡나 되는 경우도 있다. = Dk(109), Dc(108)

**음극 전류효율** Cathode Current Efficiency

전기도금에서 음극으로 석출된 금속량의 이론 석출량에 대한 백분율을 말한다. 기호는 Effc, c.E., c.Eff, C.Eff, C.eff.c 등으로 표시한다.

$$E_{ffc}(\%) = \frac{실제석출량(g)}{이론석출량(g)} \times 100$$

다음 표는 각 도금액의 음극 전류효율의 한 예를 나타낸다. = 음극효율(404), 도금효율(98)

각종도금액의 음극전류효율의 예

| 석출하는 금속 | | 전류효율(%) | 석출하는 금속 | | 전류효율(%) |
|---|---|---|---|---|---|
| 아연 | (산성도금액) | 95 | 주석(알칼리성도금액) | | 80 |
| | (알칼리성액) | 90 | 철(염화물도금액) | | 95 |
| 카드뮴(알칼리성액) | | 95 | 동 | (산성도금액) | 95 |
| 금(알칼리성액) | | 95 | | (알칼리성도금액) | 60 |
| 은(알칼리성액) | | 100 | 납(붕소불산도금액) | | 100 |
| 크롬(크롬산액) | | 13 | 니켈(산성도금액) | | 90 |

음극전류효율

**음극전위** Cathode Potential

전류 I가 흐르고 있는 아노드나 카소드의 전위를 일반적으로 전극전위(평형전위 및 자연전위를 합하여 전극전위라고도 한다)라고 하며, 아노드의 전위를 양극전위 Ea, 카소드의 전위를 음극전위 Ec라는 호칭과 기호로 표시한다. 욕전압 BV(Bath Voltage)=Ea- Ec+IR이며, R은 아노드와 카소드 간의 도금액의 전기저항이다. 그림의 SCE는 포화 감홍 전극을 나타낸다. E는 SCE 등의 조합전극과의 사이에서 전위(직류전압)를 측정하는 일렉트로 미터 등의 전위계이다. ◘ 전극전위(447)

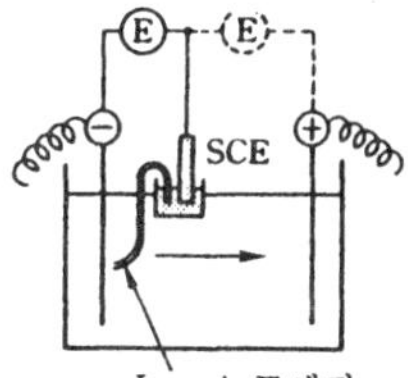


양·음극전위와 로이(路離)도 측정방법

음극전위

**음극 전해시험** Cathode Electrolysis Method for Adhesion Test

전해질 수용액 중에서 도금시료를 전해하여 음극에서 발생하는 수소가스의 작용에 의해 도금의 밀착성을 조사하는 방법이다. 예를 들어, 철강 소지상의 니켈, 니켈-크롬도금 등에 적용되며 납, 아연, 주석, 동, 카드뮴 등의 도금에는 적합하지 않다. KS D 0254 『도금의 밀착성 시험 방법』에서, 시험액은 수산화나트륨의 5%액을 이용하여, 액온도를 90±5%로 유지하고, 음극 전류밀도 10A/dm²으로 2~15분간 전해하여 도금면에 부풀음이 발생하면 밀착불량으로 판정한다. 양극은 철판을 사용한다.

**음극 피막** Cathodic Film ◘ 카소드 필름(520)

**음극환원** Cathodic Reduction ◘ 전해환원(468)

**음극효율** Cathode Efficiency ◘ 음극 전류효율(403)

**음성(陰性)졸** Negative Sol

졸 중의 입자가 음전하를 가진 것을 말한다. 예를 들어, 금, 은 등의 금속의 콜로이드입자, 규산 등의 콜로이드입자가 음성졸을 만든다. 음성졸은 전기영동에 의해 양극으로 이동한다. ◘ 졸(480), 콜로이드(530)

**음이온** Anion

어니온이라고도 하며, 음(부)전하를 가진 이온을 말한다. 예를 들어, 염산 중의 Cl-, 황산중의 $SO_4^{2-}$이 음이온이다. = 어니온(326)

**음이온 계면활성제** Anionic Interfacial Active Agent: Anionic Surfactant

수용액 중에서 이온이 이탈하여 계면활성을 나타내는 장쇄(長鎖)알킬기의 부분이 음이온으로 되는 것을 계면활성제라고 한다. 수용액이 되었을 때, 유화, 분산화, 가용화 등의 활동이 있다. 비누, 고급 알코올의 황산에스테르형과, 알킬아릴술폰산염형으로 크게 나누며, 음이온 계면활성제는 대단히 종류가 많고, 도금에서는 탈지제, 세정제로 사용된다. 일반적으로 세정제, 유화제, 습윤제, 염색조제, 침투제, 분산제, 기포제 등으로써 광범위하게 이용되고 있다. = 어니온 계면활성제 ◘ 계면활성제(28)

**응고점** Solidifying Point

기호 fp. 물질의 온도를 낮추어 갈 때, 액상에서 고상으로 변화하는 온도를 응고점이라고 한다. 바꾸어 말하면, 일정한 압력 하에서 액상상태의 물질이 고상과 평형을 유지할 때의 온도가 응고점이라 말할 수 있다. 일반적으로 응고점은 융점과 일치한다. 단, 혼합물이나 합금(공정, 고용체, 공융혼합물, 혼정) 등의 융점은 보통 응고점보다도 낮으며, 글래스 등 비정질의 물질, 과냉각 등일 때에도 융점과 일치하지 않는다. ◘ fp(335)

**응력** Stress

재료가 외력을 받았을 때, 외력과 균형을 유지하기 위하여 재료에 생기는 저항력을 응력이라고 한다. 응력은 외력의 종류에 따라 인장응력, 압축응력, 전단응력, 비틀림응력, 굽힘응력, 곡압(曲壓)응력 등으로 분류된다. 도금피막에는, 상당히 큰 인장응력이나 압축응력이 존재하고, 이것을 도금의 전착응력이라고 한다. 응력의 SI 단위는 Pa 또는 N/㎡이다.
= 스트레스 ◘ 내부응력(68)

**응력감소제** Stress Reducer

도금피막의 전착응력이 크면 소지와의 밀착불량을 일으키거나, 도금피막에 크랙이 발생한다. 전주(電鑄)에서는 제품이 휘거나, 치수의 정밀도가 악화된다. 예를 들어, 와트욕에서의 니켈도금에서는 인장응력이 크기 때문에 유기 첨가제를 가해 전착응력을 조절한다(예로써, 사카린, 나프탈렌트리술폰산나트륨, 부틴디올 등을 첨가하면, 전착응력이 압축 측까지 변화한다). 이와 같은 첨가제를 응력감소제라고 한다.

**응력계** Internal Stress Meter

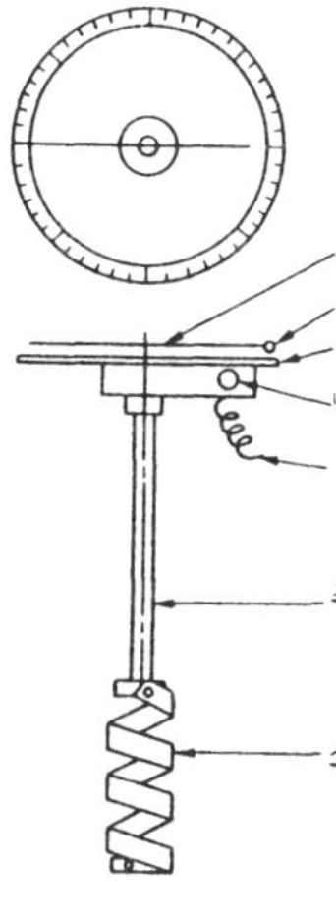


(a) 스파이럴 응력계(Brenner, Sender off형)

(b) 스트립 응력계

응력계

전착금속에 생기는 응력을 측정하는 계기로, Brenner-Senderoff형 응력계(스파이럴 컨트랙트 미터 ; Spiral Contract Meter), 유럽에서 시판되고 있는 IS 미터, 미국에서 시판되고 있는 스트립 전착응력 측정기(Electro- Chemical사)가 있다. 연구용으로는, 스파이럴 컨트랙트 미터가 적합하지만, 공장에서의 사용은 스트립 전착응력 측정기가 간편하다. 스파이럴 컨트랙트 미터는 스파이럴 형상의 박판금속에 도금을 하여 박판금속의 비틀린 정도로써 전착응력을 측정한다. = 전착응력계, 내부응력계, 스트레스 미터 ◘ 스트레스 탭(269)

**응력 균일화** Stress Equalizing

상온 가공한 금속의 내부 응력을 균일화 시키기 위해서 행하는 저온 가열 처리로, 이 때 너무 온도를 높게 하면 응력이 제거되어 가공 경화가 소실된다. 그러므로 응력 균일화할 때는 가공 경화를 감소시키지 않게 저온 가열을 선택하여야 하며, 니켈과 모넬합금에 대한 응력 균일화 온도는 니켈은 260~450℃, 모넬합금 230~310℃를 채용한다. 일반적으로 니켈합금에 대해서 270℃가 좋다고 한다. 응력 균일화 처리에 따라 조직 변화는 없으며, 인장강도, 연신율, 단면수축은 다소 좋아지지만, 항복점은 대폭 상승되며 이 처리는 코일 스프링과 박판 스프링(니켈합금계)의 탄성향상에 응용된다.

**응력부식** Stress Corrosion

합금에서 볼 수 있는 부식으로, 환경과 금속의 조합에 의해 발생된다. 부식 형태는 응력이 발생되고 있는 부분에서 일어나는 국부아노드의 용해이고, 주된 요인은 온도와 습도와 응력이다. 응력이 있으면, 응력이 없을 때보다도 빨리 부식한다.

**응력부식 균열** Stress Corrosion Cracking

응력으로 인해 응력이 없을 때보다도 부식이 빨리 진행되기 때문에 부식 생성물을 육안으로는 볼 수 없는데 균열이 발생하는 일이 있다. 부식과 인장강도와의 상승작용에 의해 생기는 균열을 말한다. = 자연균열(437)

**응력부식 균열 감수성** Stress Corrosion Crack Sensitivity

금속재료가 인장응력을 받으면서 특정한 부식환경에 있는 경우에, 이 재료의 파단강도 이하의 응력에서 균열이 생기며, 이 균열로 인해 파단되는 현상이 일어나기 쉬운 정도를 말한다. 이 현상은 재료조건, 응력, 부식환경의 3개가 모두 갖춰질 때에만 생긴다. 원자로에 있어서는 BWR 냉각계 배관의 스테인리스강의 응력부식 균열, 지르칼로이 피복관의 펠릿 클래드 상호작용 등이 알려져 있다.

**응력부식 균열시험** Testing of Stress Corrosion Cracking

응력부식 균열은 재료, 환경 및 응력의 3인자가 특정 조건을 만족할 경우에서만 발생한다. 응력부식 균열시험의 목적은 (1)어느 합금간에 합금 조성과 열처리 등에 의한 균열 감수성 크기 비교, (2)어느 합금계에 있어서 균열을 발생하는 환경 인자의 평가, (3)실용면에서 균열을 발생하지 않는 사용한계의 파악 등에 있다. 응력부하법으로는 (1)일정 변형률법, (2)일정 부하법, (3)저변형률 속도법, (4)파괴역학법 등이 있다.

**응력 시효** Stress Aging

고용체 조직을 하나 또는 그 이상 함유하는 합금의 탄성이나 전도도 등을 개선할 목적으로 응력과 시효를 병용하는 열처리로, 가열 온도는 재결정 온도보다 약 100℃ 낮은 온도 범위로, 외력은 항복점 하중과 같게 하고, 15분~20시간 부하시킨다. 응력 시효 처리는 강뿐이 아니고 비철합금에도 적용된다.

**응력제거** Stress Relief

전기도금 피막이나 소지금속의 잔류응력을 감소시키기 위해서 행하는 열처리를 말한다. 일반적으로 저온 소둔을 행하는 일이 많다.

**응력조장 부식** Stress Assisted Corrosion

일반적으로 금속재료의 부식은 응력에 의해 가속된다. 예를 들면, 응력이 없는 상태에서 생긴 입계부식이 응력에 의해 촉진되는 경우를 응력조장 입계부식이라 한다. 응력 부식균열은 응력과 부식이 동시에 일어나는 것이 필요조건으로, 균열활성 경로는 변형에 의해 유기되며, 응력조장 부식에서는 활성경로가 이미 존재하여 응력에 의한 부식이 단순히 가속되는 경우로 정의되지만, 양자를 엄밀하게 구별하기 어려운 경우가 많다.

**응력 집중** Stress Concentration

구조물 부재에 단면형상 등의 급격한 변화가 있는 경우, 이곳에 외력이 작용하면 그 부근에서의 응력 분포에 교란이 유기되어 응력이 상승하는 현상이 있다. 이것을 응력 집중이라고 한다. 응력 집중은 그 미치는 범위가 보통은 한정된 국부적인 것으로 피크 응력 $\sigma_{max}(\gamma_{max})$는 기준 응력 $\sigma_r(\gamma_0)$과 응력집중률 $\gamma$에서 $\sigma_{max}=\alpha\sigma_r(\gamma_{max}=\alpha\sigma_0$의 관계로 표시되고, 탄성계산이나 변형 측정 혹은 광탄성 실험 등에서 구할 수 있다. 몇 개의 응력 집중 요소가 존재하면, 그들에 의한 집중 응력이 서로 간섭해서 단독의 경우보다도 저하하는 경우가 있다. 일반적으로는 응력 집중점에서의 형상 변화의 급변을 피하고 한편 재료 강도를 높이든가, 파괴에 대해 효력이 있는 잔류 응력을 부여해 두는 것도 고려된다.

**응력 피닝** Stress Peening

숏 피닝(Shot Peening)할 때 부품에 정적 응력을 주면서 피닝하는 것으로, 스트레스는 실제 사용 중에 걸리는 응력과 같은 방향으로 응력 피닝을 하면 숏 피닝보다 더욱 피로 수명을 길게 할 수가 있다.

**응집** Flocculation; Aggregation; Coagulation; Agglomeration

①현탁액중에 고형분의 덩어리 형상의 집적을 일으키는 것 ②침전물을 충분한 크기의 덩어리로 집합시키는 것

**응집납땜** ◘ 기상납땜(61)

**응집 보조제** Coagulant Aids

배수처리에서 황산알루미늄을 응집제로써 사용할 경우, 예를 들어 활성규산을 첨가하면 파괴되기 어렵고 침전하기 쉬운 블럭이 생성된다. 이와 같이 응집효과를 높이는 활성규산과 같은 것을 응집보조제라고 한다. 응집보조제는 그 외에 소다회($Na_2CO_3$), 소석회($Ca(OH)_2$), 생석회($CaO$), 가성소다($NaOH$), 석회석($CaCO_3$), 점토(벤트나이트) 등이 사용된다.

**응집제(凝集劑)** Flocculation; Aggregation; Aggregate Reagent; Coagulant

배수처리에서 응집 침전법으로 사용되는 응집제는 종류가 많으며, 빈번하게 사용되고 있는 것은 황산알루미늄, 철염(황산제일철, 황산제이철, 염화제이철) 등의 무기 응집제이지만, 고분자 응집제도 사용되고 있다. 이것들은 수중에서 용이하게 가수분해하여, 정전하의 금속 수산화물의 콜로이드 입자가 되고, 이것이 부전하의 미세한 부유물질을 흡착하여 조대한 입자의 블럭(Flock)을 형성하여 급속하게 침전한다.

**응집 침전법** Coagulating Sedimentation

배수처리에서의 침전법의 하나로, 보통 침전시키는 것이 용이하지 않는 미세한 부유물질 및 콜로이드 입자에 대한 약품으로써 응집제를 가해 교반하여 입자가 큰 플럭을 형성시켜, 응집 침전시킴과 동시에 배수 중의 용해성물질 및 세균 등을 일부 흡착시켜 제거하는 방법

**응축** Condensation

포화상태가 된 증기가 냉각 또는 압축에 의해 액체로 변화하는 현상을 말한다. ◘ 응축기(후항)

**응축기** Condenser

기체를 액화하는 장치. 기체를 냉각하여 액화하는 장치가 많다. 트리클렌 등의 용제 세정장치에 취부하여 기화한 용제를 회수하는데 사용되고 있다. ◘ 복수기(190)

**이극(異極) 결합** ◘ 이온결합(414)

**2단 방식** Two Layer Corrosion Prevention

소재보다도 낮은 전위를 나타내는 금속에 도금을 하고, 그 위에 하지도금보다도 낮은 전위를 나타내는 금속에 도금을 하여 방식효과를 높이는 것을 말한다. 예를 들어 철강소지 위에 주석-아연 합금도금을 하고, 그 위에 아연도금을 하면 내식성이 현저하게 향상된다. 자동차의 엔진룸용 철강부품의 도금에 채용되고 있다.

**EDM** Electric Discharge Machining

방전가공의 약칭 ◘ 방전 가공(169)

**EDTA** Ethylene-Diamine-Tetraacetic Acid

에틸렌디아민테트라 초산을 말한다. 알칼리토류, 희토류, 천이금속 등 많은 금속과 수용성의 안정된 착염을 형성시키기 위하여 적정의 시약으로써 사용된다. 도금에서는 니켈도금욕 중의 동(銅) 성분의 마스킹(Masking)이나 무전해 동도금의 동 착화제 등에 사용된다.

**이력 현상** ◘ 히스터리시스(651)

**이로전** Erosion

유동하는 환경물질(물, 토사 등)에 의해 금속이 물리적으로 마모되는 것을 말한다. 이로전에 의해 가속된 부식을 이로전·코로전이라고 한다.
= 궤식(潰食)(49)

**이로전·코로전** ◘ 충격부식(508)

**이론 기전력** Theoretical Electromotive Force

넬슨의 식을 사용하여 계산되는 이론적인 전지 전압으로, 개로(開路)전압과 같이 사용되는 경우도 있으며, 불순물이 관여하는 반응 등으로 항상 개로 전압 쪽이 작은 값이다.

**이론 분해전압** Theoretical Decomposition Voltage

열역학적으로 계산되는 전해에 필요한 이론적인 최소 전압을 말하며, 넬슨의 식으로 계산한다.

**이론 석출량** Theoretical Quantity fo Electrodeposition

전해에 의해 석출되는 금속의 이론 석출량(m)은, 패러데이의 법칙에 의해 다음 식으로 주어진다.

$$m(g) = \frac{I \times t \times e}{96485} = k \cdot I \cdot T$$

단, T는 통전 전류(암페어), t는 통전 시간(초), e는 음극에 석출되는 금속의 1g당량, k는 1암페어 시(Ah)의 전기량으로 석출되는 금속의 양(전

기회학 당량), T는 통전 시간(h)이다. ◘ 패러데이 법칙(563), 페러데이 정수(570)

**이론 전기량** Theoretical Quantity of Electricity

패러데이의 법칙에서 전류효율을 100%로 하여 계산하였을 때의 석출량 1t당의 kAh(킬로암페어 시) 또는 1kg당의 Ah(암페어 시)량을 말한다. Mg, Ca, Cr, Ga, $F_2$, $H_2$, Na 등은 1000 이상으로 크고, Ag, Au, Bi, Cd, Cu(I), Pb 등은 500 이하로 작다. 그 외에서는 Fe960, In700, Ni913, Sn903, Zn820, Cu(Ⅱ)844라고 하는 값이다.

**이리다이트법** Iridite (Conversion Coating) Process

미국의 Allied Reserch Products사가 개발한 화성처리법. 크롬산염 타입으로 알루미늄 및 그 합금의 전신재와 주물재에 대해 침적, 붓칠, 스프레이법으로 처리한다.

**이리듐** Iridium Ir.

원자번호 77, 원자량 192.22, 비중 22.42, 융점 2454℃, 불점 약 4800℃, 은백색의 무르고 무거운 금속. 화학적으로 극히 안정되어 있고, 분말로 하지 않으면 왕수(王水)에도 녹지 않는다. 이리듐 해면은 수소를 흡수한다. 화합물 반도체 제조용 도가니는 이리듐으로 만들어지고, 이리듐 합금은 만년필의 펜촉, 정밀기계의 베어링 등에도 이용된다.

**이머션 니켈도금** Immersion Nickel Plating

철소지 상의 광택 황산 동도금에서 시안화 동스트라이크도금 대신에 사용하는 니켈도금으로써, 욕 조성은, 염화니켈 300~400g/$l$, 붕산 30~40g/$l$, pH 3.6~4.0, 온도 60~70℃, 전류밀도 3A/$dm^2$으로 3~5분간 도금한다. 파이프 내부 등, 도금의 비유효면에 니켈치환을 일으키기 때문에, 복잡한 형상의 철제품에 양호한 광택 황산 동도금이 가능해진다.

**이머션 도금** Immersion Plating ◘ 치환도금(512)

**이메이징** Imaging

프린트 배선기판에 회로를 형성시키는 공정의 하나로, 회로를 인쇄·인화하는 처리를 말한다. = 패턴형성(565)

**이방성(異方性)도전 고무** Anisotropic Conductive Rubber

두께방향으로 도전성을 띄며, 횡방향으로는 절연성을 나타내는 고무를 말한다. 감압(感壓)형은 고무에 금속입자를 분산시킨 것으로 압력을 가하면 수직방향의 금속입자가 접촉하여 전기가 통한다. 도체 관통형은 금속섬유나 탄소섬유를 수직방향으로 집어넣은 것이다. 전기계산기, 액정 등의 커넥터, 스위치 등에 이용된다.

**2-부틴1,4-디올** ◘ 부틴디올(201)

**이산화 납전극** Lead Dioxide Electrode

전해에 이용되는 불용성전극의 일종으로, 이산화연($PbO_2$)은 철 또는 니켈전극을 이용하여 황산연수용액을 전해액으로써, 납을 아노드 산화하여 생성시킨다. 용도는 과염소산의 전해 제조용, 크롬도금의 양극용, 시안화 배수의 전해 산화용 등이다. 전극으로써 기계적 강도를 증가시키기 위해 티탄 기체상에 이산화연을 수 ㎜의 두께에 피복한 전극이 시판되고 있다. 전해산화로 만든 $PbO_2$은 보통 인편정(片晶) 모양의 $\alpha$형이다. $PbO_2$에는 그 외에 화학적으로 산화되어 만든 루틸형 구조의 $\beta$형이 있다.

**이산화 황** Sulfur Dioxide $SO_2$.

이산화 황의 기체는 일반적으로 아황산가스라고도 한다. 아황산가스는 무색이며, 자극성이 강한 냄새가 있는 유독성 기체이다. $SO_2$의 액체는 무색 투명하고, 고체는 백색이다. 융점 -75.5℃, 불점 -10.02℃, 임계온도 157.2℃, 물 100g에 대한 용해도는 3937.4㎤(1 atm(기압), 0℃), 1877㎤(1 atm, 0℃). $SO_2$는 석탄, 석유 등의 연료 중에 함유되어 있는 황분의 연소에 의해 발생, 방출된다. 그 외 금속 제련 공정에서의 황화광의 연소, 황산의 제조 등에 의해서도 발생한다. $SO_2$는 부식성이 강한 유해물질이기 때문에 공기 중의 산소, 수분, 먼지에 의해 산화되어 황산이 되어 위험도를 증가시키며, 각종 금속 표면을 부식시킨다. = 아황산가스(302)

**이산화질소** Nitrogen Dioxide $NO_2$

적갈색의 기체 또는 황색의 액체. 농초산은 일광의 직사, 가열 등에 의해 분해되어 이산화질소를 발생하며 황색을 띈다. $4HNO_3 = 2H_2O + O_2 + 4NO_2\uparrow$, 산화력이 강하고, 탄소, 황, 인 등은 이 중에서 연소한다. 물에 작용시키면 초산과 아황산을 발생한다. 독성이 강하여 심하게 흡입하면 폐를 다치며, 200ppm 정도에서도 사망할 염려가 있다.

**이산화탄소** Carbon Dioxide $CO_2$.

탄산가스라고도 한다. 무색, 무취의 기체로 물에 아주 조금 녹으며, 탄산을 발생시키며 약산성을 띈다. 석회수를 통하면 탄산칼슘의 흰색으로 탁하게 되지만, 과도할 경우 다시 투명하게 된다. 1기압에서 100㎖의 물에 대한 용해도는 171㎖(0℃), 119㎖(10℃), 88㎖(20℃), 많은 금속의 산화물, 수산화물과 반응하여 탄산염을 만든다. 고체이산화탄소는 상압에서는 승화한다. 승화점은 -78.5℃(1기압), 융점은 -56.5℃(5.11 기압), 임계온도 31.0℃, 고체 인산화탄소는 드라이아이스라 불리며, 한제(寒劑)로써 이용된다. $CO_2$는 소화제, 청량음료수, 에로졸 등에 이용된다. 공기 중에는 약 0.03%가 존재하나, 10% 이상의 농도가 되면 인간은 호흡곤란을 일으켜 의식을 잃는다. ◘ 탄산가스(540)

**이산화티탄** ◘ 티탄 백(557)

**이상 결정 성장(異常結晶成長)** ◘ 2차 재결정(418)

**이상 공석(異常共析)** Abnormal Codeposition

A. 브레너에 의해, 합금전착은 정상공석과 이상공석으로 크게 나뉜다. 정상공석은 두 금속의 전류전위 곡선에서 전착 상황이 대체적으로 예상 가능하지만, 이상공석은 예상할 수 없다. 이상공석은 다시 변칙공석과 유도공석으로 나뉘어진다. ◘ 정상공석(475)

**2상(二相) 세정** Diphase Cleaning

2상 세정의 방법은 여러 가지가 있으나, 일반적으로 1상은 유기 용제에서, 다른 상은 수계(水系)에서의 세정을 말한다. 예를 들어, 세정 수조의 하부에 염소화 탄화수소계 용제를 넣고 상부에 알칼리 수용액을 넣어 피처리 부품을 처음으로 하부에 넣어 세정하고, 다음으로 상부에 넣어 세정한다. 또, 알칼리성 수용액과 유기 용제를 펌프로 동시에 흡인하여 피처리 부품에 스프레이 세정을 하는 방법도 있다. 알칼리 세정과 용제 세정을 동시에 행하는 방법이 있으나 가격이 비싸다. ◘ 용제 세정(380)

**이상 용액** Ideal Solution

열역학 법칙을 그대로 적용할 수 있는 이상적인 용액이며, 각 성분의 화학 포텐셜 $\mu i(i=1, 2,\cdots)$가 몰분율 xi에 대해, $\mu i=\mu i^\circ+RT\log_e xi$($\mu i^\circ$는 순성분 i의 화학 포텐셜, R : 기체정수, T : 절대온도)의 관계에 있는 용액을 말한다. 모든 용액은 희석하면 이상 용액에 가까워진다.

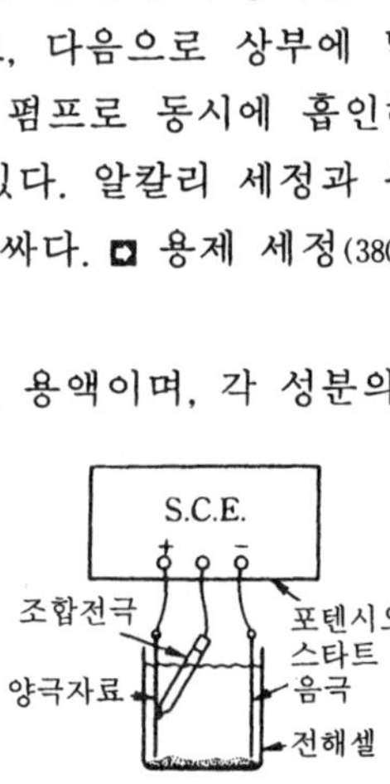


EC시험의 측정회로의 모식도

EC 시험

**EC 시험** Electrolytic Corrosion Test

전해법으로 도금의 내식성을 조사하는 시험이다. 미국 GM사의 R.L.Saur와 R.P.Basco가 발표했다. 시험편을 전해액 중에 침적하여, 정전위(定電位)전해법으로 도금피막의 금속을 용해하고, 소지가 노출할 때까지의 시간을 측정하여 내식성을 평가한다. 소지가 노출하였는가의 여부는, 소지금속 이온으로 색을 발하는 지시약을 용액에 넣어 놓는다. 극촉진(極促進)시험이라고도 하며, 2분간의 전해부식이 미국의 디트로이트시에서 1년간의 대기폭로시험에 상당한다고 알려져 있다. = 전해부식시험(464)

**ESCA[에스카]** Electron Spectroscopy for Chemical Analysis ◘ X선 광전자분광법(336)

**EMF** Electromotive Force ◘ emf(후항)

**emf** Electro motive Force

기전력의 약칭. EMF 라고도 표시한다. = EMF ◘ 기전력(62)

**EMP** Equivalent Per Million

백만 분의 1의 당량을 나타내며, 중량농도 ppm으로 환산하려면 1g의 당량을 곱하면 된다. 예를 들어, 물 1kg 중에 함유된 용질의 mg 당량수(mg 당량/$l$)를 의미한다. 이 외에 g 당량/t, mg 당량/$l$, g 당량/㎥ 등을 나타내며, 편의상 ppm당량을 사용하는 경우도 있다. 알칼리 소비량, 산 소비량의 표시로 사용되고 있다.

**이온** Ion

전하를 갖는 원자, 또는 원자단을 말한다. 양(정)전기를 띄는 것을 양이온, 음(부)전하를 뛰는 것을 음이온이라 한다. 중성의 원자, 원자단이 전기를 잃으면 앙이온, 전자을 얻으면 음이온이 된다. 중성의 성질이 열, 빛, 방사선, 플라즈마 등에 의해 이온이 되는 경우도 있다.

**이온가(価)** ◘ 이온가수(価數)(후항)

**이온가수(価數)** Valency

원자나 분자에서 몇 개의 전자를 빼거나, 원자나 분자에 몇 개의 전자를 더하여 이온을 만들었을 때, 그 이온이 갖는 정의 전하를 이온가 또는 이온가수라고 한다. 원자의 이온가수는 일반적으로 주기율표의 위치와 관계가 있다. = 이온가(전항)

**이온 강도** Ionic Strength

다수 종의 이온을 함유한 전해질 용액으로, $i$종 이온의 농도를 $c_i$, 이온가를 $z_i$로 했을 때, $\frac{1}{2}\sum(c_i z_i^2)$를 이온강도라고 한다. 동일한 이온 강도를 갖는 많은 용액중에 전해질의 활동도 계수는 모두 상등하다. 이것은, Lewis에 의해 실험적으로 확인되었다. 각종 이온 전극에서의 측정시에

는, 피측정 액의 이온 강도를 표준액과 거의 같이 하지 않으면 오차가 커진다. ◘ 이온가수(전항)

**이온 결합** Ionic Bond

정과 부의 전하를 갖는 이온간의 정전인력(쿨롱의 힘)에 의한 화학결합을 말한다. 일반적으로 금속은 양이온이 되며, 비금속 원소나 원자단은 음이온이 되기 쉽다. 따라서, 금속과 비금속의 결합은 이온 결합이 되기 쉬워진다. 바꾸어 말하면, 전기음성도(원자가 전자를 끌어당기는 능력으로, 금속은 작고 비금속은 크다)의 차가 큰 원자간에서는 이온 결합을 만들기 쉽다. 염(塩)이라고 불리우는 것은 보통 이온결합을 하고 있으며, 일반적으로 단단하고 융점은 높다. 고체(결정) 자체에는 도전성이 없으나, 용해되거나, 수용액으로 하면 도전성을 갖는다.

**이온 교환 막** Ion-Exchanged Resin Membrane

이온교환기를 내포한 두께 0.1～0.3㎜ 정도의 얇은 막으로, 이온의 이동은 용액의 농도차에 의한 에너지, 또는 전기 에너지의 힘을 빌린다. 전자를 투석(透析), 후자를 전기투석이라고 한다. 도금에서는, 얇은 초산이나 염산 등의 분리농축이나 니켈도금후의 회수액에서 니켈을 회수하는 데에 사용된다. 이온 교환수지와의 비교는 다음 표와 같다. = 이온교환수지막(415)

이온교환 막과 이온교환 수지의 비교

| | 이온교환 막 | 이온교환 수지 |
|---|---|---|
| 형 상 | 얇은 막 형상 | 입자 형상 |
| 현 상 | 투과에 의한 교환 | 흡착에 의한 교환 |
| 재 생 | 불필요 | 필요 |
| 조 작 | 처리양의 조절이 운전조건에 따라 용이하게 행해질 수 있다. | 처리능력은 수지의 양, 능력에 따라 일률적으로 정해진다. |
| | 고농도의 용액 처리에 적합하다. | 저농도의 용액 처리에 적합하다. |

이온교환 막

**이온 교환수** Ion-Exchanged Water

이온 교환수지에서 처리된 도전율이 낮은 물을 탈 이온수라고 하며, 이온 순수(純水)라고도 한다. 전기도금에서는 물의 저항치 10000Ω 이상이 바람직하나, 귀금속도금이나 무전해도금에서는 50000Ω 이상의 물이 필요하다고 한다. ◘ 탈이온수(543)

**이온 교환 수지** Ion-Exchange Resin

다공질이며 물에 녹지 않는 불용성의 수지로, 다른 이온과 교환할 수 있는 산성 또는 염기성의 기를 가진 수지를 말하다. 도금에서의 용도는, 순수 제조, 금속의 회수, 중금속을 포함한 배수처리 등이다. 양이온 교환수지, 음이온 교환수지, 양성이온 교환수지의 3종류가 주이며, 전자 교환수지, 킬레이트 수지 등도 있다.

**이온 교환 수지막** Ion-Exchanged Resin Membrane ◘ 이온 교환 막(414)

**이온 교환 여과** Ion-Exchange Filtration

프리코트(Precoat) 여과의 하나로, 이온 교환과 흡착력을 이용하여 정밀 여과를 동시에 행하는 방법이다. 60～400메시(250～40㎛)의 양이온 교환수지와 음이온 교환수지의 미분말을 혼합하여, 여과 재료면에 두께 5～10㎜ 정도로 기초도장하여 여과를 행하며,사용이 끝난 수지는 재생하지 않고 처분한다. 여과재에는 나이론 섬유제의 다공질 여과통을 이용한다. 100℃ 이상의 고온수를 처리할 대에는 스테인리스제의 망을 사용한다. 콜로이드(Colloid)물질의 제거에 이용되는 경우가 많다. ◘ 프리코트(593)

**이온 교환 탑** Ion-Exchange Tower

이온 교환수지를 충진하는 탑. 수직인 원주형 또는 조금 상방향으로 열린 역원추형을 한 탑으로, 상하부에 수지의 유출을 방지하기 위한 여과판이 있다. 충진한 수지의 팽창이나 역세(逆洗)때에 수지가 자유롭게 부유할 수 있도록, 상부에 공간을 필요로 한다. 탈염수에 접촉한 부분은 모두 내식성의 것이 이용되고 있고, 교환탑의 상부와 하부에는 물이 흐를 수 있는 통로, 역세, 용리 재생(溶離再生), 세정 등의 조작을 행하는 연결관과 전환 코크를 가지고 있다.

**이온 봉쇄제(封鎖劑)** ◘ 금속이온 봉쇄제(58), 착화제(498)

**이온 전극** Ion Selective Electrode

특정 이온만이 감응하여 이온농도(엄밀히 말하면 활동도)에 의해 전위를 표시하는 전극을 말한다. 현재 사용되고 있는 것은 주로, 막전극으로 내부표준액을 넣은 절연물의 관 하단에 감응막이 있고, 이 액에 내부기준 전극(보통은 은-염화은 전극)이 삽입되어 있다. 피측정액에서의 이온 전극과 다른 기준 전극(은-염화은 전극 등)과의 사이에서 전위를 측정하면 이온농도를 구할 수 있다. 각종 어니온, 카티온용 전극, 표준액이 시판되고 있다. = 이온 선택성 전극 ◘ 이온 강도(413), 막(134)

**이온 전도** Ionic Conduction

이온에 의해 전하가 운반되는 전기전도를 말한다. 예를 들어, 식염 NaCl 수용액에서는 $H^+$, $OH^-$ 외에 $Na^+$와 $Cl^-$의 이온이 전하를 운반하기 때문에 전도성이 있다. 알코올이나 사탕의 수용액은 $H_3O^+$, $OH^-$ 이외에는 이온을 생성하지 않기 때문에 전도성이 작다. 또, 전리한 기체에서의 전기도전도 이온전도이며, 전자 전도체인 금속은, 이온전도를 하는 도금액 등보다도 훨씬 많은 전기를 운반한다. 스캐터(Scatter) 현상이 있으며, 약 백만 배의 전기도전도이다. ◘ 전자 전도(460)

**이온주입** Ion Implantation ◘ 이온주입법(후항)

**이온 주입법** Ion Implantation

이온 도핑(Ion Dopping)이라고도 한다. 소재표면에 주입하고 싶은 원소를 이온화하여, 수십~수백 keV의 가속에너지로 고체표면에 충돌시켜, 그 원소를 어떤 깊이(0.1㎛정도)까지 주입하는 방법이다. 반도체에 불순물을 첨가하기 위한 기술로써 개발되었으나, 금속재료의 내식성을 향상시키기 위하여 철 표면에 $Si^+$, $Cr^+$, $Ti^+$을 주입하여 철 표면의 용해를 억제하는 방법이나, 세라믹, 고분자 재료 등의 표면 또는 표층의 구조, 조성의 제어나 특성개선을 위하여 각종의 원소이온 주입이 연구되고 있다. ◘ 이온 플레이팅(Ion Plating)(후항)

**이온 플레이팅** Ion Plating

각각의 방식으로 ⊕ 전하를 가해 증발금속을 이온화 하고, 피도금물을 ⊖로하여 양자간을 고전압으로 한 진공증착법. 수지형상 결정 등의 생성은 이온의 충격으로 인해 방해를 받아 등방(等方)적인 결정조직이 되므로, 막의 밀도가 높고, 화합물 피막도 얻을 수 있다. 금색으로 단단한 TiN을 도금한 시계 밴드, 안경 프레임, 드릴, 그 외의 공구제조 등에 이용되고 있다. ◘ 진공 증착(493)

**이온화** Ionization

원자 또는 분자가 전기를 띈 상태로 되는 것을 말하며, 이 상태의 것을 이온이라고 한다. 이온이 결합되어 있는 물질의 원자는 그대로 양 또는 음의 이온이 되어 존재한다.

**이온화 경향** Ionization Tendency

금속의 원자는 전자를 잃고 양이온이 되려고 하는 경향이 있다. 이 경향을 이온화 경향이라고 하고, 이온화 경향이 큰 금속일수록 이온이 되기 쉽다. 이온화 경향이 큰 것부터 작은 것의 순서로 배열한 것을 이온화열(서열)이라고 한다. 이 순서는 표준단극 전위 크기의 순서와 같으며,

전기화학 열(서열)이라고도 한다. = 이온화 열, 전기화학 열 ◘ 표준전위 열(589)

**이온화 열** Ionization Series ◘ 이온화 경향(전항)

**이원원소** Binary Alloy

불순물을 제외한, 2종의 금속원소 또는 1종의 금속원소와 1종의 비금속(또는 아금속)원소로 되어 있는 합금을 말한다.

**이유화황 시험** Sulfur Dioxide Test ; $SO_2$ Test ◘ 아황산 가스 시험(302)

**이융(易融)합금** Fusible Alloy ◘ 저융점합금(443)

**이인산** ◘ 피로인산(602)

**이종금속 접촉부식** Bimetallic Corrosion

철과 아연, 동과 니켈의 이종금속이 수용액 중에서 접촉함에 따라 조잡한 금속은 부식이 촉진되며, 양호한 금속의 부식은 억제되는 현상. 도금 피막에 핀 홀이 있으면, 공기중의 수분이 결로에 의해 같은 형태의 현상이 일어난다. 철의 부식에는, 철보다도 더욱 조잡한 금속(알루미늄, 아연 등)을 도금하면 효과가 크다. = 갈바닉 부식(11)

**2중도금** Double Plating

니켈도금이나 크롬도금과 같은 부동태화 되기 쉬운 도금 도중에, 피도금물에 흐르는 전류가 중단된 사이에 밀착 불량이 된 도금을 말한다. 공구를 포함한 도금의 전기회로가 접속 불량이 되었을 때 발생하기 쉽다.

**2중 분류(噴流) 납땜** Dual Wave Soldering

프린트 배선기판의 부품밀도가 높은 경우에 행하는 납땜 방법의 하나로, 용융된 땜납을 분류시켜 납땜을 행하는 것을 말한다. 1차파 분류에서 미리 땜납을 하여 놓고 다음에 2차파 분류에서 연구를 하여 납땜성을 개선한 것이다. 예를 들어 2차파 중에서 질소가스($N_2$)를 보내 거품이 튕겨 나오는 에너지를 이용한 것이나, 2차파 분류의 분류 노즐을 요동시키는 방법도 있다. ◘ 웨이브 납땜(387)

**2중 스트라이크 은도금** Silver Double Strike Plating

철강소지에 은도금을 할 때, 소량의 시안화은을 포함한 시안화 동도금욕에서 스트라이크 도금을 행하고 그 위에 스트라이크 은도금을 하면 밀착이 좋은 은도금이 가능하다. 전자의 욕조성은 시안화은 2g/$l$, 시안화동 10g/$l$, 시안화칼륨 75g/$l$, 욕온도 20~30℃, Dk1.6~2.3A/d㎡. 동, 동합금, 니켈 등의 비철금속에 대해서는 일반적으로 후자의 스트라이크 은

도금만을 행한다.

**2차 경화** Secondary Hardening

소입에 의해 발생된 잔류 오스테나이트가 그 후의 소려에 의해 경도를 상승시키는 현상을 2차 경화라 한다. 2차 경화현상이 가장 두드러지는 것은 고속도강이다. 즉, 고속도강은, 소입하면 오스테나이트가 상당량이 잔류하며, 이것이 550~600℃의 소려로 복탄화물을 석출하고, 그 후의 냉각에 의해 마르텐사이트화 되기 때문에 눈에 띄게 경화된다. 이 2차 경화에 참여하는 탄화물을 2차 석출 탄화물, 또 2차 경화에 참여하는 마르텐사이트를 2차 마르텐사이트라고 한다.

**2차교류 전해착색법** Electrolytic Coloring Process by Secondary Alternate Current

◘ 아사다법(292)

**2차 동도금** Secondary Copper Plating

납땜술폰 도금법(패턴 도금법이라고도 한다)에 의한 프린트 배선기판의 제조공정 중에서 전기동 패널도금을 1차 동도금이라고 하고, 전기동 패턴도금을 2차 동도금이라고 한다. 제조공정을 나타내면, 기판재료의 구멍뚫기→표면연마→무전해 동도금→전기 동 판넬도금(1차 동도금)→도금 후 손질면→드라이필름 라미네이트→(도금 레지스트)→필름위치 정돈 및 노광→현상→전기 동패턴도금(2차 동도금) ◘ 패턴도금(564)

**2차 석출 탄화물** Secondary Eutectoid Carbide

소입 가열 시에 오스테나이트의 지중에 녹아 들어가는 탄화물을 2차 석출 탄화물이라고 한다. 고속도강의 소입은 이 2차 석출 탄화물이 전부 오스테나이트의 땅에 용해되어 끝난 온도에서 행하는 것이 이상적이다. 또, 경화 즉, 소려 경화는 이 2차 석출 탄화물의 미립 석출에 힘입은 바가 크다.

**2차 X선** Secondary Operation; Secondary Work

일반적으로 기계공업에서는 판, 봉, 관 등의 제조를 1차가공이라고 하고, 절단, 굽힘, 프레스 성형, 주조 등의 소성 가공을 2차가공이라고 한다. 이 의미에서 보면 도금가공을 3차가공이라고 하는 경우도 있다. 도금을 1차가공이라고 생각해 보면, 도금후의 굽힘, 프레스 성형, 구멍뚫기 등이 2차가공이다. ◘ 1차가공(428)

**2차 재결정** Secondary Recrystallization

풀림(Annealing)에 의해 재결정과 결정립 성장을 한 금속을 더욱 더 고온에서 풀림을 행하면, 소수의 결정립이 다른 결정립을 흡수하여 대단히 크게 성장한다. 이것은 핵의 생성을 수반하지 않는 재결정으로, 보통의 재결정 후에 일어나기 때문에 이와 같이 불리고 있으나, 원인은 아직 확실하지 않다. 이상(異常)결정 성장이라고도 불린다. = 이상결정 성장(412)

**2차 전류분포** Secondary Current Distribution

도금수조 등의 기하학적 배치로부터 계산하여 구해진 1차 전류분포를 기초로, 이것에 양음극에서의 분극을 기본으로 저항의 영향도 고려한 전류분포를 말한다. 이론으로 계산하여 구하는 것은 가능하나 무척 어려우며, 전류효율이 전류밀도에 영향을 받지 않고 일정하다고 가정하면, 음극과 양극 두께의 증감에서 구한 실제의 전류분포와 거의 같다고 생각해도 좋다. 도금액의 전도도가 작고(액저항이 크다)분극에 의한 저항이 작은 때에는 1차 전류분포에 가까운 전류분포가 되나, 분극에 의한 저항이 커질수록 1차 전류분포와의 차가 커져 기하학적 배치와는 별로 좌우되지 않는 전류분포가 된다. ◘ 1차 전류분포(429)

**2차 전지** Secondary Battery ◘ 축전지(508)

**2차 조직** Secondary Structure

응고 시에 일단 형성된 1차 조직(Primary Structure)이, 그 후에 일어나는 변태, 열처리, 기계적 처리, 화학적 처리 등에 의해 개조, 변형된 결과로써 발생된 조직을 2차 조직이라고 한다.

**2층 니켈도금** Duplex Nickel Plating

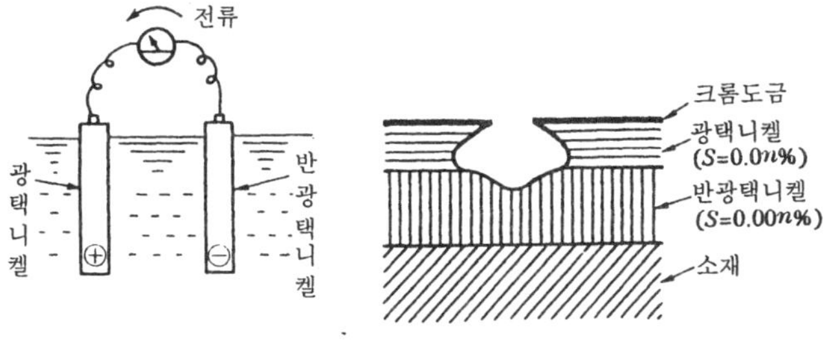


이층 니켈도금의 녹방지 기구

2층 니켈도금

내식성을 향상시키기 위해 제1층에는 도금피막 중에 황을 포함하지 않는 무광택, 또는 반광택 니켈도금을 하고, 제2층에는 황을 0.05% 정도 함유한 광택 니켈도금을 하는 방법을 말한다. 도금피막이 부식환경 하에 놓이게 되면 광택도금 피막은 무광택 또는 반광택 니켈피막보다도 낮은 전위이기 때문에 부식은 광택도금층에서 옆으로 넓어져 소재로의 공식이 방지되는 효과가 있다. 일반적으로 제1층의 도금과 제2층의 도금두께의 비율은 7:3~8:2정도로 제1층을 두껍게 도금한다. = 더블 니켈도금(93)

**2층 크롬도금** Duplex Chromium Plating

물성이 서로 다른 크롬도금 피막을 2층으로 만들어 내식성, 내마모성, 광택 등을 향상시킨 도금방법을 말한다. 이 방법에는 3종류가 있다. (1)제1층에 피복력이 좋은 크롬도금을 실시하고, 다음으로 광택이 좋은 크롬도금을 한다. (2)제1층에 내식성이 좋은 크롬도금을 실시하고, 다음으로 경도가 큰 크롬도금을 한다. (3)제1층에 크랙프리크롬도금을 실시하고, 다음으로 경도가 크고 광택이 좋은 크롬도금을 한다.

**이타이 이타이병** Itai-Itai(Ouch-Ouch) Disease

일본 토오야마켄 카미도오리(富山縣 神通)천 하류에서 다이쇼(大正)시대부터 발생하기 시작한 병으로, 전신에 심한 통증과 수 십 군데의 골절을 수반하는 병으로 증상이 심해지면 사망한다. 원인은 카미도오리천 상류의 금속광산에서 배출된 카드뮴에 의한 것으로 알려져 있으며, 일본 후생성은 1968년 5월에 공해병으로 인정하게 되었다. 일본 정부에 의한 공해병 인정 제 1호인 셈이다. 그 이후, 일본에서는, 카드뮴도금이 추방되어 항공기 부품의 일부에서 실시되고 있으나, 일반적으로는 거의 실시되지 않게 되었다.

**이트륨** Yttrium Y.

원자번호 39, 원자량 88.9059, 전해에 의해 얻을수 있는 이트륨금속은 융점 1509℃, 불점 2927℃, 비중 4.478, 공기 중에서 쉽게 산화되며, 산에는 녹으나, 알칼리에는 녹지 않는다. 3가의 화합물을 만든다. 화합물은 일반적으로 무색, 희토류(希土類)와 같이 산화물, 불화물, 초산염, 수산화물 등은 물에 녹지 않으나, 염화물, 황산염은 물에 녹기 쉽다.

**EPMA** Electron-Prove Microanalyzer ◘ X선 마이크로애널라이저(337)

**이행(移行) 현상** Migration ◘ 마이그레이션(130)

**이형제(離型劑)** Parting Agent; Mold Release Agent

①주형을 만들 때, 모형에서 주형을 꺼내기 쉽게 하기 위하여 사용하는 것으로 점착성이 없는 활석분이나 실리콘유가 사용된다. ②플라스틱, 성형품 또는 적층품이 형 또는 금속 경면판에 점착되는 것을 방지하고, 용

이하게 떨어질 수 있도록 하는 것, 또는 그 표면이 평탄하고 아름답게 마무리되도록 형 또는 금속 경면판에 도포하는 실리콘수지 등의 약제를 말한다.

**이형(離型)처리** Pating Treatment

전주에서 전주 모형(마스커라고도 한다)으로부터 도금피막이 박리되기 쉽도록 도금 직전에 행하는 화성처리를 말한다. 전주 모형의 재질에 따라 처리방법이 다르다. 예를 들어, 동, 황동에서는 이산화셀렌 0.5% 수용액에 약 10초간 침적한다. 철, 니켈에서는 10% 수산화나트륨의 수용액으로 양극 전해처리(6V, 10~80초간)한다. 알루미늄에서는 아연산염처리를 행한다. 은에서는 요오드칼리 3g/l, 요오드 1g/l, 알코올 50㎖/l, 상온에서 3~5분간 침적한다. ◘ 전주 모형(461)

**2호도금**

소지의 연마를 행하지만, 도금의 연마는 일절 행하지 않는 도금법을 말한다. 도금공장에서 행하는 연마는 버프연마나 배럴연마가 많다. 장식도금에서도 2호도금이 많아지고 있다. ◘ 1호도금(429), 3호도금(240)

**이환(移換)여과** ◘ 공환여과(40)

**인** Phosphorus P.

원자번호 15, 원자량 30.97376, 주기표 Vb족에 속하는 비금속원소로 자연에서는 인산염의 형태로 산출된다. 많은 동소체가 있으며, 황인(백인), 적인은 대표적인 인의 단일체이다. 인의 광석을 규사, 코크스와 함께 가열, 환원시켜 증기를 수중에서 냉각시키면 황인을 얻을 수 있다. 황인은 담황색의 고체로 융점 44℃, 분자식 $P_4$, 맹독의 고체로, 발화점 34℃에서 공기 중에 자연 발화되기 때문에 수중에 저장한다. 공기를 차단하고 260℃로 가열하면 적인을 얻을 수 있다. 적인은 적자색 분말로, 황인에 비해 화학적으로 불활성이며 독성이 없다. 인의 용도는, 고순도의 인은 화합물 반도체의 원료가 된다. 보통 순도의 것은 성냥, 인화합물(차아인산소다 등), 농약의 제조에 사용된다. 금속의 탈산제, 합금 첨가제(인청동 등)로써도 사용된다.

**인공 땀 시험** Artificial Sweat Test

안경, 손목시계, 시계밴드 등의, 도금 내식성시험으로, 인간의 땀에 가까운 인공 땀을 만들어 이 액에 일정시간 시료를 침적시켜 내식성을 조사하는 방법을 말한다. 인공 땀은 산성과 알칼리성이 있다. 조성의 예는

NaCl 15g/l, 1/10 규정 NaOH 15g/l, L-히스티진염 산염 0.5g/l, 인산-나트륨 2.2g/l, pH 5.5, 알칼리성은 1/10 규정 NaOH의 양을 많게 하여 pH 8.0 정도로 한다.

**인공 시효** Artificial Aging

상온보다도 높은 온도로 행하는 시효를 인공 시효라고 한다. 이것에 대해 상온에서 행하는 시효를 상온 시효(Natural Aging)라고 한다. 인공 시효는 또, 고온 시료라고도 한다.

**인너리드 본딩** Inner Lead Bonding : ILB

TAB(Tape Automated Bonding)의 기본이 되는 본딩 기술로, IC웨이퍼 상의 전극부에 만들어진 금 범프(金 Bump)와 장척 필름상에 형성된 다수의 주석도금된 리드선과를 350~450℃로 가열하여 한 번에 접합하는 것을 말한다. 접합부는 금-주석의 공정(共晶)합금이 된다.

◘ TAB(탭)(555)

**인덕턴스** Inductance

전선이나 코일에는 그 주위나 내부를 통하는 자속의 변화를 방해하는 작용이 있고, 이 작용의 강도를 표시하는 값을 인덕턴스라고 한다. 단위는 헨리(H), 인덕턴스를 가지는 코일(솔레노이드)같은 회로소자의 의미로 사용되는 경우도 있다. = 유도계수(390)

**인듐** Indium In.

원자번호 49, 원자량 114.82, 주기율표의 ⅢB족의 원소. 은백색의 부드러운 금속으로 비중 7.28(24℃), 융점 156.4℃, 불점 2100℃이며, 공기 중에서는 안정하나 가열하면 산화물 $In_2O_3$가 된다. 물, 알칼리 수용액에는 녹지 않고, 산에는 녹는다. 용도는 화합물 반도체 (InP, InAs, InSb 등), 저융점 합금, 전자재료용 첨가원소, 글래스봉착 합금 등이 있다.

**인듐 도금** Indium Plating

인듐은 외관이 주석과 닮은 엷고 푸른색을 띄는 백색의 금속으로, 납보다도 부드러우며 융점이 156℃이다. 시안화물욕, 술파민산염욕, 붕소불소화합물욕 등이 있다. 시안화물욕은 밀착성이 좋은 광택도금을 얻을 수 있으나, 불용성 양극을 사용해야 한다. 반면에 술파민산염욕과 붕소불소화합물욕은, 인듐을 양극으로 할 수가 있으며, 색조가 좋은 치밀한 도금을 얻을 수 있다. 베어링 합금용의 도금으로써 납도금 후, 인듐 도금을 하여 유욕(油浴) 중에서 가열하여 납-인듐합금을 만들며, 항공기 엔진의 부품에 사용되고 있다.

**인바** Invar ◘ 안바(303)

**인발(引拔)** Drawing

봉재나 관재를 이것보다 단면적이 작은 치수의 다이스에 통과시켜 인발하여 다이스 구경과 같은 형상의 단면제품을 얻는 가공법을 말한다. 직경이 가는 선의 인발은 특히 신선(伸線)가공이라 불리고 있다. 일반적으로는 냉간인발이 많다. 탄소강, 합금강, 비철 금속의 대부분에 적용된다. 봉재나 관재를 미리 니켈도금이나 동도금을 해 놓은 후 인발 가공을 하는 경우도 있다. 일반 가공시의 윤활성 향상과 재료의 산화방지 효과가 있다.

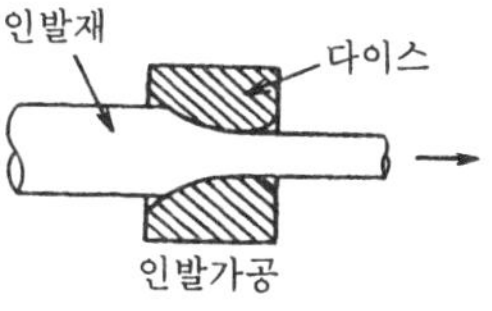


인발

**인버터** Inverter

직류를 교류로 변환하는 장치로, 최근에는 사이리스터(Thyristor)의 정지스 위치 특성을 이용한 것이 많다. 정전압·정주파전원장치(CVCF)나 교류전동기의 회전수 제어장치 등에 사용된다. ◘ 사이리스터 정류기(229)

**인베스트먼트 주조법** Investment Casting ◘ 로스트 왁스법(121)

**임펠러** Impeller

액을 섞는 날개를 말하며, 여러 가지 형상의 것이 있다. 예를 들어, (1)노형, (2)프로펠러형, (3)스크류형, (4)터빈형 등이 있다. 천천히 섞기 위해서는 (1)이 적당하고, 세차게 섞기 위해서는 (4)가 적당하다. 또한, 저점도 대용량의 액을 섞는 것으로는 (2)가 적당하며, 저점도 소용량의 액을 섞는 것으로는 (3)이 적당하다. 터빈형은 원판의 주위에 날개를 달아놓은 형상이다.

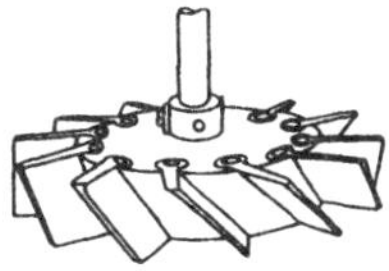

터빈형 임펠러

임펠러

**인산** Phosphoric Acid

오산화인과 물이 여러 가지 비율로 결합함으로써 생기는 산을 말한다. 일반식은, $P_2O_5 \cdot NH_2O$로 표시한다. 정인산 $H_3PO_4(P_2O_5 \cdot 3H_2O)$, 피로인산 $H_4P_2O_7(P_2O_5 \cdot 2H_2O)$, 메타인산 $HPO_3(P_2O_5 \cdot H_2O)$가 있으며, 보통 인산이라고 하면, 정인산(올소인산)을 지칭하는 경우가 많다. 정인산은 무색 사방주상의 결정으로, 융점은 42℃이며, 무수물은 조해성이 강하다. 시판되고 있는 농인산의 농도는 85% 정도이다.

**인산나트륨** Sodium Phosphate $Na_3PO_4$.

제삼인산나트륨이라고도 한다. 넓은 의미로는, $Na_2HPO_4 \cdot 12H_2O$(인산수소이나트륨)를 포함하는 경우도 있다. 수화물 $Na_3HPO_4 \cdot NH_2O$에서는 n이 0.5, 6, 10, 12의 것이 있다. 인산수소이나트륨의 수용액에 적정량의 수산화나트륨을 가해 얻을 수 있는 생성물을 실온에서 재결정하면 십이수화물을 얻을 수 있다. 열수로부터는 육수화물을 얻을 수 있다. 또 가열(180℃)에 의해 무수염이 된다. 이들 모두 백색에서 무색의 고체, 수용액은 강알칼리성(수소염은 미알칼리성)을 띈다. 물 100g에 대한 용해도는, 14.5g(25℃ 무수염으로써), 도금에서는 탈지세정제, 주석도금 등의 도금피막의 변색 방지제로써 이용된다. = 제삼인산나트륨(477)

**인산아연법** Zinc Phosphate Treatment

철강이나 알루미늄의 인산염 처리법의 하나로, 인산아연을 함유한 약 60℃의 용액에 철강이나 알루미늄을 침적시켜 표면에 미세한 인산 아연 피막을 얻는 방법을 말한다. 방청, 도장의 하지처리, 가공용 재료의 전처리 등에 사용된다. ◘ 인산염 처리(후항), 파커라이징(562)

**인산염 처리** Phosphating; Phosphatizing; Phosphate Treatment

철강이나 알루미늄의 화성처리법의 하나로, 인산망간법, 인산망간-아연법, 인산아연법, 인산아연-석회법, 인산철법, 인산알코올법, 인산크롬산법, 그 외로 분류된다. 각종 인산염 피막을 표면에 형성시켜 내식성, 도료의 밀착성 등, 표면의 성상을 개선한다. 파커라이징법, 본더라이트법 등이 있다. = 인산염 피복법 ◘ 파커라이징(562), 본더라이트법(193)

**인산염 피복법** Phosphating ◘ 인산염 처리(전항)

**인산 청정** Pickling by Phosphoric Acid

철강에 인산을 이용한 산세법을 말한다. 강산에서의 산세법보다 작용이 완만하기 때문에 40~60℃, 1시간, 또 단시간의 경우는 85℃이상의 액에 침적시킨다. 계면활성제, 인히비터, 용제 등을 배합한 시판액이 있다.

**인성** Tenacity; Toughness

외력에 의해 파괴되기 어려운 질기고 강한 충격에 잘 견디는 재료의 성질을 말한다. 재료가 파단되는데에 필요한 일의 량이 크고, 탄성한계를 초과하여도 간단하게 파단되지 않는 성질을 말한다. 일반적으로(최대응력)×(최대변태량)의 대소로 비교된다.

**인쇄배선판** Printed Wiring Board; Printed Circuit Board ◘ 프린트 배선기판(594)

**인장 강도** Tensile Strength

항장력이라고도 하며, 재료의 기계적 강도를 표시하는 값의 하나이다. 막대 모양의 시험편을 잡아당겨 그 가해진 하중과 시험편의 변형의 모양에서 인장 강도를 구한다(KS B 5521「인장시험기」참조). 시험편에 하중을 가하면 시험편은 하중에 비례하여 늘어나며, 이윽고 비례 관계에서 벗어나게 된다. 어떤 늘어나는 값에서 최대하중 M을 시험편의 원래 단면적으로 나눈 값이 인장 강도이며, 단위면적에서 지탱할 수 있는 최대하중을 나타낸다. 플라스틱 상의 장식용 전기도금의 밀착성 시험에 사용된다. 프린트 기판의 쓰루 홀도금에서는 인장 강도가 중요하다. = 항장력(620)

**인장시험** Tension Test ; Tensile Test

도금시료에 인장 응력을 가해 이것을 파단 시켜 도금의 밀착성을 조사하는 방법으로 소재의 신율보다 신율이 작은 도금의 시험에 적합하다. 인장시험기에 시료를 취부하여, 1~3kgf/㎟·s{9.807~29.42N/s}(KS B 0802「금속재료 인장 시험 방법」)의 속도로 인장 응력을 가해 시료를 파단한다. 시료의 상태에 따라 도금의 밀착성의 양부를 판정한다. = 항장(抗張)시험(620)

**인장 응력** Tensile Stress

재료가 외력을 받아 늘어날 때, 재료 내의 이 힘과 대등하게 하기 위해 내부에 발생하는 저항력(kg/㎟)을 말한다. 크롬도금의 균열은 크롬도금 피막내의 인장 응력 때문이며, 일반적인 도금의 끝단부의 벗겨짐, 균열 등은 인장 응력에 의한 것이 많다. ◘ 압축 응력(317), 응력(404)

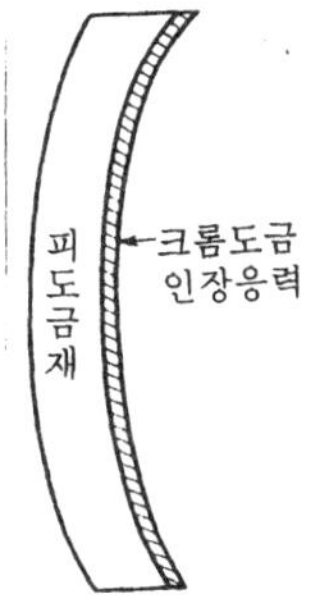


크롬도금 피막의
인장 응력

인장 응력

**인청동** Phosphr Bronze

주석청동(Cu-Sn합금)에 소량의 인을 첨가한 합금으로, 인은 탈산제로써 주석의 산화물을 제거한다. 전연성, 내피로성, 내식성이 크다. Sn 7.0~9.0%, Zn 0.2%이하, P 0.03~0.35%의 조성으로, 인의 함유율 범위가 넓고, 인청동의 종류가 많기 때문에 주의를 요한다. 전자·전기 계측기용의 스위치, 커넥터, 릴레이, 캠, 습동부품 등에 이용된다.

**인코넬** Inconel

내열, 내식성 니켈합금을 말한다. 영국의 Henry Wiggins사가 개발한 Ni-Cr-Fe의 합금이며, 내산성으로 900℃이상의 사용에서도 산화되지 않기 때문에 고온계의 보호관, 전열기의 부품, 우유가공기, 항공기의 배기밸브 등에 사용되고 있다. Ni 80%, Cr 14%, Fe 6%의 합금이다.

**인탈산동** Phosphorus Deoxidized Copper

동을 가열 융해하였을 때, 탈산제로써 인을 첨가하여 제조한 순동을 말한다. P의 잔존허용량은 0.04% 이하, 광택 황산동도금에 사용되는 인함유 동아노드는 인탈산동에서 인의 잔존함유량은 0.02~0.07%로 조정되어 있다. 아산화동($Cu_2O$) 또는 $Cu^+$이온의 불균일화($2Cu^+ \rightarrow Cu^{++} + Cu^\circ$)에 의한 동의 미분말 생성이 없기 때문에 양호한 도금피막을 얻을 수 있다. ◘ 인함유 동아노드(426)

**인터스티셜 바이어홀** Interstitial Via Hole

다층 프린트 배선기판의 2층 이상의 도체층간을 접속하는 쓰루 홀이며, 다층을 관통하지 않는 홀을 말한다. 인너 바이어홀(IVH), 브라인드 쓰루 홀이라고도 한다.

인터스티셜 바이어홀

**인함유 동아노드** Phosphorus Content Copper Anode

전기동(銅)을 가공하여 소량의 인을 첨가, 무산소 동으로 만든 것으로, 인을 0.02~0.05% 정도 함유하고 있다. 광택황산 동도금의 아노드로써 사용되며, 금속미립자의 발생량이 적다. 표면에 생기는 인산염의 점성이 있는 피막에 의해 $Cu^+$이온의 불균일화 반응 ($2Cu^+ \rightarrow Cu^{++} + Cu^0$)에 의한 $Cu^0$의 미립자의 발생이 방지된다. ◘ 인 탈산동(426)

**인히비터** Inhibitor ◘ 억제제(327)

**일렉트로 그래프 시험** Electro-Graph Test

도금의 다공성 시험방법의 일종으로, 시료면에 직류전류를 흘려, 도금피막의 핀홀을 통하여 하층의 도금이나 소지를 용출시킨 후, 그것을

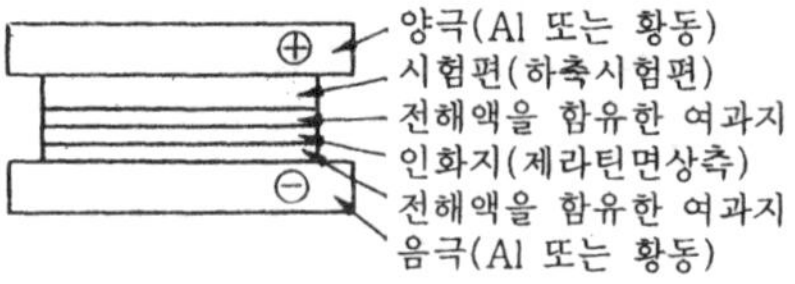


일렉트로 그래프 시험 조립도

일렉트로 그래프 시험

인화지 상에 프린트하는 방법. 그림과 같이 조립하여 인화지는 감광 시키지 않고 현상하여 은을 제거, 젤라틴만으로 건조시켜 사용한다. 수분간, 직류전류를 흐르게 한 후, 인화지를 떼어내어 인화지 상의 반점의 수와 크기에 따라 핀홀 수를 구한다.

일렉트로 그래프법의 전해액과 발생액

| 검출 피막 | 평가된 피막 | 전 해 액 | 색 |
|---|---|---|---|
| 니켈 | 크롬 | 에틸알코올 100에 디메틸글리옥심을 1녹여 그것을 증류수와 1:1로 혼합 | 적색 |
| 동 | 니켈-크롬 | 에틸알코올 100에 α-벤조옥심을 1녹여 그것을 증류수와 1:1로 혼합, 약 암모니아성으로 한다. | 녹색 |
| 코발트 | 크롬 | 니켈-크롬과 동일 | 녹색 |
| 알루미늄 | 크롬 | 모린(Morin)의 포화용액을 증류수와 1:1로 혼합, 그것에 산소를 소량 첨가시킨다. | 조금 어두운 녹색 |

일렉트로 그래프 시험

**일렉트로 코팅** Electrocoating

해수중에서 강재에 카소드 방식(防食)을 행할 때, 음극전류밀도가 높으면, 강재 표면에 탄소칼슘 $CaCO_3$이나 수산화마그네슘 $Mg(OH)_2$의 석출 피막이 생성되는 현상을 말한다. 이 피막은 방식효과가 있어, 방식에 필요한 전류를 50% 정도 절약할 수 있다. = 전해 피복(468)

**일렉트로크로믹 재료** Electrochromic Material

일렉트로크로미즘을 이용한 재료. 일렉트로크로미즘이란 『전압의 인가에 의한 산화 환원반응에 따라 물질의 색이 가역적(可逆的)으로 변화하는 현상』을 말한다. 이와 같은 현상을 이용한 표시소자를 일렉트로크로믹 표시소자(ECD)라 한다. 예를 들어, 산화 텅스텐($WO_3$)은 전극에서 전자 주입으로 인해 환원되어 무색에서 청색으로 변화한다. ECD는 반응속도가 늦고(10~500ms), 신뢰성이 낮은 단점은 있으나, 색채가 선명하고 시야가 넓으며, 메모리 기능도 있고 소비전력이 적다는 등의 이점이 있다.

**일류(溢流)** Overflow ◘ 오버플로우(365)

**일룸** Illium

니켈합금의 상품명. 많은 유기산, 유기화합물, 농도 15%까지의 HCl에 견딘다.

**일본공업규격** Japanese Industrial Standards ◘ JIS(490)

**1,4-부틴디올** ◘ 부틴디올(201)

**일산화납** = 밀타승(密陀僧)(156)

**일산화탄소** Carbon Monoxide CO.

석탄, 석유, 가솔린 등 탄소를 함유한 연료가 불완전연소를 할 때에 발생한다. 공기에 대한 비중은 0.967, 무색 무취로 대단히 강한 독성을 가진 가스이며, 체내에 들어가면 헤모글로빈과 결합, 신경계통을 침입하여 빈혈병을 일으키며, 공기중에 0.5%정도의 일산화탄소가 있으면, 5~10분 사이에 죽음에 이르게 된다고 한다. 물에 녹지 않고, 활성탄에 쉽게 흡착된다. ◘ 이산화탄소(411)

**일시 경수(一時硬水)** Temporary Hard Water ◘ 경수(26)

**일시방청** Temporary Rust Prevention

작업공정 등에서 단시간의 녹방지를 말한다. 방청을 겸한 포장으로 가박성(可剝性)플라스틱이 사용되고 있다. 도장법, 침적법, 테이프 부착법 등이 있다.

**일시방청유** ◘ 녹 방지유(76)

**1,1,1-트리클로로에탄** 1,1,1-Trichloroethane $CH_3CCl_3$

염소화 탄화수소용제의 일종. 클로로센, 에타나, 트리 원, 트리에탄은 상품명이다. 유지류의 용해력은 트리크롤에틸렌보다는 낮으며, 저독성이고, 일반 금속부품의 증기 세정에 트리크롤에틸렌과 함께 이용된다. 상온 침적, 스프레이 등에 적합하며 트리크롤에틸렌보다도 비중이 작고, 불점이 낮기 때문에 경제적이어서 널리 이용된다. 불점은 74.1℃, 비중 1.345(15℃), 물에 의한 영향을 받기 쉽기 때문에 물 분리기가 필요하다. 이상과 같이 뛰어난 성질을 갖고 있으나, 오존층 파괴물질임이 밝혀져 몬트리올 의정서 체약국이 1996년에 전폐하도록 결정하였다. = 클로로센(538), 에타너(335), 쓰리 원(286), 트리에탄(553)

**일정 전위기** Potentiostat

정전위 전해시에 양극 또는 음극(전위주사를 할 때는 하나의 전극이 대칭극에 대해 양극이나 음극이 된다)의 전위를 일정하게 유지하는 장치를 말한다.

**1차가공** Primary Operation

잉곳(Ingot)에서 금속재료를 최초로 가공하는 공정을 말하며, 별도로 가공 후를 전제로 한 경우의 전 가공을 의미하는데 사용되는 경우도 있다. 도금을 2차가공이라고 하면, 도금전의 프레스, 압연, 주조 등이 1차 가공이다.

**1차 고용체** Primary Solid Solution

성분 금속과 완전히 같은 형태의 결자형을 가지고 있는 고용체를 1차 고용체라고 한다. 상태도 중에서, 성분 금속 측에 연속해서 생기는 고용체는 모두 이것에 속한다.

**1차 동도금** Primary Copper Plating

프린트 배선기판을 납땜 쓰루 홀 도금법(패턴도금법)으로 제작할 때, 레지스트 공정 전의 전기 동도금을 1차 동도금, 레지스트 공정 후의 전기 동도금을 2차 동도금이라고 한다. 1차 동도금은 판넬 전체에 도금을 하기 때문에 전기 동판넬도금이라고도 한다. = 전기동 패널도금(449)

**1차 시멘타이트** Primary Cementite

융체로부터 액상선을 따라 정출된 시멘타이트를 1차 시멘타이트라고 한다. 그 형상은, 대체적으로 침상을 하고 있다. 1차 시멘타이트를 가지고 있는 것은, 과공정 성분(4.3% C 이상)이다.

**1차 오스테나이트** Primary Austenite

융체로부터 액상선을 따라 정출된 오스테나이트를 1차 오스테나이트라고 한다. 그 형상은 수지상 또는 타원형을 하고 있다. 1차 오스테나이트를 가지고 있는 것은 아공정 성분이다.

**1차 전류분포** Primary Current Distribution

도금두께의 균일성은 1차 전류분포, 2차 전류분포, 전류효율에 의해 좌우된다. 1차 전류분포는, 도금 수조내의 양극과 음극 사이를 균일한 전도체로써 취급하여 옴의 법칙이나 키르히홉의 법칙에 근거하여 흐르는 전류선(전기력선)이 전극간의 기하학적인 형상에 의해 좌우되는 것을 계산상으로 나타낸 것이다. 극이 접근되어 있는 곳이나, 각 또는 선단부분에 전류선이 집중되어 있어 떨어진 곳, 그리고, 평면의 부분은 전류선이 조잡하게 되어있다. ◘ 전류분포(454)

**1호(一號) 도금**

소지연마(하지연마)→도금→마무리연마(광택)의 공정 및 이 공정에 의한 도금제품을 말한다. ◘ 2호도금(421), 3호도금(240)

**임계 속도** Critical Velocity

유체의 흐름이 층류에서 난류로 변화할 때의 유속을 말한다. ◘ 난류(64)

**임계 온도** Critical Temperature

기체가 액화되는 최고의 온도를 말한다. 이 이상의 온도에서는 아무리 가압하여도 액화되지 않는다. 임계 온도의 예를 들면, 산소는 -118.8℃, 질소는 -147.2℃, 아르곤은 -122.4℃, 수소는 -239.9℃, 헬륨은 -267.9℃이다.

**임계 전류밀도** Critical Current Density

용융염 전해시, 아노드에서 할로겐 가스가 나와 아노드와 반응하여 아노드 효과가 일어나기 시작하는 전류밀도를 말한다. ◘ 아노드 효과(289)

**임피던스** Impedance

전기회로에 있어서 전기저항으로 여겨지는 것의 총칭. 예를 들어, 저항 R[Ω], 자기인덕턴스 L[H], 정전용량 C[F]을 직렬로 포함한 회로에, $\iota=\sqrt{2}\sin wt$의 교류가 흘러, 단자간 전압이 $e=\sqrt{2}\sin(wt+\phi)$일 때, Z=e/ι를 이 회로의 임피던스라고 한다. 임피던스의 단위는 옴(Ω)을 사용한다. 단, I는 교류의 최대전류, E는 최대전압, ω는 각주파수, φ은 진각을 표시한다.

**입간 균열** Intergranular Crack

입간 부식에 의해 금속재료에 균열이 발생되는 것을 말한다. = 입계 균열 ◘ 입간 부식(후항)

**입간 부식** Intergranular Corrosion

입계 부식과 같은 의미로 사용하는 경우가 많다. 입계보다 넓은 범위의 부식으로, 결정 중심영역보다도 경계영역이 많이 침해되며, 외부로부터는 알 수 없지만, 재료적으로 파괴 영역에 도달하는 부식을 말한다. 경계 영역에 양극성의 물질을 많이 함유한 수분을 포함한 환경에서 전기화학적으로 부식이 진행되는 경우가 많다. 18-8강의 입간 부식, 고장력 알루미늄합금의 응력 부식, 황동의 시기 균열, 아연합금의 선택 부식 등이 있다. ◘ 입계 부식(431)

**입경** Grain Size; Particle Size ◘ 입도(431)

**입경 분포** ◘ 입도 분포(431)

**입계** Grain Boundary

금속 또는 합금의 다결정 재료에서 구조는 같으나, 방향이 서로 다른 2개의 결정 경계를 말한다. 입계는 격자결함의 일종으로 공공밀도가 높은 영역이며, 벌크의 물리적, 화학적 성질에 여러 가지 영향을 미친다.
= 결정 입계(23)

**입계 균열** ◘ 입간 균열(430)

**입계 부식** Grain Boundary Corrosion

결정 입계는 입내보다 원자 밀도가 낮다는 것 이외에 합금에서는 입내와의 조성 차나 불순물의 집합 등에 의해 전기화학적 원인에서 부식되기 쉽다. 그 때문에 검경 시료의 에칭에 이용된다. 또, 기계적 성질의 저하(균열 등)가 일어나기 때문에 10% 주산 중에서 90초간 전해 에칭하여 그 결과로 다른 4종의 열산 침적시험을 행하여야 하는가를 판정하도록 되어 있다. ◘ 입간 부식(430)

**입계 확산** Grain Boundary Diffusion

금속의 결정 입계를 통해, 그 금속 자신이 확산(자기 확산)하거나, 이종 금속에 확산하는 것을 말하며, 결정 입계는 입내에 비해 원자 밀도가 낮기 때문에 입내보다도 속도가 크고, 이 경향은 저온일수록 현저하게 발생한다. = 단회로(短回路) 확산, 단락 확산 ◘ 체(體) 확산(503), 표면 확산(587)

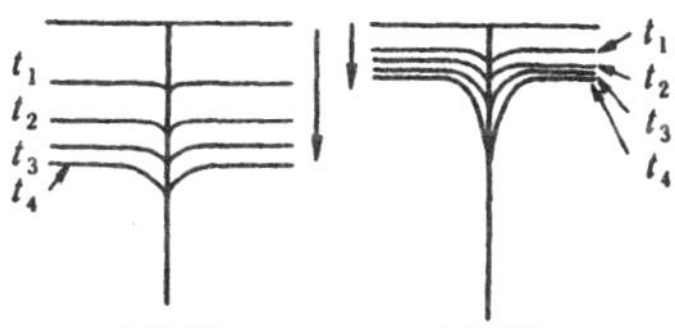


(a) 고온도 (b) 저온도

결정 입계 부근에서 확산의 상태

입계 확산

**입도** Grain Size; Particle Size

알맹이의 크기를 수치로 표시한 것을 말한다. 입도의 측정법은 광학 현미경법, 전자 현미경법, 침강 속도법, 레이저 전방산란법, 광산란법, 전기적방법(현탁액 중의 전기용량을 측정한다), X선 소각산란법, 관성력을 이용하는 캐스캐이드 인버터법 등, 많은 방법이 있다. 금속의 다결정체의 알맹이의 크기도 입도라고 하지만, 이 경우는 결정 입도라고 하는 경우가 많다. = 입경(430), 그레인 사이즈(53)

**입도 번호** Grain Size Number

연마에 이용하는 분말의 입도(입경)에는 규정된 번호가 있으며, 입도 분포도 규정되어 있다.

**입도 분포** Particle Size Distribution

입경 분포라고도 한다. 어떤 입경 범위에 속하는 입자의 분체 전량에 대한 비율을 말하며, 표시방법에는 다음 3종류가 있다. (1)빈도(도수), 어떤 입경 범위 ⊿DP에 속하는 입자량 ⊿Q의

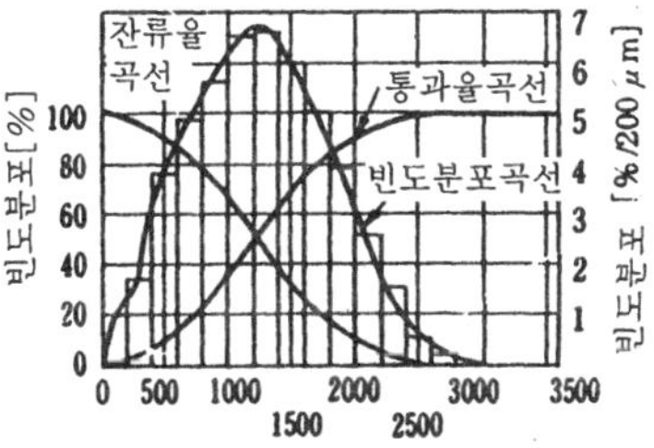


입자경[μm]

입도 분포곡선

입도 분포

전입자량 Q에 대한 비율 ⊿Q/Q를 ⊿DP로 나눈 값. (2)잔류율, 어떤 입경 DP보다 큰 입자량의 전입자량에 대한 비율(%), (3)투과율, 어떤 입경 DP보다 작은 입자량의 전입자량에 대한 비율(%), 이 등을 그림으로 표시한 것을 입경 분포곡선이라고 한다. = 입경 분포 ◘ 입도 번호(전항)

**입방격자** Cubic Lattice

축의 길이가 같고, 축각이 전부 90°의 결정격자를 말한다. ◘ 결정구조(21)

**잉곳** Ingot

주형에 주조하여 만들어진 방형 또는 다각형 단면이 있는, 길이를 가진 주괴(鑄塊). 압연가공용으로 만들어진 것도 있다.

**잎(상) 여과기** Leaf Filter

철망의 양면에 여과지를 부착하여 판 모양 또는 원판모양의 잎을 여러 장 또는 수 십장 배열하여, 이것을 원통형 용기 내에 수납한 여과기를 말한다. 원액을 밀폐용기 내에 압입하는 가압식과 잎의 안을 감압시켜, 액을 흡입하도록 한 감압식(진공식)이 있다. 케이크는 여과잎의 외면에 형성되며, 여과액은 각 여과잎 상부의 여과액 배출관으로 배출되며, 케이크가 적당한 두께가 되면 원액 대신에 세정수를 보내어 수세한다. 여과, 세정 후에 여과잎 내로 압축공기 또는 수증기를 보내어 케이크를 탈리시킬 수 있다. 케이크가 많이 생성되는 여과에 적합하기 때문에 도금공장에서는 배수 처리에 사용된다. ◘ 여엽(濾葉) 여과기(342)

# ㅈ

**자갈 표피** ◘ 오렌지 필(364)

**자기 디스크** Magnetic (Recording) Disk

자기기록을 이용한 외부기억장치로써 자성재료를 도포한 평면판이며 프로피 디스크와 하드 디스크가 있다. 프로피 디스크는 가동성이 있는 원반상의 폴리에스테르 필름 상에 $\gamma$-$Fe_2O_3$의 미립자를 2~3㎛두께로 도포한 것이며, 하드 디스크는 두께 1.2~1.9㎜의 알루미늄의 기판 상에 $\gamma$-$Fe_2O_3$의 미립자를 약 1㎛두께로 도포한 것이나, 코발트-니켈합금 박막(두께 0.1㎛이하)을 증착 또는 무전해도금한 것이다. 하드 디스크는 신뢰성이 높고, 억세스 시간이 짧다.

**자기 시효** Magnetic Aging

시간의 경과와 함께 자성이 열화되는 것을 자기 시효라고 한다. 예를 들어, 순철을 130℃ 부근에서 특히 이 변화가 눈에 띄게 발생한다. 자기 시효의 원인은 철 안에 함유되어 있는 미량의 C와 N에 의한 것으로, 특히 N이 철 안에서 어떤 종류의 질화물을 만들기 때문이라고 알려져 있다. 따라서, 자기 시효를 방지하기 위해서는 이들의 불순물을 적게 하는 것은 물론, Al, Ti, V 등을 첨가하여, C와 N을 고정하는 것이 필요하다.

**자기촉매도금** Autocatalytic Plating

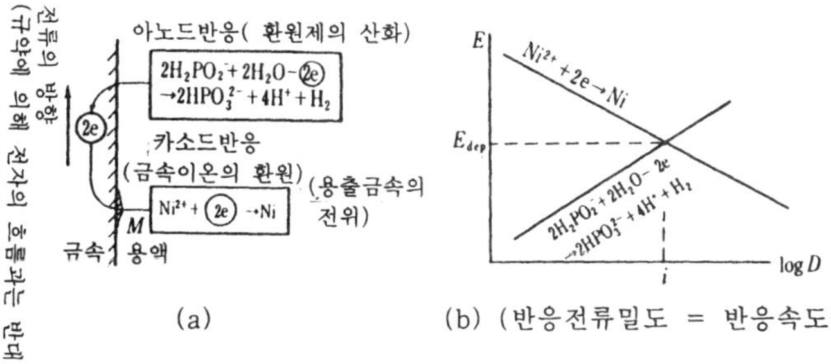


(a) (b) (반응전류밀도 = 반응속도)

무전해 니켈도금 반응의 상황

자기 촉매도금

촉매화학도금, 화학환원도금이라고도 한다. 환원제가 용액중의 금속이온을 환원하여 피도금물 상에 금속으로써 석출시키는 도금이다. 침적 초기의 반응은, 용액중의 금속이온과 피도금물(금속)과의 치환반응이 우선하는 경우도 있으며, 피도금물이 촉매로써 작용하는 경우도 있다. 이후는 석출된 금속 자신이 촉매가 되어 작용하는 자기촉매환원이 진행되는 것이다. 니켈도금의 반응상황을 그림에 나타낸다. 그리고, 환원제의 산화, 금속이온의 환원에 따라 전자의 거동은 그림과 같다. 일반적으로 무전해도금이라고 하면 이 도금을 지칭하는 경우가 많다. = 촉매화학도금 ◘ 화학도금(629), 무전해도금(147)

**자동광택제 보충방식** Automatic Brightener Control

전기도금에서 욕중의 광택제는 전기량(전류×시간)에 비례하여 전기분해되기 때문에 광택 측의 보충은 전기량을 적산하여 이것에 따라 자동 보급이 가능하다. 장기간 도금을 하면, 광택제의 분해 생성물이 축적되므로, 정기적으로 분해 생성물의 제거가 필요하다.

**자동 도금두께 조정방식** Automatic Plating Thickness Control

연속도금장치로, 소재가 주행 중에 도금두께를 형광X선 막두께측정기 등으로 즉시 측정하여 이 수치로 통전전류를 자동적으로 조정하는 방식이 행하여지고 있다. 보통 도금에서서는 정전류방식, 정전류밀도 방식, 정전압 방식 등이 도금방법에 따라 채용되고 있다. 전주나 경질 크롬도금에서서는 전기량(전류×시간)을 적산하여 일정한 전기량에 달하면, 전류를 끊든지 신호를 발하는 방법이 행하여지고 있다.

**자동 도금장치** Automatic Plating Equipment

도금수조나 처리수조를 배열하여 피도금물의 반송과 수조의 출입을 기계화한 장치. 호이스트식은, 처리수조를 병렬로 배열하여 천정 또는 수조의 양쪽에 레일을 취부하고 캐리어에 호이스를 부착, 캐리어가 물품을 운송하여 호이스가 물품을 상하운동 시키는 방식으로 전차식이라고도 한다. 엘리베이터식은, 처리수소를 작은 판형으로 배치하여 중앙부분에 구동장치를 놓고, 걸고리를 유지하는 암을 상하운동 시키는 기둥을 다수 중앙부분에 세워 놓고 반송은 기둥의 이동으로 행하며, 상하이동은 엘리베이터와 같이 암이 상하운동하는 방식이다. 호이스트식과 엘리베이터식이 가장 널리 보급되어 있는 자동 도금장치이다. 와이어나 후프의 연속 도금장치도 자동 도금장치의 일종이다.

**자동욕 관리방식** Automatic Plating Bath Control

전기도금에서는 욕 중의 성분이 전기량(전류×시간)에 비례하여 전기분해 되기 때문에 금속분과, 광택제의 보급 등은 전기량을 적산하여 자동 보급된다. 가용성 양극을 사용하면 욕 중에서 금속분의 변동은 적다. 자동욕 관리는 불용성 아노드를 사용하는 연속도금이나 무전해도금에서 특히 필요하다. 무전해도금에서는 욕 중의 금속분, 환원제가 급격하게 소모되기 때문에 이 성분을 끊임없이 보급하기 위하여 자동화하는 경우가 많다. 예를 들어 무전해도금욕 중의 금속분을 흡광광도(吸光光度)법으로 연속적으로 탐지하여 이것을 근거로 환원제, PH조정제의 용액을 금속염의 용액과 같은 양만큼 보급한다. 반응부 생성물이 증가하면 자동적으로 새로운 액으로 바뀐다.

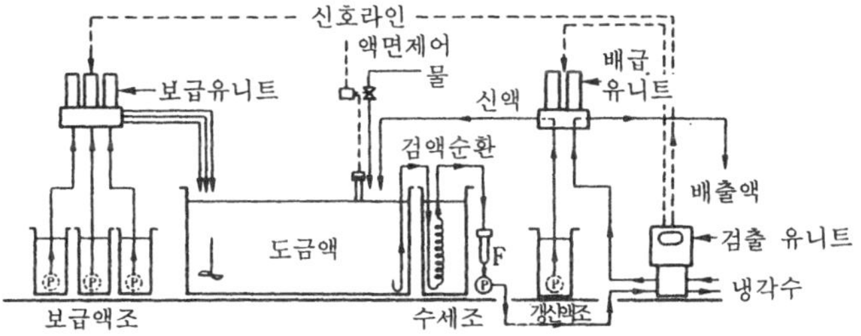


무전해도금의 자동욕 관리방식

자동욕 관리방식

**자동 정전류밀도 방식** Automatic Constant Current Density Plating Method

도금작업의 자동제어 방식의 하나로, 일반적인 도금작업에서는 도금면적의 증가에 의한 부하전류(수조전류)의 증가에 따라, 음극 전류밀도를 일정하게 유지하기 위해서는 정류기의 출력 전압을 상승시키지 않으면 안된다. 그러므로 이 전압상승 특성을 자동적으로 행하는 것이 이 방식이다. 전압상승 특성은 도금수조에 따라 서로 다르기 때문에 미리, 도금수조의 고유특성을 조사하여 정류기의 제어회로에 조건 설정을 지시하여 놓는 일이 필요하다.

**자동 정전압방식** Automatic Galvanostatic Plating Method

도금작업의 자동제어 방식의 하나로, 정류기의 입력 전압이나 부하의 변동에 대해 출력 전류를 일정하게 하는 방식. 피도금물의 표면적이 항상 일정하고, 장시간 연속하여 도금하는 공업용 크롬도금이나, 전주와 같이 두꺼운 도금을 하는 경우에 적합하며, 와이어나 후프의 연속도금에도 적합하다. 일정한 전기량(전류×시간)이 되면, 출력 전류를 자동적으로 정지시키는 일도 가능하다.

**자동 정전압방식** Automatic Potentiostatic Plating Method

도금작업의 자동제어 방식의 하나로, 정류기의 입력 전압의 변동이나 부하의 변동에 대해 출력 전압을 항상 일정하게 하는 방법. 출력 전압의 설정 변경이 가능하다. 피도금물의 양에 대응하는 정전압치로 설정하면 거의 완벽하게 정전류밀도를 얻을 수 있다. 소용량의 도금수조에서 도금수조에 넣은 물품의 표면적이 항상 일정하며 배선 및 걸고리의 전압 강하가 작을 때에 적합하다.

**자동조절 고속도욕** Self-Regulating High Speed (Chromium Plating) Bath

◘ SRHS욕(329)

**자력식 도금두께시험** Magnetic Method for Measuring Thickness

자성소지 금속상의 비자성 도금의 두께에 따라 변화하는 자석과 소지금속의 자기적 인력 또는 도금과 소지금속을 통과하는 자속의 자기저항을 측정하여 도금두께를 구하는 방법이다. 예를 들어, 철강 소지상의 동도금, 아연도금, 주석도금, 크롬도금 등에 사용된다. 정도는 5㎛ 이하의 엷은 도금을 제외하고 참값에 대해 10% 이내까지 가능하다. 측정정도에 영향을 미치는 것은 도금 두께, 표면거칠기, 소지금속의 자기적성질, 소지금속의 두께 및 형상, 에지 효과이다. KS D 0246『도금두께 시험방법』 참조

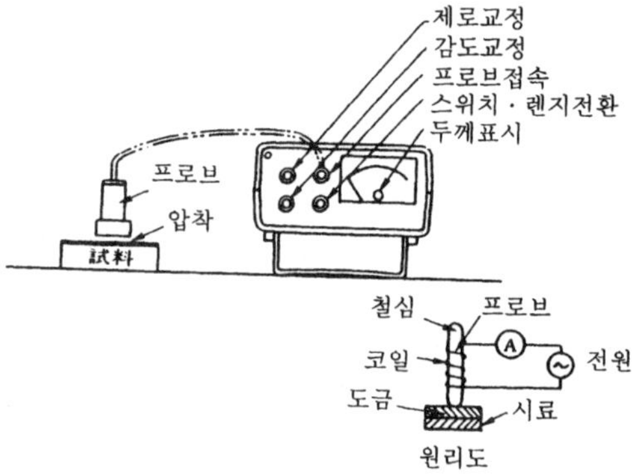


자력식 측정장치의 예

자력식 도금두께시험

**자력식 막두께계** Electromagnetic Thikness Tester(Gage)

강자성체 상의 상자성체나 반자성체의 막두께를 측정하는 계기를 말한다. 전자 코일의 인덕턴스의 변화를 이용하는 것과 영구자석의 자계 변화 및 자석의 흡인력을 이용하는 것이 있다. 도금에서는 철소지 상의 아연, 크롬, 동, 주석, 납땜 등의 도금 막두께를 측정할 수 있다. 직류전자석 또는 영구자석을 이용한 것은, 피측정물을 자화시키기 쉬워 반복 측정에는 오차가 커지기 때문에 주의를 요한다. = 전자식 두께계(460)

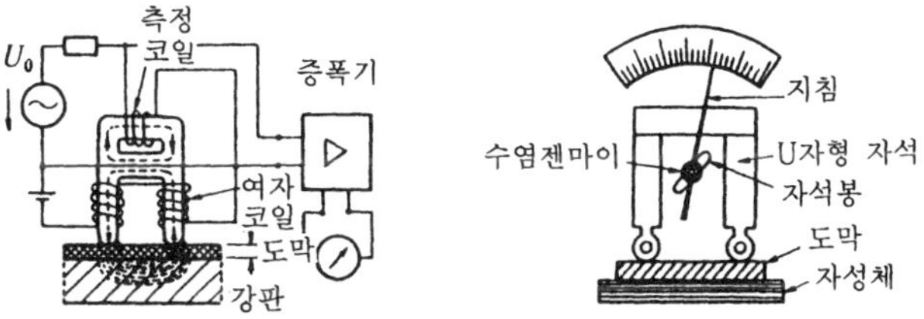


(a) 전자미 두께계 (b) 영구자석형 막두께계

자력식 막두께계

**자막** Zamak

아연기 다이캐스트 합금의 상품명. 자막 또는 자마크라고도 한다. Al 3.5~4.5%, Cu 2.5~3.5%, Fe 0~0.1%, Mg 0~0.5%, Cd, Sn 등을 함유하고 그 외에는 Zn이다. 아연 다이캐스트용 소재로써 사용된다.

**자성도금** Plating of Ferromagnetic Materials

자성도금은 자기디스크, 자기테이프, 자기드럼 등의 기록매체로 되는 것으로 도금피막에 따라 박막화, 고기록 밀도화가 가능하며 무전해도금에 의한 Ni-Co, Ni-Co-P, Co-P 등의 합금도금이 사용된다. 전기도금에서는 Fe-Ni, Ni-Co, Fe-Co 등이 있다. 필요한 특성은, 보자력, 각형화, 메모리 특성, 투자율 등이다.

**자성 시효** Magnetic Aging

실온 방치 중에 자성 재료가 히스테리시스 손실을 증가시켜, 도자성이 감소되는 자연현상을 자성 시효라고 한다. 자성 시효는 C> 0.001%, $N_2$> 0.001%, $O_2$> 0.005% 이하의 불순물을 함유한 철에 발생하는 현상으로 규소강은 시효 성분의 산소를 제거해 놓기 때문에 자성 시효는 거의 없는 것으로 되어 있다.

**자연 균열** ◘ 시기 균열(276), 응력부식 균열(406)

**자연발색 피막** Self-Colour Anodic Oxide Coating

염료, 안료를 사용하지 않고, 양극산화 처리만으로 발색시킨 피막을 말한다. 소재의 조성, 재질에 의해 발색시킨 합금발색 피막 및 전해욕, 전해조건에 의해 발색시킨 전해발색 피막이 있다. ◘ 전해 발색(464)

**자연 시효** Natural Aging

상온 방치 중에 시간의 경과와 함께 안정된 상태로 이행하는 현상을 자연 시효라고 한다.

**자연전극 전위** Natural Electrode Potential ◘ 자연 전위(후항)

**자연 전위** Natural Electrode Potential

대기압의 상온에서 금속을 수용액에 침적시켰을 때에 포화감홍 전극 등의 조합 전극에 대해 나타나는 전위를 말하며, 자연 상태에서의 부식전위와 같은 의미이다. 금속의 미소부분이 양극이나 음극이 되므로 반응의 지속은 있으나, 어느 정도의 전기화학 반응이 병행되어 진행되므로 국부양극에서는, 금속의 용해나 산화피막 생성반응 등이 일어나며, 국부 음극에서는 수소가스 발생, 용존(溶存) 산소의 환원, 금속의 석출 등의 반응이 1종 또는 수종이 병행하여 진행되어 각각의 전위의 혼성 전위가 자연전위로 된다. = 자연전극 전위 ◘ 평형전위(574)

**자외선** Ultraviolet Ray ◘ UV(393)

**자외선 경화** ◘ UV큐어(393)

**자외선 살균등** Ultraviolet Ray Sterilizing Lamp

파장 250~280㎜의 근자외선의 살균력을 이용한 것으로 저압 수은등이 이용되며, 그 효과는 표면 살균에 있다. 식품공장이나 생물학 연구소 등에서 사용된다. 도금 배수를 재이용하는 크로즈시스템에서는 수증에 균이 번식하는 경우가 있으므로 자외선 살균 등이 사용된다.

**자용성 합금** Self Fluxing Alloy

브론 및 실리콘을 첨가한 니켈 또는 니켈-실리콘합금의 총칭. 이 합금은, 용융점 가까이에 점성이 높은 영역이 있으며, 용사 후 가열 재용처리를 행하기 쉬운 성질을 가지고 있기 때문에 용사재료로써 사용된다. 많은 경우, 분말식 프레임 용사 등에 의해 피막을 형성하고, 다시 용사처리를 하여 사용한다. 또, 플라즈마 용사에 사용되는 경우도 있다. 이것 모두 내마모, 내산화, 내식성이 뛰어난 피막이 형성된다. = 자용합금(후항)

**자용(自溶)합금** Self Fluxing Alloy ◘ 자용성 합금(전항)

**자유표면** Free Surface

액체가 공기 등의 기체와 접촉하고 있는 면을 액체의 자유표면이라고 한다. 커다란 용기 안에 있는 액체의 표면은 수평면(중력방향에 대해 수직면)이 되지만, 용기 벽에 접해 있는 표면이나, 작은 관내의 액체 표면은 표면장력 때문에 완곡되어 수평이 되지 않는다.

**자이로 마무리** Gyro-Finish

유동연마법의 일종으로 연마가 연마재수조의 회전과 피연마재의 회전에 의해 상대운동으로 행하여진다. 회전수조의 연마재가 내벽에 고착할 정도의 회전수는 필요하지 않는 저속 자이로 마무리법이 효과가 있다. 습식법은 습식 배럴과 같은 매개체(Media)와 화합물(Compound)을 사용하여 절삭 가공용으로 이용되며, 건식법은 식물의 열매 등을 사용하여 마무리용으로 이용된다. 자이로 마무리법은 버프 가공에서 자동화가 곤란한 복잡한 형상을 한 가공물에 대해 가공비를 대폭적으로 삭감할 수 있는 이점이 있다. = 자이로 피니쉬(후항)

**자이로 피니쉬** Gyro-Finish ◘ 자이로 마무리(전항)

**잔류 응력** Residual Stress

불균일한 소성변형의 결과로써 금속 내에 생성된 응력을 말한다. 소입, 용접, 냉간 가공 등에 의해 발생한다. 도금에서는, 도금욕에 따라서 높은 전류밀도에 의한 잔류 응력을 발생하는 경우가 있다. 일반적으로는 인장 응력이며, 도금피막의 크랙 등의 결함의 원인이 된다. 전주와 같이 도금을 부착할 때에는 잔류 응력의 영향이 크다. ◘ 응력(404), 인장 응력(425)

**잔류자기** Residual Magnetism

강자성체에 자계를 작용시켜 이것을 자화한 후 자계를 제거하여도 이 자화된 물체에는 자력이 남는다. 이와 같이 남아 있는 자력을 잔류자기라고 한다. 철, 니켈, 코발트 등은 잔류자기가 남기 쉽다. 이것들의 물품을 배럴도금 하면, 도금 중에 자기를 띄어 도금 후, 물품에 자기가 남는 경우가 있다.

**장미빛 금도금** Pink Gold Plating ◘ 핑크 골드 도금(614)

**장벽(障壁)층** Barrier Layer

①알루미늄 양극산화피막에 대해 용해 능력이 없는 전해질 또는 용해 능력이 있는 전해질에서 다공질층의 바닥에 생기는 무공(無空)성의 절연피막을 말한다. = 배리어 층(173)

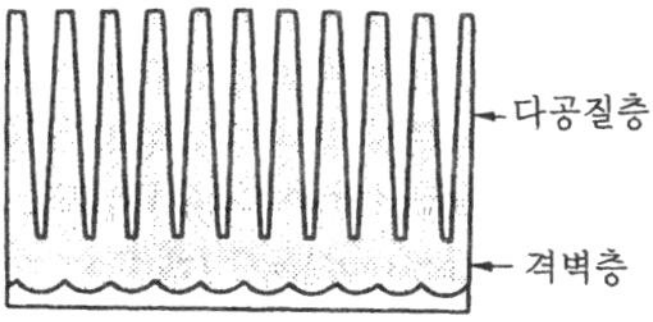


다공질 산화피막의 단면 모델도

장벽층

②진류 흐름 등에 대해 장해가 되는 층을 말한다. 반도체전극에서 n형에서는 아노드분극, p형에서는 카소드 분극시에 생성되는 저항이 큰 층으로, 이 때문에 정류성이 나타난다.

**장벽형 산화피막** Barrier Type Oxide Film

Al, Ta, Ti, Zr, Si, Nb 등의 금속을 아노드 산화시킬 때 발생하는 산화피막을 말한다. 전자전도성이 없고 전류가 모두 이온의 이동 즉, $O^{2-}$(또는 $OH^-$)이온, $M^{n+}$(M : 금속, *n* : 가수)이온으로 이동된다. 전류 i와 아노드 전위 $E_a$ 사이에는 $i = A\exp(BE_a/\delta)$의 관계가 있다($A$, $B$ : 정수, $\delta$ : 피막두께). 전위가 일정하게 아노드가 산화하면 전류는 지수 관수적으로 감소하며 최종적으로는 피막의 용해 보상용 전류나 결함부를 흐르는 전자 전류의 합이 어느 곳에서 극히 작은 잔여전류만이 남는다. 강제적으로 전위를 억제하면 결국에는 절연파괴를 일으켜 때로는 금속이 불꽃 방전하면서 용해하여 산화물이 된다.

**장식도금** Decorative Plating

제품에 미관을 주기 위해 행하는 도금법. 실제는 방청 기능, 내마모성 기능 등도 동시에 요구되는 경우가 많다. 외관은, 경면광택, 전광택, 반광택, 무광택, 무지, 광택무지, 다이캐스트 등, 각종 모양 만들기도 행하여 진다. 도금후, 화성처리를 하여 금속 착색을 하거나 고전 색조를 내는 경우도 있다. 합금도금에 의해 색조의 종류가 많아지고 있다.

**장입(裝入)** Charging

가공 재료를 가열 설비에 장입하는 조작을 말하며, 입로(入爐)라고도 한다.

**장자형(障子形) 격막** Screen Type Diaphragm

커다란 처리수조에서 양극실과 음극실을 격막으로 칸막이를 할 때에 사용된다.

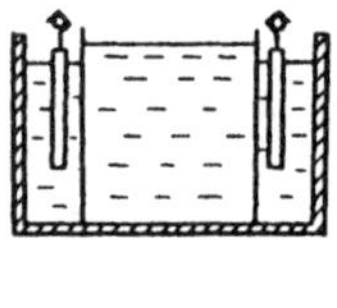

장자형 격막

**정출** Crystallization ☐ 정석(475)

**재결정** Recrystallization

①〔화학의〕화학약품의 결정을 용매로 용해한 후, 냉각 또는 증발농축 등, 적당한 방법으로 다시 결정시키는 것을 말한다. 이 방법을 반복함으로써, 물질을 정제(순도를 높이는 일)할 수 있다. 용액(모재라고도 함)중에 불순물이 남지만, 동시에 결정성분도 손실되어 남는다. ②〔금속의〕금속은 가공된 것에 따라 결정립을 구성하는 원자의 배열이 뒤틀려져서 결정립은 작아지고, 또한 변형된다. 이것을 고온도로 가열하면, 응력의 방산(放

散)에 따라 원자배열은 규칙적으로 되어 결정입자는 크고 게다가, 등방(等方)적으로 변화한다. 이 현상을 금속의 재결정이라고 한다. 1시간의 가열로, 100%(전부)의 결정이 재결정되는 온도를 재결정 온도라고 한다. 이 온도는 금속 및 합금의 순도 또는 조성, 결정 내의 소성 왜곡의 정도, 가열의 시간에 따라 현저한 영향을 받으나, 절대온도에서 측정한 그 금속의 용융점의 2/5～1/2부근의 온도가 보통이다.

**재생 펌프** Regenerative Pump ◘ 웨스코 펌프(386)

**저농도 광택 니켈도금** Low Nickel Concentration Bright Nickel Plating

미국의 맥긴사에서 개발한 저농도 광택 니켈욕은 황산니켈 75g/$l$, 염화니켈 110g/$l$, 붕산 45g/$l$ 이며, 일반적으로 사용되고 있는 와트욕에 비해 니켈 농도가 2/3 정도이다. 이 욕의 한계전류밀도 및 욕전압은 와트욕과 거의 같고, 광택제를 첨가한 광택 니켈 피막의 레벨링도 와트욕과 거의 같다. 반광택 니켈 피막의 레벨링은 와트욕보다도 뛰어나다고 한다. 도금욕에서 니켈분의 분출량이 감소하기 때문에 배수처리 및 슬러지의 처분이 용이하다. 도금작업 조건은 음극전류밀도 2.5～10A/dm$^2$, 온도 45～50℃, 양극은 전기니켈, 불용성 아노드 등을 사용한다.

**저농도 시안화 아연도금** Low Concentration Zinc Cyanide Plating

시안화 아연도금욕은 함유하는 금속아연의 양에 따라 고농도(Zn 약 35g/$l$), 중농도(Zn 약 20g/$l$), 저농도(Zn 약 8g/$l$)의 3종류가 있다. 환경대책 면에서 보면, 저농도욕이 바람직하나 저농도욕에서는 아연양극의 용해에서 아연농도가 상승하는 결점이 있으며, 욕관리가 어렵다. 현재 가장 많이 보급되어 있는 것은 중농도욕이다.

**저농도 크로메이트** Low Concentration Chromate

아연도금의 크로메이트 처리는 당초 크로너크법이라고 하여 크롬산 농도가 높고(150～200g/$l$), 화학연마성이 강한욕이 사용되어 왔으나, 광택아연도금의 보급이나 배수처리의 문제에서 저농도욕이 많이 사용되게 되었다. 저농도 크로메이트욕에서는 중크롬산나트륨 5～10g/$l$ 정도이다.

**저농도 크롬도금욕** Low Concentration Chromium Plating Bath

배수처리 대책과 에너지 절감의 목적으로 저농도 크롬도금욕으로써 사용되는 욕으로 욕조성은 무수크롬산 $CrO_3$ 70～100g/$l$, 황산 $H_2SO_4$ 0.7～1.0g/$l$, 규불화나트륨 $Na_2SiF_6$ 0.7～1.0g/$l$, 온도 50～60℃, 전류밀도 30～60A/dm$^2$이다. 일본의 코니시(小西)의 발표에 의하면 무수크롬산 50g/$l$, 황산 0.5g/$l$, 규불화나트륨 0.5g/$l$ 욕은 더욱 더 저농도이지만,

욕전압이 높아져 작업성이 떨어지는 결점이 있다.

**저농도 황산 동도금** Low Copper Concentration Sulfate Plating

황산 동도금욕의 기본 조성은 황산동 200g/*l*, 황산 g/*l* 이나, 저농도 황산 동도금욕은 황산동 45～100g/*l*, 황산 160～210g/*l*, 염소이온($Cl^-$)20～80mg/*l* 가 하이슬로욕이라고 불리며, 프린트 배선기판의 슬폰도금이나 플라스틱 소지상의 무전해 동도금상의 황산동 스트라이트도금 등에 사용된다. 하이슬로욕의 특징은 균일전착성이 좋고, 욕전압이 저하하기 때문에 욕온도의 상승이 적으며, 도금욕에서의 동의 분출량이 감소하기 때문에 에너지를 절약할 수 있다. 도금 작업조건은 음극전류밀도 0.1～8A/$dm^2$, 온도 20～30℃이며, 양극은 전기동, 인동, 불용성 아노드 등을 사용한다.

**저온 건조** Low Temperature Drying Method

아연도금의 크로메이트 처리 후의 건조 등, 저온에서 건조하는 방식을 말한다. 이 경우는 드라이어를 사용하여 저온의 열풍으로 건조한다. 프론 등의 용제를 사용하여 건조하는 방법도 사용되고 있다.

**저온 니켈도금욕** Low Temperature Nickel Plating Bath

니켈도금에서 와트욕이 보급되기 전에 많이 사용되어 왔다. 황산니켈 150g/*l*, 염화암모늄 15g/*l*, 붕산 15g/*l* 의 도금욕을 과거에는 보통욕으로 칭하여 왔으나, 일반적으로는 저온욕 또는 염화암모늄욕이라고도 불리어 왔다. 사용조건은 pH 5.8～6.2, 욕온도 20～30℃, 전류밀도 0.5～1.0A/$dm^2$이다. 특징은 와트욕보다도 균일 전착성은 좋으나, 도금피막이 물러 두껍게 부착시키기에는 적합하지 않다. 와트욕보다도 가격이 싸며, 도금액의 소모가 많은 배럴도금에 사용되고 있다. = 염화암모늄욕(362)

**저온 부식** Dew Poing Corrosion ◘ 노점(露点) 부식(74)

**저온 취성** Cold Brittleness

일반적으로 금속 재료는 온도가 낮아짐에 따라 저항이 눈에 띄게 증가하여 변형이 곤란하므로 인해 무르게 되는 것이다. 이것을 저온 취성이라고 한다. 저온 취성은 체심입방격자나 육방격자, 삼방격자 등의 금속에서는 크다. 저온 취성이 일어나는 온도는 동일한 금속에서도 일정하지 않다.

**저용해성 아연양극** Low Solvability Zinc Plating Anode

고순도 아연을 용해하여 소량의 마그네슘을 가해 만들어지는 전기도금용 아연아노드. 시안화 아연도금에서는 아연아노드가 화학적으로 용해되기 때문에 도금 정지 시에도 용해한다. 도금중에도 아연아노드가 잘 용해되어 도금욕 중의 아연분이 과도하게 되는 경향이 있다. 이와 같은 아연 양극의 과도 용해를 방지하기 위하여 마그네슘을 첨가하여 만든 것이 시판되고 있다.

**저융 금속** Low Melting (Point) Alloys

200℃ 이하의 비교적 낮은 온도로 용해하는 합금을 말한다. 도금에서는 전주 모형(Master)에 사용된다. 저융 금속에서 모형을 만들고 그 위에 도금을 하기 때문에 모형을 가열 용해하여 끄집어내는 방법으로 베로와 같은 기압계의 센서가 제작된다. 표의 No. 1은 우드합금(Wood's Metal)이라고 불리며, 방화전 등에 사용되고 있다. = 이융(易融) 금속, 저융점 금속

저융 금속 (저융점 금속)

| 합금 No. | 융 점 | 조 성 % | | | |
|---|---|---|---|---|---|
| | | Bi | Pb | Sn | Cd |
| 1 | 70℃ | 50.0 | 26.7 | 13.3 | 10.0 |
| 2 | 70～88℃ | 42.5 | 37.7 | 11.3 | 8.5 |
| 3 | 124℃ | 55.5 | 44.5 | - | - |
| 4 | 138～170℃ | 40.0 | - | 60.0 | - |
| 5 | 138℃ | 58.0 | - | 42.0 | - |

저융 금속

**저융점 합금** Low Melting (Point) Alloys ◘ 저융 금속(전항)

**저탄소강** Low Carbon Steel

탄소함유량이 % 이하의 보통강을 말한다. 그것을 세분하면 탄소 % 이하를 극연강, % 이하를 연강, % 이하를 반연강이라고 한다. 저탄소강은 담금질을 하여도 경화하지 않는다. ◘ 연강(344)

**저항 용접** Resistance Welding

용접 개소에 대전류를 흘려 보내 여기에서 발생하는 전기저항열 (Joule 열)에 의해 모재가 용해되면 압력을 가하여 접합시키는 용접법을 말한다. 중첩 저항용접에는 점(Spot)용접, 봉합(Seam)용접 등이 있으며, 박판의 고능률 용접법으로써 이용된다. 용접개소는 산화피막이 두꺼워 재질에 따라서는 스멋(Smut)이 발생하므로, 도금의 전처리에 주의를 요한다.

**적금** Red Metal

동을 80% 이상 함유하고 있는 황동의 일반적인 명칭 ◘ 황동(638)

**적동(赤銅)**

일본에서 사용하는 일본 특유의 도장용 합금의 일종이다. 동을 주성분으로 하고, 상당량의 금, 은을 함유한 도장용으로 사용된다. 예를 들어, Cu 94~96%, Au 3.8~4.2%, Ag 0.1~1.6%, Pb 0~0.1%, 적동을 금속착색법에 의해 처리하고 자금(紫金), 크로메라고 불리는 자색을 띈 아름다운 흑색으로 마무리하는 방법이 있다.

**적봉(赤奉)** Rouge

봉상의 유성연마제로, 저온도에서 소성되어 발생한 산화철을 성분으로 하고 있다. 금도금, 은도금 등의 귀금속의 마무리용 = 루지, 루즈(123)

**적산 유량계** Intergrating Flowmeter

유량을 연속적으로 가해 그 전량을 적산하는 계기. 이것에는 일정 용적량을 사용하여 자동적으로 용적을 측정하는 용적 유량계와, 흐름 가운데에 놓여있는 날개의 회전수를 측정하여 통과 유량을 측정하는 익차(翼車) 유량계 등이 있다. 수도의 미터기는 후자가 사용되고 있다.

**적산 전량(積算電量)계** Coulometer ; Ampere Hour Meter

전류와 시간의 곱인 전기량(클롱량)을 측정하는 장치. 전량계라고도 한다. 실험용으로는 은 전량계, 동 전량계, 가스 전량계, 수은 전량계, 알루미늄 전량계 등이 사용되며, 공업적으로는 전기계기(전자식)가 사용되고 있다. 도금에서는 광택제 자동첨가장치 등에 이용된다. 정도는 은 전량계가 가장 좋다. = 클롱미터 ◘ 전량계(452)

**적색금(赤色金) 도금** Pink Gold Plating ◘ 핑크 골드 도금(614)

**적수(赤水)** Red Water

철의 녹 등을 포함하고 있는 적색을 띈 수도수를 말한다. 적수를 도금작업에 이용하면, 도금불량의 원인이 된다. 대책으로써는, 수도관이나 옥내 급수관의 내면을 깨끗이 닦아 녹을 제거한 후, 수지를 피복하는 방법이 있다.

**적수(滴數)계** Stalagmometer

표면장력을 측정하는데 이용되는 중앙부가 부풀어오른 글래스관으로 첨단부는 모세관으로 되어 있다. 측정법은 일정 체적의 측정액을 모세관으로부터 적하시켜 그 적수를 세어 이미 알고 있는 밀도와 표면장력을 갖는 표

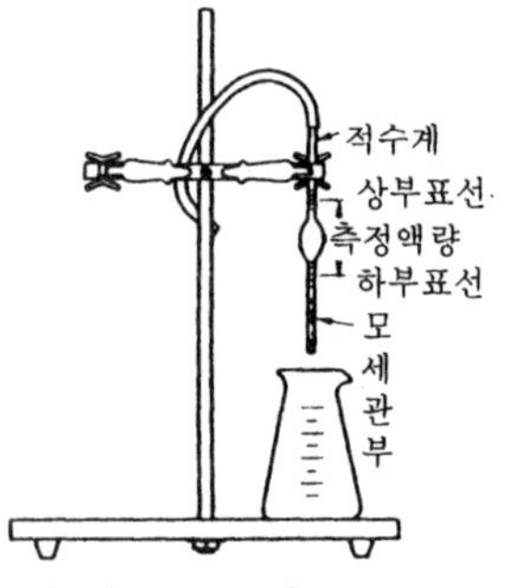


조작계를 이용하는 장치

적수계

준액을 같은 체적으로 적하시켜 그 적수를 비교함으로써 측정액의 표면 장력을 구하는 계기이다. = 스테러그모 미터(266)

**적열 경도** Red Hardness

일단 적열(550℃ 이상)한 후, 상온(20±15℃)에서 측정한 경도를 적열 경도라고 한다. 적열 상태에서의 경도가 아닌, 적열된 후의 상온 경도이다. 적열 상태의 경도는, 열간 경도 또는 고온 경도(Hot Hardness)라 불린다.

**적열 취성** Red Shortness

철강 중에 함유되어 있는 S는 통상 망간과 결합하여 황화망간(MnS)이 되어 존재하지만, S의 함유량이 과도한 경우 또는 망간의 함유량이 충분하지 않을 때에 S은 철과 결합하여 황화철(FeS)이 되어 결정립자의 입계에 망상이 되어 분포된다. 이 상태에 있는 S는 유해하며, 그 유해도는 상온에서는 그렇게 현저한 것은 아니지만, 적열 상태에서 강을 무르게 한다. 이 때의 취성을 적열 취성 또는 고온 취성이라고 한다. 이 때문에 철강의 S의 함유량을 가능한 한 낮은 것이 요구된다.

**적외선 건조** Infrared Ray Drying

가시광선보다 파장이 긴 적외선은 물체에 흡수되면 열로써 활동한다. 적외선의 파장은 0.75～1000㎛ 이상의 것을 원적외선이라고 한다. 도금과 같은 금속 표면에서는 적외선이 흡수되지 않고 반사되기 때문에 도장과 같은 유기 피막의 건조에 이용된다. 전기히터로 세라믹스 또는 세라믹을 코팅한 금속체를 가열하여 원적외선을 만들어 사용한다. 도금에서도 이용되나, 식품공업에서의 사용이 많다.

**적정** Titration

정량분석에서 시약용액을 뷰렛(Burette)을 이용하여 시료가 들어있는 비이커 내에 적하시켜 반응의 종점을 결정하는 조작. 용량 분석에 이용되며 반응의 종점 판정에는 지시약, 도전율, 전위, pH, 온도 등의 변화를 이용한다. 반응의 종류에 따라 중화 적정, 산화환원 적정, 침전 적정, 착적정 등이 있다.

**적정 농도** Titer; Potency

공업분석에서 편의상 이용하는 용액 농도의 표시 방법. 적정에서 사용되는 표준액 1㎖가 적량하려고 하는 목적 성분의 몇 g에 상당하는가를 직접 나타내는 값이다. 예를 들어, 1/10 규정농도 과망간산칼륨 표준액의 철분 적정농도는 0.0055847g/㎖이다. 역가(力價)라고도 한다. = 역가(342)

**적조(赤潮)** Red Tide

플랑크톤(미소생물)이 이상 증식하여 해수가 적갈색을 띠는 현상을 말한다. 플랑크톤의 종류에 따라 적갈색, 황갈색이 되나, 녹색이나 청색의 경우도 있다. 자연 현상으로써 오래 전부터 알려져 왔다. 발생원인에 대해서는 여러 가지 설이 있지만, 공장배수, 가정배수, 하수 등에 포함되어 있는 인, 질소, 비타민 $B_{12}$, 그 외 유기질에 의한 해수의 부영양화(富榮養化)가 하나의 원인으로 되어 있다. 적조로 인해 양식어업이 피해를 입고 있다.

**적청** Rust

철의 표면에 발생하는 부식생성물로써, FeO, $Fe_2O_3$의 수화물(水和物)로 되어 있다.

**적하 수은전극** ◘ 적하 전극(후항)

**적하 전극** Dropping Electrode

적하 수은전극이라고도 한다. 폴라로그래프에 사용되는 지시전극의 일종이다. 피시험액 중, 모세관의 끝단에서 수은이 아주 작은 알갱이가 되어 적하하도록 구성된 전극으로, 하나의 알갱이마다 전극이 갱신되기 때문에 히스테리시스 현상이 나타나지 않아 재현성이 극히 높다. 모세관의 다른 단은 비닐관이나 고무관을 통해 수은용기에 연결되어 있으며, 수은용기의 높이를 변경함으로써 수은 알갱이의 적하간격(3~6초)을 조정할 수 있도록 되어 있다. = 적하 수은전극(전항)

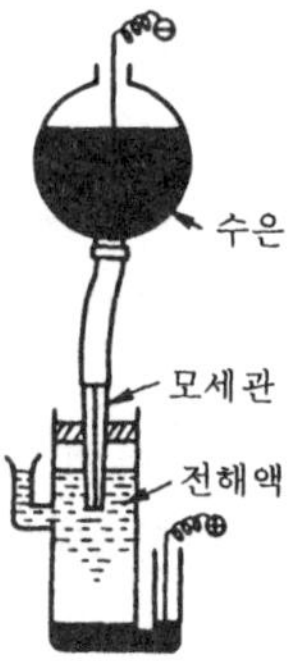

적하 전극

**적하법** Dropping Test

부식성 용액을 도금면에 적하시켜 도금층을 녹이는 시간을 계산하여 도금두께를 구하는 시험으로 철소지 상의 아연도금, 카드뮴도금에 규정되어 있다. 도금두께 측정법으로써는 구식에 속한다. = 적하시험(후항), 드롭 테스트(106)

**적하시험** Dropping Test ◘ 적하법(전항)

**적혈(赤血)염** ◘ 페리시안화 칼륨(571)

**전경도** Total Hardness

물의 경도를 표시하는 것으로 수중의 칼슘이나 마그네슘 이온의 총량에 따라 나타내는 경도를 말한다. 일시 경도와 영구 경도를 합계한 것으로 일반적으로 경도라고 하는 것은 전경도를 지칭한다. 총경도라고도 한다.

= 총경도 ◘ 경수(26)

**전계 확산** Electrotransport

전해질 용액이나 이온화합물에 전장을 걸면, 이온이 전극간을 이동하는데 금속에 전장을 걸어도 같은 현상이 일어난다. 그러나, 속도는 작다. 이것을 전계 확산이라고 한다. 예를 들어, Ni-S합금에 전장을 걸면, S원자는 음극 측으로 이동하고, Ni원자(Fe, Pt를 제외한 금속 전부)는 양극 측으로 이동한다.

**전극** Electrode

어떤 것에 전류를 흘리거나 그 것에서 전류를 끌어내기 위해 설치된 전자 전도체 또는 반도체를 말한다. 전기화학에서는 전기도금과 같이 1조의 전극으로 이루어지는 전해질 용액계로, 용액측에서 전극으로 향하여 전자가 흘러 들어가는 전극을 아노드(양극), 역으로 전극에서 용액측으로 전자가 나가는 전극을 카소드(음극)라고 한다. 전기도금에서 피도금체는 음극이 되기 때문에 전극이라 하면, 보통 아노드(양극)을 지칭하는 경우가 많다. 전지에서 아노드는 마이너스(-)이고 카소드는 플러스(+)이다. 혼란을 피하기 위해 양극, 음극이란 호칭을 피하고 아노드, 카소드로 통일하자는 제안도 있다. 금속이 그 단순이온 용액에 쌓인 것은 제1종 전극, 금속이 그 난용성염으로 뒤덮인 포화감홍 전극 등을 제2종 전극, 금속이 그 착염이온으로 뒤덮인 전극을 제3종 전극이라고 하는 경우가 있다.

**전극 반응** Electrode Reaction

전극과 전해질 또는 전해질 용액과의 계면층으로 진행하는 전기 화학적인 불균일계 반응을 말한다. 아노드에서는 산소의 발생, 다른 음이온의 방전, 음이온의 산화 및 산화물의 생성 등이 생기며, 카소드에서는 수소의 발생, 다른 양이온, 특히 금속 이온의 방전, 전착, 양이온의 환원, 전해물질 등의 환원 등의 반응이 생긴다. 전기 도금은 전극 반응에 의해 진행한다.

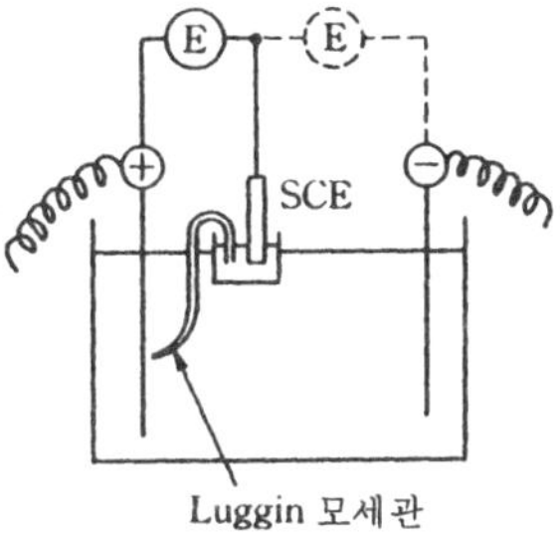


진극 전위의 측정법
(음극 전위는 Luggin 모세관의 끝을 음극면에 접근시킨다)
SCE : 포화감홍 전극
E : 일렉트로미터 등의 전위계

전극 전위

**전극 전위** Electrode Potential

양극이나 음극이 표준수소 전극, 포화감홍 전극 등의 기준 전극에 대해 나타내는 전압을 말하고, 내부저항이 큰(통상, $10^8\Omega$ 이상) 일렉트로미터 등으로 측정한다. 넓은 의미로는 평형 전위, 자연 전위 등도 모두 포함하여 전극전위라고 한다. ◘ 음극전위(403)

**전극판** ◘ 극판(55)

**전기니켈 아노드** Electrolytic Nickel for Plating Anode

전해 정제에 의해 만들어진 니켈은 전기니켈이며, 이것이 니켈도금의 아노드로써 사용될 때, 전기니켈 아노드라고 한다. 순도는 99.98%(Ni+Co) 이상으로 덴드라이트상의 결정조직을 하고 있다. 전해 정제 중에 함유된 황첨가제의 첨가 등의 방법으로 황을 0.02% 정도 함유시킨 전기니켈을 황함유 전기니켈이라고 하고, 염화물을 함유하지 않는 욕이나 고전류밀도욕에서도 부동태화를 일으키지 않기 때문에 술파민산 니켈욕이나 니켈전주욕에 사용된다. 형상은 판상 외에 티탄 바스켓용으로 소형으로 한 팁상(예를 들어 25×50㎜)이나 코인상의 것도 있다. = 전해니켈 아노드 ◘ 니켈 양극(82)

**전기도금** Electroplating

전기분해에 따른 석출을 이용하여 도체면의 표면을 금속 박막으로 피복하는 기술. 도금하려고 하는 금속의 이온을 포함한 전해액(도금액)을 이용하여 피도금체를 음극으로 하고, 양극에는 도금하려고 하는 금속(가용성 양극) 또는 백금 등의 불용성 양극을 사용, 양극간에 직류 전원을 접속하여 적당한 전위차를 가함으로 인해 음극표면에 금속이온(양이온)에서 환원된 금속이 석출되어 도금피막이 형성된다. 영어로는 Electroplating이나, 아주 드물게 Galvanizing이라고도 한다.

**전기도금 강판** Elecytroplated Steel Sheet

도금 강판은 용융도금과 전기도금이 있으며, 전기도금은 얇은 도금이 가능한 것, 표면이 평탄한 것, 편면도금이 용이한 것, 다층도금, 합금도금 등 다양성이 풍부한 것 등의 특징이 있다. 제품의 종류는 전기도금 함석판(Tin Plate), 크롬도금(Tin Free Steel), 전기아연도금 강판, 복합전기아연도금 강판, 전기동도금 강판 등이 있다. 합금도금의 종류는 Zn-Ni, Zn-Ni-Cr, Zn-Ni-Co, Fe-Zn, Zn-Co-Cr, Zn-Sn 등이 있다.

**전기도금 속도** ◘ 전착 속도(462)

**전기 동아노드** Electrolytic Copper for Plating Anode

전해 정제에 의해 만들어진 동을 전기동이라고 한다. 순도는 Cu 99.99% 이상으로 덴드라이트(Dendrite)상의 결정조직을 하고 있다. 형상은 판상

외에 티탄 바스켓용에 작게 절단된 탑상(예를 들어, 25×50mm)의 것도 있다. 인함유 동아노드나 무산소 동아노드, 압연 아노드는 전기동을 원료로 가공된 것이다. = 전해동 아노드(463)

**전기동 패널도금** Panel Plating Using Electrolytic Copper ◘ 1차 동도금(429)

**전기량** Quantity of Electricity

전류와 시간의 곱을 전기량이라고 한다. 전량 또는 전류량이라고도 한다. 전기량의 단위는 쿨롱(C)이라고 하고, 1암페어(A)의 전류가 1초간 흘렀을 때 1쿨롱이라고 한다. 물질을 1화학당량에 상당하는 무게(1g당량)를 석출시키는 전기량을 1패러데이(F)라고 한다. 1패러데이(F) = 96485 쿨롱(coulomb 또는 coul) = 96485암페어·초(A·sec) = 26.801암페어·시간(A·h)이다. 바꾸어 말하면 [1F(패러데이)의 전기량에 의해 생성되는 물질의 양은 물질의 종류에 관계없이 1g당량이다] = 전류량 ◘ 전량계(452), 패러데이 정수(570)

**전기력선** Line of Electric Force

전계의 상태를 선으로 표시한 것. 전기력선은 정전하에서 부전하로 이동하고, 전기력선의 접선방향으로 전계의 방향, 전기력선의 밀도로 전계의 강도를 표시한다.

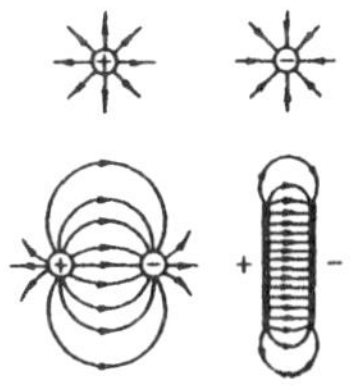

전기력선

**전기 방식** Electrolytic Corrosion Protection

선박이나 금속 구조물을 전기 화학적으로 방식하는 방법으로 음극(카소드) 방식법과 양극(아노드) 방식법이 있으며, 일반적으로는 음극 방식법이 사용된다. ◘ 음극 방식법(401)

**전기 분해** Electrolysis

전해라고도 한다. 전해질 용액이나 용융염 등의 이온전도체에 전류를 통해 화학변화를 일으키게 하는 것을 말한다. 전기적 에너지를 가함으로 인해 일반 화학반응에서는 일어나지 않는 반응을 일으킬 수 있다. 화학반응을 아노드반응(전자를 방출하는 반응)과 카소드반응(전자를 받는 반응)으로 나누면, 아노드반응에서는 금속 용해, 산소 발생 등의 양극산화가 진행되며, 카소드반응에서는 금속 석출, 수소 발생 등의 음극환원이 진행된다. = 전해

**전기분해의 법칙** Law of Electrolysis ◘ 패러데이의 법칙(563)

**전기 영동** Electrophoresis; Cataphoresis

콜로이드 용액 내에 전극을 놓고 전압을 가하면 콜로이드 입자가 한 방향의 극으로 이동하는 현상. 황, 금속, 황화물, 규산 등이 콜로이드 수용액에서는 입자가 전장과 역방향으로 움직이고, 수산화철, 수산화알루미늄 등의 콜로이드 입자는 전장의 방향으로 움직인다.

**전기 이중층** Electric Double Layer

조성이 서로 다른 2상의 접촉계면에서, 계면의 한 쪽 측에는 여분의 정전하가, 다른 측에는 여분의 부전하가 연속적으로 분포하며, 전체적으로 전기적 중성의 조건을 만족하도록 하는 경계층을 말한다. 일반적으로 이종의 물질이 접촉하면, 계면 가까운 전하분포가 변화하거나, 계면을 통하여 하전(荷電)입자의 이동차 때문에 분극이 일어나는데, 이것을 전기 이중층이라고 한다. 이온을 함유한 액체가 고체와 접촉할 때에는 액상 중에 전하의 일부는 계면에 집중되어 고착상(헬므호르쯔층)을 형성하고, 나머지는 액상 중에 확산적으로 분포하여 확산 이중층을 형성한다고 하는 O. Stern의 이론이 일반적으로 인정받고 있다. 콜로이드 이온의 분위기도 이것과 닮은 구조이다. = 헬므호르쯔 층(623)

**전기 저항** Electric Resistance

도체는 전기를 흘려 보내며, 부도체라도 미세하게 전기를 흘려보낸다. 물질의 전류 흐름을 방해하는 성질을 전기 저항이라고 한다. 저항의 단위는 옴(Ω)을 사용한다. 저항의 종류를 들면 도체 저항, 전해액 저항, 접촉 저항, 접지 저항, 절연 저항 등이 있다. 옴의 법칙에 따라, 저항 = 전압÷전류이다.

**전기적 절연체** ◘ 유전체(395)

**전기 접점** Electrical Contacts

전기 접점은 두 개의 금속표면을 접촉시켜 도전로를 만들기 때문에, 릴레이, 스위치 등의 개폐 접점, 가변저항기, 커넥트 등의 습동 접점, 압착단자 등의 정지 접점 등이 있다. 접점 도금의 목적은 (1)은 접점 상의 금도금과 같은 동작 개시까지의 보호, (2)압착 단자와 같이 개폐되는 경우가 적은 것의 접촉 저항 저감(주석, 땜납, 은, 금, 로듐 등의 도금을 행한다), (3)반복 개폐되는 접점의 내마모성 향상(은, 금, 로듐, 팔라듐 등의 도금을 행한다) 등이다.

**전기 접점 재료** Electrical Contact Point Material

전기회로를 기계적으로 접속하는 접점은 개폐 접점, 습동 접점, 커넥트 등이 있으며 접촉 저항의 안정성, 내용착성, 내소모성, 내아크성 등이 요구되기 때문에 금속보다도 합금 또는 소결재가 많이 사용된다. 은-텅스텐합금, 은-몰리브덴합금, 은-니켈합금, 금-팔라듐합금 등이 이용된다. 또, 금속과 비금속(산화주석, 산화카드륨 등)과의 복합재료도 사용된다.

**전기 철판** ◘ 실리코나이즈드 철판(282)

**전기 투석** Electrodialysis

막 또는 분체층을 통하여 전위차를 구동력으로 하는 이온 등의 하전(荷電)된 용질의 이동을 말한다. 양이온 교환막과 음이온 교환막을 교대로 배열한 수조에 염수를 전기 투석하여 탈염 및 염의 농축을 할 수가 있으며, 해수의 제염법에 이용되고 있다. 도금에서는 니켈도금 후의 회수액에서 니켈을 회수하기 위해 이용되고 있다. 전기 투석은 이온교환수지와 같은 재생을 필요로 하지 않는 장점이 있으나, 이온 교환막이 고가이며, 유지 및 보수가 번거롭고 희박한 용액에서의 농축 회수에는 적합하지 않는 등의 단점이 있다. = 전해 투석 ◘ 투석(551)

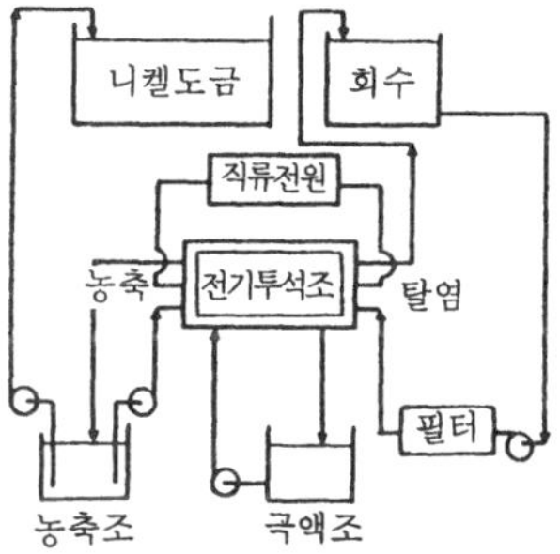


전기 투석에 의한 니켈 회수 전기 투석

**전기화학** Electrochemistry

전기적 에너지와 화학 에너지와의 상관 관계나 상호 교환을 연구하는 화학의 일부분. 넓은 의미로는 물질의 구조나 물성과의 관련과 전기로에 의해 얻을 수 있는 고온하에서의 화학반응에 관한 연구도 포함된다. 응용으로써 도금, 양극 산화, 전착 도장, 전지, 전기 영동(泳動), 전해 제련, 전해 정제, 전기 방식, 전해 분석, 전해 투석 등이 있다.

**전기화학 당량** Electrochemical Equivalent

전기분해에서 1 쿨롱의 전기량으로 전극에 석출되는 원자 또는 원자단의 질량(g 수)을 그 원자 또는 원자단의 전기화학 당량이라고 한다. 화학당량을 패러데이(Faraday)정수로 나눈 것과 같다. 은의 화학당량은 0.001118g, 니켈의 화학당량은 0.0003041g이다. ◘ 패러데이 정수(570)

**전기화학열** Electrochemical Series ◘ 표준전위열(589), 이온화 열(417), 이온화 경향(416)

**전단 가공** Shear Manufacturing

적당한 공구로 판상·선상·봉상의 재료를 원하는 치수, 형상으로 절단하는 가공법으로 절단, 펀칭, 선단, 노칭, 트리밍, 세이빙 등이 있다.

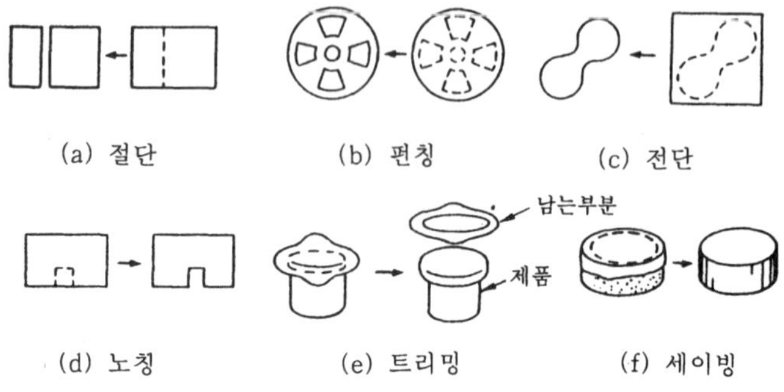


각종 전단 가공

전단 가공

**전단기** Shear(s)

칼날로 재료를 전단하는 것, 또는 이것에 사용되는 기계의 총칭.

**전도도** Electric Conductivity

전기전도율, 전기전도도, 전도율, 도전율, 전도율, 전도도 등이라고도 한다. 전기저항의 역수를 지칭하는 경우도 있으며, 보통은 도체 중에 정상 전류의 밀도를 $\iota$, 전장을 E로 하면, 국소적인 옴의 법칙 $\iota = \sigma M$로 나타내는 정수 $\sigma$를 말한다. $\sigma$는 비저항 $\rho$의 역수 즉, 비전도도이지만, 보통은 이것을 전기전도율이라 부르고 있다. 도금액 등의 수용액의 전도도를 측정하는데는 전도도 셀을 갖춘 전도도계, 고주파 유도전류를 이용한 전도도계 등이 시판되고 있으므로 이것을 사용하면 간편하게 측정할 수 있다.

**전도도염** Electric Canductive Salt

도금욕은 비전도도가 낮으면 욕전압이 높아지기 때문에 전도도염을 가해 비전도도가 높아지도록 한다. 전도도염으로써는 일반적으로 강산, 강알칼리의 염류 외에 산, 염기, 염화물, 시안화알칼리 등이 사용된다. 전도도염을 가하면 도금의 피복력이나 균일전착성도 향상된다. 전도도염이 pH완충제의 역할도 가지고 있는 경우가 많다. = 전도염(후항)

**전도염** ◘ 전도도염(전항)

**전량** Quantity of Electricity ◘ 전기량(449)

**전량계** Coulometer

전기분해를 이용하여 전기량(전류×시간)을 구하는 장치로 크로미터라고도 한다. 사용하는 전해액에 따라 은전량계, 동전량계, 요드전량계, 습산

전량계 등이 있다. 공업용에는 전기계기를 이용한다. = 크로미터 ◘ 적산전량계(444)

**전량 분석법** Colometric Analysis; Coulometry

전기량을 측정하는 분석법을 말한다. 패러데이법칙으로 계산할 수 있기 때문에 표준액을 필요로 하지 않는다. 전량분석법은, 정전위 또는 정전류 전량 분석법과 전량 적정법이 있으며, 전자는 목적 성분을 직접 전해하는 방법이고, 후자는 전해로 발생시킨 물질과 적정 시약을 반응시키는 방법이며, 정전류법으로 행하는 경우가 많다. 전량 분석법은 금속중의 산소, 탄소, 황의 정량에도 이용된다.

**전량 여과** Full Waste Water Filtration

도금 배수에서 중금속류를 pH조정 등의 방법을 이용하여 금속 수산화물로 만든 후, 고액 분리하는 방법의 하나로써 전배수량을 여과하는 방식을 말한다. 특징은, (1)처리수는 현탁물이 적어 맑다. (2)침강수조 용적을 다소나마 경감할 수 있고 농축수조 등의 설비가 불필요하기 때문에 설비 면적이 작아진다. 그러나, (1)여과기를 크게 하지 않으면 안 된다. (2)배수가 부하 변동에 약하다. (3)여과기의 능력부족이나 고장이 도금 배수처리, 도금생산에 영향을 미치는 등의 단점 때문에 전량 여과에서도 침강수조 등을 병용하는 경우가 많다.

**전력** Eletric Power

단위시간에 전류에 의해 행하여지는 일량을 말하며, 단위는 와트(W)를 사용한다. 직류전류 I에 의해 저항 R중에서 소비되는 전력 P는, 저항의 양단에 가해지는 전압을 V로 하면 $P=VI=I^2R$이 되고, 주울열으로써 저항 중에서 손실된다. 어떤 시간에 걸쳐 적산된 전력의 값은 적산전력 또는 전력량이라고 하고, 단위는 와트시간(W · h) 또는 킬로와트 시간(kW · h)으로 표시한다. 교류의 경우는 전압과 전류간의 위상차 φ와 각각의 실효치($Ve$, $Ie$)를 이용한 $VeIe\cos\varphi$가 전력이다.

**전력량** Electric Energy

전류가 하는 일의 양. 단위시간당 일량인 전력과 시간의 곱으로 나타낸다. 단위는 전력(W)과 시간(h)과의 곱으로 표시하며, 와트 시간(W · h) 또는 킬로와트 시간(kW · h)을 사용한다. 전기량과 혼동하지 않도록 주의를 요한다. ◘ 전기량(449)

**전류** Electric Current

전하의 이동을 말한다. 정전하(양전하)의 운동방향을 전류의 방향이라고 한다. 임의의 단면적을 통해 단위시간당 이동한 전하의 총량을 그 면을 통한 전류의 강도 또는 전류라고 한다. 단위는 암페어(A)를 사용한다. 전류는 주울(J)열의 발생을 동반하며 자장을 만들고, 전기분해 등의 화학작용이 있다. 그리고, 전류의 방향과 전자가 흐르는 방향은 반대로 되어 있다.

**전류농도** Current Concentration

전해액의 단위 용적당 전류의 크기를 말한다. 전해수조의 설계를 할 때, 통전전류에 대한 수조의 용적을 결정할 때에 사용한다. 일반적으로는 0.2~0.4A/$l$ 이라고 알려져 있으나, 욕의 사용온도, 사용환경, 냉각장치의 유무 등에 따라 달라진다. 전류농도가 크면, 욕온도의 상승이 급속하게 되고 욕조성의 변화가 급격하게 변화하여 도금의 품질관리가 곤란하게 된다. 특히 불용성 양극을 사용하는 도금에서는 전류농도의 영향이 크다.

**전류량** Quantity of Electricity ◘ 전기량(449)

**전류밀도** Current Density

전극의 단위면적당 전류의 크기. 기호는 CD로 표시한다. 음극 전류밀도는 $D_K$ 또는 $D_C$, 양극 전류밀도는 $D_A$로 표시하는 경우가 많다. 도금에서 단위면적은 $1dm^2$($100cm^2$)를 표준으로 하며, 전류밀도의 단위는 $A/dm^2$이다. 전류밀도를 ASD(Ampere per Square Deci-metre)로 표시하는 경우도 있다. = CD(286)

**전류분포** Current Distribution

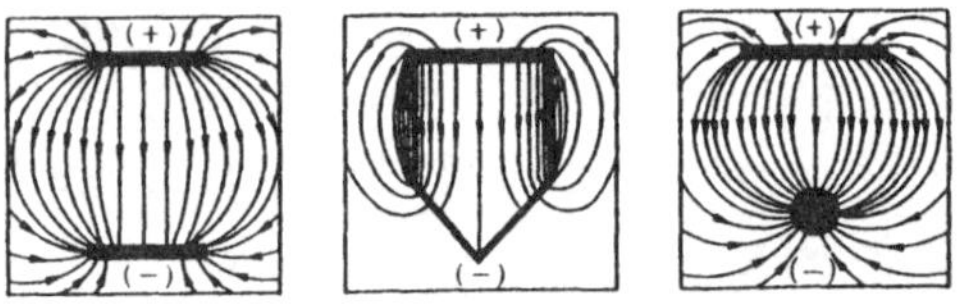


도금수조내의 전류선

**전류분포**

도금 두께를 균일하게 하기 위해서는 전류분포를 균일하게 하지 않으면 안 된다. 그 균일성을 지배하는 인자는 양극, 음극의 기하학적 형상에 의해 좌우되는 것과 전극에 전류가 흐르기 위해서 발생되는 분극을 근거로 하여 저항에 좌우되는 것이 있다. 후자를 생각하지 않고, 기하학적 전류분포만을 구한 것을 1차 전류분포라고 하고, 이것에 대해 분극의 인자를 생각하고 구한 것을 2차 전류분포라고 한다. 도금수조 내의 각 점의 전위의 실측치에서 등전위면을 만들어 전류분포를 알 수가 있다.

**전류전위 곡선** ◘ 분극곡선(202)

**전류 효율** Current Efficiency

도금에서는 음극전류 효율과 양극전류 효율이 있으나, 보통 전류 효율이라고 하면, 음극전류 효율을 지칭하는 경우가 많다. 음극전류 효율은 석출 효율이라고도 하며, 패러데이법칙을 기초로 석출량과 실제 석출량과의 비를 %로 나타낸다. 음극전류 효율은 동일 도금액에서도 욕온도, 음극 전류밀도, 욕의 교반 등에 따라 서로 다른 값이 된다. 도금욕의 금속성분을 일정하게 유지하기 위해서는 가용성 양극을 사용하고, 음극전류 효율이 양극전류 효율과 같게 하도록 한다. = 석출 효율(244)

도금액의 음극전류효율

| 석출되는 금속 | 전류효율(%) | 석출되는 금속 | 전류효율(%) |
|---|---|---|---|
| 아연(산성도금액) | 95 | 주석(알칼리성도금액) | 80 |
| 아연(알칼리성액) | 90 | 철(염화물도금액) | 95 |
| 카드뮴(알칼리성액) | 95 | 동(산성도금액) | 95 |
| 금(알칼리성액) | 100 | 동(알칼리성도금액) | 60 |
| 은(알칼리성액) | 100 | 납(붕불산도금액) | 100 |
| 크롬(크롬산액) | 13 | 니켈(산성도금액) | 90 |

전류효율

**전리** Electrolytic Dissociation: Ionization

전해질의 일부 또는 전부가 용액 중에서 양이온과 음이온으로 해리되는 현상을 말한다. 예를 들어, 염화나트륨은 수중에서 $Na^+$(나트륨 이온)과 $Cl^-$(염소 이온)으로 해리된다. 전해질의 용액이 전류를 통하게 하는 것은 이온의 작용에 의한다. 기체분자는 방전되면, 전리되어 이온과 전자로 분리되어 플라즈마를 만든다. ◘ 이온화(416), 전리도(후항)

**전리도** Degree of Electrolytic Dissociation

전해질은 수용액 등에 용해되어 양이온(카티온)과 음이온(어니온)으로 해리된다. 이온에 해리되어 있는 분자수와 원래의 전분자수와의 비를 전리도라고 한다. 예를 들어, 용매 중에 전해질의 전량의 96%가 해리되어 있을 때는 전리도 0.95, 또 15%밖에 해리되어 있지 않을 때는 전리도 0.15이다. 농후수용액에서도 완전히 전리되어 있는 것을 강전해질이라고 하고, 비교적 높은 농도의 수용액에서 작은 전리도를 나타내는 전해질을 악전해질이라고 한다. 악전해질의 전리도는 농도의 의존성이 크다.

**전면 부식** Uniform Corrosion

금속 표면이 전면에 걸쳐 균등하게 부식되는 것을 말한다. 균일부식이라고도 한다. = 균일 부식(52)

**전산소 소비량** Total Oxygen Demand

TOD라고 한다. 유기물의 구성원소(C, H, N, S, P 등)이 연소에 의해 소비되는 산소량으로 배수중의 유기물질 농도의 추정에 이용된다. 일반적으로 BOD나 COD가 유기 오염의 지표로써 이용되고 있으나, TOD나 TOC를 유기 오염의 지표로써 이용되는 경우도 있다. TOD 측정기가 시판되고 있다. = TOD(556)

**전석(電析)** Electrocrystallization : Electrolytic Crystallization

『전해 석출』의 약칭. 전기 화학적 수법으로 금속이온을 함유한 용액에서 금속 결정이 석출되는 것. 전기도금은 전석의 응용이다. = 결정 전석 ◘ 전착(462)

**전성** Malleability

물질을 두들겨 늘릴 때, 금이 가지 않고 얇은 판상으로 만들 수 있는 성질 = 전연성(457)

**전시안** Total Cyanide

도금욕의 욕 중의 금속과 착염을 만들고 있는 시안기와 유리상태의 시안기와의 총량을 말한다. = 토탈 시안

**전식(電食)** Stray Current Corrosion

정규회로 이외의 곳을 흐르는 전류에 의해 생기는 부식. 미주(迷走)전류부식이라고도 한다. 예를 들어, 직류전기철도의 레일에서 누설전류에 의해 수도관, 가스관, 전신전화 케이블 등의 지중매설 금속체가 현저히 부식되는 경우가 있다. ◘ 표유 전류 부식(588)

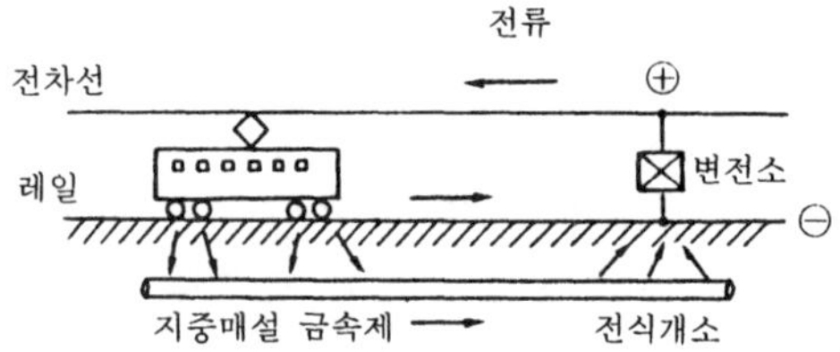


전차선의 전식

전식

**전압 강하** Voltage Drop

저항에 전류가 흐를 때 전항의 양단에 발생하는 전위차를 말한다. 예를

들어, R(Ω)의 저항에 I(A)의 전류가 흐를 때 발생하는 전위차는 RI(V)이기 때문에, 이 RI(V)가 전압 강하이다. 도금작업에서는 정류기의 출력 전압을 $V_1$, 도금수조의 욕전압을 $V_2$로 하면 $V_1 > V_2$이며, 정류기에서 도금수조까지의 배선에 의한 전압강하는 $V_1-V_2$이다.

**전압 전류법** Voltammetry

전해조를 이용하여, 한 쪽의 전극을 지시 전극으로 하고, 전극단자 간에 가하는 전압 또는 일정 전위기(Potentiostat)와 기준 전극을 사용하여, 지시 전극의 전위와 흐르는 전류와의 관계를 조사하여, 피시험액 중에서 화학물질에 관한 지식을 얻는 각종 방법의 총칭을 말한다. 좁은 의미로는 전류-전위곡선의 성질을 이용한 분석법을 말한다. 분석법은 폴라로그래프 분석과 전류-전압 적정(滴定)이 있으며, 후자는 또 측정되는 전기적인 량의 성질에 따라, 전위차 적정과 전류 적정으로 분류된다.

**전연성** Malleability ◘ 전성(456)

**전열** ◘ 열전달(353)

**전염화물 니켈도금욕** All-Chloride Nickel Plating Bath

욕조성은 염화니켈 300g/$l$, 붕산 30g/$l$, 온도 50~70℃, pH 2.0, 전류밀도 2.5~10A/$dm^2$이다. 도금 피막은 대단히 치밀하고 평활성이 있으며, 강도가 있으나 유연성이 없고 무르다. 와트욕의 도금 피막에 비해 응력이 높다. 붕산을 함유하지 않고, 농염산 125㎖/$l$ 정도 함유한 것은 우드욕이라고 불리며, 스테인리스 및 그 외의 부동태화 되기 쉬운 금속의 스트라이크도금에 사용된다. 도금수조, 히터, 펌프 등이 부식되기 쉽고 불용성 아노드를 사용하면 전해 중에 염소가스가 발생한다.

**전용 피펫** Whole Pipet : Transfer Pipet ◘ 홀 피펫(627)

**전원 전압** Electric Source Voltage

도금용 전원으로써 보통은 정류기가 사용되며, 정류기의 직류 전압을 전원 전압이라고 한다. 전원 전압 = 수조 전압+(배선 등의 강하 저압)이다. 전원 전압은 행거를 사용하는 도금에서는 보통 6~8V, 배럴도금, 크롬도금에서는 보통 10~15V이다. 교류입력 전압이 변동될 때는 정류기에 정전압장치 또는 정전류장치를 설치한다. ◘ 자동 정전압방식(436)

**전위** Dislocation

결정체의 가소성을 설명하기 위해 제창된 결함의 모형이다. Dislocation이란 Dis는 부정의 의미이며, Location은 위치이므로, 위치가 변화된 것을 의미한다. 금속의 결정 변형은 어떤 결정면 위를 부분적으로 미끄러져 생긴 것이므로 이 미끄러진 면의 상하에서 격자의 차이가 발생된다. 이 위치의 차이가 전위이다. 그리고, 이 결정격자 면을 경계로 하여 위쪽에 있는 격자가 압축된 것 같은 상태를 띄며, 아래쪽에 있는 격자보다 원자 수가 하나 더 많은 상태일 때 정전위(Positive Dislocation), 역으로 아래측이 많을 때는 부전위(Negative Dislocation)이라고 한다. 이 전위가 순차적으로 이행되어 결국 미끄러짐 변형이 나타나는 것이다. 결정의 전위는 동시에 움직이고 있는 부분이 대단히 적기 때문에 저항이 적어 대단히 움직이기 쉽다.

**전위** Electric Potential

①무한하게 먼 점, 또는 전장 외의 점에서 전장 중의 일점까지 단위전하(1크롱)를 운반하는데 필요한 일의 양을 그 점에서의 전위라고 한다. 전위의 단위에는 (V)를 사용한다. 일의 양이 1 주울(J)일 때, 전위는 1V라고 한다. = 정전위 ②전장 또는 도체내의 2점간의 전위차를 단순히 전위 또는 전위차, 또는 전압이라고 하고 직류의 전압과 같다. 교류의 전압과는 같지 않다.

**전위규제법** ◘ 정전위전해법(476)

**전위차 적정** Potentiometric Titration

당량점 부근에서 지시전극의 전극전위 변화에서 적정의 종점을 결정하는 용량 분석의 총칭. 보통은 지시 전극과 기준 전극을 이용, 양극간에 전류를 흐르지 않게 하여 측정하기 때문에 영전류 전위차 적정이라고도 한다. 양극간에 10㎂ 이하의 미소전류를 흘려 전극이 분극된 상태에서 측정하는 정전류분극 전위차 적정이나, 백금이나 불활성 전극과 텅스텐 등의 전극을 조합한 이종금속 전극전위차 적정 등이 있다. 중화 적정, 산화환원 적정, 침전 적정, 착 적정, 비수용매 적정 등에 널리 사용되고 있다.

**전위 - pH도** Potential-pH Diagram

대기압 하에서 수용액 중에 있는 금속이나 금속이온이 안정하게 존재하는 전위와 pH와의 관계를 나타낸 그림을 말하며, 창시자의 이름을 따서 프르베(Pourbaix)도 라고도 말한다. 비금속에 관한 그림도 있다. 금속과 반응하는 이온이 $H^+$와 $OH^-$이온 뿐인 경우, 즉 물과의 반응만을 나타내기 때문에 $SO_4^{2-}$, $NO_3^-$, $Cl^-$ 이온 등이나 착화제 등, 다른 반응성 물질이 있을 때에는 3원의 전위-pH-pL 도를 이용할 필요가 있으나, 보통 전위-pH도에서 대략 예측을 한다. 금속의 대기중의 부식을 예측하는데 유효한 수단이다. = 부식도(198), 프루베 도(593)

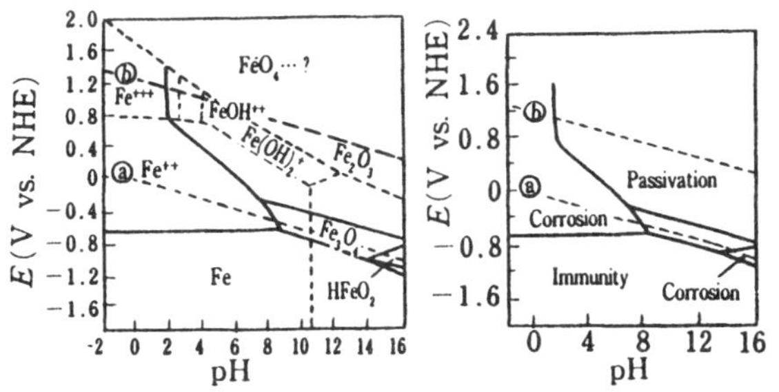


Fe-$H_2O$계 전위-pH도(25℃)　전위-pH도를 기초로 한 철의 부식도
(철농도=$10^{-6}$M)　(Corrosion, immunity, passivation영역도)

전위-pH도

**전유기 탄소량** Total Organic Carbons

수중에 존재하는 유기 오염성분에 기인하는 탄소량을 말하며, TOC라 약칭한다. TOC 측정기가 시판되고 있다. TOC를 산화하는 데에 필요한 이론산소량(ppm)을 최종 산소요구량 (Ultimate Oxygen Demand ; UOD)라고 하고, COD, BOD대신에 수질관리에 UOD를 채용하는 것이 좋다는 의견이 있다. = TOC(556)

**전이점** Transition Point

물질에는 액체, 고체, 기체의 3상이 있으며, 이들의 상 간의 변이 온도를 전이점이라고 한다. 이와 같은 변화는 각각의 물질에서 일정 온도, 일정 압력 하에서 나타난다. 야금학에서는 압력은 1기압으로써 취급하는 경우가 대부분이다.

**전자** Electron

일정한 부전하와 질량을 갖는 소립자로 물질을 구성하는 입자의 하나이다. 질량 $9.10588 \times 10^{-28}$g(수소원자의 1/1840), 전하 $1.602 \times 10^{-19}$쿨롱, 원자는 원자번호와 같은 개수의 전자를 가지고 있으며, 화학결합은 전자와 전자에 의한 경우가 많고, 고체나 액체 내에서 자유롭게 움직일 수 있는 전자는 열이나 전기의 전도를 돕는다. 원자에 열을 가하거나 빛을 비추면 원자중의 전자가 튀어나온다. β선은 고속전자의 흐름이다. 그리고, 정전하를 갖는 양전자(포지트론)도 있으며, 이것은 양자전자역학에서 다루고 있다.

**전자(電磁) 강판** Magnetic Steel Sheet; Silicon Steel Sheet ⊏ 규소 강판(51)

**전자대 결합** Electron-Pair Bond ◘ 공유 결합(39)

**전자(電磁) 밸브** Electromagnetic Valve; Solenoid Valve

솔레노이드 밸브라고도 한다. 전자석에 의해 개폐를 행하는 ON, OFF 동작 전용밸브이다. 자동제어에 이용되며 온도 조정기나 압력 조정기 등에서 신호전파를 받아 전자코일의 전자력에 의해 자동적으로 밸브를 개폐시킨다. 증기용, 수(水)용, 냉매용 등이 있으며, 용도에 따라 구조가 다르다. = 솔레노이드 밸브(252)

**전자 볼트** Electron Volt

전자, 양자 등의 소립자나 이온 등의 에너지량을 표시하는 단위로 eV로 나타낸다. 전위차가 1볼트(V)의 2점간에 있어 1개의 전자가 가속될 때에 얻는 에너지량을 말한다. 1eV = $1.602\times10^{-19}$J.

**전자선 마이크로분석** ◘ X선 분광분석(337)

**전자(電磁)식 두께계** Electromagnetic Thickness Meter ◘ 자력식 막두께계(437)

**전자 유량계** Electromagnetic Flowmeter

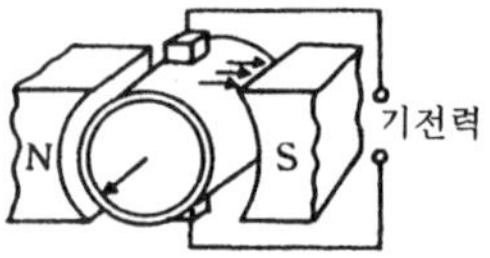

전자 유량계

전자유도를 이용한 유량계를 말한다. 그림과 같이 비자성관과 직교하는 자계를 만들고, 관내에 도전성의 액체를 흘려보내면 전자유도에 의해 양쪽과 직교하는 전극으로 유속에 비례하는 기전력이 발생한다. 이 기전력($e$)으로써 유량을 측정하는 것으로, 원격측정이 가능하다. 관내의 압력손실이 없고 온도, 압력, 점도 등에 관계가 없으며, 고형물이 혼입하여도 측정할 수 있다. 또한 부식성 유체에도 사용할 수 있다. 단, 도전성이 있는 유체이어야 한다.

**전자 전도** Electronic Conduction

물질을 움직이는 전자의 존재에서 기인하는 전기전도를 말한다. 금속은 외각전자가 자유전자가 되어 움직이기 때문에 전자 전도를 한다. n형 반도체 및 전자관 등의 진공중의 전기전도도 전자전도이다. 이온전도와 구별하기 위해 사용되는 말이다.

**전자현미경** Electron Microscope

시료의 미소영역의 확대상을 얻기 위해 전자선을 이용한 현미경을 모두 전자현미경이라고 한다. 빛보다도 전자의 파장은 극히 짧게 되어 있기 때문에 광학현미경보다도 고배율, 고분해능의 상을 얻을 수 있다. 렌즈에는 자석을 사용하고, 자계에 의해 전자선을 수습시킨다. 시료를 투과한 전자선의 강도분포에 따라 상을 얻는 투과형이 일반적이지만, 전자선을 미세하게 하여 시료 표면을 주사하여 시료에서 투과 또는 반사되어 나오는 전자의 강도를 브라운관 상에 나타내는 주사형은 표면관찰에 적합하다.

**전조(電造)** Forming by Rolling ; Thread Rolling

나사나 베어링의 형태 등을 하고 있는 공구(전조 다이스)를 재료의 표면에 강하게 압출시켜 성형하는 가공법으로, 절삭가공에 비해 가공시간이 짧고, 재료를 절약할 수 있으며, 표면을 평탄하게 마무리 할 수 있는 이점이 있다. 전조나사는 소성 변형을 받기 때문에 절삭 가공에 의한 나사에 비해 강도적으로 뛰어나다.

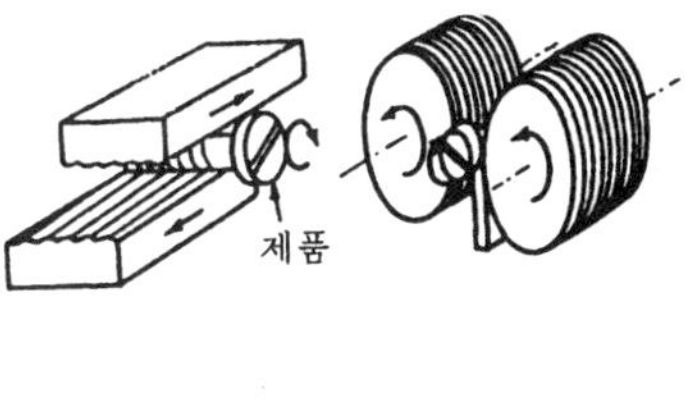


(a) 평 형 (b) 롤 형

전조에 의한 나사의 제조

전조

**전주** Electroforming

전기도금에 의한 금속 제품의 제조, 보수 및 복제를 전주라고 한다. 전주 제품으로써 양산화되고 있는 것은 프린트 배선기판용 동박, 전기면도기의 바깥 칼날, 정밀스크린, 시계의 문자판, 액세서리 등이 있다. 전주법의 이점은, 초정밀 가공이 가능하다, 일체화한 제품을 만들 수 있다, 정밀한 묘사가 가능하다 등이 있으나, 제작 시간이 길어지는게 결점이다. 묘사 정도의 정밀도를 이용하여 컴팩트디스크(CD), 레이저디스크(LD) 등의 소프트 제조용의 금형 등을 포함한 정밀한 금속 금형의 제조에 전주법이 사용되고 있다.

**전주 모형** Electroforming Mandrel

전주의 기본이 되는 형을 말한다. 원형, 전형, 부형, 기형이라고도 한다. 영어에서는 Mold, Master, Matrix, Corepatter 등이라고 하는 경우도 있다. 모형재료로써 금속재료는 스테인리스, 철, 니켈, 동, 황동, 알루미늄, 저융점합금 등이 사용되며 비금속재료는 플라스틱, 글래스, 목재, 종이, 왁스, 석고, 피혁 등이 사용된다.

**전지** Cell: Battery

화학 변화, 온도차, 빛 등의 작용에 의해 전극간에 전위차를 발생시키는 장치. 전지의 종류는 화학전지, 태양전지, 광전지, 열전지, 압전전지, 원자력전지, 연료전지 등이 있다. 전지는 충전함으로써 반복해서 사용할 수 있는 2차전지(축전지)와 충전해도 원래의 상태로 되돌아오지 않는 1차

전지로 대별된다. 일반적으로 많이 사용되고 있는 것은 화학전지로 망간전지, 알칼리-망간전지, 산화은전지, 리튬전지, 납축전지, 니켈-카드뮴축전지 등의 종류가 있다.

**전착** Electrodeposition

전기분해에 의해 전극 상에 물질을 형성하는 과정을 말한다. 전기도금에서는 금속을 음극으로 석출시키나, 어니온 전착 도료나 산화납, 이산화망간 등은 도료나 산화물이 양극으로 전착된다. ◘ 전석(456)

**전착 도료** Electrodeposition Coating; Electrophoretic Painting

수용성 수지도료를 넣은 욕수조 내에 전극과 도장되는 재료를 넣고, 직류전압을 걸어 전기영동에 의해 도장하는 방법을 말한다. 전착도장의 이점은 도장효율이 높다, 밀착성이 좋다, 방청력이 좋다, 도막이 균일하다, 도료의 손실이 적다, 도장시간이 짧다, 화재의 위험이 없다 등이 있지만, 설비비가 많이 들고, 전력소비량이 큰 결점이 있다. 도장되는 재료가 양극의 경우를 어니온(Anion) 전착도장, 음극의 경우를 카티온(Cation) 전착도장이라고 한다. 자동차 보디의 하부도장은 카티온 전착도장이 많고, 어니온 전착도장보다도 방청력이 뛰어나다. ◘ 전기 영동(449)

**전착 속도** Rate of Electrodeposition

도금피막이 두껍게 되는 속도를 말한다. 패러데이의 전기분해 법칙에 따라 도금피막의 석출량은 흐른 전기량(전류×시간)에 비례한다. 전착속도가 큰 도금을 고속도 도금이라고 한다. = 전기도금 속도(449) ◘ 고속도 도금(31)

**전착 응력** Stress of Electrodeposits

전착에 의해 도금피막에 발생하는 내부 응력을 말한다. ◘ 내부 응력(68)

**전착 응력계** ◘ 응력계(405)

**전체적 부식율** Corrosion Rate of Significant Area

도금의 부식시험 중에서 코로드코트시험에 규정되어 있다. 이 방법은 유효면의 면적이 25㎠ 이하의 경우에 적용된다. 미리 측정용구를 만들며, 제작방법은, 유연하고 투명한 플라스틱 판에 5㎜ 간격 또는 2.5㎜ 간격의 직교하는 직선을 그어 격자를 만들며, 격자선의 폭은 0.15㎜ 이하로 한다. 이 측정 용구를 시료에 대고 부식결함을 포함한 격자수를 조사하여 다음 식으로 전체 부식율을 계산한다. 전체 부식율(%)=(부식결함을 포함한 격자수)÷(유효면을 덮기 위해 필요한 격자수)×100. ◘ 코로드코트(Corrodkote) 시험(527)

**전태(電胎)** Electrotyping

전주의 일종으로, 인쇄공업용의 인쇄용 실용판을 원판으로 복제하는 방법을 말한다. 원판의 복제방법 중에서 가장 정밀한 방법의 하나로, 동, 니켈, 철의 전태판이 있으나, 니켈의 사용이 많다. 전주욕은 술폰산니켈욕이 사용된다. ◘ 전주(461)

**전파 정류** Full Wave Rectification

교류의 정부 양파를 이용한 정류로, 반파 정류에 대한 말이다. 단상 교류를 정류하면 단상 전파, 삼상 교류를 정류하면 삼상 전파를 얻을 수 있다. 도금용 전원으로써 많이 사용되고 있는 육상 반파방식은 얻을 수 있는 직류 파형이 삼상 전파방식과 같다. 육상 반파방식은 저전압, 대전류의 부하에 적합하다. 파형은 「정류」항을 참조. ◘ 정류(473), 반파 정류(164)

**전하** Electric Charge

모든 전기현상의 근원이 되는 실체를 전하라고 하고, 그 성질은 전기량에 의해 규정된다. 전하를 전기량의 의미로 사용하는 경우도 있다. 전기현상(정전적 및 전자적)은 모두 전하의 존재 및 그 운동에 의해 발생한다. 전기라고도 한다. 전하는 음(부)전하, 양(정)전하의 2종으로 구분된다. 더 자세하게는 소립자론에 의해 취급되며 현재 전자보다도 작은 전기소량을 갖는 입자의 존재를 생각하고 있으나, 아직 확인되고 있지는 않다.

**전해니켈 아노드** Electrolytic Nickel for Plating Anode ◘ 전기니켈 아노드(448)

**전해 동박** Electrolytic Copper Foil

프린트배선 기판용 동부착 적층판이나 건재 등에 사용되는 전해 동박은 연속 동도금에 의해 제조된다. 전해 동박의 두께는 5~30㎛ 정도이며, 황산동도금이 많이 사용되고 있다. 그림과 같이 커다란 스테인리스 드럼을 음극으로 하여 천천히 회전시키면서 동을 석출시켜 반대측에서 석출동을 동박으로써 얻는 연속도금 방식에 의해 제조되고 있다.

**전해동 아노드** Electrolytic Copper for Plating Anode ◘ 전기동 아노드(449)

**전해 박리** Electrolytic Stripping

도금피막의 박리법에는 침적법과 전해법이 있다. 전해법은 양극처리로 전류의 조정에 의해 박리속도를 조정할 수 있고, 침적법에서는 곤란한 도금피막(로듐, 백금, 팔라듐 등)이 용이하게 박리되지만, 전류분포가 나쁜 경우에는 완전히 박리 되지 않는 경우도 있다. 예를 들어, 동, 금, 은, 아연, 황동 등, 시안화물에 녹는 도금피막은 다음과 같은 욕조성으로 전해 박리된다. 시안화나트륨 90g/l, 수산화나트륨 15g/l. 이 방법은 침적법보다도 소지를 황폐하게 하는 경우가 적다.

**전해 박리식 두께측정법** ◘ 전해식 두께측정법(465)

**전해 발색** Electrolytic Coloring; Self Color Anodizing

염료나 안료를 사용하지 않고 금속재료의 조성, 재질, 전해조건에 따라 발색시키는 방법. 전해 발색은 스테인리스강, 티타늄, 알루미늄 등에 사용된다. 예를 들어, 스테인리스강의 발색 방법에는 교번전류 전해법(ACECS법)이 있으며, 무수크롬산 300g/l, 염산 450g/l의 욕 중에 스테인리스강을 대극으로 놓고, 교류전해를 하면 전해시간에 따라 녹색, 적색, 금색, 흑색 등을 1공정으로 얻을 수 있다.

**전해 부식** Electrolytic Etching ◘ 전해 에칭(466)

**전해 부식시험** Electrolytric Corrosion Test ◘ EC 시험(412)

**전해 분석** Electrolytic Analysis

전기분해를 이용한 분석법으로 정성 및 정량분석이 가능하다. 시료 중에 포함된 이온에 의해 석출 전위가 서로 다르기 때문에 이것에 의해 정성분석이 가능하다. 또 전극에 석출, 부착된 중량으로부터 정량 분석이 가능하다. 정전류 전해(전량 분석), 정전위 전해, 수은음극 전해(폴라로그라피 등)등의 방법이 있다.

**전해 산세** Electrolytic Acid Picking

철강제품의 전해 산세는 양극처리와 음극처리가 있으며, 전자는 예를 들어, 농황산을 10~20배로 엷게 한 액을 이용하여 전류밀도 4A/dm$^2$으로 전해한다. 양극처리는 산세에서 수소 취성이 적어 고탄소강에 적합하다. 후자는 예를 들어, 농황산을 2~4배로 엷게 하고, 식염을 20~50g/l을 첨가한 액을 이용하여 전류밀도 10~40A/dm$^2$으로 전해한다. 음극처리는 철강제품의 용해가 적기 때문에 저탄소강에 적합하다. 일반적으로 행하여지는 화학적 방법에 의한 산세에 비해 산세속도가 단축되나, 복잡한 형상의 소재에서는 전류 분포가 좋지 않기 때문에 적합하지 않다.

**전해 산세액** Acid Electrolytic Cleaning ◘ 산성 전해세정(232)

**전해 산화** Electrolytic Oxidation

전해를 이용하여 전해액 중의 분자나 이온에 대해 양극에서 행하는 산화반응을 말한다. 도금의 배수처리에서 농후시안 배수를 효율이 좋고 경제적으로 처리하기 위하여 전해 산화를 행한다. 일반적으로는 배수에 식염을 포화하기까지 용해시켜 전력 효율을 높임과 동시에 전해시 동시에 생성되는 차아염소산에 의해 산화 분해를 촉진하는 방법이 사용되고 있다. 전해 산화에서는 각종 불용성 양극이 사용된다. = 양극 산화(322)

**전해 세정** Electrolytic Cleaning

피도금물을 음극 또는 양극으로 하여 전해에 의해 세정하는 방법. 전해 세정에 사용되는 욕은 알칼리 세정액과 같으나, 발포성의 계면활성제는 사용할 수 없다. 산세욕을 사용하는 경우도 있다. 음극 세정은 전해 환원에 의해 금속 산화물이 환원되어 제거되지만, 발생기의 수소에 의해 피도금물이 수소 취성을 받기 쉽고, 욕 중에 용해금속 이온이 있으면, 전착하여 밀착불량의 원인이 되기 쉽다. 양극 세정은 수소 취성이 없고 용해금속 이온의 석출은 없으나, 양극 산화되어 얇은 산화피막이 생기기 때문에 전해 세정 후에 산침적이나 전해 환원이 필요하게 된다. 양극 세정은 에칭효과가 있고, 도금의 밀착성이 향상되는 경우도 있다. PR 전해법은 세정속도가 빠르며, 녹이나 스머트(Smut)의 제거가 가능하다. = 전해 탈지(468)

**전해 수조** Electolytic Tank ; Electrolytic Cell

전해에 사용하는 수조를 말한다. 소형은 글래스 수조, 도자기 수조, 플라스틱 수조가 있으며, 중형에는 플라스틱 수조가 많고, 대형은 철 수조로 만들어 내약품재료로 라이닝을 하거나 글래스 화이버(Glass Fiber)로 적층한 플라스틱 수조(FRP)를 사용하는 경우가 많다. 알칼리욕에서는 철강(SS), 스테인리스강(SUS)를 사용하는 경우가 있으나, 전식을 일으키기 때문에 주의를 요한다.

**전해 식각** Electrolytic Etching ◘ 전해 에칭(466)

**전해식두께 측정법** Coulometric Thickness Test

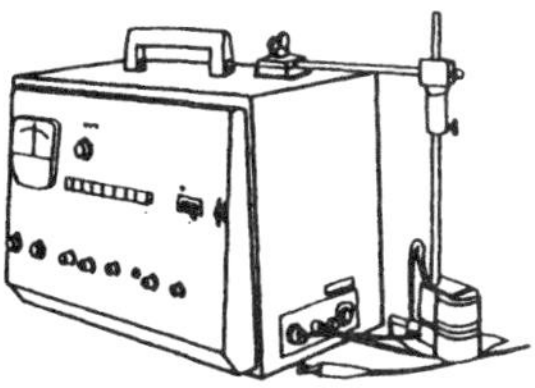

전해식 막두께계

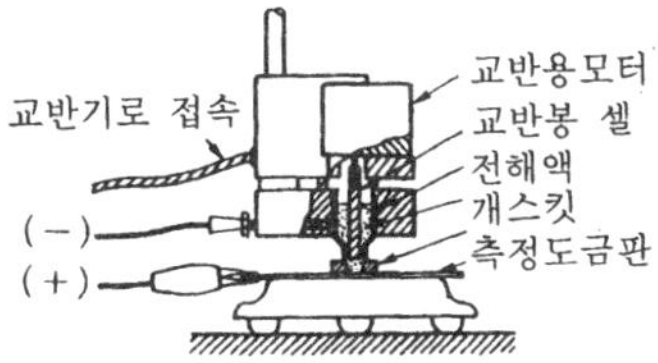


전해부분

전해식두께 측정법

가장 많이 보급되어 있는 도금두께 측정법이다. 방법은 시료를 양극으로 하고, 측정 장소를 소용기(개스킷; Gasket)로 누르고, 도금 박리액을 스포이트로 주입하여 일정 전류로 도금을 박리시켜, 박리시간을 측정, 박리에 필요한 전기량으로부터 도금두께를 구한다. 시판되는 측정기에는 도금두께가 표시되어 있고, 프린터가 부착되어 있는 것도 있다. 정도는 0.2~50㎛의 도금두께에 대한 참 값에 대해 오차가 10% 이내이다. KS D 0246 [도금두께 시험방법] 참조 = 전해박리식두께 측정법(464)

**전해 에칭** Electrolytic Etching

전기분해에 의해 금속을 양극 처리하여 금속표면에 요철을 만들거나, 결정조직을 노출시키거나, 부분적으로 용해시켜 모양을 만드는 방법
= 전해 부식(464), 전해 식각(食刻)(465)

**전해 연마** Electropolishing

전해액 중에서 금속을 양극으로 전해하고, 피연마면의 미소한 볼록부를 우선적으로 용해시켜 표면을 평탄하게 하는 방법. 미소한 미크로적 요철면을 평탄하게는 할 수 있으나, 비교적 큰 결함 등이 제거되지 않고 남는 경우가 있다. 또 피연마면의 금속조직이나 결정구조, 연마조건에 따라서는 표면에 피트가 발생하는 경우도 있다. 알루미늄의 반사판(차의 헤드라이트 등) 제작, 스테인리스 주사바늘의 평탄화 등에 이용되며, 전자공업에서는 기계가공된 반도체의 표면을 전해 연마하여 표면의 불순물의 원인이 되는 것을 제거하는데 이용하고 있다.

**전해 연삭** Electrolytic Grinding

전해에 의한 금속의 용해작용과 연삭작용을 병행하여 행하는 금속가공법. 도전성이 있는 연삭 토석을 음극으로 하고, 금속을 양극으로 하여 그 사이에 전해액을 주사하면서 전해하고, 용해하기 어려운 성분과 금속표면에 생기는 산화물피막은 연삭한다. 전해액에 의해 가공중의 발열이 억제되어 가공되는 금속에 기계적인 힘이 가해지는 일이 없는 등의 이점이 있다. 예를 들어, 토석과 다이아몬드 토석, 전해액은 초산나트륨계를 이용한다. 초경재료, 내열재료 등의 가공에 이용된다.

**전해욕** Electrolytic Bath

전해질이 녹아있는 전해액이 전해수조에 들어있는 상태에 있는 것을 전해욕이라고 한다. 도금에서는 도금수조, 전해세정욕 등이 있다. 전해수조에 들어있지 않는 액도 욕이라고 부르는 경우가 있으나, 구별은 별로 명확하지는 않다. ◘ 전해질(467)

**전해 이행** Migration ◘ 마이그레이션(130)

**전해** **Electrolysis** ◘ 전기 분해(449)

**전해 정련** Electrolytic Refining ◘ 전해 정제(후항)

**전해 정제** Electrolytic Refining

목적금속을 포함한 염수 용액을 전해액으로 하고, 양극에 조금속을 이용하여 전해하여 음극에 고순도금속을 얻는 습식 전기야금의 일종. 전해 정제의 대표적인 예는 동으로, 이 외에 금, 은, 니켈, 코발트, 백금, 납, 안티몬, 주석 등이 이 방법으로 만들어지고 있다. = 전해 정련 ◘ 전해 채취(467)

**전해 제거** ◘ 약전해(321)

**전해 조형(彫型)** Electrochemical Die Sinking

피가공물에 전극을 만들어 보내면서 그 사이에 전해액을 압송하여 전해에 의해 형을 만드는 방법을 말한다. 이 방법의 이점은, 양호한 마무리면을 얻을 수 있고, 피가공물의 부분적 변질이 없이 1공정으로 끝낼 수 있다. 결점은, 가공조건(전류, 전해액의 유동상태, 전해액의 전기화학적 변동 등)의 제어가 어렵고, 복잡한 조형에서는 전극 제작비가 높아지며, 작업 환경이 좋지 않다.

**전해질** Electrolyte

특정 용매에 녹였을 때, 그 용액이 전도성을 갖게 되는 물질을 말한다. 용액 중에는 이온으로 해리되어 있으며(전리), 전압이 가해지면 이 이온이 전하를 운반한다. 전해질을 전리시키는 용매는 도금 등에서는 물이 보통이나, 액체 암모니아, 과산화수소, 불화수소 등도 있다. 이들 모두 유도율이 크고, 분자의 쌍극자 모멘트가 큰 유극성 액체이다. 전해질은 전리도의 대소에 의해 강전해질과 약전해질로 나뉜다. 전해질 염류의 고체는 통상 이온결정을 만들고, 용융 상태에서도 전도성을 갖는다.

**전해착색 피막** Electrolytically Coloured Anodic Oxide Coating

알루미늄을 양극 산화처리(알루마이트 가공)하여 다공성 피막을 생성한 후, 금속염을 용해한 욕 중에서 전해를 행하여 금속, 금속산화물 등을 피막 중에 석출시켜 착색한 피막. 그 방법을 전해착색이라고 하며, 일본에서는 천전법(Asada Process) 등이 실시되고 있다. ◘ 아사다법(290)

**전해 채취** Electrolytic Extraction : Electrowinning

원료 광석이나 다른 물질에서 목적 금속을 용매로써 추출하여 얻은 금속염 수용액을 불용성 양극을 이용하여 전해하고, 음극에 고품위의 금속을 얻는 습식 전기야금의 일종. 대표적인 예는 아연의 전해 채취이고, 이 외에 동, 니켈, 코발트, 안티몬, 철, 망간, 크롬 등이 실시되고 잇다. 용매로써는 값이 싸고 취급이 쉬운 황산이 주로 사용된다. 도금에서는 수세수 등 에서의 귀금속 회수에 이용되고 있다. ◘ 전해 회수(468)

**전해 청화** Electrolytic Cyaniding

시안화물이나 시안산염을 사용하여 청화처리를 행함에 있어서 강을 직류 전원의 음극, 다른 극은 고온의 청화욕에 접속시켜 액침하는 방법을 전해 청화라고 한다. 처리 온도는 500~600℃, 전류밀도는 강의 표면에서 0.1~5A/$dm^2$이다. 그 후, 수중에서 급냉하여 경화시킨다. 이로 인해 얻을 수 있는 피막은 내마모성이 크다.

**전해 침탄** Electrolytic Carburizing

염욕 중에서 음극으로 된 처리물과 흑연 양극과의 사이에 통전되어 처리물을 가열하여 행하는 침탄을 말한다.

**전해 크로메이트** Electrolytic Chromate Treatment

전해 크로메이트 처리는 은도금, 동도금, 동합금도금, 니켈합금도금, 주석합금도금 등의 내식성 향상, 내변색성 향상에 이용된다. 보통은 음극처리로써 크롬도금과 닮은 방법이나, 음극 전류밀도는 크롬도금보다도 작고, $D_K$=0.1~2A/$dm^2$ 정도이다. 효과로써는 핀 홀이나 피복력이 부족하여 도금이 전착되어 있지 않은 소재 또는 하지도금의 노출부분이 크로메이트 처리가 되어 내식성과 내변색성이 향상된다. 이 외에 표면처리 강판의 크로메이트 처리에도 이용되고 있다. ◘ 크로메이트 처리(534)

**전해 탈지** Electrolytic Cleaning; Electrolytic Degreasing ◘ 전해 세정(465)

**전해 투석** Electrodialysis ◘ 전기 투석(451)

**전해 피복** Electrocoating ◘ 일렉트로 코팅(427)

**전해 환원** Electolytic Reduction

수용액의 전해에서 음극의 금속 석출, 수소가스의 발생, 욕 중의 물질 환원 등은 모두 전해 환원이나, 좁은 의미로써는 욕중의 물질 환원만을 말한다. 양이온가가 감소 또는 음이온가가 증가하는 $Fe^{3+}+e=Fe^{2+}$ 또는 $(MnO_4)^-+e=(MnO_4)^{2-}$의 반응과, 발생하는 원자상의 수소에 의한, $NaNO_3+2H=NaNO_2+H_2O$ 등의 반응이 있다. 서젠트욕의 크롬도금에서는 1~6g/$l$ 의 3가 크롬의 존재가 필요하나, 이 3가 크롬은 건욕시에 도금욕을 공전해함에 따라 6가 크롬에서 전해 환원된다. ◘ 환원(635)

**전해 회수** Electrolytic Withdrawal; Electroextraction; Electrowinning

금속이온을 포함한 용액에서 전해를 이용하여 금속을 추출하고, 금속을 회수하는 방법을 말한다. 귀금속 도금에서는 도금후의 수세수에 의해 귀금속이 전해 회수된다.배수처리로 생긴 금속 슬러지를 적게 하기 위해서 금속이 전해 회수되는 경우도 있다. 방법은 불용성양극으로써 탄소, 백금, 백금도금 티탄, 페라이트 등을 사용하고, 음극은 가능한 한 표면적을 크게 한다. 음극에 입상물을 충전시켜 사용하는 경우도 있다. 전해 회수의 효율을 좋게 하기 위해서는 전해액을 가능한 한 고농도로 하거나 전해액을 교반시키거나 전해액의 온도를 높게 한다. ◘ 회수(644), 전해 채취(467)

**전황산니켈 도금욕** All-Sulfate Nickel Plating Bath

욕 조성은 황산니켈 300g/l, 붕산 40g/l, 온도 40~50℃, pH 3.0~5.0, 전류밀도 2.5~10A/dm$^2$. 염소이온을 포함하지 않는 욕으로 파이프나 튜브 등의 내부에 불용성 양극을 사용하여 도금할 때에 염소가스의 발생이 없기 때문에 불용성 양극이 부식되지 않는 이점이 있다. 그러나, 도금 속도가 느리므로, 일반적으로는 사용되지 않는다.

**절대량 규제** Control by Immutable Weight ◘ 총량 규제(508)

**절삭 가공** Cutting

절삭공구로 재료를 깎아 가공하는 방법을 말한다. 소성가공에 대한 용어이다. 절삭가공에 이용되는 공작기계는 선반, 드릴링 머신, 밀링 머신, 세이빙 머신 등이 있다. ◘ 소성 가공(250)

**절삭분** Shavings ; Cutting Scrap

선반, 펀칭 등의 절삭 가공으로 생긴 찌꺼기를 말한다.

**절삭유** Cutting Fluid ◘ 절삭유제(후항)

**절삭유제** Cutting Fluid

일반적으로 절삭유라고 불리고 있는 것으로 금속재료를 절삭할 때 사용되며, 절삭부의 윤활, 냉각, 절삭분 제거, 마무리면의 보호, 방청 등의 효과가 있으며, 크게 나누어 수용성과 불용성이 있다. 전자는 광유(鑛油)와 계면활성제를 물로 엷게 만들어 사용하는 것으로 냉각, 세정효과가 크다. 후자는 광유, 동식물유, 혼합유에 극압(極壓)첨가제가 함유되어 있는 것으로 윤활성, 침투성이 뛰어나다. 극압첨가제는 유제에 녹는 염소계 및 황계의 극성이 강한 화합물로써 절삭 중에 철과 화합하여 염화철 및 황화철이 되어 윤활작용을 증대시키는 효과가 있다. = 절삭유(전항)

**절연저항** Insulation Resistance

①절연된 두 물체 간에 전기저항이 큰 절연 물체에 전압을 가했을 때, 이것의 표면과 내부에 소량의 누설전류가 흐른다. 이 때의 전압과 전류

비를 절연지항이라고 한다. 보통, 단위는 메가옴(MΩ=$10^6$Ω)으로 표시 한다. ②절연된 배전선과 대지와의 사이의 저항을 대지 절연저항이라고 하고, 배전선의 절연정도의 양부를 나타내는데 사용된다. ①과 ②모두 절연저항 시험기를 사용하여 측정한다.

**절연저항계** Insulation Tester ◘ 메거(Megger)(137)

**점도** Coefficient of Viscosity ◘ 점성율(470)

**점성** Viscosity

어떠한 면이 유체 중에 존재할 때 유체가 정지하고 있으면 그 면에는 힘이 작용하지 않으나, 유체가 운동하고 속도에 변화가 있을 때에는 속도를 똑같이 유지하려하는 접선응력이 나타난다. 이것을 유체의 점성이라고 한다. 분자적으로 보면, 빠른 부분에 있는 액체분자가 열운동으로 인해 늦은 부분으로 뛰어들 때 운동량이 이동되어 그 부분이 가속되며, 역으로 늦은 부분에서 빠른 부분으로 뛰어든 분자는 그곳의 속도를 감소시킨다. 이것이 기체의 점성의 원인이다. 도금액과 같은 용액의 점성은 용매(많은 경우는 물)의 점성 외에 용질의 종류, 농도에 의해 변화한다.

**점성율** Coefficient of Viscosity

유체의 속도가 흐름 중에 각 점에서 서로 다를 때, 점성으로 인해 속도에 비례한 접선 응력이 나타난다. 예를 들어, 유체가 $x$축에 평행하게 흐를 시에 속도 u가 y방향으로 변화하였을 때, y축에 수직한 면에는 ($\partial u/\partial y$)의 접선 응력이 나타난다. 이 비례정수 $\eta$를 점성율 또는 점도라고 한다. 단위는 국제단위계에서는 Ns/㎡이나, CGS단위에서는 포아즈(poise, P)라고 한다. 유체의 밀도를 $\rho$라고 할 때 $\eta/\rho$를 동점성율이라고 한다. 일반적으로 온도가 상승하면 액체에서는 점성율은 감소하고 기체에서는 증가한다. = 점도(470)

**점식** Pitting Corrosion

금속 표면의 절연 피막이 국부적으로 파괴되어 생긴 점상의 부식을 말한다.

**점적(点滴) 시험** Dropping(Corrosion) Test

도금의 드롭핑 테스트는 부식성용액 도금면에 적하하여 도금층을 녹인 시간으로 도금 두께를 구하는 방법으로 적하법이라고 불리고 있으며, 알루미늄의 양극산화피막에서는 KS에 규정되어 있는 알칼리 적하시험이 있다. 이 방법은 35±1℃로 가온된 장치내에 시험편을 놓고, 이 위에 35±1℃, 10%의 수산화나트륨을 적하하여 피막이 제거되는 시간으로 내알칼리성을 조사하는 방법이다. ◘ 적하법(446)

**접전(接栓)도금** Connector Plating; Terminal Plating

전선이나 회로, 기기 등을 전기적으로 상호 접속하는 접촉부품의 도금. 일반적으로는 단자도금을 지칭하는 경우가 많다. 전(栓)은 플러그의 의미로 접전이라는 것은 플러그를 접속하는 것, 또는 그 부품을 말한다. 프린트 배선기판에서는 접전도금이라고 말하는 경우가 많다. = 단자도금(91)

**접점용 도금** Plating on Electric Contact

전기접점의 종류와 목적에 따라 다음 3종류가 있다. (1)동작 개시까지의 보호. 예를 들어, 은접점 상의 금도금 등. (2)접점으로써 소모가 없는 경우의 저접촉면의 형성. 예를 들어, 압착 단자, 프린트 배선기판의 단자 등으로 주석, 납땜, 은, 금, 로듐 등의 도금 등이 있다. (3)접점으로써 소모가 많은 경우의 저접촉면의 형성. 예를 들어, 로터리 스위치, 반복 사용되는 커넥트 등은 내마모성이 요구되며, 금, 은, 로듐, 팔라듐, 루테늄 등의 귀금속도금이 많다.

**접점 재료** Contact Material ◘ 전기 접점(450)

**접지** Earth; Grounding

어스, 지기(地氣), 지락(地絡)이라고도 한다. 도체를 지표와 전선으로 연결하여 대지와 전기적으로 잇는 것 = 어스(326)

**접착테이프** Pressure Sensitive Adhesive Tape

종이, 천, 플라스틱 필름 등에 접착제를 도포한 테이프. 접착제는 용도에 따라 고무계, 아크릴계, 비닐계가 이용된다. 용도가 넓어 도금에서는 부분도금의 마스킹재, 공구의 마스킹재로써 사용된다. 플라스틱 필름에는 폴리 염화비닐이 많이 쓰이며, 폴리 에틸렌 펠레프타레이트, 셀룰로스 아세테이트, 불소수지 등에도 사용된다. 부분도금의 마스킹재로써 사용될 때에는 접착테이프를 떼어낸 후 흔적이 남기 때문에 세정할 필요가 있는 경우도 있다.

**접촉각** Angle of Contact

정지한 액체 표면이 고체 벽에 접촉되는 곳으로, 액면과 고체면이 이루는 각을 말한다. 보통, 액체 내의 각도를 취한다. 액체가 고체를 잘 젖어들게 한 때는 예각(銳角), 잘 젖어들지 못할 때는 둔각(鈍角)이 된다. 상온에서 접촉각의 값은 물과 글래스에서 8～9°, 수은과 글래스에서 약 140°, 수은과 강에서 154°, 수은과 동아말감에서 0°이다.

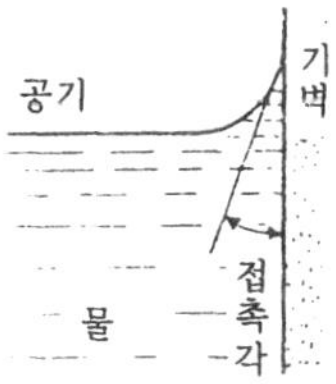


접촉각

**접촉도금** Contact Plating

석출한 금속화합물을 포함한 용액 중에서 도금하려고 하는 금속을 그것보다 거친 금속과 접촉시켜 전자를 형성하여 피도금물을 카소드로 하여 전착시키는 방법을 말한다. 무전해 니켈도금을 하기 전에 석출을 시작시키기 위해 사용하는 경우가 있다.

**접촉마크** Contact Mark

피도금물 표면에 걸고리로 인해 접점 장소에 생기는 무도금 등의 흔적을 말한다.

**접촉 부식** Contact Corrosion ◘ 이종금속 접촉부식(417)

**접촉 저항** Contact Resistance

두 도체를 접촉시켜 이것에 전류를 통하게 하면 전압 강하가 일어난다. 접촉 저항은 접촉면의 전위차와 전류의 비이다. 도체 표면의 산화 피막이나 흡착 기체 등에 관계가 있으며, 보통 전기 저항과는 달리 하나의 면이라도 저항치가 일정하지는 않다. 접점의 접촉은 외견보다도 훨씬 작은 접촉면적에서 행해지고 있다. 여기에 전류가 집중되어 흐르는 저항을 집중 저항 $R_c$라고 한다. 또한 접점의 표면에 의한 저항을 경계저항 $R_f$라고 한다. 측정된 접촉 저항 R은 $R=R_c+R_f$이다. 전류가 증가하면 접촉 저항은 감소하는 경향이 있다.

**접촉 전위차** Contact Potential Difference

계면전위와 같은 의미로 사용되는 경우가 있으나, 보통 고체 금속간의 전위차를 말한다. 이종금속을 접촉시키면 터널효과에 의해 전자의 이동이 일어나고 어떤 전위차(양자의 페르미준위가 같아질 때)에서 평형하게 된다. 이 전위차를 접촉 전위차라고 한다.

**정격** Tating

전기기기를 사용할 때, 전압, 전류, 속도 등에 일정한 제한이 있어 이것들을 증대시키거나 감소시키면 손실, 온도상승, 통풍 불충분 등의 문제가 발생한다. 최적의 출력, 전압, 전류, 속도 등을 규정한 것을 전기 기기의 정격이라고 한다. 도금용 사이리스터 정류기에서는 정격전압 이하에서 사용하면, 정류파형의 맥동율이 커진다. 이 외에 단시간 사용할 경우의 단시간 정격, 1시간에 시간을 구분한 1시간 정격 등이 있다.

**정공** Positive Hole

플러스(+) 전하를 가진 전자와 같은 거동을 하는 가상 입자로, p형 반도체에서 전류를 운반하는 것을 말한다. 4가의 Ge, Si 등의 반도체에 3

가의 In을 넣으면, 전기 전도성을 나타내지만, 4가의 Ge, Si에 대해 3가의 In은 전자가 1개 부족하기 때문에 4가의 공유결합 중에 전자 1개가 부족한 곳이 생기기 때문에 그 곳을 채우기 위하여 다른 공유결합의 개소에서 전자가 보급되므로, 그 곳에 전자의 구멍이 발생한다. 그것이 순차적으로 전해져 플러스의 구멍이 전기를 운반하는 것이 되기 때문에 정공(正孔)이라고 한다.

**정극** Cathode

전지가 방전할 때, 전류가 용액으로 들어가 외부 회로로 나가는 전극, 즉, 카소드를 일컫는다. 전자의 흐름은 이 역이다. 전기분해 때의 카소드와는 달라 전위는 아노드(부극)보다도 높다.

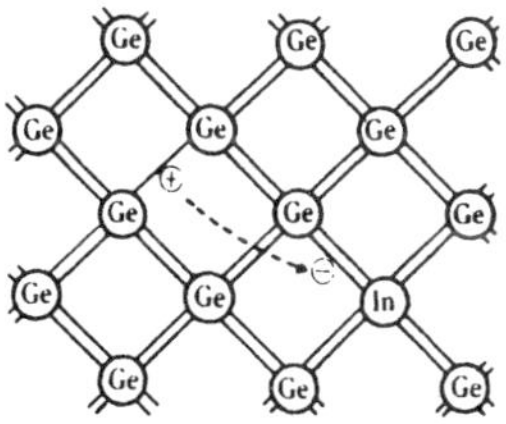


불순물로써 들어있는 인듐(3가) 주위에 공유결합을 만들기 위해 전자를 1개 빼앗긴 후, 구멍이 생긴다.

정공에 의한 전기전도

**정공**

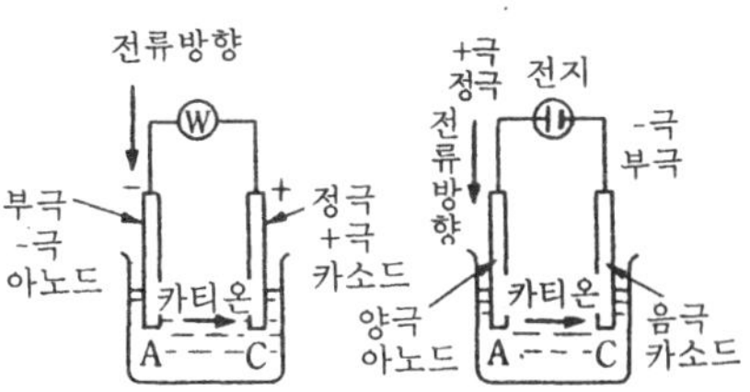


(a) 전지 (b) 전해

정극과 부극

**정극**

**정류** Rectification

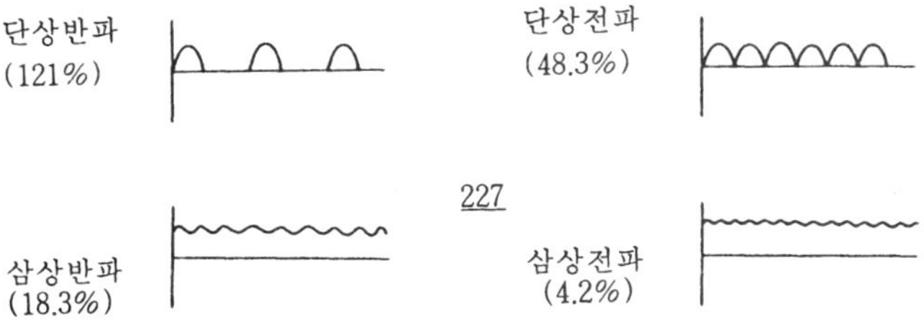


(숫자는 맥동율을 나타낸다)

정류

교류에서 직류를 얻는 것. 정류하기 위해서는 정류소자를 이용한 정류회로에 의하지만, 완전한 평류를 얻기 위해서는 평활회로가 필요하다. 정류회로에는 단상 반파(121%), 센터 탭(48%), 단상 전파(48%), 삼상 반파(18%), 육상 반파(4.2%), 상간 리액터부착 이중성형(4.2%) 등의 방식이 있다. ( )내의 숫자는 직류 정압 맥동율을 나타낸다. 맥동율을 리플(Ripple)이라고도 한다. ◘ 리플(125)

**정류기** Rectifier

교류를 직류로 변환하는 장치. 도금용에서는 전동 직류발전기, 변압 정류기, 셀레늄(Selenium) 정류기, 실리콘 정류기, 사이리스터 정류기 등이 사용되고 있다. 정류기의 전압조정 방법은, 전환기방식, 유도전압 조정방식, 사이리스터 조정방식, 가포화(可飽和)리액터 조정방식, 트랜지스터 조정방식 등이 있다. 도금용 정류기의 자동제어로써 사이리스터를 이용하여 자동 정전압, 자동 정전류밀도, 자동 극성반전(PR) 등이 행해지고 있다. 정류기의 냉각 방식은, 자냉(自冷), 강제 풍냉, 유입 자냉, 유입 수냉, 직접 수냉 등이 있다. ◘ 실리콘 정류기(283), 사이리스터 정류기(229)

**정면(整面)** Scrubbing

스크러빙이라고도 한다. 프린트배선 기판이나 그 판넬의 청정화 또는 조화(粗化)를 위해 브러쉬 등으로 연마하는 것을 말한다. 보통은 콤베이어 위에 프린트 배선기판이나 그 판넬을 태워 보내 브러쉬 등을 회전시킨 평면 연마기에서 연마한다.

**정밀 여과** Precision Filtration

보통의 여과에서 제거할 수 없는 0.1~10㎛정도 또는 그 이하의 입경의 미세한 현탁질이나 콜로이드 입자를 제거하는 여과를 말한다. 무전해도금, 전주 등에서는 도금액의 정밀 여과가 행하여진다. 원수를 직접 통해 여과하는 직접 여과형과, 여재면에 여과 조제층을 형성하여 여과하는 프리코트(또는 프레코트)여과형이 있다. 도금에서, 전자는 카트리지 타입의 여과통이 사용되며, 후자는, 여과 조제로써 규약토, 활성탄 등이 사용된다. 무전해도금, 전주 등에서는 2단 여과, 3단 여과가 실시되는 경우가 있다.

**정밀 주조법** Precision Casting Process

치수정도가 높고, 표면이 매끄러운 주물을 제조하는 방법. 도금기술의 응용인 전주(電鑄)법은 가장 치수 정도(精度)가 높은 주조법이다. 금속을 용융하여 주조하는 방법으로써 정도가 높은 것은, 인베스트먼트(Investment) 주조법, 쇼우 프로세스 등이 대표적인 방법이다. 가장 많이 사용되고 있는 것은 인베스트멘트 주조법으로, 이 방법에는 솔리드 몰드법과 세라믹 셀 몰드법이 있으나, 현재는 세라믹 셀 몰드법이 많이 사용되고 있다. 이 방법은, 로(爐) 폴리스티롤 수지 등으로 모형을 제작하여 규산에틸이나 규산소다를 혼합한 미분(微粉) 내화물을 코팅하여 건조시켜, 주형틀 내에 삽입한다. 이 후, 주형을 고온으로 하여 로 또는 폴리스틸롤 수지를 용융 유출시켜 형을 소성한다. 이 형을 사용하여 주조하는 방법이다. 로스 왁스법은 로형법이라고 불리며, 인베스트멘트 주조법의 일종이다. ◘ 전주(461)

**정상 공석** Normal Codeposition

A. 브레너에 따르면 합금전착은 정상 공석과 이상 공석으로 대별된다. 정상 공석은 대체 이론대로 높은 금속이 우선적으로 석출되며, 두 금속의 전류전위 곡선대로 전류가 분담되어 합금조성을 어림잡을 수 있는 공석의 형태로 되며, 규칙, 불규칙, 평형 공석으로 분류된다. 정상 공석의 경우에는 전류전위 곡선으로부터 예상되는 바와 같이 교반을 약하게 하거나 전류밀도를 높이거나 액온을 낮추면 낮은 금속의 공석량이 증가한다. ◘ 이상 공석(412)

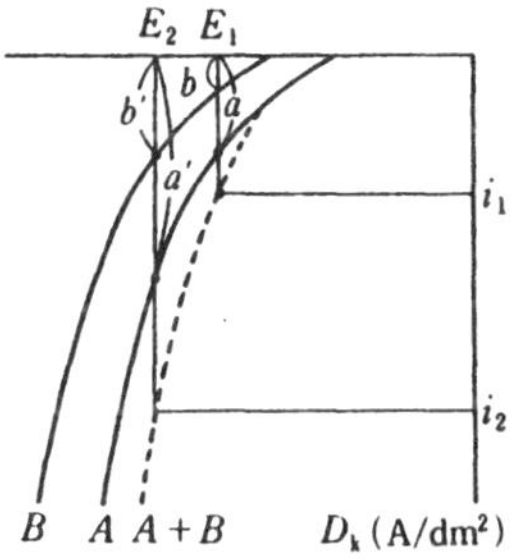

합금 전착시의 전류 배분

정상 공석

**정석** Crystallization

결정성의 물질을 용해하고 있는 용액에서 용매를 증발시켜 농축하거나 또는 온도를 낮추어 포화용해도보다도 농도를 높게 하여 결정을 석출시키는 일을 말한다. 금속가공에서는 용융금속에서 결정이 생성되는 것을 정석 또는 정출이라고 한다. 도금에서는 도금욕 중의 결정성의 불순물을, 도금욕 중에서 정석시켜 제거하는 경우도 있다. = 정출(440)

**정성(定性) 분석** Qualitative Analysis

화학분석 중에서 물질의 성분을 조사할 목적으로 행하는 분석법으로써, 보통 정량분석 전에 행하는 경우가 많다. 원소, 이온, 기, 분자 등의 검출 확인에는 각각 특유의 화학반응을 이용하거나, 스펙트롤, 굴석(屈析)율, 결정형 등의 물리적 성질을 이용한다. 도금표면의 정성분석에는 미소부분에 대해 비파괴로 분석할 수 있는 주사형 X선 마이크로 아날라이저(EPMA)를 이용하는 경우가 많다. $^{12}$MG 이상의 원자번호의 원소를 검출할 수 있으며, 위치정도는 1㎛ 정도이다. 정도는 낮으나 정량분석도 가능하다.

**정압 여과** Constant Pressure Filtration
여과 압력이 일정하게 행하여지는 여과 조작을 말한다. 여과기의 필터 두께가 증가하면 여과 저항이 커져 여과속도가 저하한다. 도금욕의 여과 조작에 많이 사용하는 필터 펌프는 정압 여과이다.

**정전 도료** Electrostatic Coating; Electrostatic Spraying
일반적으로 피도장물을 양극, 분무장치를 음극으로 하여 직류고전압을 걸어 정전기를 대전시킨 분무상의 도료를 물품에 전기적으로 흘려 도장하는 방법. 도료 손실이 적고, 에너지 절약에는 좋으나, 요철부의 도료 부착이 적고, 전기 불량도체에는 특수한 장치를 필요로 하며, 설비비가 고가이다.

**정전위** ◘ 전위(458)

**정전위 전해법** Potentiostatic Electrolysis; Controlled-Potential Electrolysis
전해분석의 일종으로 음극전위 규제법이라고도 한다. 용액을 전해할 때, 음극에서의 금속 석출은 음극전위에 따라 지배된다. 2종 이상의 금속을 분리하기 위해서는 기준전극을 사용하고, 그것에 대해 음극전위를 일정한 값으로 유지하여 전해하면, 비금속의 석출을 억제할 목적으로 하는 귀금속만을 석출시킬 수 있다. 이것을 정전위 전해법이라고 한다. 분리법으로써 매우 뛰어나며, 전해전류치가 0이 될 때까지의 전기량을 측정하면 패러데이법칙에 따라 그 성분을 정량할 수 있다. 또, 각종 전극반응의 해석 수단으로써 정전위 전해법이 활용된다. 이때, 전극은 대극에 대해 음극이되는 경우도 양극이 되는 경우도 있다. = 전위규제법(458)

**정지도금** Vat Plating ; Still Plating
래크 도금(Rack Plating)이라고도 한다. 피도금물을 래크에 각가 취부하여 음극봉으로 내려뜨려 도금하는 방법을 말한다. 이 외의 배럴도금(회전도금), 후프(Hoop) 도금, 브러쉬도금 등의 도금방법은 피도금물이 정지되어 있지 않기 때문에 정지도금이라고는 말하지 않는다. = 랙도금(115)

**정지 실** ◘ 가스켓(9)

**정칙(正則) 공석** ◘ 규칙 공석(52)

**정화 장치** Clarifier
배수처리에 사용하는 침강 분리장치로 연속 청징장치라고도 한다. 액체 중에 진흙형태의 물질이 탁하게 있는 것을 수평으로 흘려 보내, 고형분을 중력에 의해 침강시켜 분리시키는 장치로 청징(清澄)한 액을 얻을 목적으로 사용하고 있다. = 연속 청징장치(348)

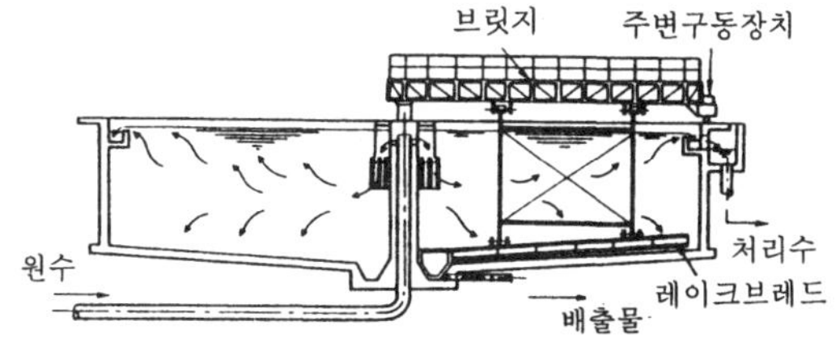


정화 장치

**제삼인산나트륨** ◘ 인산나트륨(424)

**제어반(制御盤)** Controlling Board

배전반의 일종으로, 수직 또는 경사반상에 제어개폐기, 신호등, 계기, 타이머, 개폐기 등을 취부 하여 제어를 행하는 것을 말한다.

**제오라이트** Zeolite

비석(沸石)이라고도 한다. 주로 알루미늄, 나트륨, 칼슘의 규산염수화물로, 일반식 $W_mZ_nO_{2n} \cdot SH_2O$로 표시된다. W는 Na, Ca, K(Ba, Sr), Z는 Si+Al(Si : Al 〉1), S는 일정하지 않다. $Na^+$(또는 $K^+$)와 같이 용이하게 교환되는 양이온을 가지고, 수중의 $Ca^{2+}$나 $Mg^{2+}$로 치환되어 물의 연화 작용을 행하는 성질이 있다. 또, 내부에 비교적 큰 공간을 가지고 있기 때문에 흡착제로써도 이용된다. 천연품에는 그린 샌드, 인공적으로는 합성 제오라이트가 있다. 합성 제오라이트는 원수(原水)의 pH가 6.7~8.2로 한정되어 있기 때문에 이온교환수지의 사용이 많아지고 있다.

= 비석

**제2광택제** Secondary Brightner

니켈도금의 광택제로 제1광택제와 병용하여 사용하며, 도금피막의 입자 미세화와 평활성 향상의 효과가 있다. 제2광택제는 평활화제라고도 부르고 있다. 제2광택제는 다음과 같은 기를 가진 유기화합물이다. C=O, C=C, C≡C, C=N, C≡N, 예를 들어, 1,4-부틴디올, 플로퍼길알코올 등이다. 그 외에, Cd, Zn, As, Se 등의 금속이온도 제2광택제가 되나, 금속이온은 현재 별로 사용되고 있지 않다. ◘ 제1광택제(478)

**제2단 흑연화** Second Stage Graphitization

가단 주철을 제조할 때, 공석 시멘타이트가 소려 탄소(템퍼 카본 : Temper Carbon)와 페라이트로 분해되는 현상을 말한다.

**JEC** Standard of the Japanese Electrotechnical Committee

일본전기학회 전기규격조사회의 단체가 제정하는 규격의 약칭

**JEM** Standard of thc Japan Electrical Manufacturer's Association

전기기기 제조업자의 단체인 일본전기공업회의 조사에 사용되는 표준자료(전기기기, 재료관계)의 약칭

**제1광택제** Primary Brightner

니켈도금 광택제로 제2광택제와 병용하여 니켈도금 피막의 광택, 내부응력 등의 외관이나 물성을 향상시키는 역할을 가지고 있는 것을 말한다. 그 대부분은 =C-$SO_2$- 의 구조를 갖는 유기 화합물이다. 예를 들어, 사카린, 1,5-나프탈렌-술폰산나트륨, 1,3,6-나프탈린-트리술폰산나트륨 등이다. ◘ 제2광택제(477)

**제1단 흑연화** First Stage Graphitization

가단 주철을 제조할 때, 공정 시멘타이트가 소려 탄소(템퍼 카본 ; Temper Carbon)과 오스테나이트로 분해되는 현상을 말한다.

**제진(除塵)장치** Dust Collector

처리가스에서 더스트 및 미스트 등을 분리 포집하는 장치를 말한다. 물, 그 외의 액체에 의해 입자를 젖게 하는 방식을 습식, 입자를 젖지 않게 하는 방식을 건식이라고 한다. 원리적으로는 ①가스를 멈추게 하여 깨끗하게 한다. ②문질러 제거한다. ③물을 뿌린다. ④응집시켜 깨끗하게 한다. ⑤⊖(마이너스)로 대전시켜 ⊕(플러스)극으로 모은다 등의 방법을 생각할 수 있다. 그러나, 공업적으로 사용되고 있는 방법은 (1)중력 집진장치, (2)관성력 집진장치, (3)원심력 집진장치, (4)세정 집진장치, (5)여과 집진장치(백 필드식), (6)전기 집진장치, (7)음파 집진장치 등이 있다. = 집진장치 ◘ 사이클론(230)

**제트 교반장치** Jet Agitator ◘ 분류 교반장치(203)

**제트도금** Jet Plating ◘ 분류도금(203)

**ZDC** Zinc Alloy for Die Casting ; (Zinc Die Casting)

다이캐스트용 아연합금의 기호. 합금은 아연을 주성분으로 하고, 알루미늄 4%와 소량의 동, 미량의 마그네슘을 함유한다. 각종 다이캐스트품, 베어링, 활자 등에 이용된다. 불순물의 함유량에 따라 1종과 2종으로 분류되고, ZDC 1 및 ZDC 2로 표시된다.

**제트시험** Jet Test ◘ 분류시험(204)

**ZAS** Zinc Alloy for Stamping

아연합금의 명칭으로 Al 4%, Cu 3%, Mg 등을 함유한다. 모래형, 금형에서도 주조가 용이하고, 마무리가 쉬우며, 연강과 닮은 성질을 가지고

있고, 내마모성이 양호하며, 윤활성이 풍부하고 또한 저융점에서 주조성이 좋다는 특징이 있다. 프레스용 형재에 사용된다.

**젤라틴** Geoatin ; Gelatine

콜라겐(동물의 가죽이나 뼈 등에 존재하는 단백질의 일종)을 물에 장시간 끓여서 얻을 수 있는 수용성 단백질의 총칭. 방냉하면 백분 또는 투명한 박편이 된다. 젤라틴은 단일 단백질이 아니며, 또한 제법에 따라서도 분자량이 다르다. 분자량은 5000~7000 정도이다. 정제하지 않은 불순물을 많이 함유하고 있는 것은 아교이다. 젤라틴의 제리는 식용, 사진 유제용 등에 사용된다. 도금에서는 황산 동도금, 니켈도금, 주석도금 등의 첨가제로써 사용된다.

**조각 버프** Pieced Buff

원형의 포를 다수 중첩시켜, 전면에 걸쳐 미싱으로 꿰어 합친 버프. 미싱의 꿰는 방법은 중심에서 나선형의 것, 방사상의 것, 동심원상의 것 등이 있다. 버프연마에서 유성연마제를 사용하여 중간연마용로써 이용하는 경우가 많다.

**조립(粗粒)** Coarse Grain

일반적으로 결정립도 번호 5 미만의 것을 조립이라고 한다. 이것에 대해 5 이상의 입도 번호의 것을 세립이라고 말한다.

**조변수** ◘ 파라미터(560)

**조제혼합 여과법** Body Filter Aid Filtration ◘ 보디법(187)

**조직** Structure

금속의 결정립의 대소, 조밀, 형상, 방향 등을 나타내는 것을 조직이라고 한다. 현미경에 의해 검사한 조직을 현미경 조직 또는 미크로 조직(Microscopic Structure), 육안에 의한 것을 마크로 조직(Marco Structure)이라고 한다. 미크로와 마크로의 구별은 배율 10을 기준으로 한다. 즉, 배율 10 이하를 마크로라고 한다.

**조직 경화** Structural Hardening

석출 경화(Precipitation Hardening)를 일명, 조직 경화 또는 분산 경화(Dispersion Hardening)이라고 한다.

**조직 안정성** Structural Stability

열처리 부품의 조직의 안정 정도를 조직 안정성이라고 한다. 가장 안정한 조직은 펄라이트이며, 가장 불안정한 조직은 오스테나이트나 마르텐사이트이다. 따라서, 완전 소둔재는 조직 안정성이 좋고, 소입재는 가장 조직 안정성이 나쁘다.

**조질** Refining

강의 결정립을 미세하게 하여 재질을 균질화 하여 연성이나 인성을 향상시키는 조작을 말한다. 열에 의한 조질법과 기계적 조질법이 있으며, 전자는 소입, 소려, 소둔 등으로, 후자는 기계적 작업과 소둔을 조합하여 행한다. 첨가원소에 의해 성질을 개량하며, 손이 가는 조질을 필요로 하지 않는 비조질강의 사용이 증가하고 있다.

**조합(照合)전극** ◘ 기준전극(62)

**조해** Deliquescence

대기 중에 있는 물질이 대기중의 수증기를 흡수하여 수용액을 만드는 현상. 그 물질의 포화수용액의 수증기압이 대기의 수증기 분압보다도 작은 경우에 조해가 발생한다. 그 때문에 동일 물질에서도 조해가 발생하는가 하지 않는가는 대기의 수증기 분압에 의해서 결정된다. 도금에서 사용하는 약품 중에서 조해성이 있는 것은 수산화나트륨(가성소다), 무수크롬산, 염화니켈, 시안화나트륨, 염화아연 등으로, 이것들은 공기에 접촉하지 않도록 밀폐하여 보존하도록 주의를 기울여야 한다.

**졸** Sol

크기가 nm에서 1㎛ 정도의 미립자가 매질에 분산한 계(系)를 일반적으로 콜로이드라 부르고, 유동성이 있는 상태를 졸, 유동성을 잃어버린 상태를 겔이라고 한다. 매질이 온도에 따라 고체가 되는 경우에는 고형의 졸도 존재한다. 분산매가 물인 것을 히드로 졸, 유기용매인 것을 올가노 졸이라고 한다. 분산매가 기체인 에로졸도 졸로 포함된다. ◘ 겔(19), 콜로이드(530)

**종점** End Point

용량분석의 적정에서 당량 관계를 만족하여 실제에 반응의 종료로써 관찰되는 점을 말한다. 지시약을 사용할 때에는, 그 변색점이 종점이 된다. 종점이 당량점과 일치하지 않는 경우가 있으며, 이 오차를 종점 오차라고 한다.

**종탄성률** ◘ 영(Young's)률(364)

**주물** Casting; Moulding; Molding

미리 제품에 가까운 형태의 공간을 가지는 주형을 제작하여, 이것에 용융한 금속을 주입하여 냉각 후, 꺼낸 금속제품을 말하며, 이 작업을 주조라고 한다. 주물에는 기공이 있어, 도금가공에서는 불량이 발생하기 쉬우므로, 주의를 요한다. ◘ 주조(485)

**주사 전자현미경** Scanning Electron Microscope

대상으로 하는 시료를 전자선으로 주사하여 반사전자나 이차전자를 검출기로 검출하여 그 강도를 브라운관상에 영상으로써 표시하여 대상물의 확대상 등을 얻는 장치. 반사법이 표면형상, 조직의 관찰에 널리 사용되고 있다. 분해능은 2~3㎚정도이다. 투과전자 상을 관찰하는 방식을 주사투과전자현미경(STEM)이라고 한다. = SEM(330)

**주사 터널현미경** Scanning Tunneling Microscope ◘ STM(331)

**주상 조직** Columnar Structure

결정이 주상으로 발달한 조직을 말한다. 주물 및 주괴의 결정조직은 일반적으로 외측에서 칠(Chill)결정, 주상결정, 등축(等軸)결정으로 구성되어 있다. 주상결정은 칠결정의 안에서 우선 성장방위에 가까운 것이 다른 결정보다도 우선되어 성장한 결과 형성된다. 일반적으로 주상조직은 냉각면에 수직으로 발달한다.

**주석** Thin Sn.

원자번호 50, 원자량 118.69, 융점 231.9℃, 비중 5.8~7.3. 부드럽고 전연성이 풍부한 은회색의 금속으로 열전도는 은의 1/3, 전기전도도는 1/7이다. 주석은 인체에 해가 적기 때문에 식기의 도금에 사용되며, 유기산에 강하기 때문에 깡통을 도금하는데 사용된다. 납땜성이 좋고, 전기·전자부품의 도금에 많이 사용된다. 박강판에 주석도금된 것은 브릭(Blik)이라고 불리고 있으나, 아연도금과는 다르고 핀 홀이 있으면 대기나 산소가 존재하는 분위기 중에서는 철강소지가 양극이 되어 부식이 빠르게 진행되기 때문에 하지도금이 필요하다. 주석도금은, 기계의 습동부 또는 질화방지에도 이용된다. 주석은 황산이나 수산화나트륨 등에 녹아 수소를 발생한다. ◘ 주석도금(482)

**주석-납 합금도금** Tin Lead Alloy Plating

땜납도금의 용도와 합금 비율의 예

| 용 도 | 주 석(%) | 납(%) |
|---|---|---|
| 철강의 방식(턴 시트 등) | 6 | 94 |
| 윤활용(베어링 등) | 7 | 93 |
| 납땜용 | 60 | 40 |
| 휘스커(Whisker)방지용 | 95~90 | 5~10 |

주석-납 합금도금

땜납도금이라고도 하며, 붕불화욕, 술폰산욕, 피로인산욕 등이 있다. 붕불화욕은, 성능은 좋으나 극물을 함유하고 있어 인체에 해롭고, 배수처리에서 불소의 제거가 곤란하다. 이 외에 땜납은 융점이 낮기(180~260℃)때문에 용융도금이 실시되고 있다. 땜납도금의 특징은 (1) 납땜성이 좋다. (2) 내산성이 좋다. (3) 부드럽고, 윤활성이 뛰어나다 등이다. 용도에 따른 주석과 납의 합금 비율을 표에 나타낸다. ◘ 땜납도금(110)

**주석-니켈-동 합금도금** Tin-Nickel-Copper Alloy Plating

주석 70%, 니켈 26%, 동 4%의 합금도금은, 약간 적색을 띈 흑색으로 중후한 색조로 내식성, 내마모성이 좋으므로 장식도금에 사용된다. 욕조성은 피로산욕이다. = 흑색 3원합금도금(648)

**주석-니켈 합금도금** Tin-Nickel Alloy Plating

스테인리스도금이라고도 한다. 변색되기 어렵고, 내식성이 뛰어나며 흑색을 띄는 색조이며 납땜성이 좋다. 균일전착성이 대단히 좋으며, 레벨링(Levelling)작용이 거의 없기 때문에 헤어라인 가공한 소지, 스핀 가공한 소지의 장식도금에 적합하다. 공업용으로는 금도금의 하지도금, 단자도금, 프린트 배선 기판의 에칭 레지스트용 등에 사용된다. 도금욕은 피로인산욕, 불화물욕이 있으며, 피로인산욕은 오사카(大阪) 시립공업연구소가 개발한 욕이다. = 스테인리스도금(267)

**주석도금** Tin Plating

박강판의 주석도금은 깡통, 식기, 완구 등에 사용되고 있다. 철강소지 상의 주석도금은 아연도금과 달리 핀 홀이 있으면 대기중 또는 산소가 있는 분위기 중에서는 철강소지가 양극이 되어 부식이 빨리 진행된다. 납땜성이 좋기 때문에 전기, 전자부품의 도금에 사용되나, 휘스커(Whisker)의 발생 문제가 있기 때문에 주의를 요한다. 또, 습동성이 좋기 때문에 엔진의 피스톤 등의 습동부에 도금된다. 합금도금으로써 주석-납(땜납), 주석-니켈(스테인리스색), 주석-코발트(크롬 색) 등이 있다. 도금욕은 황산욕, 붕불화욕, 술폰산욕, 주석산염욕(알칼리욕), 피로인산염욕(알칼리욕) 등이 사용되고 있다. ◘ 휘스커(646)

**주석도금의 균일성시험** Homogeneity Test of Tin plating

전기주석 도금의 KS D 8330에 규정되어 있는 방법으로, 시료를 (1) 탈지 세정, (2)염산 침적, (3) 다황화나트륨 용액(15±1℃)중에 1분간 침적한다. 이상의 (1),(2),(3)의 조작을 시료면에 흑색황화동이 발생할 때까지 반복하여, 흑색황화동이 발생할 때까지의 회수로 균일성을 나타낸다.

단, 흑색황화동이 발생하였을 때의 회수는 시험치에 넣지 않는다.

**주석-동 합금도금** Tin-Copper Alloy Plating

청동도금이라고도 한다. 주석을 7~20% 함유한, 적색 또는 황색의 것을 청동(브론즈 ; Bronze)라고 부르며, 주석을 40~50% 함유한, 백색의 것을 반사경(Speculum)이라고 한다. 특징은 (1)크롬도금 하지로써 내식성이 좋다. (2)24K금도금과 닮은 색조를 띈다. (3)버프연마가 용이하다. 용도는 니켈도금, 또는 크롬도금의 하지도금, 장식용으로써 청동색 또는 24K 금도금의 구조색의 대용 금색도금이다. 도금욕은 시안화 동-주석산염욕, 시안화 동-피로인산주석욕, 피로인산염욕이 있다. = 청동도금, 브론즈도금 ◘ 청동(501)

**주석(酒石)산** Tartaric Acid $C_4H_6O_6$.

2개의 부제(不齊)탄소 원자를 가진 우선(右旋)성의 L-주석산과, 좌선(左旋)성의 D-주석산이 있다. 보통, 단순하게 주석산이라고 할 때에는 L-주석산을 지칭한다. L-주석산은 무색의 주상결정이고, 물 100g에 대한 용해도는 139g(20℃)이며, 무수에탄올에서는 20.4g(15℃)이다. 아세톤에 녹고, 열을 가하면 이산화탄소, 일산화탄소를 내고 탄화된다. 또 염산이나 희황산 또는 수산화나트륨 용액(30%)과 함께 가열하면 DL-주석산 및 메소주석산이 된다. 도금에서는 암모니아성 초산은 용액을 환원하여 은을 석출시키는 은경(銀鏡)반응의 환원제로써 사용된다. 또 청량음료수의 산미제 등에 사용된다.

**주석산나트륨** Sokium Stannic Acid $Na_2SnO_3 \cdot 3H_2O$.

백색결정성 분말로, 물에 잘 녹으며 주로 알칼리 주석도금욕에 사용된다. = 메탈주석산나트륨(139)

**주석산염** ◘ 스테네이트(266)

**주석산염욕** Alkalin Tin Plating ◘ 알칼리성 주석도금(311)

**주석산염 활성화** ◘ 스테네이트처리(266)

**주석산칼륨나트륨** Potassium Sodium Tartrate ◘ 로셀염(121)

**주석의 수염** Tin Whisker

주석에 응력이 가해지면 표면에서 주석의 수염이 발생한다. 수염은 통상 1~2×$10^{-6}$m의 체심정방의 단결정으로 단면은 사각형이며 〈001〉 및 〈101〉 결정축이 성장방향이다. 전기주석도금에서 발생하기 쉬우며, 도금 후 1주간 정도에서 발생하는 경우도 있다. 이것이 원인이 되어 전자부품간에 단락 고장을 일으키는 일이 있다. 용융처리를 하든지, 주석에 약간의 납을 첨가하면 발생을 억제할 수 있다. 진공관 시대 때에는 대전류이였기 때문에 주석의 수염이 타서 없어졌으나, 트랜지스터시대 이후는 소전류인 관계로 단락된 채로 타서 없어지지 않아 전기적 트러블의 원인이 된다. ◘ 휘스커(647), 리프로우(Reflow) 처리(126)

**주석-아연합금 도금** Tin-Zinc Alloy Plating ◘ 아연-주석 합금 도금(296)

**주석 울림** Tin Cry

순도가 높은 주석을 굽혔을 때 발생하는 특수한 파쇄음을 말한다. 주석을 많이 함유한 합금에서도 음을 발하는 것이 있다. 결정이 벽개면(壁開面)으로부터 파괴되기 때문에 발생한다. 융점이 낮기 때문에 실온에 방치하면 실온에서 재결정이 일어나 벽개면이 원상으로 복귀한다.

**주석치환법** Tin Displacement Plating

치환반응에 의해 주석도금이 행해지는 소지는 철, 동, 알루미, 아연 등이다. 예를 들어, 동소지상의 주석치환욕은 염화제일주석 20g/*l*, 티오요산(尿酸) 75g/*l*, HCl 50㎖/*l*, $Na_2H_2PO_2 \cdot H_2O$ 16g/*l*, 계면활성제 1g/*l*, 온도 50℃. 이 욕은 티오요소가 동이온을 착화하여 주석이 동보다도 높아져 동상에 치환 석출되기 때문에 밀착도 좋다. 차아인산소다는 주석의 환원제로써가 아닌, $Sn^{++}$이온의 산화방지제로써 첨가되어 있다. 무전해 주석도금이라고도 한다. ◘ 무전해 주석도금(148)

**주석-코발트 합금도금** Tin-Cobalt Alloy Plating ◘ 코발트-주석합금 도금(528)

**주석 페스트** Tin Pest

주석이 저온도(-50℃정도)에서 회색의 분말(α 주석)로 변화하여 구멍이 생겨 결국 무너져버리는 현상을 말한다. 주석의 $\beta \rightarrow \alpha$의 변태온도는 18℃이지만, 실제로는 불순물을 함유하고 있기 때문에 -50℃정도까지 과냉(過冷)하지 않는 한, 이 현상은 일어나지 않는다.

**주석 피복** Tinning

주석을 표면에 피복시키는 것을 말한다. 용융도금, 전기도금, 무전해도금, 금속용사(메탈리콘) 등의 방법이 있다. 보통은, 열에 의해 녹은 주석 안에 침적시키는 방법을 지칭하는 경우가 많다.

**주석합금** Tin Alloy

땜납은 주석과 납의 합금으로 연납이라고도 한다. 화이트 메탈은 주석과 안티몬계 합금과 납과 주석과 안티몬계가 있으며, 주조용으로써 각종 다이캐스트품, 베어링, 활자 등에 이용된다. 저융점합금은, 주석, 납, 카드뮴, 비스머스 등의 합금이다. 합금도금에는 주석과 납, 주석과 아연, 주석과 니켈, 주석과 코발트, 주석과 동(청동) 등의 도금이 행하여지고 있다.

**주석황산염욕** ◘ 황산주석도금(641)

**주울** Joule

에너지 및 일 단위의 일종. 기호는 J. 1N의 힘이 물체에 작용하여 그 방향으로 1m 움직이는 동안에 그 힘이 하는 일을 말한다. 국제단위계의 유도단위의 하나이다. $1J = 1kg \cdot m^2/s^2 = 1N \cdot m = 10^7 erg$.

**주울 법칙** Joule's Law

저항 R의 선에 전류 I를 흐르게 하면, 도체 내에 단위 시간에 소비되는 에너지 $I^2R$은 전부 열이 된다고 하는 법칙을 말한다. ◘ 주울 열(후항)

**주울 열** Joule's Heat

저항 R의 선에 전류 I를 흐르게 하면, 도체 내에 소비되는 에너지 $I^2R$은 열이 된다고 하는 주울의 법칙에 따라 발생하는 열을 주울 열이라고 한다. 발생하는 열량 H는, I를 암페어, R을 옴, t를 시간(sec)로 하면, $H = I^2RtJ^{-1}$ 칼로리로 표기한다. 단, 1cal=4.18605J이다. 교류에 대해서도, 그 실효치를 I로 하면, 같은 식이 성립된다. ◘ 주울 법칙(전항)

**주조** Casting

제품 형상의 치수에 공간을 갖는 주형에 용융금속을 주입하여 응고 후, 고체금속으로써 제품을 얻는 방법. 제품을 주물이라고 한다. 복잡한 형상의 제품을 1공정으로 제조할 수 있다. 정밀한 금형은 도금을 이용하여 제조하며, 이것을 전주(電鑄)금형이라고 한다. 니켈전주의 이용이 많다. ◘ 주물(480)

**주철** Cast Iron

주물용 선철을 원료로 하여 용융 정제된 규소를 함유한 고탄소철을 말한다. 철 중의 탄소 최대고용량(약 2%)보다도 탄소가 많이 함유되어 있다. 이것보다 탄소가 적은 것은 강이라고 한다. 어떤 온도에서도 단련할 수는 없다. 가단(可鍛) 주철, 백 주철, 냉경(冷硬) 주철, 고급 주철, 칠 주철, 내산 주철, 노듈러 주철, 얼룩 주철 등의 종류가 있다. 위와 같은 모든 주철은 내마모성, 내식성이 좋고 값이 싸기 때문에 피스톤 링, 크랭크샤프트, 실린더 라이너, 브레이크 드럼 등에 사용된다. 주철은 탄소량이 많기 때문에 도금 전처리의 산세척에서 소지의 용해량, 스카트생성이 일반 강재와 다르기 때문에 주의를 요한다. 도금에서는 탄소량이 많기 때문에 수소 과전압이 작고 전류효율이 낮아지기 쉽기 때문에 아연도금이나 크롬도금에서는 도금이 되지 않는 경우가 있다. 그 대책으로는 수소 발생이 적은 도금욕을 선택하거나, 수소 발생이 적은 조건을 선택하지 않으면 안 된다.

**주철의 성장** Growth of Cast Iron

주철을 적열(900℃)하여 냉각하는 것을 반복하여 행하면, 점차적으로 체적이 증대하여 변화된다. 이 현상을 주철의 성장이라고 한다. 성장의 원인으로써는 시멘타이트($Fe_3C$)의 흑연화, 규소가 용적이 큰 산화물을 만드는 것, $A_1$ 변태점을 통과할 때마다 흑연이 가는 균열이 되어 성장이 진행되는 것 등이 그 원인으로 여겨지고 있다. 주철의 성장은 그 성분에 따라 다르지만, 규소 및 흑연은 성장을 촉진시키고, 인 및 망간은 성장을 감소시킨다. 그리고, 성장을 방지하기 위해서는 그 성분에 크롬을 첨가하면 좋다. 주철의 성장은 주철을 고온에서 사용할 때가 커다란 문제이다. 그러나, 이 성장을 기초로 흑연의 미세 균열을 이용하여 이것에 기름을 침입시켜 함유(含油) 감마 부품, 예를 들어, 실린더 라이너, 링, 베어링 등의 제조를 행하고 있다.

**줄시험** File Test : File Adhesion Test

도금층을 줄을 이용하여 깍아 도금의 밀착성을 조사하는 것으로, 크롬도금, 경질 니켈도금 등, 줄보다 단단한(Hv 약 700이상의) 도금에는 사용할 수 없다. 줄은 평형의 중간 정도의 결을 가진 것을 사용한다. 시료를 고정하고, 도금면에 대해 수직으로 절단한 시료의 단면 또는 끝단면을 그림과 같이 소지방향에서 도금면에 대해 45° 각도로 줄작업을 한다.

◘ 밀착성 시험법(156)

**중간 고용체** Intermediate Solid Solution

상태도에서 일차 고용체에 끼여 있는 $\beta$, $\gamma$, $\delta$ 등의 부호로 일반적으로 표시되는 특수한 고용체를 중간 고용체라고 한다. 모두 성분이 용매, 또는 용질인지 결정하기 어려운 것으로 성분과는 다른 특수 결정격자를 가지고 있는 것이다.

**중간 조직** Transitional Structure

오스테나이트 조직에서 펄라이트 조직으로 변태를 할 때, 그 변태가 발생되는 온도 또는 변태 속도의 차이에 의해 기계적 및 화학적 성질이 서로 다른 수 종류의 조직을 얻을 수 있다. 이들의 조직을 일괄적으로 중간 조직이라고 한다. 마르텐사이트, 트루스타이트, 소르바이트, 오스몬

다이트, 베이나이트 등은 이 중간 조직에 속하는 것이다.

**중간층** Intermediate Zone

전 경화층에서 유효 경화층을 뺀 나머지 층을 말한다. 일반적으로는 유효 경화층을 제외하고 모재보다 조금 단단하게 되기까지의 중간 경화층을 말한다.

**중격자** Super Lattice : Ordered Structure ◘ 규칙격자(51)

**중금속** Heavy Metal

보통은 비중(SG)이 5이상의 금속을 말하지만, 비중이 4이상의 금속을 말하는 경우도 있어 바른 정의는 아니다. 아연(SG 7.14), 주석(SG 7.3), 동(SG 8.93), 니켈(SG 8.9), 크롬(SG 7.14) 등은 중금속이다. 이것에 대해 알루미늄(SG 2.7), 마그네슘(SG 1.74) 등은 경금속이다.

**중단 시효** Unterrupted Carburizing

시효를 단계적으로 반복하여 행하는 조작을 중단 시효 또는 단계 시효(Stepped Aging)라고 한다. 이 경우에는 그 때마다 실온까지 냉각하는 것이 필요하다. 실온까지 냉각하지 않고 시효를 반복하는 것을 촉진 시효(Progressive Aging)라고 한다.

**중 마무리** Cutting Down

버프연마의 한 공정을 말한다. 소재에 따라 일반적으로 거친 연마(하지연마라고도 한다)→중연마(중마무리라고도 한다)→마무리 연마의 공정이 많다. 중마무리는 #200～#320의 에머리(Emery)를 사용하여 트리폴리(Tripoli), 그로스(Gloss) 등의 유성연마제를 병용하는 경우가 많다. = 중 연마(후항)

**중 연마** ◘ 중 마무리(전항)

**중성 금도금욕** Gold Neutral Plating Bath

무광택욕과 광택욕이 있으며, 광택욕의 조성예는 디시아노금산칼륨 $KAu(CN)_2$ 3～15g/$l$, 인산수소이칼륨 $KH_2PO_4$ 2～10g/$l$, 킬레이트제 0～90g/$l$, 광택제 0.1～30g/$l$, 온도 35～60℃, 전류밀도 0.5～20A/$dm^2$, pH 6～8, 교반하면서 도금한다. 내마모성이 뛰어나고, 접촉 전기저항이 낮다. 도금 후의 경도는 250～300Hv이지만, 열처리에 따라 400～450Hv가 된다. 금-동합금 도금에서는, 적색을 띈 장식용으로써 사용하고, 은, 카드뮴, 아연 등을 넣어 여러 가지 색조를 낼 수가 있다. 장식용, 기능용으로써 사용되고 있다. 전도염에 구연산을 사용하는 욕도 많이 사용되고 있다.

**중성 세제** Neutral Detergent

수용액 중에서 중성을 나타내는 합성세제를 말한다. 비누는 수중에서 알칼리성을 나타내기 때문에 중성이란 말을 사용하여 비누와 구별한다. 어니온성과 비이온성이 있다. 예를 들어, 알킬벤젠술폰산염 등을 사용하는 세제로써 식기, 야채, 과일, 모제품, 면제품, 모발, 합섬섬유 등의 세정에 사용된다. 하수 중에 혼입되어도 세포에 의해 분해되기 쉬운 소프트 세제의 사용이 많아지고 있다.

**중성염수 분무시험** Neutral Salt Spray Test : NSS Test ◘ 염수 분무시험(359)

**중아황산소다** Sodium Hydrogensulfite : Sodium Bisulfite ◘ 아황산 수소나트륨(302)

**중첩 전류도금법** Superimposed Current Electroplating

직류전류에 서지, 리플, 펄스 또는 교류 등의 파류를 중첩시켜, 주기적으로 전류를 조정하면서 도금하는 방법. 펄스를 이용하는 펄스도금이 귀금속 도금에서 행해지고 있으며, 다른 각종 도금으로의 응용은 연구가 진행되고 있다.

**중크롬산나트륨** Sodium Bichromate $Na_2Cr_2O_7 \cdot 2H_2O$.

극물, 특정 화학물질, 크로메이트 처리에 사용된다. 적등색의 결정으로 물에 녹으며, 알코올에는 불용이고, 조해성이 있으며, 수용액은 산화성을 나타낸다. 중크롬산 칼리는 $K_2Cr_2O_7$으로, 같은 성질을 갖는다.

**중탄산나트륨** Sodium Bicarbonate : Sodium Hydrogencarbonate $NaHCO_3$.

탄산수소나트륨의 속칭, 중탄산소다의 약칭이며, 무색의 결정이다. 물 100g에 대한 용해도는 8.8g(15℃)이고, 수용액은 가수분해하기 때문에 약알칼리성이 되며, 65℃ 이상으로 가열하면 $CO_2$를 방출하여 탄산나트륨이 된다. 의약품, 베이킹 파우더, 수화(消火)제 등에 사용된다. = 탄산수소나트륨(540)

**중합체** Polymer ◘ 폴리머(580)

**중화** Neutralization

일반적으로 산과 염기에서 염과 물이 반응하는 것을 중화라고 한다. 예를 들어, $HCl+NaOH \rightarrow NaCl+H_2O$. 이온을 생각해보면 다음과 같은 두 가지 반응이 일어나는 것을 말한다.

$$H^{+}+OH^{-} \rightarrow H_2O, \quad Na^{+}+Cl^{-} \rightarrow NaCl$$

**중화 침강처리** Neutralization and Sedimentation Process

도금용어에서는 중금속을 포함한 도금폐수를 알칼리에서 중화, 금속 수산화물을 형성시켜 침강 분리하여 제거하는 배수처리 방법을 말한다.

**증기 세정** Vapor Degreasing

트리클로로에틸렌, 퍼클로로에틸렌, 1,1,1-트리클로로에탄, 프론 113, 염화메틸렌 등의 용제를 이용하여 세정을 연속, 다량으로 처리하면 용제 중에 유지가 용해하여 처리물의 표면에 유지가 재부착하는 경우가 있다. 이것을 방지하기 위하여 청정한 용제 증기를 처리물에 분사하면, 처리물과 불점에 달한 증기와의 온도차에 의해 처리물의 표면에서 증기가 응축 액화하여 유지를 용해하여 세정한다. 실제로는 액에 의해 침적세정을 병행하거나 스프레이, 초음파 등의 처리적인 방법을 병용하여 세정하는 경우가 많다. 그러나, 많은 염소를 함유한 난연성 용제는 오존층 파괴물질로써 사용 금지 되어 있다.

**증기압** Vapor Pressure

일정한 온도에서 액체 또는 고체와 평형한 증기상의 압력을 말하며, 일반적으로 포화 증기압을 말하는 경우가 많다. 증기압은 온도의 상승과 함께 지수 관수적으로 증가한다. 예를 들어, 물의 증기압은 0℃에서 4.58㎜Hg, 50℃에서 92.51㎜Hg, 100℃에서 760㎜Hg이며, 이것은 물의 증발작용에 영향을 미치는 중요한 인자이다.

**증기 청정** Steam Cleaning

물로 만든 증기 또는 이 증기에 청정제를 가한 것을 처리물에 분사시켜 청정 작업을 행한다. 청정제를 가한 증기 청정의 경우는, 청정 후, 증기만을 분사시켜 청정제를 제거한 필요가 있다.

**증류수** Distilled Water

물을 불점까지 가열해 방출되는 수증기를 냉각하여 얻은 물을 말한다. 증류수에는 약간의 원수(原水) 성분, 증류용기의 미량의 용출 성분이 녹아 있는 경우가 있으며, 증류를 반복하여 정제하는 경우가 있다. 넓은 의미로는 증류수도 순수의 일종이지만, 공업적으로는 이온 교환수지에서 처리한 물을 순수 또는 이온 교환수라고 부르며, 증류수와 구별하고 있다. 보통 사용되고 있는 증류수는 비저항 $2\times10^5\Omega\cdot$㎝정도이다. ◘ 순수(261)

**증착** Vacuum Evaporation Coating : Vacuum Deposition ◘ 진공 증착(492)

**증탄** Enrich

침탄용 가스의 카본 포텐셜(침탄 능력)을 증가시키기 위해 천연 가스 또는 프로판을 소량 첨가하는 처리를 증탄이라고 한다.

**지르코늄** Zirconium Zr.

원자번호 40, 원자량 91.22, 밀도 6.52g/㎤, 융점 1857℃, 불점은 4400℃이

다. 은백색의 금속원소로 공기 중에서는 산화피막을 생성하며 내식성이 극히 좋다. 분말은 발화하기 쉬우며 산, 알칼리수용액에는 녹기 어렵다. 불화수소산, 왕수에는 녹으며 열중성자의 흡수 단면적이 금속 중에 최소로 원자로용 재료로써 사용된다. 그 외에 전자재료, 화학장치의 재료로써도 사용된다.

**지멘스** Siemens

국제단위계(SI)의 콘덕턴스의 단위. 기호는 S. 종래의 콘덕턴스의 단위로써는 ℧가 사용되어 왔다.

$$1S = 1A/V = 1m^{-2} \cdot kg^{-1} \cdot S^{3} \cdot A^{2}.$$

**지시 전극** Indicate Electrode

시료 용액의 전기화학적 성질을 지시하는 전극, 작용 전극이라고도 한다. 예를 들어, 수소이온 농도에 반응하는 글래스 전극, 안티몬 전극이나 각종 이온 선택 전극은 모두 지시 전극이다.

**지시약** Indicator

용량분석의 적정에 있어 반응의 종점을 착색, 변색, 침전, 혼탁 등에 따라서 알아보기 위하여 사용되는 시약이나, 수소이온 농도와 같은 화학적 상태를 조사하기 위하여 사용하는 시약 등을 말한다.

**지아라이트욕** Zialite Bath

아연합금 상에 직접 니켈도금을 하기 위한 니켈도금욕의 일종으로 착염욕이다. 욕 조성은, 황산니켈 120g/$l$, 식염 30g/$l$, 피로인산나트륨 27g/$l$, 구연산 15g/$l$, 구연산나트륨 60g/$l$, 산성아황산나트륨 2g/$l$, 암모니아(28%) 36g/$l$, pH 7.5~9.0, 온도 20~35℃, 음극전류밀도 0.2~2.2A/$dm^2$이다.

**JIS** Japanese Industrial Standards

공업표준화법에 따라 일본 통상산업성 내의 일본공업표준조사회가 조사심의하여 일본 정부가 제정하는 국가규격의 약칭. 공업전반을 17부분으로 나누고 있다. 금속 표면처리에서는 전기도금, 화학도금, 용사, 용융도금, 양극 산화피막의 JIS가 있다.

**지입(持込)** Drag in

도금처리 공정에서 처리액 중에 전공정에서 꺼낸 처리액이 혼입되는 것을 말한다. 지입량은 물품의 형상, 꺼낸 인양속도, 꺼낸 액의 점도, 표면장력 등에 의해 다르지만, 보통은 평탄한 판 1$dm^2$에 대해 약 0.5㎖정도이다. 배럴도금에서는 지입량이 대단히 크며, 지입량을 적게 하기 위해

스릿배럴이 고안되었다. = 드랙 아웃(106)

**지지(支持)염** ◘ 지지 전해질(후항)

**지지 전해질** Supporting Electrolyte

확산전류를 측정하는 전해분석으로, 영동전류에 의한 오차를 무시할 수 있을 만큼 작게 하기 위하여 전해액에 다량으로 첨가한 전해질로, 주성분을 포함하지 않는 것을 말한다. 이것으로부터 파생하여 전기도금액에 사용하는 pH 완충제나 전도도염을 지지염이나 무관계염이라고 하는 경우가 있다. 예를 들어, 산성이나 중성 금도금액에 넣은 구연산염이나 인산염, 알칼리성 금도금액에 넣은 시안화칼륨이나 탄산칼륨, 염화아연 도금액에 넣은 염화칼륨이나 염화암모늄 등이 그와 같이 불리고 있다.
= 지지염(전항), 무관계염(144)

**직렬 접속** Series Connection

도금 수조에 흐르는 전류를 저항기를 사용하여 조절할 때, 도금 수조와 저항기는 직렬 접속되어 있는 경우가 많다. 저항의 직렬 접속은 그림과 같이 접속되어 합성 저항 R은 다음과 같이 계산된다.

$$R = R_1 + R_2 + R_3.$$

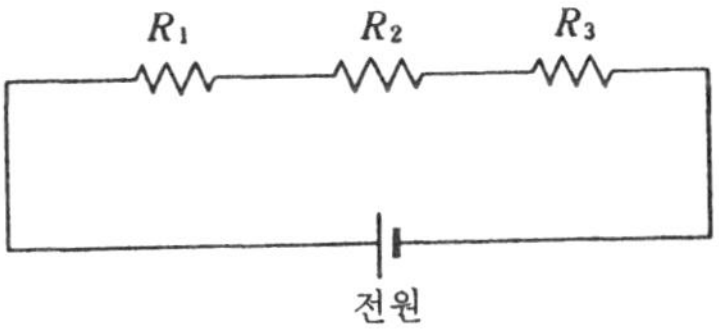


직렬 접속

**직렬 향류(向流) 수세** Counter Flow Rinsing

도금공정 중의 수세방식에서, 물의 사용량을 절약하기 위해 그림과 같이 일의 흐름과 역방향으로 최종수세 수조로부터 급수를 하여 제1수세 수조에서 배수하는 방법을 말한다. 이 방법은 각 수세 수조의 상하 농도차를 균일하게 할 수 있다. = 향류다단 수세(620)

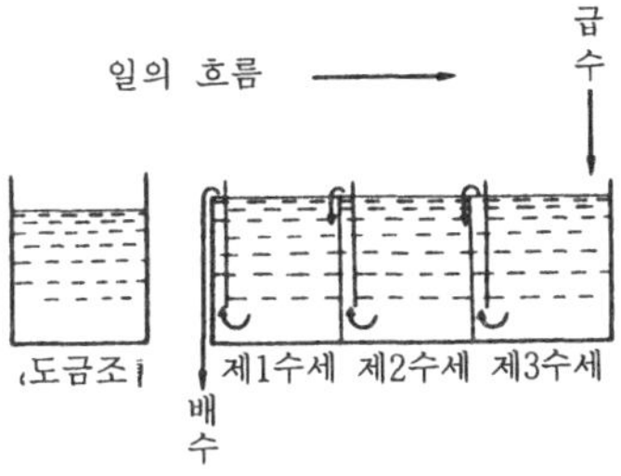


직렬 향류 수세

**직류** Direct Current ◘ DC(108)

**직류 적산전류계** Direct Current Ampere-hour Meter ◘ 적산 전량계(444)

**진공가열 농축회수법** Concentration Withdrawal ◘ 감압가열 농축회수법(12)

**진공도** Degree of Vacuum

대기압 이하의 정압을 말하며, 수은주의 높이를 절대압으로 표시한 것이다. 단위는 일반적으로 mmHg 또는 Torr가 사용된다. 또, 대기압 0%, 절대 진공(-760mmHg)를 100%로 하는 표시법도 있다. 현재, 도달할 수 있는 최고의 진공도는 $10^{-12}$mmHg정도이다.

**진공도금** Vacuum Evaporation Coating: Vacuum Deposition ◘ 진공증착(493), PVD(605)

**진공여과기** Vacuum Filter

슬러지(Sludge)의 연속여과를 행할 수 있는 회전식의 여과장치이다. 여포(濾布)를 드럼에 감싸 진공을 배면에 작용시켜 슬러지 중의 수분을 흡입하는 것으로, 드럼식의 대표적인 것은 올리버 필터, 벨트식의 대표적인 것은 벨트 필터이다. 진공여과기는 연속여과가 용이하고, 대량으로 처리할 수 있지만, 휘발성이 있는 물질에는 부적당하다. 원액의 유량, 점도 등의 변화에는 대응하기 어렵다. ◘ 올리버 진공여과기(369)

**진공 증발** Vacuum Evaporation

감압하에서 행하는 증발을 말한다. 진공 증발의 이점은 (1) 불점이 저하되기 때문에, 열원과의 온도차가 크게되며, 증발 능력이 증가한다. (2) 고온에서 분해, 변질의 염려가 있는 물질을 저온에서 처리할 수 있다는 것이다. 그림과 같이 크롬도금 등의 도금액의 회수 방법에 이용된다. 진공 증발을 행하기 위해서는 증발관 외에도 증발 증기의 응축기, 진공펌프 등이 필요하게 된다. = 감압 증발(13)

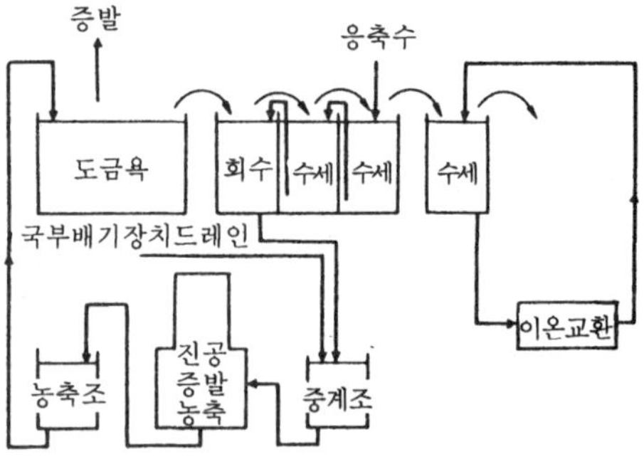


진공증발에 의한 회수의 흐름도

진공증발

**진공 증착** Vacuum Evaporation Coating : Vacuum Deposition

진공 중에서 금속을 가열하면, 금속이 증발한다. 그 증발분자를 증기 온도보다 저온의 기본재에 부착시키면, 표면에서 증기가 응축되어 박막이 형성된다. 이 박막은 극히 엷어서 통상 0.05～0.1㎛정도이다. 표면의 광택은 기본재의 거칠기나 증착 시의 분위기에 따라 달라진다. 그 때문에 언더코트(UnderCoat)재를 미리 도포하여 표면을 평탄하게 하고, 또한 기본재에서 방출되는 가스를 억제하여 증착 시의 압력을 낮게 유지한다. 또 증착막은 내마모성이 결여되기 때문에, 톱코트(TopCoat)제를 도포하여 보호막으로 한다. 언더코트제나 톱코트제를 착색하여 컬러 메탈라이징으로 하는 것도 용이하다. = 증착, 진공도금

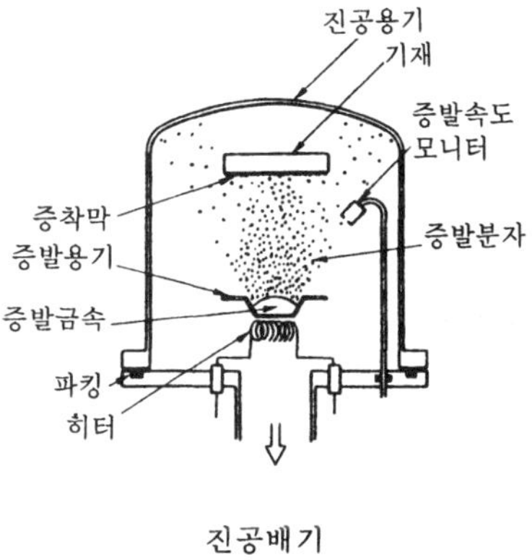

진공증착법

**진공증착**

◘ PVD(605), 드라이 플레이팅(Dry-Plating)(105)

**진공 침탄(浸炭)** Vacuum Carburizing

피처리품을 진공 열처리로에 삽입하여 로내를 진공펌프로 감압하여 980～1050℃로 가열하여 강의 표면을 청정하게 한 후, 메탄, 프로판 등의 탄화수소 가스를 도입하여 행하는 침탄법을 말한다. 통상의 가스침탄법에 비해 처리온도가 높기 때문에 침탄시간을 단축할 수 있어 변성로가 불필요하다는 등의 이점이 있다.

**진공탈가스 땜납** Vacuum(Degassed) Solder 땜납을 제조할 때에 주석과 연을 진공 용해하여 땜납 중에 산화물이 혼입되지 않도록 하여 만든 땜납을 말한다. 이 땜납을 사용하면, 젖음(Wetting) 크기, 젖음 속도, 보이드의 발생 등이 개선되며, 납땜성이 향상된다.

**진동 배럴** Vibratory Barrel

배럴의 회전 외에 진동을 주어 미끄럼층 이외의 부분에도 연마할 수 있도록 한 배럴 연마기. 연마시간이 회전식에 비해 1/3～1/5 정도 단축되나, 마무리면이 회전식보다도 거칠어지기 쉽다.

**진동 배럴도금** Vibrating Barrel Plating

바스켓 또는 배럴에 진동을 주어, 그 진동을 이용하여 물품을 이동시켜 도금하는 방법을 말한다. 보통의 회전 배럴도금에 비해 물품에게 전해지는 충격이 적고, 변형 흠 등이 적기 때문에 취약한 작은 부품의 도금에

적합하다. 도금액의 유동이 좋고 음극전류효율이 좋아진다. 결점은 물품의 형상, 크기에 제한이 있으며, 범용성이 없다는 것이다.

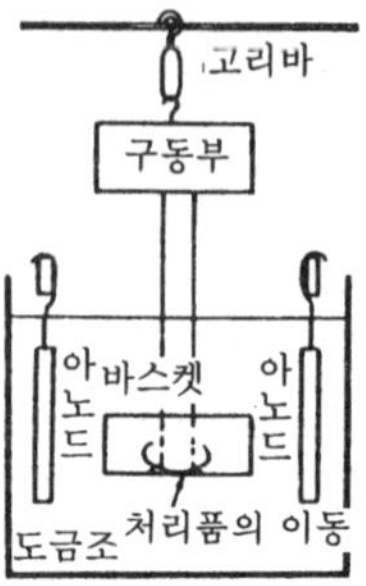

진동 배럴도금

**진(眞)비중** True Specific Gravity

외관 비중과 구별할 때의 용어로, 물질의 진용적에 대한 비중을 말한다. 공간이 있는 여재, 분진, 활성탄 등의 입괴(粒塊) 비중을 표시할 경우, 그것은 공간이나 세밀한 틈이 없는 입괴 고체로 하였을 때의 비중을 나타낸다.

**진정강** ◘ 킬드강(538)

**질량계측에 의한 도금부착량 시험** Mass Valuation Method for Measuring Thikness

도금의 부착량을 질량계측에 의해 측정하는 방법으로 KS D 0246「도금두께 시험방법」에서는 다음과 같이 구분하고 있다. (1)도금파괴 질량법, (2)도금파괴 분석법, (3)소지 파괴법, (4)비파괴법 등이 있다.

**질소산화물** Nitrogen Oxide $NO_X$.

질소와 산소의 화합물로, 일산화질소(NO)와 이산화질소($NO_2$)가 주된 것으로, $N_XO_Y$를 총칭하여 $NO_X$라고 한다. 공해 용어에서는 녹스라고 부른다. 이 외에 $N_2O$, $N_2O_3$, $N_2O_4$, $N_2O_5$, $N_2O_6$, $NO_3$, 등이 있다. 이것들은 석유, 석탄 등의 연소에 따라 발생하고, 고온연소의 과정에서는 먼저 NO의 형태로 생성되어 이것이 대기 중에서 산소와 결합하여 $NO_2$가 되나, 이 반응은 곧 바로 일어나지 않기 때문에 대기 중에서는 NO와 $NO_2$가 공존하고 있다. 이 중에서 $NO_2$는 농도가 높으면 눈을 자극하고 호흡기에 급성 천식성 증상을 일으키기 때문에 유해하다. 도금에서는 초산을 사용하는 키린스작업이나 니켈도금 피막의 박리작업을 할 때에 $NO_2$가 발생한다. = $NO_x$ ◘ 녹스(76)

**질화** Nitriding

철강의 표면을 경화시키기 위하여 질소를 확산 침투시켜 경질의 질화층을 만드는 조작을 말한다. 암모니아 가스중에서 500~525℃로 50~100시간 유지하는 가스질화법과, NaCNO를 주약제로하는 염욕중에 약 540℃로 유지하는 액체질화법이 있다. 900~1000Hv의 표면경도를 얻을 수 있다. 부분적으로 질화하기 위해서는 질화방지부분에 동도금, 주석도금, 니켈도금을 실시한다. 일반적으로는 피로인산 동도금이 많다.

**질화강** Nitriding Steel

질화처리에 의해 표면을 경화시키며, 또한 중심부는 인성을 가지고 있는 강을 말한다. 각종 조성이 있으나, 중탄소강에 질화를 촉진하는 원소로써 Al, Cr, Mo, Ti, V 등을 소량 첨가하며, 중심부의 인성 향상을 위해 Ni를 첨가한 것이 많다. 표피 경화강(Case Hardening Steel)과 같이 엔진의 실린더 내면, 정밀 베어링, 차축 등에 사용된다. ◘ 질화(494)

**질화규소** Silicon Nitride $Si_3N_4$.

비산화물 세라믹. 분말로써 질소 중에 소결된 것은 고온내식성, 고온강도, 내마찰성이 뛰어나며, 내열구조재료로써 사용된다. 세라믹엔진, 터빈용 재료로써 연구중에 있다.

**질화방지 도금** Nitriding Preventive Plating

기계부품, 예를 들어, 베어링 등은 부분 질화되어 있다. 질화가 필요 없는 부분에 동, 주석, 니켈 등의 부분도금을 한다. 부분도금의 마스킹의 방법은, 절연테이프를 감든지 절연도료(방도재로써 시판되고 있다)를 사용한다.

**질화 붕소** Boron Nitride

화학식 BN의 비산화물 세라믹. 흑연과 닮은 육방정의 층상구조를 하고 있으나, 고온 고압 하에서는 다이아몬드와 유사한 입방정이 된다. 입방정의 질화붕소는 cBN이라 불리며, 다이아몬드 다음으로 고경도이다. 분말을 소결한 것은 절삭공구로써 사용되고 있다. 육방정의 BN은 hBN이라 불리며, 부드럽고 윤활성이 있으며, 간단하게 절삭할 수 있다. = BN ◘ cBN(소결체)(286)

**질화 조직** Nitrided Structure

질화된 부분의 조직을 질화 조직이라고 하며, 주로 질화철로부터 되어 있다. 경도가 대단히 크며, 내식성이 풍부한 것이 특징이다.

**질화 티탄** Titanium Nitride TiN.

Hv 2500 이상으로 단단하며, 금색이다. 내마모성을 필요로 하는 물품에 코팅된다. 코팅법은 ($TiCl_4$, $N_2$, $H_2$)가스를 사용하는 기상도금법(CVD)과, 희박$N_2$가스와 Ti를 진공중에서 반응시키는 이온 플레이팅법이 있다. 공구, 시계 케이스, 안경 프레임 등에 코팅된다.

**집진(集塵)장치** Dust Collector ◘ 제진장치(478)

**집합조직** Crystal Texture

금속은 압연, 신선 등의 가공을 받으면, 다결정의 방향이 등방적이 아닌,

대다수의 결정이 일정한 방향을 향하여 성질도 등방적으로 없어진다. 이와 같은 다결정체는 집합조직을 가진다고 말한다. 예를 들어, 가공방향과 대다수의 결정의 [111]방향을 우선방위(Perferred Orientation)라고 한다. 도금 등의 전착금속도 전착 집합조직과 우선방위를 갖는 경우가 많다.

**징케이트** Zincate

산화아연 또는 수산화아연을 강알칼리 수용액에 녹일 때에 생성되며, 물에 가용성인 염. 아연산염이라고도 하며, 일반식은 $xM_2O \cdot yZnO \cdot 2H_2O$ (M:1가의 금속원소)로 표시한다. = 아연산염(296)

**징케이트 도금욕** Zincate Plating Bath

비시안 아연도금욕으로 욕조성은 산화아연 10~25g/l, 수산화나트륨 100~200g/l, 첨가제·광택제 적당량, 온도 20~35℃, 음극전류밀도 0.5~8A/$dm^2$이다. 시안욕과 비교하여 광택범위가 좁고, 조잡한 석출이 되기 쉬우며, 균일전착성, 피복력이 떨어진다. 또, 욕관리와 전처리가 시안욕보다도 어렵다. 사용상황에 따라서는 욕의 냉각이 필요하다. = 징케이트 욕(후항)

**징케이트 욕** ◘ 징케이트 도금욕(전항)

**징케이트 처리** Zincate Treatment ◘ 아연치환(297)

**징크로메탈** Zinchro-Metal

미국의 다이아몬드 샘록사가 1972년에 공개한 편면방청 강판의 상표. 도장공정에서 냉연강판→언더코팅(Undercoating)→업퍼코팅(Uppercoating)이 기본이다. 징크로 메탈은 내식성, 점용접성, 피막의 내박리성 등이 뛰어나 자동차용 강판으로써 사용되고 있다.

**징크 크로메이트** Zinc Chromate: Zinc Yellow Pigment

녹방지용 안료로써 성분은 아연황($K_2OCrO_3 \cdot 4ZnO \cdot 3H_2O$ 또는 $ZnCrO_4 \cdot 4Zn(OH)_2$이다. 일반적으로 언더코팅에 사용되며, 도막에 침투해 가는 미량의 수분에 의한 전지작용을 산화아연 수화물의 피막이 방해하여 크롬산 이온의 존재에 의해 소지금속을 부동태화하여 녹 발생을 방지한다.

# ㅊ

**차아(次亞)염소산** Hypochlorous Acid HClO.

수용액으로써만 존재한다. 약산에서 자극성 냄새가 나며, 농도 진한 용액에서는 황색을 띄고 있다. 빛에 의해 분해하기 때문에 서늘하고 어두운 곳에 저장한다. 분해되면 산소를 발생하며, 일부는 염산과 염소산을 만들며, 산화력이 강하다.

$$2HClO \rightarrow 2HCl + O_2 \quad 3HClO \rightarrow 2HCl + HClO_3$$

**차아염소산염** Hypochlorite

고체로써 Li, Na, K, Ca, Sr, Ba 등의 염이 있으나, 도금에서는 시안배수의 처리에 차아염소산나트륨이 사용된다. 일반적으로 무색의 결정으로 수용액은 가수분해되어 알칼리성을 띄며, 또 탄산에 의해 분해되어 차아염소산을 유리한다. 고체와 수용액에서 모두 불안정하고 보존 중에 서서히 분해된다. $2ClO^- \rightarrow 2Cl^- + O_2$. 니켈, 코발트 등의 중금속 화합물이 존재하며 촉매로써 작용하여 분해를 촉진한다. 산화제, 살균제, 표백제로써 사용되고 있다.

**차아인산염** Hypophosphite

포스핀산염이라고도 한다. 대표적인 염은 나트륨염으로, $Na[H_2PO_2]$은 차아인산나트륨이라고도 불리며, 무전해도금욕의 성분(환원제)으로써 사용된다. 포스핀산염은 알칼리금속, 알칼리 토류금속이고, 망간, 아연, 랜터노이드와의 염류가 알려져 있으며, 어느 것도 이온성 화합물로 물에 작 녹는다. = 포스핀산염(Hypophosphite)(576)

**차폐제** Masking Reagent ◘ 마스킹제(129)

**차폐판** Shild

양극이나 음극상의 전류분포를 변화시키기 위한 비전도성의 개재물. 예를 들어 에지 마스크 등으로 재질은 염화비닐제가 많다. = 액마스크

◘ 에지 마스크(333), 실드(281)

**착색** Colo(u)ring; Metal Colo(u)ring

도금에서는 금속착색을 말한다. 금속착색의 종류는 합금, 금속피복, 비금

속피복, 약품처리, 전해처리 등 여러 가지 방법이 있다. 도금피막의 착색은 약품처리, 전해처리에 의한 경우가 많으나, 도금피막 위에 전착 도장을 하는 경우도 있다. 장식품, 조명기구, 미술공예품 등에 널리 이용되며, 많은 수법이 연구되고 있다. ◘ 금속 착색(59), 컬러링(525)

**착색 알루마이트** Colo(u)red Anodic Oxidized Alumina Coating

알루미늄을 양극 산화하여 얻을 수 있는 피막을 유기염료, 무기화합물 등으로 염색하는 방법. 양극 산화 후, 금속염을 용해한 욕 중에서 전해를 행하여 금속 또는 금속화합물을 피막의 홀(Holl) 안에 석출시켜 착색하는 방법도 있으며, 이 방법을 전해착색이라고 한다. ◘ 전해착색 피막(467)

**착염** Complex Salt

전해질 착체, 착이온을 함유한 염을 말한다. 예를 들어, 테트라안민동(Ⅱ)황산염은 착이온으로써 해리하지만, 착이온 자체는 전리 정수가 작기 때문에 극히 조금밖에는 전리하지 않는다. 그 때문에 $Cu^{2+}$이온은 극히 저농도가 된다. 엄밀히 말하면, 구별되어 있으나 착체와 같은 의미로 사용되는 경우가 많다.

$$[Cu(NH_3)_4]SO_4 \rightleftharpoons Cu(NH_3)_4^{2+} + SO_4^{2-}$$

디시아노금(Ⅰ)산 칼륨 등도 같다.

$$KAu(CN)_2 \rightleftharpoons K^+ + Au(CN)_2^-$$

**착이온** Complex Ion

전해질 착체(錯体)가 전리될 때에 발생하는 이온을 말한다. 예를 들어, 페로시안이온 $[Fe(CN)_6]^{4-}$은 $Fe^{2+}$와 6개의 $CN^-$로 된 착이온이다. 일반적으로 금속이온이 극성 용매를 녹일 때에 용매분자 또는 이온이 배위하는 경우가 많기 때문에 엄밀하게는 착이온이다. 예를 들어, Mg염이 물에 녹았을 때, 일반적으로 이온의 형태를 $Mg^{2+}$로 쓰지만, 정확한 표기는 $[Mg(OH)_6]^{2+}$이며, 이것은 착양이온이다.

**착체** Complex

한 개의 금속 또는 서로 비슷한 금속원소의 원자나 이온 주위의 공간에 다른 원자, 이온, 원자단, 기, 분자 등이 입체적으로 일정한 위치에서 결합하여, 그것들과는 서로 다른 성질의 기나 분자 등을 형성하고 있는 것의 총칭이다. 예를 들어, $KAg(CN)_2$, $KAu(CN)_2$, $Na_2Cu(CN)_3$등은 도금액의 주성분으로 착체이다.

**착화제** Complex Agent

일반적으로 금속이온 주위에 배위하여 착이온을 생성하는 분자 또는 이온을 착화제라고 한다. 도금액에서의 착화제는 매우 중요하며, 가장 많이 사용되고 있는 착화제는 시안염이다. 합금도금에서는 각 금속의 석출전위를 접근시키기 위하여 사용된다. 일반적으로는 착화제 농도가 높아지면 석출전위는 보다 더 낮아진다. 착체 생성반응에서 착화제 농도가 높아지면 유리금속 이온이 감소하고 석출전위는 낮아지기 때문이다.
$M^{n+} + mA^{-} \rightleftharpoons [MAm]^{(n-m)+}$ ◘ 금속이온 봉쇄제(58)

**착화합물** Complex Compound

일반적으로 착체를 포함한 화합물을 말한다. 분자화합물과 구별하기 위하여 사용되는 술어이다. ◘ 착체(498), 분자 화합물(206)

**찰과 마모** ◘ 프레팅 마모(592)

**찰과(擦過) 부식** Fretting Corrosion ◘ 프레팅 부식(592)

**참조 전극** Reference Electrode ◘ 기준 전극(62)

**처리액 회수** Drag Back

도금된 것을 도금수조에서 인양하여 수세로 이동하기 전에 미리 설치해놓은 회수수조 위에서, 도금액을 제거하여 도금액을 회수하는 것을 말한다. 특히 배럴도금에서는 효과가 크며, 회수수조 위에서 배럴을 회전시키는 경우도 있다. 때로는 피도금물에 진동을 주거나, 도금액을 흡인시키거나 하는 경우도 있다.

**천이 온도** Transition Temperature

일반적으로 성질이 급변하는 온도를 천이 온도라고 한다. 변태점 등은 그 한 예이며, 통상, 충격치가 급변하는 온도, 바꾸어 말하면 저온 취성을 나타내는 온도를 말하는 경우가 많다. 충격치의 천이 온도로써는 충격치가 최대치의 1/2의 점 또는 충격치가 15ft-lb(2.6㎏-m/㎠)가 되는 온도를 채용하는 것이 보통이다.

**철** Iron Fe.

원자번호 26, 원자량 55.847, 융점 1535℃, 비중 7.86. 고대로부터 알려진 금속으로 지구상에 널리 분포되어 있다. 은백색으로 비교적 부드럽고 연성이 풍부하다. $\alpha$, $\beta$, $\gamma$, $\delta$ 철의 변태가 있다. 건조된 공기 중에서는 안정하나, 습기가 있으면 산화되어 녹이 발생한다. 미분의 철은 발화한다. 산소 중에서는 고온에서 산화철(Ⅲ)$Fe_2O_3$가 된다. 고온수증기와 작용하여 사산화삼철 ($Fe_3O_4$)을 발생한다. 희산에는 수소를 발생하여 녹으나, 농초산에서는 부동태가 된다. 제일철 이온은 담청색으로 적혈칼리에서

턴블루를 침전, 제이철 이온은 황색으로 황혈칼리에서 베를린청의 침전을 만든다. 각종 강재, 전자기재료, 촉매, 합금 등 용도가 넓다.

**철-니켈 합금도금** Iron-Nickel Alloy Plating

공업용으로써 자성 박막에 사용되며, 니켈을 35~80% 함유한 합금은 퍼멀로이(Permalloy)라 하는 고투자율의 합금이다. 철강의 연속주조용 몰드에 철을 8~10% 함유한 합금도금이 실시되어 몰드의 수명 연장과 주조품의 표면결함 방지에 효과가 있다. 철-니켈 합금도금은 장식용으로도 사용되며, 다음과 같은 효과가 있다(1평활화작용(레벨링)이 뛰어나고 광택니켈 보다도 20~30% 얇은 막 두께로 같은 정도의 레벨링을 얻을 수 있다). (2)연성이 뛰어나고 절곡 가공에 잘 견딘다. (3)니켈욕에서 생기는 철에 의한 작은 돌기(Rough Surface) 발생이 거의 없다. 자성도금에 사용되는 도금욕의 한 예는 황산니켈 300g/$l$, 염화니켈 20g/$l$, 황산제일철 18g/$l$, 붕산 30g/$l$, 욕온도 55~60℃, pH 2.8~3.0, $D_K$ 1A/dm$^2$. 퍼멀로이용의 도금욕이다.

**철 도금** Iron Plating

철 도금은 값이 싸고 전착속도도 빠르나, 철이 녹슬기 쉽다는 결점이 있다. 기계부문, 성형용금형 등의 보수용, 인쇄용 전기판 등의 전주용 등에 사용된다. 철 도금욕은 제일철을 이용하는 산성욕으로, 황산 제일철, 염화제일철, 양자의 혼합물, 붕불화 제일철욕, 술파민산 제일철욕 등이 있다.

**철 박테리아** Iron Bacteria

수중의 용존 산소를 소비하여 용존하는 2가의 철화합물을 3가로 산화시키는 박테리아. 수도관내에 철 박테리아가 번식하여 녹을 생성한다고 알려져 있다. ◘ 튜버클(552)

**철 버프** Polishing Wheel ; Emery Buff ◘ 에머리 버프(328)

**철선** Low Carbon Steel Wire

연강 선재를 상온에서 신선 가공하여 제조한 선으로 보통 철선, 아연도금 철선, 못용 철선 등이 있다.

**철-아연 합금도금** Iron-Zinc Alloy Plating ◘ 아연-철 합금도금(297)

**철포 배럴도금** Tapered Barrel Plating ◘ 경사식 배럴도금(25)

**철 합금도금** Iron Alloy Plating

철 합금도금은 종류가 많다. 철-니켈, 철-코발트, 철-아연 등의 합금도금이 있다. 철-니켈, 철-코발트의 합금도금은 자성박막으로써의 용도가 있으며, 철-아연 합금도금은 비교적 값이 싸고 크로메이트 처리가 용이하여 같은 두께의 아연도금에 비해 2배 가까운 내식성이 있다.

**첨가제** Addition Agent : Additives

도금욕은 주성분으로써 금속염, 부성분으로써 전도도염, pH완충제, 양극 용해 촉진제 등이 있으나, 이것들의 기본이 되는 욕조성을 더욱 개선하기 위해 첨가된 것을 첨가제라고 부른다. 첨가제의 종류는 대단히 많다. 예를 들어, 광택제, 평활화제, 계면활성제, 이온봉쇄제(킬레이트제), 전착 응력 조정제, 산화제, 환원제 등이 있다.

**청동** Bronze

동과 주석을 주성분으로 하는 합금. 그러나, 주석대신에 알루미늄이나 망간을 함유하고 주석을 전혀 포함하지 않은 합금을 청동이라고 부르는 경우도 있으며, 본래의 청동을 주석 청동이라고 하는 경우도 있다. 주석 10% 정도의 청동을 포금(砲金)이라고 한다. 청동의 주석 범위는 2~35%로 넓고, 종류가 많다. 화폐용, 조종(釣鐘)용, 공예용, 기계부품용 등 용도가 넓고 오랜 역사를 가지고 있다. = 브론즈(216)

**청동 도금** Bronze Plating ◘ 주석-동 합금도금(483), 청동(전항)

**청봉(靑奉)** Chrome Green Oxide Bar

산화크롬을 성분으로 하는 봉상의 유성연마제. 스테인리스, 니켈, 크롬의 마무리 연마용으로 사용된다.

**청산가리** Potassium Cyanide ◘ 시안화칼륨(279)

**청소법(靑燒法)** Bluing

철강 방청법의 일종으로, 질산칼륨과 미분(微粉)질산칼륨의 등량(等量) 혼합물을 500℃로 가열하여 용융하고, 이것의 용적에 1/50의 과산화 망간을 첨가하여 부유물을 침하시키고, 철 소재를 넣으면, 흑색의 푸른 색을 띤 산화피막이 만들어진다. 또는 340℃에서 5~10분 정도 가열한 후, 물 또는 기름으로 급냉하여도 좋다.

**청열(靑熱) 취성** Blue Shortness

일반적으로 철강은 상온에서보다도 250℃ 부근에서 인장강도 및 경도가 大가 되며, 신율은 小가 되어 무르게 된다. 이 온도는 정확히 연마된 철강의 표면이 청색으로 변화되는 온도에 상당하기 때문에 이 온도에서의 취성을 청열 취성이라고 한다. 청열 취성을 나타내는 온도는 하중 속도의 대소에 의해 영향을 받기 때문에 인장시험에서는 250℃ 부근이지만, 충격시험에서는 400~500℃에서 일어난다. 청열 취성의 현상은 소성 변형과 더불어 일어나는 경화와, 경화에 대한 시간의 영향, 즉 시효 작용과 연화 작용과의 합성 결과에 근거한 것이다. 따라서, 이 현상은 단순히 철강에서만이 존재하는 것이 아니라, 일반적인 금속에 공통적으로 발생하는 성질이다. 그 원인은 질소의 영향 때문이라고 여겨진다.

**청온 가공법** Blue Working

재결정 온도 이하의 적당한 온도로 가열하여 행하는 소성 가공을 청온 가공법이라고 한다. 이 가공법에 의해 강의 기계적 성질과 함께 가삭성을 높일 수가 있다. 청온 가공법은 단순한 냉간 가공법과는 다르며, 인장강도와 항복점을 증가시키는 비율에 신율을 감소시키지 않는 것이 특징이다. 가공 온도가 낮기 때문에 각종 치수의 강재에 적용되며, 또한 조작도 비교적 간단하다. 청온 가공법에 대해 재결정 온도 이상의 소성 가공을 고온 가공(Hot Working)이라고 한다.

**청온 가열** Blue Heating

청온 가열은 상온 가공 또는 소입된 강의 탄성한도를 상승시키기 위해 599℃ 이하의 적당한 온도로 가열하는 조작을 말한다. 즉, 점성 변형을 받은 강을 200~300℃로 가열하면, 소위 말하는 시효 경화 현상이 가장 신속하고 유효하게 일어나기 때문에 인장강도, 탄성한도, 경도 등을 증가시키지만, 신율은 감소하게 된다. 이 200~300℃의 온도에서는 철강은 그 표면에 청색의 산화막이 발생되는 점에서 청온 가열이라고 불린다.

**청정도** Cleanliness

비금속 개재물(Non-Metalic Inclusion)의 혼재 정도를 청정도라고 한다. 비금속 개재물은 표준도에 의한 번호에 의해 표시된다. 표준도에는 비금속 개재물을, (1)가공에 의해 점성 변형된 것(황화물, 규산염 등)····A계 개재물, (2)가공 방향에 집단이 되어 불연속적으로 입상의 개재물이 배열된 것(알루미나 등)····B계 개재물, (3)점성 변형되지 않고 불규칙하게 분산된 것(입상 산화물 등)····C계 개재물로 나뉜다. 이 표준도와 비교하여 청정도 1~5라고 번호를 부여한다. 개재물의 두께는 ㎛단위로 표시한다.

**청징제** Clarificant; Clarfying Agent

현탁이나 유탁액의 부유물 또는 콜로이드 입자 등을 응집 침강시켜, 청징한 액체를 얻는 화학약품을 말한다. 이전에는 석회, 규약토, 명반 등이 사용되었으나, 최근에는 고분자 응집제가 사용된다.

**청징화(淸澄化)** Clarification

공업용수, 상하수도, 폐수 등을 정화하는 침강분리에서 목적물이 상징액

(上澄液)인 경우를 청징화라고 한다. 청징화조는 클러리 파이어라고 불린다.

**청화 동도금** Copper Cyanide Plating ◘ 시안화 동도금(278)

**청화 동스트라이크도금** Copper Cyanide Strike Plating ◘ 시안화 동스트라이크도금(278)

**청화소다** Sodium Cyanide ◘ 시안화나트륨(278)

**청화(青化) 아연도금** Zinc Cyanide Plating ◘ 시안화 아연도금(279)

**체확산(体擴散)** Lattice Diffusion

결정입계를 그 금속 자신이 확산(자기확산)하거나, 이종금속이 확산하는 것을 말하며, 그 속도는 결정입 내부가 가장 작고, 입계가 그 다음이며, 표면이 가장 크다. 이것은 원자밀도 순으로 되어 있으며, 표면이 원자밀도가 가장 낮기 때문이다. ◘ 입계 확산(431), 표면 확산(587)

**초격자** Super Lattice ◘ 규칙 격자(51)

**초경 합금** Cemented Carbide: Hard Metal

금속탄화물을 미분말로 하여 그것에 소량의 금속을 결합제로써 첨가하여 고온에서 소결한 합금을 말한다. 고융점금속(W, Ti 등)의 탄화물은 일반적으로 무척 단단하지만, 이것들의 미분말에 비교적 인성을 가진 금속(Co, Ni 등)을 수~수십% 첨가하여 고온에서 소결(분말 야금)한 합금이다. WC-Co계 합금은 기계적으로 뛰어난 초경합금으로써 알려져 있다. 이것을 발전시킨 합금으로 WC-TiC-Co, WC-TiC-Ta(NbC)-Co, WC-TaC(NbC)-Co 등이 있다. 용도는 초경공구로써 절삭용, 롤, 게이지, 프린터의 도트 핀(Dot-pin), 광산이나 토건용의 착암기(Rock Drill)의 비트(Bit) 등에 널리 사용되고 있다.

**초미량분석** Ultratrace Analysis

시료 중의 1ppm(10-6g) 이하(가스분석에서는 5ppm 이하)의 성분을 측정, 정량하는 분석을 말하나, 1mg 이하의 시료에서 행하는 분석을 말하는 경우도 있다. 이것들의 분석은, 원자흡광법, 질량분석법, 방사화분석법 등으로 행하여진다.

**초미립자** Ultra-fine Particles

일반적으로 입자 직경이 0.1㎛ 이하의 입자를 초미립자라고 한다. 분말야금용의 금속 미립자는 더욱 작은 것으로 입자직경이 1㎛ 정도이다. 금속 초미립자는 벌크상 금속과는 달리, 세립화 할수록 전체의 표면적이 증가하여 거의 모든 경우 입자 1개 1개가 단결정으로 구성되어 있기 때문에 균질하나, 결정입계는 포함하지 않는다. 금속 초미립자는 융점이 낮는 등, 벌크상 금속과는 서로 다른 물성을 나타내게 된다. 용도는 자기기록재료, 후막(厚膜) IC 도전성재료($RuO_2$), 로케트 고체추진약(Ni) 적외선 검출재료(Au, Cr), 도전성고무, 고무자석 등이다.

**초산** Acetic Acid $CH_3COOH$.

분자량 60.05, 비중 1.049(20℃), 전리정수 $1.86 \times 10^{-5}$. 포화지방산의 일종으로 1가의 약산이다. 자극성이 강하고, 산의 맛을 가지고 있는 무색의 액체로 순도가 높은 초산은 동절기에 빙결되기 때문에 빙초산이라고도 하며, 96%의 초산을 함유한다. 물, 알코올, 에테르와도 잘 녹으며, 많은 유기물을 용해한다. 식초는 주성분으로써 약 5%의 초산이 포함되어 있다. 농후(濃厚)용액이나 증기에 닿으면 인체에 유해하기 때문에 주의를 요한다. 도금에서는 크로메이트 처리액 등에 사용된다.

**초산** Nitric Acid $HNO_3$.

시판하고 있는 초산은 69.8%의 수용액으로 비중 1.42, 123℃의 불점의 공불 혼합물이지만, 순초산은 불점 86℃의 무색의 액체로 비중이 1.502(15℃)인 흡습성으로 흡기가 많은 공기 중에서 발연한다. 물과의 혼합액은 강한 산성을 나타내며, 금, 백금족 금속 이외의 거의 모든 금속을 녹인다. 초산 1 : 염산 3(모두 용량) 비율의 혼합액은 왕수라고 불리며, 금, 백금족 금속도 녹인다. 극물, 특정 화학물질이며, 도금에서는 산세, 크로메이트 처리, 니켈도금 피막의 박리 등에 사용된다. 농초산은 차고 차가운 암실에 저장한다.

**초산 노출시험** Nitric Acid Exposure Test

금도금의 내식성을 조사하는 시험법으로, 시료를 초산증기의 분위기 중에 일정시간 폭로시켜, 표면의 변색, 핀 홀에서의 부식상황을 관찰한다. 방법은, 데스케이터 밑부분에 농초산을 넣어, 데스케이터 내의 자제판(磁製板)상에 탈지 세정한 시료를 올려놓고, 뚜껑을 닫은 후, 일정 온도를 유지하며 일정 시간 방치한다. 예를 들어, 20℃에서 1시간 방치한다. 시료를 꺼내어 부식 상황을 조사한다.

**초산니켈도금욕** Nickel Acetate Plating Bath

욕조성은, 황산니켈 270g/$l$, 염화니켈 50g/$l$, 초산니켈 30g/$l$, pH 3.5~4.5, 전류밀도 3~5A/$dm^2$, 온도 40~50℃이다. 도금피막의 전착응력은 약 700㎏/㎠로 술파민산니켈욕과 와트욕의 중간이며, 전주욕에 사용된다. 배수처리에서 붕소가 규제된 경우는 붕산을 사용한 와트욕에 비해 유리하다.

**초산딥** Nitric Acid Dipping

도금용어이며, 아연도금 후, 크로메이트 처리를 하기 전에 도금피막의 광택을 내기 위해 엷은 초산(약 5%)에 침적하는 것을 말한다. 도금면에 잔류해 있는 알칼리 성분의 중화제거 효과도 있다. 넓은 의미로는 화학연마를 말한다.

**초산염수 분무시험** Acetic Acid Salt Spray Test : ASS Test

염수 분무시험장치를 사용, 초산 산성의 염화나트륨용액을 분무하여 도금의 내식성을 조사하는 시험방법이다. 염수분무 시험방법에는 중성 염수분무와 초산 염수분무와 카스시험의 3가지 방법이 있으며, 중성 염수분무에서는 부식력이 약한 경우에 사용되며, 비교적 공업적으로 옥외 폭로시험 결과와 닮은 결과가 얻어진다. 분무액은 염화나트륨 40g/$l$의 액을 만들고, 초산을 가하여 pH 3.0으로 조정하여 사용한다. 중성 염수분무에 비해 부식 생성물의 용해가 용이해지며 부식이 촉진된다. = ASS 테스트

**초산은** Silver Nitrate $AgNO_3$.

무색의 사방정계 결정. 금속은을 초산에 용해시킨 후, 용액을 증발시키면 무수염의 $AgNO_3$를 얻을 수 있다. 물 100g에 대한 용해도는 241g(20℃)이고, 온도를 높이면 현저하게 용해도가 증가한다. 수용액은 약산성이며, 빛에 대해 고체도 수용액도 안정하나, 유기물이 있으면 환원되어 은경이 생긴다. 도금에서는 암모니아성 초산은 용액을 환원액을 사용하여 환원하여 은을 석출시켜 부도체표면을 도체화하는 은경반응에 사용한다. 단백질 응고작용이 있고, 피부를 흑화시키며, 이것을 제거하기 위해서는 시안화알칼리, 또는 티오요소 용액을 사용한다. 의약, 사진감광재 등에 사용된다. ◘ 은경반응(399)

**초순수** Ultrapure Water

전기전도도, 고형 미립자수, 생균수, 유기물 등을 극히 낮은 값으로 억제한 순수한 물을 말한다. 초순수에서는 미립자가 직경 0.1㎛ 이하의 것이 20개/㎤ 이하, 생균은 100㎤당 1개 이하 등의 제한치가 있다. 초순수는 증류, 이온교환, 역침투 등을 조합하여 만들며 반도체의 제조공정에 사용되나, 이것들의 도금공정 중에서 세정수에도 사용된다. 이 외에 의약품 제조, 원자력 발전소에서도 사용되고 있다.

**초음파 세정** Ultrasonic Cleaning

세정 수조에 초음파 진동자를 취부하여 진동을 세정액에 전달시켜 초음파에 의한 캐비테이션(Cavitation)효과에 의해 오염을 해리, 분산시키는 세

정방법. 캐비테이션 효과라는 것은, 초음파에 의해 액 중에 미소한 공동을 만드는 현상을 말한다. 사용주파수는 50~600kc/s의 것이 사용된다. 소형 정밀부품의 세정에 적합하다. ◘ 캐비테이션(523)

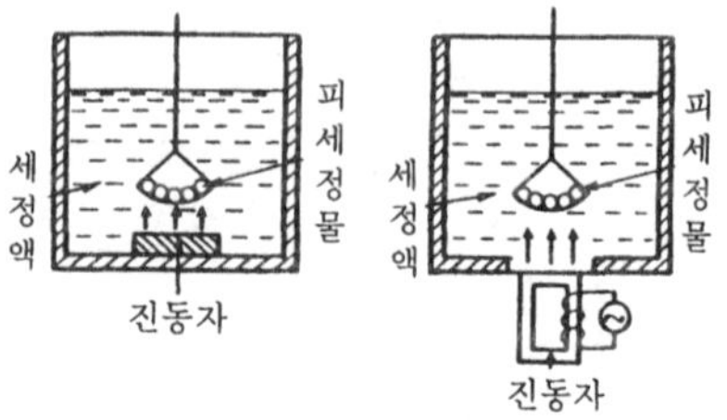


초음파 세정 수조

초음파 세정

**초음파 시효** Super Sonic Aging

시효 처리를 행할 때, 물품에 초음파 진동을 주어 시효(상온 또는 고온 시효)하는 방법을 초음파 시효라고 한다. 초음파 시효를 이용하면, 종래의 시효보다도 눈에 띄게 시효가 촉진된다. 알루미늄합금의 시효 처리에 응용되고 있다.

**초음파 액침** Super Sonic Liquid Carburizing

초음파가 액체 안을 아주 잘 전반하는 성질을 이용하여 액체 침탄제의 용융염에 초음파를 통해 물품을 침탄 질화하는 방법을 초음파 액침이라고 한다. 초음파 액침에 의하면, 보통의 액침보다도 침탄 질화도가 크다고 알려져 있다.

**초음파 용접** Ultrasonic Welding

초음파에 의한 진동에너지와 적당한 가압에 의해 행하여지는 점용접 또는 심용접을 말한다. Fe, Al, Cu, Ni, Ti, Zr이나 이것들의 합금용접이 가능하다.

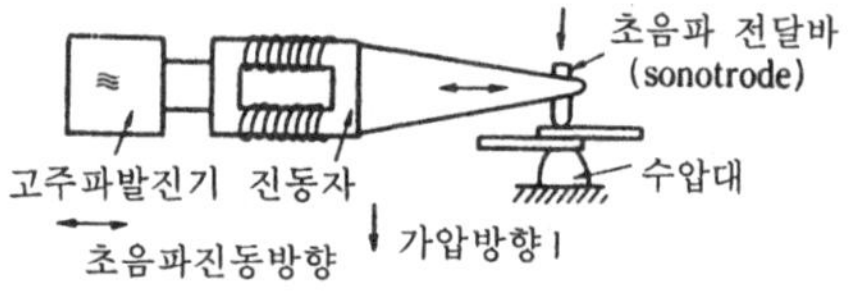


초음파 용접장치

초음파 용접

**초음파 현미경** Ultrasonic Micro-Spectroscope

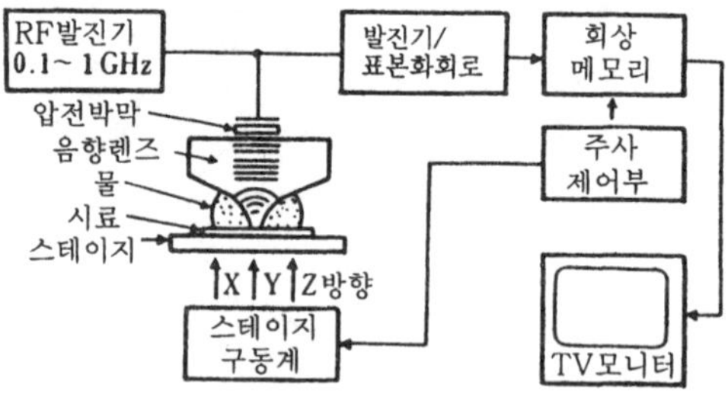


반사형 초음파현미경의 구성

초음파 현미경

미세한 초음파(100MHz 이상의 주파수)빔을 시료에 조사하여, 투과 또는 반사된 초음파를 검출하여 화상을 확대 표시하는 현미경으로 1970년대에 개발되었다. 광학현미경과 같은 정도의 분리능을 가지고 있어 재료의 표층, 내부의 미소결함이나 물질의 탄성적 성질을 반영한 정보(가공변질층, 응력계측, 부식반응의 관찰, 그 외)를 얻는 수단으로써 이용되고 있다.

**초정** Primary Crystal, Pro-Eutectic

용융금속(균일 액체)으로부터 최초에 나온 결정, 즉 정출되는 결정을 초정이라고 한다. 초정은 비교적 자유롭게 정출되며, 그 형상은 주로 수지상, 구상 또는 침상이다.

**초합금** Superalloy

내열강의 사용 한도 이상의 650~820℃에서 내산화성, 고온강도를 유지하는 합금의 총칭. 합금원소를 다량으로 첨가하여 철분이 약 50% 이하로 되어 있는 합금. 종류는 극히 많으나, 주로 Fe기, Ni기, Co기이다. = 슈퍼알로이(264)

**촉매** Catalyst : Catalyser

화학반응 물질에 접하여 존재하고 비교적 소량이나 반응속도를 변화시키는 작용을 하며, 스스로는 변화하지 않는 물질을 촉매라고 한다. 촉매의 활동을 촉매작용, 촉매에 의해 일어나는 반응을 촉매반응이라고 한다. 일반적으로, 반응속도를 증가시키기 위하여 이용하지만, 때로는 감소시킬 목적으로도 이용된다. 전자를 정촉매, 후자를 부촉매라고 한다.

**촉매독** Catalytic Poison

촉매표면에 강하게 결합되어 촉매작용을 저하시키거나 완전히 정지시키는 물질을 말한다. 촉매독의 작용을 피독(被毒 : Poisoning)이라고 한다. 반응계 분자보다 강한 촉매의 흡착점 또는 활성점으로 결합한다. 반응에 관여하지 않는 물질은 모두 촉매독이 될 가능성이 있다. 반응 및 촉매의 종류에 따라 촉매독은 다르다.

**촉매 화학도금** Catalyric Chemical Plating ◘ 자기 촉매도금(433)

**촉진 내후성시험** ◘ 촉진 내후시험(후항)

**촉진 내후시험** Accelerated Weathering Test

옥외의 제조건의 일조, 온도, 강우, 습도 등을 인공적으로 만들어 행하는 내후성 시험법. 자외선카본 아크형, 선샤인 카본형, 듀사이클형 등의 시험장치가 있다. 도막의 열화 등의 시험에 사용된다. = 촉진 내후성시험(전항)

**촉진시험** Accelerated Corrosion Test ◘ 가속부식시험(8)

**촉진 시효** Progressive Aging

시효 처리의 일종으로 시효 중, 연속적으로 가열 온도를 높여가는 것으로, 계단적으로 승온시키든지 또는 다른 촉진에 적합한 방법으로 행한다. 계단 시효 등은 촉진 시효에 속한다.

**총경도** Total Hardness ◘ 전경도(446)

**총괄(벌크) 밀도** Bulk Density ◘ 총괄 비중(후항)

**총괄 비중** Bulk Specific Gravity; Bulk Density; Apparent Density

분체(粉体), 입체(粒体), 보온재 등 내부에 공간을 가지고 있는 것의 밀도 표시에 사용되며, 겉보기 단위 체적당의 중량을 말한다. = 총괄 밀도 ◘ 겉보기 밀도(19)

**총량 규제** Control by Immutable Weight

배수되는 수량과 유해물질 농도의 곱에 따라 유해물질의 총량을 규제하는 것을 말한다. 농도 규제에는 다량의 물로 엷게 하여 규제기준치 이하로 하는 것도 가능하지만, 총량 규제가 되면 불가능하게 된다. 절대량 규제라고도 한다. = 절대량 규제(469)

**총유기 탄소** Total Organic Carbons ◘ 전유기 탄소량(459)

**최소전류밀도** Minimum Current Density

도금에서 금속이 석출되는 데에 필요한 최소한의 전류밀도를 말한다. 이것보다 낮은 전류밀도에서는 석출금속 또는 소지금속 성분의 용해, 피트의 생성 등, 부식이 일어나는 일도 있다.

**쵸크랄스키법** Czochralski Method

단결정 제작법의 일종. 용융액에 침투된 봉 또는 종자결정을 천천히 인양하면서 선단에 부착되어 있는 액을 고화시킨다. 육성조건의 제어를 하기 쉽고, 균질하여 격자결함의 적은 단결정을 얻을 수 있다. = CZ 법(287)

**축전지** Storage Battery; Accumulateur(영)

방전시킨 후, 외부전원으로부터 충전하면 반복하여 사용 가능한 전지를 말한다. 보통 사용되고 있는 것은, 납 축전지와 알칼리 축전지의 2종류이다. 완전한 충전상태에서 규정된 마지막 전압(납 축전지에서는 1.8V정도)에 도달하기까지 방전하여 얻는 충전기량, 즉 전류×시간의 합(단위는 Ah)을 축전지의 용량이라고 한다. = 2차전지(419)

**충격도금법** Peen Plating ◘ 메카니컬 플레이팅(139)

**충격 부식** Impingement Attack

유체의 유속이 증가함에 따라 금속재료 표면의 보호피막이 박리하여 금속재료의 부식 속도가 증가하는 현상을 말한다. 배관의 곡부분 등은 충격부식이 크다. 부식성이 유체에 의해 화학적 손상보다도, 유속의 증가에 따른 기계적 손상이 클 때는, 단순히 에로젼이라고 불리운다. = 이로전 · 코로전 ◘ 이로전(409)

**충격시험** Impact Test

시험기를 사용하여 금속의 시험편에 충격을 가해, 파단시의 충격치를 구하는 시험으로 저하중용, 고하중용, 인장, 압축, 굽힘시험 등, 각종 시험기가 있다. 대표적인 것은 저하중 충격굽힘 시험용이다. (1)아이조드(Izod)식 시험기를 사용하는 경우 : 시험편의 한 단을 고정하고, 해머로 다른 단에 충격을 가해 1회로 시험편을 파단한다. (2)샤르피식 시험기를 사용하는 경우:시험편의 양단을 지탱하고 해머로 중앙에 충격을 가해 1회로 시험편을 파단한다. 어느 시험편이나 미리 노치를 만들어 놓는다.

**충진탑** Packed Column

기체-액체, 액체-액체 등의 서로 다른 상 사이의 물질 이동을 효율 좋게 행하기 위하여 안에 충진물을 삽입한 탑을 말한다. 도금에서는, 배출가스 흡수탑 등에 이용된다. 예를 들어, 원통형의 탑 안에 그림과 같은 충진물을 삽입하면, 액은 상부에서 충진물을 따라 밑으로 흐른다. 가스는 탑의 하부에서 유입되어 액과 함께 흐른다. 충진물은 인공적으로 성형된 것으로 자기, 플라스틱, 카본, 금속 등이 이용되며, 크기는 2~5㎝정도의 것이 많다. 그림과 같은 원통형의 래싱 링(Rasching Ring)이나 새들(Saddle) 등의 형상이 많이 사용된다. ◘ 래싱 링(115), 세정 집진장치(247)

(a) 래싱 링 (b) 새들

충진물

충진탑

**취기(臭氣) 강도** Odo(u)r Strength

취기는 성분이나 농도 등의 복합작용을 기초로 하는 경우가 많기 때문에 물질의 성분을 분석하여도 실제로는 맞지 않는 경우가 많다. 취기 강도는 전문 측정자에 의해 취각시험에 의한 6단계 취기 강도표시법이 사용되고 있다. 측정법에는 무취실을 사용하고, 취기를 무취의 공기로 엷게 하여 5~6명의 측정원에 의해 판정하는 방법(무취실법)과, 주사기를 수개정도 준비하여 그것을 접속하여 희석한 후, 희석시료가 들어 있는 주사기 끝을 코끝에 가볍게 대어 측정하는 방법(주사기법) 등이 있다.

**취성(脆性)** Brittleness

소성 변형하는 능력이 작은 성질, 무른 정도를 말한다. 취성은 충격시험에서 충격치의 대소로 주로 측정된다. 인장시험의 신축, 수축 등 정적인 값만으로는 불충분하다. 전기도금에서는 전해 중에 발생하는 수소의 흡수에 의해 수소 취성이 문제가 된다. ◘ 수소 취성(257)

취기 강도

| 취기강도 | 취기 자극 |
|---|---|
| 0 | 무취 |
| 1 | 겨우 감지할 수 있는 냄새 |
| 2 | 판별 가능한 약한 냄새 |
| 3 | 쉽게 감지할 수 있는 냄새 |
| 4 | 강한 냄새 |
| 5 | 강렬한 냄새 |

취기 강도

**취성 균열** Brittle Crack

소성 변형을 수반하지 않고 생기는 균열을 말하며, 벽개 균열 및 결정립계를 따른 균열이 주체가 된 균열이다. 균열 표면은 입자상으로 반짝반짝 빛나 보인다. 연성 균열과는 상반되는 말이다. 철에서는 저온, 고속변형이 될수록 발생하기 쉽다.

**취성 파괴** Brittle Fracture

최종 파단까지 현저한 신장이나 수축을 수반하지 않는 파괴의 총칭이다. 유리나 어떤 종류의 결정성 고체는 본질적으로 취성(Brittleness)을 가지고 있으며, 전연성을 나타내지 않고 파괴한다. 거시적인 파괴형식에서 보면 인장 파괴(Tensile Fracture)가 전형적인 취성 파괴이며, 평탄 파괴(Flat Fracture, Square Fracture)라고도 부른다. 그러나 많은 금속재료는 어느 정도의 연성을 나타내고, 소성 변형의 결과로서 파괴가 생긴다. 따라서 취성은 재료에 고유한 특성은 아니고, 온도 변형속도 및 응력상태와 같은 인성을 지배하는 인자의 영향을 받는다. 특히 체심입방격자나, 조밀육방격자의 금속재료는 고온에 있어서 연성파괴를 하는데도 불구하고, 온도의 저하와 함께 연성-취성천이(Ductile-to-Brittle Transition)가 생겨서 벽개 파괴를 하게 된다. 이것을 저온 취성이라고 한다. 벽개를 협의의 취성 파괴라고 하는 수가 있다. 또 파괴인성의 대상이 되는 불안정 파괴도 취성 파괴의 일종이라고 여겨진다.

**취성 파괴시험** Brittle Fracture Test

새김눈을 붙인 시험편을 저온으로 유지하고 충격력을 가해 취성 파괴를 발생시키는 경계의 온도를 구하거나, 균열을 도입한 시험편을 취성 파괴시키는데 필요한 파괴역학 파라미터의 임계값을 구하는 시험이다. 대표적인 시험법에는 샤르피 시험, NRL시험, KIC시험, COD시험, 딥노치시험, ESSO시험, 이중 인장시험이 있다.

**측량병** ◘ 칭량병(516)

**측미계에 의한 도금두께시험** Micrometer Method for Measuring Thickness

마이크로미터 등의 측미계(測微計)를 이용하여 도금두께를 측정하는 방법으로 KS D 0246「도금두께 시험방법」에서는 다음과 같이 구분하고 있다. (1)도금 파괴법(도금을 박리 하여 동일 장소의 박리 전후의 두께를 측정하여 그 차를 구한다) (2)소지 파괴법(소지만을 용해 또는 기계적인 방법으로 분리제거 하여 도금두께를 측정한다) (3)비파괴법(도금전에 일부를 마스킹해 놓고 시료와 도금층과의 단차를 만들어 표면주사형의 측미계의 촉침을 사용하여 그 표면상태를 측면 묘사하여 높이의 차로 도금 두께를 구한다).

측미기 및 그 정도(精度)

| 측미기의 명칭 | 측정 가능한 범위 ㎛ | 반복정도 | 측정력 gf (N) |
|---|---|---|---|
| 전기마이크로미터 | 2~20 | 눈금량의 ⅓ | 50이하(0.5이하) |
| 지렛대식다이얼게이지 | 50~200 | 1㎛ | 40이하(0.4이하) |
| 지침측미기 | 3~60 | 0.3㎛ | 100이하(1.0이하) |
| 0.001㎜눈금다이얼게이지 | 20~1000 | 0.3㎛ | 150이하(1.5이하) |
| 지시마이크로미터 | 0.4~40 | 0.4㎛ | 500이하(5.0이하) |

측미계에 의한 도금두께시험 (방법)

**층상조직** Lamellar Structure

금속조직에서 층상을 띠는 것을 말한다. 전기도금에서는 광택니켈도금의 석출단면이 층상조직으로 소지를 현미경으로 확대하면 평행한 주름상의 조직을 볼 수 있는 경우가 있다. 광택제의 성분과 니켈이 상호 석출되기 때문에 층상조직이 된다. 무광택와트욕의 니켈도금의 석출은 수지상 조직이며, 층상조직과는 서로 다르다. 또 층상조직은 공정이나 공석합금에 잘 나타난다. ◘ 수지상 조직(260)

**치공구** Jig

일반적으로는 보조공구를 치공구라고 하며, 도금에서는 걸고리를 치공구라고 한다. 걸고리는 피도금물을 도금욕 중에서 유지시키는 전기도체로 동, 황동, 스테인리스 등으로 만들어진다. 보조양극, 보조음극이 삽입되는 경우도 있다. 전기에 불필요한 부분은 내약품성의 레지스트나 테이프로 절연하여 사용한다. 걸고리는 랙(Rack), 앵커(Anchor) 등이라고도 한다.

**치수 안정전극** Dimentionally Stable Anode ◘ DSA(108)

**치환** Substitution

일반적으로 어떤 화합물에 포함되어 있는 원자 또는 원자단을 다른 원자 또는 원자단으로 바꾸는 것. AB+C→AC+B와 같은 형태의 반응을 치환 또는 치환반응이라고 한다. 유기화학에서는 Substitution의 머리글자를 따서 S반응 또는 S형 반응이라고 부른다. 도금에서는 치환 반응을 이용한 치환도금이 행하여지고 있다.

**치환 도금** Displacement Plating

황산동 수용액에 철을 침적시키면 철 위에 동이 석출한다. 일반적으로 용착이 나쁘고 핀 홀이 많으나, 첨가제 등으로 개선한 밀착이 좋은 금도금액, 동 위의 주석도금액, 티오 요소를 함유한 염화제일주석, 차아인산소다 함유액 등이 있다. 티오 요소가 동이온을 착화하여 주석이 석출되기 때문에 밀착이 좋아진다. = 침적 도금, 침적 석출(514)

**치환여과** Transfer Filtration ◘ 공환 여과(40)

**치환형 고용체** Substitutional Solid Solution

용질원자가 원래의 금속 용매원자와 바뀌어 원래의 용매원자 위치에 침입하는 형의 고용체를 말한다. 고용체에는 다른 침입형이 있다.

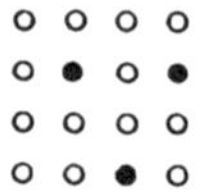
(a) 치환형 고용체

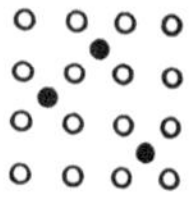
(b) 침입형 고용체

치환형 고용체

**친수성** Hydrophilic Property

①물을 흡착하는 경향이 있다는 것. ②물의 상에 모이는 경향이 있다는 것의 두 가지 의미가 있다.

**칠보(七寶)** Cloisonne Enamel

법랑(琺瑯 ; 에메랄드)과 같이 금속소지에 주로 연함유 글래스질(글래스 유약)을 고온으로 구워 부착한 것으로, 미술공예품에 사용된다. 원료는 규석, 연단, 연백(鉛白), 칼리초석, 붕산, 붕사, 중탄산소다 등으로, 모두 칼리연글래스가 주체이다. 착색제로써는 아비산(백색), 산화동(녹색), 이산화망간(자색), 염화금(적색), 우란산소다(등색) 등이 사용된다.

**칠 층** Chilled Layer

주조품(다이캐스트도 포함)에서 발생되는 내부와는 다른 결정조직으로, 주형에 접해 있는 급냉 부분에서 볼 수 있는 미세한 다수의 결정립의 층을 말한다. 이 층을 결정핵으로써 그 우선방위에 가까운 방위를 갖는 주상정이 그 내부에 나타나서 그 내부가 벌크 주조품의 결정조직이 된다.

**침강 분리장치** Thickener ◘ 농축기(77)

**침강 수조** Settler ; Settling Tank

세틀러라고도 한다. 액체 중에 현탁되어 있는 미립자를 중력에 의해 침강시키기 위한 용기. 공업적으로는 침전농축 수조, 청정 수조 등이 침전분리에 사용된다. 응집제(황산알루미늄, 황산철, 석탄유 등)를 병용하는 응집침전 수조도 있다. = 세틀러(247)

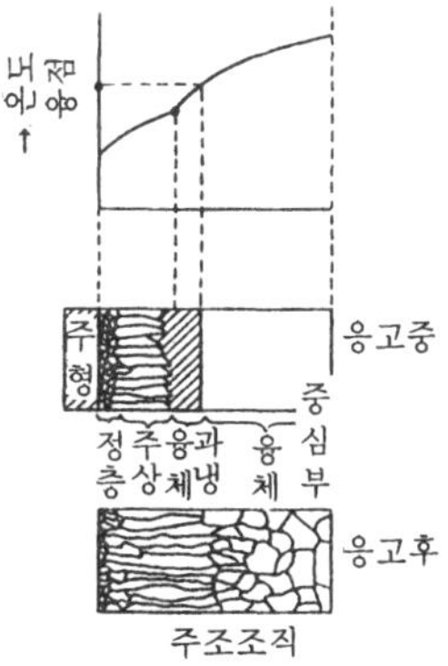

칠 층

**침규(浸珪)** Siliconizing

철강의 표면에 규소를 침투시키는 처리 방법을 침규법이라고 한다. 즉, 적어도 규소를 15% 이상 함유한 규소층을 형성, 이것을 산화시켜, 내열성을 부여하는 것이다. 이 방법에는 다음 3가지가 있다. (1)물품을 Si 또는 Fe-Si합금의 분말 중에 메워 1100～1200℃으로 가열한다. 이 경우의 확산 속도는 늦기 때문에 실용상 부적당하다. (2)물품을 Si, Fe-Si, SiC 등의 분말 중에 메워 600～1100℃로 가열하며, 이 안에 염소가스를 통과시킨다. 특히 분말 중에 NaCl, $NH_4Cl$, $FeCl_2$ 등의 분말을 혼입하면 침규가 촉진된다. 이 방법에 의하면, 침규층이 2.5㎜ 이상 가능하지만, Si량을 14% 이상으로 하는 것은 어렵다. (3)물품을 $SiCl_4$, $H_2$의 혼합 가스 중에서 950～1000℃로 가열한다. 실제로 이 방법이 가장 좋으며, Si%의 조정도 자유롭고 또 Si%가 높은 표면층을 만들 수 있다.

**침류(浸流)** Sulphurizing; Sulfurizing

철의 표면에 황을 확산시키는 처리를 말하며, 황화철 FeS 등의 황화물이 생성되며, 버닝이 억제되어 내마모성이 향상된다. 염욕법과 전해법이 있으며, 전해법은 약 190℃로 가열한 KCNS 등의 염욕중에서 음극처리하여 표면에 FeS를 생성시킨다. 그 외에 기체나 고체의 황화물을 이용하는 기체법, 고체법 등도 있다.

**침붕(浸硼)처리** ◘ 붕화처리(214)

**침상 결정** Whisker ◘ 휘스커(646)

**침상조직** Acicular Structure

침상을 나타내는 금속조직의 총칭이다. 마르텐사이트 등은 그 대표적인 것이며, 이 조직의 금속은 경도나 인성이 크다.

**침식(侵食)** Erosion

금속이 액체 또는 기체에 의해 마모된 부식이 가속되는 현상을 말한다. 보호산화물 피막이 제거되기 때문이며 액체 또는 기체에 고형물이 포함되어 있을 때는 마모가 더욱 가속된다. = 침식(浸食), 궤식(潰食)

**침식도** Corrosion Rate ◘ 부식도(198)

**침인(浸燐)** Phosphorizing

철강의 표면에 인을 침투시켜, 인산 피복을 만들어 망간철, 인산염 또는 아연철인산염의 가열 용액 중에 침적시킨다. 그러면 철강 표면에 인산염 피복이 형성된다.

**침입형 고용체** Interstitional Solid Solution

용질원자가 금속 용매원자 결정격자의 중간 위치에 침입한 고용체를 말한다. 원자 반경이 크면 침입하지 못하기 때문에 침입하는 용질원자는 반경이 1Å 이하의 H, B, C, N, O 등으로 한정된다. ◘ 치환형 고용체(512)

**침적 납땜** Dip Soldering

용융된 땜납 중에 납땜할 것을 침적시켜 납땜하는 방법을 말한다. 용융도금과 같은 방법이며, 프린트배선 기판의 제조공정에서 부품의 취부시에 사용된다.

**침적 도금** Immersion Plating; Immersion Coating ◘ 치환도금(512)

**침적 석출** ◘ 치환도금(512)

**침적 세정** Immersion Cleaning; Soak Cleaning ◘ 알칼리 세정(311)

**침적 주석도금** Tin Dip Plating ◘ 무전해 주석도금(148)

**침적 탈지** ◘ 알칼리 세정(311)

**침전** Precipitation

일반적으로는 액체 중에 있는 미소 고체가 아래쪽으로 침적되는 것을 말한다. 화학적으로는 화학반응, 온도변화, 증발 등의 현상에 의해 그 온도에서 각종 이온과 그 화합물이 용해도의 곱에 도달하였을 경우에 발생한다. 침전조작은 물질의 분리나 정제에 이용되며, 화학분석, 특히 중량분석에 사용된다.

**침지 납땜** Dip Brazing ◘ 용융도금(378)

**침탄(浸炭)** Comentation

강의 탄소함유량을 증가시키기 위하여 적당한 모재 중에서 행하는 가열처리를 말한다. 침탄제에는 고체(목탄,콕크스 등), 가스(일산화탄소 및 탄화수소를 포함한 석탄가스 또는 등유가스), 액체(청화칼리, 청화소다 등)의 3종류가 있다. 침탄작업 후는 표피 담금질(Case Hardening)이라고 하는 열처리로 침탄부를 경화시킨다. 침탄방지에는 동도금(피로인산동 욕)이 사용된다.

**침탄강** ◘ 표면 담금질강(584)

**침탄방지법** Preventing Method for Carburizing

강재를 침탄할 때, 침탄이 불필요한 부분이 있을 때에는 불필요한 부분만 동, 주석 등의 도금을 해 놓으면 도금피막이 마스킹재가 된다. 도금두께는 15㎛ 이상 필요하며 피로인산 동도금이 적합하다. ◘ 침탄(514)

**침탄 방지제** Anti-Carburizer

침탄 작업에서 침탄을 원하지 않는 부분에 도포하는 약제를 침탄 방지제라고 한다. 침탄 방지제의 가장 일반적인 것은 내화 점토(내화 점토2, 물글래스1, 물 1/10)이지만, 침탄 방지 효과는 별로 좋지 않다. 도포제로써는 $SiO_2$, $Al_2O_3$, Cu, $Na_2O$, $H_2O$를 주성분으로 하는 것이 많으며, 이것은 $SiO_2$, $Al_2O_3$, $Na_2O$를 점착제로써 Cu를 도포하는 것이다. 방지 효과는 내화 점토보다도 좋다. 그러나, 완전한 방지로써는 Cu도금이 최상이다. 침탄 질화 방지에는 염욕을 사용하기 때문에 Al 메탈리콘법이 좋다.

**침탄 심도** Carburized Dipth

침탄에 의해 모체보다도 C%가 높아진 층의 두께를 침탄 심도라고 한다.

**침탄제** Carburizer

침탄 처리에 사용하는 여탄(輿炭)제를 침탄제로 총칭한다. 침탄제에는 크게 나누어 (1)고형 침탄제(목탄분, 탄산바륨의 혼합제), (2)액체 침탄제(청화소다, 식염 등의 혼합염), (3)가스 침체제(천연가스, 석탄가스 등)의 세 가지이다.

**침탄 조직** Carburized Structure

강재 외주부의 탄소 함유량을 증가시킨 조직을 침탄 조직이라고 한다. 즉, 탈산 조직의 반대로 강재의 내부는 저탄소로, 외주부는 고탄소강과 같은 조직을 나타내는 것이다.

**침탄 촉진제** Enerzizer

고체 침탄에서 목탄의 침탄 능력을 보강하기 위해 첨가하는 물질을 침탄 촉진제라고 한다. 가장 일반적으로 사용되는 것은 탄산바륨($Ba_2CO_3$) 및 탄산나트륨($Na_2CO_3$)으로, 10～30%(중량비)가 첨가된다.

**칩 부품** Chip Component

프린트 배선기판에 사용하는 소형전기 부품으로, 전기접속 및 전극이 평면 상 또는 돌기 상으로 되어 있으며, 리드선이나 핀이 없이 외형이 상자형으로 되어 있는 것을 말한다. 칩 저항, 칩 콘덴서 등으로 불린다. 칩 부품을 프린트 배선기판에 탑재하기 위해서는 칩 부품을 접착제 등으로 임시 부착한 뒤, 전극을 프린트 배선기판에 납땜하여 고정시킨다. 전기부품의 칩화에 따라, 프린트 배선기판의 고밀도화가 가능하게 되었다. 전기부품은 항상 소형화가 요구되고 있다.

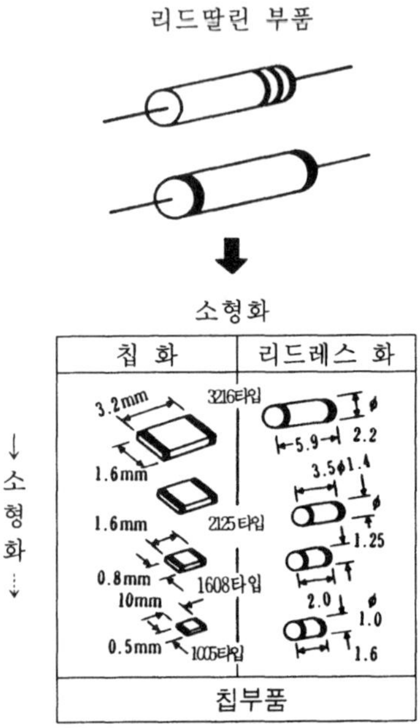


**칭량(秤量)** Weighing(Capacity)

두 가지의 의미로 사용된다. 보통은 천칭을 사용하여 물질의 무게를 측정하는 것을 말하지만, 천칭을 칭량이라고 하면, 그 천칭으로 안정하고 정확하게 측정할 수 있는 최대의 질량(사용 한계)을 말한다. 천칭에는 반드시 칭량이 표시되어 있다.

**칭량병(秤量瓶)** Weighing Bottle

저울병이라고도 한다. 고체 또는 액체의 시료를 천칭으로 정밀하게 측정하기 위해 사용하는 병으로 유리, 석영 또는 금속제의 소용기이다. 모두 마개가 달려 있으며, 시료를 밀폐하여 칭량중에 시료의 휘발이나 흡습 등에 의한 중량 변화를 방지하도록 되어 있다. = 저울병

# ㅋ

**카니자로 반응** Cannizzaro Reaction

알데히드에 수산화칼륨이나 수산화나트륨의 희박(希薄)수용액을 작용시키면 칼본산과 알코올을 생성한다. 이 반응을 카니자로 반응이라고 한다.

$$2HCHO \rightarrow CH_3OH + HCOOH$$

$$C_6H_5CHO \rightarrow C_6H_5CH_2OH + C_6H_5COOH$$

무전해 동도금에서는 이 반응이 부반응으로써 일어난다.

**카니젠도금** Kanizen Plating

카니젠법에 의한 무전해 니켈도금을 말한다. ◘ 카니젠법(후항)

**카니젠법** Kanizen Process

1944년 미국의 General American Transportation Corp.에서 개발된 무전해 니켈도금법의 상품명. 차아(次亞)인산염 환원제에 의해 니켈을 석출하며, 석출물은 Ni 90～92%, P 8～10%의 니켈-인 합금이다. 석출상태에서는 거의 비정질이고 비자성이나, 열처리(400℃)를 하면 결정(질)으로 되어 경화(800～1000Hv)하여 자성을 발생하게 된다. 도금 두께의 균일성이 좋고(±10% 이내), 전기니켈 피막보다도 내마모성이 좋다. 기능도금용으로써 널리 이용되고 있다. Kanigen이란, C(K) Atalytic(촉매적), Nickel(니켈), Generation(생성)의 머리 글자를 사용하여 명명한 것이다.

**카드뮴도금** Cadmium Plating

카드뮴 공해 때문에 별로 사용되고 있지 않는 도금이며, 수소취성이 적고, 해수에 대해 내식성이 좋으며, 납땜성 또한 뛰어나고, 외관이 좋다는 등의 특징이 있다. 도금욕은 시안화 카드뮴욕이 일반적이고, 도금 후, 크로메이트 처리를 실시함으로써 더욱 더 내식성을 증대시킬 수 있다.

**카드뮴** Cadmium Cd

원자번호 48, 원자량 112.41, 밀도 8.648 g/㎤, 융점 320.9℃, 불점 766±2℃, 푸른 빛을 띈 은백색의 부드러운 금속이며 전연(展延)성이 풍부하고, 공기 중에는 표면만 산화된다. 가열하면 적색의 불꽃과 갈색의 연기를 발생시켜 산화물이 된다. 희초산에 용이하게 녹고, 열염산에는 서서히 녹는다. 카드뮴도금은 염분에 대하여 내식성에서는 아연도금보다도 뛰어나고, 납땜성도 좋다. 이타이이타이병의 원인이 카드뮴이라고하여 일본에서는 카드뮴도금이 감소되었다. 용도는 베어링 합금, 이융(易融)합금, 땜납, 안료, 전지, 폴리염화비닐용 안정제, 광전도체, 브라운관용 형광체, 원자로 제어봉 등이다.

**카드뮴 공해** Cadmium Polution

카드뮴은 체내에 축적되어 신장장해 등이 발생한다고 알려져 있다. 한 사례로써, 토야마(富山)현 카미도오리(神通)천 유역에서 발생한 이타이이타이병이 있으며, 이것은 카드뮴의 만성중독으로 인해 먼저 신뇨세관의 재흡수 기구에 장애가 발생하고 그 결과 칼슘을 잃고 체내에 칼슘 불균형으로 인해 골연화증을 초래한다고 알려져 있다.

**카드뮴 아말감** Cadmium Amalgam

Evan의 금속 시멘트라고도 말하며, 은백색의 Cd-Hg 합금으로 조금 가열한 수은 중에 카드뮴의 박편을 넣으면, 즉시 녹아 들어가므로 여분의 수은분을 딥 드로잉하면 좋다.(26% Cd-Hg 합금 가능). 오랫동안 연한 그대로 있지만, 결국에는 단단한 결정이 되며, 열을 가할 수 없는 금속의 구멍을 메우거나, 또 치과에서 이빨을 메우는데 사용하고 있다.

**카드뮴-티탄합금 도금** Cadmium-Titanium Alloy Plating

카드뮴도금의 수소취성을 제거하기 위하여, 소량의 티탄을 첨가한 합금도금으로, 항공기의 레그(Leg) 등의 착륙장치의 고장력강 부품에 이용된다.

**카드뮴 표준전지(Cd-Hg 전지)** Cadmium Standard Cell, Cadmium-Mercury Cell

정극에 수은(Hg), 부극에 카드뮴 아말감, 전해액에 황산카드ABA의 포화용액을 이용한 표준 전지로 웨스톤 전지라고도 불린다. 기전력의 온도계수가 작고, 경년변화는 1년에 수 $\mu$V로 작기 때문에, 전위차 측정시의 표준전기로 널리 사용된다. 기전력은 20℃로 약 1.01864V이다.

**카베이트** Karbate

성형한 탄소 또는 흑연에 페놀수지나 페놀후로랄수지를 첨가하여 침적시키거나, 표면을 피복하여 불침투처리를 한 탄소제품을 말하며, 카베이트는 그 상품명이다. 내열성, 내식성, 열전도성이 뛰어나, 화학장치에 사용되나, 티탄 등의 금속제품에 비해 기계적 강도가 약하다. 도금장치에서는 열교환기용에 사용되는 경우가 있다.

**카보나이즈 니켈 아노드** Carbonized Nickel Anode

전기니켈을 용해하여, 이것에 탄소와 규소를 첨가하여 가공한 니켈도금용 아노드이다. 전해를 하면 아노드표면에 박막이 형성되어 니켈슬라임의 탈락을 방지함과 동시에 아노드의 부동태화를 방지한다.

**카보랜덤** Carborundum SiC.

탄화규소의 상품명(미국의 카보랜덤사)이나, 일반명과 같이 사용되고 있다. 연마재, 내열재료에 사용된다.

**카본 글래스 온도계** Carbon Glass Thermometer

저온용 온도계의 일종으로 1~300K의 온도 영역에서 사용된다. 자계에 대한 보정계수가 다른 게르마늄 저온온도계에 비교해서 작은 특징이 있으며, 자계 중에서의 온도측정이 사용된다.

**카본 블랙** Carbon Black

가스상 또는 액상의 탄화수소를 불완전 연소 또는 열분해하여 만든 흑색분말.

**카본저항온도계** Carbon Resistance Thermocouple

탄소막 저항 혹은 탄소분과 녹색체 분을 혼합 소성한 탄소혼성저항의 온도변화를 이용해 온도 측정을 한다. 탄소막은 피측정물에 콜로이드상의 탄소 박막을 도포 건조해 만든다. 감도, 재현성에 뒤지지만 열용량이 작아 열평형을 얻기 쉽다. 탄소혼성저항은 원통상 자기의 표면에 가열, 나선상의 도랑을 잘라 만든 저항체로서 100K 이하에서의 저항의 온도 변화가 저온용 온도계에 적합하다.

**카본 포텐셜(침탄 능력)** Carbon Potential

가스 침탄 작업에서 침탄 가스의 침탄 능력으로 카본 포텐셜을 간단히 측정하는 장치로 카봄(carbohm)이 있다.

**카세인** Casein

인단백질의 일종으로 우유 중의 함량은 3.0%(모든 유단백질의 약 80%), 모유에는 0.9%, 보통은 우유에 산류를 첨가하여 침전시켜 만든다. 희(希)알칼리에는 용해되지만, 물, 유기용매에는 녹기 어렵다. 영양단백질로써 중요하다. 도금에는 황산 동도금, 니켈도금, 주석도금 등의 첨가제로써 사용된다.

**카소드** Cathode ☐ 음극(401)

**카소드 록커** Cathode Rocker

음극봉을 주기적으로 움직이는 장치. 피도금물을 움직임에 따라, 음극에서 발생하는 수소가스의 이탈을 좋게 하고, 카소드 필름의 두께를 작게

한다. 광택도금에서는 광택이 좋아진다. 상하, 왕복 또는 회전시키는 것도 있다. ◘ 음극요동(402)

**카소드 박스** Cathode Box ◘ 상자형 격막(240)

**카소드 반응** Cathode Reaction

전기분해에서 음극에 발생하는 카티온의 방전이나 환원반응을 말한다. 전지나 부식반응의 카소드에도 같은 반응이 일어나며, 카티온의 방전에 의해 수소의 발생, 금속의 석출, 이온가수의 저하가 일어난다. ◘ 음극반응(402)

**카소드 필름** Cathode Film

전해시, 음극면에 밀착하여 발생하는 확산층을 말한다. = 음극피막 ◘ 확산층(634)

**카스 시험** CASS Test : Copper-Accelerated Acetic Acid Salt Spray Test

도금의 내식성을 조사하는 분무시험법으로, 도로의 동결방지에 염화물을 살포하는 것과 같은 엄격한 부식환경에서 도금의 내식성을 조사하기 위하여 개발된 것으로, 최종도금이 크롬도금의 자동차부품의 촉진 부식시험법으로써 채용되어 있다. 염수분무는 식염수만을 사용하지만, CASS시험에서는 식염수에 염화제이동을 첨가하고, 거기에 초산을 가해 pH를 3.0~3.2로써 사용한다. = CASS 테스트(286)

**카오린** Kaolin; China Clay; White Clay $Al_2O_3 \cdot 2SiO_2 \cdot 2H_2O$

카오리나이트를 주성분으로 하는 암석 또는 점토를 말한다. 내화도가 높기 때문에 도자기, 내화물의 원료로써 이용되고 있다. 도금에서는 여과기의 프리코트(Precoat)재로써 사용되고 있다.

**카트리지 필터** Cartridge Filter

여과재의 천의 형태가 끈이 매어져 있는 원통으로 되어 있는 여과기를 말한다. 끈이 매어져 있는 원통의 여과재를 카트리지라고 한다. 통상 카트리지는 1회용이며, 여과재의 세정에 불필요한 시간을 생략할 수 있다. 카트리지의 천으로써 눈의 거칠기는 0.5~200㎛까지 있으며, 아연도금에서는 50㎛, 그 외의 도금에서는 1~10㎛의 것이 사용되는 경우가 많다. = 카트리지 여과기

**카티온** Cation

양이온이라고도 한다. 정의 전하를 띈 원자 또는 원자단을 말한다. 일반적으로 수소원자 및 금속원자, 암모니아기는 양이온이 된다. = 양이온(325)

**카티온 계면활성제** Cationic Surfactant; Cationic Surface Active Agent

수용액에서 이온으로 해리되어 계면활성을 나타내는 원자단이 카티온이 되는 계면활성제를 말한다. 양전하를 가지고 있기 때문에 음전하를 가지고 있는 금속표면, 광석, 염료, 안료, 섬유, 합성수지 등에 강하게 흡착하여 강력한 흡착 피막을 형성하므로 이것의 물질표면을 친유성으로 하는 성질을 말한다. 용도는, 금속방청제, 침강촉진제, 안료분산제, 대전방지제, 살균제, 소독제 등이다. = 양이온 계면활성제(325)

**카티온 교환막** Cation-Exchange Resin Membrahnce

이온 교환막에는 카티온 교환막과 어니온 교환막이 있다. 카티온 교환막은 막 자신이 마이너스 전하를 가지고 있어, 카티온(양이온)을 선택적으로 투과시키는 성질을 가지고 있다. 이온 교환막은 두께 0.1~0.3㎜의 얇은 막으로 전기투석에 사용된다. = 양이온 교환막(325)

**카티온 도장** Cation Electrodeposition Coating

전착도료로 도장할 대상물이 음극일 경우를 카티온 도료 또는 카티온 전착도장이라고 한다. 도료는 우레탄변성 에폭시수지를 주성분으로 하고 도막의 투수(透水)성, 흡수량, 이온 투과성, 내알칼리성 등이 어니온 도장보다 뛰어나기 때문에 방청성이 어니온 도장보다도 좋다. 자동차 보디의 전착도장에서는 카티온 도장이 많다. = 카티온 전착도장(후항)

**카티온 전착도장** Cation Electrodeposition Coating ◘ 카티온 도장(전항)

**칼로라이징** Calorizing

확산침투도금법의 일종으로, 알루미늄을 피복하는 방법. 예를 들어, 철, 동, 동합금 등 피도금물을 분말알루미늄 및 이것과 같은 양의 알루미나의 혼합물 안에서 엷게 만들어 800~1000℃로 수 시간동안 가열한다. 그러면 소지와 알루미늄과의 합금층이 생성되고, 그 상부에는 순알루미늄의 도금피막이 생긴다. 이 피막은 500℃ 정도까지는 내열, 내식성이 있다. ◘ 확산 침투도금(634)

**칼로리** Calorie

열량의 단위로 cal의 기호로 표시한다. 1기압 하에서 순수 1g을 14.5℃에서 15.5℃로 높이는데 필요한 열량을 1cal, 수(水)칼로리 또는 15도 칼로리라고도 하며, 4.1840 J에 상당한다. 1000cal를 킬로칼로리(kcal) 또는 대(大) 칼로리(Cal)라고 한다.

**칼로멜 전극** Calomel Electrode

감홍전극이라고도 하며, 기준전극으로써 폭 넓게 사용되고 있다. 글래스 용기 바닥에 수은을 넣고, 그 위에 페이스트 형상의 칼로멜(염화수은)을 놓아 그 위에 염화칼륨 $0.1 mol/dm^3$, $1 mol/dm^3$ 또는 포화용액을 충만시켜 만든다. 표준수소전극보다 사용이 용이하고, 목적의 전위를 측정하여 표준수소전극의 값으로 환산하는 경우가 많다. 일본에서는 수은의 규제로 인해 염화은 전극의 사용이 많다. 혼용의 경우에는 전극의 차이에 주의를 요한다.

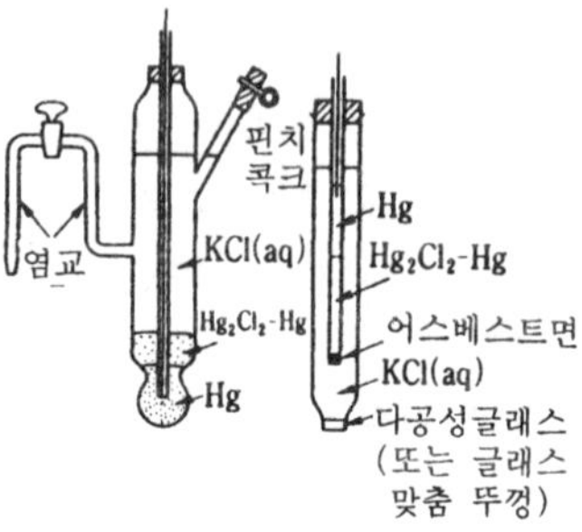


칼로멜 전극

**칼륨** Potassium K.

원자번호 19, 원자량 39.0983, 비중 0.8621, 융점 63.6±0.05℃, 알칼리금속에 속하는 은백색의 부드러운 원소. 표면은 공기 중에서 곧 산화되어 광택을 잃고, 발화하는 경우도 있다. 광유(鑛油)중에 보존한다. 물과 격하게 반응하여 수소를 발생시키고 생성된 수소는 반응열 때문에 발화한다. 다른 금속의 염을 환원하여 그 금속을 유리하며, 유기물에 대해 강한 환원작용을 나타낸다. 용도는, 글래스의 원료, 비료, 원자로의 냉각제, 칼륨화합물의 원료, 유기합성의 환원제 등이 있다.

**칼슘** Calcium Ca.

원자번호 20, 원자량 40.08, 비중 1.55, 융점 851℃, 불점 1240℃, 알칼리토류에 속하는 부드러운 은백색의 금속원소. 상온에서 산소, 할로겐과 직접 화합한다. 물과 반응하여 수소를 발생하여 수산화칼슘이 된다. 염산, 초산, 황산과 극렬히 반응하여 그 산의 칼슘산을 생성한다. 액체 암모니아에 녹아 수은과의 반응으로 아말감을 만들고 많은 금속과 합금을 만들며, 환원성이 강해 많은 유기물이나 금속산화물을 환원한다. 용도는 합금의 첨가원소, 금속의 탈산, 탈류제 등이 있다.

**칼키** Bleaching Powder ◘ 표백분(587)

**캐나다 코드** Canada Code

캐나다 및 미국의 법규칙

| 규제 \ 부식형태 | 외면 부식 | 개공(開孔) 부식 | 구조 부식 | 비 고 |
|---|---|---|---|---|
| 캐나다 녹 가이드 코드(C.C.A) | 1.5년 | 5.0년 | 6년 | 구속력 없음 |
| 미국안전조항(N.H.T.S.A) | - | - | 8년 | 구속력 있음 |

캐나다 코드

캐나다 동남부, 북아메리카 오대양 주변에서는 동기에 고속도로에 융설염 ($NaCl$, $CaCl_2$, $MgCl_2$)과 쇄석(碎石: 1~10㎜)이 살포되기 때문에 자동차의 내식성이 엄격하게 규제되어 있으며, 이 캐나다 정부의 방청규제를 캐나다 코드라고 한다.

**캐럿** Carat

①금의 순도를 나타내는 것으로 24캐럿을 순금으로 하고, 14캐럿은 14/24이 금이고, 10/24가 다른 금속의 합금이다. ②보석의 질량 단위로 1캐럿은 0.2g이다.

**캐리 오버** Carry Over

배수처리의 고체분리에서는 잔류하고 있는 고형분의 일부가 액체와 함께 유출되는 것을 말한다.

**캐비티(공동)** Cavity

주물이나 주괴에 발생하는 주조 결함이다. 가스, 응고응축 등에 의해 생성되며, 표면이 불량일 때에는 오목하게 되고, 내부 결함으로는 둥근 모양이 된다.

**캐비테이션** Cavitation

초음파에 의하여 용액에 미소한 공동(空洞)을 만드는 현상을 말한다. 초음파는 심한 압축력과 감압력을 용액 중에서 교대로 영향을 미치며 직진하지만, 감압력이 작용할 때, 용액 중에 진공의 공동을 생성, 이것이 순간적으로 액 중에 용해하고 있는 기체에 의해 충만되어 기포로 변한다. 이 기포는 다음 압축력을 받아 단속적으로 압축되어 높은 에너지를 가지지만, 결국에는 눌려서 찌그러져 최후에는 소멸한다. 이 기포가 눌려 찌그러질 때, 국부적으로 극히 큰 충격력이 된다. 이 에너지는 수 백 기압이나 되는 것으로 알려져 있다. 보호작용이 있는 산화피막이 파괴되기 때문에 이로전의 원인이 된다. = 공동현상(37)

**캐비테이션 손상** Cavitation Damage

흐르는 물의 속도가 증대하면, 그 안에 침적되어 있는 금속표면 또는 표면 가까이에 공동이 생겨 부식이 진행되는 현상. 원인은 산소에 의한 산화설과 수토(水土)현상에 의한 기계적인 손상설로 여겨지고 있다. 수력발전소의 송수관이나 터빈날개, 선박의 프로펠러 등은 캐비테이션 손상이 크다. ◘ 캐비테이션(전항)

**캐스케이드 펌프** ◘ 웨스코 펌프(386)

**캐터라이저** Catalyser

무전해도금의 전처리로써 센시타이저와 액티베이터의 기능을 1액으로 실시하도록 $Sn^{2+}$와 $Pb^{2+}$를 콜로이드로써 포함하고 있는 처리액을 말한다. 프린트기판의 제조공정에서는 액티베이터라고도 말한다. ◘ 케터리스트(524), 센시타이저-액티베이터법(247)

**캐터라이저-액셀러레이터법** Catalyser-Accelerator Process

화학도금의 전처리법의 일종으로, $Sn^{2+}$와 $Pb^{2+}$의 혼합에 의해 팔라듐 콜로이드액으로 만들고, 이것에 침적시킨 다음, 염산용액에 침적시켜 화학도금의 반응을 촉진시키는 방법.

**캐터리스트** Catalyst

촉매를 말하나, 무전해도금에서는 촉매 부여처리나 처리액을 말한다. 예를 들어, ABS수지의 무전해 동도금에서는 캐터리스트로써 팔라듐을 부착시키기 위해, 캐터리스트액은 팔라듐과 주석($Sn^{2+}$) 및 염소이온에서 만들어진 콜로이드 분자를 포함한 액으로, 콜로이드를 안정시키기 위하여 염산산성 용액으로 되어 있다. ◘ 캐터라이저(523)

**캔드모터 펌프** Canned Motor Pump

회오리펌프와 전동기를 일체로 조합하여 깡통형으로 한 것으로, 펌프액의 일부를 전동기나 베어링으로 환류(還流)시켜 윤활과 냉각을 행하게 하고 있다. 모든 장치가 밀봉되어 액의 누출이나 소음이 없는 것이 이점이다.

**커넥터** Connector

전선, 회로, 전기기기 등을 전기적으로 상호접속하기 위한 접속기구로 착탈(着脫)가능한 것을 말한다. 접속부분에는 금도금, 은도금, 주석도금, 니켈도금 등을 실시하는 경우가 많다. 클래드재도 사용된다. 접속부분의 재질은 황동, 인청동, 베릴륨동, 양백(洋白), 스테인리스 등이 있다. 커넥터 도금은 작은 것은 배럴도금으로, 양산품은 연속도금으로 행하며, 부분도금을 실시하는 경우도 있다. 또 광통신에서 사용하는 광화이버의 접속에 이용하는 광커넥터도 있다.

**커버링 파워** Covering Power

일정조건하에서 전해 초기일 때, 음극전면에 금속을 석출시켜서 얻는 도금액의 능력. 일정 조건이라는 것은 전류밀도, 극간 거리, 양극의 형상, 음극의 형상 등을 동일조건으로 하는 것이다. 일반적으로 「피복력」이라고도 하며, 굴곡음극에서 시험을 행하며, 헐 셀 테스트 등에서 관찰할 수 있다. 배럴도금용에서는 로터리 카소드테스트가 사용된다. 이것은 굴곡음극을 연속적으로 회전시키면서 도금하여 도금부의 균일전착성을 조사하는 방법이다. ◘ 피복력(605), 균일전착성(52)

**커시너의 식** Kushner's Calculus ◘ 수세의 이론식(254)

**컨덕턴스** Conductance

어드미턴스의 실수부. 직류회로에서는 저하의 역수가 된다. 국제단위계(SI)에서는 시멘스(S)로 표시한다. ◘ 어드미턴스(326)

**컨디셔닝** Conditioning

표면조정. 플라스틱 등의 도금공정에서, 후처리가 잘 되도록 하기 위하여 표면의 상태를 정비하는 것. ABS수지에서는 황산, 크롬산, 인산의 혼합 용액에 침적시켜, 주로 폴리부타디엔을 용해하여 투묘(投錨)효과를 나타내는 것과 같은 미소한 구멍을 다수 표면에 만든다. ◘ 투묘효과(551)

**컬러 도금** Color Plating

컬러도금의 정의는 불명확하나, 여기에서는 도금의 색조를 풍부하게 하는 수법을 열거한다. (1)도금피막 만의 색조(동색, 은색, 금색 등). (2)합금도금에 의한 색조의 변화(Cu-Zn, Cu-Sn, Sn-Co, Sn-Ni-Cu 등). (3)흑색도금(흑니켈, 흑크롬, 흑로듐) 및 아연도금 후의 흑크로메이트 처리. (4)도금피막의 화성처리(일반적으로 금속착색법이라고 한다). (5)아연도금 후 크로메이트 처리를 하고, 염색하는 방법. (6)광택도금 후, 전착도장을 하는 방법. (7)착색미분말과의 혼합도금(분산도금)법.

**컬러링** Coloring: Colouring

착색, 또는 금속착색을 말하나, 영어로는 고광택을 낼 목적으로 금속표면을 부드러운 버프로 가볍게 버프연마 하는 것을 말하는 경우도 있다.
◘ 착색(497)

**컬러알루미늄** Colored Aluminum

알루미늄의 컬러화에는 자연발색 피막법, 전해착색 피막법, 염색법이 있다. 자연발색 피막법은 염료, 안료를 사용하지 않고 양극 산화처리만으로 발색시키는 것으로 알루미늄의 소재 조성, 재질에 의한 합금발색 피막과 전해욕, 전해조건에 의해 발색시키는 전해발색 피막이 있다. 전해착색 피막법은 다공성 피막을 생성한 후, 금속염을 용해한 욕중에서 전해를 행하여 금속 또는 금속 화합물을 피막공중에서 석출시켜 착색하는 방법이다. 염색법은, 다공성 피막을 생성한 후, 그 피막에 염료를 흡착시키는 방법이다.

**컬럼** Calumn

일반적으로 가늘고 긴 관형의 중공(中空)원주를 말하나, 나선형이나 U자형으로 된 것도 있다. 흡착제를 충전하여 혼합유체를 통과시켜 분해조작을 행할 때에 사용된다. 크기나 용도에 따라 글래스제, 합성수지제, 금속제 등이 있다. 이온교환체를 충진한 충진탑 등은 컬럼이라고 불리운다.

**컷 와이어 블라스팅** Cut Wire Blasting

금속선을 짧게 자른 것을 압축 공기류 등에 의해 고속으로 비행시켜 이 것을 피가공재 표면에 세차게 불어 표면의 오염이나 산화물 제거하고, 표면을 조면화하는 방법을 말한다. ◘ 블래스팅(217)

**케로신** Kerosene; Kerosine(독)

등유를 말한다. 원유의 150~280℃ 부근까지의 유출물. 도금에서는 등유와 계면활성제로 에멀션 세정액을 만들어 전처리에 이용하는 경우가 있다. 욕조성은 케로신 10%, 계면활성제 수%, 나머지는 물이다. 이대로 사용하는 경우와 알칼리를 첨가하여 사용하는 경우, 염산 또는 황산을 첨가하여 산성 에멀션욕으로 하여 탈지와 방청을 병용하는 경우가 있다. 계면활성제는 비이온성의 것이 이용된다. ◘ 에멀션 세정(328)

**케스터니히 시험** Kesternich Test

케스테르니히 시험이라고도 한다. 알루미늄 양극산화 피막을 습식 아황산가스 분위기 중에 폭로하여 피막의 내식성을 조사하는 시험으로 BS 1615에 규정되어 있다. 피막의 백화상태에서 봉공처리 정도를 조사하는 시험이다. = 케스테르니히 시험 ◘ 아황산 가스 시험(302)

**케스테르니히 시험** Kesternich Test ◘ 케스터니히 시험(전항)

**케이스** Case

케이스란, 표면 경화에 의해 심부(코어)보다도 단단하게 되는 외층부를 말한다. 케이스의 두께를 경화 심도라고 하며, 이것에는 유효경화 심도와 전경화 심도의 두 가지가 있다. 유효 경화 심도는 특정 경도(침탄 경화의 경우에는 $H_RC$ 50, $H_V$ 550)까지의 케이스 두께를 말하며, 전경화 심도는 모재보다도 단단하게 되어 있는 전두께를 말한다.

**케이크** Cake

도금이나 배수처리의 여과조작에서 여포, 망, 충진층 등의 여과재 면에 남아있는 고체입자를 필터 케이크, 또는 단순히 케이크라고 한다. 케이크는 수분을 많이 함유하고 있기 때문에 배수처리에서는 케이크를 탈수, 건조하여 처분하다.

**코너 크랙** Corner Crack

쓰루 홀 도금에서 코너 부분에 발생하는 도금피막의 균열을 말한다. 예를 들어, 도금두께가 부족하면, 프로솔더에 의한 열쇼크로 코너에 크랙이 발생하여 프린트 기판이 품질 불량이 된다. ◘ 배럴 크랙(172)

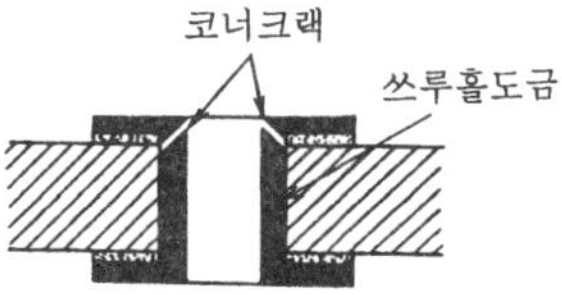


코너 크랙

**코런덤** Corundum

알루미늄 산화물. 다이아몬드에 가까운 경도를 가지고 있기 때문에 연마제, 내화물 등에 이용된다. 인공 코런덤으로써 상품명은 아란덤, 아모키사이트 등이 있다. 투명한 것은 루비(적), 에메랄드(녹), 사파이어(청), 황옥(황) 등의 보석이 된다. = 강옥(15)

**코로드코트 시험** Corrodkote Test

자동차부품의 도금의 내식성을 신속하게 조사하기 위하여 미국에서 고안된 내식성 시험방법. KS D 8334「도금의 내식성 시험 방법」에 규정되어 있다. 초산동, 염화제이철, 염화암모늄, 백자토(카오린) 등의 부식성 약품을 함유한 페이스트를 도금표면에 도포하여 일정한 온도 및 습도로 유지하여 내식성을 조사한다.

**코로드코트 페이스트** Corrodkote Paste

코로드코트 시험에 이용되는 페이스트 상의 부식성 약품. 초산동 용액, 염화제이철 용액, 염화암모늄 용액을 혼합하여 그것에 백자토(카오린)을 혼합, 페이스트의 코로드코트 페이스트를 만든다. 2주간 이상 경과한 것은 사용할 수 없기 때문에 필요한 때에 새롭게 조제한다.

**코바르** Kovar

Fe 54%, Ni 29%, Co 17%의 페르니코계의 합금의 상품명. 리드프레임의 재료로써 사용되고 있다. 열팽창계수가 경질글래스 정도로 낮기 때문에 글래스와 금속의 봉착에 적합하다. 코바르에 도금을 할 때는 예를 들어, 염화니켈 430g/$l$, 농염산 130㎖/$l$의 욕으로 $D_k$=7~9A/dm$^2$, 상온에서 2~4분간, 스트라이크 니켈도금을 하고 난 후, 소정의 도금을 한다.

**코바르소지의 전기도금** Electroplating on to Kovar Substrates

코바르는 Fe 54%, Ni 29%, Co 17%의 합금이며, 도금공정은 용제 세정→알칼리침적 세정→전해 세정(음극처리 4~7A/dm$^2$, 60℃, 2~5분간)→산침적(농염산 1:물 1, 3~5분간)→니켈 스트라이크도금(염화니켈 430g/$l$, 농염산 130g/$l$ 욕으로 전류밀도 7~9A/dm$^2$, 2~4분간)→니켈도금이다. 위의 화살표 중에는 모두 수세 공정이 포함된다.

**코발트** Cobalt Co.

원자번호 27, 원자량 58.9332, 비중 8.9, 융점 1495℃, 불점 3100℃. 철과 닮은 회백색의 금속원소. 염산, 황산에는 녹으나, 초산에는 부동태화되어 녹지 않는다. 전연성이 좋다. 자석재료, 고속도강, 내열합금, 초경도 공구 재료 등의 합금성분으로써 널리 이용되고 있다. 전기 코발트도금, 무전해 코발트도금이 자성재료 등에 사용되고 있다. 니켈-코발트 합금도금욕은 와이스베르그욕으로써 알려져 있다.

**코발트-니켈 합금도금** Cobalt-Nickel Alloy Plating

장식용으로써 와이스베르그(Weisberg)욕이 있으며, 코발트 2~5%를 함유한 합금도금이 위생금구, 수도구 등에 사용되고 있다. 공업용으로써는 금형전주욕으로 사용되고 니켈전주에 비해 고온에서의 기계적 성질이 향상된다. 자성 박막용으로도 이용되며, 무전해도금도 가능하다. 와이스베르그욕은 황산니켈 200~300g/$l$, 염화니켈 30~45g/$l$, 붕산 30~40g/$l$, 황산코발트 12~15g/$l$, 기산니켈(또는 기산) 45~50(25~30)g/$l$, 포르말린 1.5~2.5㎖/$l$, pH 3.7~4.2, 온도 55~60℃, $D_K$=3~8A/dm$^2$. 양극은 전기니켈과 전기코발트의 병용 또는 합금판을 사용한다. ◘ 와이스베르그욕(371)

**코발트도금** Cobalt Plating

코발트는 주기표 제Ⅷ족에 속하며, 철, 니켈과 비슷한 금속으로 보자력(保磁力)이 커서 자성재료나 내열 합금재료로써 이용된다. 코발트도금욕은 황산욕, 염화물욕, 술파민산욕, 붕불화욕 등이 있으며, 황산욕은 황산코발트 300~500g/$l$, 붕산 30~40g/$l$, 염화코발트 45~g/$l$, 염화칼리(또는 나트륨) 17~25g/$l$, pH 3.0~5.0, 온도 30~50℃, $D_K$=2~5A/dm$^2$, 양극은 전기코발트이다. 코발트도금은 내부응력이 크고 막의 부착이 어렵다. 무전해 코발트도금도 가능하나, 니켈에 비해 고가이기 때문에 수요는 적다. 다른 금속과의 합금도금으로써 이용되는 경우가 많다.

**코발트-주석합금 도금** Cobalt-Tin Alloy Plating

도금피막이 크롬도금의 색조와 닮았기 때문에 장식도금으로 이용된다. 크롬도금은 배수의 규제가 엄격하고 안전위생 상에도 불리하기 때문에 이 합금도금으로 대신하는 경우가 있다. 크롬도금은 배럴도금이 곤란하나, 이 도금은 베럴도금이 용이하기 때문에 작은 물품의 장식도금으로써 이용된다. 비커스경도는 Hv 400~550으로 공업용 크롬도금과 비교하여 내마모성은 떨어진다. 스타네이트욕은 염화코발트 5~15g/$l$, 주석산나트륨 30～60g/$l$, 아미노카르본산 15～40g/$l$, 광택제 적량 pH12.5～13.5, 온도 50～60℃, $D_K$= 0.3～3A/$dm^2$, 석출피막 중의 코발트량 15～40%, 양극은 카본, 또는 백금도금 티탄 등의 불용성 양극을 사용한다. = 주석-코발트 합금도금(484)

**코시노시욕** Koshino's Plating Bath

상온 크롬도금욕이라고도 한다. 불화물 첨가욕으로, 욕조성은 무수크롬산 200～300g/$l$, 황산크롬 1.5～4g/$l$ 불화안몬 1～4g/$l$. 상온에서 60℃까지 사용할 수 있다. 전류밀도 30～60A/$dm^2$. 이 욕은 피복력이 뛰어나고 전류 효율이 좋으나, 도금중 소지가 부식되기 쉽고, 양극의 소모가 빠르며, 도금욕의 열화가 빠르다. = 상온크롬 도금욕(240)

**코어** Core

표면 경화법에서 내부의 연질 부분을 코어(심부)라고 한다. 코어 경도는 모재의 경도인 경우가 많다. 코어에 대해 경도된 외층부를 케이스(Case)라고 한다.

**코이닝** Coining ◘ 엔보스(338)

**코일 · 투 · 코일도금** ◘ 연속도금(347)

**코팅** Coating

피복가공을 말한다. 코팅과 라이닝의 정의 · 구분은 명확하지 않으나, 대체적으로 후막(1㎜ 이상)을 라이닝, 박막(0.5㎜ 이하)의 것을 코팅이라고 부르며, 일반적으로 유기물의 피복 가공을 나타내는 경우가 많다. ◘ 라이닝(114)

**콘스탄탄** Constantan

동 55%, 니켈 45%의 합금의 상품명으로 어드밴스, 코펠, 유리카라고도 한다. 전기 비저항이 45$\mu\Omega$ · ㎝로 크고, 그 온도계수는 $2\times10^{-5}$/K(20～100℃)으로 극히 작다. 정밀 전기기구의 저항선, 저항선 왜곡계 등에 사용된다. 또 철, 니켈, 동과 조합했을 때의 열기전력이 크기 때문에 비교적 저온용(약 900℃ 까지)의 열전대로써 이용되고 있다. 저항선으로써는 약 500℃까지 견딜 수 있다.

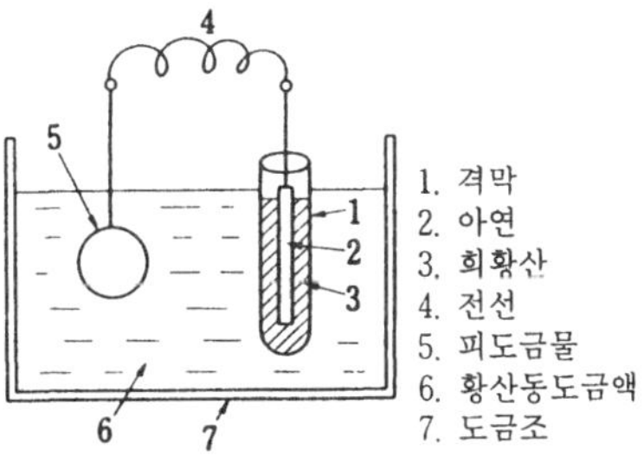


콘택트 도금

**콘택트 도금** Contact Plating

접촉도금법을 말한다. 접촉한 비금속

으로 전지를 형성하고, 피도금물을 카소드로 하여 전착시킨다. ◘ 방광도금(167)

**콜드 조인트** Cold Joint

납땜불량의 명칭. 납땜 중에 접속개소를 움직이거나 하면 입상의 광택이 없는 하얀 요철이 생기는 납땜이 된다. 이와 같은 상태를 콜드 조인트라고 한다. 접속불량으로, 기계적 강도가 낮으며 전기저항도 높아진다.

**콜로이드** Colloid

입자가 작아지면 주위의 가스 또는 액체의 분자운동에 영향을 받아 불규칙한 지그재그운동(브라운 운동이라고 한다)을 하게 된다. 이와 같은 입자를 콜로이드 입자라고 하고, 크기는 0.001～1㎛ 정도이다. 브라운 운동을 하기 때문에 일정한 장소의 입자농도가 변동하여 입자농도가 높은 쪽에서 낮은 쪽으로 확산한다. 콜로이드 용액을 졸이라고도 한다. = 교질(膠質) ◘ 졸(480), 겔(19)

**콜로이드 전해질** Colloidal Electrolyte

전리기를 갖은 콜로이드를 말한다. 예를 들어, 단백질 및 그 외의 고분자 전해질이나, 비누와 같은 전리성 계면활성분자가 수용액 중에서 집합하여 콜로이드 상으로 된 것 등으로, 각각 전리하여 콜로이드 이온(직경이 약 0.001～1㎛의 하전 콜로이드 입자)로 된다. 양이온으로 되는 것과 음이온으로 되는 것이 있다. = 교질 전해질 ◘ 콜로이드(전항)

**콜로호늄** ◘ 로진(122)

**콤포지트 도금** Composite Plating : Composite Coating ◘ 복합도금(192), 분산도금(206)

**콤포지트 와이어** Composite Wire

금속기 복합재료에 사용되는 강화용 섬유로 표면을 가공하여 금속과의 젖음성을 향상시킨 것을 말한다. 표면가공은, CVD, 무전해도금 등이 행하여진다. 예를 들어, 탄소섬유에 무전해 니켈도금을 한 것도 있다.

**콤포지트 재료** Composite Material ◘ 복합 재료(192)

**콤포지트 적층판** Composite Laminated Board

2종류 이상의 기판을 이용한 적층판. 예를 들어, 종이를 가운데에 두고, 앞뒷면에 유리면을 조합시킨 에폭시수지 적층판과 합성섬유 불면포를 가운데, 앞뒷면에 유리면을 조합시킨 적층판 등이 있다.

**콤프레서** Compressor

압축기라고도 한다. 공기나 각종 가스 등의 기체를 압축하여 압력을 높이는 기계로 정용적(定容積)내의 기체를 압축하여 토출하는 용적식과, 프로펠러의 회전에너지를 이용한 터빈식이 있으며, 수 기압에서 수백 기압의 고압으로 압축하는 것도 있다.

**쾌삭강** Free Cutting Steel

피절삭성의 향상을 위하여 황, 납, 인 등을 첨가한 강을 말하며, 15종의 강이 있다. 용도는 정밀기계 부품, 자동차 부품(크랭크샤프트, 미션기어 등)등으로 폭 넓게 사용된다.

**쾌삭성 알루미늄합금** Free Cutting Aluminum Alloy

피절삭성의 향상을 위하여 납, 동 등을 첨가한 알루미늄합금을 말한다. 마무리면의 광택도 개선된다. 자동차 부품, 복사기 부품, 정밀기계 부품 등에 폭 넓게 사용된다.

| | Si | Cu | Mg | Cr | Mn | Pb | Sn | Bi | Al |
|---|---|---|---|---|---|---|---|---|---|
| 2011 | - | 5.5 | - | - | - | 0.4 | - | 0.4 | 나머지 |
| (6061) | 0.7 | 0.3 | 0.8 | 0.2 | - | 0.6 | 1.1 | - | 나머지 |

쾌삭성 알루미늄합금

**쾌삭 스테인리스강** Free Cutting Stainless Steel

피절삭성의 향상을 위하여 황, 셀레늄, 납 등을 첨가한 스테인리스강을 말한다. 0.15% 이상의 황 또는 셀레늄을 포함한 6종의 강이 있다. 황, 납, 텔루르를 복합 첨가한 것은 쾌삭황동에 필적하는 피절삭성이 있다.

**쾌삭(快削)황동** Free Cutting Brass

피절삭성 향상을 위하여 납을 0.5~3% 첨가한 황동을 말한다. 납은 동합금에 고용(固溶)시키지 않고, 합금의 베이스중에 아주 작게 분산하여 윤활제로써 작용을 하기 때문에 절삭공구의 수명이 길어지며, 또한 절삭가루(Chip)가 작아진다. 피도금제로써는 납으로 인하여 밀착불량을 발생시키기 쉽다.

**쿨롱** Coulomb: Coul

1암페어의 전류에 의해 1초간에 운반되는 전기량을 말한다. 1가의 은이온에서 은 0.001807g을 석출하는데 필요한 전기량으로 정의하는 경우도 있다. 기호는 C로 표기한다.

**쿨링 타워** Cooling Tower

응축기용 냉각수를 재사용하기 위하여 대기와 접촉시켜 물을 냉각시키는 장치를 말한다. 냉방용 등은 위쪽에서 물을 안개 상으로 낙하시켜 충진재를 통해 송풍기로 공기를 강제 송풍시키는 것이 많다. 공기의 접촉 방법에 따라 향류(向流)형, 직교류형 등이 있다. 냉각탑이라고도 한다. = 냉각탑(71)

**퀸히드론 전극** Quinhydrone Electrode

유기산화 환원전극의 일종으로 수용액의 pH측정에 사용된다. 퀸히드론(퀴논 Q와 히드로퀴논 HQ의 등몰혼합체)의 포화수용액 중에 백금 또는 금전극과 같은 불활성전극을 삽입한 것이 있다. pH측정시는 피험액 중에 퀸히드론을 녹여 적당한 기준 전극을 사용하며, 그 사이의 전위를 측정, pH 값을 알 수 있으나, pH 8이상은 측정할 수 없기 때문에 현재는 거의 사용되지 않고 있다.

**큐프로니켈** Cupro Nickel ◘ 백동(175)

**크랙** Crack : Cracking

도금피막의 표면에 생기는 무질서, 무방향의 균열을 말한다. 전착응력이 대단히 크며 연신, 인장강도가 작은 도금에서는 발생하기 쉽다. 예를 들어 크롬도금, 로듐도금에서 발생하기 쉽다. ◘ 균열(52)

**크랙 파워** Crack Macrothrowing Power

마이크로크랙 도금에서 저전류밀도 부분에 크랙을 발생시키는 도금욕의 능력을 말한다.

**크랙 프리 크롬도금** Crack Free Chromium Coating

크랙이 적은 크롬도금을 말한다. 크롬도금은 내부응력이 크기 때문에 크랙이 발생되기 쉽지만, 이 크랙 수는 도금조건에 따라 변화한다. 일반적으로 사용되고 있는 서젠트욕에서는 크롬산 농도가 높고, 황산농도가 적은 욕일수록, 또 욕온도가 높고 전류밀도가 작은 것일수록 도금피막의 크랙 수가 적다. 이와 같은 조건에서 도금을 한 크롬도금을 크랙 프리 크롬이라고 한다. 크롬도금은 크랙부로부터 하지금속 쪽으로 부식되기 때문에 크랙이 적은 크롬도금은 내식성이 좋다. 또 역으로 크랙이 극단적으로 많을 때에도 부식전류가 분산되기 때문에 내식성이 좋다(마이크로크랙 크롬도금). ◘ 마이크로크랙 크롬도금(131)

**크레비스 부식** Crevice Corrosion

금속간 또는 금속과 비금속과의 사이에 틈이 있을 때, 이 틈 내의 용액과 외부 용액과의 환경인자 차이에 기인하여 농염전지의 작용에 따라 국부부식이 발생하는데 이 현상을 크레비스 부식이라고 한다. 농염전지에는 금속이온 농염전지와 산소농염전지가 있으며, 후자에서 산소공급이 부족한 개소가 아노드가 되어 부식이 진행한다. 스테인리스강의 크레비스 부식은 후자이다.

**크레이징** Crazing

(1)도막이나 양극산화 피막의 피막 중에 섬세하고, 미세한 균열의 망형상의 조직을 말한다. (2)도금제품의 부식시험에서 도금피막 표면에 자연적으로 발생된 가는 망모양의 균열을 말한다. ◘ 균열(52)

**크레이징 저항성시험** Test of Crazing Resistivity

알루미늄의 양극 산화 피막의 피막이 받는 변형에 의한 균열에 대해 피막의 저항성을 조사하는 시험으로 KS D 8312「알루미늄 및 알루미늄 합금의 양극 산화 피막의 변형에 의한 균열 저항성 시험방법」에 규정되어 있다. 시험장치를 사용하여 시료를 굽히고, 양극 산화 피막에 균열이 발생하는 완곡의 곡률 반경에서 신율을 계산한다. 신율(%)=시료의 두께(㎝)×100÷[곡률 반경(㎝)×2+시료의 두께(㎝)].

**크로넉법** Cronak Method

아연상의 크로메이트 처리를 당초에는『크로넉법』이라고 불렀다. 당초에는 처리액의 크롬산 농도가 높고(150~200 g/l), 화학 연마성이 강한 액이 사용되었으나, 최근에는 저농도(5~10 g/l)의 액이 사용된다. 크로메이트 처리에 의해 아연의 내식성은 현저히 향상된다. ◘ 크로메이트 처리(534)

**크로마이징** Chromizing

확산침투 도금법(세멘테이션)의 일종으로 크롬확산 피복법이라고도 한다. 철강에 대해 실시되는 경우가 많다. 몇 가지 방법이 있으며, 분말팩법에서는 크롬분말과 확산제로 피도금부를 뒤덮어 열처리로써 크롬을 철강표면에 확산시켜 내식성의 층을 만든다. = 크롬확산 피복법 ◘ 확산침투도금(634)

**크로메이트그라피** Chromatography ◘ 크로메이트그래프(후항)

**크로메이트그래프** Chromatography

시료의 성분 차이에 의해 어떤 물질과의 흡착작용이나 분배계수의 차로 이동 속도에 차이가 있는 것을 이용한 분리법. 고체 또는 액체를 흡착하는 물질을 고정상(固定相)으로 하고, 그 한쪽 단에 흡착된 혼합물시료에 적당한 용제(移動相)를 흘려 전개시킨 후, 각 성분을 서로 다른 장소로 흡착, 이동시켜 분리한다. 페이퍼 크로메이트그래프법은 여과지를 고정상으로 하는 방법이고, 가스 크로메이트그래프법은 가스를 이동상으로 하는 방법이며, 이온교환 크로메이트그래프법은 이온교환 수지를 고정상으로 하는 방법이다. 크로메이트그래프법은 넓은 분야로 정성 및 정량분석법으로써 이용되고 있다. = 크로메이트그라피 ◘ 가스 크로마토그래프 질량분석법(9)

**크로메이트 처리** Chromate Treatment ; Chromating ; Chromate Filming

크롬산 또는 중크롬산염을 주성분으로 하는 용액 중에 물품을 침적하여 방청 피막을 생성시키는 방법. 아연도금의 크로메이트 처리는 (1)내식성 향상. (2)백청의 발생을 방지하고 지문 그 외의 오염 등을 부착하기 어렵게 한다. (3)외관 향상. (4)도료, 염료의 밀착성 향상 등의 효과가 있다. 은도금 후의 변색방지에도 이용되며, 알루미늄의 크로메이트 처리는 알로진법(미국의 American Chemical Paint. Co.)이 있다. ◘ 크롬산처리(537)

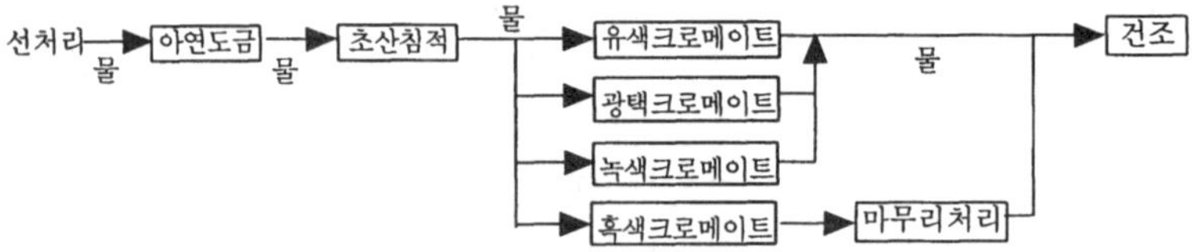


※물은 수세

아연도금의 크로메이트 처리

크로메이트 처리

**크로메이트 피막** Chromate Films: Chromate Conversion Coating

크로메이트 처리에 의해 아연 등의 금속 상에 형성되는 크롬산 크롬을 주성분으로 하는 얇은 막. 피막이 화성하기 위한 주된 반응은, 액 중의 산에 의해 아연이 용해되어 중크롬산 이온 등을 환원하기 때문에 아연 계면에서는 수소이온 농도가 저하한다. 그 때문에 침전물이 아연표면에 침착하여 복잡한 성분의 피막이 형성된다.

**크로메이트 피막의 밀착성 시험** Adhesion Test of Chromate Films

ISO에 규정되어 있는 아연, 카드뮴도금의 크로메이트 피막(유색부동태 피막)의 밀착성 시험. 이 방법은 페이퍼 시험과 지우개 시험이 있다. 전자는 시료의 유효면을 백색의 티슈페이퍼로 문질러 페이퍼에 얇은 오염물 이상의 부착물이 보이는 경우는 밀착불량으로 한다. 후자는, 인조고무에 의한 지우개를 사용하며, 보통으로 지우개를 사용하는 힘으로 2~3초(약 10회 왕복), 각 스트록(Stroke) 약 50㎜의 길이에 크로메이트 피막을 문질러 피막이 제거되지 않고 하지금속이 노출되지 않으면 양호로 한다(ISO 2081, 2082).

**크로메트리** ◘ 전량분석법(453)

**크로미터** Coulometer ◘ 전량계(452), 적산전량계(444)

**크로스 바** Bar; Rod ◘ 버스 바(176)

**크로스 해치 마무리** Cross Hatch Finishing

버프연마로, 연마면에 +자의 흔적을 내는 마무리법을 말한다. 연마벨트, 보조익(Flap) 호일, 그리스레스(Graeseless) 콤파운드 등을 사용하여 수동연마, 반자동, 전자동연마 등으로 연마를 행한다. 버프의 주속은 일반적으로 800 m/분 이하로 행하는 경우가 많다.

**크로즈드 루프 시스템** ◘ 크로즈드 시스템(후항)

**크로즈드 시스템** Closed-System

생산 도중에 배출되는 물질을 다시 이용(리사이클)함으로 인해 폐기물질을 내지 않도록 하는 생산 시스템. 도금공정에서는 배수를 가능한 한 내지 않도록 하는 시스템을 말한다. 배수를 완전히 내지 않는 경우를 『완전 크로즈드 시스템』이라고 하는 경우도 있다. = 크로즈드 루프 시스템(전항)

**크로커스** ◘ 그로스(53)

**크롬** Chromium Cr.

원자번호 24, 원자량 52.01, 융점 1905℃, 비중 7.1, 거의 모든 크롬화합물이 착색되어 있기 때문에 이 이름(Chroma : 색)이 되었다. 천연적으로는 크롬철광, 적연광으로써 산출된다. 내식성이 뛰어나기 때문에 1000℃에서도 별로 산화되지 않는다. 염산이나 황산에는 침식되나, 초산에서는 부동태화된다. 원자가가 +2～+6의 화합물이 있다. 도금이나 합금에 많이 사용된다. 크롬의 합금에는 고속도강, 스테인리스, 니크롬, KS자석강 등이 있다.

**크롬도금** Chromium Plating

도금된 금속크롬은 경도가 높고, 아름다운 광택이 있으며 대기 중에서 변색되기 어렵고, 또한 염산 이외의 산에 침적되기 어렵다는 특성이 있기 때문에 장식도금의 마무리도금(최종 도금)으로써 폭 넓게 사용되고 있다. 또, 크롬도금은 내마모성이 뛰어나기 때문에 기계부품, 금형, 공구 등에 경질 크롬도금(공업용 크롬도금)으로써도 널리 이용되고 있다. 도금두께는 장식용의 경우, 0.2㎛ 전후, 공업용에서는 5～100㎛의 범위가 많다. 도금욕은 서젠트욕($CrO_3$ 250g/$l$, $H_2SO_4$ 2.5g/$l$)이 일반적이지만, 불화욕, 흑색크롬 도금욕, 고전류효율욕(하이 스피드욕), 고경도욕, 3가크롬 도금욕 등의 종류가 있다.

**크롬도금용 양극** Chromium Plating Anode

일반적으로 안티몬을 5~7% 함유하는 납합금이 사용된다. 불화물 함유욕에 이 합금을 사용하면 소모가 빠르고, 절연피막을 생성하기 쉽기 때문에, 주석 7% 전후를 포함한 납합금, 또는 안티몬 25~30%를 함유한 납합금이 사용된다. 철, 동, 알루미늄 등을 모재로 하고, 그 위에 티탄 등의 내식재를 피복하여 납, 과산화납($PbO_2$) 또는 백금을 피복 한 것도 있다. 보조양극으로써 탄소함유량이 적은 철 또는 철에 납도금 한 것 등이 사용되고 있다.

**크롬도금의 전류효율** Current Efficiency of Chromium Plating

크롬도금의 전류효율 %

| 전류밀도(A/dm²) \ 욕온도(℃) | 25 | 35 | 45 | 55 | 65 |
|---|---|---|---|---|---|
| 10 | 24 | 13 | 12 | 10 | - |
| 20 | 32 | 19 | 16 | 13 | - |
| 30 | 36 | 25 | 18 | 16 | 12 |
| 40 | - | 34 | 19 | 17 | 13 |
| 50 | - | 36 | 21 | 18 | 15 |
| 60 | - | - | 22 | 19 | 16 |

크롬도금의 전류효율

크롬도금에서 가장 많이 사용되고 있는 서젠트욕($CrO_3$ 200~250g/$l$, $H_2SO_4$ 2.0~2.5g/$l$, 3가크롬 3~6g/$l$)은 온도 45~50℃, 전류밀도 20~40A/dm$^2$으로 사용되지만, 온도가 일정할 때에는 전류밀도가 높을수록, 또 일정 전류밀도에서는 온도가 낮을수록 전류효율은 증대한다. 불화물 함유욕은 서젠트욕보다도 30~40%정도 전류효율이 향상한다.

**크롬 배수처리** Chromium Waste Water Disposal

배수중의 6가크롬을 중아황산소다($NaHSO_3$) 등으로 환원하여 3가크롬 이온으로 한 후, 수산화나트륨(NaOH), 수산화칼슘($Ca(OH)_2$)의 알칼리제를 첨가하여 pH 8.5~10으로 조정하여 생성된 수산화크롬을 응집침전법으로 침전, 분리한다. 전해환원을 행하는 방법도 있으나, 중아황산소다에 의한 환원법이 가장 안전하고 확실한 방법이다. 엷은 농도의 6가크롬 이온은 내산성이 큰 이온교환 수지를 사용한 이온교환법에 의해 제거된다.

**크롬산** Chromic Acid $H_2CrO_4$

크롬산염의 형태로 존재하며, 실제로는 산, 그 자체로는 존재하지 않는다. 무수크롬산 $CrO_3$를 물에 녹이면 물과 반응하여 크롬산이 된다.

$$CrO_3+H_2O \rightarrow H_2CrO_4$$

무수크롬산은 크롬도금액의 주성분으로써 사용되며, 일반적으로 무수크롬산을 크롬산이라고 말한다. 고농도의 액에서는 $H_2Cr_2O_7$, $H_2Cr_3O_{10}$, $H_2Cr_4O_{13}$ 등도 공존한다. ◘ 무수 크롬산(146)

**크롬산 처리** Chromic Acid Treatment

(1)도금피막의 변색방지법의 하나로써, 도금 직후에 얇은 크롬산 용액중에서 전해처리를 하든지 침적화학 처리를 하는 것을 말한다. 예를 들어, 은·동·주석도금이나 무전해 니켈도금 등에 사용된다. (2)아연도금, 카드뮴도금 등의 크로메이트 처리를 말한다. ◘ 크로메이트 처리(534)

**크롬 샌드** Chrom Sand

치밀하게 입상이 된 등축결정(8면체)을 이루고 있으며, 경도는 5.5(모스 스케일), 비중 4.3~4.5, 융점은 2093℃ 이상이며, $Cr_2O_3$, $Fe_2O_3$, MgO, $Al_2O_3$ 등을 함유하고 있는 모래로써, 규사와 같은 변태점이 없으므로 열적으로 안정되어 있고, 지르콘 샌드와 동일한 용도로써, 주강용 주형에 많이 쓰이며 크로마이트 샌드라고도 한다.

**크롬 중독** Chromium Poisoning

크롬산 증기, 미스트가 피부나 점막에 부착하여 부착된 곳이 크롬산에 의해 부식되어 발생하는 상흔을 크롬 중독이라고 한다. 이 병의 증상은 먼저 피부의 궤양이며, 장기간 부식작용이 계속되면 뼈까지 영향을 미치는 심각한 궤양이 일어난다. 두 번째는 비중격천공(鼻中隔穿孔)으로, 코에 흡입된 크롬산 증기는 코 안의 격막을 짓무르게 하여 궤양이 되고 최후에는 코 안의 격막에 천공이 생긴다.

**크롬확산 피복법** Chromizing ◘ 크로마이징(533)

**크리프** Creep

재료에 일정 온도, 일정 하중이 계속적으로 부과된 상태일 때 그 재료는 시간의 경과와 함께 차례로 변형되어, 최종적으로는 파괴된다. 이와 같이 재료의 소성 변형이 일정한 응력 하에서 시간과 함께 증가하는 현상을 크리프라고 한다. 금속, 세라믹(콘크리트 등), 유기 고분자물질 등의 거의 모든 물질에서 크리프가 발생한다. 항공기용 재료나 고온용 재료에서는 중요한 현상이다.

**크리프 포밍** Creep Forming

다이 퀜칭(Die Quenching)의 일종으로, 상온에서 물품을 치공구에 끼워, 항복점 이하의 힘으로 억제해 놓고 인공시효 온도까지 가열한다. 온도가 높아지면, 항복점이 내려가며, 외력은 자연히 항복점을 상회하게 되기 때문에 영구 변형을 일으켜 성형된다. 즉, 크리프를 이용하여 성형하는 방법이기 때문에, 크리프 포밍이라고 한다. 알루미늄합금 등의 정형에 이용되고 있다. 크리프 포밍은 프리 스트레스 포밍(Pre-Stress Forming)이라고도 한다.

**크세논램프 납땜** Xenon Beam Soldering

납땜방법의 하나로, 크세논램프에서 광선을 구면 반사판에 빛을 모아 광빔을 접합개소에 맞추어 가열하는 납땜방법. 고속가열이 가능하고, 열량의 조정이 용이하여 극소부의 납땜에 적합하다. 레이저 가열보다 값이 싸다.

**클래드** Cladding ◘ 합판법(620), 오버레이(365)

**클래터 배럴** Clatter Barrel ◘ 유성 배럴(393)

**클러스터 경화** Cluster Hardening

석출 경화의 초기 단계에서 석출하려고 하는 고용원자가 응집되어 전위를 방해하기 위해 경화되는 현상을 클러스터 경화라고 한다. 석출의 최종 단계에서는 클러스터는 석출의 미립을 형성하고, 또한 경도를 증가시킨다.

**클로로센** ◘ 1, 1, 1 트리클로로에탄(428)

**클리어런스 홀** Clearance Hole

다층 프린트배선 기판에서 도금 쓰루 홀과 전기적으로 접속하지 않게 그 구멍보다도 조금 크게 도체부를 제거한 부분을 말한다.

**킬드강** Killed Steel

펠로실리콘이나 알루미늄으로 완전히 탈산한 강을 말하며, 합금강이나 C>0.4%의 강은 전부 킬드강이다. 조성은 내부까지 균질이며, 용접 등은 하기 쉽지만, 실리커나 알루미나를 약 0.25%포함하고 있기 때문에 전기도금은 림드강보다도 밀착되기 어렵다. 용융아연도금에서는 Fe-Zn 금속간 화합물 층이 림드강보다도 두꺼워진다. = 탈산(脫酸)강, 진정(鎭靜)강 ◘ 림드강(126)

**킬레이트메트리** Chelatometry ◘ 킬레이트 적정(539)

**킬레이트 수지** Chelate Resin

이온 교환체의 하나로, 킬레이트 결합으로 특정의 이온을 강하게 선택 흡수하는 수지를 말한다. 폴리스티롤 수지를 모체로 하고, 미량의 중금속을 흡착할 수 있다. 그 흡착력은 Hg>Cu>Pb>Ni>Cd>Zn>Co>Mn>Ca의 순이다.

**킬레이트 적정(滴定)** Chelatometric Titration

주로 금속이온을 정량의 대상으로 하고, 킬레이트 시약을 첨가하여 킬레이트 화합물을 생성시켜 행하는 적정법을 말한다. 착(錯)적정의 일종이다. 일반적으로 킬레이트 화합물은 안정하며, 당량점 부근에서는 적정곡선이 급변하기 때문에 종점의 판정이 예민해진다. 적정제로써는 에틸렌디아민사초산(EDTA), 니트릴로삼초산(NTA) 등이 있다. 알칼리 금속 이외에는 모든 금속이온의 적정이 가능하며, 종점의 검출에는 전기적 방법 외에도 금속 지시약이 사용된다. = 킬레이트메트리(539)

**킬레이트제** Chelating Agent

금속이온으로 배위하여, 환형상 구조를 가지는 착화합물(킬레이트 화합물)을 만드는 화학물질을 말한다. = 킬레이트화제(후항)

**킬레이트화제** Chelating Agent ◘ 킬레이트제(전항)

**킬레이트 화합물** Chelate Compound

킬레이트는 그리스어로 "집게발"의 의미이며, 킬레이트 화합물을 집게형상 화합물, 집게형 착염 등이라고 하는 경우가 있다. 빈번하게 사용되고 있는 킬레이트제는 에틸렌디아민사초산(EDTA)이며, 금속이온과 배위결합할 때는 마치 집게로 금속이온을 물고있는 것 같은 형태이기 때문에 킬레이트라는 이름으로 불린다. 도금액의 분석 킬레이트 적정이나 세정제, 안정제, 마스킹제 등에 사용되고 있다.

# ㅌ

**타코미터** ◘ 회전속도계(645)

**타펠의 식** Tafel's Epuation

전극반응에서의 활성화 과전압 $\eta$와 전해전류밀도 $\iota$와의 관계식으로, 1905년에 J. Tafel이 수소과전압에 대해 산출한 것으로 식 $\eta=a-b\log_e\iota$로 나타낸다. 그, 다른 전극반응에서도 활성화 과전압 모두에 대해 성립한다는 것이 증명되었다. a, b의 식은 전극반응을 해석할 때에 중요한 파라미터이다. ◘ 과전압(41)

**탄력** Resilience ◘ 충격시험(509)

**탄산가스** Carbonic Acid Gas: Carbon Dioxide ◘ 이산화탄소(411)

**탄산나트륨** Sodium Carbonate

소다회, 탄산소다라고도 한다. 백색 분말로 수용액은 강알칼리성을 띄며, 강산과 반응하여 이산화탄소를 발생한다. 탈지 세정이나 배수처리에 사용된다. = 탄산소다 ◘ 소다회(249)

**탄산 니켈** Nickel Carbonate $NiCO_3$.

염녹색의 결정. 물 100g에 대한 용해도는 0.0093g(25℃), 이산화탄소를 함유한 물에는 이것보다 용해도를 높인다. 산에 녹고, 육수염(六水塩)은 염녹색 분말로 산에는 잘 녹는다. 니켈도금욕의 pH 조정제로써 사용된다. 니켈(Ⅱ)염의 용액에 탄산알칼리를 첨가할 때 발생하는 녹색 침전물을 각종 조성의 복염($Na_2CO_3 \cdot NiCO_3 \cdot 10H_2O$ 등)으로 조성은 일정하지 않다.

**탄산소다** Sodium Carbonate ◘ 탄산나트륨(540), 소다회(249)

**탄산수소나트륨** Sodium Hydrogencarbonate: Bicarbonate of Soda ◘ 중탄산나트륨(488)

**탄소강** Carbon Steel

탄소를 최대 2%까지 함유한 철-탄소합금이며, 불순물로써 소량의 규소, 망간, 인, 황 등을 함유한다. 탄소는 시멘타이트($Fe_3C$)라고 하는 탄화철로써 존재한다. 탄소량이 적은 것부터 많은 순서대로 극연강, 연강, 중경강, 경강, 극경강 등으로 분류한다.

**탄소 섬유** Carbon Fiber

탄소 섬유는 원료에 따라 피치계, 폴리아크릴로니트릴계 등으로 나뉜다. 또, 특성에 따라 범용 그레이드와 고성능 그레이드가 있다. 탄소 섬유는 강도, 영계수가 높고 내열성이 크다는 등의 특징이 있으나, 산화되기 쉽고, 금속과의 친화가 나쁘며, 고가라는 등의 단점이 있다. 탄소섬유 강화카본, 탄소섬유 강화금속, 탄소섬유 강화플라스틱, 복합도금 등의 분산섬유 등으로 사용된다.

**탄연(炭硏)** Charcoal Finishing; Polishing with Charcoal Block

박탄(朴炭)에 물을 가하면서 손으로 연마하여 미세한 흠 등을 제거하여 평활하게 하는 방법을 말한다. 주로 알루미늄, 동, 동합금 등의 부드러운 금속 표면을 평활하게 하기 위하여 행하는 경우가 많다.

**탄탈** Tantalum Ta.

원자번호 73, 원자량 180.95, 융점 3250℃, 밀도 16.6g/㎤. 고융점 금속의 하나로 전연성이 풍부하고, 내식성이 뛰어나지만, 고온에서 산화되기 쉬운 단점이 있다. 염산, 초산, 왕수에 녹지 않고, 200℃ 이하에서는 염소, 농초산, 강알칼리에도 침해되지 않는다. 탄탈을 음극으로써 전해하면 표면에 발생하는 수소를 흡수, 저장하여 표면이 무르게 된다. 또, 탄탈을 양극으로써 전해하면, 표면에 생성되는 산화 피막으로 인해 전기저항을 증가시켜 차례로 전류가 흐르지 않게 된다. 용도는 화학공업용 내산재료, 전기히터, 진공관재료, 레이더용 전자재료, 콘덴서재료, 미사일부품 등, 도금에서는 열교환기 등의 재료로써 이용된다.

**탄탈소지의 전기도금** Electroplating on the Tantalum Substrates

탄탈의 화학적 성질은 몰리브덴보다도 뛰어나다. 도금공정은, 알칼리침적 세정→양극 처리(10% 불화수소산, 실온, $5A/dm^2$)→양극 처리(2% 정도의 엷은 산 또는 알칼리욕)→전기니켈도금이다. 그리고, 위 화살표 공정 중에는 모두 수세 공정이 포함된다.

**탄화규소** Silicon Carbide SiC.

무색 투명의 결정으로 불순물로 착색한다. 다이아몬드구조의 결정, 비중 3.12, 융점 약 2700℃. 경도가 다이아몬드 다음으로 높아 연마재나 공구에 사용된다. 산에는 침해되지 않으나, 수산화알칼리와 같이 용융하면 분해된다. 연마재나 공구 외에, 전기증열체, 고온구조재료 등에 사용된다.

**탈기** Deairing; Degassing

수중에 용존하는 산소, 탄산가스, 암모니아 등의 기체성분을 제거하는 것을 말한다. 보일러 급수 등의 금속부식방지 대책으로써 이용된다. 탈기방법은 발기, 감압가열 등의 물리적방법과 환원제(아황산소다, 히드라진 등)을 첨가하는 화학적방법이 있다. 완전히 탈기할 때는 두 가지 방법을 병용한다.

**탈리(脫離)** ◘ 용리(376)

**탈륨** Thallium Ti.

원자번호 81, 원자량 204.383. $\alpha$형과 $\beta$형이 있으며, $\alpha$형이 안정하다(전이점 230℃). 비중 11.85, 융점 302.5±0.1℃, 불점 1457±10℃, 청백색의 부드러운 금속성원소, 독성이 강해 산출량은 적다. 공기중에서 산화탈륨(Ⅰ)의 피막을 만들며 가열하면 산화탈륨(Ⅲ)을 생성한다. 산화를 방지하기 위하여 석유에 보관한다. 염소와 반응하여 염화탈륨(Ⅲ)이 된다. 염산에는 녹지 않고, 황산, 초산, 과염소산, 왕수에는 녹는다. 용도는 금도금욕의 첨가제, 광전관의 수광소자, 내식성합금, 녹기 쉬운 합금성분 등이다.

**탈산동** ◘ 킬드강(538)

**탈산제** Deoxidiser

용해된 금속이나 합금에서 산소를 제거하기 위하여 첨가한 첨가제를 말한다. 사용되는 첨가제는, 동의 경우는 페로망간, 페로실리콘, 실리코망간, 알루미 등이 통상 사용되며, 이 외에 티탄, 지르코늄, 칼슘 등도 병용되는 경우가 있다. 동의 경우는 생목, 미분탄, 인동 등이 사용된다. 금속이나 상황에 따라 환원성가스 등도 사용된다.

**탈성분 부식** Dealloying

합금중의 특정 성분이 선택적으로 손실되는 부식을 말한다. 황동의 탈아연(현상)은 그 대표적인 예이다. ◘ 탈아연(현상)(542)

**탈수 건조** Water Break and Drying

도금제품의 건조에서 원심분리기에 의한 소형부품의 건조도 탈수건조이나, 용제에 의한 건조를 탈수건조라고 한다. 용제는 트리클로로에틸렌을 베이스로 한 것과 프론을 베이스로 한 것이 있다. 염소계 용제는 오존층 파괴성질로써 사용금지화가 진행되고 있다.

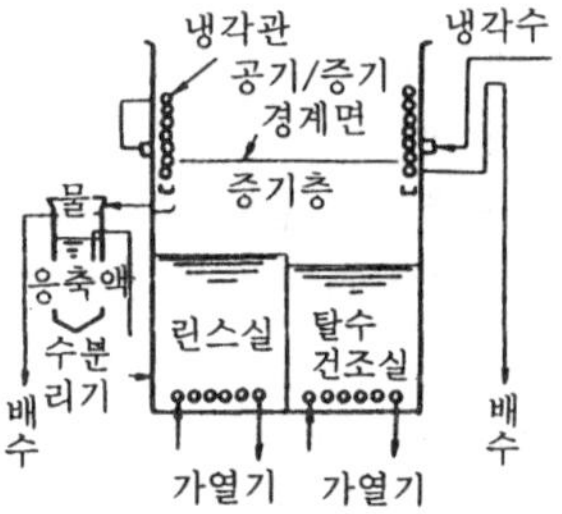

탈수 건조

**탈아연(현상)** Dezincification: Dezinking

2종 이상의 결정이 혼재하는 합금에서는 결정간에서 전기화학적 전위차를 발생하여 전위가 낮은 결정이 특히 침식된다. 64황동에서는 73황동과 같이 α고용체합금 결정과 Cu-Zn의 β금속간 화합물(Cu 약 50%, Zn 약 50%)결정으로 되어있고, 이것을 산에 침적시키면 β쪽이 빨리 녹아 거친 표면이 된다. 이것을 탈아연 현상이라고 한다. 또 α만의 73황동에서도 Zn원자가 빠져 스폰지상의 Cu층이 발생되는 경우가 있다. 이것을 Zn만이 녹는다는 설과 양자가 녹아 Cu만이 치환반응으로 석출한다는 설이 있으나, 이것도 탈아연 현상이다. 어느 것이든 선택부식의 일종이다. 탈아연된 황동 상의 도금은 밀착불량이 되기 때문에 전면 부식이 되도록 침적조건을 변화시킬 필요가 있다(HO를 포함한 산의 전처리 등) ◘ 선택 부식(245), 탈성분 부식(542)

**탈염수** Desalted Water

무기산이나 염류를 제거한 물로, 이온교환 수지나 이온교환막을 사용한 전기 투석으로 만든다. 이온교환 수지에 의해 $Na^+$, $Ca^{2+}$, $Cl^-$, $SO_4^{2-}$ 등은 제거되고, 탄산은 탈기에 의해 제거되나, 비전해질인 규산이나 수지의 용출물은 미량이 잔류한다. 축전지용, 수전해용으로써 이용된다.

**탈이온수** Deionized Water

이온교환 수지로 정제한 물을 말한다. 이온교환수라고도 한다. 증류로 정제한 증류수와 구별하여 사용한다. 이온교환법으로는 비전해질을 제거할 수 없기 때문에 물의 정제법으로써는 증류와 이온교환을 병용하는 것이 바람직하다. 탈염수와 동의어로써 사용하는 경우가 많다. ◘ 이온 교환수지, 이온교환수(414)

**탈자** ◘ 소자(消磁)(251)

**탈지** Degreasing

좁은 의미로는 유지성 오염을 제거하는 것을 말하지만, 도금에서는 세정도 포함하여 탈지 세정의 의미로 알칼리 탈지(세정), 용제 탈지(세정), 전해 탈지(세정) 등을 말한다. ◘ 세정(246)

**탈지제** Degreaser; Cleaner ◘ 세정제(246)

**탈탄** Decarburizing

탈탄이란 산소의 산화작용에 의해 강재의 탄소 함유량이 적어지는 현상을 말한다. 즉, 강을 고용체의 상태에서 가열함에 있어 이것을 둘러 싼 공기 중의 산소가 이 안으로 침입할 때에 발생하는 것으로 그 산화 속도가 탄소의 바깥쪽으로의 확산 속도보다 작을 때 탈탄이 일어나며, 역으로 클 때에는 스케일을 일으킨다. 탈탄에 의해 발생된 페라이트의 결정립의 형상에는 주상(Columnar)과 등방성(Equiaxed)의 두 종류가 있다. 전자는 $A_3$점 이상 또는 $A_1$과 Acm점과의 사이의 온도에서 탈탄되었을 때 발생하며, 후자는 $A_3$ 변태점 이하의 상태에서 탈탄되었을 때 발생되는 조직이다. $A_1$ 변태점 이하에서 탈탄의 경우에는 고탄소 측일수록 탈탄층의 페라이트의 주상화 경향이 커지며, 역으로 저탄소 측은 등방성화 경향이 커진다. 또, 탈탄량은 결정입도가 거친 것일수록 크다. 탈탄층의 부분은 소입하여도 충분하게 경화되지 않기 때문에 열처리에 있어서는 탈탄이 발생하지 않도록 주의하지 않으면 안 된다.

**탕세** Hot Water Rinsing

도금 공정에서 피도금물을 뜨거운 물로 세척하는 것을 말한다. 전처리에서는 알칼리 세정후에 행하는 경우가 많다. 후처리에서는 도금 후, 회수, 수세를 하고 난 후, 탕세를 하며, 피도금물을 가온하여 건조하기 쉬운 효과도 있다. 탕세에 이용하는 물은 순수가 아니면 건조 후에 얼룩이 남는 경우가 있다. ☐ 순수(261)

**탭** Tab

프린트 콘덕트, 에지 커넥트 단자를 말하며, 프린트 배선기판에서 접촉에 의한 전기적인 접속을 목적으로 한 도체 패턴의 부분을 말한다. 단부의 프린트 콘덕트를 에지 커넥트단자라고 한다.

**터보 블로워** Turbo Blower

원심식 송풍기의 하나로 날개에 8～24개의 날개가 후방으로 굽어져 있는 송풍기로 사이런트 팬(Silent Fan)이라고도 부른다. 소음이 적고 효율이 높으며, 강도도 커서 고속회전에 잘 견딘다. 주유식과 무주유식이 있으며, 도금욕의 공기교반용 송풍기에는 무주유식이 사용된다. 그 외, 보일러의 강제 통풍이나 가스 압송 등, 각종 용도에 널리 사용되고 있다. ☐ 송풍기(252)

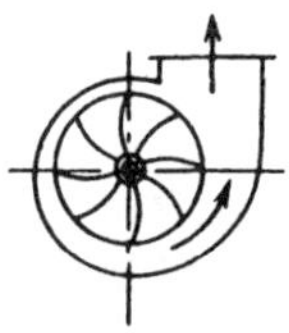

터보 블로워

**터빈 펌프** Turbine Pump

펌프는 크게 나누어 터보형과 용적형(왕복식, 회전식이 있다) 및 특수형(제트 펌프, 기포 펌프, 그 외)로 구별된다. 터보형은 원심식과 경사류(傾斜流) 펌프, 축류 펌프로 나뉘며, 터빈 펌프는 원심식(회오리 펌프의 일종으로 볼류트 펌프, 터빈 펌프로 나뉜다)의 일종으로, 안

터빈 펌프

내 날개를 가진 회오리 펌프로써 단단식과 다단식이 있다. 안내 날개 때문에 물의 속도를 압력으로 변환시킬 수 있어 통상적인 회오리 펌프보다도 양정(揚程)을 높일 수 있고, 5m정도부터 2000m를 넘는 것까지 존재한다.

**터프트라이드법** Tufftriding ◘ 연질화법(349)

**터프 피치 동** Tough Pitch Copper

전기동을 반사로에서 용해 정제하여 가공성을 높인 동을 말한다. 소량의 산소(0.02~0.05%)를 함유시켜 금속불순물 원소가 산화물로 되어 있기 때문에 동 자체의 결정격자의 왜곡이 적어져서 도전성이 좋아 전선, 전기부품 소재로써 사용된다.

**턴 도금** Terne Plating

턴 메탈을 도금하는 것을 말한다. 통상, 용융 도금된다. 도금한 강판을 턴 시트, 또는 턴 플레이트라고 한다. ◘ 턴 메탈(후항)

**턴 메탈** Terne Metal

내식성, 내후성을 증가시키기 위하여 강판의 피복에 사용하는 납과 주석의 합금으로, 주석이 10~25%, 나머지가 납이다. 이 합금을 피복한 강재를 턴 시트, 또는 턴 플레이트라고 한다. 통상, 용융도금된다. ◘ 턴 도금(전항)

**턴 수(數)** Turn Over

무전해도금욕을 보충하면서 사용할 경우, 보충 금속분의 합계가 건욕시의 금속농도와 같아졌을 때를 1턴으로 하는 욕 관리의 기준이 되는 숫자. 예를 들어, 무전해 니켈욕이 200$l$, 니켈농도가 5g/$l$ 라고 하면, 1kg의 니켈이 석출되었을 때 1턴을 사용하였다고 한다. 턴 수가 반복되면 환원제 등의 부생성물인 아인산이 축적되어 반응속도의 저하를 초래하여 도금피막의 물성이 나빠진다. 도금욕을 전량, 또는 일부 갱신할 필요가 있다. 무전해 니켈도금에서는 일반적으로 7턴 정도에서 전량 갱신하고 있다.

**턴 시트** Terne Sheet; Terne Plate

턴 플레이트라고도 한다. 납과 주석합금을 피복한 표면처리 강판. 조성은 주석이 10~25%, 나머지 부분은 납을 용융 도금한다. 내식성, 가공성, 납땜성, 도장성이 뛰어나기 때문에 자동차부품, 전기부품 등에 사용된다. = 턴 플레이트 ◘ 턴 도금(545)

**텀블링** Tembling ◘ 배럴연마(171)

**텅스텐** Tungsten W.

원자번호 74, 원자량 183.35, 비중 19.24, 융점 3655℃(금속으로써 최고온도), 불점은 5828℃이다. 광택이 있는 회색의 백금과 닮은 금속으로 파괴강도가 극히 높고, 건조한 공기 중에서는 안정하나, 습할 때에는 산화가 시작된다. 고속도강, 영구자석강, 내열 내식합금 등에 첨가된다. 또, 전구의 필라멘트나 열전대, 반도체 부품으로써 사용된다.

**텅스텐계 접점재료** Tungsten and Tangsten Alloy Contacet Material

텅스텐(W)은 융점과 경도가 높기 때문에 융착되기 어려우며, 내아크성이 좋고, 소모되기 어렵기 때문에 고부하용 전기 접점재료로써 적합하나, 접촉저항이 높기 때문에 소결법에 따라 W-Ag합금(Ag 20~50%)이나 W-Cu합금이 만들어지므로 전기접점으로써 사용되고 있다. ◘ 전기 접점재료(450)

**텅스텐소지의 전기도금** Electroplating on to the Tungsten Substrates

텅스텐소지에 납땜을 하기 위하여 주석, 금, 은, 등의 도금이 행하여지는 경우가 있다. 도금공정은 용제 세정→알칼리침적 세정→에칭처리(불화수소산 3, 초산1, 물 4를 5분간 침적)→니켈도금이다. 다른 방법으로써 용제 세정→알칼리침적 세정→전해 에칭처리(5~20% 불화수소산, 교류전해 1~5V, 1~2분간)→니켈도금이다. 상기 화살표 공정 안에는 모두 수세 공정이 포함된다.

**텅스텐 카바이드소지의 전기도금** Electroplating on to the Tungsten Carbide Substrates

텅스텐 카바이드는 초경합금으로써 알려져 있다. 도금공정은, 알칼리침적 세정→양극에칭처리(피로인산나트륨 100~150g/ l, 20~60℃, 0.1~ 0.5A/dm$^2$, 10~30분간) → 산침적 → 전기니켈도금이다. 그리고, 위 화살표 공정 안에는 모두 수세공정이 포함된다.

**테버식 마모시험** Taber's Abration Resistance Test

텐 테이블 위에 10×10㎝의 시료를 올려놓고, 연마지를 부착한 1대의 마모바퀴를 시료 위에 압착시킨다. 그림의 우측 바퀴는 시료를 중심에서 바깥쪽 방향으로 마찰하고, 좌측 바퀴는 역으로 바깥쪽에서 중심쪽으로 마찰한다. 이와 같이 편심시킨 바퀴를 압착하여 턴테이블을 회전시켜 시료의 마모를 조사하는

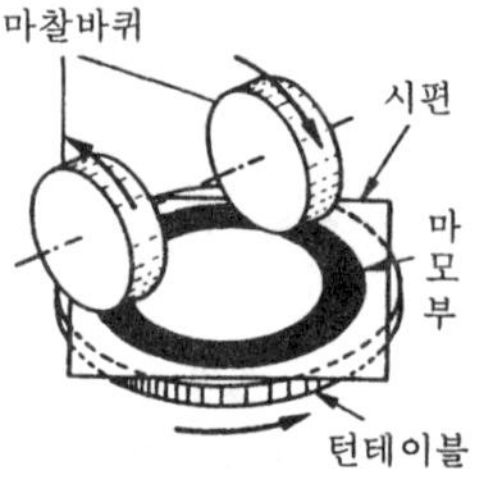


테버식 마모시험

시험방법을 말한다. 도금의 내마모성 시험방법의 KS에 규정되어 있으며, 알루미늄의 양극산화 피막, 라이닝 피막, 도장 피막의 시험에도 이용되고 있다. = 평면회전 마모시험(573)

**테스트 쿠폰** Test Coupon

프린트 배선기판의 제조에서 프린트 배선기판의 일부분으로 생산품과 동일 패널 상에서 절취하여 사용하는 시험편을 말한다.

**테이프 박리시험** Tape Remove Adhesion Test ◘ 테이프 시험(후항)

**테이프 시험** Tape Test

시료의 도금면에 접착성이 있는 테이프를 부착, 이것을 급속하고 강하게 벗겨 냄으로써 도금의 밀착성을 조사하는 시험을 말한다. 비교적 얇은 도금, 예를 들어, 귀금속의 도금 등에 적합하며 단단하고 두꺼운 도금에는 적합하지 않다. KS D 0254 [도금의 밀착성 시험방법]에 규정되어 있다. 시험용 테이프는 KS A 1528 [셀로판 점착테이프]에 규정된 점착테이프로 폭 12~19mm의 것을 사용한다. 예를 들어, 프린트 기판 단자의 금도금 등에 사용되고 있다. = 테이프 박리시험(전항)

**테토론** Tetoron

일본 토레(주)에서 만든 폴리에스테르계 합성섬유의 상품명. 미국에서는 디크론, 영국에서는 테리렌이라고 한다. 기계적 강도가 크고 주름이 잘 생기지 않으며, 건조가 빠르고 산, 알칼리에 대한 내약품성이 좋기 때문에 도금에서는 아노드 백, 격막 등에 사용된다. 그 외 일반 의료품, 어망, 로프재 등에 사용되고 있다.

**테트라 크로메이트욕** Tetra-Chromate Bath

사중크롬산 소다를 주성분으로 하는 크롬도금욕. 저온도에서 대전류밀도를 이용할 수가 있으며 도금피막은 균열이 극히 작으나, 회색이기 때문에 버프연마로 광택을 낼 필요가 있다. 욕조성은 무수크롬산 400g/l, 가성소다 58g/l, 3가크롬 7.5g/l, 황산 0.75g/l, 욕온도 15~21℃, 음극전류밀도 20~100A/dm$^2$, 욕전압6~12V, 음극 전류효율이 높아 30~33%이다. 욕온도가 30℃ 이상이 되면 사중크롬산 소다가 분해되기 때문에 냉각장치가 필요하다. = 사중크롬산 소다욕(230)

**테트라클로로에틸렌** Tetrachloroethylene

다른 이름으로 사염화 에틸렌 $CCl_2=CCl_2$, 무색의 액체이며, 융점 -22.18℃, 불점 121.2℃이다. 염소계 용제의 일종으로 공기 중에서 트리클로로에틸렌보다도 안정하며, 자외선이 없는 어두운 곳에서는 산화되지 않는다. 유지류, 그리스, 왁스 등의 많은 유기화합물을 용해하나, 물과는 서로 거의 용해되지 않는다. 드라이 크리닝용에 널리 사용된다. 금속부품의 탈지 세정에는 일반적으로 트리클로로에틸렌(불점 87.2℃)이 널리 사용되고 있으나, 테트라클로로에틸렌은 불점이 높기 때문에 특히 고융점의 왁스, 피치, 유지 등을 제거하기 위한 증기 세정에 적합하다. 또 다량의 수분이 부착된 부품에서의 수분의 제거, 건조에는 트리클로로에틸렌보다도 효과가 높다. 그러나, 오존층 파괴물질로써 사용이 제한되어 가고 있는 실정이다. = 퍼클로로에틸렌(565)

**테프록** Tefrock

크롬도금 면은 윤활이 곤란하기 때문에 그 대책으로써 포러스크롬도금 피막 중에 고체 윤활제 폴리테트라플루우오로에틸렌(PTFE)을 고정시킨 복합도금면을 만드는 방법으로, 미국의 포아스텍 · 플레이팅 · 앤드 · 매뉴팩츄어링사가 개발한 복합도금 가공법.

**테프론** Teflon

미국 듀퐁사제로 폴리불화에틸렌계 합성섬유의 상품명. 테트라플루우오로에틸렌의 유화중합에 의해 미분 상으로 얻을 수 있다. 미분체를 가열, 가압하여 제품으로 하나, 성형도 가능하다. 내약품성이 뛰어나고 넓은 온도범위에서도 특성이 변화하지 않는다. 불연성이고 내후성도 좋으며, 비점착성으로 마찰계수가 작다. 전기특성도 양호하다. 도금에서는 도금수조 등의 수조 라이닝재로써 내약품성이 뛰어나 넓은 온도범위(-50～260℃)에서 사용할 수 있다. 또, 투입히터의 케이스로써도 이용되고 있다.

**텐팅법** Tenting

프린트 배선기판의 도금 술폰과 그 주변의 도체패턴을 레지스트(보통은 드라이 필름)로 덮어 에칭하는 방법. 동도금이 1공정에서 끝나지만, 에칭에서 사이드 에치가 크기 때문에 미세한 회로를 만들기 어렵다는 결점이 있다.

**텔루르** Tellurium Te.

원자번호 52, 원자량 127.60, 밀도 6.236g/㎤(20℃), 융점 449.8℃, 불점 1390℃. 은회색의 반금속원소로 화학적 성질은 셀렌과 비슷하다. 공기 중에서는 청백염을 발하며 타고, 이산화텔루르가 된다. 물 · 염산에는 녹지 않고, 황산 · 초산 · 왕수에는 녹는다. 용도는 특수합금, 안료 등에 쓰인다. 단체, 화합물 모두 유독하다.

**토륨** Thorium Th.

원자번호 90, 원자량 232.0381, 융점 1815℃, 밀도 11.5g/㎤. 희토류 원소 중의 악티늄계 원소의 하나로, 은회색의 금속이다. 산소, 황, 질소, 탄소, 수소 등과 직접 화합한다. 1차천연 방사성핵종으로써 자연에서는 질량수 232(반감기 $1.4\times10^{10}$년 α 붕괴)외에 5종의 핵종이 있다. 토륨질량수 232의 전환에 의해 핵연료 우란 233이 제조된다.

**토르** Torr

진공 관계에서 많이 사용되는 압력의 단위로, 1㎜Hg를 말하며, SI단위에는 포함되지 않는다. SI단위에서는 $1.33322\times10^2$Pa(파스칼)이다.

**토양 부식** Soil Corrosion

흙 속에 있는 금속이 토양에 의해 부식되는 것을 말한다. 부식의 구동력은 통기차 전지(산소농염 전지)에 의한 것이 대부분으로, 부식속도는 토양의 전기저항에 의해 결정된다

| | | | |
|---|---|---|---|
| 토양의 저항 | 소 | 중 | 대 |
| 토양의 통기성 | 대 | 중 | 소 |
| 토양의 부식성 | 소 | 중 | 대 |

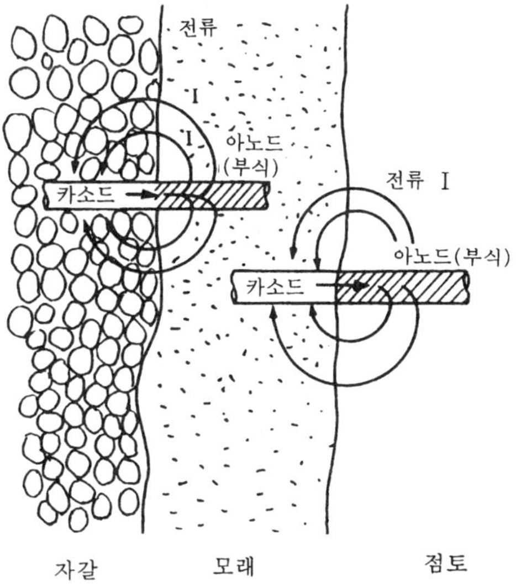


통기성이 좋은 토양과 나쁜 토양 간에 걸쳐있는
철관에 발생하는 통기차 전지의 예
토양 부식

**토양 오염** Soil Pollution

중금속 등, 사람의 건강을 해칠 염려가 있는 농축산물을 생산하거나 농

작물의 생육에 저해되는 것 같은 유해물질에 의한 농지의 토양 오염을 말한다. 이를 위해 농지용의 토양 오염방지에 카드뮴(Cd), 동(Cu) 및 비소(As)가 특정 유해물질로써 지정되어 있다. 그리고, 토양의 잔류농약에 의한 토양 오염은 농약취급법에 별도로 취급되어 있으며, BHC, DDT, 딜드린, 알드린 등의 토양 잔류성 유기염소제는 판매 금지 또는 사용 방법이 제한되어 있다.

**토탄판** Galvanised Steel Sheet

박강판에 아연도금을 한 것으로 아연 철판이라고도 한다. 평판과 파상(波狀)판이 있으며, 1종(일반용), 2종(절곡 가공용), 3종(드로잉용), 4종(구조용)이 있다. 용융아연도금 제품과 전기도금 제품이 있다. ◘ 아연 철판(296)

아연도금 강판의 종류

<table>
<tr><th colspan="2"></th><th>주용도</th><th>호칭<br>아연부착량</th><th>두께<br>(mm)</th><th>폭<br>(mm)</th><th>후처리의 종류</th></tr>
<tr><td colspan="2" rowspan="4">전기아연<br>도금강판</td><td>일반용</td><td rowspan="4">3~40g/㎡/편면<br>(표리차 두께<br>도금 가능)</td><td rowspan="4">0.4<br>~<br>4.5</td><td rowspan="4">610<br>~<br>1,829</td><td rowspan="4">무처리<br>도유(塗油)<br>인산계처리<br>크롬산계처리<br>특수처리</td></tr>
<tr><td>드로잉용</td></tr>
<tr><td>딥드로잉용</td></tr>
<tr><td>울트라 딥<br>드로잉용</td></tr>
<tr><td rowspan="9">용융아연<br>도금강판</td><td rowspan="5">비<br>합<br>금</td><td>일반용</td><td rowspan="5">45~120g/<br>㎡/편면</td><td rowspan="5">0.3<br>~<br>4.5</td><td rowspan="5">610<br>~<br>1,829</td><td rowspan="5">무처리<br>도유(塗油)<br>인산계처리<br>크롬산계처리<br>특수처리</td></tr>
<tr><td>절곡가공용</td></tr>
<tr><td>드로잉용</td></tr>
<tr><td>딥드로잉용</td></tr>
<tr><td>구조용</td></tr>
<tr><td rowspan="4">합<br>금<br>화<br>처<br>리</td><td>일반용</td><td rowspan="4">30~90g/<br>㎡/편면</td><td rowspan="4">0.4<br>~<br>4.5</td><td rowspan="4">610<br>~<br>1,829</td><td rowspan="4">무처리<br>도유(塗油)<br>인산계처리<br>크롬산계처리<br>특수처리</td></tr>
<tr><td>절곡가공용</td></tr>
<tr><td>디로잉용</td></tr>
<tr><td>구조용</td></tr>
</table>

토탄판

**톰슨욕** Tompson Bath ◘ 고황산염 니켈도금욕(35)

**톱밥건조** Sawdust Drying

도금 후에 행하는 제품의 건조법으로, 유지분이 없는 오동나무 등의 톱밥 내에 제품을 넣어서 제품에 부착되어 있는 수분을 톱밥에 흡수시켜 건조하는 방법

**통기차(通氣差) 전지** Differential Aeration Cell

녹아있는 산소농도의 차이에 의해 발생하는 농염전지를 말한다. 틈부식, 토양부식 등 많은 부식의 원동력이 된다.

**투과 전자현미경** Transmission Electron Microscope

전자현미경 중에서 전자선을 집속하여 시료에 조사하여 시료를 투과한 전자선을 전자렌즈에 의해 확대하여 상을 얻는 것을 말한다. 시료 중을 전자가 통과하기 때문에 시료를 얇게 하거나, 시료 표면의 관찰에는 박막이나 레프리커를 이용한다. 전자렌즈의 구성을 변경하여 시료를 투과한 전자선의 회절상을 관찰할 수 있으며, 시료의 결정구조를 조사할 수도 있다. = TEM(556)

**투명 전도성물질** Transparent Electroconductive Material

가시광을 흡수하지 않고 투과하여 전기전도성이 있는 물질로 금-팔라듐, 산파인듐-주석(ITO), 산화카드뮴-주석 등이 있다. 투명 전도성필름의 재료로써 사용되고 있다. 투명 전도성필름은 디스플레이의 EL(Electroluminescence) 패널의 발광면 전극이나 액정 판넬 등에 사용된다.

**투묘(投錨) 효과** Anchoring Effect

플라스틱의 도금 전처리에서 플라스틱을 에칭한다. 예를 들어, ABS수지를 크롬산 혼합액으로 에칭을 하면, 폴리부타젠 입자가 용출되어 생긴 오목한 곳에 도금 금속이 혼입되어 기계적 결합력이 증가된다. 이와 같이 상대에 닻을 내리는 것 같은 효과를 투묘 효과라고 한다. = 앵커 효과(321)

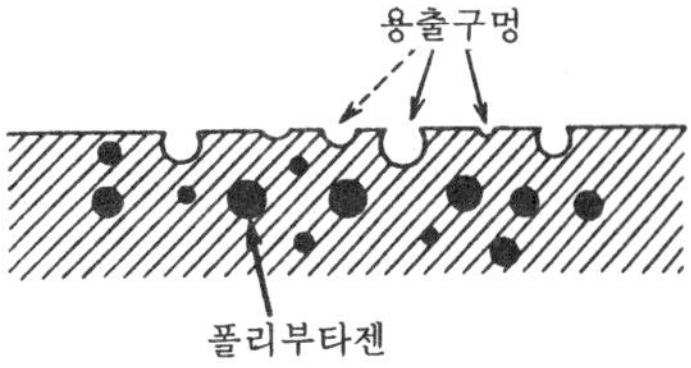


ABS수지의 에칭 단면

투묘 효과

**투석(透析)** Dialysis

막을 통하여 용질 분자를 이동시키는 것을 일반적으로 투석이라고 한다. 막으로 구분한 두 용액간의 농도 차에 의해 용질을 이동시키는 것을 확산투석이라고 하고, 전위차에 따라 이동시키는 것을 전기투석이라고 한다. 인공신장은 재생 셀룰로즈 등의 투석막을 사용하여 혈액 중의 노폐물을 확산투석에 의해 제거하고 있다. 도금에서는 수소이온 이외의 양이온(카티온)을 투과시키기 어려운 막을 이용하여 황산이나 염산 등의 산을 분리 농축하는 방법으로써 이용하고 있다. ◘ 전기 투석(451)

**투시도** Transparency

물의 청징도를 나타내는 것으로 30㎝까지의 눈금이 달린 직경 30mm의 글래스 원통에 검수를 채워놓고, 위쪽에서 투시하면서 아래쪽으로 검수를 유출시켜 밑바닥에 놓여 있는 표식판의 이중 십자가 최초로 밝게 식별할 수 있을 때의 검수면의 높이를 측정하여 1㎝를 1도로써 투시도를 표시한다.

**투 톤 마무리** Two Tone Finish

장식도금에서 하나의 부품을 마무리면이 서로 다른 2면을 가지는 것처럼 마무리하는 방법을 말한다. 예를 들어, 광택면과 무광택면, 광택면과 헤어라인면, 반광택면과 다이아커트면 등, 조합의 종류가 많다.

**튜버클** Tubercle

철강의 녹이 혹의 형태로 부풀어 오른 것을 말한다. 예를 들어, 낡은 수도관 내부에서 볼 수 있다. 튜버클 내부에는 산소가 부족하게 되고, 통기성이 양호한 부분과의 사이에 산소농염 전지가 발생하여 이것으로 인해 튜버클이 성장한다. 따라서, 튜버클을 제거하지 않으면 부식이 한층 더 진행되어 「녹은 녹을 부른다」라고 하는 상태가 되고 만다.

**트라이볼러지** Tribology

마찰, 마모, 윤활, 베어링설계 등의 분야에 있어서의 종합적인 과학기술로, 상대운동을 행하는 접촉면과 그것과 관련한 응용에 관한 물리, 화학, 재료, 역학 등의 넓은 범위를 포함하여 종합적으로 트라이볼러지라고 한다.

**트랜지스터** Transistor

3개 이상의 전극을 갖으며, 입력전압보다 큰 출력전압을 줄 수 있는 반도체소자의 총칭이다. 가장 일반적인 것은 p-n접합형이며, p-n-p 또는 n-p-n의 3영역을(에미트)-(콜렉트)-(베이스)로써 이용한다.

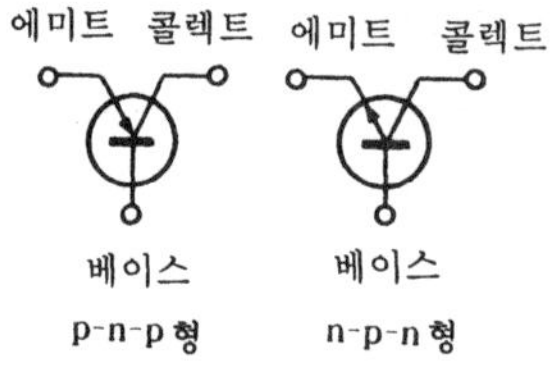


(a) 기호

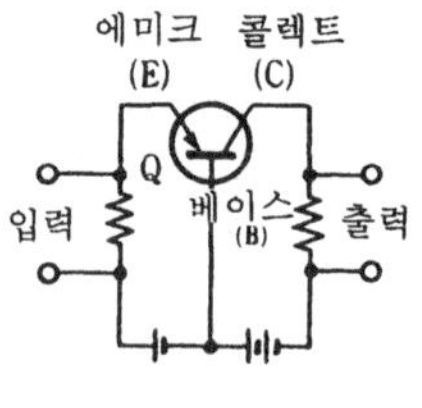


(b) 전기회로

트랜지스터

**트랩** Trap

배수계통 중의 기구 또는 장치로써 방식, 방충 등의 목적으로 사용되는 배수 트랩과 증기와 응축수나 공기를 분리할 목적으로 사용되는 증기 트랩이 있다. 배수 트랩의 종류는 관 트랩, 드럼 트랩, 격벽 트랩, 링 트랩 등이 있다. ◘ 드레인(106)

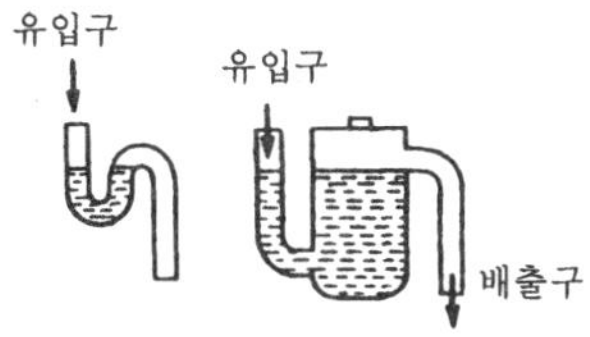


(a) 관트랩　(b) 드럼트랙

트랩

**트레이스** Trace ◘ 흔적(649)

**트루스타이트** Troostite

트루스타이트는 α철과 극히 미세한 시멘타이트와 기계적 혼합물이며, 마르텐사이트를 약 400℃로 뜨임하거나 또는 담금질 할 때, $A_1$ 변태를 550~600℃에서 일어나게 할 때 생기는 조직이다. 전자의 뜨임하여 생기는 트루타이트는, 시멘타이트의 극히 작은 입자가 마르텐사이트 기지에서 석출한 상태를 나타내는 것으로서 뜨임 트르스타이트라고 하며, 후자에서 생긴 것은 결정상으로 되어 있으며, 결절상 트루스타이트(Nodular Trosstite) 또는 담금질 트루스타이트라고 한다. 트루스타이트는 발명자인 프랑스 사람 Troost의 이름을 따 명명된 것이다. 결정상 트루스타이트와 뜨임 트루스타이트는 극히 미세한 혼합 조직이기 때문에 화학 시약에 대해 부식이 매우 잘 되며, 그 부식면은 육안으로도 흑색으로 보일 정도이며, 트루스타이트는 마르텐사이트 다음의 경도이며, 탄성 한계가 높고, 또한 마르텐사이트보다 인성이 좋으므로 고급 공구의 날 조직으로 이용되고 있다.

**트리 니켈도금** Tri-Nickel Plating

2층 니켈도금의 중간에 황함유율이 높은 중간층(트리 니켈이라고 한다)을 넣으므로써 내식성을 2층 니켈도금보다도 더욱 더 향상시킨 도금방법이다. 트리 니켈은 황함유량이 많고(0.1~0.2%), 도금두께는 수 미크론(㎛) 정도이다. ◘ 3층 니켈도금(240)

**트리밍** Trimming ◘ 전단 가공(451)

**트리에탄** ◘ 1,1,1-트리클로로에탄(428)

**트리크롬 미터** Trichrom Meter

크롬도금욕 중의 3가 크롬의 측정기의 상품명. 표준적인 크롬도금욕이 서젠트욕은 일정한 무수크롬산 농도에서는 3가 크롬이 증가함에 따라 도금액이 검게 변하기 때문에, 이 색의 변화를 표준시료와 비교하여 비색법(比色法)에 의해 근이적인 3가 크롬량을 측정한다.

**트리클렌** Trichloroethylene $CHCl=CCl_2$.

트리클렌은 상품명으로, 바른 명은 트리클로로에틸렌 또는 삼염화에틸렌이라고 한다. 무색 투명한 액체로, 불연성, 불폭발성의 액체이며, 물에는 녹지 않는다. 유기용제로써 동물, 식물, 광물성유지를 녹이는 힘이 강하고, 금속표면을 손상시키는 일이 없기 때문에 탈지, 세정에 이용된다. 비중 1.456(25%), 불점 86~88℃이다. 트리클렌의 증기는 유독하고 중독증상을 일으키는 경우가 있기 때문에, 법령에 규정되어 있는 작업환경기준을 준수하여 사용하지 않으면 안 된다. 또, 트리클렌 등의 염소계 용제는 오존층 파괴물질로써 사용 금지화되고 있다.

**트리클로로에틸렌** Trichloroethylene ◘ 트리클렌(전항)

**트리폴리** Tripoli

유성연마제. 미세한 결정질 규산인 트리폴리라이트와 닮은 연마가루와 유지로 막대 모양으로 만들어져 있다. 황동, 동제품의 표면, 동도금면, 알루미늄, 철강제품의 하지 연마에 사용되는 경우가 많다.

**특성 X선** Characteristic X-Rays

물질에 전자선 등을 쪼여 원자의 내각전자의 하나가 방출되면, 그후로 그 원자 외의 전자가 떨어져 나오는데 그 때의 에너지 차가 X선으로써 방사된다. 이것을 특성X선이라고 하며, 각 원자에 고유한 X선이 있기 때문에 원소 분석에 이용되며, 또한 $CuK_a$(1.54Å), $MoK_a$(0.71Å) 등은 단색X선원에 이용된다. = 고유X선(34)

**특수강** Special Steel

보통 강에 대해 특별한 용도, 성능을 위해 제조된 합금강이나 고급탄소강을 말한다. 특수강에는 구조용으로써 니켈강, 니켈-크롬강, 크롬강, 텅스텐강, 망간강 등이 있으며, 공구용으로써 텅스텐강, 크롬강, 텅스텐-크롬강 등이 있고, 특수용 합금강으로써 용수철강, 베어링강, 스테인리스강, 내열강, 고망간강, 자석강 등이 있다.

**특수 황동** Special Brass

황동은 동-아연합금이지만, 이것에 다른 원소를 첨가하여 특성을 개선한 것을 말한다. 예를 들어, 절삭성 향상을 위해 납을 넣은 황동, 해수에 대한 내식성 향상을 위해 주석을 넣은 황동, 내식성과 강도를 향상시킨 망간함유 황동, 주조성과 해수에 대한 내식성을 향상시킨 규소함유 황동 등이 있다.

**특이 흡착** Specific Adsorption

흡착하는 물질과 흡착되는 물질이 어떤 특이한 조합을 하였을 때만 일어나는 흡착을 말한다. 분산력 또는 정전력에 의한 물리 흡착은 별로 특이한 것이 아니지만, 화학 결합력에 의한 화학 흡착은 화학반응과 같이 특이한 것이기 때문에 화학 흡착을 지칭하는 경우도 있다. 또, 수용액에서는 전극에 분자가 흡착되지만, 이것을 전해질 이온이 흡착하여 계면 장력이나 전기2중층 용량이 그 이온의 농도에 의해 변화할 때, 그 이온이 특이 흡착하였다고 한다. 어니온은 이온반경이 크고 분극율이 크며, 또한 탈수되기 쉽기 때문에 특히 흡착되기 쉽다.

**특정 물질** Specific Substance

공해 용어. 대기오염 방지법에서 물질의 합성, 분해, 그 외의 화학적 처리에 따라 발생하는 물질 중, 사람의 건강 또는 환경에 피해가 발생할 염려가 있는 물질로, 법으로 정해진 것을 말한다. 다음의 28가지의 물질이 특정물질로써 규정되어 있다. (1)암모니아, (2)불화수소, (3)시안화수소, (4)일산화탄소, (5)포름알데히드, (6)메탄올, (7)황화수소, (8)인화수소, (9)염화수소, (10)이산화질소, (11)아크로레인, (12)이산화황, (13)염소, (14)이황화탄소, (15)벤젠, (16)필리진, (17)페놀, (18)황산(3산화황도 포함), (19)불화규소, (20)포스겐, (21)이산화셀렌, (22)크롤술폰산, (23)황인, (24)삼염파인, (25)브롬, (26)니켈카보닐, (27)오염파인, (28)메르카프탄

**특정 시설** Specific Facilities

①배수에 관한 것, 카드뮴이나 그 외에 사람의 건강에 관계되는 피해가 발생할 염려가 있는 물질 또는 화학적 산소요구량이나 그 외에 오염상태(열에 의한 것을 포함)를 나타내는 항목에 대해, 생활환경에 관한 피해가 발생할 염려가 있는 것을 포함한 오염물 또는 폐액을 배출하는 시설을 말한다. ②소음에 관한 것, 공장 또는 사업장(광산을 제외)에 설치되는 시설 중, 현저한 소음을 발생시키는 시설을 말한다. 주된 것은 압연기계, 제관 기계, 전단기, 단조기, 공기압축기, 송풍기, 콘크리트 플랜트, 합성수지용 방출성형기 등이다.

**TAB** Tape Automated Bonding

반도체 칩에서 패키지 외부단자로 접속하는 와이어레스 본딩(Wireless Bonding)의 일종. 사진의 필름과 같은 부분 보내기식의 긴 필름을 붙여 조합한 얇은 동박의 핑거 리드를 반도체 칩의 전극 상에 형성한 볼록부

에 열압착시켜 접합, 외부단자로 하는 방법. 필름은 폴리이미드제가 많다.

**TFS** Tin Free Steel (Sheet) ◘ 틴 프리 강판(558)

**TLm** Median Tolerance Limit

어류에 대한 독성시험의 결과를 나타내는 값으로, 어류를 급성 독물질이 포함되어 있는 배수의 희석액 중에 일정 시간 사육한 후, 그 기간 동안에 시험물고기의 50%가 살아남았을 때의 배수 농도로 표시한다. 일반적으로는, 24, 48, 96의 각 시간의 TLm이 요구된다. 이 값을 나타내기 위해서는 어류의 종류 및 시간을 기록한다. 예를 들어, [잉어 48시간 TLm = 10ppm]과 같이 나타낸다.

**TOD** Total Oxygen Demand ◘ 전산소 소비량(456)

**티오 시안산칼륨** Potassium Thiocyanate

무색 조해성의 단사정계(單斜晶系) 결정으로 물 100g에 대한 용해도는 217g(20℃), 비중 1.886이며, 아세톤, 메탄올에 녹는다. 수용액을 산성으로 하면 황을 발생하며 분해된다. 시안화 동도금욕의 광택제로써 사용된다.

**TOC** Total Organic Carbon ◘ 전(全)유기 탄소량(459)

**티오 요소** Thiourea $SC(NH_2)_2$.

무색사방상 또는 침상결정으로 비중 1.406이고, 물과 에탄올에 녹는다. 요소수지, 염료, 의약의 원료가 되며 그 외에 분석화학상 Bi, Os, Pd, Sb(Ⅲ) 등의 비색(比色)정량, Ti(Ⅰ), Pb, Cd 등의 침전분리 시약에 사용된다. 제련에서는 Au, Ag의 추출 약품에 이용되며, 도금에서는 니켈도금의 제2광택제로써 0.1g/l 정도 첨가되며 황산동도금의 광택제로써는 0.001~0.05g/l 정도 첨가된다. 시안화 아연도금의 광택제로써는 0.5g/l 정도 첨가된다.

**티오 황산나트륨** Sodium Thiosulfate $Na_2S_2O_3$.

밀도 1.73g/㎤, 융점 48℃이고, 공기 중에서는 안정하나, 건조된 대기 중에서 풍해(風解)되며, 습기에 따라 조해된다. 물에 잘 녹으며 용해도는 74.7g/100℃ 물, 수용액은 pH 6.5~8.0, 산성용액에서는 분해되며 황을 유리한다. 각종 금속이온과 반응하여 티오 술파이트 착체를 생성하기 때문에 도금욕 중의 금속불순물 제거에 이용된다. 할로겐화 은을 녹이므로, 사진의 현상처리에서 정착용으로 사용된다. 수도물의 염소분(칼키)제거에도 이용되며, 중금속이나 시안화수소의 해독제로써 사용된다.

**TEM** Transmission Electron Microscope ◘ 투과 전자현미경 (551)

**티타늄** Titanium ◘ 티탄(557)

**티타니징 질화법** Titanizing-Nitriding Process, Tita-Nitriding Process
철강의 표면에 티탄을 전착하여 이것을 550℃ 부근에서 가열하여 먼저 티탄을 침투시킨다(Titanizing). 다음에 티탄과 친화력이 강한 질소를 결합(Nitriding)시킨 후, 두꺼운 질화 합금층을 형성시켜, 초경도와 내마모성을 발휘시키는 방법을 티타나이징 질화법이라고 한다. 표면 경화도는 $H_V$ 1000~1100, 경화층은 200~500㎛에 이른다. 공구, 밸브의 중요부 등의 표면 경화에 적합하다.

**티탄** Titanium Ti.
원자번호 22, 원자량 47.90, 비중 4.5, 융점 1675℃, 불점 3260℃이다. 은백색의 광택이 있는 금속이며, 산화물($TiO_2$)의 형태로 다량으로 산출된다. 가볍고 내식성이 뛰어나기 때문에 항공기부품에 사용된다. 도금에서는 양극금속을 넣은 티탄 바스켓, 티탄에 백금도금한 불용성 아노드, 투입식 전기히터의 케이스, 도금장치부품 등에 사용된다. = 티타늄(556)

**티탄 바스켓** Titanium Basket ◘ 티탄 케이스(558)

**티탄 백** White Titanium Pigment $TiO_2$
도료용 백색안료로써 널리 사용되고 있다. 자기원료, 연마제, 의약품, 화장품에도 이용된다. 루틸형과 아나터스형이 있다. 루틸형은 외장용으로 아나터스형은 재장용 도료로 사용되어 왔으나, 루틸형이 개량되어 옥내외, 바탕칠, 마무리칠 도료용안료로써 널리 이용되고 있다. = 이산화 티탄(412), 티탄 화이트(558)

**티탄 백금전극** Platinum Plated(Coated) Titanium Electrode
백금도금된 티타늄전극을 말하며, 도금에서는 불용성 양극으로써 금도금, 은도금, 니켈도금, 아연도금 등에 이용된다. 형상은 여러 가지가 있으나, 망판(網板)상이 많다. 황산함유욕, 예를 들어 황산동도금욕 등에서는 다른 도금욕에 비해 수명이 짧다. 백금을 판으로 합하여 만든 것이 있으며, 이것은 백금도금보다도 수명이 길다.

**티탄소지의 전기도금** Electroplating on to the Titanium Substrates
ASTM의 공정은, 용제 세정→혼산 침적(불화수소산 1, 농초산 1, 상온)→에칭(중크롬산나트륨 250g/l, 불화수소산 48㎖/l, 80~100℃)→알칼리성 화학도금→고도의 밀착을 필요로 하는 경우는, 니켈도금을 하여 열처리(540~800℃, 1~4시간)을 행한다. 별도의 방법으로써, 용제 세정→전해 에칭(에틸렌 글리콜 75%, 불화수소산 15%의 욕으로 양극처리 5A/dm$^2$, 50~60℃, 15~30분)→시안화 동스트라이크도금(5A/dm$^2$으로 수초간 도금한 후, 1.5A/dm$^2$로 3~5분간 도금)→술파민산동욕으로 두께를 만드는 도금을 한다. 그리고, 상기 화살표 내에는 모두 수세 공정이 포함된다.

**티탄 케이스** Titanium Case

티탄 바스켓이라고도 한다. 가용성아노드의 용기로써 티타늄제이다. 시판품은 판상의 지주에 나무망을 달아 개공(開孔)부를 많이 가지고 있다. 티탄 케이스를 사용하면, 아노드의 보충이 용이하고 양극면적이 증가한다. 형상은 사각형이 많으나, 볼 아노드용의 원통형, 타원형의 것도 사용된다. 한 편, 도금 중지 시에 아노드와 티탄의 접촉에 의해 아노드에 투입하는 아노드의 형상은 팁(Tip), 볼, 코인상, 펠릿(Pellet)상 등이 있다. =티탄 바스켓(557)

티탄 케이스

**티탄 합금** Titanium Alloy

금속 티탄의 뛰어난 기계적 성질이나 내식성을 더욱 개량하기 위하여 각종 원소를 첨가한 것. 가장 많이 양산되어 많은 분야에서 사용되고 있는 것은 Ti-6Al-4V합금으로, 6%의 알루미늄(Al)과 4%의 바나듐(V)을 함유한 티탄 합금이며 균형잡힌 기계적 성질을 가지고 있다. 그 외에, 금속조직에 의한 분류에서 $\alpha$형에는 Ti-5Al-2.5Sn, $\alpha+\beta$형에는 Ti-8Mn, Ti-4Al-4Mn, Ti-6Al-4V, $\beta$형에는 Ti-13V-11Cr-3Al 등이 있다. 형상기억합금으로써 유명한 니티놀(Nitinol ; 상품명)은 Ti-Ni합금으로 Ni 49~51%, Ti와 Ni의 원자비가 약 1 : 1의 합금이다.

**티탄 화이트** ◘ 티탄 백(557)

**틴 프리 강판** Tin Free Steel Sheet: TFS

주석도금을 하지 않는 강판을 의미하며, 캔의 제조 재료로써 함석판 대신에 사용되고 있는 표면처리 강판. 박강판의 표면을 전해 크로메이트 처리를 하여 금속크롬과 크롬 수화산화물로 이루어져 있는 피막을 만든다. 함석판보다도 값이 싸기 때문에 맥주, 탄산음료, 쥬스 등의 캔재료로써 사용되고 있다.

**틴플레이트** Tinplate

냉간압연에 의해 제조된 틴플레이트 원판(주석도금에 적합하도록 제조된 저탄소강의 강판 또는 강띠로, 통상 MR, L 및 D 강종이 사용된다)에 주석도금을 실시한 것을 말한다. 도금방법에 따라, 전기도금 틴플레이트와 용융 주석도금 틴플레이트가 있다. 전기도금 틴플레이트에는 1회 압연품과 2회 압연품이 있다. 통조림, 석유통 등에 널리 사용된다. 주석도금의 두께는 0.4~3.0㎛가 일반적이다.

# ㅍ

**파과점(破過点)** Break-Through Point; Break Point

충진층에 기체나 용액을 흘려 흡착이나 이온교환을 행할 때, 유체 중에 포함되어 있는 흡착질은 충진층 내의 흡착제에 흡착시켜 그 전역이 포화에 달하면, 흡착되지 않은 채로 유체가 유출되기 시작하여 충진층의 출구농도는 입구농도와 같게 된다. 이 점을 파과점이라고 하고, 유체를 충진층에 흘리기 시작한 후 파과점에 도달하기까지의 시간을 파과시간이라고 한다.

**파라미터** Parameter

몇 개의 변수간의 관수 관계를 정해놓기 위해 다른 변수를 이용할 때, 그 변수를 파라미터라고 한다. 즉, $x=f(t)$, $y=g(t)$가 모두 $t$의 같은 변역에서의 관수라 하면, $t$의 어떤 값에 대해 정해져 있는 $x$값과, 같은 $t$의 값에 대해 정해져 있는 $y$값을 대응시키면 $x$와 $y$와의 대응이 결정되어 $y$는 $x$의 관수라 생각할 수 있다. 실제적으로는 상기 두 식에서 $t$를 제거한 식을 만들어 내면 되며, $t$를 매개로 하여 $x$와 $y$의 관수 관계를 결정한다. 이 $t$를 파라미터라고 한다. 통계학에서는 모집단의 평균, 분산, 비율 등의 특성치를 파라미터 또는 모수라고 한다. 또, 경제학에서는 시간을 나타내는 관수를 파라미터라 한다. = 조변수(助變數)(479), 매개변수(136)

**파면 시험** Fracture Test

강재에 약간의 홈을 만들어 이것을 타격에 의해 절단하여 그 파면에 의해 결정립의 조밀, 불순물의 편석, 탈탄의 유무, 열처리의 적부 등을 판단하는 방법을 파면 시험 또는 파면 검사라고 한다. 소재 및 열처리에 대해 적용되는 현장 검사방법이다.

**파면조직시험** Fractography

금속의 파면을 육안 또는 고배율의 현미경으로 시험하는 방법을 말하며, 1944년 Zapffe와 Colgg에 의해 제창된 것이다. 취성 파면, 피로 파면, 부식 파면, 라미네이션 등의 새로운 검사 분야이다. 전자현미경을 이용하는 것이 좋다.

**파스칼** Pascal

압력단위의 일종. 기호는 Pa. 1Pa=1N/㎡(N은 뉴톤). 1000배의 kPa 또는 100만배의 MPa를 사용하는 경우가 많다. 응력단위로써도 사용된다.

1kgf/㎠=98066.5Pa≒98kPa≒0.1MPa. 1kgf/㎟≒9.8MPa.

1㎜Hg=1Torr=133.32Pa.

**파이롯트 플랜트** Pilot Plant

실험 장치와 생산 공장과의 중간에 있는 규모의 시험공장을 말한다. 새로운 생산 공장의 건설이나 기존 공장의 개량 등을 행할 때 만들어진 것으로 실험데이터를 근거로 하여 제품의 품질이나 생산량에 미치는 공정, 조작, 안정성, 환경대책 등의 검토를 행한다. 새로운 도금기술의 개발에는 파이롯트 플랜트의 테스트가 필요하다.

**파인 세라믹** Fine Ceramics

종래의 도자기 등의 요업 제품에 비해, 원료를 정제하고 엄밀한 공정관리 하에 제조된 고도의 각종 기능을 가진 세라믹을 말하며, 센서 등 전자기기에 사용되는 것은, 페이스트 부착이나 무전해도금으로 표면에 도전성을 갖게 한다.「세라믹이 갖는 각종 기능 중, 특정한 기능에 주목하여 그 기능을 최대한 발휘시키도록 정제·조정된 원료를 사용하여 제어된 화학 조성, 광물 조성을 가지고, 재료의 미조직, 형태 등을 제어하여 제조 가공된 합리적인 고체 무기 재료」라 정의한다. 구조용과 기능용으로 나누며, 구조용은 특히 엔지니어링 세라믹이라고 한다. 산화물 외에 질화물, 붕화물, 탄화물 등이 있다. ◘ 엔지니어링 세라믹(338)

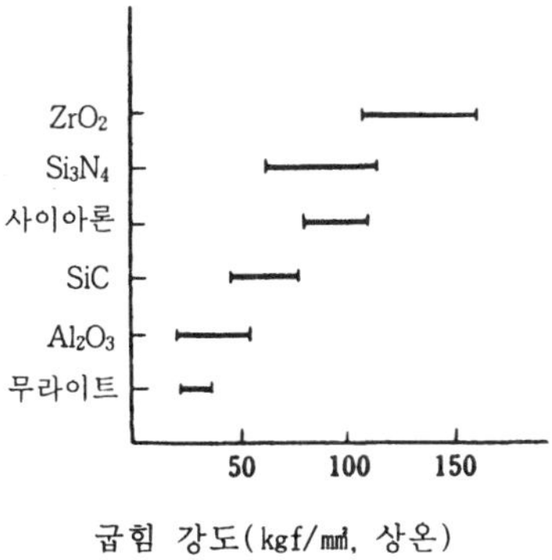


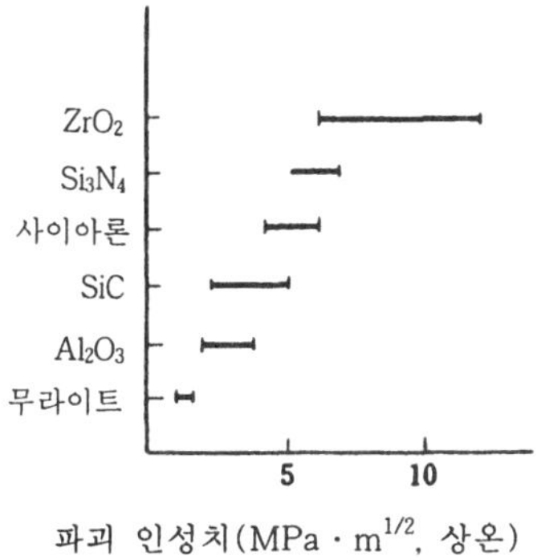


주된 엔지니어링 세라믹의 성능

파인 세라믹

**파인 스틸** Fine Steel

명확한 정의는 없으나, 제조 공정에서 목적에 맞게 미세하게 성분이 제어된 강, 합금강, 특수강 등을 말한다. 연속주조, 진공 탈가스, 진공 용해 등의 특수기술이 보급되어 가공 공정이 진보되었으며, 고급 제품의 수요가 증가하였기 때문에 종래의 제품과 구별하기 위해 파인 스틸이라 부르는 경우가 있다.

**파커라이징** Parkerizing

철강의 화성처리법의 하나로 1925년에 미국의 Parker Rust Proof사에서 개발되었다. 인산 25g, 삼산화망간 1.5g, 물 1$l$의 액을 끓여 그 안에 철강을 40분~2시간 침적시켜 표면에 암회색의 인산철 피막을 생성시킨다. 녹방지효과와 도료의 밀착성이 향상되기 때문에 도장하지처리로써 많이 이용된다. ◘ 인산염 처리(424)

**팔라듐** Palladium Pb.

원자번호 46, 원자량 106.4, 은백색의 금속으로 융점은 1555℃로 백금족 중에서 가장 낮다. 불점 2200℃, 비중은 12.03으로 백금족 중에서 Ru(12.304) 다음으로 가볍다. 왕수, 초산, 열농황산에 녹는다. 산에 대해 저항력은 백금족 중, 가장 작다. 비저항 $10.4\times10^{-6}\Omega\cdot cm$, 연성은 백금보다 조금 떨어지지만, 전성은 백금보다도 조금 크다. 공기 중에서는 변화하지 않지만, 고온에서는 산화물 PbO가 된다. 백금보다 값이 싸기 때문에 대용으로 쓰인다. 또, 박막은 수소가스의 정제에 사용된다. 그 외, 각종 합금으로써 전기 접점, 치과용 재료, 장식품으로써도 사용된다.

**팔라듐-니켈 합금도금** Palladium-Nickel Alloy Plating

팔라듐 도금에 비해 내부응력이 작고 유연성이 풍부하며, 납땜성이 뛰어나다. 금도금의 두께를 얇게 하기 위하여 금의 하지도금으로써 이용된다. 금의 하지도금으로써 광택 니켈도금보다도 내식성이 뛰어나다. 도금욕은 술파민산욕, 염화안민욕이 있으며, 전자는 산성이고, 후자는 알칼리성이다. 양자 모두 도금욕 중의 팔라듐 및 니켈의 농도를 바꿈으로써 도금피막의 합금조성을 팔라듐 함유율 50~80%로 바꿀 수 있다.

**팔라듐도금** Palladium

팔라듐은 로듐보다도 값은 싸지만, 경도가 낮고 로듐도금에 비해 내식성, 내마모성이 떨어진다. 팔라듐은 가격이 금의 ¼이고 비중이 ⅓이기 때문에 동일 도금두께에서도 금보다 가격이 낮지만, 전기접점의 도금으로써 이용하면 공기중의 유기물을 부착시키며 또한, 접촉작용이 중합되어 콜리머를 발생시키는 결점이 있다. 장식용으로써는 로듐 또는 금의 하지도금으로써 사용된다. 도금욕은 염화안민욕, 염화팔라듐욕이 있으며, 전자는 알칼리성이고 후자는 산성이다. 염화팔라듐욕은 내부응력이 적으며 치밀한 도금이 가능하다.

**패널** Panel

프린트 배선기판의 제조 공정을 흐르는 일정 치수의 기판을 말한다. 패널 안에는 한 장에서 복수로 된 제품이 포함되어 있다. 제조 공정은 패널로 진행되어 최종 공정에서 절단되어 완성품이 된다. ◘ 패널 도금(후항)

**패널 도금** Panel Plating

프린트 배선기판의 패널 전표면(쓰루 홀 도금을 포함)에 대한 도금을 말한다. 보통은 전기 동도금, 무전해 동도금이 이용된다. 전기 동도금은, 피로인산 동도금, 또는 황산 동도금이 이용된다. ◘ 쓰루 홀 도금(285)

**패드** Pad ◘ 랜드(115)

**패러데이** Faraday ◘ 페러데이 정수(570)

**패러데이 법칙** Faraday's Law of Electrolysis

1833년에 M.Faraday가 발견한 전기분해 법칙으로 전해질 용액의 전기분해에서 석출되는(전극에서 방전된다) 원소 또는 원자단의 양은 통하는 전기량(전류와 시간의 곱)에 비례하고, 1그램 당량의 원소 또는 원자단이 석출되는 데에 필요한 전기량은 원소 또는 원자단의 종류는 관계없이 항상 일정(페러데이 정수)하다고 하는 법칙 = 전기분해의 법칙(449)

**패러데이 임피던스** Faradaic Impedance

교류전해에 따라 발생하는 전극과 용액의 계면의 임피던스를 말한다. 전극계는 통상 그림과 같은 등가회로로 표시되며, 저항치나 용량치는 주파수의 관수가 된다.

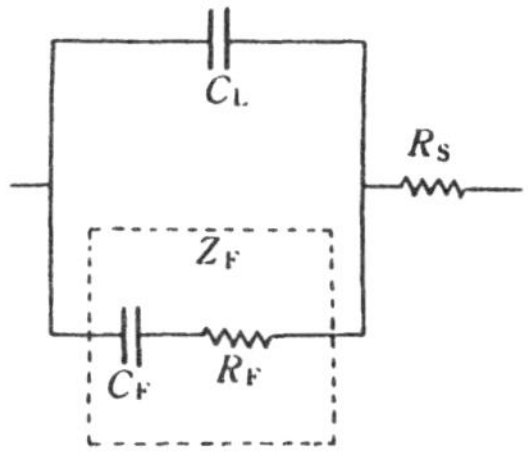


$C_L$:이중 층의 전기용량, $R_S$:액저항, $Z_F$:패러데이 임피던스, $C_F$:전해용량, $R_F$:분극저항

전극계의 전기적 등가회로

패러데이 임피던스

**패럿** Farad

전기용량의 MKSA 단위. 어떤 전기용량을 갖는 물질에 1 쿨롱의 전기량을 주어, 그 전위가 1볼트만이 높아졌다고 하면, 그 전기용량을 1패럿(F)이라고 한다. 1패럿의 전기용량은 대단히 크기 때문에 실용상 $1 \times 10^{-6}$ 패럿을 1마이크로 패럿(μF), $1\times 10^{-12}$ 패럿을 1피코 패럿(pF)이라고 하고,

이와 같은 작은 단위를 사용하는 경우가 많다.

**패키지** Package

집적회로 소자의 단자를 외부배선으로 접속하여 소자의 기능을 발휘시킴과 동시에, 이것을 보호하는 포장을 말한다. 용기재료, 리드 배선재료, 밀봉재료, 뚜껑 등으로 구성되어 있으며, 강도, 화학적 안정성, 방열성, 기밀성 등이 요구된다. 외부 리드의 형상에 따라, DIP(Dual In-Line)형, QIT(Quad In-Line)형, FPT(Flat Package)형, PGA(Pin Grid Array)형, LCC(Leadless Chip Carrier)형 등이 있으며, 기재에는 세라믹과 플라스틱이 있다. 리드에는 도금이나 땜납도금이 실시된다.

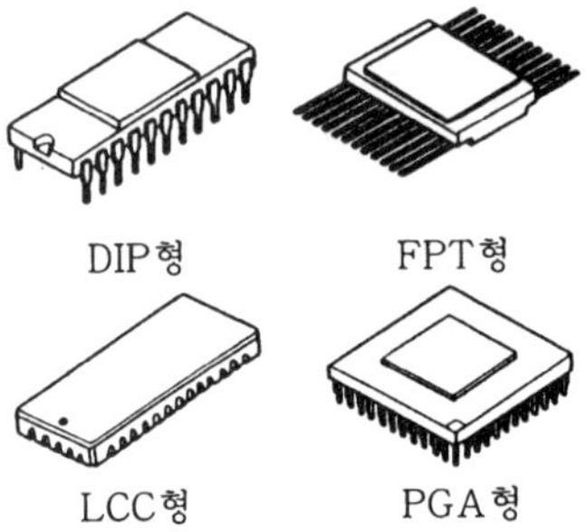


패키지의 외형
패키지

**패킹** Packing

①기체, 액체 등의 누설을 방지하기 위해서 축의 주변 등의 운동부분의 밀폐에 이용되는 충전물을 말한다. ②일반적으로는 밀봉(Seal)의 역할을 담당하는 것의 총칭으로써 패킹이라고 한다. 가스켓(박판 상의 패킹), 유체에서 건조되면 고화되는 것, 끈 모양의 것, 점성이 큰 것 등이 사용된다. ③물품의 손상을 방지하기 위해 용기와의 틈에 넣는 것을 말한다. ④버프 연마에 사용하는 연마링의 하나로, 섬유 또는 동물의 털을 심어 놓은 스크래치 브러시로, 금강사 페이스트를 이용하여 금강사 연마의 마무리 공정에 사용되는 것을 말한다.

**패턴** Pattern

도형의 의미로 프린트 배선기판에서는 배선도형을 패턴이라고 한다. 예를 들어「패턴 도금」이라고 하면, 배선도형 위에 도금하는 방법을 말한다. ◘ 패턴 도금(후항)

**패턴 도금** Pattern Plating

프린트 배선기판의 제조공정 중에서 도체패턴 부분에 대한 선택적 도금을 말한다. 도금의 목적은 에칭 레지스트로써의 기능을 가지며 회로면의 동을 보호하고, 전자부품 리드와의 접합을 양호하게 하는데 있다. 민생용 등으로는 일반적으로 납땜도금이 가장 많으나 고밀도, 고신뢰성, 균일전착성이 요구되는 세공에는 금도금이 행하여진다. 패턴도금에서는 도체간의 가교가 발생되기 쉽고, 또한 레지스트로 인해 도금액이 오염된다.
= 표면도금(584)

**패턴 형성** ◘ 이메이징(410)

**패티너** Patina ◘ 녹청(77)

**팩터** Factor

①표준액의 농도를 보정하기 위한 계수, 보정 팩터라고도 하며, 기호는 f(또는 F)로 표시한다. 예를 들어, 표준액의 농도를 0.1로 규정할 목적으로 만들었다고 하더라도, 실제적으로는 0.1234 규정이라든지, 0.09876 규정이라든지 하는 숫자가 많다. 이 경우에 농도는, 전자는 0.1N(f=1.234), 후자는 0.1N(f=0.9876)으로 표시한다. 각각의 팩터는 1.234 및 0.987이다. ②환산계수와 같이 사용하는 경우도 있다. 예를 들어, $Al_2O_3$의 칭량치에서 Al의 중량을 구하기 위해 칭량치에 곱해주는 0.5292를 팩터라고 한다.

**퍼멀로이** Permalloy

상품명. 니켈을 35~80% 함유한 Ni-Fe계 합금으로, 고투자율을 나타낸다. 일반적으로 박판(0.35~0.025mm 두께)으로 공급되며, 자기헤드, 쵸크코일, 변성기, 릴레이 등에 널리 사용된다. Ni-Fe에 몰리브덴, 크롬, 동 등을 첨가한 다원소 퍼멀로이도 있다. 황산염, 화합물, 술폰산, 피로인산욕 등을 이용하여 자계 중에서 퍼멀로이를 전착시키는 퍼멀로이 도금이 있다.

**퍼뮤티트** Permutite

①합성 제오라이트를 말한다. 경수를 연수로 바꾸는데 이용되는 합성규산염으로 대체적으로 $Na_2O \cdot Al_2O_3 \cdot 2SiO_2 \cdot 5H_2O$의 조성이다. ②이온 교환수지의 상품명. ◘ 제오라이트(477)

**퍼밀** Per Mil

1/1000. 기호 ‰, 즉 %의 1/10을 나타내는 기호이다. 금-니켈-동합금 도금으로, 동농도를 높이면, 핑크색이 된다. 액세서리 등의 장식도금에 사용된다. 욕소성은, 시안화금 칼리 1g/$l$, 시안화니켈 칼리 1.25g/$l$, 시안화동 칼리 0.5g/$l$, 유리시안화 칼리 7.5g/$l$, 일수소인산 칼리 15g/$l$, 온도 55~65℃, 전류밀도 1~4A/$dm^2$, 욕의 교반은 하지 않는다. 미국에서는 Pale Yellow Gold라고도 한다.

**퍼클로로에틸렌** Perchloroethylene

테트라클로로에틸렌, 다른 이름은 사염화에틸렌이다. $CCl_2=CCl_2$의 동아합성화학의 상품명 ◘ 테트라클로로에틸렌(547)

**펀칭 쓰루 홀법** Plated Through-Hole Method on the Punched Hole

쓰루 홀 도금구멍을 프레스로 뚫어 쓰루 홀 도금을 행하는 프린트 배선기판의 제조방법.

**펄라이트** Pearlite

동을 오스테나이트 상태에서 냉각시켰을 때, 공석변태로 인해 얻을 수 있다. 페라이트와 시멘타이트가 서로 층상으로 배열된 조직을 말한다. 광학현미경으로 보면 진주와 같이 관찰된다.

**펄스** Pulse

일반적으로 어떤 양이 극히 짧은 시간 안에 변화하였을 때, 그 변화를 펄스라고 한다. 진동 또는 파의 특수한 형태로 보이며, 그 파형에서 장방형펄스, 삼각펄스 등이라고 한다. 직류전압 및 전류, 각종전자파, 탄성파(초음파) 등에 펄스가 이용된다.

**펄스 도금** Pulse Plating: Interrupted Electroplating

펄스 파형의 전류를 이용하여 행하는 전기도금법을 말한다. 효과로써는 펄스 도금에서 확산층의 두께는 직류도금에 비해 얇기 때문에 높은 펄스 전류밀도에서 도금이 가능하며, 특히 확산율 속도에 의해 침상결정 또는 수지상 결정이 발생되기 쉬우며, 금속에 대해서도 첨가제 없이 평활도금면을 얻을 수 있다. 또 높은 펄스 전류밀도(과도전압)에서 도금할 수 있기 때문에 핵발생을 촉진시키며, 또한 미세결정이 랜덤으로 석출되기 때문에 미세결정화 되기 쉬우며 핀홀도 감소한다. 펄스 도금을 PC도금(Pulse Current Plating)이라고도 한다. = PC도금 ◘ 펄스 파형(후항)

**펄스 파형** Pulse Wave Form

펄스란「정상 상태에서 진폭이 천이 되어, 유한의 시간만큼 접속하여 원래의 상태로 되돌아오는 파 또는 파형」이다. 구형파로 설명하면, 펄스 출력 ON 시간을 $T_{ON}$, 펄스 출력 OFF 시간을 $T_{OFF}$, 펄스주기를 T, 파고치를 PEAK, 평균치를 AV라 하면,

$$AV = PEAK \times T_{ON}/T,$$

$$\text{주파수}(F) = 1/T(Hz),$$

$$\text{ON DUTY} = T_{ON}/T \times 100(\%)$$

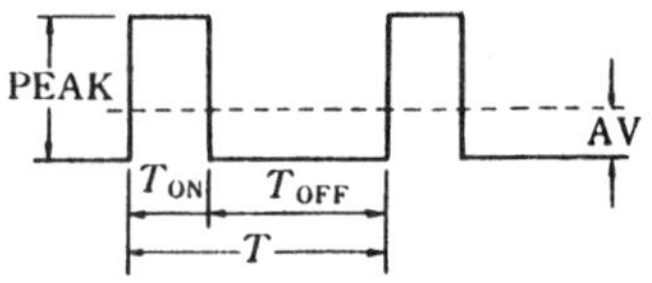


구형파 펄스 파형

펄스 파형

에서 구할 수 있다($T=T_{ON}+T_{OFF}$, ON DUTY는 출력 ON 시간율).

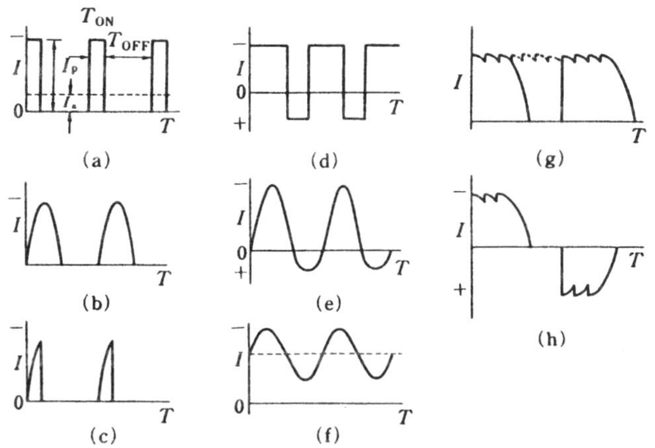


펄스 파형의 종류

펄스 파형

**펄스 폴라라이저** Pulse Polarizer

내식성 측정 장치의 일종을 말한다. 충전된 콘덴서에서 단시간, 충격적으로 전류를 흘려 금속을 양 및 음에 1회씩 분극 시켜 그 전류전위곡선을 오실로스코프에 나타내 그 구배로 내식성을 알 수 있게 한 것이다. 측정오차가 적고, 정량적이며 온도나 pH는 단시간 유지가 좋고 적은 시료에서도 측정할 수 있는 이점이 있다. 전위는 기준전극을 기준으로 하여 측정한다.

**펄스 폴라로그라피** Pulse Polarography

통상적인 폴라로그라피에서는 전기2중층의 충방전에 근거하여 충전 전류도 패러데이전류와 함께 측정되기 때문에 감도를 높이는 것이 곤란하였으나, 패러데이전류(전해 전류)와 비패러데이전류(충전 전류)의 시정수가 다르다는 것을 이용하여 패러데이전류만을 측정하도록 펄스파로 전해하는 폴라로그라피를 말한다. 흔적농도의 중금속이나 유기물의 분석, 특히 환경물질의 분석에 이용되면 분석감도는 $10^{-6}$~$10^{-7}$mol/$l$ 이다.

**펌프** Pump for Liquid: Pump

액체를 유송하기 위한 기계를 펌프라고 한다. 소용돌이 펌프, 왕복 펌프, 회전 펌프, 그 외 다수의 종류가 있으나, 도금에서는 여과기용의 펌프로써, 소용돌이식, 회전마찰식(웨스코식)이 많이 사용된다. 그 이유는, 여과에 필요한 정압력을 가지고 있으며, 맥류가 적고, 고형 불순물(규약토,

철분 등)에 의한 영향이 적으며, 메인터넌스가 용이하기 때문이다. 마그네트 드라이브식 펌프는 액 누설이 없는 펌프이지만, 고형 불순물에 의한 영향이 크고, 공전, 공기의 혼입을 피하지 않으면 안 된다. 또, 액 비중이 큰 도금액에는 사용할 수 없다. 도금 중에서 운전되는 펌프는 전식에 의해 부식되는 경우가 많고, 금속 부분에 이종금속이 석출되는 경우가 있다. ◘ 전식(456), 웨스코 펌프(386)

**페놀** Phenol

넓은 의미로 방향족 탄화수소의 히드록실 화합물을 페놀(류)라고 한다. 좁은 의미로는 모노히드록실 벤젠 $C_6H_5OH$를 페놀이라고 하고, 석탄산이라고도 부른다. 석탄산은 분자량 94.11으로 무색의 결정이며, 40.8℃에서 녹는다. 공기나 일광에 의해 서서히 빨갛게 된다. 물에 녹아 약한 산성을 나타낸다. 염화제이철에 의해 자색이 된다. 목재 등의 방부제, 소독용, 피크인산, 의약, 염료 등의 원료로써 이용된다. = 석탄산(244)

**페놀 수지** Phenol Formaldehyde ; Resin ; Phenol Resin ; Bakelite

베이클라이트(Bakelite)라 불리는 열경화성 수지. 페놀, 크레졸 등과 포름알데히드의 축합(縮合)에 의해 만들어진다. 특징은 내열성이 뛰어나고, 충진재로 인해 각각의 목적에 적합한 재료가 된다. 넌아스베스트, 암모니아 프리 등, 많은 개량이 이루어져 성형성이 뛰어난 재료가 되었다. 결점은 색이 어두워 착색이 곤란하다는 점이다. 용도는 전기・전자부품(소켓, 커넥트, 프린트 배선기판 등), 기계부품(하우징, 케이싱 등), 그 외 자동차 부품이나 일용품에 사용되고 있다.

**페놀술폰산 땜납욕** Phenol Sulfonic Acid Tin-Lead Alloy Plating Bath

땜납도금은 공업적으로는 붕불산욕이 가장 널리 이용되어 왔으나, 불소의 배수처리가 곤란하여 안전위생상 바람직하지 않기 때문에 페놀 술폰산욕, 알카놀 술폰산욕이 개발되었다. 페놀 술폰산욕은 페놀 술폰산($OHC_6H_4SO_3H$), 페놀 술폰산 제일주석$(OHC_6H_4SO_3)_2Sn$, 페놀술폰산연$(OHC_6H_4SO_3)_2Pb$의 농후용액이 시판되고 있기 때문에, 이것을 엷게 하여 도금욕을 조정한다. 랙(Rack)용에서는 $Sn^{2+}$로써 15~25g/$l$, Pb 0.8~1.2g/$l$, 유리페놀 술폰산 80~120g/$l$, 아세트알데히드(20%) 4~8㎖/$l$, 첨가제 적량, 욕온도 10~20℃, 음극전류밀도 0.5~6A/$dm^2$, 음극이동, 석출물 합금비 Sn95% Pb5% 정도이다. Ps욕이라고도 한다.
= PS욕(608)

**페라이트** Ferrite

①α철을 금속 조직학상 페라이트라고 하며, 체심입방정계로 성분은 거의 순철에 가깝다. 0.85% 이하의 강에서는 통칭 프리 페라이트로써 존재한다. 피크인산이나 초산의 알코올 용액 등에서 부식될 때는 착색되지 않고 백색의 조직으로써 나타난다. 부드럽고 전연성이 크며, 강자성체이지만, 보자력은 작다. ②MO · $Fe_2O_3$의 화학식으로 표시되는 산화물로 M은 2가 금속의 Mn, Fe, Co, Ni, Cu, Zn, Mg, Cd 등이다. 전기저항이 극히 높고, 고주파 자계에서는 손실이 작고, 투자율이 크기 때문에 고주파 자심에서는 빠질 수 없는 중요한 재료이다. 그 외, 수처리 전해용이나 크롬도금용의 불용성 아노드, 분말이 있는 것은 도포형 자기테이프의 자성체 등에 사용된다.

**페라이트 결정입도** Ferrite Grain Size

Ferrite 결정립자도를 의미하고 주로 저탄소강(0.2% C이하)의 입자도에 적용된다. 페라이트 입자도를 시험하는 데에는 비교법과 절단법의 2가지 방법이 있다. 비교법에서는 현미경 배율 100배, 실제 시야는 지름 0.8mm의 원, 투영상 또는 사진 인화크기는 지름 80mm의 원으로 하고 표준도와 비교해 입자번호를 판정한다. 절단법에서는 임의의 성분에 의해 절단되는 페라이트 입자 수를 측정해 이것을 배율 100배의 현미경에 의한 25mm 평방 안의 결정입 자수로 환산해 번호를 정한다. 페라이트 입자도에서도 혼입(입자번호가 대략 3이상 다른 것이 20% 이상 혼재하는 것)이 있고, 또 전신도가 규정되어 있다. 페라이트 결정립자도는 연강의 전연성, 특히 굽힘성에 대해 중요한 의미를 가지고 있다.

**페라이트계 내열강** Ferritic Heat Resisting Steel

fcc의 오스테나이트에 대해, bcc의 페라이트를 구성결정으로 하는 내열강철. 1% 크롬(Cr) 부터 25% Cr까지의 광범위한 Cr함유량인 것이 있다. 오스테나이트계에 비교해 니켈은 적지만, 몰리브덴(Mo), 바나듐(V) 등이 함유되어진 것이 많다. 고온에서 오스테나이트가 되어 열처리 가능한 것과 변태가 없는 것이 있다. 또, 마르텐사이트가 되는 것을 마르텐사이트계 내열강철로서 구별하는 것도 있어, 이 때에는 25Cr 강철과 같이 변태가 없는 것을 페라이트계 내열강이라고 생각해야 한다.

**페라이트량[용접의]** Ferrite Content

오스테나이트계 스테인리스강 용접금속 중에 포함되어진 페라이트 조직의 함유량을 말한다. 이 용접 금속은 용융 응고 시에 고온깨짐(응고깨짐)이 발생하기 쉬워, 그것을 방지하기 위해 통상, 5~7% 정도의 페라이트양을 포함하도록 그 화학 조성을 조정하고 있다. 페라이트량의 측정 방법은, 자기적인 방법과 조직도(세플러 또는 데롱에 의함)에 의한 방법이 이용된다.

**페라이트계 스테인리스강** Ferritic Stainless Steels

페라이트 조직을 갖는 스테인리스강으로, 소입 경화를 시킬 수가 없다. 크롬동은 통상 이것에 속해 있다. 조성 예는 Cr14~18%, Si 〈1%, C 〈0.12%, Mn 〈1%로, 냉간 가공이 가능하며, 탱크, 차량부품, 여과장치 등에 사용된다. 오스테나이트계와는 다르게 자석에 붙는다.

**페라이트 슬래그** Ferrite Slag

통상 비철 제련으로 생성되는 슬래그는 $SiO_2$를 주성분으로 하고, 이 외에 철(Fe), 칼슘(Ca), 알루미늄(Al), 그 외의 금속 산화물에 의해 생긴다. 이것에 대해, 3등법의 제동로 슬래그는 $SiO_2$를 거의 포함하지 않고, Fe, Cu(동), Ca의 산화물을 주성분으로 하고 있어 이것을 페라이트 슬래그라고 부른다.

**페라이트 주철** Ferritic Cast Iron

기지의 대부분이 페라이트로 이루어져 있는 편상흑연 주철로 강도가 낮으므로 실용적 가치는 그다지 없다.

**페라이트형 구상흑연 주철** Ferritic Spheroidal Graphite Cast Iron

구상흑연 주철을 바탕 조직의 종류에 따라서 분류한 경우의 한 분류로 기지의 거의 대부분 이 페라이트로 이루어져 있는 것으로 대체로 인장강도는 MPa로서 낮지만 연신율이 높으며, 20 수%를 보여주는 경우가 있으며, 내마멸성은 약하다. 기지를 페라이트로 하는 것은 어닐링에 의하는 것이 가장 용이하며, 저망간, 고규소에 의해 생주조함으로써 완전 페라이트로 할 수도 있다.

**패러데이 전류** Faradaic Current

전해현상에 근거한 전류를 말하며, 패러데이 법칙에 따른다. 교류전해, PR전해, 펄스전해 등은 전기이중층 등의 충방전에 근거하여 패러데이 법칙에 따르지 않는 전류가 흐르는데, 이것을 비패러데이 전류라고 한다.

**패러데이 정수** Faraday Constant

1가의 이온 1몰 즉, 1그램 당량의 이온을 전기 분해하는데 필요한 전기량을 말한다. 단순히 패러데이라고도 하며, F로 표시된다. 1F=96485C(쿨롱)=96485A·s(암페어×초)=26.801A·h(암페어×시)이다.

**페로시안화 칼륨** Potassium Hexacyanoferrate(Ⅱ): Potassium Ferrocyanide ➡ 황

혈염(642)

**페록실 시험** Ferroxyl Test

시험지를 페로시안화 칼륨, 페리시안화 칼륨 및 염화나트륨의 혼합용액에 담근 후, 도금면에 부착시켜 도금의 핀홀을 조사하는 시험을 말한다. 5분 후에 시험지를 떼어내 건조시키고, 소지의 철과 시약이 반응하여 생긴 청색 반점의 직경과 수를 조사하여 핀홀의 정도를 판정한다. KS에서는 철 소지상의 니켈-크롬도금 및 철 소지상의 주석도금에 규정되어 있다. 그리고, ISO 4526 또는 ASTM B 689에는 개량된 페록실 시험이 규정되어 있다. ◘ 핀홀 시험(613)

**페리시안화 칼륨** Potassium Hexacyanoferrate(Ⅲ) ; Potassium Ferricyanide $K_3[Fe(CN)_6]$

헥사시안철(Ⅲ)산 칼륨, 적혈염이라고도 한다. 페로시안화 칼륨(황혈염)을 할로겐 등으로 산화시켜 얻을 수 있는 빨간 결정이다. 물에 잘 녹아 황색이 된다. 일광으로 인해 광분해되기 때문에 청사진의 원료가 된다. 황혈염보다 불안정하고 유독하며, 알칼리성 용액은 산화작용을 나타낸다. 수용액에 철이온($Fe^{2+}$)을 가하면 침전물이 발생한다. 또, 동도금에서 황녹색, 은이온에서는 적갈색의 침전물이 생기므로 정성분석에 이용된다. = 적혈염(446)

**페링액** Fehling's Solution

도금액 등의 액중 환원성 당류(糖類) 검출과 정량에 이용되는 시약으로, 황산동(Ⅱ) 오수화물 69.28g/$l$ 의 액, 로셸염 346g/$l$, 수산화나트륨 100g/$l$ 의 액을 만들어 양액을 사용할 때에 등량적으로 혼합한다. 이 액을 당류를 포함하고 있는 액에 가해 끓이면 산화동(Ⅰ)의 등적색의 침전이 생긴다.

**페이스트보드(판지) 버프** Pasteboard Buff

버프 연마용의 특수한 버프로, 판지를 원형으로 하여 적당한 두께로 한 것에 연마재(에머리 가루)를 접착시켜 사용한다. 측면에서 평면 연마가 가능하고, 원주 면에서 오목부 등의 특정한 형태를 한 피연마재의 에머리 연마에 사용된다. ◘ 에머리 버프(328)

**페하** pH ◘ PH(608)

**페하미터** pH Meter ◘ PH미터(609)

**페하 시험기** ◘ PH미터(609)

**페하 시험지** pH Test Paper

pH 지시약을 종이에 스며들게 한 것으로 검사액에 침적시켜 시험지를 정색(呈色)시켜, 표준 색조표와 비교하여 pH를 측정한다. 만능시험지와 세밀한 눈금으로 분류된 시험지가 있으며, 만능 시험지는 1장에 pH 2~12정도의 범위 내의 pH를 측정할 수 있으나, 정도는 pH±1정도이다. 세밀한 pH 범위로 분류된 시험지에서는 정도는 ±0.2 정도이다. 시험지는 정색 후, 곧 색을 비교하지 않으면 퇴색되거나, 탈색된다. 크롬도금욕과 같은 색이 있는 액에서는 측정하기 어렵다. 도금에서는 니켈도금욕의 pH측정에 사용되는 경우가 많다. = 피에이치 시험지(609)

**펠메렉크 전극** ◘ DSA(108)

**펠티에 효과** Peltier Effect

이종금속의 접합부를 통하여 직류전류가 흐를 때, 접합부에 흡열 또는 발열이 일어나는 현상을 말한다. 전류 방향을 역으로 하면 흡열과 발열도 각각 역이 된다.

**펩톤** Peptone

단백질이 펩신에 의해 분리되는 것으로, 변성 단백질의 일종이다. 물, 산, 알칼리, 염류용액 등에 녹는다. 주석, 납도금 등의 평활화제 그 외에 사용된다. 또, 세균용 배지에 이용된다.

**편석** Segragation

합금 원소나 불순물이 편중되어 분포되는 상태를 말한다. 용융 금속이나 용융 합금은 주형에 가까운 최초에 응고하는 부분과, 주형에서 후에 응고하는 내부와는 화학 조성이나 결정조직이 서로 다르다. 편석을 이용하여 금속을 전제하는 방법에 대(帶)용융 정제법(존 메탈링)이 있다.

**편심 배럴** Eccentrical Barrel

배럴도금용 배럴의 일종으로, 수평식 배럴로 편심하여 회전시키는 것을 말한다. 피도금물의 혼합을 좋게 하기 위하여 사용하며, 투입량이 적당하지 않으면 오히려 혼합이 나쁘게 되는 경우가 있다. 보통의 수평식 배럴과 비교해 보면 같은 용적에서는 생산성이 낮다.

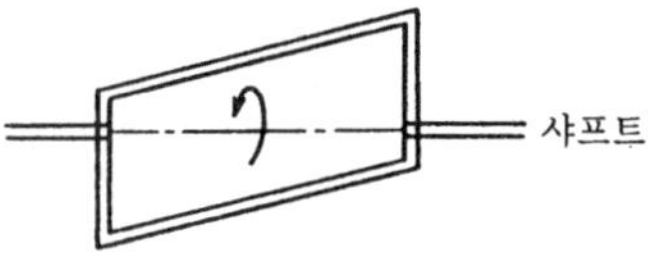


편심 배럴

**평균 유속** Mean Velocity of Flow

유체가 관 또는 장치 안을 흐를 때, 흐름의 방향에 수직인 단면에서 어느 부분이나 같은 속도로 흐른다고 가정하였을 때의 유속이며, 체적 유량 $V$(㎥/s)를 흐름의 단면적 $S$(㎡)로 나눈 값이 평균 유속이다. 일반적으로 평균 유속을 단순히 유속이라고 하는 경우가 많다.

**평면 마모시험** Abrasive Wheel Test

주위에 연마지를 부착한 마찰차와 시험편 사이에 400g의 접촉하중을 걸고, 왕복운동을 시켜, 피막의 내마모성을 시험하는 방법을 말한다. 내마모성은 마모량 1㎛당 마찰회수이며, 다음 식으로 표시한다.

$$WR = \frac{N}{(t_2 - t_1)}$$

$WR$ : 내마모성(DS/㎛)

$t_1$ : 예비 마모 후의 피막 두께(㎛)

$t_2$ : 시험 후의 피막 두께(㎛)

$N$ : DS 수

DS : 마찰의 왕복 수이다.

**평면회전 마모시험** ◘ 테버식 마모시험 (546)

**평형 공석** Equilibrium Codeposition

A. 브레너의 분류에 의한 합금 전착에서의 정상 공석의 일종으로, 저전류 밀도로 석출된 두 금속의 비가 용액중의 금속비와 거의 같은 공석의 방법을 말한다. 산성욕에서의 Cu-Bi, Pb-Sn, 티오황산욕에서의 Cu-Ni(백동) 합금 전착 등이 있다.

**평형 상태도** Equilibrium Phase Diagram

①원소 또는 분자가 일정 온도, 압력, 조성에서 평형상태에 있을 때, 그것을 나타내는 그림을 말한다. 통상, 대기 중에서 압력은 일정하기 때문에 조성과 온도(융점, 불점, 변태점 등)를 나타내는 것이

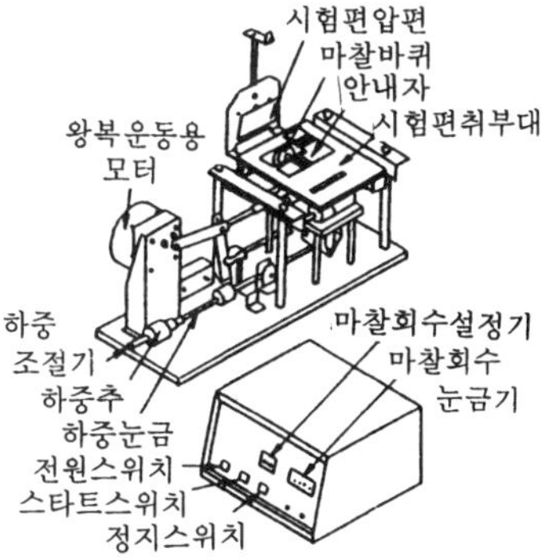


평면 마모 시험장치

평면 마모 시험

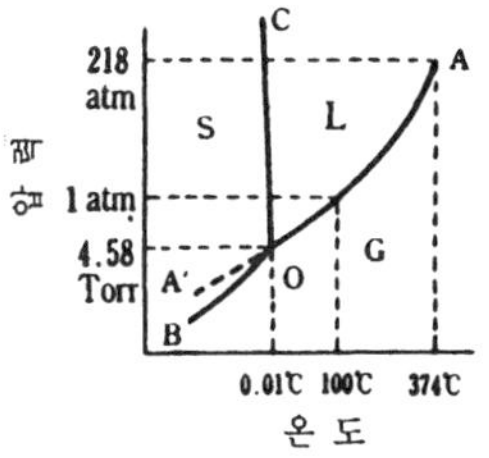


물의 상태도(개략도)

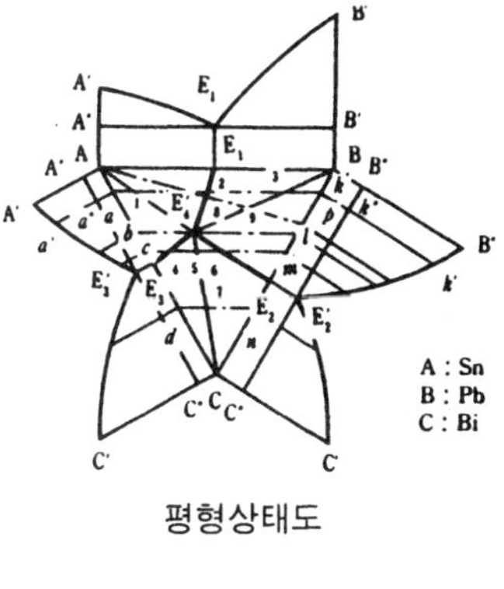


평형상태도

많다. 조성은 삼원까지 표시할 수 있다. 한 예로써 물과 저융점 합금의 상태도를 그림으로 표시한다. 이원 합금 상태도가 가장 많이 이용되며, 상태도라 하면, 이것을 지칭하는 경우가 많다. = 상태도 ②원소의 산화물, 황화물, 할로겐화물 등의 표준생성 자유에너지와 온도와의 관계를 나타내는 그림을 말하며, T-$\mu$ 도, T-$\Delta G^{\circ}$ 도, Ellingham도 라고도 하며, 금속의 제련, 정제반응의 예측에 활용된다.

**평형 전극전위** Equilibrium Electrode Potential ◘ 평형 전위(후항)

**평형 전위** Equilibrium Electrode Potential

네른스트의 식을 사용하여 계산되는 단극 전위, 산화환원 전위, 표준산화환원 전위를 종합하여 평형 전위라 하며, 산화속도와 환원속도가 같고 평형한 전위이다. 실제 전극에 나타나는 자연 전위에 비해 이론적인 전위라 할 수 있다. = 평형 전극전위 ◘ 네른스트의 식(73), 자연 전위(438)

**평활제** ◘ 평활화제(574)

**평활화 작용** Levelling ◘ 레벨링(117)

**평활화제** Leveller : Smoothing Agent

전기도금에서 평활화 작용을 가지고 있는 첨가제를 말한다. 레벨러라고도 부른다. 유기물로 넌이온 또는 어니온 계면활성제인 경우가 많다. 평활화제가 볼록부에 많이 흡착하여 전착을 방해하며, 오목부에는 조금밖에 흡착하지 않기 때문에 볼록부 보다도 더 많이 전착시키기 위해 평활화가 진행된다. = 평활화, 레벨러 ◘ 레벨링(117)

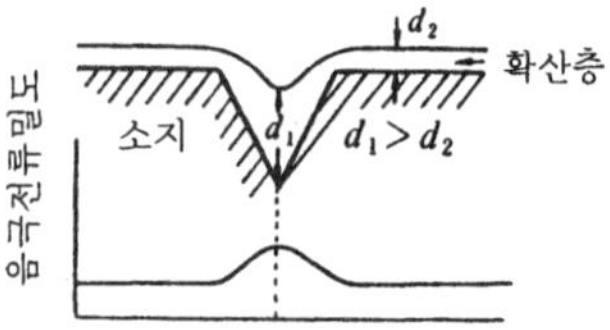

레벨링 기구
평활화제

**폐로 전압** Closed Circuit Voltage

전지에서 전류를 취할 때의 정부 극간의 전압을 말한다. 아노드 및 카소드에서의 분극 저항, 액의 옴저항 등의 내부 저항에 의해 전류를 취하기 전의 폐로 전압보다도 당연히 낮다. 또, 분극 저항은 전류와 직선 관계는 없기 때문에 내부 저항은 옴의 법칙에는 따르지 않는다.

**포금(砲金)** Gun Metal: Zinc Bronze

Zn 1~9%, Sn 약 10%의 동합금을 말하며, 강도, 내식성이 뛰어나며, 선박이나 기계부품에 널리 사용된다. 단조, 주조에도 적합하고, 값이 싸며, 기계적 성질이 좋다. 옛날에는 대포의 주조에 사용되었기 때문에 이 이름으로 불리었다.

**포러스 크롬도금** Porous Chromium Plating

마이크로포러스 크롬도금에서가 아닌, 공업용 크롬도금에 사용되는 크랙이 많은 크롬도금을 말한다. 내연 기관의 실린더나 피스톤 링에서 내마모성을 크게 하고, 수명을 길게 하기 위해 크롬도금에 작은 오목하게 패인 부분을 만들어, 윤활제의 유지를 좋게 하는 것이다. 미리 표면을 거칠게 하여 크롬도금을 하든지 도금 후, 양극처리를 하고 나서, 호닝 마무리를 한다. 도금조건에서 틀린 패턴의 도금을 얻을 수 있으며, 피트형은 50℃, 45~50A/$dm^2$으로 찬넬형은 60℃, 40~50A/$dm^2$에서 얻을 수 있으나, 보통 이 중간형이 사용된다. = 다공성 크롬도금 ◘ 마이크로포러스 크롬도금(132)

**포르말린** Formalin

포름알데히드(HCHO)를 37%(±0.5%) 함유한 수용액의 상품명이다. 중합을 방지하기 위해 8~12%의 메틸알코올을 첨가하고 있다. 무색 투명하고, 강한 자극적 냄새가 있다. 포름알데히드는 환원력이 강하고, 간단하게 산화되어 기산이 된다. HCHO$\xrightarrow{(O)}$HCOOH. 용도는 살균·소독제, 페놀수지, 요소수지 등의 원료가 된다. 도금에서는 반광택 니켈도금용 첨가제, 무전해 도금의 환원제 등에 이용된다. 유독하며 발암성이 지적되고 있다. ◘ 포름알데히드(후항)

**포름알데히드** Formaldehyde HCHO.

자극적인 냄새가 있는 무색의 기체로 융점 -92℃, 불점 -21℃로, 물에는 잘 녹으며, 약 40% 수용액을 포르말린이라고 한다. 중합되기 쉬우며, 수용액 중에서는 폴리옥시메틸렌이나 파라 포름알데히드를 발생시키며, 가열하여 기화시키면 HCHO로 되돌아온다. 알칼리의 작용으로 카니자로(Cannizzaro)반응을 일으켜 메틸알코올과 기산염이 된다(2HCHO+KOH →$CH_3OH$+HCOOK). 피혁 제조, 사진건판 제조, 페놀수지 제조 등에 사용되는 것 외에 포르말린은 무전해 동도금이나 은경반응(무전해 은도금)의 환원제에 사용된다. ◘ 포르말린(전항)

**포물선 법칙** Parabolic Rule

산화 피막의 두께 $x$와 시간 $t$와의 관계가 $x^2=\kappa t$($\kappa$:정수)의 관계에 있을 때, 포물선 법칙에 의한 산화라고 한다. 산화 피막이 없는 금속(예를 들어, 진공 증착 직후나 활성화 직후, 파단 직후 등)이 대기나 수중에서 산화되는 속도는, 금속 산화 피막의 용적과 원래의 금속 용적의 비에 관계된다. 산화 피막이 금속을 모두 뒤덮지 못할 때는 산화는 직선적으로 진행되지만, 산화 피막이 보호작용이 있는 통상적인 금속의 경우에 $x$는 포물선을 그리며 증대되는 경우가 많다. 그 외, 대수적, 역대수적으로 산화가 진행되는 경우도 있다.

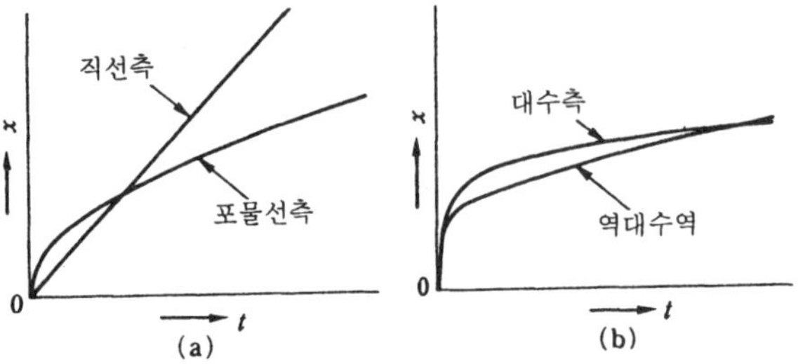


산화의 진행과 시간과의 관계

포물선 법칙

**포스트 니켈 스트라이크법** Post Nickel Strile Method

고내식성을 목적으로 한 마이크로 크랙 크롬도금을 만들기 위해서, 광택니켈 도금 상에 응력이 높은 포스트 니켈 스트라이크(PNS)도금을 0.25~0.5㎛로 도금을 하고, 그 위에 보통의 크롬도금을 0.25~0.5㎛를 실시하면, 고응력의 니켈과 크롬도금의 상호작용에 의해 니켈 스트라이크와 크롬층에 균일한 크랙을 만들 수 있다. 포스트 니켈 스트라이크의 욕조성은 염화니켈 225~330g/$l$ 에 내부 응력을 높게 하는 특수첨가제 및 광택제를 가한 것으로, 온도 27~34℃, pH 3.6~4.5, 음극 전류밀도 6~10A/$dm^2$, 도금시간 1.5~3분에서 사용한다. = PNS 법 ◘ 마이크로크랙 크롬도금(131)

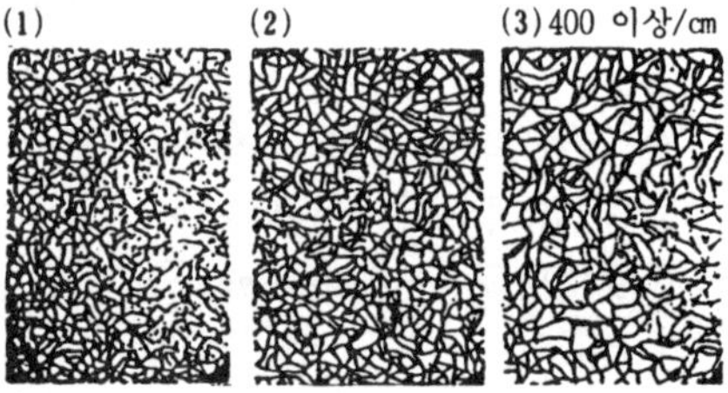


PNS에 의한 크롬도금

포스트 니켈 스트라이크법

**포스핀산염** Hypophosphite ◘ 차아인산염(497)

**포정(包晶)** Envelope, Peritectic

포정 반응에 의해 만들어진 조직을 포정이라고 한다. 여기에서 포정반응이란 어떤 합금의 용액과 다른 합금 성분의 고상이 작용해 새로운 종류의 고상을 만드는 항온가역 반응을 말한다. 용액+고상(B)⇄고상(A), 이 때 반응은 고상(B)과 용액과의 사이에서 일어나므로, B점의 바깥쪽이 화합물화 되어 A점에 의해 둘러 쌓이는 상태가 되므로 포정이라고 부른다. 단, 위의 반응이 고상(C)+고상(B)⇄고상(A)과 같은 반응으로 생긴 고상(A)을 특히 포석정이 라고 한다.

**포정 미세화** Peritectic Granulation

일반적으로 포정 반응에 의해 초정으로써 나오는 결정을 미세화할 수 있는 것은 잘 알려져 있으며, 이와 같은 이유는 초정의 수지상 결정의 각 가지 사이에 융체가 개재되어, 재분열을 일으켜, 그 결과로 결정의 미세화가 된다고 한다. 이와 같이 미세화에 의해서 알루미늄 브론즈(Al 청동)는 극히 미세한 결정이 되어 그 기계적 성질이 현저하게 향상된다. 또한 이와 같은 포정반응을 이용한 조직 개선처리에는 고속도강의 예비 구상화(Pre-Spheroidizing)가 있으며, 공정 탄화물의 구상화에 위력을 보이고 있다.

**포지티브 레지스트** Positive Resist

포토 레지스트의 하나로, 빛에 의해 분해 또는 연화되는 레지스트를 말한다. ◘ 포토 레지스트(577)

**포터블 배럴** Portable Barrel

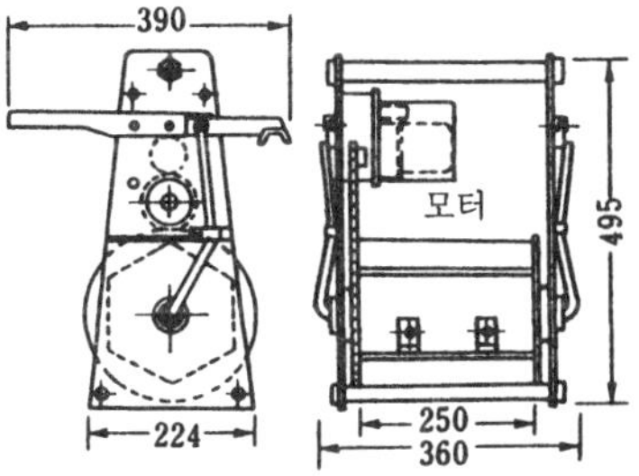


포터블 배럴 [㎜]

작은 물품을 소량씩 도금할 때 사용한다. 도금조의 버스 바에 매달아 사용하며, 배럴을 회전시키는 소형 모터가 배럴의 상부에 고정되어 있다. 소형 모터는 도금 수조의 수조전압(직류)을 이용하는 것, 100V의 교류를 이용하는 것, 축전지를 이용하는 것이 있으며, 배럴의 회전수를 임의로 조정할 수 있는 것도 있다. 수평형 배럴과 경사형 배럴이 있으며, 1회의 배럴 투입량은 수 킬로그램 정도이다. ◘ 회전도금(645)

**포토레지스트** Photoresist

빛에 의해 조사되어, 빛을 받은 부분이 현상액에 불용 또는 가용이 되는 레지스트를 말한다. 포토레지스트는 금속의 에칭 레지스트로써 이용되며, 인쇄 제판, 프린트 배선기판, 금속부품의 제조 등에 이용되고 있다. 감광제는 수용형과 용제형이 있으며, 내식성, 보존성은 용제형이 뛰어나며, 수용형은 값이 싸다. 프린트 배선기판에서는 드라이필름 포토레지스트가 사용되며, 용제형은 pH13 이하의 거의 모든 도금액에 사용

가능하지만, 수용형은 pH5 이하의 산성 도금액에 사용하지 않으면 안 된다.

**포토마스크** Photomask

리토그래피(Lithography)를 할 때에 기판에 도포된 포토레지스트에 패턴을 주기 위해 노광시, 빛의 차폐용 패턴을 말한다. 포토마스크 자체도 커다란 원 그림을 축소하여 리토그래피로 만드는 경우가 많다.

**포토솔더 레지스트** Photosensitive Soldering Resist

프린트 배선기판에서 납땜 또는 땜납 피복을 필요로 하지 않는 부분을 보호할 목적으로 사용하는 감광 레지스트이다.

**포토에칭** Photoetching

금속 박판 상에 감광성 레지스트(포토 레지스트)를 부착시켜 사진적인 수법을 이용하여 에칭하는 것을 말한다. 포토에칭은 인쇄제작 기술에서 시작된 것으로, 프린트 배선기판, 금속 부품의 제조에 이용되고 있다. 포토에칭의 특징은 (1)복잡한 형상, 미세한 가공을 용이하게 할 수 있다, (2)재료 조직에 소성 변형을 주지 않는다, (3)기계 가공과 같은 고가인 금형이나 치공구가 불필요하다, (4)제작 일수가 짧다 등의 이점이 있다. 반면, 다품종 소량 생산이기 때문에, 다량 생산에는 기계 가공 쪽이 적합하다. 에칭에 의한 마무리 정도는 일반적으로 판 두께의 ±10%이다.

= 사진 식각(食刻)(230)

**포토툴** Phototool

프린트 배선기판의 제조공정에서 이용하는 완성품과 동일 치수의 패턴이 있는 필름 또는 건판을 말한다. 제조용 필름이라고도 한다.

**포화** Saturation

일정 조건하에서 어떤 양(예를 들어 투입 약품량)의 변화에 따라 다른 양(예를 들어, 수중의 약품농도)이 증가할 때, 후자의 증가가 일정 한도에서 멈추고, 어떤 일정치를 넘지 않게 될 때, 이것을 포화상태 또는 포화에 달했다고 한다.

**포화 감홍(甘汞) 전극** Saturated Calomel Electrode

수용액 중에서 전극 전위나 pH를 측정하는 경우에 사용하는 기준 전극의 일종으로, 가장 널리 사용되었지만, 수

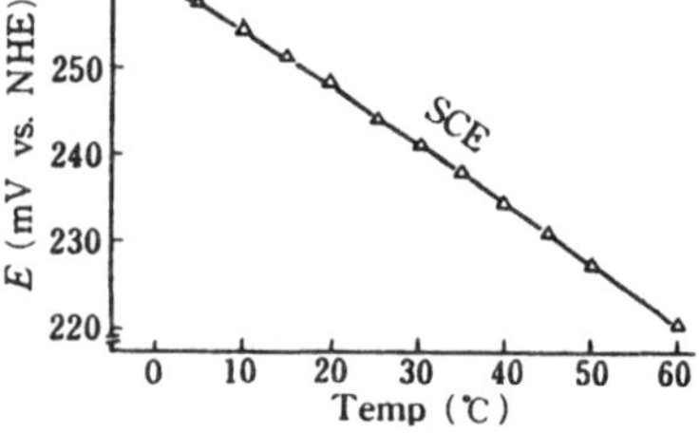


포화 감홍 전극

은의 공해 때문에 점차 포화 염화은 전극이 더 많이 사용되게 되었다. Hg | $Hg_2Cl_2$ | 포화 KCl의 구조를 가지고 있으며, 표준 수소 전극에 대해 25℃에서 0.2425V의 전위를 갖는다. = SCE, 포화 칼로멜 전극 ◘ 기준 전극(62), 반전지(163)

**포화 용액** Saturated Solution

어떤 온도에서 용액이 고상 또는 기상의 용질과 평형상태에 있을 때, 그 용액을 포화 용액이라고 한다. 즉, 녹는 만큼 용질을 녹인 상태이다. 고체는 일반적으로 온도를 상승시키면 용해도는 증가하는데, 감소하는 경우도 있다. 기체는 온도는 상승하는데 용해도는 감소한다. 포화 이상으로 용질이 녹아 있는 용액을 과포화 용액이라고 하고, 포화가 되어있지 않은 용액을 불포화 용액이라고 한다. 과포화 용액은 용액을 서서히 냉각하면 얻을 수 있으나, 불안정하고, 자극시키면 결정을 석출하여 포화 용액으로 되돌아간다.

**포화 칼로멜 전극** Saturated Calomel Electrode ◘ 포화 감홍(甘汞) 전극(578)

**폭기조(暴氣槽)** Aeration Tank

배수처리에서 오수와 활성 오니(汚泥)의 혼합액에 공기를 통해 산소공급과 교반을 행하여 호기성균에 의한 유기물의 흡착과 산화분해를 행하는 장치를 말한다. 수조에서의 유출수의 용존 산소가 2ppm 이상이 되도록 공기를 불어넣는다. BOD 1㎏당 50~60㎥의 공기량이 필요하다.

**폭렬 용사** ◘ 폭발 용사(579)

**폭발 경화법** Explosion Hardening

폭발 경화법이란 편상의 폭약을 가공 경화하는 강, 예를 들어 고망간강이나 18-8스테인리스강의 소요 경화부에 부착, 전기적으로 폭발시켜 그 충격에 의해 강을 가공 경화하는 방법이다. 듀퐁사가 개발한 방법으로, VIH(Velocity Impact Hardening)라고도 한다. 고망간강을 폭발 경화하면, 기계적으로 가공 경화된 것과 같이 단단해진다. 그 정도는 $H_RC$ 18과 $H_RC$ 55 정도가 되기 때문에 최초부터 내마모성이 발휘된다.

**폭발 용사** Detonation Flame Spraying

가늘고 긴 파이프내의 산소와 아세틸렌의 혼합 가스에 미세한 분말을 부유시킨 후, 이 혼합가스를 점화하여 폭발시킴으로써 순식간에 미세한 분말을 용해, 가속하여 표면에 부착, 적층시켜 피막을 형성하는 기술을 말한다. 용사는 주로 알루미나, 산화크롬 등의 세라믹, 및 텅스텐카바이드-코발트계 복합재료의 용사에 이용된다. = 폭열(爆裂)용사 ◘ 메탈리콘(140)

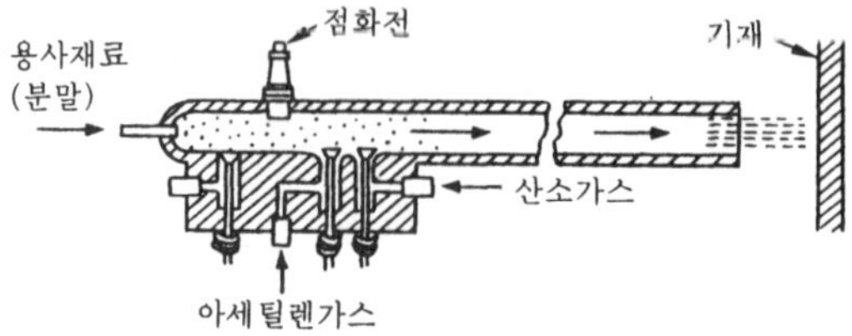


폭발용사의 원리

폭발용사

**폴라로그래피** Polarography

적하(滴下) 전극(수은적 등의 방울이 낙하하기 전까지 표면적이 변화하기 때문에 전류는 미소한 파를 그린다. 전극이 견디지 못하고 갱신되기 때문에 오염 등의 영향이 없다)을 지시 전극으로 하고, 분극이 작은 전극(표면적이 큰 수은 풀 등)을 대극으로 하여 미소량의 전해를 행하고, 그 때의 전압과 전류의 관계를 해석하여 피험액 중의 물질의 정성 및 정량분석, 전극반응 등의 연구를 행하는 장치를 말한다. 얻을 수 있는 전류-전압곡선을 폴라로그램이라고 한다. 폴라로그램의 파에서 전류의 시작 부분의 절반 정도의 전위를 반파 전위라고 한다. 피험액 중에는 다량의 지지전해질을 가해 영동전류를 무시할 수 있게 하여 확산 전류를 구한다. 오실로그래프 폴라로그래피나 교류 폴라로그래피, 구형파 폴라로그래피 등, 여러 가지 측정법이 있다.

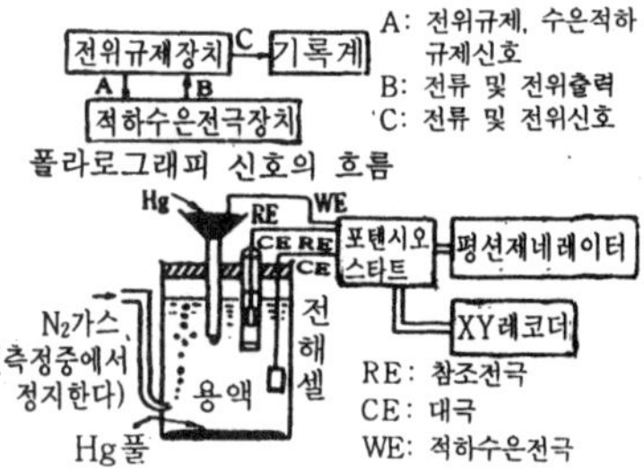


폴라로그래피의 기본 회로

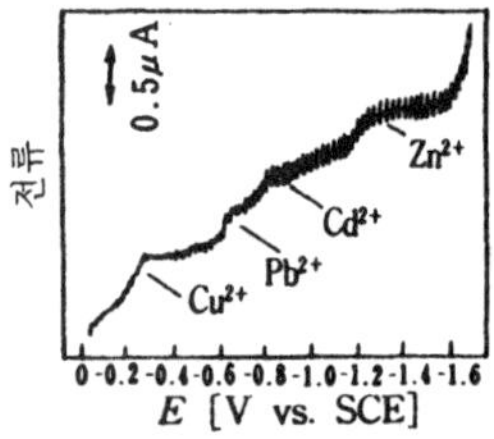


각 이온농도 $1 \times 10^{-4}$M(0.5M 산성 암모늄+0.1M 주석산) $Cu^{2}$+, $Bi^{3+}$, $Pb_2$+, $Cd^{2+}$, $Zn^{2+}$의 폴라로그램

폴라로그래피

**폴리머** Polymer

한 종류 또는 수 종류의 구성 단위가 서로에게 많은 수의 화학결합으로 중합되어 연결되어 있는 분자로 되어 있는 화합물이다. 구성 단위를 단량체(單量體)라고 하고, 중합도에 따라 이량체, 삼량체 등이라고 한다. 중합도가 큰 거대 분자를 고중합체라고 하고, 고분자 화합물(분자량이 1

만 이상의 화합물)과 같은 의미로 사용되는 경우가 많다.

**폴리머 알로이** Polymer Alloy

고분자의 합금이라고도 할 수 있는 것으로, 2종 또는 수종의 플라스틱의 혼합체를 말한다. 폴리머 알로이는 분자보다 약간 큰 곳에서 덩어리가 되어 혼합이나 공중합(共重合)을 하고 있는 상태의 것으로, 단일 폴리머에서는 얻을 수 없는 새로운 성질을 가진 고분자계 성분재료를 얻을 수 있다. ABS수지 등은 폴리머 알로이다. ◘ 폴리머(580)

**폴리비닐 알코올** Polyvinyl Alcohol

PVA라고도 한다. 폴리초산비닐을 메틸알코올 용액으로 수산화나트륨을 가해, 30~50℃로 가수분해하면, 백색의 고체가 되어 침전된다. 물에 가용성으로 유기용매에는 불용성의 백색 분말이다. 아연도금의 첨가제로써 사용된다. 용도는 폴리비닐 알코올 합성섬유의 원료, 접착제, 호료(糊料), 필름 등에 사용된다. = PVA(606)

**폴리싱** Polishing

넓은 의미로 버프 가공에서 말하는 황(荒)연마이며, 천, 가죽, 펠트(Felt) 등으로 만들어진 버프에 연마제를 접착제로 고정시켜, 이것을 고속 회전시켜 연마하는 가공법을 말한다. ◘ 에머리 버프(328)

**폴리싱 휠** Polishing Wheel

황연마용으로 천, 펠트, 가죽 등으로 만들어진 원형으로 중심은 금속제의 수레바퀴 형태로 된 공구를 말한다. 비교적 거친 입자의 알루미나, 에머리가루 등을 아교로 붙여 시멘트 등의 접착제로 고착하여 사용한다.
◘ 에머리 버프(328)

**폴리아세탈** Polyacetal: POM

엔지니어링 플라스틱에 속하는 수지로 기계적 성질이 뛰어나다. 특징은 (1)내피로성이 뛰어나고, 내클립성이 좋다. (2)마모, 마찰계수가 작다. (3)내약품성이 뛰어나며, 알칼리에도 잘 견딘다. 용도는 기계 부품(기어, 바인더, 롤러, 펌프 팬, 히터 팬 등), 전기부품(모터 부품, 스위치 부품, 테이프 레코더의 기판 등), 자동차용(와이퍼 기어, 가스밸브, 카브레이터 부품 등). = POM(610)

**폴리에스테르** Polyester

에스테르 결합(-CO-O-)을 갖는 고분자물질의 총칭이다. 다가 알코올과 다염기산과의 중축합체로써 열가소성과 열경화성이 있다. 전자는 필름으로써 플렉시블 프린트 배선기판용, 후자는 지기재(紙基材) 동부착 적층판용으로 사용되고 있다. 알키드수지, 불포화 폴리에스테르 수지, 말레인산 수지, 우레탄 고무 등이 있다. 수지로써의 특징은 (1)기계적 성질이 뛰어나며, FRP의 주류이다. (2)전기특성이 좋고, 내열성이 뛰어나다. (3)알칼리, 강산에 침해된다.

**폴리에틸렌** Polyethylene: PE

저밀도 폴리에틸렌(LDPE, 밀도가 0.92 부근, 고압에서 제조한다)과 고밀도 포릴에틸렌(HDPE, 밀도가 0.96 부근, 저압에서 제조한다)이 있다. 전자는 후자보다도 강도가 작다. 폴리에틸렌의 특징은 (1)충격에 강하고, 내한성이 좋다. (2)전기특성이 뛰어나다. (3)내수·내약품성이 뛰어나고, 필름은 수증기, 공기를 통과시키지 않는다. (4)성형품의 표면은 비교적 부드럽고, 125℃에서 녹으며 연소되면 양초냄새가 나지만, 연기는 나지 않는다. (5)접착 및 인쇄가 되기 어려우며, 일광, 열(100℃)에서 서서히 열화된다. 폴리에틸렌의 용도는 넓으며, 도금에서는 지그의 절연재(방도재)로써 사용되고 있다. = PE(610)

**폴리염화비닐** Polyvinyl Chloride: PVC

간단하게 염비라고도 한다. 플라스틱으로써의 성질은 경질의 것은 강인하지만, 가소제를 첨가한 연질의 것도 있다. 산, 알칼리에 잘 견디지만, 케튼계 용제 등에 녹는다. 가열하면 탈염산으로 흑화한다. 내후성이 뛰어나다. 도금조, 각종 처리조에 경질 염화비닐이 사용된다. 욕 온도가 60℃ 이하는 보통의 경질 염화비닐이 사용되며, 60~90℃에서는 내열성 염화비닐(HT-PVC: 통칭 하이템프)이 사용된다. 라이닝재로써는 경질 또는 연질의 염화비닐이 사용된다. 염화비닐은 가소제로써 납을 함유하고 있기 때문에 초순수용으로써는 부적당하며, 또 농초산용으로써도 산화되기 때문에 부적당하다. = 염비, PVC ◘ 염화비닐 수지(361)

**폴리이미드** Polyimide: PI

수지로써의 특징은, (1)250℃까지 사용할 수 있고, 내열성이 뛰어나다. (2)저온에서 고온까지 특성의 변화가 적다. (3)내충격성이 좋고, 치수안정성이 좋다. (4)전기특성이 뛰어나다. (5)알칼리, 필리진 등에 침해된다. (6)내마찰성이 좋고, 타지 않는다 등이다. 용도는 전기 부품으로써 IC 소켓, 커넥터, 코일 보빈 등이며 그 외에 피스톤링, 보턴, 볼밸브 등이다. = PI(607)

**폴리프로필렌** Polypropylene

폴리프로필렌, 플라스틱으로써의 성질은, 비중이 0.9로 가장 낮다. 강성이며, 성형재료로써 이용된다. 투명하고 결정성이다. 내마모성이 뛰어나며, 내열성도 있으나, 저온(-5℃ 이하)에서는 내충격성이 약하다. 전기특성이 뛰어나며, 내수, 내약품성에도 뛰어나다. 연소하면 석유냄새가 나며, 접착, 인쇄하기 힘들다. 일광, 열에 의해 서서히 열화된다. 포장용 투명필름, 빌딩 컨테이너, 로프, TV케이스, 섬유(의료) 등에 널리 이용된다. = PP(611)

**표면 가공층** Surface Processing Layer

연마, 연삭 등의 기계적 가공을 받은 표면의 최상층의 베이루비(Beilby)층이나 그 하층의 불균일 소성 변형층(가공 변질층)을 말한다. 이 층에서는 쌍정, 재결정, 가공 변태 등의 현상을 수반하는 경우가 있다. 또한, 요철, 잔류변형, 연마제, 산화물의 침하가 있으며, 입계에는 $O_2$, $H_2O$, S, $SO_4^{2-}$ 등이 침입하기 쉽다. 도금의 전처리에서는 베이루비 층과 함께 가공 변질층의 일부도 제거한다.

**표면 거칠기** Surface Roughness ◘ 러프니스(116)

**표면 경화** Hard Facing

금속표면에 내마모성 향상, 내식성 향상, 내충격성 향상 등을 목적으로 다른 금속 또는 합금을 용착에 의해 육성시켜 피복하는 것을 서브 페이싱이라고 하지만, 피복할 금속 또는 합금이 경질재인 경우에는 하드 페이싱이라고 한다. 연질재로 피복하는 경우는 소프트 페이싱이라고 한다. 단, 하드 페이싱의 「하드」는 단단하다는 표현보다도 내구성의 의미가 더 크다. 또 넓은 의미의 하드 페이싱은 침탄, 질화, 고주파 소입 외에 각종 도금도 포함한다.

**표면 경화법** Hard Facing; Hard Surfacing; Face Hardening

표면을 경화시켜 내마모성, 강도, 경도를 높이거나 내식성을 높이는 것을 말한다. 물리적 방법과 화학적 방법이 있으며, 물리적 방법은 철강의 표면만을 소입 경화시키는 것으로, 화염 소입과 고주파 소입이 대표적이다. 화학적 방법은 철강의 표면 조성을 바꾸어 경화시키는 것으로, 침탄·질화·붕화법 등이 대표적인 것이다. 철강 이외에는 알루미늄에 대해 경질 알루마이트 법이 있다. 또, 소재 그 것을 변화시키는 방법 이외의 표면 경화법으로써는 도금, 용사 외에 스패터링, 이온 플레이팅 등의 물리적 증착법이나 기상도금 등의 화학적 증착법에 의한 경질 피막에서의 피복법이 있다.

주된 표면 경화법과 그 목적

| 처리 방법 | | 처리 목적 | | | | |
|---|---|---|---|---|---|---|
| | | 내피로 | 내마모 | 내소(耐燒) | 내산화 | 내식 |
| 고주파 소입 | | * | * | | | |
| 확산처리 | 침탄 | * | * | | | |
| | 질화, 연질화 | * | * | * | | |
| | 침류, 침류질화 | | * | * | | |
| | 연결 | | | * | | * |
| | 붕화 | | * | * | * | * |
| | 탄화물 피복 | | * | * | * | * |
| 전기 도금 | | | * | * | * | * |
| CVD | | | * | * | * | * |
| PVD | 스패터링 | | * | * | * | * |
| | 이온 플레이팅 | | * | * | * | * |
| 용 사 | | | * | * | | |
| 경질 알루마이트 | | | * | * | | |

표면 경화법

**표면 담금질** Case Hardening

강의 표면부를 경화시키기 위해 침탄한 후 적당한 열처리를 하는 조작을 말한다. 통상, 1차 소입(Quenching)과 2차 소입이 있다. 1차 소입은 850~900℃에서 물 또는 기름에 급냉하여 침탄가열로 인해 조대해진 중심부조직을 치밀하게 한다. 2차 소입은 750~800℃로 재가열한 후, 물 또는 기름에 급냉하여 침탄부를 경화시킨다. 그 후, 소입왜곡 제거, 인성 증가를 위한 소려(Tempering)를 행한다.

**표면 담금질강** Case Hardening Steel

침탄처리에 적합한 강을 말하며, 침탄강이라고도 한다. 통상 탄소함유율 0.13~0.23% 정도의 저탄소강이 사용되며, 강인성을 필요로 하는 것은 Cr, Ni, Mo 등을 함유한 합금표면 담금질강도 있다. = 침탄강(515)

**표면 도금** ◘ 패턴 도금(564)

**표면 분석법** Surface Analyzing Method

표면 분석 종류의 일부

| | 목 적 | 수 법 |
|---|---|---|
| 표면 분석 | 원소 분석 | AES, SIMS, XPS(ESCA), EPMA, IMA |
| | 화합물 동정 | XPS(ESCA), AES, FTIR |
| | 형상 관찰 | SEM, TEM |
| | 결정구조 해석 | LEED, RHEED |
| | 원자배열 관찰 | FIM, STM, TEM |

표면 분석법

금속, 비금속에 관계없이 표면의 형상, 원소, 흡착 분자, 원자 배열, 그 외의 성상을 분석하는 방법은, 전자기술과 함께 최근에 현저히 진보하였으며, 차례로 새로운 방법과 기기가 개발되고 있다. 표에 그 일부 방법의 약칭만을 기술한다.

**표면 실장착** Surface Mounting

프린트 배선기판의 부품구멍을 사용하지 않고 도체 패턴의 표면에서 전기적 접속을 행하는 부품탑재 방법을 말한다. 예를 들어, 텁 부품을 도체 패턴의 표면에 접착제로 임시 고정시키고, 용융 땜납 중에 침적시켜 납땜을 한다. = 표면 탑재(586)

**표면 에너지** Surface Energy

액체 또는 고체의 표면은 절반을 이종의 물질로 둘러쌓고 있기 때문에, 내측에 비해 높은 에너지 상태에 있다. 표면이 가지고 있는 과도한 에너지는 항상 표면을 수축시키려 하는데 이것을 표면 에너지라고 한다. 액체에서는 표면장력에 반대되게 표면적을 증가시키는데 필요한 에너지가 표면 에너지에 상당한다.

**표면 장력** Surface Tension

액체는 모두 그 표면을 가능한 한 작게 하려고 하는 경향을 가지고 있으며, 외력의 작용을 거의 무시할 수 있을 때에는 거의 구형이 된다. 이것은 액체 분자간의 인력작용이며, 그 총체적인 작용은 액체 표면을 따라 장력이 되며, 이것을 표면 장력이라고 한다. 용액에서는 용질의 종류와 농도에도 관계가 있으며, 또, 온도가 상승하면 장력은 감소한다. 표면 장력은 모세관 상승법, 적하법, 적환(吊環)법 등의 방법에 의해 측정된다. 기체-액체간의 관계를 표면 장력, 그 외의 액체-액체, 고체-기체, 고체-액체, 고체-고체간의 관계를 계면장력으로 구별하는 경우도 있다. = 계면 장력(28)

**표면 장력 측정법** Measuring Methods of Surface Tention

다음과 같은 방법이 사용된다. (1)모세관 상승법. 시료액에 모세관을 세우고, 시료액이 모세관 안을 상승하는 높이($h$)를 측정한다. 표면 장력 $= rh\rho g/2$이며, $r$은 모세관의 직경, $\rho$는 시료액의 밀도, $g$는 중력의 가속도이다. (2)적하법. 적수계(단면이 평탄한 원형관)을 사용하여 시료액을 조용히 적하시킨다. 한방울의 질량을 $m$이라 하면, 적하되는 액을 아래로 잡아당기는 힘은 $mg$이며, 이것을 위로 끌어올리는 힘은 $2\pi\gamma\times$(표면 장력)이다. $\gamma$은 관구의 외측 반경, $m$을 측정하여 표면 장력을 계산한다.

(3)적환법. 백금의 소환을 수평으로 매달아 시료액에 접촉시켜, 이것을 잡아당기려고 할 때, 반경 $\gamma$의 환을 액체에서 떼어내는데 필요한 힘 $f$는 $2\pi\gamma$의 2배와 같다. $f$를 비틀림 저울에 의해 표면 장력을 계산한다. 듀누이(Du Noüy)의 표면 장력계는 이 방법에 의한 것으로 측정 장치가 시판되고 있다. 이 방법에서는, 소량의 시료액의 표면 장력을 비교적 정확하고 신속하게 측정할 수 있다. (4)적수(滴水) 비교법. 적수계를 이용하여 일정량의 시료액을 적하시켜, 그 적수($n_2$)를 파악한다. 동체적의 표준액을 같은 적수계를 사용하여 적하시켜, 그 적수($n_1$)를 계산한다. 시료액의 밀도를 $d_2$, 표준액의 밀도를 $d_1$이라 하면, 시료액의 표면 장력=표준액의 표면 장력×$(n_1/n_2)$×$(d_2/d_1)$이다. 이 방법은 간편하지만, 시료액의 표면 장력이 작으면, 적수계에서 시료액이 적하되지 않은 채, 연속되어 유출되기 때문에 적수를 세는 것은 곤란하다. ◘ 적수계(444)

**표면 처리** Surface Treatment: Metal Finishing

주로 금속의 부식 방지, 그것에 의한 미관유지, 표면의 경화, 그 외 각종 기능을 표면에 갖게 하기 위해 행하는 마무리법을 말한다. 표면 경화 이외의 처리로써는 각종 도금법(니켈도금, 크롬도금을 대표로 하는 전기도금, 무전해도금, 아연 철판 등의 용융도금, 금속 용사, 진공 증착 등)과 알루마이트를 대표적인 예로 하는 양극산화, 인산염 처리 등의 화성처리, 글래스 라이닝 등의 라이닝, 도장 등을 들 수 있다. 또, 금속에 한정되지 않고 비금속 표면의 미관유지, 내구성 유지 등을 위해서 행하는 연마, 도장, 라이닝 등도 표면 처리에 포함된다.

**표면처리 강판** Surface Treated Steel Sheets

크게 나누면 5종류가 있다. 화성처리 강판(인산염, 크롬산염), 확산침투 강판(크롬, 알루미), 클래드 강판(알루미, 스테인리스, 동-황동, 니켈-니켈합금, 티탄), 도장 강판(염화비닐), 각종 도금 강판(아연, 주석, 알루미, 납, 동, 니켈, 크롬, 납-아연, 아연-니켈, 아연-철 그 외 많은 합금). 도금의 종류는 용융염법, 수용액 전해법, 비수용액 전해법, 전기 영동법, 진공 증착법, 무전해도금법 등이 이용된다. 개발이 진행되어, 이 외에 많은 신제품이 탄생되고 있다. ◘ 전기도금 강판(448)

**표면 탄소량** Case Carbon

침탄 부품의 침탄층에서 탄소량을 표면 탄소량이라고 한다. 표면 탄소량으로써는 약 0.9%가 적당하며, 0.9% 이상은 과침탄이라고 부른다.

**표면 탑재** ◘ 표면 실장착(585)

**표면 확산** Surface Diffision

금속의 표면을 그 금속 자신이 확산(자기 확산)하거나, 이종 금속이 확산하는 것을 말한다. 입계나 결정 입내보다도 속도가 크다. 이것은 표면이 가장 원자 밀도가 낮기 때문이며, 온도가 낮을수록 그 경향이 현저하다. 체확산이나 입계 확산을 표면 확산에 대해 체적 확산이라고 하는 경우도 있다. ◘ 체확산(503), 입계 확산(431)

**표면 활성** Surface Active

액체에 녹을 때, 용액의 표면 장력을 크게 감소시키는 물질을, 그 액체에 대해 표면 활성이다라고 하며, 표면 장력을 거의 변화시키지 않거나, 다소 증가시키는 것을 표면 불활성이라고 한다. 표면 장력을 현저히 증가시키는 물질은 없다. 알코올, 알데히드, 지방산, 비누, 에테르, 에스테르, 아민, 텔펜 등은 표면 활성이다. 도금의 유기 첨가제는 거의가 표면 활성이다. = 계면 활성

**표면 활성제** Surface Active Agent: Surfactant ◘ 계면활성제(28)

**표백분** Bleaching Powder

크롤 칼키, 칼키, 크롤 석회라고도 한다. 습한 소석회(消石灰)에 건조 염소가스를 낮은 온도로 충분하게 흡수시켜 얻을 수 있는 표백제. 표백제의 조성은, $CaCl_2$ 와 차아염소산칼슘과의 복염 $CaCl_2 \cdot Ca(ClO)_2 \cdot 2H_2O$ 와 미반응의 $Ca(OH)_2$ (약 30%)와 백색의 혼합물이다. 표백분의 유효염소량의 이론치는 48.96%이지만, 시판품은 33~38%이다. 백색분말이고 염소의 냄새가 난다. 수용액 중에서는 차아염소산칼슘을 함유하고 있기 때문에 분해하여 발생기의 산소를 내고, 강한 산화력을 지닌다. 이 때문에 지하수 등의 살균, 소독제, 섬유의 표백제 등에 널리 사용된다. 고온 표백분의 조성은 $Ca(OCl)_2$로 그것만으로 되어있다. = 칼키 ◘ 고온 표백분(29)

**표유 전류** Stray Current

누설 전류를 말하는 경우도 있다. 그 외에 전해액, 도금액 이외의 전열관이나 수조벽 등을 통해 피도금물의 목적 이외의 장소에 전류가 흘러 문제를 일으키는 경우가 있다(전해 가공에서 면이 거칠어지는 등). ◘ 누설 전류(78)

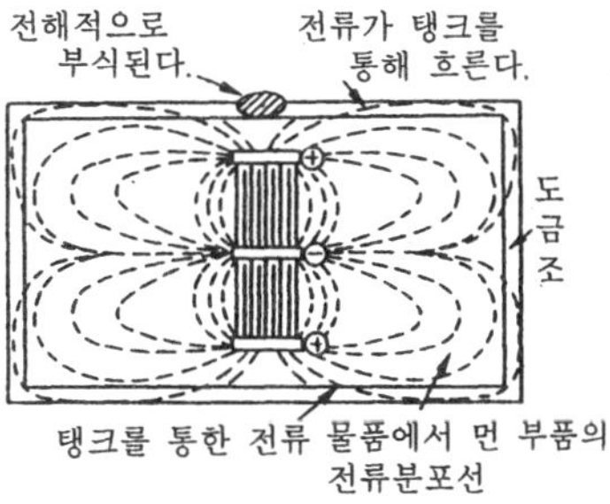


금속수조의 표유 전류

표유 전류

**표유 전류 부식** Stray Current Corrosion

**표유 전류에 의해 발생하는 부식** ◘ 전식(456), 표유 전류(587)

**표정(標定)** Standardization

용량 분석에서 표준 용액의 농도 또는 팩터(Factor)를 정확하게 정하는 것을 말한다. 표준 물질의 일정량을 용매에 녹여 표준액으로 하고, 표정하려고 하는 용액을 사용하여 적정한다. 이 적정에 필요한 용적에서 화학량적인 계산에 의해 용액의 농도 또는 역가(力價)를 구한다. 이 조작으로 많은 표준액을 만들 수 있다.

**표준 단극 전위** ◘ 표준 전극 전위(588)

**표준 산화환원 전위** ◘ 표준 전극 전위(588)

**표준 수소 전극** Normal Hydrogen Electrode

수소 전극에서 용액의 수소 이온의 활동도가 1(pH가 0)이고, 수소 가스의 압력이 1기압인 것을 말한다. 이 전극은 모든 온도에서 백금과 용액간의 전위차가 0이라고 열역학에서 규정되어 있으며, 각종 표준 전극의 표준이 된다. = NHE, SHE ◘ 수소 전극(257)

**표준액** Standard Solution

표준 용액이라고도 한다. 용량 분석에 사용하는 용액으로 농도가 알맞는 것을 말한다. 용액의 농도는 규정도가 널리 이용되고 있기 때문에 규정액이라고 하는 경우도 있다. 표준액을 조정하기 위해서는 일정량의 순물질을 정확하게 용매(보통은 물)에 녹여 일정 체적으로 하는 방법과 구하려는 농도에 가깝게 용액을 만들어 이것을 농도를 알고 있는 별도의 표준액에 적정 시켜 정확한 농도를 계산하는 방법이 있다. 전자에서 얻은 용액을 1차 표준 용액, 후자에서 얻은 용액을 2차 표준 용액이라고 한다. 표준액에는 용량 분석 이외에 pH 완충 용액을 사용한 pH측정 표준액, 각종 기기 분석용의 표준 용액 등도 있다. = 표준 용액(후항)

**표준 용액** ◘ 표준액(전항)

**표준 전극 전위** Standard Electrode Potential

전극과 용액 간에 전류가 흐르지 않은 채, 전극반응이 평형 상태에 있을 때, 용액 상에 대해 전극 상이 나타내는 전위로, 용액의 산화체 O의 활동도 $a_O=1$(근이적으로는 농도 1N), 환원체 R의 활동도 $a_R=1$(근이적으로는 농도 1N)일 때의 값을 말한다. 금속과 그 이온일 때는 이온이 산화체, 금속은 환원체로 활동도가 1이다. 이것들의 값은 원소 특유의 값이며, 이온화 경향이나 산화 환원계의 산화력이나 환원력을 나타내는 척도가 된다. 측정은 표준 수소 전극을 기준으로 하여 행해진다. 또 다른 열역학상의 수치 계산에서도 얻을 수 있다. = 표준 단극 전위, 표준 산화환원 전극(588)

전해질 수용액의 표준 전극 전위의 예(25℃)

| 전극(반전지) | 전극 반응 | 표준 전극 전위 E°[V vs. SHE] |
|---|---|---|
| 산성 용액 | | |
| $Li^+$ ㅣ Li | $Li^+ + e^- \rightleftharpoons Li$ | -3.045 |
| $K^+$ ㅣ K | $K^+ + e^- \rightleftharpoons K$ | -2.925 |
| $Co^{2+}$ ㅣ Co | $Co^{2+} + 2e^- \rightleftharpoons Co$ | -0.277 |
| $Ni^{2+}$ ㅣ Ni | $Ni^{2+} + 2e^- \rightleftharpoons Ni$ | -0.250 |
| $Sn^{2+}$ ㅣ Sn | $Sn^{2+} + 2e^- \rightleftharpoons Sn$ | -0.136 |
| $Pb^{2+}$ ㅣ Pb | $Pb^{2+} + 2e^- \rightleftharpoons Pb$ | -0.126 |
| $H^+$ ㅣ $H_2$ ㅣ Pt (표준 수소 전극) | $2H^+ + 2e^- \rightleftharpoons H2$ | 0.0000 |
| $Ag^+$ ㅣ Ag | $Ag^+ + e^- \rightleftharpoons Ag$ | +0.7991 |
| $Pt^{2+}$ ㅣ Pt | $Pt^{2+} + 2e^- \rightleftharpoons Pt$ | 약 +1.2 |
| $Cl^-$ ㅣ $Cl_2$ ㅣ Pt(염소 전극) | $Cl_2 + 2e^- \rightleftharpoons 2Cl^-$ | +1.3595 |
| 염기성 용액 | | |
| $SO_4^{2-}$, $SO_3^{2-}$ ㅣ Pt | $SO_4^{2-} + H_2O + 2e^- \rightleftharpoons SO_3^{2-} + 2OH^-$ | -0.93 |
| $OH^-$ ㅣ $H_2$ ㅣ Pt | $2H_2O + 2e^- \rightleftharpoons H_2 + 2OH^-$ | -0.82806 |
| $OH^-$ ㅣ $O_2$ ㅣ Pt | $O_2 + H_2O + 4e^- \rightleftharpoons 4OH^-$ | +0.401 |
| $MnO_4^-$ ㅣ $MnO_2$ ㅣ Pt | $MnO_4^- + 2H_2O + 3e^- \rightleftharpoons MnO_2 + 4OH^-$ | +0.588 |

표준 전극 전위

**표준 전위열** Electromotive Force Series

금속 원소만을 이용해 그 표준 전극 전위를 낮은 방향에서 높은 방향으로 크기 순서대로 배열하여 금속의 반응 경향의 크기를 나타낸 열(列)을 말하며, 이온화 경향의 순서와 같다. = 전기 화학열 ◘ 이온화 경향(416)

**표준 전지** Standard Cell; Normal Element

전위차 측정 시에, 전극차의 표준으로써 사용되는 전지. 용이하게 복제할 수 있으며, 장기간 보전하거나 다소의 전류를 흘려도 기전력에는 변화가 없으나, 기압이나 온도에 의한 기전력의 변화를 정확하게 숙지해 놓을 필요가 있다. 실제 사용되고 있는 것으로 클락 전지, 카드뮴 표준전지가 있다.

**표준 조직** Normal Structure; Standard Structure

강재의 표준 상태 즉, 소준온도에서 서냉하였을 때의 조직을 표준 조직이라고 한다.

**표준 편차** Standard Deviation

분산의 크기 정도를 나타내는 것으로 분산 $S$(평균치에서의 편차의 자승의 합)의 정(+)의 평방근인 $\sigma$를 표준 편차, $x_i$를 측정치, $\bar{x}$를 측정치의 평균치, $n$을 측정회수라 하면,

모집단의 표준 편차는 $\sigma = \sqrt{\dfrac{\sum(x_i-\bar{x})^2}{n-1}}$

시료(측정치)의 표준 편차는 $\sigma = \sqrt{\dfrac{\sum(x_i-\bar{x})^2}{n}}$

모집단이 정규 분포일 때 측정치의 00.7%는 $\dot{x}\pm 3\sigma$ 안에 든다. 따라서 $\dot{x}\pm 3\sigma$ 에서 벗어난 측정치는 이상치로 볼 수 있기 때문에 원인을 찾아서 대책을 취한다.

**표준체** Standard Sieve

입자의 크기를 선별하는 망을 체라고 부르며, 망의 눈을 규격화한 체를 표준 체라고 한다. 규격의 종류는, KS, JIS, ASTM, DIN, Tyler(미국) 등이 있으며, Tyler, DIN이 많이 사용되고 있다. 현재는 국제 표준화 기구의 권고에 의해, 망의 눈은 각국 모두 거의 같은 값을 사용하고 있다. 일본에서는 JIS Z 8801, 미국에서는 ASTM 11, 영국에서는 BS 410, 독일에서는 DIN 4188에 의해 규정되어 있다.

**표피 효과** Skin Effect

교반전류나 자속이 도체의 표면에 집중되어 있는 현상을 말한다. 주파수가 높을수록 이 경향이 크다. 고주파 가열은 이 표피 효과를 이용한 조작이다.

**푸리에변환 적외분광 분석** Fourier Transform Infrared Spectrometry

1970년대에 크게 진보하였던 제2세대의 적외 분광법으로 유기화합물, 반도체, 세라믹 등, 대상을 불문하고 상온, 상압 하에서 비파괴분석이 가능하다. pg~ng 오더의 검출감도, 약 10㎛의 길이, 10~100Å의 두께의 분석감도를 가지고 있으며 화합물의 동정, 조성, 화학구조, 결정구조, 존재상태(공유, 수소, 반데발스 결합 등)의 측정이 가능하고, 정량성도 높다. 광원의 빛을 비분산에서 간섭광으로 변화시켜 시료를 통과한 후, 검출하여 이것을 컴퓨터로 푸리에변환하여 적외 스펙트럼을 얻는다. 이전의 적외 분광법에서 어려웠던 표면 분석, 미소부 분석, 고감도의 환경 분석, 원격 분석, 신속 분석이 가능하게 되었고, 도금상의 피막, 부착물, 금속표면상태 그 외의 도금에 필요한 많은 정부를 얻을 수 있다. = FTIR(335)

**푸코 전류** Foucault Current ◘ 와상 전류(371)

**풀 애디티브법** Full-Additive Process

프린트 배선기판의 제조방법의 애디티브법이란, 동박이 되어 있지 않은 절연판을 재료로 하여 배선 부분만 무전해 동도금을 하는 방법으로, 풀 애디티브법, 세미 애디티브법, 퍼셜 애디티브법 등이 있다. 풀 애디티브법은, 촉매가 들어있는 접착제 부착 적층판을 사용하여 구멍뚫기, 영구 레지스트를 형성한 후, 패턴과 쓰루 홀의 도체화를 무전해 동도금으로 행하는 방법이다. 무전해 동도금의 개량이 되어 있으나, 전기동도금에 비해 도금속도가 느리며, 석출동의 물성 및 전기 특성이 조금 떨어진다.

**풍해(風解)** Efflorescence

결정수를 갖는 결정을 공기중에 놓으면 결정수를 잃고 분말이 되는 현상이다. 예를 들어, 결정 탄산나트륨 $Na_2CO_3 \cdot 10H_2O$, 결정 황산니켈 $NiSO_4 \cdot 6H_2O$ 등은 풍해로 인해 표면에서 분말상이 된다.

**퓨거시티** Fugacity

실존 기체를 열역학적으로 취급할 때, 압력 $p$의 대용으로 사용하는 수치 $f$로, 이것을 사용하면 실존 기체를 이상 기체와 같이 취급할 수 있다. 압력이 낮아지면 $p$와 $f$의 값은 가까워진다. = 도산능(逃散能)(98)

**퓨징** Fusing

프린트 배선기판의 제조 공정 중, 유체패턴 상의 땜납도금을 용융 시킨 후, 재응고 시키는 것을 발한다. = 땜납 퓨징(112)

**퓸** Fume ◘ 흄(647)

**프레스 가공** Press Working

형 또는 공구를 취부한 프레스 기계에 의해 재료를 변형 가공하는 작업을 말한다. 프레스 가공은 목적에 따라 구분하면, (1)타발, (2)굽힘, (3)조임, (4)성형 가공, (5)특수 가공이 있다. 특수 가공에는 (1)충격압출 가공, (2)인장성형 가공 등이 있다. 프레스 가공은 넓은 의미로는 블록상 소재의 단조, 전단, 분말재료의 성형 등도 포함되지만, 좁은 의미로는, 판재 성형(판금 가공)의 경우를 말한다.

**프레온** Freon

미국의 듀퐁사의 프론의 상품명 ◘ 프론(592)

**프레이즈반** Milling Machine

원통의 외주 또는 단면에 몇 장의 절단 칼날을 설치한 회전절삭공구를 프레이즈(Milling Cutter)라고 한다. 프레이즈반은 프레이즈를 사용하여, 평면깍기, 홈깍기 등의 절삭 가공을 실시하는 공작 기계로, 프레이즈는 주축에 취부하여 회전운동을 하고, 피공작물은 송급운동을 한다. 선반과 함께 널리 이용되는 공작기계로, 횡프레이즈반, 만능프레이즈반 등이 있다.

**프레팅 마모** Fretting Wear

미동 마모 또는 미습동 마모(Fine Abrasion)이라고도 한다. 접촉하는 고체 표면이 서로 극히 작은 진동으로 인해 마찰이 일어날 때 발생하는 마모 현상이다. 접촉면에 마찰열은, 500℃ 정도가 되며, 순간적으로는 1000℃ 까지 된다고 알려져 있다. 접촉면이 산화되어 부식이 진행됨에 따라 국부적으로 현저하게 손상을 받는다. 대책으로써, 윤활제의 사용, 산화되지 않는 분위기(공기나 불화성 가스중)에서의 사용 등이 있으며, 접촉면에 금, 은, 동, 주석 등의 연질도금을 실시하는 경우도 있다. 고체 윤활제 등을 포함한 복합도금의 효과가 크다. = 미습동 마모(153), 찰과 마모(499)

**프레팅 부식** Fretting Corrosion

공기 중에 금속과 그것에 접촉되는 금속 또는 다른 물질과의 접촉면에서 미동이 발생하였을 때, 금속표면에 생기는 손상을 말한다. 일반적으로 변색을 수반한다. = 찰과 부식(499)

**프로그램 제어** Program Control

자동 제어의 방법에는 프로그램 제어, 조건 제어, 시한 제어 등이 있다. 프로그램 제어는, 목표치가 미리 설정된 프로그램을 시간의 경과에 따라 행하는 제어이다. 예를 들어, 노내 온도의 가열·냉각의 일정한 변화를 행할 때, 시계장치나 캠 등의 기구를 이용하여 목표치의 설정 프로그램을 시간적으로 변화시킨다.

**프로세스 제어** Process Control

온도, 유량, 농도 등, 공업 프로세스의 상태를 표시하는 량의 제어를 말한다. 예를 들어, 무전해 도금액의 농도, 온도 등, 프로세스의 상태를 규정되어 있는 값으로 유지하는 것은 균일한 도금제품을 얻기 위해 중요한 일이다. 프로세스 제어의 거의 모두는 피드백 기능을 갖는 자동 제어이다.

**프론** Flon

메탄, 에탄 등의 불소 치환체의 총칭이다. 많은 경우 불소 이외에는 염소를 함유하고 있기 때문에 클로로플루오로카본이라고도 불린다. 세정용으로 프론-113($CCl_2FCClF_2$)이 이용된다. 클로로플루오로메탄($CCl_2F_2$나 $CHClF_2$)은 냉장고, 쿨러 등의 냉매, 또는 살충제나 화장품의 에로졸용 분무제로써 널리 이용되고 있다. 상품명에는 미국의 프레온(Freon, 듀퐁사), 일본에서는 다이프론(Daiflon, 다이킨공업) 등이 있다. 프론이 비분해성이기 때문에 그대로 성층권까지 확산하여 오존층 파괴의 가능성이 지적되어 에로졸용으써의 사용은 금지되는 경향이다. 또, 한 편으로 오존층을 파괴하지 않는 프론의 개발이 진행되고 있다. 그리고, 프론은 불소수지의 원료가 된다.

**프루베 도(圖)** Pourbaix Diagram ◘ 전위-pH도(458), 부식삼각형(198)

**프리 딥** Pre-Dip

프린트 배선기판에의 무전해 도금의 전처리공정에서 촉매처리 전의 희염산 등에 침적시키는 것을 말한다.

**프리 시안** Free Cyanide

도금욕 중의 금속분을 시안착염으로 하는데 필요한 양 이상의 청화물을 말한다. 존재량은 $CN^-$이온, NaCN, KCN 등으로 환산한 농도(g/ l 또는 mol/ l )로 표시한다. $HCN \rightleftharpoons H^+ + CN^-$의 전리의 평형정수는,

$\frac{[H^+]}{[HCN]} = 10^{-9.4}$이며, 변형하면, $\frac{[CN^-]}{[HNC] = 10^{(pH-9.4)}}$ [ ] ; mol/l이 되며,

pH가 낮아지면 $[CN^-]$은 작아지고 [HCN]은 크게 증가한다. 한편, HCN은 불점 25.7℃의 액체이며, 액 중에서 용이하게 증발한다. 따라서 낮은 pH(및 pH 10 이하)에서 프리 시안은 액 중에서 안정되게 존재하기 어렵다. 따라서 프리 시안이 안정되게 존재하기 위해서는 고알칼리성 도금액 뿐이다. 산성이나 중성의 금도금액, 중성의 은도금액 중에서 각각 금이나 은의 착이온은 안정되어 있지만, 프리 시안은 불안정하여 증발하기 때문에 가용성 아노드는 사용할 수 없다. = 유리 시안(392)

**프리 에칭** Pre-Eching

에칭처리를 용이하게 행하기 위해, 미리 피가공물을 유기 용제에 침적시켜 놓는 방법을 말한다.

**프리코트** Precoat

여과속도의 증가와 여과의 정밀도 유지, 여과지의 막힘을 방지하고 여과지의 세정 주기를 길게 하기 위해 여과조제를 사용하며, 여과조제의 사용방법에는 프리코트법(여상(濾床) 생성법)과 보디법(조제 혼합 여과법)이 있다. 프리코트법

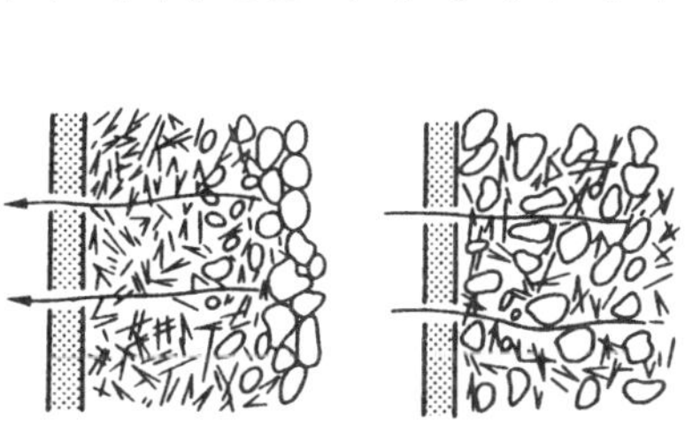

(a) 프리코트법 (여상생성법)　　(b) 보디법 (조제 혼합여과법)

프리코트

은 여과지 위에 여과조제를 적층시킨 후 여과를 행하는 방법으로, 보디법보다 여과지의 막힘이 적고, 여과지의 세정 주기가 길며, 여과지의 세정이 쉽다. 도금에서는 연속여과에 프리코트법이 사용되고 있다. = 여상생성법 ◘ 보디법(187)

**프린트 배선기판** Printed Wiring Board; Printed Circuit Board

인쇄 배선판, 또는 프린트 배선판이라고 한다. 약칭하여 PWB 또는 PCB라 한다. 플라스틱이나 유리 등의 절연물로 된 기판 위에 인쇄에 의해 평면적으로 만든 회로를 프린트 회로라 부르며, 절연물에 부착한 얇은 동판에 사진 제판이나 스크린 인쇄로 배선을 인쇄하여 불필요한 부분의 동을 부식(에칭)시켜 제거한 것을 프린트 배선이라고 한다. 프린트 배선기판의 제조방법의 종류는, (1)에치드 호일(Eched Foil)법(또는 서브트랙티브(Subtractive)법), (2)애디티브(Edditive)법, (3)세미 애디티브(Semi-Edditive)법, (4)다이 스탬핑(Die-Stamping)법, (5)더스톤(Duston)법, (6)멀티 와이어(Multi wire)법 등이 있으며, 가장 일반적인 제조방법은, 에치드 호일법에 의한 동쓰루 홀법을 주체로 한 일부 땜납 쓰루 홀법이다 = 인쇄 배선판(425), PWB(599), PCB(607)

**플라스티졸** Plastisol

가열 건조형 도료의 일종에 속하는 비닐졸 도료로, 도금용 행거, 치공구의 절연 코팅의 일반명으로써도 이용되고 있다. 졸이란 콜로이드 용액을 말하며, 플라스틱졸은, 연질경화비닐에 내약품성제, 안정제 등을 첨가한 졸로, 용제는 함유하지 않는다. 용제를 함유한 것은, 올가졸이라고 한다. 이것을 행거나 치공구에 도포하고, 180~200℃로 가열하여 졸화시켜 2~5㎜ 두께의 절연피막을 만든다. 이 작업을 졸코팅이라고 한다. 비닐졸은 금속에 직접 도포하면 밀착성이 나쁘기 때문에, 플라이머로써 미리 금속과 밀착하기 쉬운 에폭시계의 졸을 하지에 바르고, 그 위에 탄력성이 좋은 염화비닐 졸을 도포한다. 그리고, 에폭시계의 졸만으로는 경질이기 때문에 스프링부에 균열이 생기기 쉽다. ◘ 졸(480), 겔(19)

**플라스틱** Plastics ◘ 합성수지(619)

**플라스틱 소지의 전기도금** Electroplating on to the Plastic Substrates

플라스틱에 도금을 하기 위해서는 플라스틱 표면을 화학적으로 조화(粗化)시키는 에칭처리를 하고 난 후, 무전해도금을 하여 도금의 밀착을 향상시키는 공정이 필요하다. 예를 들어, ABS수지 소지 상의 전처리공정은, 정면(整面) 세정→에칭→중화→산처리→촉매(Catalyst) 침적→액셀러레이터(Accelerator) 침적→무전해도금(동도금, 또는 니켈도금)이다. 이상의 처리약품은 모두 시판(한 세트로 되어 있는 것이 많다)되고 있다. 그리고, 상기 화살표 중에는 모두 수세 공정이 포함된다. ◘ ABS 수지(332)

**플라즈마** Plasma

아크 방전의 전극간 기체, 방전관(형광등 등)내의 발광부분, 전리층 등의 대기층, 태양의 코로나 등과 같이 고도로 전리된 기체를 말하며, 물질의 제4태라고도 불린다. 일정 간격으로 거리를 유지하여 양극간에 아크를 발생시켜 그 곳에 아르곤, 수소, 질소 등을 압입하면 해리된 이온, 전자가 서로 충돌하여 방사선을 내며 백열화된다. 이것을 고온염(플라즈마 제트)으로 만들어, 용단, 용접 등 외에 산화지르콘 등의 내열재의 용사에 사용된다. 또, 플라즈마 에칭, 플라즈마 CVD 등, 전자기계를 중심으로 플라즈마의 응용분야는 확대되고 있다.

**플라즈마 에칭** Plasma Eching

반도체 디바이스나 IC제조에 사용되는 기술로 습식에서는 에칭이 곤란한 질화규소($Si_3N_4$) 등을 불화규소($CF_4$) 가스 등의 플라즈마를 사용하여 에칭하는 방법을 말한다. 전장에서 플라즈마 중에 이온을 가속시켜 에칭하는 방법을 반응성이온 에칭이라고 한다. 전자 사이클로트론 공조(ECR)현상을 이용하여 저가스압화, 고이온화로 발전하는 등, 기술적으로 눈에 띄게 진보하고 있다.

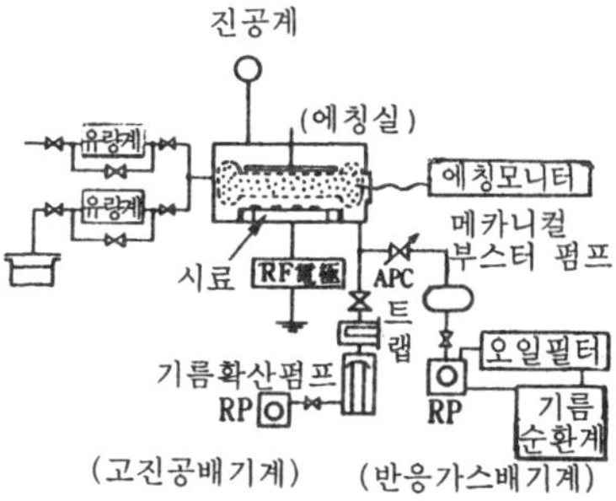


반응성이온 에칭장치

플라즈마 에칭

**플라즈마 발광분광 분석** Plasma Photospectrometry

발광분광 분석의 광원으로써, 종래의 아크법이나 스패터법 대신에 플라즈마 광원을 이용하는 방법을 말한다. (1)직류 플라즈마법(DCP) : 아크법을 개량하여 플라즈마의 안정화를 꾀한 방법. (2)마이크로파 유도 플라즈마법 : 석영관 안에 흐르는 헬륨에 20~100W의 마이크로파를 공급하여 플라즈마를 생성시키는 방법. (3)고주파 유도결합 플라즈마법(ICP) : 삼중 석영관의 아치에 아르곤을 흘려, 상부에 감겨 있는 코일에 고주파를 1kW 정도 공급하여, 이것에 아르곤을 여기, 전리시켜 플라즈마를 발생시키는 것으로 현재 가장 널리 사용되고 있다. 감도가 높고, 공존원

소의 영향이 적다 ◘ ICP 분광분석(299)

**플라즈마 CVD** CVD Process Using Plasma

플라즈마에 의해 반응가스를 분해하여 목적하는 물질의 박막을 기판 상에 퇴적(석출)시키는 방법을 말한다. 전자재료로의 CVD에 이용되며, 연속장치도 개발되어 있다. 기술적 진보는 플라즈마 에칭과 같다. ◘ CVD(286)

**플라즈마 용사** Plasma Spraying

플라즈마 아크 중에 각종 용사재 분말(금속, 세라믹)을 공급하여 행하는 용사를 말한다. 가스는 질소+수소, 아르곤+헬륨, 아르곤+수소 등이 사용되며, 용사재료에는 Al, Cu, Ni, W, Ni-Cr, 탄화물, 서미트(금속+세라믹), 붕화물, $Al_2O_3$, $ZrO_2$ 등의 분말이 시판되고 있다. ◘ 감압 용사(13)

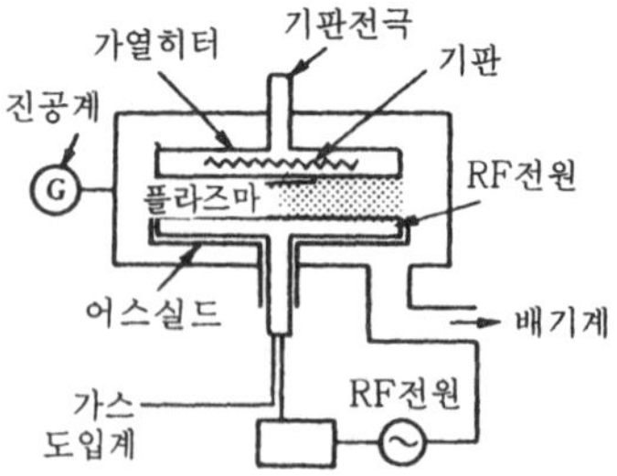

플라즈마 CVD장치

플라즈마 CVD

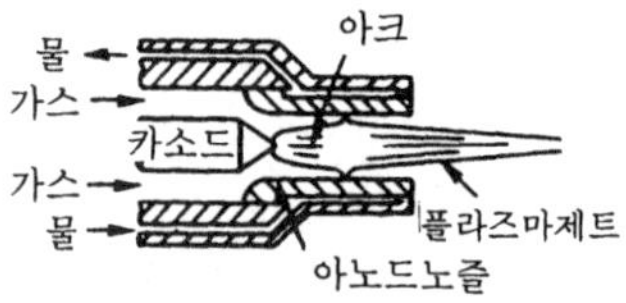

전형적 직류 플라즈마 토치의 전극구성

플라즈마 용사

**플라즈마재** Plasma Ashing

반도체 디바이스나 IC를 제조할 때 반도체 웨이퍼 상의 레지스트막을 제거하는데 산소 플라즈마를 이용하는 방법을 말한다. 유기 용제나 무기산을 사용하면 하지재료와의 반응으로 인해 패턴의 결손을 일으키기 쉽지만, 이 방법은 그런 염려가 없다.

**플라티나** Platinum ◘ 백금(174)

**플래니미터** Planimeter ◘ 면적계(141)

**플래드 전위** Flade Potential

Fe, Ni, Cr 등, 부동태화 되기 쉬운 용액과의 조합으로 부동태화 할 때,

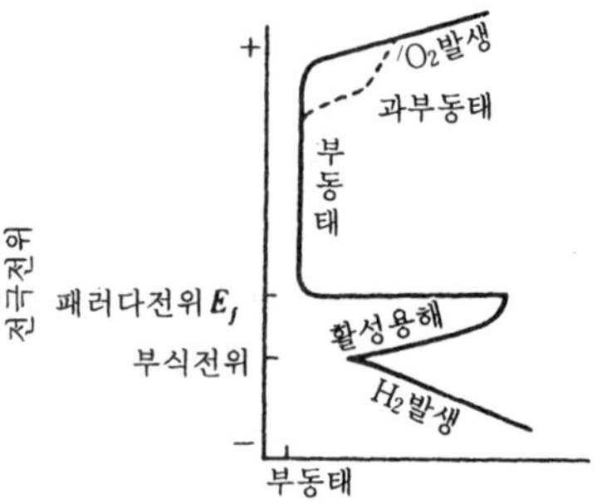

유지 전류밀도 ip 전류밀도의 대상 금속 · 합금의 분극곡선

플래드 전위

부동태화가 시작되는 전위를 발견자(F. Flade)의 이름을 따서 플래드 전위라고 한다. 전위는 낮은 쪽에서 높은 쪽으로 흐르면, 일단 증대된 전류가 급감하는데 이것은 산화물이 극히 얇은 피막을 생성하기 위해서라고 알려져 있다. 금속의 내식성을 판단하는 하나의 수단이다. 또, 도금의 가용성 아노드의 부동태화를 예방하기 위한 것, 전해연마의 가능성을 알기 위해서도 자주 측정된다. 그림에서 $E_F$가 플래드 전위이고, $i_P$는 부동태유지 전류밀도라 부른다. = 부동태화 전위 ◘ 부동태(195)

**플래시** Flash, Burr

금속재료의 선단 가공에서 공구의 날이 닿지 않은 부분에 생기는 칼날 형상의 돌기를 말한다. 또, 형단조(型鍛造)에서 금형의 맞닿는 면의 틈새에서 재료의 판상으로 돌출되어 나온 부분을 플래쉬라고 한다. 플래쉬를 버프라고 하는 경우도 있다. 제품에 남아 있는 플래쉬는 손에 상처를 내기도 하고, 도금불량의 원인이 되기 쉽기 때문에 도금 전에 제거해 놓아야 한다. ◘ 버(176)

**플래시 도금** Flash Plating; Flash

극히 단시간에 행하는 얇은 도금을 말한다. 예를 들어, 동, 황동 등이 모형으로 전주(電鑄)를 행할 때, 그 모형(母型)에 크롬의 플래시 도금을 하여 전주품의 박리를 좋게 한다. 또, 마이크로포러스 크롬도금을 얻기 위해서 행하는 콤포지트 니켈도금은 1~2분간의 플래시 도금이다. 그 외, 표면 청정도를 판정하는 방법으로써, 니켈의 플래시 도금을 하여 도금표면의 광택을 관찰하는 경우도 있다.

**플래시 아연도금** Flash Zinc Plating

아연-니켈합금 도금으로 니켈함유량이 많을 때에는 도금 후에 크로메이트 처리가 어려워진다. 대책으로써는, 아연-니켈합금 도금 후에 아연도금을 얇게 실시하여 크로메이트 처리가 용이하게 될 수 있도록 하는 것이다. 이것을 플래시 아연도금이라고 한다. ◘ 아연-니켈합금 도금(291)

**플래시 프린트 배선판** Flash Printed Wiring Board

도체의 표면이 절연 기판의 표면과 단차가 없이 동일한 평면으로 되어 있는 프린트 배선기판을 말한다.

**플랩 휠** Flap Wheel

금강사 연마에 이용하는 버프의 일종으로, 짧게 자른 연마포를 방사상으로 고정 링에 달려 있다.

**플럭스** Flux

①금속이나 광석의 용해 시에, 협잡물과만 반응하여 별도의 용융체를 형성하여 상층부에 떠오르는 재료를 말하며, 철강의 경우에는 석회석, 규석, 알루미나 등이 있다. ②열처리, 용접, 납땜 등으로 녹 제거, 활성화, 산화방지 등을 위해 첨가하는 약품을 말한다. 납땜 시에는 염화아연, 송진 등이 사용된다. 프린트 배선기판에서는 수용성의 플럭스가 사용되는 경우도 있다. = 용제(380), 매용제(136)

**플럭스-리지드 프린트 배선기판** Flex-Rigid Printed Wiring Board

경질의 프린트 배선기판과 플렉시블 배선기판을 접속시켜, 일체화한 프린트 배선기판을 말한다.

**플런저 펌프** Plunger Pump

용적형의 왕복식 펌프로 원통형의 실린더 내에 플런저(봉이 달린 피스톤)를 왕복 운동시켜 실린더 내부의 물을 송출하는 펌프를 말한다. 소수량, 고압에 적합하며, 급수용으로써 보일러 수압기 등에 사용된다. 또, 정용량 펌프로써 보일러 부수처리, pH 자동조정기 등의 약액 주입용으로써 사용된다.

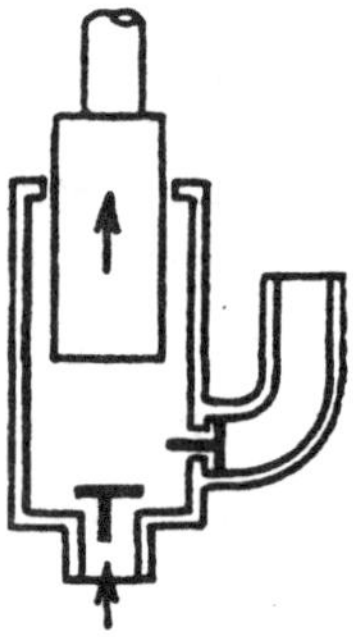

플런저 펌프

**플레이트 아웃** Plate Out

무전해 도금욕의 불안정성, 또는 분해에 의해 금속이 목적 이외의 장소에서 석출되는 것

**플레이팅 업**

프린트 배선기판의 제조공정에서 사용되는 용어로, 미리 무전해 동도금 등으로 도전성을 주어 절연기판 또는 공벽(쓰루 홀)의 표면에 도체 패턴을 전기도금으로 두껍게 도포하는 것을 말한다.

**플렉시블(연질) 프린트 배선판** Flexible Printed Circuit (Wiring) Board

유연성이 있어 구부러지기 쉬운 절연 기판을 사용한 프린트 배선기판. 내열성을 요구할 때는, 폴리마이드(Polyimide) 필름이 이용되며, 내열성이 필요 없을 때는 폴리에스테르(Polyester) 필름이 많이 이용된다.
= FPC(336)

**플로우 솔더링** Flow Soldering

프린트 배선기판에 부품을 놓고 접착제 등으로 임시 납땜을 한 후, 순환시키고 있는 용융 땜납의 표면에 접촉시켜 행하는 납땜 방법

**플로우 시트** Flow Sheet

공정 계통도. 작업의 흐름을 알기 쉽게 그림으로 나타낸 것으로, (1)블럭 선도, (2)프로세스 플로우 시트, (3)엔지니어링 플로우 시트 등, 여러 가지 표시 방법이 있다. (1)은 기기면이나 조작명을 사각으로 만들어 물질의 흐름을 화살표로 나타낸 가장 간단한 그림이다. (2)는 기기를 약도로 표시하며, 기기의 사양, 조작조건, 계장 등을 써넣은 것이다. (3)은 (2)를 더욱 상세하게 기기의 치수, 배관의 상세함 등을 써넣은 것이다. (3)은 공정 사양서라고도 하며 도금장치 등의 설계 자료로 이용된다.

**플로트 스위치** Float Switch

액면의 상하에 따라 움직이는 플로트(부자)의 작용에 의해 전기 접점을 개폐하는 스위치를 말한다. 직접 펌프를 운전, 정지시키거나, 전자밸브를 작동시켜 액의 유입을 조정하거나, 액면을 일정하게 할 때에 사용된다. 배수 처리조, 도금 수세조 등에 이용된다.

**플루오로붕산** ◘ 붕불산(212)

**플루온** ◘ PTFE(611)

**피닝 마무리** Hammer Finish ◘ 숏 피닝(252)

**피더** Feeder

①고체, 액체, 기체의 공급장치. ②컨베어 등에 일정량씩 화물을 공급하는 장치. ③전력을 공급하는 전선(배전선). ④안테나로부터의 인입 케이블 전선.

**PWB** Printed Wire Board ◘ 프린트 배선기판(594)

**피드백** Feedback

제어계 등의 출력 일부가 입력 측으로 되돌아 와, 신호에 가해져 출력에 영향을 미치는 것으로 귀환이라도도 한다. 되돌아 온 출력에 의해 입력이 약해질 경우는 부의 피드백, 강해질 때는 정의 피드백이라고 하며, 정의 경우는 대부분이 발진회로의 기구가 되며, 하우링(마이크와 스피커의 공조)의 원인도 된다. 부의 경우는, 자동제어의 근본 기구가 된다.

**피로** Fatigue

재료에 시간적으로 변화하는 응력이 작용하면, 일정 응력이 작용한 때 보다 강도가 더 저하하는 현상을 말한다. 피로시험의 결과를 종축에 응력 S, 횡축에 파괴까지의 반복수를 N(대수 표시가 많다)으로 하여 표시한 것을 S-N곡선(S-N curve)라고 하고, 반복응력 아래에서 재료가 파괴되기까지의 반복 수 또는 시간을 피로수명이라고 한다. 또, 그 값 이하에서는 실용상 무한의 반복 수에 견디어 내는 응력을 피로한도라고 한다.

**피로 강도** Fatigue Strength

재료의 피로 파괴에 대한 저항의 총칭으로 시간강도와 피로 한도의 의미로 사용되는 경우가 많다. 기본적인 피로 강도는 재료에 의해 정해지지만, 부재의 설계에 있어서는 평균응력, 균형, 치수, 표면, 환경 등의 영향에 주의할 필요가 있다. 또 표면 경화(Surface Hardening), 예비 변형(Prestressing ; Prestraining), 표면 압연(Surface Rolling), 혹은 표면 삭제 등에 의해 피로 강도나 피로 수명의 개선을 도모하는 경우도 종종 이루어진다. 후자를 제외하면 어느 것이나 잔류 응력의 영향이 크다.

**피로 균열** Fatigue Crack

피로 파괴는 균열의 발생과 진전에 의해 이루어진다. 발생은 자유 표면, 진전은 균열 첨단에서 생기는 국소적인 비가역 슬립(미끄럼)이 원인이고, 결과로서 심한 소성 변형을 수반하는 일이 없이 파괴한다. 하중 반복마다의 균열 길이 증분 *da/dN*을 피로 균열 진전(성장·전파)속도(Fatigue Crack Growth Rate)라 하고, 파괴역학에서 취급할 수 가 있다. 피로 균열은 진전 균열이고, 소성변형, 산화물, 파면 거칠기 등의 원인에 의해 최소 하중 이상에서 균열 닫힘 (Crack Closure)이 생긴다. 그 때문에 피로 균열의 유효응력 확대계수(Effective Stress Intensity Factor)는 정지 균열의 응력 확대계수보다도 작아진다.

**피로균열 닫힘** Fatigue Crack Closure

피로 파면 근방에 잔류하는 소성 변형 등에 의해 응력이 인장임에도 불구하고, 균열면이 접촉하는 현상이다. 균열면이 접촉하고 있는 상태에서는 균열 끝에 변형 집중이 발생하지 않고, 따라서 균열이 개구하고 있는 사이의 응력 범위는 균열을 전파시키는데 조금도 유효하게 작용하지 않는다. 그 현상이 나타나지 않는 응력확대 계수범위와 피로균열 전파속도와의 관계는 응력비에 관계없이 일치한다.

**피로도** Degree of Fatigue

초기 재료의 충격값을 *Io*, 반복응력을 받은 재료의 충력값을 *I*라고 하면, 피로도=*(Io-I)Io%*이다. 일반적으로 강은 가공 경화에 의해 충격값은 감소하지만, 동등의 비철 재료에서는 가공 경화에 의해 역으로 증가하므로 피로도는 (-)이다.

**피로 변형** Fatigue Deformation

시간적으로 변동하는 하중(응력)하에서 생기는 재료의 소성 변형을 피로 변형, 혹은 반복 변형(Cyclic Deformation)이라고 한다. 고사이클 피로의 경우 피로 변형은 재료의 자유표면에 요철이 생기고, 피로 균열 발생의 원인으로 된다. 이 피로 슬립(미끄럼)띠는 표면을 가볍게 연마하여도 제거할 수가 없다. 따라서 고집 슬립(미끄럼)띠 혹은 잔존 미끄럼대(Persistent Slip Band)라고도 불린다. 피로 미끄럼대를 상세히 관찰하면 돌출(Extrusion)이나 골(Intrusion) 등의 미세한 요철이 식별된다. 저사이클 피로의 경우, 재료의 표면만이 아니라 내부에 있어서도 피로 변형이 생긴다. 특히 하중제어의 피로시험에서는 시험판은 한 방향으로만 변형해 간다. 이것을 피로 변형 혹은 사이클릭 크리프(Cyclic Creep)라고 할 수 있다.

**피로 손상** Fatigue Damage

재료가 반복 응력을 받게 되면 응력과 반복 횟수에 따라 전위의 비가역 운동 등에 기초한 피로에 의해 특유의 금속 조직이 형성된다. 이것을 재료가 피로 손상을 받는다고 말한다. 거시적인 피로 손상을 포착하는 방법은 다음과 같다. 즉, 파단 수명에 대한 반복 횟수의 비를 피로 손상량이라고 부르며, 여러 가지 응력 레벨에 대해, 이들 값의 총합이 1이 되면 파단한다고 생각하는 것을 직선 피해측이라고 말하며, 변동하중 하의 수명 추정이 행해진다.

**피로 수명** Fatigue Life

반복응력을 받은 재료가 파괴될 때까지 받는 반복 횟수이다. 이 값은 응력 또는 왜곡이 큰 만큼 작아진다. 응력과 피로 수명과의 관계를 나타낸 그림을 S-N선도라고 부른다.

**피로시험** Fatigue Test

재료의 피로 크기를 평가하기 위해 행하는 시험이다. 일반적으로 일정한 진폭의 반복응력을 시험편에 가해, 파괴될 때까지 반복 횟수를 구하고, S-N선도를 그린다. 부하형식에 따라, 회전축 피로시험, 축하중 피로시험, 비틀림 피로시험, 구부러짐 피로시험이 있다. 그리고 파괴 반복 횟수가 1만회 정도 이하의 낮은 사이클 피로는, 축변형 진폭을 일정하게 하여 행한다. 또, 실물에 가까운 응력 파형을 사용하는 변동하중 피로시험, 무질서하중 피로시험도 행해진다.

**피로시험기** Fatigue Testing Machine

피로시험기는 피로시험을 시행하기 위한 전용의 시험기이다. 하중형식에 따라 회전굽힘 피로시험기, 평면굽힘 피로시험기, 인장압축(축하중) 피로시험기, 변형 피로시험기, 조합응력 피로시험기 등이 있다. 하중 부하방식으로서는 중추식, 크랭크식, 전자식, 유압식 등이 대표적이다. 동하중의 정도, 안정성, 내구성이 요구되고, 또 반복 속도를 높히기 위한 연구가 이루어지고 있다.

**피로인산** Pyrophosphoric Acid $H_4P_2O_7$.

이인산이라고도 한다. 올트인산($H_3PO_4$)을 200~300℃로 가열하면, 다른 축합(縮合)인산과 함께 생성된다. 통상 피로인산나트륨염으로써 시판된다. 피로(초성)는 올트인산의 탈수를 의미한다. = 이인산(417)

**피로인산 동** Copper Pyrophosphate $Cu_2P_2P_7 \cdot 3H_2O$.

담청색 분말로, 물에는 불용성이며, 도금욕으로 할 경우, 피로인산 동과 피로인산 칼륨을 반응시켜, 수용성 착염으로써 피로인산 동도금에 사용한다. 피로인산 동칼륨을 물에 용해시킨 것이 시판되고 있다.

$$3K_4P_2O_7 \rightarrow 2K_6Cu(P_2O_7)_2$$

(피로인산 동칼륨)

**피로인산 동도금욕** Copper Pyrophosphate Plating Bath

피로인산동도금욕

| 성 분 | 범 위 | 표 준 |
|---|---|---|
| 피로인산 동도금$Cu_2P_2O_7 \cdot 3H_2O$ | 65~105g/l ) | 80g/l |
| (동 분) | (22~36g/l ) | (30)g/l |
| 피로인산 칼리 $K_4P_2O_7$ | 230~370g/l | 270g/l |
| P 비($P_2O_7$/Cu) | 6.4~7.0 | 6.8 |
| pH(pH 미터) | 8.6~9.0 | 8.7 |
| 암모니아수 $NH_4OH$ | 2~4 | 3㎖/l |
| 음극 전류밀도 | 2~6A/dm$^2$ | 4A/dm$^2$ |
| 양극 전류밀도 | 1~3A/dm$^2$ | 2A/dm$^2$ |
| 온 도 | 50~60℃ | 57℃ |

피로인산 동도금욕

비시안 동도금으로써, 피로인산 동도금과 황산 동도금이 사용되고 있다. 피로인산 동도금은 균일 전착성이 좋기 때문에 프린트 배선기판의 쓰루홀 도금에 적합하다. 장점은 균일 전착성이 좋다, 핀홀이 적다, 소재로의 침식이 적다, 침탄 방지에 유효하다 등이다. 단점으로써는 철강소지에 직접도금이 곤란하다, 2가의 동에서의 석출, 시안화 동도금보다도 도금속도가 느리다, 배수처리가 조금 곤란하다, 평활화 작용이 다른 동도금보다도 떨어진다, 도금욕의 관리가 다른 동도금보다도 곤란하다, 다른 동도금에 비해 가격이 비싸다는 점 등이다. 도금욕은 시판되고 있는 피로인산 동칼리액($K_6Cu(P_2O_7)_2$)을 사용하면 물에 엷게 하는 것만으로도 도금욕이 된다. 또, 이 액을 보급용으로 사용하며, P 비와 pH의 변동을 적게 할 수 있다. ◘ P 비(605)

**피로 파괴** Fatigue Fracture

반복하중을 받으므로 구조물에 생기는 응력도 변동한다. 변동하는 응력의 상한치가 재료의 인장강도 등에 비하여 아주 적어도 소성 변형을 일으켜 파괴되는 것이 있다. 이 현상을 피로 파괴라 한다.

**피로 파괴 인성** Fatigue Fracture Toughness

피로 균열 전달속도가 응력 확대계수 범위의 큰 영역에서 급속히 증대하는 상한의 응력 확대계수를 나타낸다. 이 값은, 단조 증대 하중을 가할 때 균열이 성장하는 하한의 응력 확대계수, 즉 파괴인성에 비해 작게 된다는 보고가 있으며, 한가지의 재료특성으로서 구하고자 하는 시도가 있다.

**피로 파면** Fatigue Fracture Surface

재료가 반복해서 응력을 받아 파괴된 파면을 피로 파면이라고 한다. 마크로적으로는 재료 표면의 결함 또는 인공 절단 등으로 발생한 균열이 성장해, 나머지 단면이 응력을 견디지 못하고 급속히 파괴되어 형성된다. 미크로적에서는 대표적인 특징으로서 스트라이에이션이 나타나는 경우가 많다.

**피로 한도** Fatigue Limit

S-N곡선의 수평부는 무한회의 반복 수에 견디는 응력의 상한계이고, 이것을 피로 한도 혹은 내구 한도(Endurance Limit)라 한다. 피로를 고려하여 설계할 때에는, 피로 한도를 기준으로 하는 수가 많다. 철강에서 대표되는 체심입방 격자나 조밀육방 격자의 금속합금은 106-107회의 반복수에서 피로 한도를 나타낸다. 그러나 알루미늄 합금에서 대표되는 면심입방 격자의 금속합금은 108회의 반복 수에서도, 아직 S-N곡선에 수평부가 나타나지 않는다. 이와 같은 경우, 특정의 반복 수(통상은 107 혹은 108회)에 대한 시간강도를 피로 한도라 하는 수가 있다. 강철에서는 열변형 시효의 영향이 크다. 또 다결정 금속재료에서는 피로 한도에서 이미 피로 균열이 발생되고 있는 경우가 많다. 이것을 미시적 정류균열이라 한다. 따라서 피로 한도는 균열진전 한계응력으로 간주할 수가 있다. 피로 한도가 어느 정도의 강도 레벨까지는 인장강도, 항복점 굳기에 비례하여 증대한다. 그러나 충격치와는 그다지 상관이 없다. 또 일반적으로

피로 한도는 응력 진폭으로 표시하고, 양진(평균응력=0, 응력비=-1)의 결과를 기준으로 한다. 평균 응력이 있는 경우에는 그 영향을 피로 한도 선도를 표시한다.

**피로 한도비** Fatigue Limit Ratio

피로한도의 인장강도에 대한 비를 피로 한도비라 하며, 재료의 피로강도의 대략적인 가늠이 된다. 즉, 순금속의 평활시험편의 회전 굽힘에 의한 양진의 피로한도 $\sigma_{wo}$는 결정구조에 강하게 의존하지만, 인장강도 $\sigma_S$에 대하여 다음 식의 관계에 있다. 체심입방 격자 : $\sigma_{wo}/\sigma_B$=0.5-0.8 면심입방, 조밀육방 격자 : $\sigma_{wo}/\sigma_B$=0.3-0.4 합금의 경우에도 동일의 주체금속에 대하여 석출 경화형은 고용경화형의 것에 비교하여 피로강도는 낮게 되지만, 일반적으로 피로강도는 인장강도에 대하여 어느 레벨까지는 거의 비슷하게 나타낸다. 강의 경우 평균적으로는 $\sigma_{wo}/\sigma_B$=0.4-0.5 정도이지만 조직, 강도 레벨에 의존한다. 특히 제2상 입자의 체적 함유율(Volume Fraction of Second Phase)과 비금속 개재물(Non-Metallic Inclusion)의 영향이 크다.

**피로 한도 선도** Fatigue Limit Diagram

일반적으로 피로 한도는 응력 진폭으로 표시되고, 양진(평균응력=0, 응력비=-1)의 피로한도 $\sigma$w를 기준으로 한다. 평균응력이 있는 경우에는 종축에 응력 진폭, $\sigma$s횡축에 평균 응력 $\sigma$m을 취하고, 피로 한도를 표시한다. 이것을 피로 한도 선도 혹은 내구 한도 선도(Endurance Limit Diagram)라고 한다. 후자는 반복 수를 파라미터로 하여 시간강도를 포함한 표시를 의미하는 경우도 있다. 인장 평균응력은 피로 한도를 저하시키고, 압축 평균응력은 피로 한도를 증대시킨다. 실험 결과는 아래 실험식에서 근사되는 경우가 많다. $\sigma/\sigma_w=1-(\sigma_m/\sigma_0)n$ 여기서 $n$ 및 $\sigma_0$는 재료정수이고, $n$=1, $\sigma_r=\sigma_B$(인장강도)의 경우를 수정 구드만 선도(Modified Goodman Diagram), $n=2$, $\sigma_0=\sigma_B$의 경우를 거버 선도(Gerber Diagram), n=1, $\sigma$0=$\sigma$ys(항복응력)의 경우를 소더버그 선도(Soderberg Diagram), $n=1$, $\sigma_0=\sigma_t$(진파단 응력)의 경우를 $\sigma_a$-$\sigma_T$선도라 한다. 또 무차원화한 $\sigma_a/\sigma_W$-$\sigma_m/\sigma_0$관계를 R-M선도(Range of Stress-Mean Stress Diagram)라 하는 수가 있다. 종축에 최대응력과 최소응력, 횡축에 평균응력을 취한 피로 한도 선도 및 종축에 평균응력, 횡축에 최소응력을 취한 피로 한도 선도도 종종 사용된다. 또 열처리나 가공 등에 의해 생기는 잔류응력이 피로 한도에 미치는 영향은, 평균응력의 영향과 같은 것으로 취급할 수가 있다. 피로 한도 선도는 횡축에 평균응력 대신에 잔류응력을 취하여 표시한다.

**피리딘-피라졸론법** Pyridine-pyrazolone Process

시안 이온의 정량법의 하나이다. 시안을 가열 증류시켜 수산화나트륨 용액에 흡수시켜, 그 일부를 초산으로 중화시킨 후, 크로라민 T용액을 가해 염화시안으로 하고, 이것에 피리딘-피라졸론 혼액을 가해 발생되는 청색의 흡광도를 측정한다.

**피복력** Covering Power

전기도금욕의 도금 초기에 저전류밀도 부분까지 하지표면을 도금금속으로 커버할 수 있는 능력을 말한다. 피도금물의 깊이 패인 부분이나 관내부의 내면 등의 극히 저전류밀도 부분까지 도금이 되는 것은 부식, 장식 그 외의 기능상에서도 중요하며, 이 능력이 높은 욕을 도금상태가 좋은 도금욕이라고 한다. 이 경우, 도금면의 도금두께 분포는 생각하지 않는다. ◘ 커버링 파워(524), 균일 전착성(52)

**P 비** P Ratio

피로인산 동도금욕 중의 동이온($Cu^{2+}$)과 피로인산 이온($P_2O_7^{4-}$)의 중량비율을 P 비라고 한다. 피로인산 동도금욕은 피로인산 동과 피로인산 칼륨을 주성분으로 한다. $Cu_2P_2O_7+3K_4P_2O_7 \rightarrow 2K_6Cu(P_2O_7)_2$. 이 착화반응에 의해 발생된 피로인산 동칼륨은 일반적으로 불안정하여 이것을 안정화시키기 위해서는 과도한 유리피로인산 칼륨을 공존시킬 필요가 있다. 유리 피로인산 칼륨은 30~40g/$l$가 필요하며, 이 관리를 P비=$P_2O_7^{4-}$(g/$l$)/$Cu_2$+(g/$l$)에서 행한다. 적정한 P비는 장식용도금에서는 6.4~7.0, 프린트 배선기판의 쓰루 홀용 도금에서는 7.0~8.5, 아연 다이캐스트 등의 스트라이크용 도금에서는 10~12에서 관리된다.

**PVD** Physical Vapor Deposition

드라이 플레이팅이라고도 한다. 진공 중에 금속을 기화시켜 기화된 금속원자가 산화하지 않은 채, 방해물 없이 피도금물에 도금이 된다. (1)진공증착법, (2)스패터링법, (3)이온 플레이팅법으로 분류된다. PVD법은 알루미늄, 티탄이나 고융점 재료의 도금이 가능하고, 진공 중에 금속과 비금속 원자를 이온화하여 반응시키면, 탄화 티탄, 질화 티탄, 알루미나, 질화 알루미늄, 탄화 규소 등의 내마모성, 내열성, 그 외 기능성이 있는 화합물 피막을 도금할 수 있다. ◘ 드라이 플레이팅(105), 진공 증착(492), 스패터링(271), 이온 플레이팅(416)

드라이 플레이팅법의 비교

| | | 진공 증착 | 스패터링 | 이온 플레이팅 |
|---|---|---|---|---|
| 증발금속 | 저융점금속 | 용 이 | 가능(타겟을 충분히 수냉함) | 용 이 |
| | 고융점금속 | 가(전원가격이 높다) | 용 이 | 가(전원가격이높다) |
| | 합 금 속 | 어렵다 | 용 이 | 가 능 |
| | 금속의 공급 | 매회 추가 또는 교환 | 장기간 연속사용 가능 | 매회추가 또는 교환 |
| 막의 성질 | 막생성 속도 | 우 수 | 빈약(물질에 따라 차이가 큼) | 양 호 |
| | 핀 홀 | 적 다 | 극 소 | 적 다 |
| | 기재와의 밀착성 | 가 능 | 양 호 | 우 수 |
| | 마 스 킹 성 | 우 수 | 어렵다 | 어렵다 |
| 경제성 | 진 공 도 | 진공관(10-2Pa이하) | 중진공(10~2Pa) | 중진공(25~0.5Pa) |
| | 조 작 성 | 양 호 | 우 수 | 가 능 |
| | 생 산 성 | 우 수 | 빈 약 | 양 호 |
| | 장 치 가 격 | 저가~고가 (증발원의 선택에 따라 차이가 큼) | 조금 고가 | 조금 고가 |

PVD

**PVC** Polyvinyl Chloride ◘ 폴리 염화비닐(582)

**PVA** Polyvinyl Alcohol ◘ 폴리비닐 알코올(581)

**PBT** ◘ PBTP(후항)

**PBTP** Polybutyleneterephthalate

폴리부틸렌 텔레프탈레이트. 엔지니어링 플라스틱의 일종. 강인하고 유리섬유로 강화시키지 않아도 어느 정도의 강인성을 얻을 수 있다. 뛰어난 내피로성을 가지고 있으며, 내열성도 좋다. 내마모성도 양호하며, 자기윤활성이다. 흡수가 적고 내산성, 내유성도 좋다. 전기특성이 뛰어나며, 내후성도 좋으나, 내열수, 내알칼리성은 좋지 않다. 염소화 탄화수소에 침해당한다. 카메라, 시계의 케이스, 사무용 기기, 자동차 부품, 전기 공구, 커넥터, 스위치, 밸브, 단자판 등에 이용된다. = PBT(전항)

**피삭(被削)성** Machinability

재료의 연마 용이도를 말한다. 평가 방법은 절삭 공구의 닳은 정도, 절삭 저항의 크기, 절삭 찌꺼기의 발생 정도, 마무리면의 거침 등으로부터 피삭성을 평가한다. 거친 가공에서는 절삭 공구의 닳는 정도와 절삭 저항의 크기가 중요시 되며, 마무리 가공에서는 절삭 찌꺼기의 발생 정도와 마무리면의 거칠기가 중요시된다.

**피쉬 스케일** Fish Scale

피쉬 스케일이란 소입한 고속도강의 파면에 나타나는 일종의 물고기 비늘 모양의 파면을 말한다. 이 파면은 또 대리석상으로도 보이므로 Marble Fracture라고도 불린다. 피쉬 스케일은 소입 전의 열처리 또는 기계 가공에 의해 임계 변형을 받은 고속도강이 그 후의 소입에 의해 발생된 일종의 결정립의 성장이다. 피쉬 스케일의 발생을 방지하기 위해서는 소입 전에 소둔을 충분히 행하는 것이 필요하다. 피쉬 스케일은 SKH 2 고속도강보다도 SKH 51과 같은 저텅스텐의 고속도강에 특히 발생되기 쉬운 현상이다. 피쉬 스케일은 소둔만으로 이것을 소실시킬 수는 없다. 즉, 고온 가공에서 결정립의 미세화를 행한 후, 소둔을 실시하지 않으면 안 된다. 피쉬 스케일이 발생된 고속도강은 경도에는 별로 변화가 없지만, 일반적으로 무르기 때문에 이 결함이 발생되지 않도록 열처리를 할 필요가 있다.

**PC** Polycarbonate

폴리카보네이트. 엔지니어링 플라스틱에 속하며, 강인성으로 특히 충격강도가 크다. 내열성이 크고, 저온특성도 좋으며(135~-100℃), 빛에도 안정되어 있고, 가공시의 산화가 적다. 전기특성이 뛰어나며, 투명하고, 치수안정성 및 내후성도 좋으며, 흡수성도 작다. 독성이 없고, 물, 강산에 강하다. 전기부품, 기계부품, 일용품(식품, 가스라이터, 화장품 용기), 보안용 헬멧 등에 널리 이용된다.

**PC 도금** Pulsed Current Plating ◘ 펄스도금(566)

**PCB** Printed Circuit Board ◘ 프린트 배선기판(594)

**피아노선** Piano Wire; Music Wire

고인장 강도의 고급 탄소 강선을 말한다. 피아노 등의 악기전용과 스프링재로써 스프링 등에 사용되는 것이 있다. 피아노선에 아연도금 등의 전기도금을 하면 수소 취성을 일으키기 쉽다. 산세에 따라서도 수소 취성을 일으키는 경우가 있기 때문에 산세를 과도하게 하지 않도록 주의를 요한다. C 0.65~0.95%, Si 0.12~0.32%, Mn 0.30~0.90%, P≦0.065%, S≦0.030%, Cu≦0.20%의 규격이 있다.

**PI** Polyimide ◘ 폴리이미드(582)

**PID 제어** Proportional Integral and Derivative Control

온도를 예로 들면, 이전의 제어기는 설정 값에 도달하면 히터의 스위치를 끄고, 설정 값보다 온도가 내려가면 스위치를 넣는 ON, OFF형이 대부분이었으나, 현재는 센서와 전자 집적회로의 발달로 PID제어가 주가 되었다. 설정 값에서의 온도차에 비례(P)하며, 온도차와 시간의 곱(I)에도 비례하고 온도의 상승, 하강속도(D)에도 비례하여 스위치의 단속을 아주 미세하게 행하는 정밀한 제어를 말하며, 설정 값의 미스가 ON, OFF제어에 비해 극히 작다.

**PR법** Periodic Reverse Current Plating

전류방향을 주기적으로 변화시켜 전해하는 방법을 말한다. 전해세정과 도금에 이용된다. 도금에서는 주로 시안화 동도금에 사용되어 왔다. 일반적으로 음극시간에 대해 10~20%정도의 양극시간(예를 들어 ⊖25초, ⊕5초)이 채용되고 있다. 양극시간 비율이 높을수록 레벨링 효과는 커지지만, 도금속도는 늦어진다. 레벨링 효과 외에 균일 전착성이나 아노드의 용해성을 개선하는 효과가 있다.

**psi** Pound per Square Inch

압력의 단위. 1평방 인치 당의 파운드(중량). 1in=2.5400㎝, $1in^2$=6.4516㎝, 1lb=453.592g.

**PS욕** PS Bath ◘ 페놀술폰산 땜납욕(568)

**피에이치** pH

pH치, 규정도 및 농도

| pH치 | 규 정 도(N) | | 농 도(%) | |
|---|---|---|---|---|
| 0 | 산 | 1.0 | $H_2SO_4$ | HCl |
| 1 | 의 | 0.1 | 4.95 | 3.64 |
| 2 | 규 | 0.01 | 0.495 | 0.364 |
| 3 | 정 | 0.001 | 0.0495 | 0.0364 |
| 4 | 도 | 0.0001 | 0.00495 | 0.00364 |
| 5 | | 0.00001 | 0.000495 | 0.000364 |
| 6 | | 0.000001 | 0.0000495 | 0.0000364 |
| 7 | | 중 성 | 0.00000495 | 0.00000364 |
| 8 | 염 | 0.000001 | NaOH0.000004% | |
| 9 | 소 | 0.00001 | 0.00004 | |
| 10 | 의 | 0.0001 | 0.0004 | |
| 11 | 규 | 0.001 | 0.004 | |
| 12 | 정 | 0.01 | 0.04 | |
| 13 | 도 | 0.1 | 0.4 | |
| 14 | | 1.0 | 4.0 | |

pH

페하라고도 한다. 통상, 수소이온농도[$H^+$]의 역수의 대수를 말한다.

$$pH = \log \frac{1}{[H^+]} = -\log[H^+].$$

7이 중성이고, 7미만은 산성, 7을 넘으면 알칼리성이다. 정확하게는 수소 이온의 활량의 역수의 대수, pH = -log $a_{H+}$를 말하지만, 실용상 처음 식으로 충분하다. = 페하, 수소이온지수

**pH계** pH Meter ◘ pH 미터(후항)

**pH 미터** pH Meter

수용액의 pH 측정기를 말한다. 일반적으로 사용되는 것은 글래스 전극과 기준 전극간의 전극 전위를 영위식의 전위차계 또는 입력저항이 큰 직류 증폭기로 측정하는 형식의 것이 있다. 이것은 글래스 전극 내의 용액과 피측정액 간의 pH차에 의해 발생하는 글래스의 막전위차를 검출하여 pH를 측정하는 것이 그 원리이다. 글래스 전극과 피측정액 중에는 같은 기준 전극(이전에는 포화감홍 전극, 현재는 포화염화 은전극이 보통)이 세트되어 있다. 간단한 측정에는 글래스 전극 대신에 안티몬 전극이 사용되며, 이것은 안티몬의 전극 전위가 거의 피측정액의 pH에 의해 결정되는 것을 이용한 것이다. 그러나, 안티몬 전극의 전극 전위는 재현성이 나쁘고 다른 이온의 영향을 받기 쉽다는 단점이 있다. = 페하 미터, 페하 시험기(571)

**pH 시험지** pH Test Paper ◘ 페하 시험지(571)

**PNS법** Post Nickel Strike Method ◘ 포스트니켈 스트라이크법(576)

**p-n 접합** p-n Junction

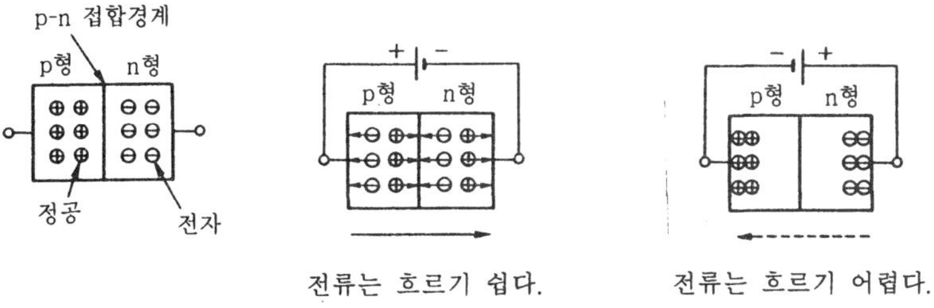


(a) 무전압　(b) 순방향 전압　(c) 역방향 전압

p-n 접합

p형 반도체와 n형 반도체를 접합한 것을 말한다. p형의 부분에 정전압, n형 부분에 부전압을 걸면 전류가 흐르지만, 그 역 방향으로는 무시할 정도의 전류밖에 흐르지 않은 채, 정류작용을 띠어 정류기의 기본소자인

다이오드가 된다.

**POM** Polyacetal ◘ 폴리아세탈(581)

**PE** Polyethylene ◘ 폴리에틸렌(582)

**pK** 산이나 염기의 전이정수를 $K$라고 할 때, $-\log_{10}K = \mathrm{pK}$로 표시한다. 수소이온 지수(pH)와 함께, 가수분해 또는 중화 때의 양적 관계, 즉 산이나 염기의 강약을 조사할 때에 이용된다.

**피코** Pico

기호 p. $10^{-12}$의 의미를 갖는 접두어이다. 예를 들어, 콘덴서의 전기용량의 1pF(피코패럿)는 $10^{-12}$F와 같다.

**피크 전류** Peak Current

전위 주사법에서 전류전위 곡선을 측정, 기록할 때에 나타나는 전류의 피크를 말하여, 어떤 전위에서 반응하는 물질의 전자 수와 농도, 전위 소인(掃引)속도, 전류밀도 등의 관수이다.

**피클링** Pickling

화학적인 산세법에는 여러 가지 분류가 있다. (1)피클링과 (2)산 침적(또는 에칭) 및 (3)산 세정으로 분류하면, 피클링은 비교적 두꺼운 녹, 즉 열처리 등에서 생성된 스케일 즉, 0.3㎛보다 두꺼운 산화막을 제거하는 방법을 말한다. 황산, 염산 또는 인산용액 중에 강재 등을 침적시켜 스케일을 용해 제거하며, 철강에서는 숏 브라스트에서의 처리가 점차 증가하고 있는 추세이다. 약 0.3㎛이하에서 도금의 밀착을 저해하는 눈에 보이지 않는 얇은 산화피막을 제거하는 것을 산 침적이라고 한다. 산 세정은, 산과 계면활성제를 병용하는 산성 에멀션 세정이나 산성 전해 세정 등을 말한다. ◘ 산세(233), 산 세정(233)

**피트** Pit

①도금 면에 생성되는 거시적인 구멍을 말한다. 니켈도금 등에서는 저 pH, 전처리 불량, Ni농도 불량, 교반 부족 등으로 수소가스의 거품이 체류하여 그 부분에 전착이 되질 않아 피트가 된다. 또, 유기물 부착부분 등에서도 피트가 된다. ②부식이나 전해연마에서는 식공(食孔)을 의미하며, 금속표면의 보호산화 피막을 파괴하여 형성된 오목한 부분을 말한다. 예를 들어, 과도한 산세로 인해 피트가 발생되는 경우가 있다. 식공을 부식 피트라고도 부른다. ◘ 부식 피트(200)

**P 트랩** P-Trap

관 트랩의 일종으로, 내부에 밀수부를 가지며, 배수의 흐름에 지장을 초래하지 않게 배수관 안의 유해 가스, 악취 또는 해충이 배수기구를 통하여 실내로 침입하는 것을 방지하기 위해 설치된 것으로, 관 트랩으로써는 수밀이 가장 안정되어 있기 때문에 널리 이용되고 있다.

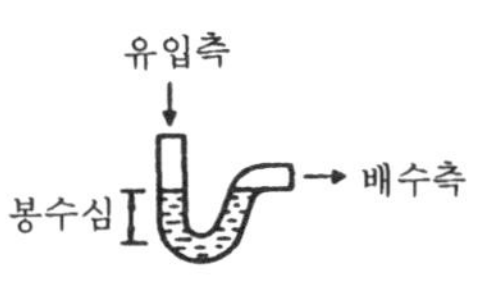

P 트랩

**피트 방지제** Pit Prevention Agent

카소드에서 발생하는 수소가스를 카소드에서 떨어지기 쉽게 하여 피트 방지에 쓰이는 약품을 말한다. 도금작업 중에 미스트의 악취를 방지하기 위해서도 사용된다. 넌이온(Nonionic) 또는 어니온 계면활성제가 통상적으로 쓰이고 있다. 예를 들어 니켈도금욕에서는 라우릴 황산나트륨 등이 사용된다. = 안티피트(Antipit)제(304)

**PTFE** Polytetrafluoroethylene; TFE

폴리테트라 플루오로에틸렌. 불소수지로 테프론(듀퐁사), 플루온(ICI사) 등의 상품명이 있다. 내약품성이 뛰어나며, 넓은 온도(325℃에서도 안정)에서 특성이 변화하지 않는다. 도금용 투입 히터의 케이스나 열교환기 등에 이용된다. 전기특성도 양호하며, 불연성으로 내후성도 좋고, 비점착성으로 마모계수도 작으며, 무독성이다. 내약품성을 이용한 벨트, 롤, 이형(異型)성을 이용한 금형의 내면 라이닝, 주방용품에서는 프라이판, 제빙기의 내면 라이닝 등에 이용된다. = 플루온 ◘ 테프론(548), 불소수지(207)

**피펫** Pipette; Pipet

일정 체적의 액체 또는 기체를 측정하거나, 다른 용기에 추가하거나 할 수 있는 기구를 말한다. 보통은 유리제로 1~100 ㎖의 용적이다. 정해진 일정한 체적 밖에 취할 수 없는 홀 피펫(전용 피펫)과 임의의 체적을 측정할 수 있는 메스 피펫(몰 피펫)이 있다. 메스 실린더에 비해 정도가 높고, 특히 홀 피펫을 정도가 매우 높다. 이 외에 구입(駒込) 피펫, 점적(点滴) 피펫, 미크로 피펫(초미량 피펫) 등이 있다. 기체용은 가스 피펫이라 불린다.

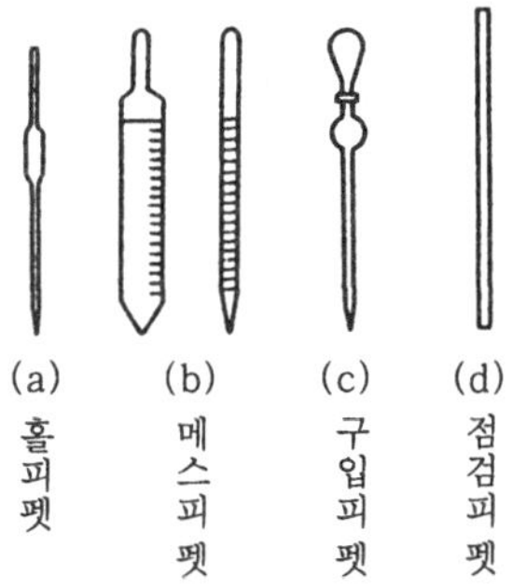

피펫

**PP** Polypropylene ◘ 폴리프로필렌(582)

**ppb** part per billion

10억 분의 1, $10^{-9}$를 나타낸다. ppm의 1000분의 1, 미소농도 등에 이용하는 경우가 많다. 영국에서는 $10^{-12}$를 의미한다.

**pphm** part per hundred millions

ppm의 100분의 1을 말한다. $10^{-8}$을 나타낸다. 정식 단위는 아니지만, ppm에서는 단위가 대이고, ppb에서는 소일 때 사용된다. ◘ ppm(후항), ppb(전항)

**ppm** part per million

농도, 존재비 등을 나타내는 일종의 단위로, 100만 분의 1($10^{-6}$)을 의미하며, 길이나 시간 등에는 사용하지 않는다. 배수처리 등에서는 일반적으로 중량 대 중량으로 사용한다. 예를 들어 1000g의 1ppm은 1mg으로, 수용액 1000g 안에 포함되어 있는 용질이 5mg이라면, 5ppm이다.

**ppt** part per trillion

1조 분의 1, $10^{-12}$를 나타낸다. 초미소(超微小) 농도 등에 사용되는 경우가 있다. 그리고, 영국에서는 Trillion은 $10^{-18}$을 나타낸다.

**PPP** Polluter Pays Principle

환경용어로 오염자 부담 원칙의 약자. 환경을 오염시키는 자가 오염방지, 제거를 필요로 하는 비용을 부담해야 한다고 하는 기본원칙. 1972년 OECD(경제협력 개발기구)에서 제창되어, 국제적으로도 확립되었다.

**p형 반도체** Positive Semiconductor

실리콘이나 게르마늄 등에 극미량의 Ⅲ족원소(Al. Ga, In 등)을 넣으면, 4가의 Si나 Ge에 비해 전자가 1개 부족한 곳이 생긴다. 이것을 정공이라고 하며, 이 정공이 ⊕의 전자와 같이 작용하여 전류를 하는데 이것을 p형 반도체라고 한다. 금속 표면의 산화물은 금속 과잉형과 산소 과잉형이 있으며 산소 과잉형은 p형 반도체의 성질을 띠고 있다. ◘ 정공(472)

**픽의 법칙** Fick's Law

용액이나 가열한 고체 등에서 용질이 확산하는 방향으로 수직한 단위면적을 통해 단위시간에 확산하는 량 $J$는, 그 장소에서의 용질의 농도 $c$의 농도 구배 $dc/dx$에 비례한다고 하는 법칙을 말하며, 비례정수 $D$를 확산정수라고 한다. $J=D(dc/dx)$.

**핀 플레이팅** ◘ 메카니컬 플레이팅(139)

**핀홀** Pinhole: Pore

도금피막, 도막 등에 침으로 뚫린 것 같은 구멍이나, 피혁의 털구멍과 같은 형상이 생기는 구멍을 말하며, 표면의 오목한 부분뿐만 아니라, 소지까지 도달하는 것도 이에 포함된다.

**핀홀 시험** Pinhole; Test; Pore Test

①전기도금한 물품의 내식성을 판단하는 방법의 하나로, 전착 금속의 전위가 높고, 소지가 낮은 경우(전착 금속이 음극으로써 작용하는 경우)에 유효하다. 적혈염 용액을 포함한 여지를 부착한 페록실(Ferroxyl)시험과 시편을 아노드로 하고 전해적으로 용해시킨 일렉트로 그래프시험, 그리고 중성의 열탕에 침적시킨 열탕시험이 있다. ②도료 피막의 핀홀을 검출하는 시험으로 홀리데이 디텍트(Holiday Detect)라고도 불린다. 도막은 대부분이 절연물이기 때문에 전기적 도통을 조사하는 시험이 대부분이다. = 유공도(有孔度)시험 ◘ 페록실시험(571), 일렉트로 그래프시험(426), 열탕시험(355)

**핀홀 처리** Sealing ◘ 봉공(封孔) 처리(194)

**필링** Peeling ◘ 박리(160)

**필링 테스트** Peeling Test

도금면에 점착성이 있는 테이프를 부착시키고 이것을 급속도로 강하게 잡아당겨 도금의 밀착성을 조사하는 시험을 말한다. 비교적 얇은 귀금속의 도금에 적합하며, 강하고 두껍게 부착된 도금에는 적합하지 않다. 시험용 테이프는 폭 12~19㎜의 것을 사용한다. 테이프의 도금부착 유무로 밀착의 양부를 판정하지만, 엄밀히 행할 때에는 소지에 도달하는 2㎜각의 조흔(條痕)을 만들어 이 위에 테이프를 부착한다(KS D 0254「도금의 밀착성 시험 방법」). 플라스틱의 도금에서는 1㎝ 또는 1ch의 폭으로 소지에 도달하는 조흔(條痕)을 만들어 그 한 끝을 미리 소지에서 벗겨 놓는다. 이것을 인장시험기로 일정속도(보통 2~3㎝/s)로 도금면과 수직으로 잡아당겨, 그 때의 힘을 자동기록하여 평균치를 측정한다. ◘ 테이프 박리시험(547)

**필터** ◘ 여과기(340)

**필터 프레스** Filter Press

옛부터 널리 사용되고 있는 가압식 여과기로, 도금에서는 배수 처리에 많이 사용되고 있다. 필터 프레스는 설치 면적당 여과 면적을 크게 취해 탈수율은 좋으나, 여과속도의 시간 변동이 크고, 분해, 조립, 청소, 찌꺼기 등 메인터넌스가 불편하다. 진동기를 사용하여 찌꺼기를 제거하는 자

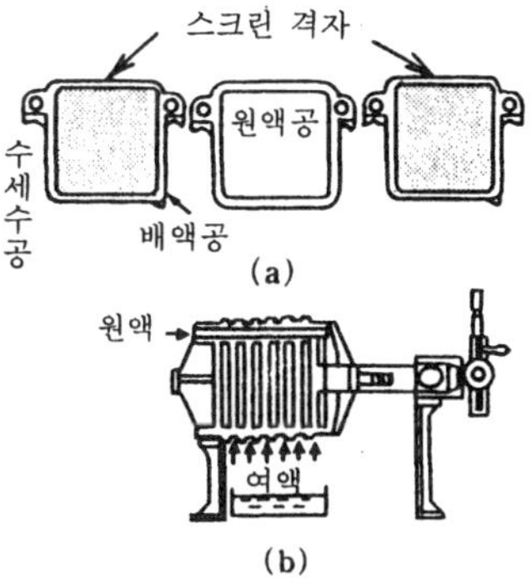


필터 프레스

동 배출형이 편리하다 = 압여과기(316)

**핑크 골드도금** Pink Gold Plating

적색을 띄고 있는 금도금으로, 금-동-니켈 합금도금과 금-동 합금도금이 있다. 이 들 모두 액세서리 등의 장식도금에 사용된다. 전자의 욕조성은 시안 금칼리 0.8g/$l$, 시안화 동칼리 2.7g/$l$, 시안화 니켈칼리 0.2g/$l$, 유리 시안화칼리 3.8g/$l$, 일수소인산칼리 15g/$l$, 온도 65~70℃, 전류밀도 3~4A/$dm^2$. 후자의 욕조성은 시안화 금칼리 3g/$l$, 시안화 제1동 0.1g/$l$, 시안화칼리 33g/$l$, 온도 65~70℃, 전류밀도 3~4A/$dm^2$. = 적색 금도금(444), 장미빛 금도금(439)

# ㅎ

**하드 크롬도금** Hard Chromium Plating ◘ 공업용 크롬도금(38)

**하링 셀** Haring Cell

금속비(M)은 B/A(양극에 가까운 쪽이 A가 된다)가 된다. 균일전착성의 표시 방법은 일반적으로는 필드식이 적용되고 있다.

$$T(\%)\frac{P-M}{P+M-2}\times 100$$

이것보다 균일 전착성이 좋으면 정(+), 나쁠 경우는 부(-)가 된다. 하링 시험에 사용되는 소형 전해조를 말한다. 하링시험은 도금의 균일전착성을 측정하는 방법으로, 장방형의 수조의 양단에 음극판을 설치하고, 그 중간에 양극판을 설치한다. 양극에서 양쪽 음극으로의 전류배분의 비와 금속 석출량의 비에 대해 측정한다. 전류배분비(P)는 거리비의 역수로 나타내며, 그림에서는 a/b가 된다.

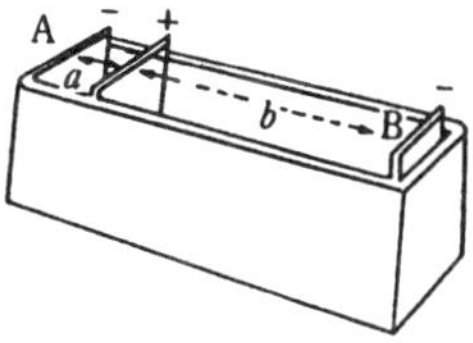


하링 셀

**하스테로이** Hastelloy

고내식성 니켈합금으로 미국의 하이네스·스테라이트사(Haynes Stellite, Co.)에 의해 개발된 상품명이다. 스테인리스강은 염산용액 중에는 사용할 수 없으나, 하스테로이는 염산 및 고온의 황산에도 견디기 때문에 화학장치 등에 사용된다. 합금성분은 니켈(58~85%), 몰리브덴, 철, 코발트, 텅스텐, 망간, 규소 등을 포함하는 여러 종류의 하스테로이가 있다.

**하야시욕** Hayashi's Plating Bath

크롬 도금욕에서 불화물을 함유시켜 소재 주변의 도금을 좋게 만든 욕이다. 욕조성은, 무수 크롬산 250g/$l$, 황산 0.7~1.3g/$l$, 규불화나트륨 5~10g/$l$, 온도 50~60℃, 전류밀도 30~60A/$dm^2$이다. 이 욕은 규불화나트륨을 15~20g/$l$으로 하고, 배럴 도금용으로도 이용된다.

**하이드로설파이트** Hydrosulfite

$Na_2S_2O_4$(아니티온산나트륨)의 속칭. 일본에서는 그 포르말린 유도체를

총칭하는 경우가 많다. 도금에서는 시안화 동도금욕 중에 크롬산($CrO_3$)이 혼입하였을 때에 환원제로써 하이드로설파이트를 첨가하여 처리한다.

**하이브리드 재료** Hybrid Material

하이브리드는 종(種)이 서로 다른 2개의 것을 혼합시켜 생긴 생물을 의미하나, 생물뿐만 아니라 이공학적으로도 이종의 2개를 합친 것을 의미하는데 이용한다. 금속과 고분자, 또는 금속과 세라믹을 원자나 분자의 레벨로 혼합하여 원래에는 없는 새로운 성질을 갖는 것을 하이브리드 재료라고 한다. 예를 들어, 층간 화합물, 다층 박막, 인공 초격자 등이다.

**하이 쓰로욕** Hi Thro Bath

미국의 얼라이드 케미컬사의 주석-납 합금도금용 붕불화욕의 상품명이다. 균일 전착성이 큰 욕(Bath Having High Throwing Power)를 일본에서는 하이 쓰로욕이라고 약칭하는 경우가 있다. 하이쓰로 황산동욕은 그 한 예이다.

**하이쓰로 황산동도금** High Throwing Power Copper Sulface Plating ◘ 저농도 황산 동도금(442)

**하이포** Hypo ◘ 티오황산나트륨(556)

**하중** Load

물체에 작용하는 외력을 말한다. 하중에는 외력의 방향, 위치, 하중이 변화하는 속도 등의 차이에 따라 정하중, 충격하중, 반복하중 등 많은 종류가 있다. 하중을 하중이 작용하는 접촉면적으로 나눈 값이 압력이다.

**하지** Substrate

직접 도금되는 소지. 다층도금의 경우는 중간의 도금피막을 하지라고 한다. 단상도금에서는 하지와 소지가 서로 같다.

**하지도금** Undercoat

다층도금의 하지가 되는 도금피막. Cu-Ni-Cr의 삼층도금에서는 Cu도금, Ni도금이 하지도금으로 불린다.

**한계전류** Limiting Current

전해반응에서 전극에 가한 욕전압(수조전압)을 조금씩 높여 가면, 어떤 전압 이상을 가해도 흐르는 전류는 거의 증가하지 않게 된다. 이 때의 전류를 한계전류 또는 억제전류라고 하며, 이 현상은 전해반응에 필요한 이온 전극면으로의 보급(확산)이 전류에 뒤따라 갈 수 없기 때문에 발생한다. 한계전류는 확산전류, 잔여전류, 영동전류 등으로부터 이루어진

다. = 억제전류 ◘ 한계전류 밀도(후항)

**한계전류 밀도** Limiting Current Density

아노드나 카소드의 전류밀도를 높여 가면, 반응에 필요한 이온의 보급이 충분하지 못해 전위가 급격히 높거나 낮아져(농도분극이 크게 되어), 보다 더 높거나 낮은 전극반응이 일어나기 시작하는 전류밀도를 말한다. 예를 들어, 가용성 아노드에서는 금속이 녹지 않게 되어 산소나 염소가스의 발생이 일어나기 시작하며 또, 카소드에서는 Ni 등의 금속이 조금밖에 전착되지 않은 채, 수소가스가 다량으로 발생하기 시작한다. 액온을 높이고 교반을 강하게 하면 한계전류 밀도는 커진다. ◘ 한계전류(전항)

**한도 견본** Limit Sample

도금제품의 외관검사와 같이 광택이나 색조와 같은 수량적인 측정을 할 수 없는 검사항목에 대해서는 제품의 최저 필요조건을 만족시키는 제품견본을 작성하여 이것과 제품을 비교하여 합부를 결정하는데 이것을 한도 견본이라고 한다.

**한외(限外) 여과** Ultrafiltration

콜로이드 입자나 분자를 수 ㎚~100㎚(0.01n~0.1㎛)의 미세한 구멍을 갖는 콜로디온 막 등을 이용하여 여과하는 방법을 말한다. 일반적으로 분자량 20000 이상의 분자 또는 콜로이드 입자를 함유한 용액의 분리, 농축에 사용되며, 분자의 형상에 따라 제거율이 다르다. 인공 신장막, 벌꿀의 정제, 주류의 살균 제거, 박테리아 제거 등에 사용되고 있다. = UF(395)

**한제(寒劑)** Freezing Mixture

저온을 만들기 위해서 사용되는 혼합제로, 얼음과 식염(-21℃), 얼음과 염화칼슘(-50℃), 에틸알코올과 드라이아이스(-72℃), 에틸에테르와 드라이아이스(-77℃) 등의 조합이 있다.

**한천교(寒天橋)** ◘ 염교(塩橋)(357)

**할로겐** Halogen

주기율표 제 Ⅶ족에 속하는 원소로 불소, 염소, 브롬, 요소, 아스타틴의 5원소를 말한다. 모두 화학적으로 활성이기 때문에 자연에서는 단일적으로 존재하지 않는다. 상온에서 불소, 염소는 기체, 브롬은 액체, 요소는 고체이다. 비금속성이 대단히 강해 1가의 음이온이 되기 쉽기 때문에 여러 가지 염을 만든다. 융점, 불점, 비중은 F〈Cl〈Br〈L순으로 반응성은 역순으로 강해진다. 가장 반응성이 강한 것은 불소이다.

**할로겐화 탄화수소계 용제** Halogenated Hydrocarbon Solvent

염화수소를 염소화한 용제 또는 그 염소의 일부를 불소로 치환한 용제로써 금속의 증기세정 등에 의해 탈지에 사용된다. 트리클로로에틸렌(삼염화에틸렌), 퍼클로로에틸렌(사염화에틸렌 ; 과염화에틸렌), 트리클로로에탄(메틸클로로포름) 등의 약품이 있다. 이들의 용제는 오존층 파괴물질로써 사용 금지화 되어가고 있다.

**할로잉** Haloing

프린트 배선기판에 이용되는 동적층판의 표면 또는 그 내부에 기계적 쇼크로 인해 일어나는 균열 또는 층간 박리를 말한다. 특히 구멍 주변에서 발생하기 쉽다. 구멍 주변의 할로잉을 목백(目白)이라고도 한다.

= 목백(143)

**함침(含浸)** Impregnation

일반적으로 다공질체의 공간에 액체를 침투시키는 것을 말하나, 금속관계에서는 소결체의 개방된 기공에 기름이나 유지를 충만시키는 것을 말한다. 베어링 등의 습동부품에 기름을 함유시켜 자기윤활성과 방청효과를 갖게 한다. 개방된 기공이 많은 부품에 도금을 할 때는 도금 전에 미리 수지 등을 침투시키는 경우도 있다.

**합금 금도금** Gold Alloy Plating

금의 전기도금은 24K 금도금(순도 98% 이상)에서 14K(순도 56~60%)에 이르기까지 폭 넓은 합금 비율의 도금을 얻을 수 있으며, 합금 금도금의 종류가 많다. 외관의 색조는 핑크 골드(적금)가 Au-Cu이고, 그린 골드(담황녹색)는 Au-Ag, 조금 적색을 띈 것이 Au-Co, 그린 화이트 골드가 Au-Ni, 황금색이 Au-Co-In으로, 악세서리용으로 사용되고 있다. 공업용으로써 경도나 내마모성이 요구되는 경질 금도금이 전자부품(커넥터, 접점) 등에 사용되고 있다. 합금 금도금 중에는 평활성이 뛰어나고, 핀홀이 적은 도금피막을 얻을 수 있는 것이 있다.

**합금층** Alloyed Layer

이종금속의 접합면을 가열 시에, 어떤 두께에서 형성된 합금층을 말한다. 합금층에는 상태도에 따라 몇 가지의 종류가 있다. (1)고용체를 형성할 때는 한 쪽 또는 양 쪽의 금속이 다른 쪽으로 확산하여 농도 구배를 하여 일종의 경사기능을 가지고 있는 층이 되지만, 장시간 고온으로 가열하면 전체가 균일한 고용체 합금으로 된다(Au와 Ag, Cu와 Ni 등). (2)금속간 화합물을 형성할 때는 확산이 아닌 이종금속이 서로가 반응하여 화합물을 형성하기 때문에 장시간 고온으로 가열하면 금속간 화합물층이 두껍게 된다. 이 층은 단단하고 무른 비금속적인 성질을 갖기 때문에 파괴되기 쉽다. (3)고용체도 금속간 화합물도 형성되지 않는 이종 금속 서로간의 접합부분에는 합금층이 형성되지 않는다(Fe와 Pb, Zn와 Pb 등). 일반적으로는 (1)과 (2)를 병행하여 가지고 있는 경우가 거의 대부분이다. 합금층은 접합을 양호하게 하는 반면, (2)의 금속간 화합물층이 두껍게 되면 균열이 발생하여 벗겨지기 쉽게 된다. 또 (1)의 경우에는 한 쪽의 금속 전부가 다른 쪽으로 확산하여 한쪽의 금속 성질을 잃어버리는 경우가 있다. 합금층의 생성 방지에는 고융점금속(Ni, Co 등)의 도금에서 확산이나 반응을 지연시키는 것이 일반적이다.

**합성고무** Synthetic Rubber

인공적으로 합성하여 얻어지는 고분자 물질의 일종으로, 그 종류도 많으며 벤젠에서 만들어지는 스틸렌계나 부타젠계는 대표적인 것이다. 천연고무에 비해 내유성, 내열성, 내한성이 뛰어나다. 예를 들어, 불소고무는 내약품성에 뛰어나고, 규소고무는 내열성, 내한성에 뛰어나다. 도금에서는 부분도금의 마스킹용으로 규소고무(실리콘고무)가 사용되며, 수조의 내장(內張)에는 불소고무 등의 합성고무가 사용된다.

**합성세제** Synthetic Detargent

세정작용을 가지고 있는 계면활성제를 말한다. 단, 비누와 같이 유지나 지방산에서 직접 만들어진 것은 포함하지 않는다. 합성세제의 분자는 일반적으로 친수성과 유용성(疎水性) 탄화수소의 기로 이루어져 있으며, 음이온성 세제, 양이온성 세제, 비이온성 세제의 3종류가 있다. 합성세제는 원료, 성능, 가격 등이 비누보다도 뛰어나고, 경수나 염수에도 영향을 받지 않기 때문에 공업용이나 가정용세제로써 다방면으로 사용되고 있다. 수중에 포함되어 있는 합성세제의 제거에는 활성탄 처리가 유효하고 이온교환수지로도 가능하지만, 경제적이지 못하다.

**합성수지** Synthetic Resin

천연의 수지성 물질과 닮은 합성 고분자물질. 플라스틱이라 불리는 것의 대부분은 합성수지이다. 합성수지는 광택, 경도, 열가소성 등이 천연 수지와 닮았다. 가공상, 크게 나누어 열가소성 수지와 열경화성 수지로 구별된다. 합성수지는 경량으로 질량 당 강도가 크고 전기, 열의 절연성이 좋으나, 내열성이 나쁘고 열팽창율이 크다. 최근에는 이 결점이 적은 고성능수지가 개발되어 있다. 도금에서는 도금수조 등의 처리수조나 배수처리수조, 배기장치, 치공구의 절연피막 등에 합성수지가 사용되고 있다.

= 플라스틱(594)

**합판(合板)법** Cladding

클래드법이라고도 한다. 지금금속의 주위에 피복된 금속을 주조하고 난후에 압연, 또는 지금금속에 피복된 금속을 밀착하여 중첩시킨 후, 고온으로 압연하는 방법을 말한다. 압연하기 때문에 핀홀이 없는 피복이 가능하나, 복잡한 형상에는 사용할 수 없다. 전기접점, 안경 프레임, 손목시계 밴드 등의 금속재료에 사용된다. = 클래드 ◘ 오버레이(365)

**핫 에어 레벨링** Hot Air Leveling

프린트 배선기판을 땜납 욕에 침적시킨 후, 열풍을 불어넣어, 여분의 땜납을 제거하여 땜납의 두께를 균일하게 하는 것을 말한다.

**항량(恒量)** Constant Weight

화학분석에서 건조 또는 가열을 반복하여 중량이 일정하게 변화하지 않게 되었을 때의 중량을 말한다. 주로 중량분석에 사용되는 용어이다.

**항장력** Tensils Strength ◘ 인장강도(425)

**항장(抗張)시험** Tensils Test ◘ 인장시험(425)

**해리** Dissociation

분자가 그것을 형성하고 있는 원자단이나 분자로 분해되어 가역적으로 원래의 분자로 되돌아와서 얻을 수 있는 반응을 말한다. 열에 의한 해리를 열해리라고 하고 또 이온을 발생할 때에는 전리(전기해리)라고 한다. 원계(原系)의 분자수에 대하여 해리된 분자수의 비를 해리도라고 하고, 해리의 경우를 특별히 전리도라고 한다.

**해머 마무리** Hammer Finish

도막 위에 금속(알루미늄)가루를 포함한 도료를 두껍게 부착시키면, 금속가루가 원형으로 얼룩이 되어 퍼진다. 이것은 해머로 금속판을 두들긴 것과 같은 모양이 되는데 이 표면 및 이 마무리 방법을 말한다.

**해머시험** Hammer Test

용융아연 도금의 밀착성 시험방법으로써 용융아연 도금방법의 규격 (KS D 0201「용융아연도금 시험 방법」)에 규정되어 있다. 두께 8㎜ 이상의 시험편의 시험면을 수평으로 놓고 지지대를 중심으로 해머가 수직이 되는 위치에서 자연스럽게 해머를 낙하시키며, 타격은 4㎜간격으로 평행하게 5점을 행하여 그 타흔 간의 박리, 부풀어오름 등의 유무를 조사한다.

**향류다단(向流多段) 수세** Counter Flow Rinse ◘ 직렬향류 수세(491)

**허용전류** Allowable Current

옥내, 옥외의 배전선에 사용되는 전선과 코드류는 전류에 의해 열을 발하여 화재를 일으킬 수 있기 때문에 그것들의 종류, 굵기 등에 따라 흐를 수 있는 전류의 최대치가 규정되어 있다. 도금에 사용하는 직류의 배전선의 허용전류는 이것과는 별도로 전원에서 도금수조까지의 전압강하를 계산하여 결정할 필요가 있다. 허용전류와 안전전류는 의미가 서로 다르기 때문에 주의를 요한다. ◘ 안전전류(303)

**헐 셀** Hull Cell

여러 가지 전류밀도에 있어서 전극표면의 상황을 관찰하는 특수한 형의 전해수조, 시험수조는 용량 267㎖이지만, 계산하기 쉽다는 점에서 250㎖의 것도 이용된다. 개량형으로써 시험수조에 구멍(ϕ12㎜×10개)을 뚫어 도금욕에 침적시키는 것, 시험수조를 삼각형(534㎖)으로 만든 것, 시험수조를 구형(1000㎖)으로 만든 것 등이 있다. ◘ 헐 셀시험(후항)

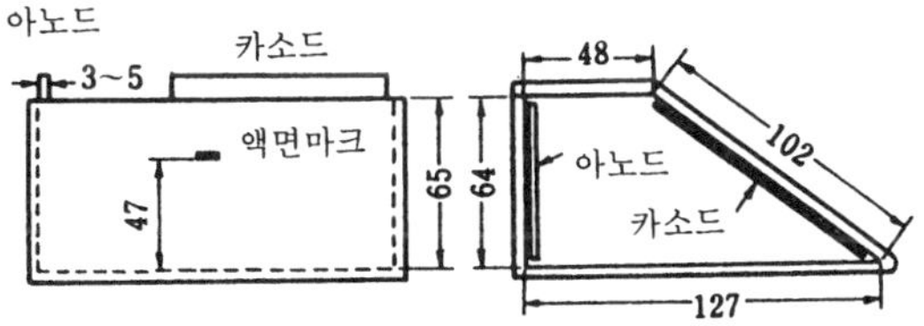


(a) 헐 셀 시험조(㎜)

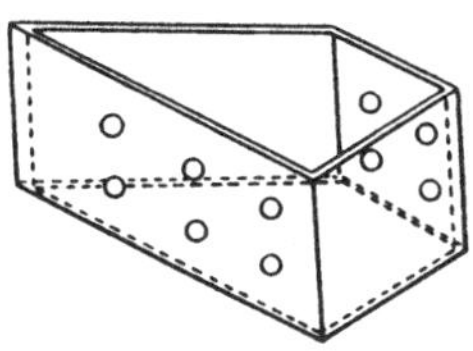

(b) 개량형 헐 셀

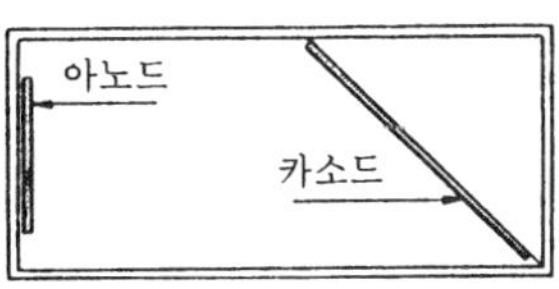


(c) 1000㎖ 헐 셀

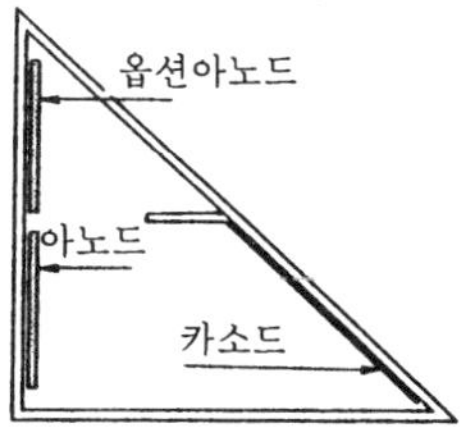


(d) 534㎖ 헐 셀

헐 셀

**헐 셀시험** Hull Cell Test

헐 셀로 도금을 하면 음극 면에 양극에서의 거리가 가까운 부분부터 먼 부분으로 광범위하게 여러 가지의 음극 전류밀도의 도금이 동시에 되어진다. 이것을 관찰함으로써 다음과 같은 것을 알 수 있다. (1)도금욕 주성분과 광택제나 첨가제의 변화와 그 영향, (2)음극 전류밀도, 욕온도 등의 작업조건의 변화와 그 영향, (3)유기 또는 금속불순물의 영향, (4)도금수조 라이닝제(플라스틱, 고무 등)가 도금에 미치는 영향 등이다. 헐 셀시험은 도금욕의 실무적인 관리방법으로써 널리 이용되고 있다. ◘ 헐 셀(621)

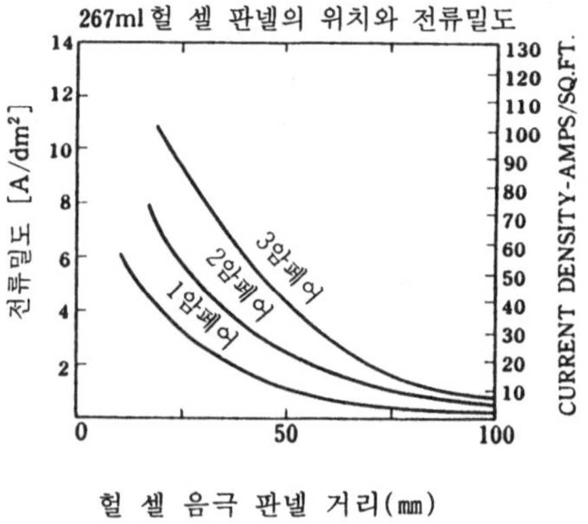


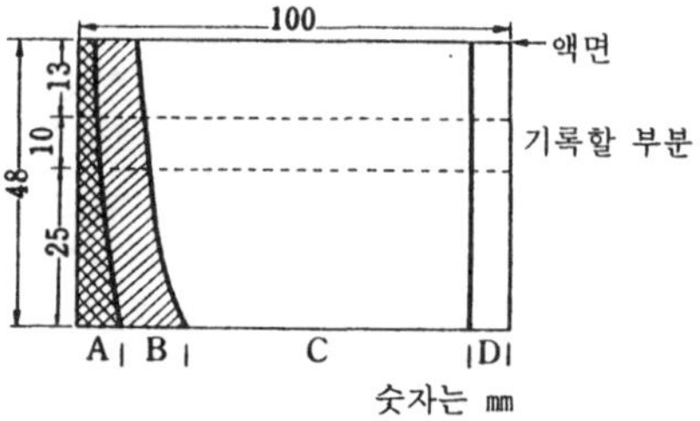


(a) 광택 니켈도금의 대표적인 헐 셀 패턴

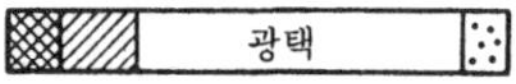


(b) 헐 셀 패턴의 기록

헐 셀시험

**헝겊 청정** Wipe off Cleaning

금속표면의 오염을 용제나 계면활성제가 들어간 물 등을 묻힌 깨끗한 헝

걸으로 닦아내 깨끗하게 청소하는 것을 말한다.

**헤르쯔** Hertz

진동수나 주파수의 SI단위. 기호는 Hz이다. 1초당 진동수에 상당한다. 1 Hz=1c/s(사이클/초)

**헤어라인 마무리** Hair Line Finish

기계적 방법에 의해 표면에 방향성이 있는 조흔을 만들어 마무리하는 법이다. 시계, 라이터, 안경 프레임 등의 장식도금에 사용된다.

**헤어 크랙** Hair Crack

강재의 마무리 면에 발생하는 미세한 균열을 말한다. 그 크기가 모발과 같이 미세하기 때문에 붙은 이름이다. 헤어 크랙은 또 『백점』이라고도 한다. 헤어 크랙을 검출하기 위해서는 보통 매크로 에칭이 이용된다.

= 백점

**헥산 유출물질** Extractive Materials by Hexane

헥산 $CH_3(CH_2)_4CH_3$은 파라핀계 탄화수소에 속하며, 그 외에 메틸디에틸메탄, 디메틸프로필 메탄 등 4개의 이성체가 있다. 헥산(*n*-헥산이라고도 한다)이 수중에서 용매 유출되는 물질을 헥산 유출물질이라고 하며, 유출시험을 실시함으로 인해 배수중 등에 에멀션으로써 존재하는 비교적 휘발이 어려운 광물유, 동식물 유지의 양 등을 추정할 수 있다. 에스테르류, 알코올류, 아민류, 페놀류, 할로겐화 탄화수소, 콜로이드상의 황, 각종 농약·염료·계면활성제 등이다. 수계 세정시스템이 증가함에 따라, 헥산 유출물질도 배수 중에 증가할 가능성이 있기 때문에 증가방지에 엄중한 주의가 필요하다.

**헬므호르쯔 층** Helmholz's Layer ◘ 전기 이중층(450)

**현미경 단면시험(방법)** Microscope Method for Mesuring Thickness

도금의 수직단면을 현미경으로 관찰하여 도금 두께를 구하는 방법이다. 시험편은 합성수지 또는 저융점 합금으로 측정면이 수직이 되도록 하며, 도금에 손상을 가하지 않도록 주의를 하면서 측정면에 대해 수직으로 연마한다. 소지와 도금과의 경계를 구별하 수 있도록 부식액을 이용하여 소지의 부식을 행한 후, 현미경으로 적당하게 확대하여 단면의 평행부를 측정하여 그 값을 도금의 두께로 한다. 정도 0.8㎛까지 가능하다.

**현탁 물질** Suspended Solid ◘ SS ②(330)

**현탁액** Suspension

콜로이드 입자보다 큰 고체입자(직경 약 0.1㎛이상)가 분산되어 있는 액을 말한다. 콜로이드 입자(직경 약 $10^{-3}$㎛~0.1㎛)가 분산되어 있는 액을 현탁질이라고 한다. 현탁액 중에 입자가 대단히 미세하게 분산되어 입자간의 응집이 발생되기 어려운 경우는, 장기간 안전하게 존재된다.

**현탁 전해** Fluidized Bed Electrolysis ◘ 유동상(流動床) 전해(390)

**혈액 시험** Blood Test ◘ 블러드 시험(217)

**혐기적(嫌氣的)처리** Anaerobic Treatment ◘ 생물학적 처리(241)

**형강** Shaped Steels; Steel Sections

연강을 열간 압연해서 만들어 구조용으로써 널리 사용되는 강재이다. 강종의 단면 형상에 따라, L형강(앵글), 홈형강(찬넬), H형강, T형강, I형강, Z형강 등이 있다. 소재로써 스테인리스강, 고장력강도 이용된다. 도금피막의 경도는 비커스경도로 표시한다. 비커스경도는 압자로써 대면각(꼭지각) 136°의 다이아몬드 사각뿔을 사용하여 하중을 압흔의 면적으로 나눈 값을 경도수(Hv)로 한다. 도금피막은 일반적으로 금속에 비해 단단하다.

**형광 X선** Fluorescent X-rays

물질을 X선으로 조사하면 물질중의 원소 특유의 X선이 방사된다. 이 X선을 형광 X선이라고 한다. 주어진 조건 중에서 가장 안정한 상태에 있는 물질을 X선의 에너지로 외부에서 여기하면 이 물질은 X선이 가지고 있는 에너지의 일부를 흡수하여 원래의 에너지 준위보다도 높은 상태(여기상태)로 이동한다. 그러나, 이 상태는 극히 불안정하여 평균 $10^{-8}$초 내에 원래의 안정한 상태로 되돌아오려고 한다. 이 때에 발생하는 차에 의해 상당하는 에너지가 다시 X선으로써 방사된다. 이 X선(특성 또는 고유X선)이 형광 X선이다.

**형광X선 분광분석** Fluorescent X-ray Spectrochemical Analysis

시료에 X선을 조사하여 시료중의 원소에서 생성된 2차 X선의 파장, 강도를 측정하여 정성, 정량분석을 행하는 분석법. 원자번호 9(F)보다도 큰 모든 원소를 분석할 수 있다. 조성범위는 0.01~100%로 광범위하며 금속, 비금속에 관계없이 분말, 용액, 가스상의 어느 것이라도 분석이 가능하다. 그러나, 발광 분광분석과 같이 특히, 비파괴 분석을 할 때에는 표준시료가 필요하다. 또, 원자번호 12~13(Mg, Al)부근 이하의 원소에 대해서는 감도가 낮다.

**형광 X선식 두께측정법** Fluorescent X-ray Spectrometric Method for Measuring Thickness

형광 X선 두께측정장치를 사용하여 시료에 X선을 조사해 도금에서 방사되는 형광 X선량을 측정, 도금의 두께를 구하는 방법이다. 금속소지상, 또는 비금속 소지상의 도금 두께를 비파괴적으로 측정할 수 있다. 파장분산형과 에너지 분산형 장치가 있다. 어느 장치도 소지와 도금 조합에 따라서는 측정 불능인 경우가 있다. 정도는 원래의 수치에 대해 10% 이내이며, 귀금속 도금에 많이 사용되고 있다. 장치의 취급에 대해서는 항상 X선의 누설이 없도록 안전관리에 주의한다. 측정정도에 영향을 미치는 것은 도금두께, 표면의 거칠기, 소지의 재질 및 두께와 소지도금의 두께, 시료의 완곡도이다. ◘ 막후계(135)

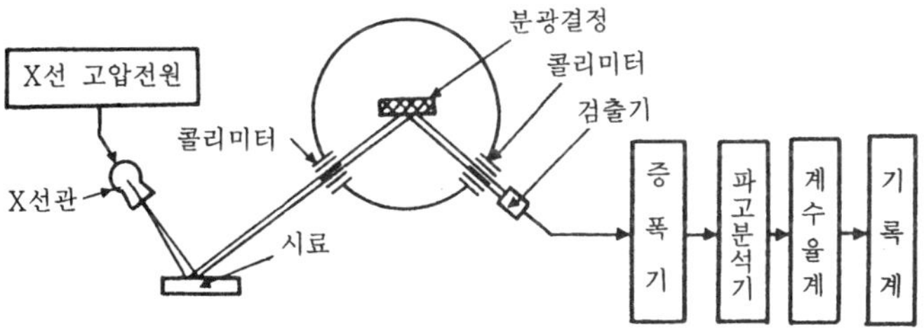


형광 X선 두께측정장치 (파장 분산형)의 예

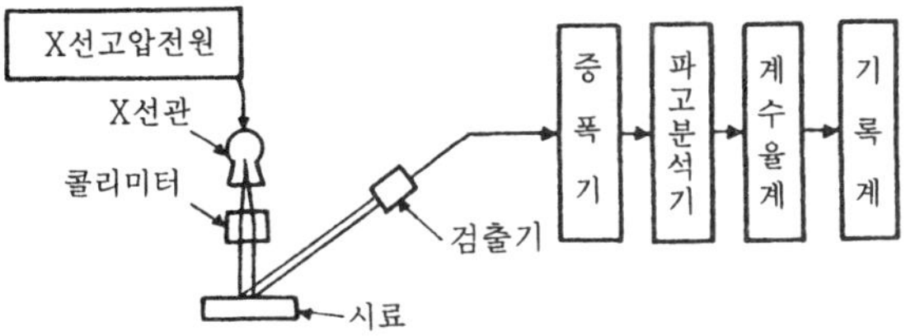


형광 X선 두께측정장치 (에너지 분산형)의 예

형광 X선식 두께측정법

**호기성(好氣性) 생물처리** ◘ 활성슬러지(636)

**호기적 처리** Aerobic Treatment ◘ 생물학적 처리(241)

**호닝** Honing

숫돌(砥石)을 사용한 정밀 가공법을 말한다. 절삭이나 연삭 후에 행한다. 원통의 내면을 마무리하는 내면 호닝, 평면을 마무리하는 평면 호닝, 기어의 톱니면을 마무리하는 기어 호닝 등이 있다. 평면 호닝은 포러스 크롬도금시의 전해 에칭 후에 행한다. 표면을 조금씩 마모시키면서 크랙이나 그 교점의 구멍 크기나 수를 조정한다.

**호퍼** Hopper

저장조를 말한다. 미립체나 수량이 많은 작은 물건의 운반 도중에 이용되며, 그 전후의 운반량의 조정 역할을 하는 경우가 많다. 운반량의 변동에 대응할 수 있는 용량을 가지고, 하부에서 일정량씩 방출할 수 있도록 되어 있는 것이 많다. 도금에서는 배럴도금의 작업 공정 중에 호퍼가 사용된다.

**혹형상 도금** Nodule Plating

도금면에 생기는 둥근 형태를 띈 돌기물을 말한다. 도금피막 중에 미세한 이물질이 혼입되었 때에 발생되기 쉽다. 전주와 같이 도금을 두껍게 할 경우, 발생되기 쉽다. 도금욕 중의 불순물 종류 및 양, 전류밀도의 부적당함이 원인이 되는 경우도 있다.

**혼산** Mixed Acid

2종류 또는 그 이상의 산혼합물. 도금에서 사용하는 키린스액은 혼산이다. 농초산과 농황산의 혼산에서는 다음과 같은 평형이 성립된다.
$HNO_3+2H_2SO_4 \rightleftharpoons H_3O^++NO_2^++2HSO_4^-$ = 브라이트 딥(215)

**혼성 전극전위** ◘ 혼성 전위(후항)

**혼성 전위** Mixed Potential

1개의 전극 상에서 2개의 서로 다른 전기화학반응이 진행될 때, 그 전극이 전기적 중성 조건을 만족하도록 평행한 상태를 나타내는 전위를 말한다. 예를 들어, 카소드에서 금속의 전착반응과 수소의 발생반응이 동시에 일어나거나 또, 아노드에서 금속의 용해반응을 산소나 염소발생 반응이 동시에 일어날 때의 전위이며, 주로 반응 전위에 지배받는 것이 보통이다. 부식반응에서는 한 개의 전극 상에서 국부 아노드로의 산화(용해를 포함)반응, 국부 카소드로의 환원(전착을 포함)반응이 일어나기 때문에 반드시 양자의 혼성 전위를 나타낸다. = 혼성 전극전위(전항)

**혼정(混晶)** Mixed Crystal

2종 또는 그 이상의 물질이 혼합하여 균일한 혼합상태로 된 결정을 만들 때, 그 결정을 혼정이라고 하며, 고용체와 같은 의미이다. 결정형이 같은 염은 혼정을 만든다. 금속에서는 Au, Ag 또는 Au와 Cu는 모든 비율로 혼정을 만든다(전율 고용체). 혼정을 만드는 조건은 결정 격자의 비슷한 종과 원자 반경이 가까운 것이다. ◘ 고용체(33)

**혼탁도** Turbidity

용수, 폐수 등, 물의 흐린 정도를 측정하는 시험에 사용되는 단위. 62~74㎛의 백도도(白陶度)(정제카오린)입자 1mg을 물 1 $l$에 포함되어 있는 것의 혼탁도를 1도로 규정한다. 혼탁도의 측정법은, 시료의 광흡수, 광산란의 강도를 표준액과 비교하는 광학적 방법과 시료와 표준액을 직접 또는 빛에 의해 육안으로 비교하는 방법이 있다. 혼탁도는 현탁물질 입자의 크기, 종류, 색, 형, 물의 착색 유무 등에 영향을 받는다.

**혼 포밍** Hone Forming

고속도 도금의 한 수법으로, 미국의 마이크로매틱(Micromatic)사가 개발한 도금방법의 명칭이다. 주로 원통상의 제품 내부나 외면에 숫돌으로 연삭을 하면서 고속도도금을 한다. 도금속도는 각각 매분 동 50㎛, 니켈 25㎛, 크롬 6㎛, 브론즈 25㎛이다. 도금액을 유동시켜, 원통형의 불용성 아노드는 회전하면서 상하운동을 하고, 숫돌은 아노드에 취부시켜 스프링의 힘으로 제품 표면에 눌려 도금면을 연삭한다. ◘ 고속도도금(31)

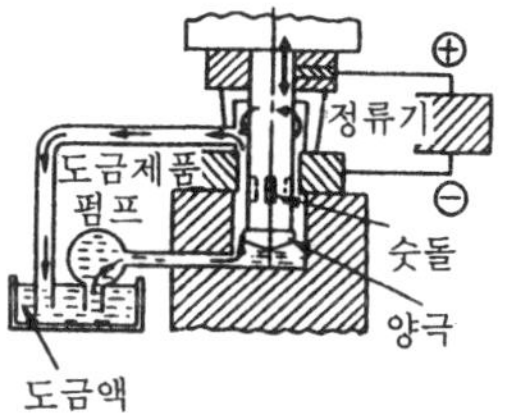


혼 포밍장치

혼 포밍

**홀** Positive Hole ◘ 정공(472)

**홀 피펫** Whole Pipet; Transfer Pipet

전용 피펫이라고도 한다. 선단이 가늘고 중앙부가 부풀어 오른 유리제 또는 플라스틱제의 체적계를 말한다. 가장 널리 사용되고 있는 피펫으로, 액체를 표준선까지 끌어 올려 액체의 일정 체적을 재는 기구이다. = 전용 피펫 ◘ 피펫(611)

**홀 효과** Hall Effect

1879년에 E. Hall이 발견한 현상으로, 전류가 흐르고 있는 판에 수직으로 자장 $H_Z$를 걸면, 양쪽에 수직인 방향으로 전장을 일으켜 기전력(전압) $E_Y$가 나타나는 현상을 말한다. 전류를 유반하는 것이 전자인 $n$형 반도체인가, 정공인 $p$형 반도체인가를 판별하는데 이용된다.

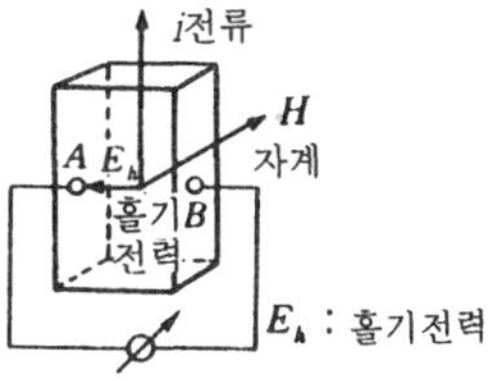


홀 효과

**화성처리** Conversion Treatment

화학적 처리에 의해 금속표면에 산화막이나 무기염의 얇은 피막을 만들어 금속의 방청이나 도장 하지로 만드는 처리를 말한다. 예를 들어 크로메이트 처리, 인산염 처리 등이다.

**화성피막** Chemical Conversion Coatings

화성처리에 의해 표면에 생성된 피막. 예를 들어, 크로메이트 처리나 인산처리에 의해 표면에 생성된 피막 = 화학피막 ◘ 화성처리(627)

**화씨온도** Fahrenheit's Temperature

온도를 표시하는 단위의 하나. 기호는 °F. 주로 유럽에서 사용되고 있다. 국내에서 사용되고 있는 섭씨온도(℃)와의 관계는 다음과 같다.

$$F=9/5C+32 \qquad C=5/9(F-32)$$

단, F는 화씨온도의 도수, C는 섭씨온도의 도수이다. 화씨온도는 G. Fahrenheit가 처음 사용한 것으로, 그 중국표기 『화륜해(華倫海)』로부터 화씨온도로 불리었다. 섭씨온도는 A. Celsius가 처음 사용하기 시작한 것이다.

**화이트 골드** White Gold

백금 대용으로 쓰이는 장식용 금합금의 일종을 말하며, 대표적인 조성은, 팔라듐계는 Pd 20~30%, Ag 20~30%, 잔여부 Au, 니켈계는 Ni 약 18%, Zn 5~7%, 잔여부는 Au으로, 전자는 부드럽고 후자는 단단하지만, 공기 중에서 가열하여도 변색되지 않으며, 내약품성도 왕수에 녹는다는 것 이외에는 백금과 비슷하고, 가공성도 좋아 접점용, 치과용, 일부는 스프링용 등에도 이용된다. 단, 조성에 의해 성질은 상당히 변화한다. = 백금(174)

**화이트 골드도금** White Gold Plating

흰색을 띄는 금도금으로, 금-주석합금 도금과 금-니켈합금 도금이 있다. 이들 모두 액세서리 등의 장식도금에 사용된다. 전자의 욕조성은, 시안금칼리 0.4g/$l$, 주석산나트륨 2.1g/$l$, 유리시안화칼리 15g/$l$, 일수소인산나트륨 15g/$l$, 온도 65~70℃, 전류밀도 3~5.4A/$dm^2$이다. 후자의 욕조성은 시안금칼리 0.32g/$l$, 시안화니켈칼리 1.1g/$l$, 유리시안화칼리 15g/$l$, 일수소인산나트륨 15g/$l$, 온도 65~70℃, 전류밀도 3~6.5A/$dm^2$이다. = 백색 금도금 ◘ 화이트 골드(전항)

**화이트 마무리** White Finish

니켈도금이나 소지표면을 와이어 브러시, 에머리 버프 등으로 처리하여, 백색 외관으로 마무리하는 방법을 말한다.

**화이트 메탈** White Metal

주로 베어링 합금으로 사용되는 합금으로, 주석기, 압기, 아연기의 3종류

가 있다. 주석기 화이트 메탈은 배비트 메탈이라고도 한다. ◘ 배빗(Babbitt's) 메탈(173)

| 종 별 | Pb % | Sn % | Sb % | Zn % | Cu % | 비 고 |
|---|---|---|---|---|---|---|
| 주석기 | - | 84~90 | 8~15 | - | 2~10 | 주로 내연기관의 베어링에 사용된다 |
| 납기 | 잔여부 | 5~20 | 10~20 | - | 0.5 | 값이 싸기 때문에 더욱 더 많이 사용된다 |
| 아연기 | 3~20 | 5~25 | 0~15 | 2~5 | 2~5 | 베어링합금으로써는 값이 싸지만, 별로 좋지 않다 |

화이트 메탈

**화학결합** Chemical Bond

원자 또는 이온이 결합하여 분자 또는 결정을 형성시키는 원자간의 결합을 말한다. 보통, 공유결합, 이온결합, 금속결합, 배위결합(공유결합에 포함하는 경우가 많다)으로 분류된다. 분자간의 반델왈스결합, 수소결합, 그 외를 포함하는 경우도 있다. 또 많은 결합은 1종류가 아니고, 예를 들어, HCl는 이온결합과 공유결합의 성질을 가지고 있으며, 금속간 화합물은 금속결합과 공유결합의 성질을 가지는 등 복수의 결합 방법을 하고 있다. 결합의 강도(화학적인 강도이며 물리적, 기계적인 강도와는 반드시 일치하지 않는다)는 이온결합을 1.0으로 하면, 공유결합은 약 0.68, 금속결합은 약 0.33, 수소결합과 반델왈스결합은 약 0.04 정도의 비가 된다. 수소결합 쪽이 반델왈스보다도 조금 강하다. ◘ 금속결합(57)

**화학 니켈도금** ◘ 무전해 니켈도금(146)

**화학 당량** Chemical Equivalent ◘ 당량(91)

**화학 도금** Chemical Plating ; Electroless Plating

외부전원을 사용하지 않는 도금으로는, (1)치환도금, (2)접촉도금, (3)비촉매 화학도금, (4)촉매 화학도금 등이 있다. 이것들을 모두 화학도금 또는 무전해도금이라고 하는 경우와, (3), (4)만을 화학도금이라고 하는 경우, 그리고, (4)만을 무전해도금이라고 하는 경우가 있다. (1)~(4)는 모두 사용되고 있으나, 가장 넓게 사용되고 있는 것은 (4)이기 때문에 일반적으로는 화학도금, 무전해도금은 (4)의 방법을 나타내는 경우가 많다. (4)는 자기촉매 도금이라고도 부르며, 카니젠(Kanizen)법이 유명하다. (4)는 금속이온을 환원제에 의해 화학적으로 환원하여 소지 상에 임의의 두께의 도금 피막을 석출시키는 방법이 있다. ◘ 무전해도금(147)

**화학 동도금** Chemical Copper Plating ◘ 무전해 동도금(147)

**화학식량 농도** Formality

용액 농도의 표시방법의 하나로, 용액 1 $l$ 중에 포함되어 있는 용질의 그램 화학식량의 수를 말한다. 단위는 포말, 기호는 F로 표시한다. 일반적으로, 이온결합을 하고 완전해리하는 NaCl(염화나트륨)과 같은 물질에는 분자의 존재가 인정되지 않는다. 이와 같은 물질에 대해서는, 화학식 중에서 각 원소의 원자량의 총화를 구하며, 이것을 화학식량(단순히 식량이라고도 한다)이라고 하고, 이것에 그램을 단 무게를 그램 화학식량이라고 한다. 염화나트륨의 1그램량(약 58.5g)을 물에 녹여 전체의 체적을 1 $l$로 한 용액의 농도는 1F(포말)이다. 그러나, 일반적으로 결합 양식을 일일이 구별하는 것은 번거롭기 때문에 1그램 분자, 1그램 당량 등, 다른 것과 같은 표시방법으로 나타내는 경우가 많다. 1F는 1 mol/$l$ 로 표시해도 좋다. ◘ 몰 농도(143)

**화학연마** Chemical Polishing

금속표면을 여러 가지 조성의 용액중에 단시간 침적시켜 편평하게 광택면을 만드는 방법이다. 도금에서는, 동 및 그 합금의 피도금물을 화학연마하는 경우가 많다. 외관을 좋게 하는 것뿐 만 아니라, 견고한 산화물 등의 제거를 목적으로도 사용하고 있다.

**화학적 산소 요구량** Chemical Oxgen Demand : COD

화학적 산소 소비량이라고도 한다. 수중의 유기물을 산화제($KMnO_4$)로 분해할 때에 필요한 산소량(중량 ppm)을 말한다. 수질의 유기물 오염을 나타내는 지표이다. COD는 무기성의 아산화물질 및 유기물의 일부 또는 전부를 산화분해하는 데에 필요한 산소량을 나타낸다. = COD(287)

**화학적 표면경화법** Chemical Surface Hardening

강의 표면을 경화할 때, 표면층의 화학 조성을 변화시켜 경화하는 방법을 화학적 표면경화법이라고 한다. 침탄, 질화, 침류 등이 화학적 표면경화법의 대표적인 것이다. 화학적 표면경화법에 대해, 물리적 표면경화법이 있다. 이것은 표면층 만을 소입시켜 경화하는 방법으로, 고주파 소입이나 화염 소입 등이 이것에 속한다.

**화학증착법** Chemical Vapor Deposition ◘ CVD(286)

**화학 피막** Chemical Conversion Coatings ◘ 화성 피막(628)

**확산** Diffusion

어떤 물질이 다른 물질 중에 침투하여 그 내부로 퍼져가는 현상을 말한다. 이것은 원자, 분자의 불규칙한 열운동의 결과 일어나는 물질의 움직임이며, 2종의 액체나 기체를 접촉시켜 놓으면 천천히 혼합된다. 고체도 확산을 하지만, 온도에 의해 확산속도가 다르며, 상온에서는 대단히 늦다. 도금피막이 소지로 확산되는 경우가 있으며, 확산방지를 위해 중간 도금이 필요하게 된다. 또 용융도금에서는 도금 피막이 소지로 확산하여 소지와 도금피막의 중간에 합금층이 생성된다.

**확산 경화** Diffusion Hardening

고체 속에 적당한 기체를 확산 침입시켜 전위의 운동에 대한 장애물을 미세하게 분산시키면, 그 물질은 경화한다. 예를 들면, 미리 템퍼링해서 마르텐사이트 구조를 갖도록 열처리한 강을 500~600℃에서 암모니아 분위기에 12~36시간 방치하면 경화하는 것이 한 예이다.

**확산계수** Diffusion Coefficient

한쪽의 농도를 $m_o$, 다른 한쪽의 농도를 m, 확산층의 두께를 $\delta$ 로 하면, 농도 구배 $(m_o-m)/\delta$에 의해 어떤 물질이 단위면적당 단위시간에 Q만큼 확산될 때, 그 비례정수 D를 확산계수라고 한다. 즉, $Q=D\{(m_o-m)/\delta\}$로 표시된다. 각각의 단위를 취하는 방법에 따라 값은 다르나, Q를 (g/초·㎠)$m_o$, m을 (g/1000㎠), $\delta$를 ㎝로 표시하면, D는 (㎠/초), Q를 (g/일·㎠)로 나타내면, D는 (㎠/일)로 표시된다. D의 크기는 물질 외에 그 온도에 따라 변화되지만, 기체일 때는 압력에 따라서도 변화한다.

**확산방정식** Diffusion Equation

물질계의 구성입자의 농도나 열분포가 불균일한 경우, 입자나 열의 분포 상태는 평형상태로 향하여 변화하며, 이러한 공간, 시간의 변화를 기술한 미분방정식을 확산방정식이라 한다. 물질계의 임의의 면에 수직한 면의 물질의 흐름 J는 이 방향의 농도 구배에 비례하며, J=-DgradCDAJ∂이다. 여기에서 D=확산계수, C는 입자의 농도, grad는 직교좌표에서 ∂/∂x+∂/∂y+∂/∂z로 쓸 수 있는 미분연산자이다. 이것을 Fick의 제1법칙이라 한다. Fick의 제2법칙은 계 내의 미소 체적에 대한 물질보존의 원칙으로 ∂c/∂t+divJ=0[B]로 쓸 수 있다. 여기서 t는 시간 div=∂/∂x+∂/∂y+∂/∂z이다. [A]는 [B]에 대입하면, 3차원의 일반적인 확산방정식 ∂c/∂t=D▽2C(C가 농도에 의존하지 않는 경우)가 얻을 수 있다. ▽2=∂2/∂x2+∂2/∂y2+∂2/∂z2라고 하는 연산자이다. 이 경우 확산방정식은 시간에 관계하는 1단계의 편미분과 공간 좌표에 관계하는 2단의 편미분은 포함하고 있는 것이 특징이다. 또한, 전기장에 의한 힘

F가 가해질 때의 확산방정식은 $\partial c/\partial t = D\nabla 2C + div(BCF)$로 쓸 수가 있다. 여기에서 B는 입자의 이동도이다.

**확산 변태** Diffusional Transformation

원자의 확산을 동반함으로서, 물질의 상변태가 일어나는 것을 확산 변태라 한다. 예를 들면, 철-탄소(Fe-C) 합금은 비교적 천천히 냉각된 경우에는 고온상의 오스테나이트에서 페라이트, 시멘타이트, 펄라이트 등으로 변태하며, 이 경우 확산에 의해 합금 원소의 이동이나 재분배가 일어난다. 냉각속도가 큰 경우에는 원자의 확산은 억제되어 마르텐사이트라는 상이 생성된다. 확산 변태는 용질 원자의 확산 속도에 의해 율속 되어지므로, 진행 속도는 합금 원자의 종류에 크게 영향을 받는다. 확산 변태는 보통 Fe나 Ti 등, 한정된 금속재료에서 사용되어지는 용어이지만, 석출도 열역학적으로는 전부 동등한 현상이다.

**확산 불림** Diffusible Normalizing

주조품에 생긴 편석(segregation)이나 강에 생긴 수지상정(dendrite) 등을 가열함으로써 확산 소실시키는 균질화 불림을 확산 불림이라 하며, 확산 불림 온도는 보통, 불림 온도보다 높고 1000~1300℃가 일반적인 작업 온도이다.

**확산성 수소** Diffusion Hydrogen

용착 금속 중에 함유되어 있는 수소 중에서 상온에서 확산되는 수소에 대한 뜻이며, 분자 모양의 비확산성 수소에 대하여 원자모양의 수소로 되어 있으며, 45℃의 글리세린 속에 담갔다가 용접 후, 48시간 내에 방출하는 양에 의해 규정되며, 확산성 수소는 비확산성 수소와 함께 기공, 용접균열, 용접부의 지체파괴 등과 밀접한 관계가 있다고 한다. 아크 용접봉에서 50kg 고장력강 용접봉은 0.10cc/g 이하, 60kg 고장력강용 용접봉은 0.6cc/g 이하로 규정되어 있다.

**확산성 수소량 측정법** Measuring Method of Diffusible Hydrogen Content

실온에서 금속재료의 결정격자 내를 자유로이 이동할 수 있는 원자성의 수소(H)를 확산성 수소라고 한다. 강을 아크용접할 시에 용융부에 흡장된 수소는 응고, 냉각 후에 과포화되어 대부분의 수소가 확산성 수소로 되어 대기 중으로 빠져나간다. 이 과정에서 이러한 수소에 의해 공기 중으로 빠져나간다. 이 과정에서 이러한 수소에 의해 균열이 발생하는 경우가 많다. 용접시의 확산성 수소량을 측정하는 것은, 용착금속의 수소량 측정법 또는 강 용접부 수소량 측정 방법에 의한 측정 방법이 규정되어 있다.

**확산 쌍** Diffusion Couple

조성이 다른 합금을 접합할 때, 확산을 진행하는 것, 합금계면 부근의 조성 성분과 구조해석에 의해, 확산 계수의 측정, 평형상의 동정 등을 행한다. 측정과 해석이 비교적 간편하여 행해질 때 확산과 상태도의 연구에 널리 이용될 수 있다.

**확산 어닐링** Diffusion Annealing

비교적 고온도에서 장시간 소둔할 경우, 주조 시에 생성되는 응고 편석을 확산 균질화하는 조작을 말한다. 확산 어닐링 온도는 보통의 어닐링 온도보다 높으며, 강의 경우 1000～1300℃정도이다. 통상, 열간 가공의 경우 가열을 미리 먼저 행하는 경우가 많지만, 주강의 경우에는 조대화시킨 결정립을 미세화한 경우 변경한 어닐링 등의 열처리가 필요하다.

**확산 영역** Diffusion Zone

클래드재를 제조할 때에 피복재와 심재와의 사이에서 확산이 일어나서 접착하여 이와 같은 띠모양의 부분을 확산 영역이라고 한다.

**확산 용접** Diffusion Welding(Bonding)

모재를 밀착시키고 그 용융점 이하의 온도로 가열하여 접합시키는 방법으로, 확산 접합은 고체상태로 확산하여 원자가 치환하는 것과 최초에는 고체 원자의 확산으로 시작되지만 점차 낮은 융점의 공정을 만들어 이것이 용융되어 표면 전체에 흘러서 용접되는 두 가지 형식이 있으며, 전자는 티탄과 티탄 또는 티탄과 지르코늄의 접합 시에 사용하며, 후자는 티탄과 스테인리스강 등의 서로 다른 종류 금속을 접합하는데 사용된다.

**확산전류** Diffusion Current

확산속도에 의해 지배되는 전해전류 및 그 한계전류를 말한다. 전기도금(전해)의 전류는, 이온의 수분자중에서의 확산, 영동, 대류, 착이온의 해리, 생성반응, 그 외의 요인에 따라 지배되나, 지지전해질이 많은 전기도금액 중에서는 이온의 확산속도에 주로 지배된다. 이 때 전극 근방에서는 확산층이 형성된다. ◘ 영동전류(364)

**확산전위** ◘ 액간 전위(318)

**확산전위차** ◘ 액간 전위차(318)

**확산접합** Diffusion Jointing

금속재료를 밀착시켜 소재를 융점 이하의 온도로 가열하면서 소성변형을 일으키지 않을 정도로 압력을 가해, 접합면 사이에서 발생하는 원자의 확산을 이용하여 접합하는 방법을 말한다. 접합면의 밀착을 향상시키기 위해 접합면에 얇은 금속 등을 삽입하는 경우도 있다. 같은 종류의 금속만이 아닌, 이종금속의 접합에도 사용된다. 금속의 조합에 따라서는, 무른 금속간 화합물이 생성되기 때문에 주의를 요한다.

**확산처리** Diffusion Treatment

소지표면에 다른 금속 또는 비금속의 확산에 의해 피막을 만드는 공정을 말한다. 전기도금에서는, 소지금속과 도금피막 및 2종 이상의 도금피막 사이에서 합금화 또는 금속간 화합물을 형성시키기 위한 열처리를 확산처리라고 한다. 예를 들어 황동도금 대신에, 철 소지상에 동도금과 아연도금을 겹치게 하여 열처리로써 황동의 도금피막을 만들 수 있다.

**확산층** Diffusion Layer

(1)전기분해 과정에서 전극에 밀접하여 생기는 전해액과는 농도가 다른 용액의 얇은 층을 말한다. (2)서로 다른 금속간에서는, 한쪽의 금속이 다른 한쪽으로 확산하여 생긴 층을 말한다. (1), (2) 어느쪽도 층의 내부에서는 농도 구배를 일으키고 있다. (1)에서는 교반, 전류밀도 등에 의해  또, (2)에서는 온도, 시간 등에 의해 층의 두께는 커다란 차이를 보인다. (1)은 통상 수 ㎛에서 수십 ㎛정도이나, 두꺼울 때는 500㎛정도나 된다.

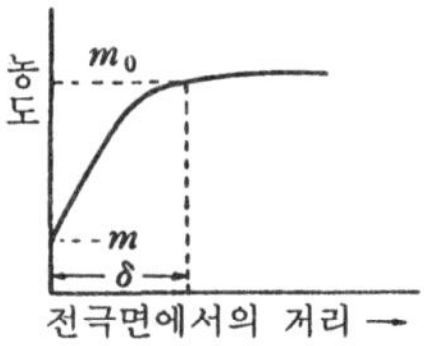


카소드의 확산층 두께 $\delta$의 모식도

확산층

**확산침투처리** Pack Cementation

금속재료의 고온 내식성을 목적으로 한 표면 처리법의 일종이다. 방법은, 내식성에 유효한 금속원소(예를 들면, Al, Cr 등) 활성제로서 할로겐화물과 노결방지제 산화물(예를 들면, $Al_2O_3$)의 분말을 균일하게 혼합하여, 이 안에 기재를 메워 1273K 부근의 온도에서 불활성(Ar) 또는 환원성($H_2$) 분위기에서 납처리 된 것에 의해 금속원소를 기재 표면에 확산 침투시킨 것이 된다. 대표적인 물건은 Al의 칼로라이징, Cr의 크로마이징, 규소의 실리콘나이징, 아연의 징크나이징 들이 있다.

**확산 침투도금** Diffusion Coating

금속소재를 다른 금속분말과 그 외의 다른 혼합물로 엷게 만들어 가열한 후, 다른 금속을 확산현상에 의해 스며들게 하여, 소재표면에 내식층을 만드는 방법. 세라다이징법(Zn), 칼로다이징법(Al), 클로마다이징법(Cr)

등이 있다. = 확산피복법(635)

**확산 크리프** Diffusion Creep

변형률이 낮은 고온에서의 변형과정에서 공공이 결정립계나 주요한 응력에 평행인 표면으로 확산되어 감으로써 일어난다고 생각되고 있다. 확산 크리프란 이를 의미하며 변형률은 응력에 비례한다.

**확산투석** Diffusion Dialysis ◘ 투석(551)

**확산피복법** Diffusion Coating ◘ 확산 침투도금(634)

**환경기준** Environmental Standards

공해대책기준법에 근거하여 대기오염, 수질오염, 토양오염 및 소음에 관계되는 환경상의 조건에 관해서 각각 인간의 건강을 보호하고 또 생활환경을 보존한다는 취지하에 각 나라에서 정한 기준. 각 공장, 사업소 등에서 배출된 오염물질의 집합, 집적에 의해 생긴 지역(또는 수역)전체의 환경오염의 개선 목표이며, 최대허용 한도나 이상치를 나타내는 것은 아니다.

**환경시험** Environmental Test

제품이 규정된 환경조건을 견디고 규정의 성능을 유지하고 있는가를 확인하는 시험. 시험시간이 길어지면 환경(온도, 습도, 가스, 진동, 분위기, 먼지 등)에 가까운 조건을 인공적으로 만들어 가혹한 촉진시험을 실시하여 시험시간을 단축하는 경우가 많다.

**환원** Reduction

산화된 물질을 원래의 상태로 되돌리는 것을 말하나, 현재는 더욱 더 넓은 의미를 가지고 있다. 전기분해에서는 $Cu^{2+} \rightarrow Cu^{0}$와 같이 어떤 원소가 양 원자가의 감소 또는 음 원자가의 증가, 바꾸어 말하면 전자의 첨가를 환원이라고 한다. ◘ 전해환원(468)

**환원처리법** Reduction Treatment

도금용어에서는 크롬계 배수의 처리법의 하나이며, 중아황산소다 ($NaHSO_3$)로 6가원소를 3가로 환원하는 방법을 말하는 경우가 많다. 환원 후에는 알칼리제로 수산화크롬으로써 제거한다. 중아황산소다에 의한 $2H_2Cr_2O_7 + 6NaHSO_3 + 3H_2SO_4 = 2Cr_2(SO_4)_3 + 3Na_2SO_4 + 8H_2O$, 알칼리와의 반응은 $Cr_2(SO_4)_3 + 3Ca(OH)_2 \rightarrow 2Cr(OH)_3 + 3CaSO_4$ 또는 $Cr_2(SO_4)_3 + 6NaOH \rightarrow 2Cr(OH)_3 + 3Na_2SO_4$. 환원제로써는 그 외에 아황산가스($SO_2$), 아황산나트륨($Na_2SO_3$), 메타중아황산소다($Na_2S_2O_5$) 등도 사용된다.

**활동도** Activity

열역학적 농도라고 말할 수 있는 것으로, 질량작용의 법칙을 성립시키기 위하여 Bjerrum이 형식적으로 실제의 농도 대신에 사용한 농도로써, 후에 Lewis가 열역학적인 기초와 정의를 성립시킨 것이다. 활량이라고도 한다. 예를 들어, 네른스트의 식에서 n가의 금속 J의 농도가 xj이고, 그 때의 금속 J의 단극 전위가 $E_j$였다고 하면,

$E_j = E_j^{\circ} + \frac{RT}{nF} \ln, aj = E_j^{\circ} + \frac{RT}{nF} \ln, \gamma_j X_j$로 표시되며, 이때의 $a_j$가 J의 활동도, $\gamma_j$가 활동도 계수이다.

상기식을 변형해보면, $E_j = E_j^{\circ} = \Delta E_j = \frac{RT}{nF} \ln \gamma_j X_j$로 표시되며, $E_j^{o}$는 표준수소전극에 대한 표준상태($a_j=1$, 각종온도, 보통은 25℃)에서의 J금속의 단극전위(표준단극전위)이며, 이것을 기준으로 한다. 이와 같을 때, $a_j$, $\gamma_j$를 각각 상대활동도, 상대활동도계수라고 말하나, 보통은 이것을 단순히 활동도, 활동도계수라고 부른다. 활동도는 앞에서 말한 단극전위, 전지의 기전력, 증기압, 불점, 빙점, 용해도 등의 측정에 따라 실험적으로 구해진다. = 활량, 활량농도 ◘ 네른스트의 식(73)

**활량** Activity ◘ 활동도(전항)

**활량농도** Activity ◘ 활동도(636)

**활성슬러지** Activated Sludge ◘ 활성침전물(후항)

**활성침전물** Activated Sludge

활성슬러지라고도 한다. 폐수처리에서, 오염수를 충분하게 통기(Aeration)시켜 산소를 공급하면 호기적(好氣的) 미생물(박테리아)이 번식하여 갈색풀 모양의 침전물을 만든다. 이것을 활성침전물이라고 하며, 흡착력이 강하고 오염 물질을 응집하여 침전시킨다. = 활성슬러지 ◘ 활성침전법(후항)

**활성침전법** Activated Sludge Treatment

유기물을 포함한 폐수의 처리법으로, 유기물을 포함한 폐수를 진흙과 함께 통기하여, 호기성 박테리아나 원생동물을 번식시켜 이것들에 유기물을 생물화학적인 작용으로 분해시키는 방식. 오래 전부터 도시의 하수처리에 이용되어 왔다. = 호기성 생물처리(625)

**활성탄** Active Carbon : Activated Charcoal

비(比)표면적이 크고 높은 흡착능을 가진 탄소질물질, 유기성 고분자물질에 대하여 극히 높은 흡착력이 있고, 도금욕 중에서 이들의 성분을 분리 또는 제거할 수 있다. 활성탄은 흑연(Graphite)형상의 평면결정자가

복잡하게 조합된 무정형탄소로 되어 있고 다공질이다. 세공(細孔)의 평균 반경은 1~2㎜, 비표면적은 800~1500㎡/g이다. 원료는 목탄, 야자껍질, 톱밥, 석탄 등이 있으나, 도금에서는 불순물이 적은 야자껍질 활성탄을 사용하는 일이 많다. 도금에서는 도금욕 중의 유기성 불순물의 제거, 용제의 회수, 귀금속의 회수, 배수처리 등에 이용된다.

**활성탄 처리** Activated Carbon Treatment

도금욕 중에서 주로 유기불순물을 흡착, 제거하기 위하여 활성탄을 사용하는 처리를 말한다. 방법은 배치(Batch)식과 연속식이 있으며, 배치식은 도금수조 또는 예비수조에 활성탄을 2~5g/l 첨가하여 가온, 교반하여 수 시간이 지난 후, 여과기를 사용하여 치환여과를 한다. 연속식은 여과기의 여과통에 활성탄을 여과조제로써 집어넣고, 여과기를 연속적으로 운전한다. 배수처리에서는, BOD제거를 위하여 활성탄 처리를 하며, 용존(溶存)물질, 부유물질, 그리고, 특히 콜로이드 형상의 것을 잘 흡착하지만, 로딩을 일으키기 쉽기 때문에 SS가 많은 배수에서는 적합하지 않다.

◘ 활성탄(636)

**활성태(活性態)** Active State

금속이 활성을 유지하며 용이하게 아노드 용해가 되는 상태를 말하며, 부식태라고도 한다. 금속의 아노드 분극곡선에서 용해전류가 피크가 되는 영역. 활성태에 대응하는 것이 불활성태(또는 불활태, 불변태, 불감태 ; Immunity) 및 부동태(Passive State)이다. = 부식태(200)

**활성화** Activation

표면의 부동태를 파괴하는 것을 목적으로하는 처리 또는 비금속 소지 상에 무전해도금을 할 때, 표면에 촉매금속을 흡착시키는 처리를 말하는 경우도 있다. 통상, 도금의 전처리로 실시된다. 화학처리, 전해처리가 많다. = 액티베이션(320)

**황** Sulfur; Sulphur S.

원자번호 16, 원자량 32.06. 주기율표 제Ⅵ족에 속하는 비금속원소, 같은 소체(素体)가 대단히 많다. 대표적인 것은, 사방정계(斜方晶系) 황($\alpha$), 단사정계 황($\beta$)가 있다. 상온에서는 황색의 고체이며, 물에는 녹지 않으나, 이황화(二硫化)탄소에는 잘 녹는다. 고온에서는 금, 백금을 제외한 모든 금속과 황화물을 만든다. 또 비금속과도 직접 화합하여 원자가 -2, +4, +6에 상당하는 화합물을 만든다. 용도는 무기약품의 원료, 성냥, 화약, 의약, 농약제조 등에 쓰인다.

**황동** Brass

동과 아연의 합금으로 놋쇠라고도 한다. 실제 이용하는 것은 Cu 70%, Zn 30%의 칠삼황동과 Cu 60%, Zn 40%의 육사황동의 2종이 많다. Zn 15%의 합금은 단동(丹銅) 또는 적황동으로 불리우며 연성이 뛰어나다. 황동에 다른 원소를 소량 첨가한 것을 특수황동이라고 하고, 열교환기 등에 사용되는 애드미럴티 메탈[(Admiralty Metal) ; Zn 28%, Cu 71%, Sn 1%]이나 내식성과 강도를 증가시킨 고력황동(Al, Fe, Mn, Sn 등을 함유)등이 있다. 황동은 가공 후, 내부응력 때문에 자연적으로 균열이 발생하는 일이 있으므로 도금의 전처리에 주의를 요한다. 이것을 황동의 자연균열(Season Cracking)이라고 한다. 또, 에칭을 행할 때에 아연만이 이탈하는 탈아연현상이 발생되기 쉽다. 암모니아가 존재하면 응력부식균열이 발생한다. = 놋쇠(77)

**황동도금** Brass Plating

황동도금은 외관이 금색에 가깝고, 대용 금도금으로써 장식용에 사용되며, 공업용으로써는 타이어 코드나 내식성, 내마모용으로 사용되고 있다. 도금액은, 시안화동 20~70 g/*l* 를 주성분으로 하는 시안 화합욕이 많으나, 시안을 사용하지 않는 넌(Non) 시안욕도 시판되고 있다. 넌 시안욕에는 징케이트욕과 피로인산욕이 있다. 도금후 변색되기 쉽기 때문에 변색방지를 위하여 수용성 클리어 래커(Clear Lacquer)로 마무리를 한다. 그리고, 그 위에 유용성의 도장을 하는 경우도 있다. = 놋쇠도금 ◘ 동-아연 합금도금(100)

**황산** Sulfuric Acid; Sulphuric acid $Na_2SO_4$.

무색 기름상의 무거운 액체로, 비중 1.834(18℃), 공업용으로는 96~98%와 62.5%가 있으며, 공업용으로는 하얗게 흐려진다. 휘발하기 어렵고, 농황산은 물을 흡수하는 성질이 있으며, 물을 첨가하면 다량의 열을 발생시켜 위험하므로, 물로 엷게 하기 위해서는 다량의 물에 황산을 조금씩 첨가한다. 도금에서는 산처리액, 황산동 도금욕, 크롬 도금욕 등에 이용된다. 극물, 특정 화학물질로 지정되어 있다.

**황산 노점 부식** Sulfuric Acid Dew Point Corrosion

연소가스 중에 포함되는 $SO_2$가 황산이 되어 응축되어서, 철강을 부식시키는 것을 말한다. 보일러의 공기 예열기에서는 열교환을 하므로, 금속 표면온도가 노점 이하가 되기 쉬워, 부식이 현저히 진행된다. 환경의 부식성을 완화하던가, 내노점 부식성이 있는 저합금강의 적용 등의 대책이 취해지고 있다. 저온부식이라고도 부른다.

**황산 니켈** Nickel Sulfate

니켈 제련의 부산물로써 제조된다. 니켈, 산화니켈, 탄산니켈을 황산으로 녹여 상온에서 증발시키면, 칠수염의 녹색 침상결정(사방정계)으로써 석출된다. 공기 중에서 풍화되어도 백색 불투명한 분말이 된다. 31.5~53.3℃에서 증발하면, 청녹색 결정(정방정계), 또 53.5℃ 이상에서 증발하면 녹색 결정(사방정계)의 육수염을 얻을 수 있다. 통상, 육수염 결정을 니켈도금액에 사용한다. 가열하면, 사수염, 이수염, 일수염, 무수물 등을 얻을 수 있다. 무수물은 황색 결정(입방정계)이다. 무전해 니켈도금용으로써 저코발트(Co 0.02~0.03%), 초저코발트(Co 〈0.0001%)의 황산니켈이 있으며, 알루미늄 제품의 전해 발색용으로써 저나트륨(Na 0.002%)의 황산니켈이 있다.

**황산니켈 암모늄** Nickel Ammonium Sulfate

황산니켈의 희황산 용액에 계산된 양의 황산암모늄을 첨가하여 증발 결정시키면, 6수염$(NH_4)_2SO_4 \cdot NiSO_4 \cdot 6H_2O$로써 얻을 수 있다. 청녹색의 결정(단사정계)으로 이전에는 니켈도금에 많이 사용되었으나, 현재는 황산니켈이 주로 사용된다. 황산니켈과 염화암모늄을 함유한 니켈도금욕에서 욕온도가 낮아지면 황산니켈 암모늄이 정출된다.

**황산동** Copper Sulfate

(1)황산 제일동($Cu_2SO_4$)은 백색 분말로, 습기가 있는 대기 중에서는 산화동과 황산 제이동으로 분해된다. (2)황산 제이동($CuSO_4 \cdot 5H_2O$)은 주로 동 제련의 부산물로써 생산된다. 동에 농황산 또는 희황산과 공기를 작용시켜 얻을 수 있는 수용액을 농축하면 석출되는 청색의 결정으로, 단반(丹礬)이라고도 한다. 가열하면 탈수되며 무수물은 무색 분말이다. 황산 동도금액 외에 각종 동염의 원료, 안료, 살충제의 안료 등, 용도가 매우 넓으며, 극물이다. 일반품 외에 불순물이 적은 고순도 황산동이 있으며, 무전해 동도금이나 정밀한 전기동도금용으로 사용되고 있다.

◘ 단반(91)

**황산 동도금욕** Copper Sulfate Plating Bath

황산동을 주성분으로 한 동도금욕을 말한다. 황산동도금의 이점은 (1)주성분이 싸다. (2)배수처리가 용이하다. (3)도금피막의 내부 응력이 작고 두꺼운 막 부착이 용이하다. (4)욕 관리가 용이하다 등이다. 결점으로써는 (1)철강 소지, 아연 소지 등에 직접 도금할 수 없다. (2)도금액의 부식성이 강하다. (3)균일 전착성이 떨어진다 등이다. 욕 조성은 황산동 180～250g/l, 황산 45～60g/l, 염소이온 20～80mg/l, 광택제 적량, 온도 20～30℃, 음극 전류밀도 2～6A/dm$^2$, 양극 전류밀도 1～3A/dm$^2$이며, 프린트 배선기판의 쓰루 홀 도금용의 욕조성은 하이쓰로욕이라고도 하며 동농도가 낮고, 황산농도를 높게 하여 균일전착성을 개선하였다. 욕 조성은 황산동 60～100g/l, 황산 150～225g/l, 염소이온 20～80mg/l, 첨가제 적량, 온도 22～30℃, 음극 전류밀도는 2～4A/dm$^2$이다.

**황산동 시험** Copper Sulfate Test; Preece Test

용융아연 도금의 균일성 시험으로써 시료를 (1)탈지 세정하여 건조한다. (2)시험액(황산동 36g을 물 100㎖에 용해하고, 유리황산을 수산화 제2동으로 중화한 것)을 16～20℃로 하고, 1분간 침적시킨다. (3)수세 후, 도금면에 부착된 동을 닦아 낸다. 이상의 (1)(2)(3)의 조작을 정해져 있는 횟수만큼 반복하여도 끝점에 도달하지 않는 것이 필요하다. 끝점은 도금 소지(철)에 광택이 있는 밀착성 금속동이 석출된 경우로, 도금금속(아연)에 부착된 동은 용이하게 박리시킬 수 있다. = 단반 시험(90)

**황산동염 시험** Copper Sulfate Test

양극 산화된 알루미늄제 탕관 내면의 결함을 조사하는 방법으로 황산동 1g과 염화나트륨 10g을 물 989㎖에 녹여, 35℃로 가온하여 시료의 탕관내에 만수 용량의 1/5정도 넣는다. 10분 후, 약 40℃의 30% 초산으로 석출동을 용해 후, 수세한다. 이 후, 공식의 크기를 확대경으로 측정한다.

**황산 바륨** Barium Sulfate $BaSO_4$.

무색 사방정결정으로 물에 잘 녹지 않으며, 물 100g에 대한 용해도는 0.115mg(0℃), 0.41mg(100℃), 희산에는 녹지 않고, 농황산에는 황산수소바륨이 되어 녹는다. 공기나 열에 대해 안정되어 있다.

**황산 아연** Zinc Sulfate

아연을 황산에 녹인 용액을 39℃ 이하로 농축 결정시키면, 광택이 있는 무색의 주상정(사방정계)을 얻을 수 있다. 이것은 칠수염으로 호반(皓礬)이라고도 한다. 39℃ 이상에서 결정시키면 육수염의 결정(단사정계)을 얻을 수 있으며, 황산 아연도금에서는 주로 이것을 아연원으로 사용한다.

**황산 제일주석** Stannous Sulfate $SnSO_4$.

극물, 무색, 침상결정이며, 미세한 것은 백색 분말로, 황산의 수용액에는 잘 녹으나, 공기 중에 방치해 놓으면 황산 제이주석이 되어 물에 잘 녹지 않게 된다. 황산주석도금욕에 사용된다.

**황산 제일철** ◘ 녹반(綠礬)(76)

**황산 주석도금** Tin Sulfate Plating

황산염욕이라고도 하며, 2가의 주석에서 전착을 위해 주석산나트륨을 이용하며, 알칼리성 주석도금욕에 비해 석출 속도가 2~3배이고, 균일 전착성은 떨어지지만, 첨가제에 의해 경면 광택을 얻기 쉬워 널리 이용되고 있다. 욕 온도가 낮기 때문에 보통은 냉각기가 필요하다. 욕 조성은, 황산 제일주석 40g/l, 크레졸술폰산 30g/l, β 나프톨 1g/l, 젤라틴 2g/l, 포르말린(37%) 5㎖/l, 광택제 적량, 분산제 적량, 음극 전류밀도 $2A/dm^2$, 양극 전류밀도 $0.5\sim2A/dm^2$, 욕온도 15~20℃이며, 욕은 교반하여야 한다. 상기는 한 예이며, 광택 주석도금의 욕 조성은 사용하는 광택제에 의해 조성이 다르다. = 주석황산염욕 ◘ 주석도금(482)

**황산 코발트** Cobalt Sulfate

코발트의 2가와 3가의 화합물이다. $CoSO_4$(Ⅱ)무수화물, 적색 흡습성분말, 수화물을 300℃로 가열하면 얻을 수 있다. 물 100g에 대한 용해도는 36.2g(20℃), 83g(100℃)이다. 칠수화물은 짙은 붉은색 주상정으로, 공기 중에서 풍해되고, 300℃에서 탈수한다. 물 100g에 대한 용해도는 60.4g(3℃), 67g(70℃)이며, 코발트의 3가화합물은 $Co_2(SO_4)_3 \cdot 18H_2O$ 청녹색 침상정, 황산코발트(Ⅱ)의 황산 산성용액을 저온으로 전해하면 얻을 수 있다. 가수분해되어 산소를 발생시켜 황산코발트(Ⅱ)가 된다. 35℃에서 분해되지만, 황산에는 분해되지 않고 녹는다. 도금에서는 코발트 및 그 합금 도금욕으로 이용된다.

**황산 크롬** Chromium Sulfate

크롬의 2가와 3가의 화합물이다. 황산 제일크롬 $CrSO_4$와 황산 제이크롬 $Cr_2(SO_4)_3$이다. 전자는 칠수화물, 오수화물, 일수화물로 알려져 있으며, 무수화물은 얻을 수 없다. 물에 녹기 쉬우며, 공기 중에서는 대단히 산화되기 쉽다. 크롬도금으로 사용되고 있는 것은 황산 제이크롬이며, 무수물은 물, 산에 녹지 않고 고온에서는 분해된다. 십팔수화물은 자색결정으로 열을 가하면, 십칠수화물, 구수화물, 육수화물, 삼수화물을 거쳐 무수화물이 된다. 이 들의 염 사이에 자색, 녹색 등, 각각 계통의 염이 존재한다.

**황산 크롬도금욕** Chromium Sulfate Plating Bath

황산 제일크롬을 주성분으로 하는 3가의 크롬도금욕을 말한다. 욕 조성은 황산 제일크롬 180~220g/l, 요소 210~264g/l, 황산 암몬 396g/l ~

포화, 욕은 조제 후, 하루 밤 이상 전해온도로 숙성하고 착이온이 평형상태에 도달한 후에 사용한다. 전해 조건은 온도 40℃, 음극 전류밀도 24～40A/dm$^2$, pH 2.0～2.7이다. 도금 중에 유해한 미스트나 가스가 발생하지 않는 장점이 있으나, 욕 관리가 어려워 별로 사용하지 않는다.

**황 산화물** Sulfur Oxides

일반적으로는 황과 산소가 결합된 산화황을 말하나, 환경용어에서는, 매연 중에 함유된 이산화황 $SO_2$, 삼산화황 $SO_3$ 및 황산($H_2SO_4$)미스트 등을 말하며, 대기오염의 원인이 되고 있다. $SO_2$, $SO_3$의 최대 발생원은 중유의 연소 때문이다. 배기가스중에는 $SO_2$가 많으나, 대기중에서 $SO_2$ 는 태양광선에 의해 산화되어 $SO_3$가 되며, $SO_3$는 흡습성이 강해 물에 녹아 황산 미스트가 된다. 대기중의 황산화물은 산성비의 원인이 된다.

**황연마(荒硏磨)** Polishing

황(조 ; 粗)연마라는 것은, 도금가공 소재의 표면에 있는 녹, 흠, 소공(小孔), 가공상의 난잡함 등을 에머리(금강사 : 金鋼砂)를 도포한 버프로 깎아 내린 다음, 소재면을 정리하는 작업이며, 에머리(Emery) 연마라고도 한다.

**황함유 니켈아노드** Sulfur Contained Nickel Anode

황을 0.01～0.02% 포함한 전기 니켈아노드, 양극전위가 낮고, 부동태화하기 어렵다. 염화니켈이 적거나 함유하지 않은 니켈 도금욕, 음극면적에 비해 양극면적을 크게 할 수 없을 때 적합하다. 아노드로써 용해될 때에는, 용해표면이 검게 되어 황화 니켈의 슬라임(Slime)이 발생한다. 형상은, 판형, 칩형, 코인형이 있다.

**황혈염(黃血塩)** Yellow Prussiate of Potash

헥사시안철(Ⅱ)산칼륨. $K_4[Fe(CN)_6]$. 별명은 황혈염, 황혈칼리, 페로시안화칼륨. 통상 삼수화물이다. $K_4[Fe(CN)_6] \cdot 3H_2O$. 유산철(Ⅱ)에 시안화칼륨을 첨가하여 만든다. 풍해성이 있고, 반자성이며, 상온에서 안정하고 에탄올, 에테르에 녹지 않으며, 물 100g에 대한 용해도는 32.6g(25℃), 74g(98℃), $[Fe^{II}(CN)_6]^{4-}$는 대단히 안정되어 있고 시안이온을 유리하지 않기 때문에 독성은 없다. 전성분석 시약에 사용되며, 시안산, 적혈칼리 등의 제조에도 사용된다. = 페로시안화칼륨(570)

**황화** Sulfidation

일반적으로는 금속원소와 황과의 반응으로 일어나는 부식현상을 말한다. 실제로는 다음과 같은 경우에 문제가 된다. 석유정제 공업에서의 탈황

과정, 또는 석탄의 가스화나 액화 등의 환경에서 유황 증기 혹은 $H_2/H_2S$ 분위기에 의한 부식, 보일러나 가스터빈에서의 유황화합물을 포함한 연소가스에 의한 고온부식이 있다.

**황화나트륨** Sodium Sulfide $Na_2S$.

무수화물, 수화물 모두 물에 잘 녹아 강알칼리성을 띄며, 황을 용해하여 다황화나트륨을 발생시킨다. 산에 녹아 황화수소를 발생한다. 에탄올에는 잘 녹지 않으며, 에테르에는 녹지 않는다. 시판되고 있는 구수화물은 조해성이 있어 에탄올에는 잘 녹으며, 시안화 아연도금욕, 징케이트 아연도금욕 등의 납불순물 제거에 이용된다. 황화나트륨이 조해되어 있을 때는 재빨리 수세한 후 사용한다.

**황화 부식** Sulfidizing Corrosion

고온에서 황을 함유한 분위기에서 발생하는 부식을 말한다. 황을 함유한 연료와 미량의 염화나트륨에서 황산소다 $Na_2SO_4$를 발생시키며, 이것이 퇴적하여 부식을 촉진한다. 고온에서 금속이 받는 부식을 고온부식이라고 하며, 좁은 의미로는 고온 황화부식을 지칭하는 경우가 많다. = 고온 황화부식(33)

**황화수소** Hydrogen Sulphide $H_2S$.

분자량 34.08, 불점 -60.4℃, 밀도 1.539g/$l$ (0℃, 1atm), 비중 0.96(액 중에서, 불점). 부패된 계란과 같은 냄새가 있는 무색에 유독한 기체이다. 자연에서는 화산이나 광천 등에 존재한다. 황화철에 염산을 가해 얻을 수 있다. $FeS+2HCl \rightarrow H_2S+FeCl_2$, 수용액은 산성을 띄고, 많은 양이온과 반응하여 유색의 황화물의 침전을 만든다. 황화수소 중독은 곧 바로 후각을 마비시키기 때문에 주의를 요한다. 농도가 크면, 급성중독 증상이 보이며 의식을 잃게 된다. 흑니켈도금 등의 도금피막을 박리할 때 황화수소가 발생하는 경우가 있다. ◘ 흑니켈 도금(647)

**황화염료** Sulfun Dye

구조의 비교적 간단한 염료 중간체를 다황화나트륨이나 유황과 융해하여 합성한다. 유황을 포함한 물불용염료 황화나트륨에서 환원하거나 수용성에 의해 목면으로 염착하여 공기 등으로 무면 염료를 재생하는 염료 중간체에는 방향족아민, 아미노페놀, 시트로 페놀 등이 있다.

**황화은 휘스커** Silver Sulfide Whisker

은 표면은, 황화의 과정에서 휘스커가 성장하는 경우가 있으며, 은계의 전기 접점에서는 접촉 불량의 원인이 된다. 아황산가스 $SO_2$, 황화수소

$H_2S$, 등의 농도가 ppm 오더를 초과하면 발생하는 경우가 많다. 휘스커 대책으로써는 은 위에 금도금, 로듐도금을 하든지, 은합금(Ag-Pb, Ag-Au 등)으로 변경한다. ◘ 휘스커(646)

**황화철** Iron Sulphite

철과 황의 화합물(FeS)로서 철강 중의 황은 망간이 적을 경우는 FeS로서 존재한다.

**회분식 배수처리** Batch System Pollution Control

배수량이 적고, 배수의 종류가 적을 때에 저장 수조를 크게 하여 저장 수조가 가득 채워졌을 때에 처리를 하는 방식이다. 일반적으로 배수량이 $1m^3$/일 이상에서는 연속식이 많다. = 배치식 배수처리(173)

**회분식 수세** Batch Process Rinsing

도금공정의 수세방식으로, 계속해서 급수를 하지 않고, 일정 농도가 되었을 때, 배수를 하는 방법이다. 제1수세만이 배수를 하고, 다른 것은 뒤의 수조에 순서대로 보내는 경우도 있다. 물의 전도도를 상시 측정하여 수세수의 오염 정도를 경보로 알려주는 것도 있다. = 배치식 수세 ◘ 배치식 처리(173)

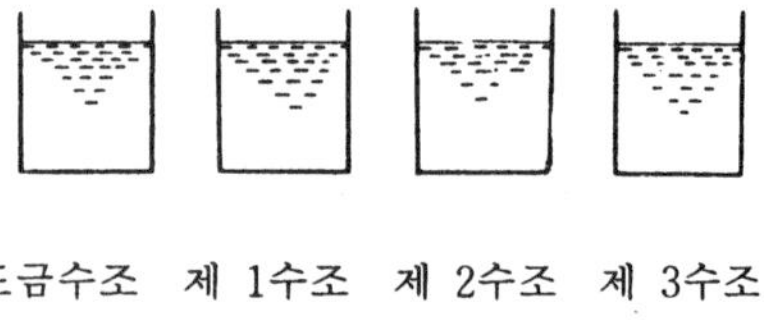

회분식 수세

**회분식 처리** ◘ 배치(Batch)식 처리(173)

**회색점** Dark Spot

중탄소강의 인장시험편의 파단면에 나타나는 회색의 원형 부분을 회색점이라고 한다. 회색점은 0.5~0.8% C의 탄소강에서 노멀라이징 처리를 행한 것에서 발생하며, 어닐링이나 퀜칭, 템퍼링된 것에는 발생하지 않는다. 조직적으로는 펄라이트+유리 페라이트(입계)의 것으로, 유리 페라이트가 적고, 또한 결정 입도가 큰 것일수록 발생하기 쉽다.

**회수** Drag Back

처리액중에서 물품을 꺼낼 때에 물품과 함께 처리액이 달려나오기 때문에 이 액을 원래의 처리액으로 되돌리는 작업을 회수라고 한다. 보통은 회수수조에 물을 넣어 달려나오는 액을 물로 엷게 하여 이것을 원래의 처리액으로 되돌리지만, 물의 밸런스가 나빠지기 때문에 회수액을 농축하여 처리액으로 되돌리는 경우가 있다. 농축방법은 가열법, 진공증발법, 발기법, 투석법, 전기투석법 등이 있다.

**회전계** ⇨ 회전속도계(645)

**회전도금** Barrel Plating

형상이 작은 것을 대량으로 도금할 때에 사용된다. 작은 구멍을 많이 뚫어 놓은 합성수지제의 통속에 피도금물을 넣어, 통을 회전시키면서 도금을 행한다. 통의 형상은 팔각형이 많다. 대량 생산에 적합하기 때문에 아연도금에서는 피도금물이 70kg이나 들어가는 대형의 통도 사용되고 있다. 경사형은 도금액의 양이 적고, 가온 냉각이 어렵기 때문에 사용되는 경우가 적다. = 배럴도금 ⇨ 경사식 배럴도금(25)

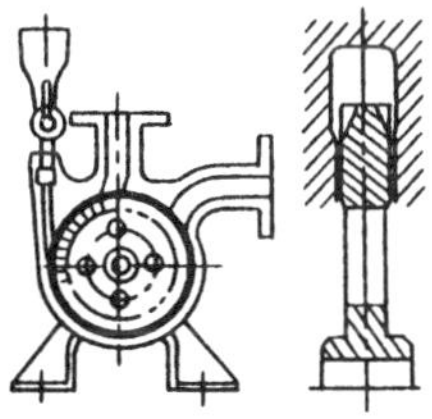

회전 펌프 (웨스코식)

수평식 회전도금　　경사식 회전도금

회전도금 수조

회전도금

**회전속도계** Tachometer

회전계, 타코미터라고도 한다. 회전속도를 측정하는 계기로 회전속도는 보통 1분당의 회전수(rpm)로 표시한다. 회전축에 직접 계기의 축을 맞대어 회전계수 기구에 의해 회전수를 측정하는 시계식 회전계, 회전속도에 비례하는 추의 원심력을 이용한 원심 회전계, 회전속도에 비례하는 전압의 발생을 이용한 전기 회전계, 스트로브스코프를 이용한 스트로브 회전계 등이 있다. = 회전계(645), 타코미터(540)

**회전 연마** Barrel Finishing ⇨ 배럴 연마(171)

**회전 펌프** Centrifugal Pump

원심 펌프라고도 한다. 작동이 연속적이어서 빠르고능률이 좋으며, 펌프 본체에 밸브류를 필요로 하지 않아 전동기 직결로써 임의의 장소에 설치할 수 있다는 등의 이점이 있으므로 가장 널리 이용되고 있다. 도금에서는, 여과기용 및 처리액의 수송에 이용된다. 안내날개가 있는 터빈 펌프와 안내 날개가 없는 볼류트(Volute ; 나선형)펌프로 대별된다.

= 원심 펌프

**회전 펌프** Rotary Pump

여러 가지 형식의 회전자의 회전에 의해 액체의 흡입, 압축을 행하는 펌프로 회전마찰 펌프, 기어펌프, 스크류펌프, 캠펌프 등의 종류가 있다. 도금용 소형 여과기의 펌프는 회전마찰 펌프가 사용된다. 회전마찰 펌프를 웨스코식 펌프라고도 한다.

**후강판(厚鋼板)** Plate

두께 3㎜이상의 강판을 후강판 또는 후판이라고 한다. 또한 이 중에서 두께 3~6㎜의 것을 중판이라고도 한다. 클래드(Clad) 강판도 이것에 속한다.

**후처리** After Treatment

도금의 후처리라는 것은, 수세, 회수, 건조, 크로메이트 처리, 방청액 침적, 수소취성 방지의 열처리(베이킹 ; Baking) 등의 공정을 말한다.

**후판(厚板)** Thick Plate

열간압연 강판의 두께 6㎜이상의 것을 일반적으로 후판이라고 한다. 후판 제품은 탄소강이 주체이나, 그 외에도 고장력강, 합금강 스테인리스강 등도 있다. 선박, 보일러, 압력용기, 교량 등의 대형 구조물에 사용된다.

**후프 도금** Hoop Plating: Continuous Plating ◘ 연속 도금(347)

**휘스커** Whisker

의미는 "고양이 수염"으로, 방치된 금속에 자연적으로 발생하는 침상의 섬유체이며, 예로부터 널리 알려져 있다. 현재는 적당한 조건하에서 수용액에서의 석출, 화합물의 열분해, 수소환원, 증기의 응축 등에서도 얻을 수 있다. 다수의 금속 휘스커 외에 복잡한 화합물이나 천연광물의 휘스커도 있다. 뿌리가 성장하는 것과 선단이 성장하는 것의 2종류가 있으며, 굵기는 0.1㎛에서 약 10㎛이다. 전위가 적고, 단결정으로 강도는 결정의 이상치에 가까우며, 금속에서는 통상의 것의 수 백 배가 된다. 전자 기기에서는 단락의 원인이 되기 때문에, 주석의 경우는 납과 합금으로 하거나, 리플로우(Reflow)하면 발생을 억제할 수 있다. 강도를 높이기 위해서 각종 복합재료에 사용된다. = 침상결정 ◘ 주석의

주석도금의 휘스커

휘스커

수염(483)

**휘트스톤 브리지** Wheatstone Bridge

직류 저항측정용 브리지형 회로를 말한다. 사변형의 대각선 위치에 검류계가 있고, 사변형의 저항을 오른쪽으로부터 R, $R_1$, $R_2$. $R_3$라 하면, 검류계에 전류가 흐르지 않는 조건은, $R=R_1R_2/R_3$이므로 $R_1$을 변화시켜 검류계의 바늘이 움직이지 않는 위치를 계산하여 미지의 저항치 R을 구한다.

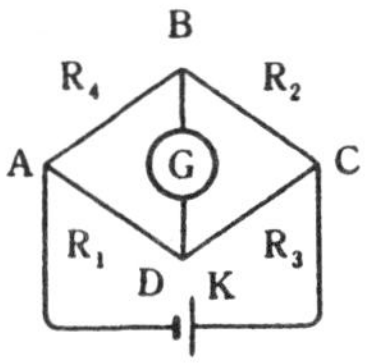


휘트스톤 브리지

**휴징** Fusing ◘ 퓨징(591)

**흄** Fume

일반적으로는 취기성의 연기를 말하지만, 바르게 말하면 승화, 증류, 화학반응 등에 의해 발생하는 연기로, 주로 고체의 미립자로 되어 있다. 미립자의 직경은 1㎛ 이하로 미세하게 포집(捕集)하기는 어렵다. 미립자가 액상인 것은 미스트(Mist)라고 한다. 그러나, 이것들의 구별은 확실하지 않다. 예를 들어, 발연 황산, 발연 초산 등에서 발생하는 연기는 흄이라고도 하지만, 바른 말은 미스트이다. 크롬도금에서는 전해 중에 다량의 미스트가 발생한다. = 연무 ◘ 미스트(153)

**흄-로더리의 법칙** Hume-Rothery's Rule

주기표 Ⅱb~Ⅳb족의 금속과 천이금속간의 금속간 화합물은, 결정구조가 동일하다면 가전자 수의 합과 원자수의 합과의 비가 일정하다는 법칙을 말한다. 예를 들어, CuZn, $Ag_3Al$, $Cu_5Sn$은 모두 염화세슘형 구조로, 가전자 수의 합은 각각 1+2, 3+3, 5+4이고, 원자수는 각각 1+1, 3+1, 5+1로 그 비는 모두 ⅔이다. ◘ 금속간 화합물(56)

**흑니켈 도금** Black Nickel Plating

외관을 흑색으로 하는 장식용 도금으로, 내식성은 기대할 수 없다. 전착물의 화학성분은 Ni 40~60%, Zn 20~30%, S 10~15%, 유기물 10%로 광물질에 가깝고, 굴곡시험에 잘 견디며, 밀착성은 좋지만, 무른도금이 되기 때문에 두꺼운 도금은 피해야만 한다. 욕 조성은 상온욕으로써 황산니켈안몬 60 g/l, 황산아연 7.5g/l, 티오시안산나트륨 15g/l, pH 5.6~6.0, $D_k$ 0.05~0.2A/$dm^2$이다. 이 외에 가온욕과 전(全)염화욕이 있다. 일반적으로 2㎛ 이하의 얇은 도금을 하여 클리어 래커 등의 투명도장으로 보호하는 경우가 많으며, 건축의 금물이나 잡화 등에 사용된다. 고대색의 마무리 기법의 하나로써 장신구나 미술공예품 등에 사용되는 경우도 있다.

**흑(黑) 로듐 도금** Brack Rhodium Plating

흑로듐 도금은, 전착한 상태에서는 비정질에 가까운 미세한 조직으로 되어 있으며, 양극처리를 가함으로 인해 도금피막의 물성이 강화된다. 내부응력 때문에 두께의 부착은 곤란하며 한계두께는 0.5㎛까지이다. 시계, 라이터, 안경 프레임 등의 장식용에 사용된다. 흑색은 각종 첨가제에 의해 얻을 수 있다.

**흑색도금** Black Color Plating

공업적으로 실시되고 있는 흑색도금은 흑니켈도금, 흑크롬도금, 흑로듐도금 등이 있으며, 아연도금에서는 도금 후, 흑색 크로메이트 처리에 의해 흑색으로 변화된다. 니켈도금 상의 흑색크롬도금은 태양열 선택흡수성과 내구성과 가격에서 뛰어나다. ◘ 흑니켈도금(647), 흑크롬도금(649), 흑로듐도금(전항), 흑 크로메이트(649)

**흑색 3원합금도금** ◘ 주석-니켈-동합금도금(482)

**흑색 파면** Black Fracture

흑연화(Graphitizing)된 강의 파면을, 흑색 파면이라고 한다. 파면의 색의 광택이 흑연 때문에 흑색을 띄기 때문이다. 흑색 파면은 흑연화를 검출하는 실마리가 된다.

**흑연** Graphite

탄소의 동소체 일종으로 육방정계의 층상 결정구조를 가지고 있는 검은 금속 광택이 있는 아금속(반금속)이며, 그라파이트, 석묵이라고도 한다. 비중 2.1～2.3, 융점 3700～4300, 불점 4800℃, 육방층상면과 이것에 직각인 방향에서는 그 성질을 다르게 하여 제품에서는 제조법에 의한 물리적성질 등에 이방성이 나타난다. 내열성, 내열 충격성, 내식성이 좋으며, 전기, 열의 양도체로 윤활성이 있다. 화학적으로 안정하고, 연필의 심, 전극, 도가니, 감마재, 주형 등에 사용되고 흑연에 수지 가공한 불침투화된 가공 기술도 개발되었다. 도금에서는 불용성전극, 열교환기 등에 사용된다. = 그래파이트(52), 석묵(243)

**흑연 취성** Graphitic Embrittlement

강 및 합금강의 결정립계에 흑연이 나타남으로 인해 취화되는 현상을 흑연 취성이라고 한다.

**흑연 탄소** Graphite Carbon

흑연이 되어 있는 탄소를 흑연 탄소라고 한다. 주철 중에 존재하는 탄소의 형태는 대부분이 흑연 탄소로, 일부가 화합 탄소(시멘타이트)이다. 흑연 탄소와 화합 탄소의 합을 총합 탄소(Total Carbon)라고 한다.

**흑염(黑染)법** Blackening

철강표면에 $Fe_3O_4$(사삼산화철)의 흑색 산화 피막을 만들어, 그 치밀한 막으로 내부를 보호하는 방법을 말한다. 여러 가지 방법이 있으며, 알칼리 착색법은 NaOH 35～45%의 수용액에 산화제, 반응촉진제 등을 첨가한 처리액을 130～150℃로 가열하여 그 중에서 철강부품만을 침적시킨다. 피막의 두께는 0.2～5㎛ 정도로, 표면에서 내부로 산화되기 때문에 치수변화가 작아 정밀기기 부품의 처리에 사용되지만, 이 피막은 크랙의 발생이 많기 때문에 후처리로써 크롬산 처리, 방청유 도포 등의 처리가 필요하다. = 알칼리 착색법(312)

**흑 크로메이트** Black Chromate

아연도금의 흑색 크로메이트 처리이며 흑니켈 도금, 흑크롬 도금에 비해 값이 싸고 내식성이 좋기 때문에 자동차부품, 전기부품, 잡화 등에 널리 사용되고 있다. 욕조성의 한 예는, 무수크롬산 40～45g/$l$, 황산나트륨 40～45g/$l$, 초산은 0.5～1.5g/$l$ 이다. 흑 크로메이트의 내식성은 보통 유색 크로메이트(홍황색)보다도 좋고, 염수 분무시험에서 점 형상의 백청을 발생시키기까지 200시간을 요하는 것도 있다.

**흑크롬 도금** Black Chromium Plating

욕 조성의 한 예는, 무수크롬산 300～400g/$l$, 빙초산 5～450g/$l$, 온도 10～20℃, $D_k$ 30～100A/$dm^2$, 일반 크롬도금욕(서젠트욕)과 비교해 보면 저온도, 대전류로 도금된다. 전착물의 화학성분의 한 예는, Cr 56.1%, O 26%, H 1.25%, N 0.4%이며, 금속크롬과 크롬산화물, 수화물로 이루어져 있다. 이 때문에 서젠트욕에서의 크롬도금과 비교해 보면 내마모성이 떨어진다. 경도는 Hv 200 정도로 니켈과 같은 정도이지만, 내식성은 대단히 뛰어나다. 고급 카메라의 외장, 시계, 광학 관계부품, 장신구, 스포츠 용품, 솔라 시스템 등의 역흡수 판넬 등, 용도가 대단히 넓다.

**흑피** Mill Scale : Roll Scale

철강이 공기 중에서 고온으로 가열되어 가공되었을 때 표면에 생성되는 흑색, 또는 흑갈색의 두꺼운 산화물층을 말한다. 소재에서 FeO, $Fe_3O_4$, $Fe_2O_3$의 순서로 안정된 층이 형성된다. = 롤 스케일(123), 밀 스케일(156)

**흔적** Trace

분석법에서, 어떤 물질의 양이 혼합물 전체 또는 다른 성분에 비해 현저하게 적고, 사용되는 분석법에서 그 존재는 확인할 수 있지만, 정확하게 정량할 수 없거나, 문제 삼기에는 부족한 양을 말한다. 트레이스라고도 한다. = 트레이스(553)

**흡광(吸光) 광도(분석)법** Absorptiometry

광도계(光度計)를 사용하여 시료의 흡광도 또는 투과도를 측정하는 방법. 미리 여러 종류의 농도 표준액에 대해 흡광도 또는 투과도를 측정하여 검량선(檢量線)을 만들어 놓아, 이 검량선으로부터 시료의 농도를 알 수 있다. 광도 정량이라고도 한다. 단일 파장의 빛을 이용하면 정도가 좋기 때문에 광전 비색계(比色計)나 광전분광 광도계가 사용된다. 흡광 광도법은 정도가 높고, 신속하게 정량분석이 가능하기 때문에 폭 넓게 이용된다. = 광도 정량(42)

**흡습도** Moisture Absorbent ◘ 건조제(18)

**흡유면** ◘ 오일캐치(367)

**흡인 깔대기** Suction Funnel

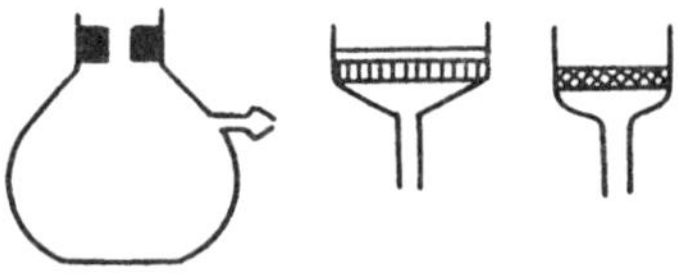

흡인 깔대기

실험실 등에서 비교적 소량의 여과를 행할 때 사용하는 깔대기를 말하며, 흡인으로 인해 여과지가 파손되지 않도록 본체와 일체화한 평편하고 구멍이 뚫린 자성판을 갖춘 것을 누체(Nutshe) 또는 부흐너(Buchner) 깔대기라고 한다. 흡인병은 그림과 같다. 이 외에 여과용 글래스 다공판을 갖춘 것도 있으며, 이것은 종이에 침투되는 액의 여과나 깔대기마다 침전물을 적량할 때 등에 사용된다.

**흡인 여과** Suction Filtration

글래스제의 흡인병에 흡인 깔대기, 또는 글래스 필터를 취부하여 흡인병 안을 수류펌프(아스피레이터라 한다), 그 외의 펌프 등으로 흡인하면서 깔대기 내에 있는 용액을 여과하여, 침전을 깔대기 내에서 분리하는 방법을 말한다. 흡인병 안을 펌프로 감압함으로 인해, 여과 속도를 빠르게 할 수 있다. 공업적으로 흡인 여과를 행하는 장치로써는 회전식의 올리버 필터 등이 있다. ◘ 올리버 진공여과기(369)

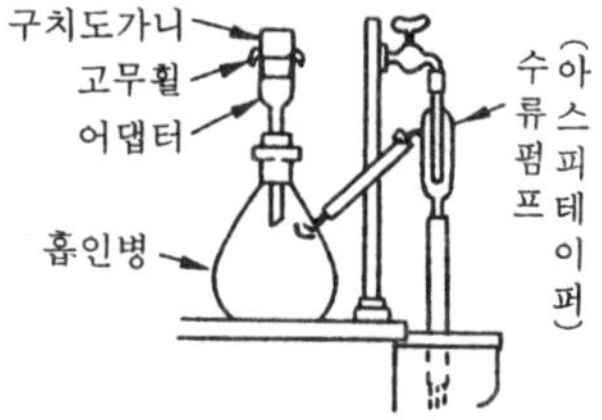


흡인여과

**흡착** Absorption

니켈이나 그 외에, 도금욕 중에서의 유기물은 활성탄에 의해 흡착되어 제거된다. 흡착이라는 것은, 기체나 액체가 다른 상(고체의 경우가 많다)과 접하고 있을 때, 그 계면 가까이에 있는 농도가 상의 내부와 서로 달라 평형하게 되는 현상을 말한다. 흡착현상은 표면과 흡착분자의 결합이지만 화학결합과 같은 것을 화학흡착, 반데왈스력에 의한 결합을 물리흡착이라고 한다. 활성탄, 실리카 겔, 제오라이트는 흡착성이 크기 때문에 배수처리, 배기처리, 취기(臭氣)제거 등에 사용되고 있다.

**희(希)가스** Rare Gas

귀(貴)가스라고도 하며, 주기율 0족에 속하는 헬륨, 네온, 아르곤, 크립톤, 크세논, 라돈의 6원소를 말한다. 불활성가스의 원료로 사용한다.

◘ 불활성 가스(211)

**희금속** Rare Metal ◘ 레어메탈(118)

**희석도** Dilution

액체 중에 용질이 어느 정도 엷게 되어 있는가를 나타내는 것으로, 통상 몰농도의 역수로 나타낸다. 이것은 용질 1몰이 함유하고 있는 용액의 리터 수에 상당하는 숫자이다.

**희성아노드** Protective Anode : Sacrificial Anode

부식을 방지하는 금속에 그 금속보다도 전위가 낮은 금속을 취부하여 전지작용에 의해 아노드로써 용해시켜 피방식(被防食)금속의 용해(부식)를 방지하는 경우, 취부한 전위가 낮은 금속을 희성아노드라고 한다. 철강에 대한 알루미늄, 아연, 마그네슘 등이 있다. = 희성양극 ◘ 음극 방식법(401)

**희성양극** ◘ 희성아노드(전항)

**희유금속** Rare Metal ◘ 레어메탈(118)

**히드로날륨** Hydronalium

알루미늄-마그네슘계 합금의 일종으로, 전신(展伸)재는 마그네슘을 최대 5%, 주조용 합금은 마그네슘을 약 10% 함유하고 있다. 내식성이 뛰어나며, 기계적 성질도 좋기 때문에 차량용, 건축용, 선박용 등에 널리 이용되고 있다.

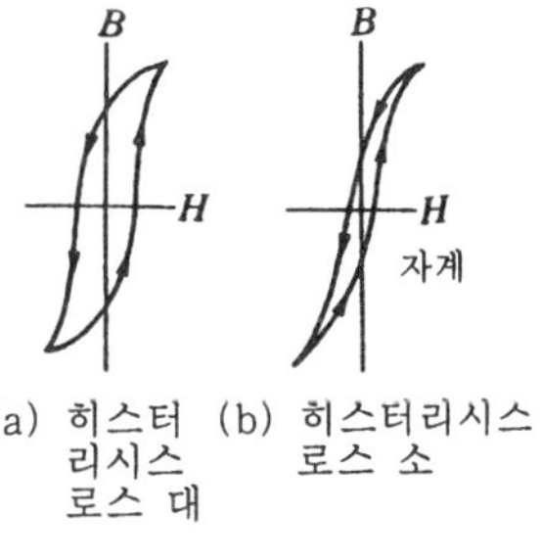


히스터리시스 루프

히스터리시스

**히스터리시스** Hysteresis

어떤 양 $A$의 변화에 의해 다른 양 B가 변

화하는 경우에, $A$를 변화시키는 경로에 의해 같은 $A$에 대한 $B$의 값이 서로 다른 현상을 말한다. $A$를 증폭시킨 후, 감소시킬 때 $A$-$B$ 곡선이 폐곡선을 그리는 경우에는 그 곡선을 히스터리시스 루프라고 한다. 탄성 히스터리시스, 자기 히스터리시스 등, 많은 예가 있다. = 이력(履歷)현상(409)

**히트사이클 테스트** Thermo-Cycle Test; Thermal Cycle Test

시료를 지정된 두 종류 이상의 온도에서 상온을 사이에 두고 상호 유지시키며, 소지와 도금 피막의 열팽창율의 차에 의해 도금이 벗겨지지 않는가를 보고, 도금의 밀착성을 조사하는 시험을 말한다. 미국에서 플라스틱 상의 니켈-크롬도금의 밀착성 시험법으로써 채용되어 있다. 예를 들어 상온(1시간)→고온(1시간)→상온(20±3℃, 1시간)→저온(1시간)→상온이라는 열사이클을 수 차례 반복하여 냉각 후에 육안 또는 확대경으로 부푼 정도, 벗겨진 정도의 유무를 조사한다. ASTM B 553 참조 = 열사이클시험(352)

**히트 펌프** Heat Pump

냉장고나 에어콘의 동작원리이며, 대용량 저온의 열원(대기, 각종 폐열 등)에서 열을 얻어 소용량 고온의 열을 취하는 경우와, 소용량 저온을 취하기 위해 대용량 고온의 장소(대기, 하천수 등)에 열을 발산하는 경우가 있다. 모두 열을 내기 때문에 히트 펌프라 한다. 프론가스, 암모니아가스 등을 압축하면 온도가 상승하고, 압축 후 단열 팽창시키면 냉각되어 열을 흡수하는 것을 이용하고 있다. 이상적인 경우는 펌프의 전력 1에 대해 6~8의 열을 얻을 수 있으나, 실제로는 그 몇 배의 전력이 필요하다. 그러나, 가온에서는 전열기보다도 소전력으로 가온할 수 있다. 도금액의 냉각에 이용되는 경우도 있다.

**힌리치센욕** Hinritchsen Plating Bath

니켈-코발트합금 도금욕의 일종으로, 욕조성은, 황산니켈 240g/$l$, 염화니켈 35g/$l$, 붕산 30g/$l$, 황산코발트 15g/$l$, 기산나트륨 35g/$l$, pH 4.0~4.5, 온도 55~60℃, 전류밀도 3~8A/$dm^2$. 양극은, 전기니켈, 또는 니켈-코발트합금을 사용한다. 이 욕은 와이스베르크욕(Weisberg Plating Bath)에 비해 방부제(Formalin) 악취가 없다. ◘ 와이스베르그욕(371)

## 【참고문헌】


1. 전기도금연구회 : 도금교본 ; 일간공업신문사, 1986
2. 岡村 壽郞 : 무전해 도금의 응용, 槇書店, 1991
3. 일본프린트 메인터넌스협회 : 방청·방식기술(실전보전기술 시리즈), 1992
4. 일본화학회 : 도금과 하이테크 ; 일간공업신문사, 1992
5. 古藤 田哲 : 귀금속 도금 ; 槇書店, 1992
6. 山崎 龍一 : 도금독본 ; 槇書店, 1993
7. 전기도금 연구회 : 무전해 도금 ; 일간공업신문사, 1994
8. 丸山 淸 : 도해 도금용어사전 ; 일간공업신문사, 1994
9. 石原 祥江 : 선단기술에 대응하는 도금의 기초 : 槇書店, 1994
10. 星野 芳明 : 바렐도금 ; 槇書店, 1995
11. 下平 三郎 : 부식·방식의 재료과학 ; 아그네기술센터, 1995
12. 小若 正倫 : 금속의 부식손상과 방식시굴(최신) ; 아그네承風社, 1995
13. 부식방식협회 : 부식·방식 데이터북 ; 丸善, 1995
14. 長澤 英一郎 : 도금의 신상 ; 岩波書店, 1995
15. 丸山 淸 : 초급도금 ; 일간공업신문사, 1995
16. 豊永 實 : 프린트 배선판의 도금기술(NP시리즈) ; 槇書店, 1996
17. 神戶 德藏 : 도금의 평가 ; 槇書店, 1998
18. 英 一太 : 일렉트로닉스용 기능도금기술 ; 시엠시, 2000
19. 부식방식협회 : 부식·방식핸드북 ; 丸善, 2000
20. 일본공업협회 : JIS 핸드북(금속표면처리), 1999
21. 일본공업협회 : JIS 핸드북(금속분석 철강편), 1998
22. 일본공업협회 : JIS 핸드북(금속분석 비철편), 1998
23. 武井 英雄 : 금속재료학 ; 理工學社, 1977
24. 宮川 大海 : 금속재료통론(철강·비철·신소재) ; 朝倉書店, 1987
25. 금속재료기술연구회 : 도해 금속재료기술 용어사전 ; 인간공업신문사, 1988
26. 淺田 千秋 외 : 금속재료과학 ; 森北出版, 1989
27. 田中 良平 : 금속재료사전 ; 朝倉書店, 1990
28. 일본기계학회 : 금속재료 피로강도의 설계자료 1(개정 제2판) ; 丸善, 1990
29. 일본기계학회 : 금속재료 피로강도의 설계자로 2(개정 제2판) ; 丸善, 1991
30. 高橋 淸 : 반도체·금속재료 용어사전 ; 일본규격협회, 1999
31. 長崎 誠三 : 금속 및 열처리사전 ; 아그네기술센터, 1999
32. 田口 勇 : 금속백과사전 ; 丸善, 1999

33. 長崎 誠三 : 금속용어집(개정 증보판) ; 일본금속학회, 1995
34. 藤田 英一 : 금속물리(재료과학의 기초) ; 아그네기술센터, 1996
35. 內田 裕久 : 조직학과 에칭 매뉴얼 ; 일간공업신문사, 1997
36. 加藤 哲男 : 파인세라믹 용어사전 ; 理工學社, 1996
37. 村上 陽太郎 : 금속재료학 ; 朝倉書店, 1994
38. 岡田 雅年 : 금속재료화학 ; 일간공업신문사, 1992
39. 和泉 修 : 금속간화합물 ; 產業圖書, 1988
40. 齊藤 安俊 : 금속의 고온산화(JME 재료과학) ; 內田老鶴圃, 1986
41. 伊藤 伍郎 : 부식과학과 방식기술 ; 코로나사, 1969
42. 竹內 節三 : 금속의 공학세정 ; 地人書館, 1993
43. 표면기술협회 : PVD·CVD피막의 기초와 응용 ; 槇書店, 1994
44. 표면기술협회 : 금속의 폴리머코트 ; 槇書店, 1996
45. 加藤 光昭 : 비파괴검사 이야기 ; 일본규격협회, 1995

1. A.S.M : Metals Hand Book Vol. 2, 1964
2. M.A. Grossmann : Principle of Heat Treatment ; A. S. M : 1964
3. S.A.E : S. A. E. Handbook ; 1965
4. G. Krauss : Principle of Heat Treatment of Steel, 1980
5. R.E. Whan : Metals Handbook vol 10 Materials Characterization, American Society for Metals, 1985
6. H.R Clauser etal : The Encyclopedia of Engineering Materials and Processes ; Reinhold Publishing Co., 1963
7. D. Birchon : Dictionary of Metallurgy; George Newnes Ltd., 1965
8. E.N. Simons : A Dictionary of Metal Heat Treatment ; Frederick Muller Co., 1974
9. A.D. Merriman : A Dictionary of Metallurgy; Macdonald & Evans. Ltd., 1958
10. D.F. Allsop : Pressure Diecasting Part 2, The Techonlogy of the Casting and the Die; 1983
11. B. Upton : Pressure Diecasting Part 1, Metals-Machines-Furnaces, 1982
12. Zinc Die Casting Guide, Zinc Alloy Die Casters Association, 1974
13. J.M. West : Electrodeposition and Corrosion Processes, Van

Nostrand Reinhold, 1971
14. Tool and Manufacturing Engineers Handbook, 3rd edition
15. F.C.S. Plummer, Precision Diecastings, Diecasting and Metal Moulding, 1981
16. Technician Unit Training Guide Book, Foundry Committee, London

1. 금속표면처리편람편집위원회 : 금속표면처리편람 ; 세화, 1980
2. 염희택 외 : 금속표면처리(최신) ; 동명사, 1983
3. 이학열 : 금속부식공학 ; 연경문화사, 1995
4. 박용수 : 금속부식(대우학술총서 자연과학 54), 1995
5. 남기우 외 : 금속조직과 결함(열처리기술시리즈 10) ; 원창출판사, 1991
6. 이주성 외 : 도금표면처리(개정판) ; 문운당, 1999
7. 박준규 : 방식 및 표면처리 ; 세진사, 1998
8. 이현우 : 화공공학 열역학 ; Mcgraw Hill, 1997
9. 정수진 : 결정학 개론 ; 반도출판사, 1997
10. 김계덕 : 복합재료기술 ; 과학기술, 1999
11. 금속용어사전편찬위원회 : 금속용어사전(TOTAL) ; 동명사, 1998
12. 이희찬 : 도금·착색·전주 ; 성진사, 1994
13. 김정근 외 : 금속기계 재료공학, 학문사, 1998
14. 김정근 : 주조, 한국주조공학회, 1989
15. KS 핸드북 철강 : 한국공업규격
16. KS 핸드북 비철 : 한국공업규격
17. 김정근 외 : 금속현미경조직학, 도서출판골드, 1999
18. 이의종 : 금속재료대조핸드북, 도서출판골드, 1984

## 【부록 1-1】

주된 순물질과 합금의 물리적 성질

| 원소명 | 기호 | 비중 (20℃) | 융점 (℃) | 불점 (℃) | 융해열 (㎉/kg) | 비열 (㎉/kg·℃) | 선팽창계수 $\times 10^6$ | 열전도도 (㎉/m·h·℃) | 전기비저항 ($\mu\Omega$·cm) | 모스 경도 |
|---|---|---|---|---|---|---|---|---|---|---|
| 아 연 | Zn | 7.14 | 419.5 | 907 | 24 | 0.0915 | 33 | 97 | 6 | 2.5 |
| 알루미늄 | Al | 2.70 | 660 | 2450 | 95 | 0.215 | 23 | 190 | 2.6 | 2.9 |
| 안 티 몬 | Sb | 6.68 | 630.5 | 1637 | 38 | 0.049 | 11 | 16 | 39 | 3.0 |
| 황 | S | 1.9~2.1 | 113~120 | 444.6 | 9 | 0.175 | 64 | 0.2 | 2×1023 | - |
| 이 리 듐 | Ir | 22.4 | 2450 | 4200 | - | 0.031 | 6.5 | 50 | 6 | 6.5 |
| 우 란 | U | 18.9 | 1133 | 3925 | - | 0.028 | 15 | 230 | 29 | - |
| 카 드 뮴 | Cb | 8.65 | 320.9 | 765 | 13 | 0.055 | 30 | 80 | 7.5 | 2.0 |
| 칼 륨 | K | 0.86 | 63.4 | 757 | 15 | 0.177 | 83 | 86 | 7.0 | 0.5 |
| 칼 슘 | Ca | 1.55 | 850±20 | 1490 | 55 | 0.149 | 25 | 108 | 4.6 | 1.5 |
| 금 | Au | 19.3 | 1063 | 2660 | 16 | 0.031 | 14 | 260 | 2.4 | 2.5 |
| 은 | Ag | 10.5 | 960.8 | 2193 | 25 | 0.056 | 19 | 360 | 1.62 | 2.7 |
| 크 롬 | Cr | 7.14 | 1903±10 | 2642 | 65~67 | 0.11 | 8 | 58 | 13 | 9.0 |
| 규 소 | Si | 2.4 | 1410±5 | 2355 | 337 | 0.162 | 3~7 | 72 | - | 7.0 |
| 게르마늄 | Ge | 5.36 | 937.6 | - | 110 | 0.073 | 5~6 | - | 8.9×104 | - |
| 코 발 트 | Co | 8.71 | 1495 | 2880 | 58~68 | 0.099 | 12 | 59 | 9.7 | 5.5 |
| 지르코늄 | Zr | 6.4 | 1852±10 | 4375 | - | 0.066 | 5 | - | 40 | - |
| 수 은 | Hg | 13.546 | -38.87 | 356.7 | 2.8 | 0.033 | - | 7 | 96 | - |
| 주 석 | Sn | 7.3 | 231.9 | 2687 | 14 | 0.054 | 20 | 56 | 11 | 1.8 |
| 셀 렌 | Se | 4.8 | 217 | 736 | - | 0.084 | 37 | - | 1.2 | - |
| 텅 스 텐 | W | 19.3 | 3380 | 5530 | 44 | 0.032 | 4 | 140~170 | 5.5 | 6.5~7.5 |

## 【부록 1-2】

주된 순물질과 합금의 물리적 성질

| 원소명 | 기호 | 비중 (20℃) | 용점 (℃) | 불점 (℃) | 용해열 (㎉/kg) | 비열 (㎉/kg·℃) | 선팽창계수 ×10⁶ | 열전도도 (㎉/m·h·℃) | 전기비저항 (μΩ·㎝) | 모스 경도 |
|---|---|---|---|---|---|---|---|---|---|---|
| 탄소(흑연) | 2.26 | 3500 | 3500 | 4200 | - | 0.165 | 3~8 | - | - | |
| 탄 탈 | 16.6 | 2977 | 2977 | 5425 | 47 | 0.033 | 7.1 | 47 | - | |
| 티 탄 | 4.5 | 1677 | 1677 | 3277 | - | 0.126 | 8 | - | - | |
| 철 | 7.86 | 1539 | 1539 | 2885 | 65 | 0.11 | 12 | 61 | 4.5 | |
| 동 | 8.93 | 1083 | 1083 | 2582 | 50 | 0.092 | 17 | 330 | 3.0 | |
| 나 트 륨 | 0.97 | 97.5 | 97.5 | 889 | 77 | 0.295 | 71 | 115 | 0.4 | |
| 연 | 11.34 | 327.3 | 327.3 | 1750 | 6 | 0.031 | 29 | 30 | 1.5 | |
| 니 켈 | 8.90 | 1455 | 1455 | 2835 | 74 | 0.105 | 13 | 79 | 3.5 | |
| 백 금 | 21.45 | 1769 | 1769 | 3325 | 27 | 0.032 | 8.9 | 60 | 4.8 | |
| 바 나 듐 | 6.0 | 1917±10 | 1917±10 | 3375 | 36 | 0.120 | 7.8 | - | - | |
| 팔 라 듐 | 12.0 | 1550 | 3125 | 34 | 0.058 | 11.8 | 61 | 10.8 | 4.8 | |
| 비스머스 | 9.78 | 271 | 1560 | 12 | 0.034 | 14 | 7 | 115 | 3.5 | |
| 비 소 | 5.7 | 615(승화) | - | - | 0.082 | 4.7 | - | 35 | 3.5 | |
| 붕 소 | 2.5 | 2620±37 | - | - | 0.309 | 8 | - | 2×1012 | - | |
| 마그네슘 | 1.74 | 650 | 1117 | 89 | 0.25 | 26 | 140 | 4.5 | 2.0 | |
| 망 간 | 7.33 | 1244 | 2040 | 64 | 0.115 | 23 | - | 5 | 5.0 | |
| 몰리브덴 | 9.01 | 2620±10 | 4825 | 70 | 0.061 | 4 | 120 | 4.8 | - | |
| 요 소 | 4.93 | 114(승화) | 184.4 | 15 | - | 93 | - | 1.3×1015 | - | |
| 인(황) | 1.82 | 44.1 | 280 | 5 | 0.177 | 125 | - | 1×1017 | - | |
| 로 듐 | 12.5 | 1960 | 3725 | - | 0.059 | 8.4 | 76 | 5.1 | - | |
| 듀랄루민 | 2.79 | 650 | - | - | 0.211 | 22.6 | 140 | 3.35 | - | |
| 연 강 | 7.8~7.9 | 1470~90 | - | - | 0.11 | 11.2~11.3 | 43~52 | 10~20 | - | |
| 주 철 | 7.0~7.3 | 1145~75 | - | - | 0.10 | 9.2~11.8 | 27~48 | 57~114 | - | |
| 황동(진주) | 8.4 | 940 | - | - | 0.092 | 19 | 80~95 | 5~7 | - | |
| 포 금 | 8.7 | 1000 | - | - | 0.082 | 18 | 40~50 | 13~18 | - | |
| 13크롬강 | 7.6~7.7 | 1510~30 | - | - | 0.11 | 10~11 | 20 | 60 | - | |
| 18-8 강 | 7.9 | 1400~20 | - | - | 0.11 | 14~17 | 14~20 | 70 | - | |
| 규 소 철 | 7.0~7.8 | 1265~1315 | - | - | 0.11 | 12~15 | - | 24~66 | - | |

## 【부록 2】

전기화학당량

| 이온 | 원자가 | mg/쿨롱 | g/암페어 Hr | 이온 | 원자가 | mg/쿨롱 | g/암페어 Hr |
|---|---|---|---|---|---|---|---|
| Ag | +1 | 1.1180 | 4.0248 | Li | +1 | 0.07192 | 0.2589 |
| Al | +3 | 0.09316 | 0.3354 | Mg | +2 | 0.1260 | 0.4536 |
| Au | +2 | 0.6812 | 3.678 | Mn | +4 | 0.14230 | 0.5123 |
| B | +3 | 0.03737 | 0.1346 | Mn | +3 | 0.18974 | 0.6831 |
| Ba | +2 | 0.71175 | 2.5623 | Mn | +2 | 0.28461 | 1.0246 |
| Br | -1 | 0.82820 | 2.98150 | N | -5 | 0.029034 | 0.10453 |
| Ca | +2 | 0.2077 | 0.7476 | N | -3 | 0.048390 | 0.17420 |
| Cd | +2 | 0.58248 | 2.0969 | $NO_3$v | -1 | 0.6426 | 2.313 |
| Cl | -1 | 0.36745 | 1.3228 | Na | +1 | 0.23832 | 0.85797 |
| Co | +3 | 0.2036 | 0.7329 | Ni | +3 | 0.2027 | 0.7298 |
| Co | +2 | 0.3054 | 1.0993 | Ni | +2 | 0.3041 | 1.0947 |
| Cr | +3 | 0.17965 | 0.6468 | O | -2 | 0.082907 | 0.29847 |
| Cr | +2 | 0.2695 | 0.9701 | OH | -1 | 0.1771 | 0.6346 |
| Cu | +2 | 0.3294 | 1.1858 | Pb | +4 | 0.53684 | 1.9327 |
| Cu | +1 | 0.6588 | 2.3715 | Pb | +2 | 1.0737 | 3.8653 |
| ClO3 | -1 | 0.8649 | 3.1114 | Pt | +4 | 0.50581 | 1.8209 |
| CN | -1 | 0.2695 | 0.970 | Pt | +2 | 1.0116 | 3.6418 |
| $CO_3$ | -2 | 0.3109 | 1.119 | S | -6 | 0.05537 | 0.1993 |
| $CrO_4$ | -2 | 0.6011 | 2.164 | S | -4 | 0.08306 | 0.2990 |
| F | -1 | 0.1969 | 0.7088 | S | -2 | 0.1661 | 0.5980 |
| Fe | +2 | 0.19288 | 0.6944 | $SO_4$ | -2 | 0.4985 | 1.792 |
| Fe | +3 | 0.28933 | 1.0416 | Sb | +3 | 0.4206 | 1.5142 |
| H | +1 | 0.010447 | 0.037609 | Se | -2 | 0.4091 | 1.4728 |
| Hg | +2 | 1.0395 | 3.7417 | $SiO_3$v | -2 | 0.3949 | 1.419 |
| Hg | +1 | 2.0780 | 7.4834 | Sn | +4 | 0.30753 | 1.1071 |
| $2H_2O+O_2$ |  | 0.1740cm-3 | 626cm-3 | Sn | +2 | 0.61507 | 2.2142 |
| I | -1 | 1.3153 | 4.7351 | Sr | +2 | 0.4540 | 1.635 |
| $IO_3$ | -1 | 1.813 | 6.526 | Th | +4 | 0.60139 | 2.1650 |
| K | +1 | 0.40517 | 1.4586 | Tl | +1 | 2.1182 | 7.6254 |
|  |  |  |  | Zn | +2 | 0.3388 | 1.220 |

## 【부록 3】

도금량, 도금두께 계수표

| 원 소 | 화학기호 | 원자량 | 원자가 | 1암페어에서 의 석출량(g) | 비중 | 1dm$^2$×1㎛ 의 중량(㎎) | 1dm$^2$당 10㎛의 전착에 필요한 암페어분 |
|---|---|---|---|---|---|---|---|
| 아 연 | Zn | 65.38 | 2 | 1.2195 | 7.1 | 71.0 | 34.9 |
| 알루미늄 | Al | 36.98 | 3 | 0.3345 | 2.7 | 27.0 | 48.6 |
| 안 티 몬 | Sb | 121.75 | 5 | 0.9085 | 6.68 | 66.8 | 44.4 |
| | | | 3 | 1.5141 | 6.68 | 66.8 | 26.4 |
| 이 리 듐 | Ir | 192.2 | 4 | 1.8001 | 22.42 | 224.2 | 75.0 |
| | | | 3 | 2.4012 | 22.42 | 224.2 | 56.4 |
| 인 듐 | In | 114.82 | 3 | 1.4271 | 7.31 | 73.1 | 30.6 |
| 카 드 뮴 | Cd | 112.4 | 2 | 2.097 | 8.64 | 86.4 | 24.7 |
| 가 륨 | Ga | 69.72 | 3 | 0.8670 | 5.9 | 59.0 | 40.8 |
| 금 | Au | 196.9 | 3 | 2.4522 | 19.3 | 193.0 | 47.3 |
| | | | 2 | 3.6783 | 19.3 | 193.0 | 31.8 |
| | | | 1 | 7.3567 | 19.3 | 193.0 | 15.7 |
| 은 | Ag | 107.86 | 1 | 4.0245 | 10.5 | 105.0 | 15.6 |
| 크 롬 | Cr | 51.99 | 6 | 0.323 | 7.1 | 71.0 | 132.0 |
| | | | 3 | 0.646 | 7.1 | 71.0 | 66.0 |
| 게르마늄 | Ge | 72.59 | 4 | 0.6771 | 5.35 | 53.5 | 47.4 |
| | | | 2 | 1.3542 | 5.35 | 53.5 | 23.4 |
| 코 발 트 | CO | 58.93 | 2 | 1.099 | 8.9 | 89.0 | 48.6 |
| 주 석 | Sn | 118.7 | 4 | 1.1070 | 7.3 | 73.0 | 39.6 |
| | | | 2 | 2.2141 | 7.3 | 73.0 | 19.8 |
| 셀 렌 | Se | 78.9 | 4 | 0.7364 | 4.81 | 48.0 | 39.0 |
| 탈 륨 | Tl | 204.37 | 1 | 7.6249 | 11.85 | 118.5 | 9.6 |
| 철 | Fe | 55.84 | 2 | 1.042 | 7.9 | 79.0 | 45.5 |
| 텔 루 르 | Te | 127.60 | 4 | 1.1901 | 6.25 | 62.5 | 31.8 |
| | | | 2 | 2.3803 | 6.25 | 62.5 | 15.8 |
| 동 | Cu | 63.55 | 2 | 1.186 | 8.92 | 89.2 | 45.0 |
| | | | 1 | 2.372 | 8.92 | 89.2 | 22.5 |
| 연 | Pb | 207.2 | 2 | 3.865 | 11.3 | 113.0 | 17.4 |
| 니 켈 | Ni | 58.70 | 2 | 1.095 | 8.9 | 89.0 | 48.7 |
| 백 금 | Pt | 195.09 | 4 | 1.8208 | 21.4 | 214.0 | 70.6 |
| | | | 2 | 3.6416 | 21.4 | 214.0 | 35.3 |
| 팔 라 듐 | Pd | 106.4 | 4 | 0.9951 | 12.0 | 120.0 | 72.6 |
| | | | 3 | 1.3268 | 12.0 | 120.0 | 54.6 |
| | | | 2 | 1.9903 | 12.0 | 120.0 | 36.3 |
| 비 소 | As | 74.2 | 5 | 0.5598 | 5.73 | 57.3 | 61.2 |
| | | | 3 | 0.9315 | 5.73 | 57.3 | 36.6 |
| 비스머스 | Bi | 209.0 | 5 | 1.5594 | 9.8 | 98.0 | 37.8 |

| 원 소 | 화학기호 | 원자량 | 원자가 | 1암페어에서 의 석출량(g) | 비중 | $1dm^2 \times 1\mu m$ 의 중량(mg) | $1dm^2$당 $10\mu m$의 전착에 필요한 암페어분 |
|---|---|---|---|---|---|---|---|
| | | | 3 | 2.5990 | 9.8 | 98.0 | 22.8 |
| | | | 2 | 1.0246 | 7.2 | 72.0 | 11.08 |
| 망 간 | Mn | 54.94 | 7 | 0.2928 | 20.53 | 205.3 | 42.1 |
| 로 듐 | Rh | 102.9 | 4 | 0.9598 | 12.5 | 125.0 | 78.6 |
| | | | 3 | 1.2797 | 12.5 | 125.0 | 58.6 |
| | | | 2 | 1.9196 | 12.5 | 125.0 | 39.0 |

# 색 인

(ABC순)

**B**

## I

## O

P

**Q**



**R**

S

### T

## 編著者 略歷


**成 周 倉**

조선대학교 전자공학과 졸업
일본항공대학교 항공기술과 졸업
한양대학교 신소재공학과 석사과정

한국전력기술(주) 765kV 송전용 강관철탑 품질 검사관
일본 NJK(주) 품질검사과장
일본 산텍(주) 해외영업부장

일본 비파괴검사협회, 항공학회, 도금협회 회원
일본 초음파탐상, 자분탐상, 형광탐상기술자
일본 특수무선, 기계제도, 위험물취급 기사



**도금기술용어사전** 정가 35,000원

---

2005年 2月 15日 1版 2刷 發行

編 著 : 成周倉
發行人 : 朴勝合
發行處 : 도서출판 골드

住所 : 서울특별시 용산구 갈월동 11-50
登錄 : 1988. 1. 21 第 3-163號
電話 : 754-1867 FAX : 753-1867

---

ISBN 89 - 8458 - 016 - 3 - 91500